SAINT GRÉGOIRE LE GRAND

Culture et expérience chrétiennes

Claude DAGENS

Professeur au Séminaire de Bordeaux
Agrégé des Lettres
Ancien élève de l'École Normale Supérieure
Ancien membre de l'École Française de Rome

SAINT GRÉGOIRE LE GRAND

Culture et expérience chrétiennes

ÉTUDES AUGUSTINIENNES

8, rue François 1er
75008 PARIS

1977

Claude DAGENS

Professeur au Séminaire de Bordeaux
Agrégé des Lettres
Ancien élève de l'École Normale Supérieure
Ancien membre de l'École Française de Rome

SAINT GRÉGOIRE LE GRAND

Culture et expérience chrétiennes

7904119
92
G86da.

ÉTUDES AUGUSTINIENNES
8, rue François 1er
75008 PARIS
ISBN 2-85121-016-5

A tous les veilleurs de Dieu

PRÉAMBULE

Je voudrais ici remercier tous ceux qui m'ont permis de concevoir et de réaliser ce travail présenté comme thèse de Doctorat ès-Lettres devant l'Université de Paris-Sorbonne.

Ceux qui m'ont appris à aimer le latin, les mots et les phrases de la langue latine (aussi bien celle de Cicéron et de Virgile que celle d'Augustin et de Grégoire), et en premier lieu Jacques Fontaine.

Ceux qui m'ont appris également à aimer l'histoire (celle de l'Antiquité païenne et celle de l'Antiquité chrétienne), et en premier lieu Henri-Irénée Marrou.

Ceux qui m'ont encouragé, par leur propre travail, à aller jusqu'au bout du mien : je pense ici aux compagnons de la rue d'Ulm, du palais Farnèse, à de nombreux travailleurs bénédictins (Robert Gillet, Jean Leclercq, Adalbert de Vogüe), aux Jésuites de Chantilly, aux moines de l'abbaye de Belloc, et à ces frères dans le sacerdoce, avec qui je découvre à Bordeaux beaucoup de choses nouvelles, sans oublier les amis de l'Institut Catholique, ceux de Paris et ceux de Toulouse.

Et puisque c'est la notion de *pietas* qui m'avait conduit pour la première fois à rencontrer Grégoire le Grand, je voudrais faire aussi une mention spéciale de piété familiale : mes parents savent bien que sans eux, qui ne connaissent pas le latin, je n'aurais pas pu achever cet ouvrage, car je suis meilleur en latin qu'en dactylographie...

Je dédie ce livre à tous les veilleurs de Dieu. Telle est l'étymologie du nom de Grégoire, et telle fut la mission qu'il assuma à une époque d'apparente décadence, pareil à ces prophètes de l'exil, Ézéchiel ou Jérémie, vaincus, à vue humaine, par des pesanteurs historiques plus fortes que leur désir de réforme et de renouveau. Nous sommes là devant le paradoxe central du christianisme. La science philologique et historique suffit-elle à l'expliquer ? Ceci est une autre affaire et mériterait un autre livre. En tout cas, le Père Verbraken a raconté quelque part que Jean XXIII, cet autre veilleur de Dieu, installé depuis peu au Vatican, avait choisi dans la patrologie de Migne les œuvres de saint Grégoire le Grand et les avait montées dans sa chambre à coucher... Sans doute pour occuper ses heures de veille...

ABRÉVIATIONS

1 — Œuvres de Grégoire le Grand

Mor.   = *Moralia in Iob* (*PL*, 75, 509-1162 ; *PL*, 76, 9-782).

Livres I et II : introduction, traduction et notes par R. GILLET, *SC*, 32 bis, Paris, 1975.

Livres XI-XIV : introduction, traduction et notes et XV-XVI   par A. BOCOGNANO, *SC*, 212 et 221, Paris, 1974 et 1975.

Past.   = *Regulae pastoralis liber* (*PL*, 77, 13-128).

HEv.   = *Homiliae in Evangelia* (*PL*, 76, 1075-1312).

HEz.   = *Homiliae in Ezechielem prophetam* (*PL*, 76, 785-1072 ; *CCh*, 142, 1971).

Dial.   = *Dialogi de uita et miraculis patrum italicorum* (éd. U. MORICCA, Fonti per la Storia d'Italia, 57, Rome, 1924 ; Turin, 1960).

in I Reg.   = *In librum primum Regum expositiones* (*CCh*, 144, 1963).

in Cant. Cant. = *Expositio in Canticum Canticorum* (*CCh*, 144).

Ep.   = *Registrum epistolarum* (éd. EWALD-HARTMANN, *M GH*, 2 vol., Berlin, 1891-1899 ; reproduction anastatique, Berlin, 1957).

2 — Revues, dictionnaires et collections

CCh   = *Corpus Christianorum*

CSEL   = *Corpus scriptorum ecclesiasticorum latinorum*

DACL   = *Dictionnaire d'Archéologie chrétienne et de liturgie*

DSp   = *Dictionnaire de spiritualité ascétique et mystique*

DTC   = *Dictionnaire de Théologie catholique*

GCS   = *Grieschische christliche Schrifsteller*

JTS   = *The Journal of theological studies*

MEFR   = *Mélanges d'archéologie et d'histoire de l'École Française de Rome*

M GH   = *Monumenta Germaniae historica*

P G   = MIGNE, *Patrologie grecque*

PL	=	MIGNE, *Patrologie latine*
RAC	=	*Reallexikon für Antike und Christentum*
RAM	=	*Revue d'Ascétique et de Mystique*
RB	=	*Revue bénédictine*
REA	=	*Revue des Études Anciennes*
REAug	=	*Revue des Études augustiniennes*
RHR	=	*Revue de l'histoire des religions*
RSR	=	*Recherches de Science religieuse*
RTA	=	*Recherches de Théologie ancienne et médiévale*
SC	=	*Sources chrétiennes*
ThWNT	=	*Theologisches Wörterbuch zum Neuen Testament*
VS	=	*Vie spirituelle*

Introduction

Grégoire le Grand devant l'histoire et les historiens
Quiconque étudie le Haut Moyen Age sait la place capitale qu'y occupe Grégoire le Grand dans tous les domaines. Sa personne, son œuvre littéraire, son action politique illustrent de manière exceptionnelle le passage insensible qui s'effectue alors en Occident de l'Antiquité au Moyen Age[1]. Si bien que son pontificat (590-604) constitue pour les historiens un point de repère idéal qui aide à baliser aussi bien la fin de l'ère patristique que l'émergence de la Chrétienté.

Grégoire a été le témoin de l'ébranlement consécutif aux invasions barbares, qui atteint toutes les structures, politiques, économiques et culturelles de l'Empire romain. Il assiste au déclin irrémédiable de la ville dont il est l'évêque. A cet égard, on comprend qu'une récente histoire de l'Église comporte un premier tome qui va *Des origines à Saint Grégoire le Grand*[2], puisque Grégoire avait lui-même conscience de vivre la fin d'une époque.

Cependant, le Moyen Age regarde Grégoire comme un de ses maîtres, presque à l'égal d'Augustin. « La formation et la culture du clergé sont, aux VIIe-VIIIe et surtout IXe siècles, nourries par saint Grégoire. De plus, la papauté doit à Grégoire une bonne partie du crédit moral dont elle jouit et qui s'ajoute à l'immense prestige de Rome[3] ». Si bien que le pontificat de Grégoire peut être également considéré comme annonciateur d'une époque nouvelle. Grégoire, sans le savoir, préparait l'avenir, ou du moins révélait à l'avance certains des traits qui caractériseraient l'Occident médiéval. C'est pourquoi le Père Congar fait commencer à

---

1. Chacune des Semaines de Spolète consacrées au Haut Moyen Age comporte de nombreuses références à l'œuvre ou à l'action de Grégoire. Cf. en particulier dans *Il passagio dell'Antichità al Medioevo in Occidente*, Spolète, 1962.

2. J. DANIÉLOU-H.-I. MARROU, *Nouvelle histoire de l'Église*, I, *Des origines à saint Grégoire le Grand*, Paris, 1963.

3. Y. CONGAR, *L'ecclésiologie du Haut Moyen Age*, Paris, 1968, p. 14-15.

saint Grégoire l'étude qu'il a consacrée à l'ecclésiologie du Haut Moyen Age et qui s'achève avec la désunion entre Rome et Byzance[4].

A la fois solidaire du passé de l'Empire romain et reconnu par ses successeurs comme un des fondateurs de l'Église du Moyen Age, Grégoire est bien représentatif d'une époque de transition. Mais pour quelles raisons la figure de ce pape est-elle devenue si symbolique ? Quel était exactement le jugement de la postérité que Boniface VIII ratifiait, à la fin du xiiie siècle, en rangeant Grégoire aux côtés des évêques Augustin et Ambroise et du prêtre Jérôme, qui avaient vécu deux siècles avant lui ?

A vrai dire, le rôle historique de Grégoire a été considérable dans bien des domaines et, durant tout le Moyen Age, on sent qu'il est considéré comme une autorité en matière de liturgie, d'exégèse, de théologie, de droit canon, mais aussi en ce qui concerne l'administration de l'Église, la formation des clercs, le gouvernement des monastères, les rapports avec l'Orient ou avec les royaumes d'Occident. Par delà le détail de ses activités, on peut entrevoir l'image qu'avaient de Grégoire ses contemporains ou celle qu'ont gardée de lui les gens du Moyen Age. C'est le pape que l'on a avant tout admiré en lui, le magistrat chrétien porté à la tête de l'Église et devenu ainsi une sorte de *consul Dei*, comme le dit son épitaphe métrique[5]. Un pape, qui, à la différence de beaucoup de ses prédécesseurs des ve et vie siècles, depuis Léon le Grand, fit face aux événements de son temps et illustra le siège de Pierre par la façon dont il savait s'adresser aux hauts fonctionnaires de l'Empire aussi bien qu'aux princes des monarchies barbares, par la persévérance avec laquelle il s'entremit entre Byzance et les Lombards, pour essayer d'arrêter les ravages causés en Italie par des guerres incessantes.

Ce grand administrateur, ce diplomate, ce chef religieux qui mena « la barque de Pierre avec l'énergie et l'esprit autoritaires d'un magistrat de la vieille Rome[6] », doit également son prestige posthume à sa réputation d'humilité. Il se voulait le *seruus seruorum Dei*, même s'il n'est pas le créateur de ce titre. On a de lui une lettre adressée à son ami, le patriarche Euloge d'Alexandrie, où il explique : « Ce qui m'honore, c'est ce qui honore l'Église universelle. Ce qui m'honore, c'est la solide autorité de mes frères. Pour moi, je suis vraiment honoré quand on ne refuse à aucun d'entre eux l'honneur qui lui est dû. Car si votre Sainteté m'appelle pape universel, elle refuse sa qualité d'évêque, en affirmant que je suis universel. A Dieu ne plaise ! Loin de nous les mots qui gonflent la vanité et blessent la charité[7] ». Cette manière de concevoir l'exercice

---

4. Le sous-titre du volume indiqué ci-dessus est en effet le suivant : « *De saint Grégoire le Grand à la désunion entre Rome et Byzance.* »

5. I.C.U.R., t. II, p. 52, no 1 (Diehl 990), 15.

6. Cf. H.-I. Marrou, *op. cit.*, p. 492.

7. *Ep.* 8, 29 (*MGH*, II, p. 30) : « Meus namque honor est honor uniuersalis Ecclesiae. Meus honor est fratrum meorum solidus uigor. Tunc uero honoratus sum, cum singulis quibusque honor debitus non negatur. Si enim uniuersalem me papam uestra sanctitas dicit, negat se hoc esse

du pouvoir pontifical vaut à Grégoire l'éloge de H. Küng, qui estime qu'il « a complètement transformé la conception autoritaire de la primauté qu'avaient ses prédécesseurs Victor et Étienne, Damase, Innocent, Léon et Gélase » et que « le pendant de Grégoire le Grand à notre époque, c'est Jean XXIII[8] ». Ce jugement rejoint celui de certains historiens luthériens ou gallicans du xviiie et du xixe siècles, qui ont critiqué l'évolution de la papauté, en s'appuyant sur des écrits de Grégoire[9]. Cette utilisation posthume dans des débats de ce genre manque sans doute de rigueur historique. Elle souligne en tout cas la complexité de l'image que la postérité s'est faite de Grégoire, puisque certains voient en lui le fils des grands administrateurs qui avaient fait l'Empire, tandis que d'autres célèbrent l'humilité évangélique avec laquelle il a présidé aux destinées de l'Église.

La même ambiguïté apparaît quand il s'agit d'apprécier l'œuvre missionnaire de Grégoire. On sait que l'évangélisation de l'Angleterre est due à son initiative : c'est lui qui envoya, vers le royaume de Kent, en 597, un groupe de moines romains, conduits par son ami Augustin, qui allait devenir le premier archevêque de Canterbury. On peut penser que cette initiative n'a été inspirée que par le désir de diffuser la foi chrétienne jusqu'aux extrémités du monde connu à cette époque. Mais certains se demandent si Grégoire, obligé de ne plus compter sur l'appui du Basileus, ne cherchait pas à s'appuyer sur les princes des royaumes barbares, posant ainsi les bases du nouvel équilibre de l'Europe médiévale[10].

On voit que l'action et les intentions du pape Grégoire se prêtent à maintes controverses. Il n'est pas facile de discerner en quoi il a assumé l'héritage de l'Empire romain et en quoi il a préparé la chrétienté du Moyen Age. Cet embarras reflète bien la situation de ce Haut Moyen Age, époque confuse où les processus de décadence se mêlent à des phénomènes de renaissance.

---

quod me fatetur uniuersum. Sed absit hoc. Recedant uerba quae uanitatem inflant et caritatem uulnerant. »

8. H. Küng, *L'Église*, Paris, 1968, II, p. 642-643.

9. P. Meyvaert, dans son article *Gregory the Great and the theme of authority* (dans *Spode House Review*, Déc. 1966, vol. 3, n° 25, p. 3-12) cite un pamphlet du luthérien J.-P. Stute, publié en 1715 à Leipzig sous le titre : « *Grégoire le Grand pape luthérien : une œuvre dirigée contre tous les papistes et appuyée par des citations des paroles et des lettres de Grégoire le Grand* », et un autre pamphlet, dû au gallican René-François Guettée et publié en 1861 sous le titre : « *La papauté moderne condamnée par le pape Saint Grégoire le Grand* ».

10. G. Perroy (*Le Moyen Age. L'expansion de l'Orient et la naissance de la civilisation occidentale*, Paris, 1955, p. 26) estime par exemple que Grégoire comprit « que l'évêque de Rome, pour échapper au césaropapisme byzantin, devait devenir le pasteur de l'Occident barbare. » Sur l'œuvre missionnaire de Grégoire, cf. O. Bertolini, *I papi e le missioni fino alla metà del secolo VIII*, dans *La conversione al cristianesimo*, Spolète, 1967, p. 327-363.

Grégoire le Grand   Mais le tort de beaucoup d'historiens fut de
dans l'histoire   limiter le rôle de Grégoire aux actes de son ponti-
de la culture   ficat, comme si les huit cent cinquante lettres
                            que l'on a conservées de lui constituaient ses seuls
écrits. En fait, c'est le docteur, au moins autant que le pape, que la
postérité a vu en lui. Ses commentaires bibliques et ses homélies sont
vite devenus une source inépuisable pour tous les écrivains chrétiens du
Haut Moyen Age, Isidore de Séville, Défensor de Ligugé, Bède le Vénérable, Alcuin, Raban Maur, Odon de Cluny[11]. En matière d'exégèse,
de morale, de pastorale, de spiritualité, Grégoire a été ainsi un maître
à penser, une véritable autorité théologique. Le prestige reconnu de
plus en plus à la fonction pontificale n'a pu que mettre en relief le rôle
de précurseur qui avait été le sien au début du VIIe siècle. L'auteur des
Moralia est ainsi apparu comme un des principaux fondateurs de la
culture chrétienne du Moyen Age, à un moment où l'Église est amenée,
par la force des circonstances, à se charger elle-même de la direction
spirituelle et de la formation intellectuelle des États nationaux nés dans
le cadre de l'Empire[12].

S'il est vrai qu'Isidore de Séville « témoigne implicitement de la valeur
autonome de la culture profane[13] » on peut dire que Grégoire le Grand
témoigne explicitement de la valeur autonome d'une culture chrétienne,
qui est inséparable de la vie spirituelle, de l'expérience chrétienne[14]
et qui a sa finalité et sa logique propres. Mon étude n'a pas d'autre but
que de déterminer quelles sont cette finalité et cette logique propres
à la culture chrétienne, telles qu'elles se dessinent à travers l'œuvre de
Grégoire.

Cependant, toute une tradition polémique s'est développée autour
du rôle qu'il convient de reconnaître à Grégoire dans ce domaine. Comme

---

11. Cf. Les articles de R. Wasselynck sur le «Nachleben» des *Moralia
in Iob* jusqu'au XIIe siècle : *Les compilations des Moralia in Iob du VIIe au
XIIe siècle*, dans *RTA*, t. 29, 1962, p. 5-32 ; *Les Moralia in Iob dans
les ouvrages de morale du Haut Moyen Age latin*, dans *RTA*, t. 31, 1964,
p. 5-13 ; *L'influence de l'exégèse de Saint Grégoire le Grand sur les Commentaires bibliques médiévaux*, t. 32, 1965, p. 157-205.

12. P. Riché, *Éducation et culture dans l'Occident barbare*, Paris, 1962[2],
p. 19-22.

13. J. Fontaine, *Isidore de Séville et la culture classique dans l'Espagne
wisigothique*, Paris, 1959, p. 797.

14. Cf. J. Leclercq (*L'humanisme des moines au Moyen Age*, dans
Omaggio a Giuseppe Ermini, Spolète, 1970, p. 69-113) analyse cette
relation entre la culture et la vie spirituelle, en se référant à plusieurs
reprises à Grégoire (p. 78-83, spécialement p. 83 : « En sa personne,
avant que cela ne pût apparaître en son œuvre, il y avait eu conjonction
d'une ferveur chrétienne avec une tradition culturelle ; celle-ci apparaît
non dans des citations explicites d'écrivains classiques, mais dans une
dépendance réelle à l'égard de tout un langage hérité de l'Antiquité :
cette latinité dont il usait avec aisance et élégance et les thèmes qu'elle
avait servi à exprimer. L'humanisme est cette conjonction d'une expérience et d'une culture. »).

le pape, le « docteur » a autant de détracteurs que d'admirateurs[15]. Dès le viie siècle, son prestige est très grand en Occident, notamment dans l'Espagne wisigothique, comme en témoigne cet éloquent distique, qui figurait dans la bibliothèque d'Isidore de Séville : « Autant tu brilles, Hippone, d'avoir un Augustin pour maître, autant Rome d'avoir Grégoire pour son chef[16] ». Ce n'est pas seulement le pape, l'homme de gouverne ment, qui suscite de tels éloges : c'est le maître spirituel, dont l'œuvre est déjà une source d'inspiration pour beaucoup d'écrivains. « Heureux, oui, trop heureux celui qui put connaître l'ensemble des études de Grégoire... » précise le même Isidore dans son *De uiris illustribus*[17]. Cette appréciation devait se révéler prophétique : de plus en plus, les *Moralia*, le *Liber regulae pastoralis* auront une influence décisive dans la double orientation, monastique et cléricale, spirituelle et pastorale, de la littérature chrétienne. Si bien que l'épithète de « grégorien » peut servir à qualifier non seulement le viie siècle[18], mais toute la période qui s'étend du viie au xiiie siècle[19].

Cependant, à Rome même et en Italie, la gloire posthume de Grégoire eut du mal à se développer. A la fin du ixe siècle, Jean Diacre se fait l'écho d'une ancienne légende, selon laquelle, à peine enseveli à l'extrémité du portique de la basilique saint Pierre, Grégoire fut accusé d'avoir dilapidé les biens de l'Église. On voulut brûler ses livres sur un bûcher. Son fidèle compagnon, le diacre Pierre, dut intervenir, en criant au sacrilège et en offrant sa vie pour sauver la mémoire de son maître. La mort subite de Pierre empêcha l'autodafé qui allait avoir lieu[20]. Quelle que soit la valeur de cette légende, elle montre en tout cas que Grégoire n'avait pas à Rome que des admirateurs. Sans doute cet épisode est-il un signe de la rivalité qui opposait le clergé séculier, et spécialement le collège des diacres, aux moines. Grégoire avait favorisé ces derniers. L'élection de son successeur, Sabinianus, marqua la revanche des premiers[21].

---

15. Une bonne partie du dossier de cette polémique se trouve chez H. de Lubac, *Exégèse médiévale. Les quatre sens de l'Écriture*, Paris, 1961, II, 1, p. 53-77 : « La ' barbarie ' de Saint Grégoire. »

16. *Versus in bibliotheca*, poème XII : « Quantum Augustino clares, Hippona, magistro, / tantum Roma suo praesule Gregorio. » Cité par J. Fontaine, dans *Fins et moyens de l'enseignement ecclésiastique dans l'Espagne wisigothique*, dans *La scuola nell'Occidente latino dell' alto Medioevo*, (Semaine de Spolète, 1971), Spolète, 1972, p. 153.

17. *De uiris illustribus*, 40, 56 : « Felix tamen et nimium felix qui omnia studiorum eius potuit cognoscere. » Cf. *ibid.*, p. 153, n. 13.

18. Cf. N. Scivoletto, *Saeculum gregorianum*, dans *Giornale italiano di Filologia*, 18, 1, 1965, p. 41-70.

19. Cf. H. de Lubac, *op. cit.*, I, 2, Paris, 1959, p. 537-548 : « Le Moyen Age grégorien. »

20. *Vita Gregorii a Ioanne diacono scripta*, IV, 69 (*PL*, 75, 221-222).

21. Cf. O. Bertolini, *Roma di fronte a Bisanzio e ai Longobardi*, Rome, 1941, p. 287-288.

C'est dans ce contexte historique qu'a dû naître le soupçon qui tend
à présenter Grégoire comme un adversaire de la culture classique. N'aurait-
il pas aménagé la bibliothèque du Latran pour y transporter les collections
qui se trouvaient dans la bibliothèque du pape Agapit, voisine de son
monastère du *Cliuus Scauri*, parce que tous ces livres étaient à ses yeux
trop dangereux pour de simples moines[22] ?

Des siècles d'histoire sont impuissants à effacer de tels soupçons,
si bien que les historiens du christianisme ont continué, jusqu'à une
époque récente, à s'affronter autour du saint pape : les uns estiment
qu'il a usurpé son surnom de Grand et qu'il n'est, selon la formule de
Mommsen, que « tout juste un petit grand homme[23] » et ne mérite pas
de figurer aux côtés d'Augustin, d'Ambroise et de Jérôme. Les adversaires
de Grégoire ne manquent pas d'arguments pour appuyer leur thèse.
Ils font remarquer que l'auteur des *Moralia* a reçu sa formation intellectuelle et composé son œuvre à une époque de bouleversements et de
décadence. Mais ils ajoutent que Grégoire n'a pas seulement subi les
conséquences de cette situation : il en a été aussi un des responsables
pour les siècles suivants. C'est lui qu'il faudrait accuser de ce déclin
de la philosophie, de cette dégradation de la religion qui caractérisent,
aux yeux de ces historiens, le Haut Moyen Age.

C'est donc bien le rôle joué par Grégoire dans l'histoire de la culture
qui est ici en question, et non pas simplement ses idées théologiques
ou son action politique. Dans cette perspective, deux reproches majeurs
sont adressés au quatrième docteur de l'Église latine. D'abord, il serait
coupable d'avoir rejeté, ou du moins dédaigné, tout l'héritage culturel
qui provenait de l'Antiquité païenne. Mais surtout, il aurait largement
contribué à la dégradation de la pensée chrétienne et ne souffrirait pas
la comparaison avec ses devanciers. Certes, l'œuvre grégorienne est
pétrie des leçons augustiniennes, mais, entre ces deux docteurs de l'Église,
quelle chute de tension ! Les profondes intuitions de la théologie augustinienne restent stériles chez son élève, qui manque de tout génie créateur.
Pire encore : d'Augustin à Grégoire, c'est le niveau même de la réflexion

---

22. Cf. H.-I. Marrou, *Autour de la bibliothèque du pape Agapit*,
dans *MEFR*, 1930, p. 124-169. Il est juste de constater que l'auteur
de cet article a reconnu par la suite la place majeure qu'occupe Grégoire
dans l'histoire de la culture chrétienne.

23. Th. Mommsen, *Die Bewirtschaftung der Kirchengüter unter Papst
Gregor I*, dans *Zeitschrift für Sozial- und Wirtschaftsgeschichte*, Freiburg
im B., 1893, 1, p. 43.

24. Cf. A. Harnack, *Lehrbuch der Dogmengeschichte*, Tübingen, 1932⁵,
3, p. 258 sq., 266 sq., emploie à propos de Grégoire l'expression fameuse
de « Vulgärkatholizismus » ; ces reproches sont repris textuellement par
F. Schneider, *Rom und Romgedanken im Mittelalter. Die geistigen
Grundlagen der Renaissance*, Köln, 1959, p. 100-101, ainsi que par
E. Caspar, *Geschichte des Papsttums von der Anfängen bis zur Höhe
der Weltherrschaft*, Tübingen, 1933, 2, p. 399-402 ; ce dernier auteur
analyse pourtant de façon très sereine l'œuvre et l'action de Grégoire
comme pape.

qui marque un abaissement ; à la richesse spirituelle, à la pénétration intellectuelle du premier font place le moralisme et le juridisme grossiers du second[24], si bien que Grégoire a le triste privilège d'apparaître comme le précurseur d'une théologie décadente[25] et le créateur de ce catholicisme vulgaire, de cette religion populaire, où les anges et les saints prennent, comme médiateurs entre Dieu et l'homme, la place du Christ, et qui s'épanouira tout au long du Moyen Age.

Des appréciations aussi partiales s'expliquent par des préjugés tenaces, qui peuvent être d'ordre religieux, voire confessionnel[26], mais aussi par certains a priori de méthode, que la recherche moderne tend à dissiper. Il n'est pas exact de considérer le Haut Moyen Age comme une époque de décadence et d'obscurcissement de la pensée qui précéderait la longue nuit du Moyen Age : bien des travaux ont montré que la civilisation, du Ve au IXe siècle, est celle d'un temps de transition, qui s'inscrit dans le prolongement des siècles passés et s'enrichit de l'héritage antique, tout en préparant des formes nouvelles d'expression dans les domaines de la langue, de l'art, de la philosophie et des institutions. H.-I. Marrou caractérise en ces termes ce lent processus d'évolution historique : « Proto-histoire, Dark Ages, mais, pour un être vivant, le temps de gestation est aussi un temps d'obscurité : la perspective change si nous acceptons de voir dans le Haut Moyen Age ce qu'avec Ernst Robert Curtius on peut appeler le temps d'incubation de notre civilisation occidentale... Nous assistons à la naissance de l'Occident moderne, car nulle solution ne viendra plus interrompre le développement des germes alors éclos[27] ».

On a d'autre part renoncé à la hiérarchie arbitraire qu'à la suite d'Harnack, les historiens établissaient à l'intérieur de la pensée chrétienne : la théologie dogmatique ou mystique constituant un niveau supérieur, tandis que la morale et le culte occuperaient un niveau inférieur. Avant de réhabiliter Grégoire, il fallait réhabiliter la morale chrétienne et montrer qu'elle n'est nullement une forme dégradée et secondaire de la théologie[28]. Alors pourront apparaître les vrais mérites de Grégoire.

---

25. C'est Melanchton qui emploie cette expression : « Gregorius quem isti Magnum, ego praesultorem καὶ δᾳδοῦχον theologiae pereuntis uoco » dans son *Sermo de corrigendis adulescentiae studiis* (K. G. BRETSCHNEIDER, *Corpus reformatorum*, Halle, 1827, 11, p. 16).

26. H. de LUBAC (*op. cit.*, p. 76) cite un historien contemporain qui reproche à Grégoire d'avoir la mentalité d'un moine du Moyen Age, d'être le créateur d'un nouveau syncrétisme religieux et, tare suprême, d'avoir fondé la papauté médiévale (Fr. B. ARTZ, *The Mind of the Middle Ages*, 1958, p. 191-192).

27. H.-I. MARROU, dans *Il passagio dall' Antichità al Medioevo in Occidente*, Spolète, 1962, p. 596.

28. L. WEBER (*Hauptfragen der Moraltheologie Gregors des Grossen. Ein Bild altchristlicher Lebensführung*, Fribourg en Suisse, 1947, p. 5) remarque fort justement que le discrédit qui a frappé l'œuvre entière de Grégoire n'est que la conséquence du discrédit plus fondamental où étaient tombées la morale et la spiritualité dans une certaine tradition théologique et pour une certaine lignée d'historiens.

Dans une société en train de devenir chrétienne, il est un témoin non pas d'une doctrine abstraite, mais du christianisme vécu par ses contemporains. Il s'agit moins alors d'accéder à la foi que d'agir en se conformant à la foi que l'on professe. De même que dans l'exégèse le sens tropologique tend à supplanter le sens allégorique, de même la prédication de l'Église vise moins à enseigner les vérités chrétiennes qu'à former le comportement des croyants. C'est la *conuersio morum* qui devient peu à peu une priorité absolue, car la foi continue à coexister avec des pratiques trop « séculières »[29]. Deux siècles auparavant, dans une société qui demeurait encore très marquée par la civilisation romaine, Ambroise était resté tributaire des catégories de la morale antique. Dans une société où l'Église joue un rôle de plus en plus grand, Grégoire ne craint plus de prêcher une morale explicitement chrétienne. Il inculque à ses contemporains cette conviction qu'il faut chercher dans l'Écriture une lumière pour la vie présente et que la foi ainsi appuyée sur l'intelligence spirituelle de la Parole de Dieu passe par une expérience et doit s'exprimer par des actes. On a remarqué que la morale tenait très peu de place dans la culture d'Augustin[30]. Il en va tout autrement pour l'auteur des *Moralia*. Pour lui, toute son œuvre l'atteste, la foi chrétienne est orientée vers la pratique[31] et la culture chrétienne ne vise pas d'abord à acquérir des notions abstraites, mais à permettre à l'homme de vivre toujours davantage sa relation à Dieu. Si la postérité l'a reconnu comme un des pères de la civilisation médiévale, c'est parce que Grégoire préparait l'avènement d'un nouveau système de valeurs morales, directement liées au christianisme, défendues par l'Église et acceptées par l'ensemble de la société[32].

---

29. Cf. H. de Lubac, *op. cit.*, II, 1, p. 571 : « Exégèse monastique ».

30. H.-I. Marrou, *Saint Augustin et la fin de la culture antique*, Paris, 1958⁴, p. 181.

31. Des articles anciens avaient déjà souligné les qualités de moraliste de Grégoire, mais avec quelque condescendance : cf. P. Godet, *DTC*, 6, col. 1777 ; H. Leclercq, *DACL*, 6, 2, col. 1753. Aujourd'hui, on affirme franchement que c'est là qu'il faut chercher l'originalité et la grandeur de Grégoire : cf. L. Weber, *op. cit.*, p. 5, qui montre en Grégoire une autorité incontestée dans les domaines de la morale et de la spiritualité, pour tous les auteurs du Moyen Age. R. Gillet, dans sa très riche introduction à la traduction des deux premiers livres des *Moralia* (*SC*, 32 bis, p. 7) emploie à ce sujet une excellente formule : « Saint Grégoire, c'est la doctrine chrétienne orientée vers la pratique ». Quant à J. Leclercq (*La doctrine de saint Grégoire*, dans *Histoire de la spiritualité*, II, Paris, 1961, p. 14-15), il estime que le passage d'Augustin à Grégoire, c'est-à-dire du plan métaphysique au plan moral, n'a rien d'une chute de tension.

32. Cf. J. Fontaine, *op. cit.*, p. 815 : « On ne peut commencer à parler de culture médiévale que du jour où, chez les hommes les plus représentatifs d'une génération, il y a adhésion consciente, et en quelque sorte cordiale, au système de valeurs nouvelles qui s'impose déjà à l'inconscient collectif des contemporains. »

Finalité de la   Il semble donc que l'on puisse désormais
culture chrétienne   s'occuper des œuvres de Grégoire en échappant
                        à la polémique qui s'est trop longtemps emparée
de son nom. Le seul moyen de ne pas passer d'un extrême à l'autre, et de
ne pas faire l'apologie d'un écrivain trop calomnié[33], est sans doute
d'entreprendre l'étude objective de sa pensée. Divers travaux ont,
depuis quelques décennies, choisi cette voie[34]. Je voudrais apporter ma
contribution à cette entreprise, tout en faisant remarquer que la manière
d'aborder l'œuvre grégorienne exige encore certaines précautions de
méthode. Il est en effet important de s'entendre sur ce qui fait l'originalité
de l'auteur des *Moralia*, si l'on ne veut pas que sa réhabilitation soit
partiale ou incomplète.

Le premier, Dudden avait eu le mérite de poser ce problème, en distinguant entre les qualités qu'il ne faut pas s'attendre à trouver chez Grégoire
et celles qui lui appartiennent en propre : Grégoire, expliquait-il, n'est
ni un homme doué pour les controverses dogmatiques, ni un philosophe
avide de spéculation, ni un véritable théologien. En revanche, il se révèle
plutôt comme un prédicateur, qui a plus de zèle que de logique intellectuelle, un auteur spirituel très influencé par l'ascétisme monastique,
un missionnaire et un Romain, qui a du goût pour le droit et du génie
pour l'organisation[35].

La part négative de cette appréciation est désormais admise par
tous : on reconnaît unanimement que Grégoire n'est pas un spéculatif
et qu'il est inutile de rechercher chez lui une systématisation théologique[36].
Il n'a pas approfondi le dogme catholique : il se borne à vulgariser les

---

33. Dans leur désir légitime de réhabiliter Grégoire, en se refusant à
voir en lui l'antihumaniste que dénonçaient certains historiens, H. de
Lubac et P. Riché pèchent peut-être par excès d'optimisme, en minimi-
sant l'opposition que le saint pape a toujours manifestée à l'égard de
l'impérialisme des sciences séculières : cf. N. Scivoletto, *I limiti dell'*
« ars grammatica » in *Gregorio Magno*, dans *Giornale italiano di Filologia*,
17, 1964, p. 210-238.

34. Mentionnons surtout trois études théologiques, qui portent respectivement sur la mystique, la morale et la théodicée de Grégoire : F. Lieblang, *Grundfragen der mystichen Theologie nach Gregors des Grossen*
Moralia und Ezechielhomilien. (*Freiburger Theologische Studien*, 37),
Freiburg im B., 1934 ; L. Weber (*op. cit.* : cf. n. 28) ; M. Frickel, *Deus*
totus ubique simul. Untersuchungen zur allgemeinen Gottesgegenwart
im Rahmen der Gotteslehre Gregors des Grossen. (*Freiburger Theologische*
Studien, 69), Freiburg im B., 1956.

35. F. H. Dudden, *Gregory the Great. His place in history and in thought*,
Londres, 1905, II, p. 286-292.

36. Cf., par exemple, P. Battifol, *Saint Grégoire le Grand*, Paris,
1928, p. 229 : « Saint Grégoire a été mis au rang des docteurs latins de
l'Église. N'essayons pas de faire un spéculatif de celui qui a dit des
mystères que l'homme qui en cherche la raison ne la trouve pas et se
noie dans le gouffre du doute. » M. Frickel (*op. cit., sup.*, n. 34, p. 1)
écrit de son côté : « Die Grösse Gregors des Grossen liegt nicht auf dem
Gebiete der theologischen Spekulation. »

principales affirmations de la foi, en essayant de les rendre accessibles au plus grand nombre. Mais on ne tire peut-être pas de cette constatation préliminaire toutes les conséquences qu'elle implique et l'on persiste à rechercher chez Grégoire les grands thèmes de la tradition chrétienne et patristique, soit en le comparant à Augustin (et, évidemment, il apparaît alors que, tout en s'inspirant de lui, Grégoire lui est inférieur), soit en lui appliquant les catégories de la théodicée scolastique, ce qui est un anachronisme flagrant[37].

Admettre que Grégoire n'est pas un philosophe, ni un homme de doctrine, est tout à fait insuffisant pour juger de la valeur de son œuvre, et cela risquerait de donner raison à ses détracteurs, qui consentent à le considérer comme un grand administrateur, mais dénoncent l'influence néfaste qu'il a exercée, à leurs yeux, sur la pensée et la piété médiévales. Il faut donc expliquer de façon positive pourquoi il est l'un des quatre docteurs de l'Église latine et comment il a contribué à l'éclosion d'une culture chrétienne. Autrement dit, il s'agit de montrer que, si Grégoire n'est pas un spéculatif, ce n'est pas par incapacité intellectuelle, mais parce qu'à l'époque et dans le monde où il a vécu, il avait une autre mentalité, d'autres catégories de pensée que ses devanciers.

Le premier, Butler contribua à révéler en Grégoire un des plus grands théologiens de l'expérience mystique, qu'il n'hésitait pas à ranger entre Augustin et Bernard[38]. Depuis lors, l'auteur des *Moralia* est considéré comme l'un des maîtres de la vie contemplative, dans le christianisme occidental ; on souligne que la plupart des mystiques catholiques, de saint Bonaventure à saint Jean de la Croix, ont médité sa doctrine, et qu'en tout cas, il a eu une influence déterminante sur la formation de la mystique médiévale[39].

Mais il serait tout de même paradoxal que cet auteur, en qui certains voient le créateur d'un catholicisme vulgaire, soit seulement un docteur de la vie mystique, comme si son œuvre ne s'adressait qu'à une élite de moines et de spirituels. Ce paradoxe n'est qu'apparent, car ce contemplatif se double d'un moraliste. Qu'on ouvre les *Moralia* et l'on verra

---

37. Ces deux dernières erreurs de méthode sont assez souvent commises par M. FRICKEL, comme le lui reproche H.-I. MARROU dans son compte rendu (*RHR*, t. 152, 1957, p. 224-226) : « C'est là succomber à l'erreur facile qui consistait à voir, par exemple, dans l'art de la « Spätantike » une simple version de l'art classique, maladroitement déformé et, pour tout dire, barbarisé. Depuis longtemps, la critique d'art a cessé de se contenter de ce concept facile de décadence. Il faudrait appliquer le même redressement à l'étude de saint Grégoire : il est bien évident que l'influence augustinienne est partout présente chez lui, mais saint Grégoire n'est pas simplement un écho, plus ou moins déformant, plus ou moins infidèle, il a aussi une expérience propre, un message à transmettre, une pensée qui n'appartient qu'à lui. »

38. Cf. C. BUTLER, *Western Mysticism. The Teaching of ss. Augustin, Gregory and Bernard on Contemplation and the contemplative Life*, Londres, 1927², p. 91-133 ; ID., *Le monachisme bénédictin. Études sur la vie et la règle bénédictines*, trad. Ch. GROLLEAU, Paris, 1924, p. 88-91.

39. Cf. F. LIEBLANG, *op. cit.*, p. 16-18 ; L. WEBER, *op. cit.*, p. 1-5.

que Grégoire ne songe pas seulement à quelques privilégiés, mais à tout homme en quête de Dieu[40]. Ce contemplatif est un éducateur, un maître de formation spirituelle[41], qui procède d'une façon à la fois psychologique et pastorale. Psychologique, parce qu'il ne cesse de décrire le lent cheminement de l'homme vers Dieu à travers les tentations, les épreuves de la vie et le péché. Pastorale, parce qu'il est soucieux de former les âmes de tous les fidèles, des plus humbles aux plus instruits, et qu'il s'efforce constamment d'éclairer la pratique chrétienne commune, en se mettant à la portée de chacun. La culture est pour lui subordonnée à l'expérience religieuse. Elle doit fournir à la masse des croyants les moyens de chercher Dieu et d'accomplir sa volonté.

J'essaierai, dans une première partie, de voir comment Grégoire conçoit ce rapport entre la culture chrétienne et la vie spirituelle. Tout savoir humain doit être à ses yeux mis au service de valeurs plus hautes qui le relativisent, et la sagesse suprême consiste à contempler la sagesse incréée. Mais l'acquisition de cette sagesse suppose un certain nombre d'éléments : en priorité l'initiation à l'Écriture, la lecture spirituelle, car la Bible est le moyen que Dieu lui-même donne aux hommes pour le trouver et discerner ses volontés. Cet effort pour parvenir à l'intelligence spirituelle ne conduit pas à l'acquisition de connaissances théoriques ; il n'a pas d'autre but que d'éclairer la vie quotidienne des croyants dans l'Église. Tout l'enseignement de Grégoire se présente ainsi comme une sorte de méditation continue de l'expérience chrétienne.

On ne s'étonnera donc pas si je n'accorde qu'une importance relative aux sources de la culture grégorienne. Certes, il n'est pas sans intérêt de savoir ce que Grégoire doit aux moralistes ou aux philosophes de l'Antiquité, et, plus encore, à la théologie augustinienne ou à la spiritualité monastique. Mais ce qui importe pour l'étude que j'entreprends, ce n'est pas de distinguer en quoi Grégoire est tributaire de la tradition païenne et en quoi il s'inspire seulement de la Bible et des Pères. C'est son attitude d'ensemble à l'égard de la culture qu'il s'agit de déterminer. Sa préoccupation n'était plus, comme aux premiers siècles du christianisme de « convertir » la culture antique[42]. Dans la mesure où la décadence

---

40. Cf. P. Battifol, *op. cit.*, p. 112 : « Le théologien est un catéchiste, le moraliste est supérieur. Le moraliste avec sa haute conscience de pape et avec son expérience de spirituel, le moraliste dévoré du zèle de la maison de Dieu. » Dom Besse (*Les mystiques bénédictins des origines au XIIIe siècle*, Paris, 1922, p. 111) écrit de son côté : « Saint Grégoire a, pour son compte, mis un grand nombre d'idées importantes en circulation dans les intelligences chrétiennes. » A. Valori (*Gregorio Magno*, Turin, 1955, p. 229) remarque que, si Grégoire est inférieur à Augustin, il est du moins un grand écrivain populaire : « Dobbiamo tener conto che Gregorio parlava alle folle dei fedeli e che l'importanza dei suoi discorsi è anzi tutto moralistica ed educativa. Gregorio è uno grande « scrittore popolare », il primo forse apparso della storia dell' Occidente. »

41. Cf. B. Calati, *S. Gregorio maestro di formazione spirituale*, dans *Seminarium*, 2, 1969, p. 245-268.

42. Cf. J.-C. Fredouille, *Tertullien et la conversion de la culture antique*, Paris, 1972.

de la civilisation romaine, surtout à Rome même, lui apparaissait comme
inéluctable, son objectif principal n'était pas, comme il avait pu l'être
pour Augustin deux siècles auparavant, de mettre tous les moyens de
la culture antique, la philosophie et la rhétorique en particulier, au
service d'une science chrétienne[43]. Quant à faire l'inventaire des ressources de la science païenne, comme Isidore de Séville aurait l'audace
de l'entreprendre[44], il n'en était pas question pour le spirituel qu'était
Grégoire. Par conséquent, plutôt que de rechercher les matériaux qui
constituent sa culture, ne vaut-il pas mieux tenter de saisir son orientation
fondamentale, la finalité profonde en vertu de laquelle elle s'applique
avant tout à la vie intérieure, au progrès spirituel des chrétiens ?

Mais une fois admis que Grégoire est un maître de la vie contemplative
et qu'il se révèle comme un moraliste de grand talent, on pourrait continuer
à se demander ce que vaut une pareille doctrine, si elle exclut toute
vaste synthèse et si elle s'éparpille à travers une foule de textes et d'interprétations exégétiques bien souvent déconcertantes. Sans nier que
Grégoire n'a nullement le génie métaphysique et théologique d'Augustin,
il faudra justement constater qu'il a ouvert une voie nouvelle à la pensée
et à la culture chrétiennes : celle d'une analyse théologique de l'expérience
spirituelle. Telle est son originalité profonde et ce qui fait le caractère
quelque peu surprenant de sa méthode. S'il évite l'approfondissement
doctrinal, ce n'est pas par faiblesse de pensée, mais parce qu'il désire
analyser minutieusement la vie intérieure de l'âme qui cherche Dieu.
Ce « Vulgärkatholizismus » n'est peut-être rien d'autre qu'un effort
pour saisir le mouvement continu et concret de l'homme vers Dieu,
une exploration psychologique et morale de la vie chrétienne. Et même
si l'auteur des *Moralia* conçoit la contemplation comme ce qui couronne
le cheminement vers Dieu, il n'identifie nullement l'expérience chrétienne
avec l'expérience mystique. Il est trop soucieux pour cela d'être compris
de tous. C'est pourquoi tant d'écrivains du Moyen Age l'ont considéré
comme leur maître : ils trouvaient dans ses écrits l'inspiration d'une
culture qui convenait à l'ensemble du peuple chrétien.

Structures   En situant Grégoire à l'origine de cet humanisme
de l'expérience   chrétien qui ne sépare pas « l'amour des lettres
chrétienne   et le désir de Dieu », J. Leclercq n'hésite pas à
                         affirmer : « Il y a chez lui une ample et authentique
théologie de l'expérience chrétienne. Son enseignement est beaucoup plus
qu'un simple empirisme ; il livre une réflexion profonde et, comme on dit
de nos jours, structurée, au sujet de l'expérience chrétienne[45] ». Dans

---

43. Cf. H.-I. Marrou, *Saint Augustin et la fin de la culture antique*,
p. 339-345.
44. Cf. J. Fontaine, *op. cit.*, II, p. 785-806.
45. J. Leclercq, *L'amour des lettres et le désir de Dieu. Initiation aux
auteurs monastiques du Moyen Age*, Paris, 1957, p. 30-31.

une seconde partie, j'aurai à prolonger cette intuition. Puisque la culture chrétienne est inséparable de l'expérience spirituelle, il est indispensable de savoir à quelle logique obéit cette expérience, car toute la science du théologien consiste à la comprendre et à l'expliciter.

J'emploie à ce sujet le terme de « structures » : je dois préciser dès maintenant comment je comprends cette notion et comment j'ai essayé de l'appliquer à la doctrine grégorienne. Il ne s'agit pas des catégories a priori de l'expérience chrétienne, qui se retrouveraient avec quelques variantes chez saint Paul ou chez saint Augustin, Cassien ou saint Bernard : une telle perspective empêcherait de dégager ce en quoi le témoignage de Grégoire est profondément original, par rapport aux auteurs qui le précèdent, et spécialement à Augustin, aussi bien que par rapport à ceux qu'il a inspirés, durant le Haut Moyen Age et au-delà. Il ne s'agit pas davantage des notions ou des expressions qui n'appartiendraient qu'à la spiritualité grégorienne : il apparaîtra sans cesse que Grégoire se rattache à ce courant de la théologie spirituelle qui, d'Origène et d'Augustin, en passant par la tradition monastique, aboutit à saint Bernard et aux Victorins.

Ces structures de l'expérience chrétienne permettent de mettre en relief ce qui fait de Grégoire à la fois un imitateur et un créateur. Elles sont faites de l'ensemble des concepts, des termes, des schémas généraux, des distinctions par antithèses, degrés ou hiérarchies, par le moyen desquels il a pu décrire l'expérience chrétienne dans son déroulement concret et dans son unité globale. Pour déceler la présence de ces structures, j'ai utilisé surtout l'analyse sémantique. La constance d'un même mot (*conuersio*, par exemple), ou d'une même antithèse (*intus-foris*, par exemple) permet d'identifier ces espèces de structures verbales qui, présentes dans tous les écrits de Grégoire, constituent bien plus que des procédés d'expression : le reflet, en quelque sorte, ou le support d'une idée directrice, d'une « structure » appliquée à l'analyse de l'expérience spirituelle.

On pourrait me reprocher de recourir à des textes qui ne sont pas pleinement homogènes. Mais, si je n'ai pas voulu séparer les commentaires bibliques des homélies, des *Dialogues*, du *Liber regulae pastoralis*, ou même des lettres, c'est que je voulais justement envisager l'ensemble de l'œuvre grégorienne dans son unité ; je n'ai exclu de mon enquête que l'œuvre liturgique et le sacramentaire dit grégorien, qui posent des problèmes tout différents. Car je voudrais montrer que cette unité est plus importante que les différences qui peuvent exister entre des genres littéraires et qu'elle s'appuie sur ces grandes structures de l'expérience chrétienne, auxquelles Grégoire se réfère en toutes circonstances : soit quand il cherche avec des moines le chemin de la perfection, soit lorsqu'il prêche la conversion à ses fidèles de Rome, soit dans les recommandations qu'il adresse à d'autres pasteurs, soit dans les lettres qu'il envoie aux princes des royaumes barbares ou à de hauts fonctionnaires de l'Empire.

Certes, les destinataires de ses écrits sont très divers, mais ses intentions, elles, demeurent toujours relativement constantes : à tous, il s'efforce d'indiquer le chemin qui mène vers Dieu, les moyens de le trouver, les obstacles à surmonter, le but à atteindre. Les structures de l'expérience chrétienne permettent de concilier cette diversité des publics et cette unité de l'intention pastorale. Par rapport à la vie concrète des hommes de cette époque, elles jouent en quelque sorte le même rôle que les trois ou quatre sens de l'Écriture par rapport à l'exégèse[46], ou que la tripartition des chrétiens par rapport à l'ecclésiologie[47]. Elles permettent de déployer dans toute son extension la richesse de l'expérience chrétienne, sans exclure personne, mais en s'adaptant à chacun de façon pratique : il ne s'agit pas seulement d'ordonner les descriptions de l'expérience chrétienne selon les règles d'une certaine rhétorique, mais d'unir la théorie à l'action, de stimuler le progrès moral, l'effort spirituel, l'élan vers Dieu et son Royaume.

Analyser dans une telle perspective l'ensemble de l'œuvre grégorienne dispense de recourir à des catégories toutes faites, souvent empruntées à la théologie scolastique et que l'on retrouve plus ou moins dans les études de Dudden, de Lieblang, de Weber et de Frickel, qui traitent tous des problèmes du salut, du péché originel, de la grâce, de l'état surnaturel, des dons du Saint Esprit, de la transcendance et de l'immanence de Dieu, en appliquant de l'extérieur à Grégoire des concepts qui lui demeurent assez étrangers. Mon intention est plutôt de comprendre Grégoire à partir de Grégoire, en recherchant comment s'est construite cette unité qui existe chez lui entre les commentaires exégétiques et les écrits pastoraux, entre la théologie biblique et la théologie morale, entre la morale et la spiritualité, entre la doctrine et la pratique.

Je suivrai cette construction selon trois lignes principales ou plutôt, si l'on excuse cette analogie dont je sais l'imperfection, selon trois cercles concentriques. Au cœur de l'expérience chrétienne, qui est avant tout une expérience de Dieu, se trouve l'espace de l'intériorité : c'est là que l'homme est confronté au mystère de son Créateur ; que cet homme soit un moine, un pasteur ou un laïc, il lui faudra passer par l'intériorité pour trouver Dieu. Tel est le centre de la théologie et de la spiritualité de Grégoire. Mais cette quête de l'intériorité ne doit pas faire oublier ceux qui sont à la périphérie, qu'il s'agisse d'individus ou de peuples, qui se sont égarés dans cette recherche de Dieu ou qui en restent encore éloignés. L'effort des hommes et de l'Église entière doit tendre à leur conversion, qu'il s'agisse de passer de l'incroyance à la foi, ou d'une vie médiocre dans le monde à la vie contemplative dans un monastère.

---

46. Sur cette méthode exégétique, cf. H. de LUBAC, *op. cit.*, I, p. 187 sq. : « Grégoire, Cassien, Eucher ».

47. Sur cette tripartition des *coniugati*, des *continentes* et des *rectores*, cf. R. GILLET, art. *Grégoire le Grand*, DSp, VI, col. 882-888 ; *Spiritualité et place du moine dans l'Église selon saint Grégoire le Grand*, dans *Théologie de la vie monastique*, Paris, 1961, p. 323-352.

Tels sont les buts de la santification personnelle et de l'action pastorale ou missionnaire de l'Église. Enfin cette quête de l'intériorité et cet effort de conversion se développent dans une perspective eschatologique : la fin des temps est comme l'horizon de l'expérience chrétienne qui doit déboucher sur l'éternité. Le pèlerinage des hommes en ce monde est une marche vers la cité céleste ; le désir de Dieu entretient l'espérance et fait que la contemplation anticipe les joies définitives de l'au-delà.

Théologie et expérience   On ne s'étonnera donc pas en constatant que je me suis abstenu de diviser mon étude selon des catégories telles que l'anthropologie, la christo-logie, la théodicée ou l'ecclésiologie. Je ne nie aucunement que Grégoire ait beaucoup à nous apprendre en chacun de ces domaines, mais je cherche surtout à retrouver le mouvement de sa pensée lorsqu'il les aborde. On verra justement que les structures de l'expérience chrétienne permettent de retrouver et de situer de façon particulière chacun de ces grands domaines de la théologie traditionnelle. Cela apparaîtra notamment en ce qui concerne la doctrine mystique et le ministère pastoral. La mystique est en quelque sorte le degré supérieur de la sagesse chrétienne ; la lecture spirituelle de la Bible en même temps que la purification ascétique y préparent l'âme du croyant. Au fond, Grégoire relativise toutes les formes de la connaissance humaine parce que son expérience de moine lui a appris à subordonner chaque effort de l'esprit à la seule connaissance de Dieu. Cette perspective mystique imprègne tous ses jugements au sujet de la culture, qu'elle soit profane ou sacrée. D'autre part, cette expérience de la contemplation se rattache évidemment au thème de l'intériorité ; mais elle n'est pas non plus étrangère au processus de la conversion, dont elle représente comme le couronnement et elle est présente aussi dans les descriptions de l'eschatologie, car Grégoire conçoit l'au-delà comme la plénitude de la vision.

De la même façon, le ministère pastoral n'a pas d'autre but que de guider et de stimuler la vie spirituelle des croyants. C'est aux pasteurs qu'il revient pour cela de lire, de commenter, d'illustrer la Parole de Dieu. Ils sont les premiers garants de cette culture, appuyée sur la Bible, qui vise à l'éducation pratique de la foi. Grégoire leur rappelle sans relâche l'importance de cette responsabilité et, par plusieurs de ses œuvres, il s'efforce de leur fournir les moyens d'y faire face. Dans son exercice concret, le ministère pastoral comporte aussi une espèce de dialectique entre l'intériorité et l'extériorité ; son but est de travailler à la conversion des hommes et à l'évangélisation des peuples encore païens. A cela s'ajoute la mission qui revient à l'Église entière d'envisager l'approche de la fin des temps et d'y préparer les fidèles.

Tout se tient dans l'œuvre grégorienne, apparemment si diverse et parfois si diffuse, mais qui comporte en réalité une profonde unité, une réelle cohérence. Mais il reste à savoir où se situe exactement cette unité et comment s'explique cette cohérence. C'est là que les interprétations divergent. On a eu raison de réhabiliter Grégoire en montrant en lui bien plus qu'un grand administrateur : un des plus grands docteurs mystiques de l'Occident. Mais cette réhabilitation n'a-t-elle pas conduit à des erreurs de perspectives ? On a affirmé que la vie contemplative était l'axe de toute l'œuvre grégorienne[48]. On a soutenu que sa synthèse théologique était exclusivement déterminée par les besoins de l'existence monastique[49]. Ne faut-il pas y regarder de plus près ? Certes, Grégoire a un tempérament de contemplatif et il est marqué par son expérience de moine, mais son originalité ne consisterait-elle pas à échapper au rétrécissement qu'aurait comporté une unité ainsi conçue ? Comment se fait-il qu'il soit le premier pape véritablement missionnaire ? D'où lui vient cette vision large et nuancée qu'il porte sur le monde et les chrétiens de son temps ? Selon quelle logique a-t-il développé sa réflexion de pasteur ?

La synthèse grégorienne n'est pas de type spéculatif. Elle s'appuie avant tout sur cette base qu'est l'Écriture : la plupart des écrits de Grégoire, y compris ses homélies, sont des commentaires de l'Ancien et du Nouveau Testaments. A cet égard, Grégoire est plus proche d'Origène que d'Augustin : il ne sépare pas vraiment les discours pastoraux adressés au peuple des commentaires plus élaborés destinés à des moines. Mais ce n'est pas la seule contemplation qui est au cœur de cette espèce d'encyclopédie théologique dont il est l'auteur : c'est l'expérience chrétienne en général, le cheminement concret des chrétiens vers Dieu, à l'intérieur de l'Église, et pas seulement l'expérience mystique des moines à l'intérieur de leurs monastères. L'unité toujours fragile entre théologie théorique et théologie spirituelle, comme entre théologie intra-ecclésiale et théologie polémique, qui, selon Urs von Balthasar[50], serait définitivement compromise à partir d'Augustin, ou réalisable seulement dans le cadre du monachisme, Grégoire est-il parvenu à la recréer sur la base de l'expérience chrétienne ? Voilà la question à laquelle il s'agit de répondre en examinant la conception grégorienne de la culture et en analysant les structures de l'expérience spirituelle. Dès lors, il sera possible d'évaluer plus exactement le rôle original qui revient à Grégoire dans l'histoire de la culture chrétienne, au moment où la décadence de la culture antique s'accentue et où se dessinent les lignes de force qui seront celles de la civilisation médiévale. Tandis qu'à l'autre extrémité de l'Occident, dans l'Espagne wisigothique, Isidore de Séville rassemble les matériaux nécessaires à une renaissance intellectuelle[51], comment Grégoire le Grand, au cœur d'une capitale ruinée, est-il parvenu à poser les jalons d'une renaissance spirituelle qui devait s'épanouir pendant les siècles suivants ?

---

48. Cf. H.-I. MARROU, *Saint Grégoire le Grand*, dans *VS*, 69, déc. 1943, p. 442-455.
49. H. URS VON BALTHASAR, *Retour au centre*, Paris, 1971, p. 31-32.
50. *Ibid.*, p. 28-31.
51. Cf. J. FONTAINE, *op. cit.*, notamment le dernier chapitre, « La Renaissance isidorienne : sa nature et ses limites » (p. 863-888).

PREMIÈRE PARTIE

Finalité de la culture chrétienne

CHAPITRE PREMIER

Les degrés de la sagesse

Un adversaire de la culture classique ? En lui envoyant l'édition complète de ses *Moralia*, Grégoire prévenait ainsi son ami Léandre de Séville : « Je vous demande de ne pas chercher en parcourant les lignes de cet ouvrage les frondaisons du discours. L'Écriture sainte, en effet, réprime avec soin chez ses commentateurs le verbiage sans consistance et sans fruit... J'ai donc dédaigné de m'astreindre à cet art de bien dire qu'enseignent les règles d'une discipline extérieure. Car la teneur de cette lettre le montre déjà : je ne fuis pas le heurt du métacisme, je n'évite pas la confusion du barbarisme, je dédaigne d'observer l'ordre des mots, les modes des verbes, le cas des prépositions, car j'estime souverainement inconvenant d'assujettir les paroles de l'oracle céleste aux règles de Donat[1] ». De telles déclarations sont-elles la marque d'un esprit indépendant, et qui estime que la parole de Dieu transcende toute science humaine, ou faut-il y voir l'expression d'un mépris souverain pour la rhétorique et presque une condamnation de la culture antique ?

On risque de pencher vers la seconde hypothèse, si l'on rapproche ces déclarations du blâme très sévère que Grégoire adresse à l'évêque Didier de Vienne, lequel avait le tort de trop aimer la poésie païenne : « Un bruit est parvenu jusqu'à nous, que nous ne pouvons mentionner

---

1. *Ep.* 5, 53 a, 5 (*PL*, 75, 516 A-B = *SC*, 32 bis, p. 132) : « Quaeso autem, ut huius operis dicta percurrens in his uerborum folia non requiras, quia per sacra eloquia ab eorum tractatoribus infructuosae loquacitatis leuitas studiose compescitur... Vnde et ipsam loquendi artem, quam magisteria disciplinae exterioris insinuant, seruare despexi. Nam sicut huius quoque epistolae tenor enuntiat, non metacismi collisionem fugio, non barbarismi confusionem deuito, situs modosque et praepositionum casus seruare contemno, quia indignum uehementer existimo, ut uerba caelestis oraculi restringam sub regulis Donati. »

sans en être gêné : votre fraternité enseignerait la grammaire à certaines
personnes. C'est une chose que nous avons apprise avec tant de peine
et qui nous a si vivement consterné, que les éloges que nous avions d'abord
entendus se sont changés en gémissements de tristesse, car dans une même
bouche les louanges du Christ sont inconciliables avec les louanges de
Jupiter. Considérez vous-même combien il est grave et impie pour un
évêque de chanter ce qui ne convient même pas à un laïc religieux...
Si donc, après cela, il apparaît clairement que ces bruits sont faux et
qu'il est inexact que vous aimiez les futilités de la littérature profane,
nous sommes prêts à rendre grâces à notre Dieu, qui n'a pas permis que
votre cœur soit souillé par les louanges blasphématoires de textes impies[2] ».

Dans un climat où l'appréciation des historiens n'échappait pas aux
controverses religieuses, il n'en fallait pas plus à certains pour considérer
Grégoire comme un adversaire de la culture classique, qui rejetterait
en bloc toute la littérature païenne, refuserait de se soumettre aux règles
de la langue latine, serait hostile par principe à toute science : ils l'ont
accusé de barbarie[3], de simplisme[4]. Ils ont interprété ses lettres à Léandre
et à Didier comme des manifestes d'obscurantisme, où se discernent
les signes précurseurs de l'intransigeance culturelle qui caractériserait
le catholicisme du Moyen Age, et de ce refus qu'au nom de la foi, l'Église
aurait opposé à la tradition humaniste issue de l'Antiquité[5].

Plus récemment, diverses études ont permis de rouvrir le dossier de
cette controverse. D'abord, on a fait remarquer que bien des écrivains
chrétiens avant Grégoire, notamment Ambroise, Jérôme et Augustin,

---

2. *Ep.* 11, 34 (*MGH*, II, p. 303) : « Peruenit ad nos, quod sine uerecun-
dia memorare non possumus, fraternitatem tuam grammaticam quibusdam exponere. Quam rem ita moleste suscepimus, ac sumus uehementius
aspernati, ut ea quae prius dicta fuerant in gemitum et tristitiam uerte-
remus, quia in uno se ore cum Iouis laudibus Christi laudes non capiunt.
Et quam graue nefandumque sit episcopo canere quod nec laico religioso
conueniat, ipse considera... Vnde isi post hoc euidenter ea quae ad nos
perlata sunt falsa esse claruerint, neque uos nugis et saecularibus litteris
studere constiterit, Deo nostro gratias agimus, qui cor uestrum maculari
blasphemis nefandorum laudibus non permisit. »

3. J. BARBEYRAC, *Traité de la morale des Pères de l'Église*, Amsterdam,
1738, p. 333.

4. F. SCHNEIDER, *Rom und Romgedanken im Mittelalter. Die geistigen
Grundlagen der Renaissance*, Köln, 1959, p. 97-109, consacre un chapitre
entier à « Gregor als Simplist. »

5. H. de LUBAC (*Exégèse médiévale*, II, 1, p. 53-77 : « La barbarie de
saint Grégoire ») cite quelques historiens qui n'ont eu aucune indulgence
pour Grégoire. J. G. ROSENMÜLLER, en 1814, imputait à Grégoire la
haine des moines pour les langues et toute culture. MICHELET le comparaît
à Léon l'Isaurien, l'empereur iconoclaste. M. ROGER, en 1906, voyait dans
la lettre à Léandre le dédain de son auteur pour la forme littéraire.
Il faudrait ajouter à cette liste des auteurs plus récents : cf. F. LOT,
pour qui Grégoire déteste la culture antique (*La fin du monde antique
et le début du Moyen Age*, 1968, p. 331).

avaient proclamé, d'un ton également sans réplique, qu'ils préféraient la vérité chrétienne à la grammaire[6]. Jacques Fontaine estime que Grégoire est parfois un « extrémiste de la plume », mais qu'il « a surtout voulu réagir contre la tendance excessive à ne plus envisager les textes sacrés que du seul point de vue grammatical[7] », car « l'art de Donat » était en train de devenir plus qu'une simple technique du langage ou qu'une explication des poètes : l'instrument principal de toute recherche intellectuelle, englobant l'ensemble des disciplines qui régissaient non seulement le discours, mais la pensée. Face à cet envahissement progressif, ne fallait-il pas défendre l'*auctoritas diuina* de la Bible ? Henri de Lubac, de son côté, a entrepris avec ardeur de réhabiliter l'auteur des *Moralia*. Il essaie d'abord de rétablir la vérité. En refusant de s'asservir aux lois de la rhétorique, en reprochant à l'évêque de Vienne de trop aimer les poètes latins, Grégoire ne s'oppose pas à la culture comme telle. Il montre par là qu'il déteste seulement « le style recherché des lettrés de la basse époque, leur préciosité qui allait parfois jusqu'à l'ésotérisme » ; il se méfie aussi de tout ce que la littérature païenne véhicule « de superstition et d'immoralité[8] ». Autrement dit, il réagit contre tout ce qui pourrait déformer la vérité chrétienne contenue dans la Bible. « Alors que plusieurs, aujourd'hui, raisonnent comme si tout l'héritage antique était science et raison, saint Grégoire à Rome, saint Césaire en Gaule, saint Martin de Braga dans la péninsule ibérique, avaient conscience, en luttant contre le paganisme des lettrés et contre celui des foules, de lutter contre les forces tenaces de l'immoralité superstitieuse[9] ». Pierre Riché, à son tour, parvient à des conclusions analogues. Dans sa lettre à Léandre, Grégoire veut dire que l'exégète ne doit pas être esclave de la rhétorique profane. Quant à Didier de Vienne, il avait violé les *Statuta Ecclesiae antiqua*, qui défendaient à un évêque de lire des textes profanes. Bref, Grégoire ne condamne pas la culture séculière, il oppose seulement « la sagesse du monde, qui comprend les études profanes, à celle de Dieu » et il rejoint son maître saint Augustin, « qui ne tolérait l'étude profane que si elle était au service de l'étude du texte sacré[10] ».

A l'appui de cette réhabilitation, on pourrait invoquer encore un passage du *Commentaire sur le premier livre des Rois*, où Grégoire fait preuve d'une attitude bien plus compréhensive à l'égard de la culture antique, mais je reviendrai plus loin sur ce texte. Déjà ces appréciations convergentes ont fait justice des accusations d'obscurantisme ou de barbarie portées contre l'auteur des *Moralia*. Elles obligent à interpréter de façon plus objective les déclarations qui pouvaient sembler les justifier :

---

6. Cf. R. GILLET, *SC*, 32 bis, p. 133, n. 4. Cf. en particulier AUGUSTIN, *De doctrina christiana*, 3, 3, 7 (*CCh*, 32, 81) et *En. in ps.* 36, 3, 6 (*CCh*, 38, 371).

7. J. FONTAINE, *op. cit.*, p. 36.

8. H. de LUBAC, *op. cit.*, p. 62, 72.

9. *Ibid.*, p. 76.

10. P. RICHÉ, *op. cit.*, p. 198, 199.

les lettres à Léandre et à Didier sont l'œuvre non d'un ennemi des lettres
classiques, mais d'un auteur spirituel, qui proteste contre les prétentions
excessives de l'art grammatical et contre l'immoralité de la mythologie
païenne, parce qu'il entend préserver la suprématie de la science sacrée.

Le point de vue   Une telle réaction était indispensable et l'auteur
d'un mystique   des *Moralia* méritait cette réhabilitation, lui
                          que le Haut Moyen Age considérait comme son
maître à penser, surtout dans les domaines de l'exégèse et de la morale.
Mais il faudrait éviter que l'apologie pure et simple ne succédât à la
calomnie et qu'à trop vouloir réhabiliter Grégoire, on ne fît de lui un
humaniste après en avoir fait un barbare[11].

Comment parvenir à un point de vue assez serein pour saisir toutes les
nuances de la pensée de Grégoire au sujet de la culture ? D'abord en
appréciant plus justement la situation de la culture antique, à l'époque
de Grégoire, et Pierre Riché a bien montré que le jeune préfet de la ville
a reçu une solide instruction, qu'il connaît la grammaire et la rhétorique,
qu'il s'intéresse aux sciences naturelles, et que, s'il ignore la philosophie,
il dispose d'une bonne formation juridique[12]. Bref, il a tout ce qu'il faut
pour faire figure d'aristocrate lettré et Paul Diacre nous le rappelle
lorsqu'il nous montre le fils du noble Gordien si bien instruit dans toutes
les branches du savoir que, « bien que les études littéraires fussent encore
florissantes à Rome à cette époque, il n'y avait cependant dans la ville
personne que l'on jugeât supérieur à lui[13] ». Des études récentes et extrêmement minutieuses de Pierre Courcelle ont montré que, même dans
les *Dialogues*, qui passent pour une œuvre populaire et presque superficielle, on trouve l'écho de toute une tradition littéraire et philosophique
venue de la Rome antique[14].

Mais il importe d'apprécier les motifs spirituels qui ont pu guider
Grégoire ou, plus précisément, de montrer que, quand il parle de la
culture, de la rhétorique ou de la science, c'est avant tout en auteur

---

11. N. SCIVOLETTO (*I limiti dell' « ars grammatica » in Gregorio Magno*,
dans *Giornale italiano di Filologia*, 17, 1964, p. 210-228) fait valoir
que Grégoire avait bel et bien l'intention de détacher l'Église de la culture
classique, non par obscurantisme, mais parce qu'il estimait qu'elle était
trop liée à une civilisation condamnée à disparaître.

12. P. RICHÉ, *op. cit.*, p. 187-194.

13. PAUL DIACRE, *Vita S. Gregorii*, 2 (*PL*, 75, 42 A) : « Disciplinis
uero liberalibus, hoc est grammatica, rhetorica, dialectica, ita a puero est
institutus, ut quamuis eo tempore florerent adhuc Romae studia litterarum, tamen nulli in urbe ipsa secundus esse putaretur. »

14. P. COURCELLE, *S. Grégoire à l'école de Juvénal*, dans *Studi e materiali
di storia delle religioni*, 38, 1967, p. 170-174 ; « *Habitare secum* » selon
Perse et selon S. Grégoire le Grand, dans *REA*, 69, 1967, p. 265-279 ;
La vision cosmique de S. Benoît, dans *REAug.*, 12, 1967, p. 97-117 : dépen-
dances à l'égard de Sénèque et de Macrobe ; *S. Benoît, le merle et le buisson
d'épines*, dans *Journal des savants*, juil.-sept. 1967, p. 154-161 : dépen-
dances à l'égard d'Horace et de Juvénal.

spirituel, en mystique et en pasteur soucieux de chercher Dieu et de conduire les âmes vers lui. Il distingue par exemple la contemplation de la science, en les présentant comme deux modes de la vision de Dieu : « Il faut savoir que la contemplation est une chose, elle qui voit seulement ce qu'elle n'est pas capable de dire, et autre chose la science et la doctrine, qui voient seulement ce qu'elles peuvent exprimer par le langage[15] ». Le savoir humain permet donc d'approcher Dieu, mais il se heurte à ses propres limites qui, elles-mêmes, découlent du caractère transcendant et ineffable de Dieu, lequel surpasse toute connaissance et se manifeste comme il l'entend. Pour comprendre la pensée de Grégoire, il faut partir de cette double perspective : toute forme de connaissance a Dieu pour terme, mais il y a une hiérarchie des connaissances.

Dans une série de chapitres du dix-huitième livre des *Moralia*[16], Grégoire, commentant le verset de Job (28, 12) : « Mais la Sagesse d'où provient-elle, où se trouve-t-elle l'intelligence ? », se livre à de longues variations sur le thème de la sagesse et la façon dont il interprète ce concept de *sapientia* est très éclairante. On peut synthétiser ainsi sa pensée, qui procède comme d'habitude par mouvements concentriques et reprises. La *sapientia* suprême, c'est Dieu, sagesse incréée et créatrice et pour l'homme, la *sapientia* consistera à chercher Dieu, en permettant qu'il vienne lui-même illuminer notre intelligence. Dans cette quête, un moyen nous est offert : le Christ, incarnation de la sagesse créatrice, véritable *sapientia incarnata*, qui est un pur don de Dieu. Par conséquent, l'homme ne peut acquérir la sagesse par lui-même et Grégoire estime qu'il y a une incompatibilité absolue entre les sagesses purement humaines et cette sagesse qui nous vient de Dieu : l'enseignement des philosophes n'a pas suffi à sauver les païens[17]. Pour entrer dans la voie de la sagesse chrétienne, une condition est nécessaire : renoncer à tout ce qui nous éloignerait du Christ, source unique de notre salut. Pour devenir sage selon Dieu, il nous faut donc éviter les pièges que nous tend le monde, avec ses occupations, ses plaisirs ou ses richesses[18]. Au cœur de ces chapitres, Grégoire introduit un développement hautement spéculatif, ce qui est rare chez lui : il y explique que, pour Dieu, être et être sage est une même chose, alors que l'homme peut être, sans être sage. Car nous ne sommes que des serviteurs de la sagesse éternelle qu'est Dieu, et nous ne devenons sages que par participation à sa sagesse, qu'il veut bien

---

15. *HEz* 2, 6, 1 (*PL* 76, 998 B = *CCh*, 142, p. 295) : « Sciendum est quia alia est contemplatio quae tantum uidet quantum dicere non ualet, alia uero scientia atque doctrina, quae tantum uidet quantum exprimere per linguam possit. »

16. *Mor.* 18, 40-54, 61-93 (*PL*, 76, 72 B-96 B).

17. *Ibid.* 45, 73 (81 C) : « Fuere multi gentilium qui, mundi huius sapientium disciplinis dediti, ea quae sunt inter homines honesta seruarent, et saluandos seruata honestate se crederent, nec iam mediatorem Dei et hominum quaererent, cum quasi sufficientem sibi philosophorum doctrinam tenerent. »

18. *Ibid.* 41-43, 66-68 (75 B - 80 A).

nous communiquer par l'incarnation de son Verbe[19]. On a reconnu l'inspiration augustinienne de cette doctrine[20] : l'auteur du *De Trinitate* revient bien des fois sur cette idée qu'il y a une distance infinie entre Dieu et l'homme, mais que, par grâce, l'homme est appelé à avoir part aux biens divins. Il considère également que Dieu est la sagesse substantielle et que le Père et le Fils sont ensemble une seule et même sagesse[21].

Après avoir traité, en moraliste, des conditions pour acquérir la vraie sagesse, après avoir suivi Augustin dans sa doctrine de la participation à Dieu, sagesse essentielle, grâce au Christ, sagesse incarnée, Grégoire achève son commentaire en mystique, car, pour lui, toute la sagesse culmine dans la vision de Dieu. « Puisque la sagesse naît du Père invisible et coéternel au Fils, son chemin est caché... Le lieu où l'on comprend Dieu, c'est l'esprit de l'homme, que cette sagesse de Dieu sanctifie en le remplissant... Puisque la sagesse, c'est Dieu, si elle était cachée aux yeux de tous les vivants, sans doute aucun saint ne l'aurait vue... Or inversement quand je considère les pères de l'Ancien Testament, je constate que beaucoup d'entre eux ont vu Dieu, comme en témoigne la lettre même de l'Écriture Sainte[22] ». Et Grégoire de citer les exemples de Jacob, de Moïse, de Job, d'Isaïe, de Michée, avant de conclure : « Les pères de l'Ancien Testament ont vu le Seigneur et cependant, selon la

---

19. *Ibid.* 50, 81 (87 A-B) : « Aliter ergo uenerandum est lumen illuminans, aliter lumen illuminatum ; aliter iustitia iustificans, aliter iustitia iustificata. Sapientia uero est, et sapit ; nec habet aliud esse, aliud sapere ; serui autem sapientiae esse quidem sapientes possunt, nec tamen hoc habent esse quod sapere ; nam esse possunt, et sapientes non esse. Habet uitam sapientia, sed non aliud habet et aliud est, quippe cui hoc est esse quod uiuere. Serui autem sapientiae, cum habent uitam, aliud sunt et aliud habent, quippe quibus non est hoc ipsum esse quod uiuere ; nam possunt iuxta aliquid esse, nec uiuere... Sapientia uero habet essentiam, habet uitam ; sed hoc quod habet, ipsa est. Proinde incommutabiliter uiuit, quia non ex accidenti, sed essentialiter uiuit. Sola ergo cum Patre et sancto Spiritu ueraciter est, cuius essentiae comparatum esse nostrum non esse est. Huic si coniungimur, sumus, uiuimus, sapimus ; huic si comparamur, nec sapimus, nec uiuimus omnino, nec sumus. »

20. M. Frickel (*op. cit.*, p. 31, 33, 37-38) cite les principaux textes d'Augustin qui sous-tendent la pensée de Grégoire.

21. Le passage de *Mor.* 18, 50, 81 a pour parallèle un passage du *De Trin.* 7, 1, 2 (*Bibl. aug.*, 15, 1955, p. 512-514) : « Sapientia uera et sapiens est, et se ipsa sapiens est. Et quoniam quaecumque anima participatione sapientiae fit sapiens, si rursus desipiat, manet tamen in se sapientia... Quod si et Pater qui genuit sapientiam, ex ea fit sapiens, neque hoc est illi esse quod sapere, qualitas eius est Filius ; non proles eius, et non ibi erit iam summa simplicitas. Sed absit ut ita sit ; quia uere ibi est summe simplex essentia : hoc ergo est ibi esse quod sapere... »

22. *Mor.* 18, 54, 88 (91 C - 92 A) : « Quia ab inuisibili et coaeterno Patre nascitur, eius uia occulta est... Locus uero intelligentiae eius est mens humana, quam haec Dei sapientia dum repleuerit, sanctam facit... Sapientia quippe quae Deus est, si omnium uiuentium oculis occulta esset, hanc procul dubio sanctorum nemo uidisset... Rursumque cum testamenti ueteris patres intueor, multos horum, teste ipsa sacrae lectionis historia, Deum uidisse cognosco. »

parole de Jean (4, 12), « Personne n'a jamais vu Dieu » et, selon l'avis du bienheureux Job, la sagesse qu'est Dieu est cachée aux yeux de tous les vivants, parce que, pour nous qui demeurons dans cette chair mortelle, Dieu a pu se laisser voir à travers certaines images circonscrites, et n'a pu se laisser voir à travers la lumière incirconscrite de l'éternité[23] ».

C'est dans cet éclairage qu'il faudrait constamment étudier les textes grégoriens relatifs à la culture. L'idéal de la sagesse, c'est la contemplation de Dieu. Cet idéal mesure tous les efforts de la pensée humaine, en vue d'approcher le mystère. Tel est le critère essentiel en fonction duquel Grégoire distingue plusieurs degrés dans l'acquisition de la sagesse : « Nous descendons chez les Philistins, quand nous inclinons notre esprit à l'étude des lettres profanes. Et cela s'appelle une descente, parce que la simplicité chrétienne est en haut. Mais d'autre part, ce que disent les lettres profanes est dans la plaine, tandis que la manière dont elles le disent est élevée. Car du fait qu'elles ne racontent rien de céleste et qu'elles développent dans un langage merveilleux les sujets qu'elles exposent, elles sont élevées par leur expression et rabaissées par les réalités charnelles dont elles parlent. Celui qui désire connaître cette façon de dire ou de comprendre, qu'il descende en Philistie, qu'il aiguise le soc et la houe : pour qu'en vue d'entendre même les discours charnels des lettres profanes, celui qui s'efforce d'être instruit plus complètement de leur éloquence, soit rabaissé. Car le Dieu tout puissant a mis dans la plaine cette science séculière, pour nous faire monter les degrés qui auraient dû nous élever vers les hauteurs de la divine Écriture[24] ». Les avocats de Grégoire se servent parfois de ce texte pour corriger l'impression négative qu'auraient pu donner les lettres à Léandre et à Didier et soutenir que l'auteur de ces lignes ne pouvait qu'apprécier hautement la culture profane. C'est beaucoup dire. Ce passage ne témoigne pas d'un enthousiasme particulier pour les lettres païennes, qui y sont plutôt remises à leur place et dont l'ambiguïté est bien marquée puisqu'elles se trouvent

---

23. *Ibid.* (92 D) : « Et uiderunt ergo patres testamenti ueteris Dominum, et tamen, iuxta Iohannis uocem : « Deum nemo uidit unquam ; et iuxta beati Iob sententiam, sapientia quae Deus est, abscondita est ab oculis omnium uiuentium, quia in hac mortali carne consistentibus, et uideri potuit per quasdam circumscriptas imagines, et uideri non potuit per incircumscriptum lumen aeternitatis. »

24. *In I Reg.* 5, 84 (*CCh*, 144, p. 471-2) : « Ad Philistheos descendimus, quando ad discendos saeculares libros animum inclinamus. Et descensus dicitur, quia christiana simplicitas in alto est. Sed et, quod saeculares litterae dicunt, in plano est, modus uero dicendi sublimis. Quia enim caelestia nulla narrant et miro dicendi modo, quae proponunt, explicant, et narrando sublimantur et carnalia dicendo deponuntur. Quem profecto dicendi siue intelligendi modum qui scire appetit, descendat ad philisthiim, uomerem et ligonem acuat ; ut ad saecularium etiam carnalia audienda deponatur, qui eorum eloquentia instrui plenius nititur. Hanc quippe saecularem scientiam omnipotens Deus in plano anteposuit, ut nobis ascendendi gradum faceret, qui nos ad diuinae scripturae altitudinem leuare debuisset. »

en bas et peuvent éventuellement servir de tremplin pour s'élever vers Dieu.

En fait, tout ceci doit être compris à la lumière de ce que Grégoire a dit ailleurs du but et des limites de l'esprit humain. Si l'on prend soin d'interpréter ainsi ce texte, on y verra l'affirmation d'une hiérarchie entre plusieurs degrés de la sagesse. Au bas de l'échelle, pour ainsi dire, ou dans la plaine, se trouve la science profane, qui a tous les défauts de la sagesse de ce monde ; au milieu, la science de l'Écriture, l'exégèse, dont la pratique permet de s'élever vers Dieu ; et, tout en haut, l'idéal supérieur de la vision de Dieu, là où toute sagesse humaine défaille au contact de la sagesse incréée. Le souci primordial de Grégoire est de gravir ces échelons et d'entraîner les autres avec lui. Comment renoncer aux séductions des sagesses mondaines pour acquérir la vraie sagesse, qui permettra de contempler celui qui éclaire et élève nos intelligences ? Voilà le problème essentiel auquel ce mystique se trouve affronté.

La « *sapientia huius mundi* »   Le degré inférieur de la sagesse, c'est la *sapientia huius mundi* dont Grégoire démasque l'hypocrisie et le mensonge. « La sagesse de ce monde consiste à masquer ses sentiments par des stratagèmes, à voiler le sens des choses à l'aide des mots, à soutenir comme vrai ce qui est faux, à montrer comme faux ce qui est vrai. Cet art de vivre (*prudentia*), en vérité, les jeunes gens le connaissent par expérience, les enfants l'apprennent à prix d'argent[25] ». *Sapientia, prudentia*, ces termes et tout le développement où ils s'insèrent, montrent qu'ici, l'intention de l'auteur est plutôt celle d'un moraliste, car cette *sapientia huius mundi* est à la fois intellectuelle et pratique, elle recouvre une activité de l'esprit autant qu'une manière de vivre et la perversion qui la caractérise vaut autant pour l'une que pour l'autre.

Quant aux paroles du Christ : « Je te bénis, Père, Seigneur du ciel et de la terre, d'avoir caché cela aux sages et aux habiles et de l'avoir révélé aux tout petits » (*Matt.* 11, 25), Grégoire estime qu'elles sont une invitation à l'humilité, sans laquelle l'homme ne peut acquérir la sagesse, d'autant plus que le Christ, sagesse incarnée, s'est manifesté lui-même dans l'humilité[26]. Il les rattache aussi au souhait exprimé par Job de ne trouver aucun sage parmi ses auditeurs et pense qu'elles condamnent les vaines prétentions de la sagesse humaine : « Puisque ceux qui sont sages à leurs propres yeux ne peuvent parvenir à la vraie sagesse, le bienheureux Job, qui désire la conversion de ses auditeurs, est en droit de souhaiter ne trouver aucun sage parmi eux. Ce qui revient à leur dire en clair : Apprenez à être sots à vos propres yeux, pour pouvoir être

---

25. *Mor.* 10, 29, 48 (*PL*, 75, 947 A-B) : « Huius mundi sapientia est cor machinationibus tegere, sensum uerbis uelare, quae falsa sunt uera ostendere, quae uera sunt fallacia demonstrare. Haec nimirum prudentia usu a iuuenibus scitur, haec a pueris pretio discitur... »

26. *Mor.* 34, 22, 43 (*PL*, 76, 742 B-C) : « Qui enim necdum semetipsum despicit, humilem Dei sapientiam non apprehendit... »

vraiment sages en Dieu[27] ». Il faut reconnaître qu'Augustin, en citant les mêmes versets, se montre plus nuancé et prend soin de faire une distinction entre ceux qui sont sages et ceux qui croient l'être ; c'est seulement à ces derniers que le Christ adresserait son avertissement[28].

Ailleurs, commentant le poème de Job sur la Sagesse, Grégoire explique que celle-ci ne se confond avec aucune des sagesses du monde et surtout pas avec la philosophie, parée des couleurs trompeuses de la rhétorique. C'est que la Sagesse de Dieu se trouve dans la personne du Verbe incarné. « La sagesse coéternelle de Dieu (c'est-à-dire le Verbe) ne se présente pas avec les teintes des couleurs de l'Inde, car quiconque la comprend vraiment, reconnaît quelle distance la sépare de ces hommes que le monde honore du nom de sages. Les termes mêmes de ses prescriptions la distinguent des sages de ce monde, qui, lorsqu'ils pratiquent l'éloquence tiennent des propos qui ont belle allure en apparence et grâce à la teinture qui les décore, mais qui, parce qu'ils restent étrangers à l'essence des choses, prétendent mensongèrement être autres qu'ils ne sont, grâce à des assemblages de mots, pareils à un enduit coloré[29] ». Ces pages sur les mensonges des mots composent une diatribe contre la rhétorique profane, où retentit l'écho, non seulement de l'expérience personnelle de Grégoire, brillant étudiant que durent décevoir les jeux futiles des rhéteurs romains de son époque, mais aussi de toute une tradition patristique, qui luttait contre l'immoralité et le paganisme de la littérature et contre l'envahissement de la science sacrée par l'art grammatical. Cette expérience et cette tradition expliquent la virulence des reproches adressés à Didier de Vienne : comment un pasteur pourrait-il oublier le danger encouru par les âmes, et d'abord la sienne, qui se laissent séduire par ces scandaleuses futilités ?

Mais ce qui, pour Grégoire, condamne cette *sapientia huius mundi*, c'est son caractère superficiel et comme extérieur. Dans les *Dialogues*, l'expression de *studia exteriora* lui sert à désigner la formation intellectuelle des saints dont il raconte les miracles, qu'il s'agisse de l'évêque Paulin de Nole, *uir eloquentissimus atque adprime exterioribus quoque*

---

27. *Mor.* 13, 40, 45 (*PL*, 75, 1037 A = *SC*, 212, p. 304) : « Quia ergo hi qui apud semetipsos sapientes sunt ad ueram sapientiam peruenire non possunt, recte beatus Iob, conuersionem auditorum desiderans, exoptat ne in eis ullum sapientem inueniat. Ac si eis aperte dicat : Stulti esse apud uosmetipsos discite, ut in Deo uere sapientes esse ualeatis. »

28. *En. in ps.* 8, 6 (*CCh*, 38, p. 51) : « Confiteor tibi, Pater Domine coeli et terrae, quia abscondisti haec a sapientibus et reuelasti ea paruulis ». A sapientibus enim dixit, non qui sapientes sunt, sed qui esse se putant. »

29. *Mor.* 18, 46, 74 (*PL*, 76, 82 A) : « Coaeterna Dei sapientia tinctis Indiae coloribus non confertur, quia quisquis hanc ueraciter intelligit, ab his hominibus quos mundus sapientes coluit quam longe distet agnoscit. Ipsaque eius mandatorum uerba ab huius mundi sapientibus differunt, qui dum intendunt eloquentiae, eorum dicta quasi pulchra apparent specie et fucatione tincturae : et cum uirtute rerum careant, aliud se esse quam sunt uerborum compositionibus, quasi superductis coloribus, mentiuntur. »

studiis eruditus[30] ou des moines Speciosus et Grégoire de Terracine, *exterioribus studiis eruditi*[31]. Par l'emploi de l'adjectif *exterior*, ne veut-il pas laisser entendre que la science humaine n'est pas du même ordre que la sainteté, dans la mesure où elle reste extérieure aux réalités spirituelles, et ne doit-on pas interpréter dans cette perspective le fameux passage de la lettre à Léandre ? « J'ai donc dédaigné de m'astreindre à cet art de bien dire qu'enseignent les règles d'une discipline étrangère[32] ». N'en déplaise au traducteur de Sources chrétiennes, « discipline extérieure » traduirait plus exactement *disciplina exterior*, car, ce que Grégoire veut souligner fortement, c'est que la rhétorique risque de devenir une discipline purement extérieure, dès lors qu'elle ne s'intéresse plus qu'à des réalités extérieures, superficielles, à la disposition des mots et des phrases, délaissant les réalités spirituelles qui sont toujours d'ordre intérieur.

Sans doute le concept grégorien d'extériorité est-il l'équivalent latin du « οἱ ἔξω » des Pères grecs[33], qui désignaient par ce terme les hommes étrangers à la foi chrétienne, qui se plaçaient eux-mêmes en dehors du salut et de l'Église. Mais la notion grégorienne a une portée plus large : elle se rapporte moins à des individus qu'à un état d'esprit. D'abord, il est probable qu'elle s'inspire d'Augustin qui, au début des *Confessions*, associe lui aussi l'idée d'extériorité à son souvenir des lettres profanes, lorsqu'il rappelle que les futilités des rhéteurs le détournaient de Dieu[34]. Mais surtout, Grégoire exprime ici une pensée personnelle : les moyens de la perfection spirituelle ne se confondent pas avec les techniques de la formation intellectuelle. C'est là une mise en garde bien plus qu'une condamnation de la culture et ce que Grégoire appelle *sapientia huius mundi* correspond en définitive, non pas exactement aux lettres profanes, mais à toute connaissance en tant qu'elle reste étrangère au mystère de Dieu.

La « *sapientia iustorum* »   A son origine, la vraie sagesse chrétienne se confond avec la foi et la conduite morale qu'inspire la foi. « Dans le cœur des justes, la sagesse naît avant tous les autres biens, elle est présentée, telle un premier-né, par un don de l'Esprit. Cette sagesse, sans aucun doute, c'est notre foi, au témoignage du prophète qui dit : « Si vous ne croyez pas, vous ne pourrez comprendre » (*Is.* 7, 9). Nous avons de la sagesse pour comprendre quand,

---

30. *Dial.* 3, 1 (éd. Moricca, p. 136).
31. *Dial.* 4, 9 (p. 240).
32. *Ep.* 5, 53 a (*SC*, 32, p. 122) : « Vnde et ipsam loquendi artem quam magisteria disciplinae exterioris insinuant, seruare despexi. »
33. Cf. P. Riché, *op. cit.*, p. 187, qui cite Basile (*Lettre aux jeunes gens*, 2, 40 et 4, 4, éd. Boulanger, Paris, 1952, p. 43 et 44).
34. *Conf.* 1, 18, 28 (éd. de Labriolle, p. 24) : « Quid autem mirum, quod in uanitates ita ferebar et a te, deus meus, ibam foras, quando mihi imitandi proponebantur homines, qui aliqua facta sua non mala si cum barbarismo aut soloecismo enuntiarent, reprehensi confundebantur. »

à tous les dires du Créateur, nous présentons notre foi de croyants. C'est donc dans la maison de leur frère aîné que mangent les enfants, quand les autres vertus se nourrissent de la foi... parce que si les autres vertus ne sont pas rassasiées au festin de la Sagesse, elles ne peuvent être de vraies vertus[35] ». La sagesse chrétienne est donc à son tour connaissance en action : en découvrant les réalités surnaturelles, l'homme mesure son péché et la fragilité de sa nature ; il peut aussi se repentir, se corriger et avancer sur le chemin de la perfection. Grégoire insiste sur cette relation étroite qui unit la sagesse à la vie, en commentant ce verset de l'*Ecclésiaste* (1, 18) : « Du fait qu'une grande sagesse implique une grande indignation, celui qui acquiert le savoir acquiert aussi la douleur ». « En connaissant les choses célestes, nous ne trouvons pas bon de soumettre notre esprit aux choses terrestres. Et quand nous commençons à avoir davantage le sens de ce que nous avons fait de mal, nous nous irritons contre nous-mêmes, et une grande sagesse produit une grande indignation, car plus nous progressons dans la connaissance, plus nous nous indignons de nos mauvaises actions. Et la douleur augmente avec le savoir, car plus nous connaissons les réalités éternelles, plus nous souffrons de nous trouver dans ce misérable exil d'ici-bas... Une grande sagesse implique une grande indignation, car, si nous avons dès maintenant le sens des réalités éternelles, nous ne trouvons pas bon de convoiter des biens temporels[36] ».

Mais, le plus souvent, la *sapientia iustorum* se définit par opposition à la *sapientia huius mundi*. L'hypocrisie, qui garantit le succès de la rhétorique profane, est le vice qu'elle combat avec le plus d'acharnement. « La sagesse des justes consiste à ne rien feindre par ostentation, à déclarer leurs pensées par leurs paroles, à aimer la vérité telle qu'elle est, à éviter ce qui est faux[37] ». Ainsi est bannie toute discordance entre l'apparence et la réalité, l'extérieur et l'intérieur : « L'enseignement de cette sagesse

---

35. *Mor.* 2, 46, 71 (*PL*, 75, 588 C - 589 A = *SC*, 32 bis, p. 356-358) : « In electorum corde prior bonorum sequentium sapientia nascitur, atque haec per donum Spiritus quasi primogenita proles profertur. Quae profecto sapientia, nostra fides est, propheta attestante, qui ait : « Nisi credideritis, non intelligetis. » Tunc enim uere ad intelligendum sapimus, cum cunctis quae conditor dicit, credulitatis nostrae fidem praebemus. In domo ergo fratris primogeniti conuiuantur filii, cum uirtutes reliquae epulantur in fide... quia nisi uirtutes reliquae sapientiae epulis repletae, ea quae appetunt, prudenter agant, uirtutes esse nequaquam possunt. »

36. *HEz* 1, 10, 43 (*PL*, 76, 904 B-C = *CCh*, 142, p. 166) : « Caelestia etenim cognoscentes, terrenis animum subdere dedignamur. Et dum plus sapere incipimus de his quae male egimus, nobis ipsis irascimur, et fit in multa sapientia multa indignatio, quia quanto plus proficimus in cognitione, tanto nobis indignamur amplius de peruerso opere. Atque cum scientia dolor crescit, quia quanto magis aeterna cognoscimus, tanto magis esse nos in huius exsilii miseria dolemus... In multa ergo sapientia multa est indignatio, quia si aeterna iam sapimus, concupiscere temporalia dedignamur. »

37. *Mor.* 10, 29, 48 (*PL*, 75, 947 B) : « Sapientia iustorum est nihil per ostensionem fingere, sensum uerbis aperire, uera ut sunt diligere, falsa deuitare. »

a tout à la fois la beauté de la proclamation et l'éclat de la pure vérité, et elle ne se présente pas au dehors d'une façon trompeuse, sous un certain aspect, pour en dissimuler un autre au dedans[38] ». L'œuvre de Grégoire contient ainsi, éparses dans les *Moralia* et ordonnées dans la troisième partie de la *Regula pastoralis*, les règles d'une sorte de rhétorique sacrée à l'usage des pasteurs. Une recommandation fondamentale revient sans cesse dans ces pages : les prédicateurs chrétiens doivent pourchasser, en eux-mêmes et chez les autres, le vice de l'orgueil et n'oublier jamais que l'enseignement par la parole est sans valeur, s'il n'est pas complété par l'exemple : « Le véritable enseignement fuit d'autant plus vivement ce vice de l'orgueil, par la pensée, qu'il poursuit plus ardemment le maître même de l'orgueil avec les traits de ses paroles. Il veille en effet à ne pas proclamer davantage par des mœurs orgueilleuses celui qu'il pourchasse dans le cœur de ses auditeurs par de saints discours ; et de fait, l'humilité, qui est la maîtresse et la mère de toutes les vertus, il s'efforce à la fois de la proclamer par la parole et de la manifester par sa vie, afin de l'exprimer auprès des disciples de la vérité par ses mœurs plus que par ses discours[39] ». Les antithèses *loquendo-vivendo, mores-sermones*, qui sont familières à Grégoire, ne montrent-elles pas assez qu'il entend ici faire œuvre de moraliste et ne pas se borner à quelques critiques complétées par des conseils pratiques ? Il considère la culture et la formation qu'elle exige comme une totalité, qui comporte un art de vivre autant qu'un art de parler.

Mais ce qui domine cette *sapientia iustorum*, cette *uera doctrina*, c'est son intériorité, car la science spirituelle ne saurait être enseignée que du dedans. Pour exprimer cette vérité, Grégoire trouve tout naturellement des accents augustiniens. Il écrit par exemple que Marie-Madeleine, quand elle reconnaît le Christ ressuscité, l'appelle maître, parce que « celui qu'elle recherchait au dehors était celui-là même qui, du dedans, lui apprenait à le chercher[40] ». Augustin ne disait-il pas de son côté qu'elle

---

38. *Mor.* 18, 46, 74 (*PL*, 76, 82 A) : « Doctrina sapientiae et praedicatione pulchra, et pura ueritate conspicua, nec aliud se per fallaciam praetendit exterius, et aliud reseruat interius. »

39. *Mor.* 23, 13, 24 (*PL*, 76, 265 B-C) : « At contra uera doctrina tanto uehementius hoc elationis uitium fugit per cogitationem, quanto ardentius uerborum suorum iaculis ipsum magistrum elationis insequitur. Cauet enim ne eum magis elatis moribus praedicet, quem in corde audientium sacris sermonibus insectatur. Humilitatem namque quae magistra est omnium materque uirtutum, et loquendo dicere, et uiuendo conatur ostendere, ut eam apud discipulos ueritatis plus moribus quam sermonibus eloquatur. » On trouverait des indications analogues dans *Mor.* 23, 10, 17 (*PL*, 76, 261 B-D).

40. *HEv.* 2, 25, 5 (*PL*, 76, 1192 D - 1193 A) : « Maria ergo quia uocatur ex homine, recognoscit auctorem, atque eum protinus rabboni, id est magistrum uocat, quia et ipse erat, qui quaerebatur exterius, et ipse qui eam interius ut quaereret docebat. »

avait reconnu celui qui lui donnait son illumination pour l'aider à le reconnaître[41] ?

Plus encore : Grégoire développe une doctrine de l'Esprit Saint comme maître intérieur qui est fort proche de la doctrine augustinienne sur le même sujet ; pour lui, tout homme qui enseigne, tout prédicateur ne sera capable de parler et digne d'être écouté que s'il porte au-dedans de lui l'Esprit Saint, seul vrai maître intérieur : « Que personne n'attribue donc à celui qui enseigne ce qu'il entend de sa bouche, car, sans la présence d'un maître intérieur, la langue du docteur peine vainement à l'extérieur[42] ». Au premier chapitre du premier livre des *Dialogues*, Grégoire explique qu'il existe des saints, tels Honorat de Fondi, qui n'ont pas été instruits par des hommes, mais intérieurement formés par l'Esprit Saint : « il y a parfois des hommes qui sont si bien instruits intérieurement par le magistère de l'Esprit que, même si extérieurement l'enseignement d'un maître humain leur a manqué, ils ne manquent pas du discernement qui leur vient d'un maître tout intérieur[43] ». Il est évident que cette doctrine du maître intérieur qui, du dedans, inspire aux hommes ce qu'ils enseignent ou ce qu'ils apprennent, et peut parfois suffire à former l'âme de certains saints[44], sans l'intervention d'aucun maître humain, découle en droite ligne de la pensée augustinienne, qui conçoit Dieu comme la source de toute connaissance et l'origine de l'accord entre les esprits. « Ébauchée dès la conclusion du *De uita beata* (4, 35), suggérée dans les *Soliloques* (1, 1, 1), cette doctrine se déploie dans le *De magistro* tout entier et s'affirme explicitement dans sa conclusion. Dans tout ce que nous apprenons, nous n'avons qu'un maître : la vérité intérieure qui préside à l'âme même, c'est-à-dire le Christ, vertu immuable et sagesse éternelle de Dieu[45] ». La présence, chez Augustin comme chez Grégoire,

---

41. *Serm.* 256, 3 (*PL*, 38, 1154) : « Ipsum cognouerat, a quo ut cognosceretur illuminabatur. »

42. *HEv.* 2, 30, 3 (*PL*, 76, 1222 A) : « Nemo ergo docenti homini tribuat quod ex ore docentis intelligit, quia nisi intus sit qui doceat, doctoris lingua exterius in uacuum laborat. »

43. *Dial.* 1, 1 (p. 19) : « Sunt nonnumquam qui ita per magisterium spiritus intrinsecus docentur, ut, etsi eis exterius humani magisterii disciplina desit, magistri intimi censura non desit. »

44. Dans la suite du chapitre, Grégoire donne aussi l'exemple de Jean-Baptiste et de Moïse.

45. É. GILSON, *Introduction à l'étude de saint Augustin*, Paris, 1943², p. 99. Cf. R. HOLTE, *Béatitude et Sagesse. Saint Augustin et le problème de la fin de l'homme dans la philosophie ancienne*, Paris, 1962, qui consacre un chapitre à « Enseignement extérieur et intérieur d'après le *De magistro* » (p. 329-334). Le texte fondamental est celui qui ouvre la seconde partie dans laquelle Augustin traite du Christ comme maître intérieur (*De magistro* 11, 38 : *Bibl. aug.* 6, p. 136) : « De uniuersis autem quae intelligimus, non loquentem qui personat foris, sed intus ipsi menti praesidentem consulimus Veritatem, uerbis fortasse ut consulamus admoniti. Ille autem qui consulitur docet, qui in interiore homine habitare dictus est Christus (*Eph.* 3, 16, 17) ; id est incommutabilis Dei atque sempiterna sapientia. » Évoquant la docilité de sa mère aux inspirations de Dieu, Augustin

de l'opposition entre ce qui est intérieur et ce qui est extérieur (*intrinsecus-exterius, intus-foris*) suffirait à prouver, s'il en était besoin, que le second s'inspire bien du premier.

Il ne serait pas impossible qu'en opposant aussi vigoureusement l'enseignement de l'Esprit Saint à celui des hommes, l'auteur des *Dialogues* se soit également souvenu de Cassien, qui, dans ses *Conférences*, recommande aux moines désireux d'apprendre la science sacrée d'implorer chaque jour du Seigneur qu'il veuille bien être leur maître et leur départir sa lumière[46]. On pourrait enfin se demander si, en évoquant les saints qui ne devaient rien aux hommes, mais tout à l'inspiration directe de l'Esprit Saint, Grégoire a voulu marquer ses distances par rapport à la *Regula Benedicti*, qui commence par les mots « *Obsculta, o fili, praecepta magistri*[47] » ou à la *Regula Magistri*, où revient régulièrement la phrase « *respondit Dominus per magistrum* ». En fait, il semble bien que Grégoire ait prévenu une telle question, en précisant soigneusement que le cas d'Honorat de Fondi demeure extrêmement rare, et que, de toute façon, il vaut mieux vénérer qu'imiter des exemples d'une sainteté aussi exceptionnelle ; certains ne risqueraient-ils pas de se prévaloir de l'assistance de l'Esprit Saint pour dédaigner l'enseignement des maîtres humains ? « Cependant, la liberté de vie de ces saints ne doit pas être prise pour modèle par les faibles, de peur que chacun, se prétendant également rempli de l'Esprit Saint, ne dédaigne d'être l'élève d'un homme et ne devienne un maître d'erreur[48] ». Et Grégoire, après avoir montré en Jean-Baptiste et en Moïse des hommes directement instruits par Dieu, conclut ce chapitre en formulant de nouveau cette recommandation : « Ces exemples, comme nous l'avons dit plus haut, les faibles doivent les vénérer, non les imiter[49] ». C'est dire qu'en composant les *Dialogues*, Grégoire n'oublie pas qu'il s'adresse à un public d'*infirmi*, de gens dont la culture intellectuelle et spirituelle est limitée, qu'il leur rend service en illustrant à leur intention certains grands principes de la vie spirituelle, notamment cette éducation de l'âme par l'Esprit Saint, mais qu'il doit aussi prendre des précautions et prévenir des abus d'interprétation.

écrit (*Conf.* 9, 9, 21, p. 227) : « Qualis illa erat docente te magistro intimo in schola pectoris. »

46. Cassien, *Conférences*, 3, 14 (*SC*, 42, p. 157-158) : « Legis quoque ipsius scientiam non lectionis industria, sed magisterio et inluminatione dei cotidie desiderant adipisci. »

47. Si tel était le cas, Grégoire aurait évidemment interprété ce *magister* comme désignant un maître humain. Je n'ignore pas qu'une autre interprétation est possible.

48. *Dial.* 1, 1 (p. 19) : « Quorum tamen libertas uitae ab infirmis in exemplum non est trahenda, ne dum se quisque similiter Sancto Spiritu impletum praesumit, discipulus hominis esse despiciat et magister erroris fiat. »

49. *Ibid.* : « Haec, ut praediximus, infirmis ueneranda sunt, non imitanda. »

En somme, par opposition à la *sapientia huius mundi*, la *sapientia
iustorum* n'est pas exactement la culture chrétienne, mais toute connaissance, en tant qu'elle cherche à comprendre les réalités spirituelles et
se laisse guider pour cela par ce maître de sagesse qu'est le Christ ou
l'Esprit Saint.

Le paradoxe de la   Mais plus l'esprit humain s'élève, plus il mesure
« sapiens stultitia »   ses limites et plus il constate que, par rapport
                           à Dieu, toute sa science n'est qu'ignorance. C'est
à ce niveau supérieur que les efforts de la pensée rejoignent l'expérience
mystique et que l'humilité redevient une condition du progrès intellectuel.
« Ceux qui, dans la sainte Église, sont authentiquement humbles et
authentiquement instruits, savent, en présence des secrets célestes,
à la fois en comprendre certains après réflexion, et en vénérer certains
autres qu'ils ne comprennent pas, de sorte qu'ils gardent avec vénération
ceux qu'ils comprennent et qu'ils attendent avec humilité ceux qu'ils
ne comprennent pas encore... Une telle humilité permet très souvent
aux sens des élus d'avoir accès même à ce qui leur semblait impossible
à comprendre[50] ». Et ailleurs, Grégoire a cette formule : « En comparaison
de Dieu, notre science est ignorance. Car c'est par participation à Dieu
que nous sommes sages, non par comparaison[51] ». Il ne fait ici que reprendre ce qu'il développe longuement au livre XVIII des *Moralia* sur
ce thème de la participation : comme Augustin, il sait que la distance
entre Dieu et l'homme est si grande que Dieu seul peut la combler, en
nous donnant part à ce qu'il est, et notamment à sa sagesse.

Mais, plus encore qu'Augustin, Grégoire insiste sur cette infirmité
de l'intelligence humaine. « La science parfaite est de tout savoir et
cependant, de quelque manière, d'ignorer que l'on sait ; car, bien que
nous connaissions déjà les préceptes de Dieu, bien que nous méditions
le sens de ses paroles avec une attention scrupuleuse, bien que nous
pratiquions déjà ce que nous croyons avoir compris, nous ne savons
pourtant pas encore avec quelle rigueur dans le jugement, ces mêmes
actes doivent être jugés, nous ne contemplons pas encore la face de Dieu
et nous ne voyons pas encore ses desseins cachés[52] ». Pour mériter de

---

50. *Mor.* 20, 8, 19 (*PL*, 76, 148 C) : « Hi qui in sancta Ecclesia ueraciter
sunt humiles, et ueraciter docti, norunt de secretis coelestibus et quaedam
considerata intelligere, et quaedam non intellecta uenerari, ut et quae
intelligunt ueneranter teneant, et quae necdum intelligunt humiliter
exspectent... Quae plerumque humilitas ea etiam electorum sensibus
aperit, quae ad intelligendum impossibilia esse uidebantur. »
51. *Mor.* 16, 1, 1 (*PL*, 75, 1121 B = *SC*, 221, p. 138) : « In comparatione
enim Dei, scientia nostra ignorantia est. Ex Dei namque participatione
sapimus, non comparatione. »
52. *Mor.* 27, 37, 62 (*PL*, 76, 436 A-B) : « Perfecta scientia est scire
omnia et tamen iuxta quemdam modum scientem se esse nescire ; quia
etsi iam Dei praecepta nouimus, etsi iam uirtutem uerborum illius sollicita
intentione pensamus, etsi iam quae intellexisse nos credimus, agimus,

voir Dieu, il faut donc être humble et Grégoire explique cette exigence de la sagesse chrétienne en invoquant les paradoxes pauliniens et l'exemple de Zachée. Il se situe ainsi dans le courant de la théologie apophatique, qu'il applique à la vie spirituelle et au thème de la vision de Dieu. « Ceux qui se croient sages ne peuvent contempler la sagesse de Dieu, car ils sont d'autant plus loin de sa lumière qu'ils manquent d'humilité en eux-mêmes, parce que l'enflure de l'orgueil, en grandissant dans leurs esprits, obstrue le regard de la contemplation... Si donc nous désirons être authentiquement sages et contempler la sagesse elle-même, reconnaissons humblement notre folie. Abandonnons cette sagesse coupable, apprenons une folie qui soit digne d'éloges. Car il est écrit : « Dieu a choisi ce qu'il y a de fou dans le monde pour confondre les sages » (1 *Cor.* 1, 27) et aussi « Si quelqu'un parmi vous se croit un sage selon ce monde, qu'il se fasse fou pour devenir sage » (*ibid.* 3, 18). Le texte du récit évangélique atteste donc que Zachée, ne pouvant rien voir à cause de la foule, monte sur un sycomore, pour regarder passer le Seigneur... Si le minuscule Zachée est monté sur un sycomore et a vu le Seigneur, c'est que ceux qui choisissent humblement la folie du monde, contemplent nettement la sagesse de Dieu lui-même... Quoi de plus fou en effet en ce monde que de ne pas rechercher ce que l'on a perdu, de lâcher nos biens aux mains des voleurs, de ne rendre aucune injure pour les injures subies... ? Grâce au sycomore, on regarde passer le Seigneur, parce que, grâce à cette sage folie, on voit comme au passage la sagesse de Dieu, pas encore dans son intégralité, mais déjà dans la lumière de la contemplation[53]. »

Grégoire rappelle ici une vérité qui lui est chère : notre vision de Dieu est réelle, mais toujours imparfaite ; l'esprit humain défaille quand il est en présence de la lumière incréée. Ce beau texte a un autre mérite :

---

adhuc tamen acta eadem qua districtione examinis sint discutienda nescimus necdum Dei faciem cernimus, necdum occulta eius consilia uidemus. »

53. *Mor.* 27, 46, 79 (*PL*, 76, 444 C - 446 A) : « Contemplari enim Dei sapientiam non possunt qui sibi sapientes uidentur, quia tanto ab eius luce longe sunt, quanto apud semetipsos humiles non sunt, quia in eorum mentibus dum tumor elationis crescit, aciem contemplationis claudit... Si igitur ueraciter sapientes esse atque ipsam sapientiam contemplari appetimus, stultos nos humiliter cognoscamus. Relinquamus noxiam sapientiam, discamus laudabilem fatuitatem. Hinc quippe scriptum est : « Stulta mundi elegit Deus, ut confundat sapientes. » Hinc rursum dicitur : « Si quis uidetur inter uos sapiens esse in hoc saeculo, stultus fiat, ut sit sapiens. » Hinc euangelicae historiae uerba testantur quia Zachaeus cum uidere prae turba nihil posset, sycomori arborem ascendit, ut transeuntem Dominum cerneret... Pusillus itaque Zachaeus sycomorum subiit, et Dominum uidit, quia qui mundi stultitiam humiliter eligunt, ipsi Dei sapientiam subtiliter contemplantur... Quid enim in hoc mundo stultius quam amissa non quaerere, possessa rapientibus relaxare, nullam pro acceptis iniuriis iniuriam reddere... Per sycomorum Dominus transiens cernitur, quia per hanc sapientem stultitiam etsi necdum ut est solide, iam tamen per contemplationis lumen Dei sapientia quasi in transitu uidetur. »

il applique au problème de la connaissance ce qui vaut surtout pour l'expérience mystique et ce paradoxe central de la foi et de la théologie inspire au psychologue qu'est Grégoire une expression caractéristique, celle de sage folie (*sapiens stultitia*), que lui ont directement inspirée les citations pauliniennes. *Sapiens stultitia* : rien, mieux que la juxtaposition de ces deux mots, ne saurait nous faire saisir ce qui est au cœur de l'attitude de Grégoire quand il parle de la sagesse. On n'est sage selon Dieu qu'en devenant fou selon le monde et notre connaissance de Dieu sera toujours proportionnée à l'humble aveu de notre ignorance. Chercher à comprendre toujours davantage, et reconnaître sans relâche que nous ne savons rien, sinon ce que Dieu nous donne de savoir, vénérer le mystère du surnaturel pour en avoir l'intelligence : voilà la vocation de l'esprit humain en quête de vérité et la dialectique propre à toute connaissance[54].

Ce thème n'a rien de théorique pour Grégoire. Il en fait au contraire de nombreuses applications. Veut-il conseiller les prédicateurs sur la façon de s'adresser aux sages de ce monde, il recourt au même paradoxe. « Avec les sages, il faut s'appliquer à ce qu'ils deviennent fous d'une façon plus sage, qu'ils abandonnent leur folle sagesse et apprennent la sage folie de Dieu[55] ». *Stulta sapientia, sapiens stultitia* : le paradoxe aboutit à ces deux expressions antithétiques, qui mettent bien en relief à quel point la sagesse selon ce monde est éloignée de la sagesse selon Dieu. Mais Grégoire recourt aussi à l'expression de *docta ignorantia*, qui était promise à un bel avenir dans la théologie chrétienne jusqu'au jour où Nicolas de Cues y consacrerait un traité[56]. Cette seconde expression apparaît dans les *Dialogues*, au terme d'un chapitre tout au long duquel Grégoire s'est attaché à montrer que le prêtre Sanctulus a atteint la perfection, si ignorant qu'il fût : « Comparons, si vous le voulez bien, la docte ignorance de cet homme avec cette science inculte qui est la nôtre[57] ». *Indocta scientia, docta ignorantia* : on reconnaît sans peine l'antithèse et le paradoxe habituels, traités ici sur un registre différent qu'il faut analyser. L'intention de Grégoire est, comme toujours, de rabaisser les prétentions du savoir humain, qui n'est qu'apparent, mais surtout de montrer que les humbles se sanctifient par la charité, et non par l'intelligence. Il fait ainsi l'éloge de Sanctulus. « Cet homme vénérable ne connaissait pas bien les rudiments mêmes des lettres, il ignorait les

---

54. Grégoire applique aussi cette dialectique à l'exercice du pouvoir : « Car c'est un art de vivre très subtil que d'occuper un poste dominant et d'y réprimer son désir de gloire, d'être détenteur de la puissance, mais de ne pas se savoir puissant, de connaître sa puissance pour faire du bien, mais d'ignorer ce que l'on peut avec cette puissance pour rendre les offenses. » (*Mor.* 26, 26, 48 : *PL*, 76, 377 D - 378 A).

55. *Past.* 3, 6 (*PL*, 77, 57 A) : « Cum illis laborandum est, ut sapientes stulti fiant, stultam sapientiam deserant, et sapientem Dei stultitiam discant. »

56. Cf. art. *Docte ignorance*, *DSp* III, 1497-1501.

57. *Dial.* 3, 37 (p. 224) : « Comparemus, si placet, cum hac nostra indocta scientia illius doctam ignorantiam. »

préceptes de la loi, mais « puisque la plénitude de la loi c'est la charité »
(*Rom.* 13, 10), il a observé pleinement cette loi en aimant Dieu et son
prochain ; ce qu'il ne connaissait pas extérieurement par la connaissance,
il le vivait intérieurement par l'amour, lui qui n'avait peut-être jamais
lu ce que l'apôtre Jean a dit de notre Rédempteur « puisqu'il a renoncé
à sa vie pour nous, nous aussi nous devons renoncer à notre vie pour
nos frères » (1 *Jn*, 3, 16), il connaissait ce précepte si sublime de l'apôtre,
par la pratique plus que par la science[58]. » Sans doute pourrait-on arguer
d'un tel passage pour dénoncer en Grégoire un adversaire, non seulement
des lettres profanes, mais même de toute forme de culture, fût-elle chrétienne. Mais ce serait évidemment un contre-sens, car Grégoire a voulu
simplement illustrer par un exemple contemporain la vérité permanente
selon laquelle l'amour surpasse toute connaissance. Tout naturellement, il
a trouvé des accents qui lui sont propres pour commenter cet axiome
cher à saint Paul, et sans doute a-t-il obéi aussi à une intention pastorale,
en présentant le cas de Sanctulus : puisque ce prêtre est devenu saint
en dépit de son manque total de culture, c'est que la perfection spirituelle
est accessible à tous, et même aux ignorants. C'est sur la pratique de
la charité qu'insiste ici Grégoire, plus que sur l'inutilité de la culture ;
son but n'est nullement de condamner les lettres profanes, ou même la
science des Écritures, mais avant tout d'exalter l'amour de Dieu et du
prochain, en montrant qu'il est un moyen d'accéder à la sainteté. La
preuve en est que l'antithèse *intus-foris*, au lieu de souligner, comme
d'ordinaire, à quel point la formation spirituelle diffère de la culture
profane, sert ici à distinguer des ordres de réalité et à montrer la supériorité
de l'amour sur la connaissance, en opposant l'intériorité de l'un à l'extériorité de l'autre.

N'est-ce pas là ce qui explique l'attitude des saints qui renoncent à tout,
et notamment aux études, à cause de Dieu ? Ils choisissent d'emblée
l'ordre supérieur, parce qu'ils ont compris les exigences de la sagesse
selon Dieu, et, s'ils adoptent l'idéal de la docte ignorance, ce n'est pas
pour rejeter la culture profane, mais afin d'obéir à une vocation plus
haute. Tel est le cas, exceptionnel, mais pourtant caractéristique, de
Benoît, qui renonce à l'étude des lettres, afin de plaire à Dieu seul, passant
directement du mépris des *studia exteriora* à la pratique de la *docta ignorantia*, sans aborder le stade de la science sacrée. « Il se retira donc savamment ignorant et sagement inculte[59] ». *Scienter nescius et sapienter indoc-*

---

58. *Ibid.* (p. 223) : « ... Venerabilis uir Sanctulus ipsa quoque elementa
litterarum bene non nouerat, legis praecepta nesciebat, sed quia « plenitudo legis est caritas », legem totam in Dei ac proximi dilectione seruauit,
et quod foras in cognitione non nouerat, intus uiuebat in amore ; et qui
numquam fortasse legerat quod de Redemptore nostro Iohannes apostolus
dixit : « Quoniam ille pro nobis animam suam posuit, sic et nos debemus
pro fratribus animam ponere », tam sublime apostolicum praeceptum
faciendo magis quam sciendo nouerat. »

59. *Dial.* II, Prol., p. 71 : « Recessit igitur scienter nescius et sapienter
indoctus. »

tus : Benoît est bien l'illustration vivante du paradoxe essentiel à la
sagesse chrétienne et l'exemple éminent d'une sainteté qui choisit immédiatement l'idéal le plus élevé pour atteindre Dieu. Grégoire ne songeait
certainement pas à généraliser ce cas particulier, pas plus que celui
d'Honorat de Fondi. Il introduit cependant un élément capital dans
la spiritualité des siècles futurs, et notamment dans la spiritualité monastique : « les études expérimentées, non méprisées, mais renoncées, dépassées
en vue du Royaume de Dieu[60] ».

Ce paradoxe de la *sapiens stultitia* ou de la *docta ignorantia* exprime
à coup sûr le fond de la pensée de Grégoire à l'égard de toute forme de
connaissance. Il reste maintenant à apprécier dans quelle mesure l'auteur
des *Moralia* a fait preuve d'originalité en insistant sur cette primauté
absolue de la sagesse selon Dieu. Bien avant lui, les moralistes de l'Antiquité avaient mis l'homme en garde contre l'orgueil de l'esprit : dans le
pro Archia, Cicéron fait valoir que certaines intelligences sont naturellement douées de capacités presque divines et qu'elles ne doivent rien
à l'enseignement humain[61]. Mais évidemment, Grégoire s'inspire de
saint Paul encore plus que de Cicéron, lorsqu'il exalte la folie des chrétiens.
La tradition monastique mettra en valeur ce don de science, qui vient
de l'Esprit Saint, et non des hommes : Athanase, dans sa *Vita Antonii*,
explique que son héros « était extrêmement avisé. Chose admirable,
sans avoir appris les lettres, c'était un homme à l'esprit aigu et pénétrant[62]. » C'est que la science peut enfler et rendre inintelligent, alors
que la foi porte d'elle-même l'esprit du croyant à pénétrer des vérités
supérieures, même s'il est sans instruction.

Quant à l'expression même de *docta ignorantia*, elle se rencontre chez
Augustin, qui l'emploie dans un autre contexte, pour expliquer à la
religieuse Proba ce qu'est une vraie prière. « Puisqu'il s'agit de cette
paix qui surpasse toute connaissance, même quand nous la demandons
dans la prière, nous ne savons pas prier comme il faut... Il y a donc en
nous pour ainsi dire une espèce de docte ignorance, mais docte à cause
de l'Esprit de Dieu qui vient au secours de notre faiblesse[63]. » On voit
qu'Augustin rattache ce paradoxe à un passage de l'*épître aux Romains*
(8, 25-27), où Paul insiste sur l'action de l'Esprit Saint en nous, dans

---

60. J. LECLERCQ, *Amour des Lettres et désir de Dieu*, Paris, 1957, p. 18.

61. CICÉRON, *Pro Archia* 7, 15 (éd. BUDÉ, t. 12, p. 42) : « Ego multos
homines excellenti animo ac uirtute fuisse et sine doctrina, naturae
ipsius habitu prope diuino, per seipsos et moderatos et graues extitisse
fateor. Etiam illud adiungo, saepius ad laudem atque uirtutem naturam
sine doctrina quam sine natura ualuisse doctrinam. »

62. *Vita Antonii* 72 (*PG*, 26, 944 B) : « Καὶ φρόνιμος δὲ ἦν λίαν καὶ τὸ
θαύμαστον, ὅτι, γραμμάτα μὴ μαθὼν, ἀγχίνους ἦν καὶ συνετὸς ἄνθρωπος. »

63. AUGUSTIN, *Ep.* 130, 27-28 (*PL*, 33, 505) : « Verumtamen quia ipsa
est pax quae praecellit omnem intellectum, etiam ipsam in oratione
poscendo, quid oremus, sicut oportet, nescimus... Est ergo in nobis
quaedam, ut ita dicam, docta ignorantia, sed docta spiritu Dei qui
adiuuat infirmitatem nostram. »

nos relations avec le Père : la *docta ignorantia* souligne la transcendance
de l'Esprit Saint, et cette affirmation théologique, appliquée à la prière,
Grégoire l'a transposée dans le domaine de la culture, puisque nous ne
parvenons à la connaissance de Dieu qu'en renonçant humblement aux
séductions de la sagesse humaine pour nous laisser guider par l'inspiration
de l'Esprit, qui nous instruit et réveille notre charité.

L'auteur des *Moralia*, quand il exprime sa méfiance à l'égard de la
culture mondaine, est enfin très proche de Cassien, qui formulait cette
mise en garde : « C'est tout autre chose d'avoir quelque facilité de parole
et de l'éclat dans le discours, ou d'entrer jusqu'au cœur et à la moelle
des paroles célestes, et d'en contempler du regard très pur du cœur
les mystères profonds et cachés. Ceci la science humaine (*humana doctrina*)
ne l'obtiendra pas, ni la culture profane (*eruditio saecularis*), mais la
seule pureté de l'âme, par l'illumination de l'Esprit Saint[64] ».

La culture profane   Faire de Grégoire un adversaire de la culture
au service   profane serait donc un non-sens, car son point de
de la culture biblique   vue est avant tout celui d'un mystique et d'un
pasteur. D'un mystique, pour qui la vision de
Dieu est le but auquel l'esprit humain doit subordonner tous ses efforts
et qui, comme Pascal, met l'ordre de la charité bien au-dessus de l'ordre
de l'intelligence. D'un pasteur également, qui destine ses conseils à des
publics différents : à des hommes imbus de culture profane, et qui doivent
apprendre que la sagesse chrétienne ne s'assujettira jamais aux règles
de la rhétorique païenne ; à des prédicateurs, qui ont besoin de disposer
d'une sorte de code du rhéteur chrétien pour ne pas trahir leur mission ;
reste la voie de la *sapiens stultitia* : elle s'ouvre aussi bien à ceux qui ont
trop goûté aux lettres classiques et qui ont le courage d'y renoncer à
cause de Dieu, comme Benoît, qu'aux simples, à ces *infirmi* tels que
Sanctulus, qui atteignent les sommets de la perfection en dépit de leur
ignorance.

Mais dans cette pensée assez complexe, qui distingue des degrés dans
l'acquisition de la sagesse, il y a une constante qui est déjà apparue à
l'arrière-plan de plusieurs des textes cités : la culture profane doit se
subordonner à l'intelligence de la Bible, car la Parole de Dieu transcende
tous les discours et toutes les pensées des hommes. C'est pour Grégoire
une règle absolue : les sciences humaines, en particulier la grammaire
et la rhétorique, sont les servantes de la science sacrée, et elles s'égarent
immanquablement dès qu'elles s'écartent de cette loi fondamentale.
En posant cette loi, il se situe dans un courant de la tradition chrétienne,

---

64. CASSIEN, *Conf.* 14, 9 (*SC*, 54, p. 195) : « Aliud namque est facilitatem
oris et nitorem habere sermonis et aliud uenas ac medullas caelestium
intrare dictorum ac profunda et abscondita sacramenta purissimo cordis
oculo contemplari, quod nullatenus humana doctrina nec eruditio saecularis, sed sola puritas mentis per inluminationem Sancti Spiritus posside-
bit. »

qui va d'Augustin à Pierre Damien[65]. C'est dans son *Commentaire sur le premier livre des Rois* qu'il est sur ce point le plus explicite. Il y montre d'abord que la Bible est infiniment plus utile que la littérature profane pour les combats spirituels. « ... Pour les combats spirituels, nous sommes instruits non par les lettres profanes, mais par les lettres divines. On ne trouve pas de forgeron en Israël parce que les fidèles qui voient Dieu ne combattent nullement contre les esprits malins en s'aidant de l'art d'une science profane. Car les artisans vaincraient grâce à l'aide d'un art, si les traits de l'éloquence profane avaient raison de leurs ennemis cachés[66] ».

Mais cette critique faite à la culture profane au nom de l'expérience spirituelle n'empêche pas Grégoire d'affirmer son utilité en fonction des besoins de la science biblique. « Bien que cette culture contenue dans les livres profanes ne serve pas par elle-même au combat spirituel des saints, si elle est unie à la divine Écriture, elle nous permet d'acquérir une connaissance affinée de cette même Écriture. Voilà, en vérité, le seul but de notre étude des arts libéraux : comprendre plus finement les paroles de Dieu, grâce à la formation qu'ils nous procurent. Les esprits malins enlèvent du cœur de certains le désir d'apprendre, pour qu'en ignorant les sciences profanes, ils n'atteignent pas à la finesse des choses spirituelles[67] ». De la sorte, la suprématie absolue de la parole de Dieu n'est nullement compromise et, au lieu d'être rejetées ou condamnées, les connaissances humaines sont pleinement réhabilitées. Par contrecoup, on comprend ce qui scandalisait tant Grégoire dans la conduite de l'évêque de Vienne : du moyen, celui-ci avait fait un but ; il avait inversé l'ordre qu'il s'agit de respecter toujours, en mettant l'art des poètes au-dessus de la science sacrée. C'était là un péché bien proche de l'idolâtrie. Fervent admirateur de la Bible, Grégoire « veut convertir ses contemporains à la sagesse supérieure que l'on acquiert par l'étude du texte sacré. Aux clercs, aux moines, mais aussi aux aristocrates laïcs,

---

65. Cf. H. de LUBAC, *op. cit.*, II, 1, p. 77-98 : *Stupet omnis regula.* Cf. également la thèse (dactylographiée) de A. CANTIN, *Les sciences séculières et la foi. La critique unitaire de saint Pierre Damien*, Paris, 1970.

66. *In I Reg.* 5, 84 (*CCh*, 144, p. 471) : « ... ad spiritalia bella non per saeculares litteras sed per diuinas instruimur. Faber quippe ferrarius in Israël non inuenitur, quia fideles deum uidentes arte saecularis scientiae contra malignos spiritus nequaquam proeliantur. Fabri namque arte adiuti uincerent, si saecularis eloquentiae iacula occultis hostibus praeualerent. »

67. *Ibid.* : « Quae profecto saecularium librorum eruditio etsi per semetipsam ad spiritalem sanctorum conflictum non prodest, si diuinae scripturae coniungitur, eiusdem scripturae scientia subtilius erudimur. Ac hoc quidem tantum liberales artes discendae sunt, ut per instructionem illarum diuina eloquia subtilius intellegantur. A nonnullorum cordibus discendi desiderium maligni spiritus tollunt, ut et saecularia nesciant et ad subtilitatem spiritalium non pertingant. »

Grégoire rappelle l'urgence d'étudier la Bible qui « transcende toute science et toute doctrine[68] ».

Enfin, Grégoire a le souci constant de rendre la culture chrétienne accessible à tous. C'est chez lui une hantise : que de fois il évoque ces *rudes*, ces *infirmi*, ces *simplices*, ces gens sans instruction, ni profane ni religieuse, et qui, pourtant, ont le droit de comprendre la parole de Dieu et ceux qui la leur annoncent ! La façon dont il insiste sur le paradoxe de la sage folie ou de la docte ignorance relève en partie de cette préoccupation pastorale. Dieu confond la sagesse des sages de ce monde, en donnant à des pauvres l'intelligence de ses mystères. Or, par sa richesse interne, la Bible répond à une telle nécessité : n'est-elle pas composée de textes qui conviennent à des esprits de tout niveau ? C'est ce que Grégoire explique à Léandre de Séville, juste avant de lui dire qu'il a banni les soucis de purisme grammatical dans son commentaire. « La parole divine a en effet de quoi exercer les gens cultivés par ses mystères et, souvent, de quoi réconforter les simples par de claires leçons. Dans sa proclamation publique, elle présente de quoi nourrir les tout-petits ; mais dans le secret, elle garde de quoi ravir d'admiration les esprits les plus élevés. On peut bien risquer la comparaison d'un fleuve, aux eaux tantôt guéables, tantôt profondes, tel qu'un agneau puisse y marcher et un éléphant y nager[69] ». En somme, la Bible constitue, du point de vue culturel, l'autorité suprême : face à elle, pâlissent les titres et les mérites des sciences profanes et surtout, en elle, sont représentés tous les degrés de la sagesse. L'Esprit humain en quête de vérité y trouvera ce qu'il cherche et, au terme de sa recherche, Dieu, origine et fin de l'Écriture, comme de toute connaissance.

Grégoire ne se lasse pas d'admirer la richesse culturelle sans égale de la Bible. Il en fait un ardent éloge au début du vingtième livre des *Moralia*. « Bien que l'Écriture Sainte surpasse de façon incomparable tout savoir et toute doctrine, pour ne rien dire du fait qu'elle annonce la vérité, ni du fait qu'elle appelle à la patrie céleste, qu'elle détourne des désirs terrestres le cœur de ses lecteurs pour leur faire embrasser les biens d'en haut, qu'elle exerce les forts par ses propos plus obscurs, qu'elle comble les humbles par son langage terre-à-terre... qu'elle est pour ainsi dire compréhensible aux lecteurs sans culture, alors que les gens instruits la redécouvrent sans cesse... cependant, elle surpasse aussi tous les savoirs et toutes les doctrines par sa façon même de s'exprimer, car, par un seul et même langage, à travers les récits de ses textes, elle révèle un mystère et s'entend à parler des événements du passé

---

68. P. RICHÉ, *op. cit.*, p. 199.

69. *Ep.* 5, 53 a, 4 (*PL*, 75, 515 A = *SC*, 32 bis, p. 128) : « Diuinus etenim sermo sicut mysteriis prudentes exercet, sic plerumque superficie simplices refouet. Habet in publico, unde paruulos nutriat, seruat in secreto, unde mentes sublimium in admiratione suspendat. Quasi quidem quippe est fluuius, ut ita dixerim, planus et altus, in quo et agnus ambulet et elephas natet. »

de manière à savoir, par là même, proclamer des faits à venir, et sans modifier l'ordre de son discours, dans les mêmes textes, elle sait à la fois décrire des faits qui ont eu lieu et annoncer ceux qui doivent avoir lieu[70] ».

Cet éloge est à méditer, car il résume en quelques phrases les raisons pour lesquelles l'Écriture représente pour Grégoire bien plus qu'une matière à exégèse : l'instrument privilégié d'une culture chrétienne dont il se fera le défenseur et l'illustrateur. La Bible est pour lui éminemment supérieure à tous les autres livres non seulement par son contenu, mais par son style. On mesure le chemin parcouru depuis le temps où les lettrés du monde antique raillaient le caractère fruste et la langue barbare du livre des chrétiens. Désormais, il semble que l'on ne puisse plus contester les qualités incomparables de l'Écriture sainte. Grégoire ne craint pas de proclamer son caractère insurpassable non seulement pour les chrétiens, puisqu'elle constitue pour eux le fondement de leur doctrine et le guide de leur vie, mais presque dans l'absolu, en affirmant que son langage la met au-dessus de tous les autres écrits humains. On a eu raison d'estimer que « toute l'œuvre d'écrivain et d'homme d'action de Grégoire est l'exaltation de la Bible considérée comme la parole de Dieu à l'homme[71] », Mais la position de Grégoire exprime beaucoup plus qu'une admiration personnelle à l'égard des livres saints : l'auteur des *Moralia* a cru pouvoir fonder sur la Bible une véritable culture. D'abord, la Bible est une source inépuisable de connaissances et elle s'offre à toutes sortes d'interprétations et de commentaires : c'est pourquoi les *Moralia* ont une allure encyclopédique, l'exégèse devenant le moyen de comprendre et d'éclairer tous les aspects de l'existence humaine[72]. D'autre part, la

---

70. *Mor.* 20, 1 (*PL*, 76, 135 B-D) : « Quamuis omnem scientiam atque doctrinam scriptura sacra sine aliqua comparatione transcendat, ut taceam quod uera praedicat, quod ad coelestem patriam uocat ; quod a terrenis desideriis ad superna amplectenda cor legentis immutat ; quod dictis obscurioribus exercet fortes, et paruulis humili sermone blanditur... quod a rudibus lectoribus quasi recognoscitur, et tamen doctis semper noua reperitur... scientias tamen omnes atque doctrinas ipso etiam locutionis suae more transcendit, quia uno eodemque sermone dum narrat textum, prodit mysterium, et sic scit praeterita dicere, ut eo ipso nouerit futura praedicare, et non immutato dicendi ordine, eisdem ipsis sermonibus nouit et anteacta describere, et agenda nuntiare... »

71. R. MANSELLI, *Gregorio Magno e la Bibbia*, dans *La Bibbia nel alto Medioevo, Settimane di Studi sull' alto Medioevo*, Spolète, X, 1963, p. 78.

72. R. MANSELLI (*art. cit.*, p. 88) considère Grégoire comme le principal créateur du genre médiéval du commentaire biblique conçu comme une véritable encyclopédie théologique. R. WASSELYNCK (*L'influence des Moralia in Iob de saint Grégoire le Grand sur la théologie morale entre le VIIe et le XIIe siècle*, thèse dactylographiée, Lille, 1956, p. 73) écrit de son côté : « Tourné tout entier vers le monde nouveau qui s'élaborait, (Grégoire) voulait en effet que son commentaire sur Job fût un manuel d'exégèse et de morale, un manuel de la pensée catholique traditionnelle, à l'usage des nouvelles chrétientés d'Occident. »

Bible a une portée universelle à cause du public très étendu auquel elle s'adresse : grâce à ses divers niveaux de compréhension, elle est faite pour satisfaire aussi bien l'élite intellectuelle que les gens sans instruction. Pour toutes ces raisons, n'est-il pas légitime de considérer Grégoire comme l'un des fondateurs de cette culture essentiellement biblique, qui va nourrir durablement le christianisme du Moyen Age ?

CHAPITRE II

Culture biblique et vie spirituelle

La Bible, instrument   D'emblée, une précision s'impose. Grégoire ne
du progrès spirituel   cherche guère dans l'Écriture matière à élaboration
                        doctrinale. Sa culture biblique a une finalité
morale et spirituelle bien plus que dogmatique[1]. S'il fait lire et méditer
sans cesse la Bible, c'est avant tout parce qu'elle est le miroir de notre
âme. « L'Écriture sainte s'offre aux yeux de notre âme comme une sorte
de miroir : nous pouvons y contempler notre visage intérieur. Car c'est
là que nous voyons notre laideur et notre beauté. C'est là que nous
prenons la mesure de nos progrès, là que nous voyons combien nous
sommes encore loin du compte. Elle raconte les actions des saints et
provoque à leur imitation le cœur des faibles... Quelquefois même, elle
nous raconte non seulement leurs vertus, mais nous découvre aussi leurs
chutes : nous pouvons voir ainsi dans la victoire de leur vaillance ce
dont nous devons nous saisir en l'imitant, et dans leurs chutes ce que
nous devons redouter[2]. » Le chrétien trouve ainsi dans l'Écriture ce
qui va guider toute sa vie spirituelle : les exemples de l'Ancien et du
Nouveau Testament, toute cette hagiographie biblique, sont là pour
lui éviter les erreurs, l'inciter à l'effort moral et orienter son cheminement
vers Dieu, à travers les aléas de son existence. Les récits bibliques sont
faits pour répondre actuellement à toutes les situations humaines et

---

1. Cf. B. de VRÉGILLE, art. *Écriture sainte et vie spirituelle chez saint
Grégoire le Grand*, *DSp*, IV, col. 172-173.
2. *Mor.* 2, 1, 1 (*PL*, 75, 553 C - 555 A = *SC*, 32 bis, p. 252) : « Scriptura
sacra mentis oculis quasi quoddam speculum opponitur, ut interna nostra
facies in ipsa uideatur. Ibi etenim foeda, ibi pulchra nostra cognoscimus.
Ibi sentimus, quantum proficimus, ibi a prouectu quam longe distamus.
Narrat autem gesta sanctorum, et ad imitationem corda prouocat infir-
morum... Nonnumquam uero non solum nobis eorum uirtutes asserit,
sed etiam casus innotescit, ut et in uictoria fortium, quod imitando
arripere, et rursum uideamus in lapsibus, quod debeamus timere. »

chacun y découvrira ce qui correspond à ses besoins du moment, comme si Dieu s'adressait ainsi à nous, car « dans les textes de l'Écriture, si nous cherchons chacun ce qui nous concerne, nous l'y trouvons et il n'est pas nécessaire que l'on cherche à avoir une réponse donnée spécialement par la voix de Dieu à propos de ce dont chacun souffre particulièrement... Aux pensées et aux tentations de chacun, Dieu ne répond plus séparément par la voix des prophètes ou par l'office des anges, car il a enfermé dans l'Écriture sainte tout ce qui peut advenir à chacun[3]. » La prévenance de Dieu ne connaît aucun changement, mais la pédagogie divine est susceptible d'évolution : après s'être adressé directement à certains hommes qu'il se choisissait, Dieu nous conduit maintenant, en mettant à notre disposition ces témoignages du passé. Les connaître et les méditer, c'est entrer dans la continuité de l'histoire du salut, puisque la vie de nos prédécesseurs dans la foi devient ainsi notre modèle, et comme la règle de la vie morale du chrétien.

Cette culture biblique, cette lecture de la Bible présentée comme le moyen obligatoire de tout progrès spirituel, favorise l'expérience mystique. La contemplation n'est pas séparable de la vie morale : elle en est comme le point culminant, l'étape ultime, et c'est pourquoi elle correspond au plus haut niveau de compréhension de l'Écriture. « Les pâturages de montagnes sont les hautes contemplations de la réfection intérieure... On peut voir dans ces hauteurs du pâturage les hautes sentences de l'Écriture sainte, dont le psalmiste dit : ʻ aux chamois les hautes montagnes ʼ, car ceux qui savent déjà accomplir le saut de la contemplation escaladent les hautes cimes des sentences divines, comme les cimes des montagnes[4]. » Dans ce passage, il semble que Grégoire réserve à quelques privilégiés ces sommets de la contemplation et de la *lectio diuina*.

Mais, plus souvent, il présente l'Écriture comme un remède habituel à tous nos maux, une compagne fidèle de l'humanité dans son pèlerinage terrestre. « L'Église, si elle n'était inondée des délices de la Parole de Dieu, ne pourrait, du désert de la vie présente, s'élever vers les hauteurs. Ainsi, elle est inondée de délices et s'élève puisqu'en se nourrissant des sens mystiques, elle est élevée chaque jour à la contemplation des biens d'en haut. C'est pour la même raison que le psalmiste dit ʻ La

---

3. *Mor.* 23, 19, 34 (*PL*, 76, 271 C - 272 A) : « In scripturae quippe eius eloquio causas nostras singuli si requirimus, inuenimus, nec opus est ut in eo quod specialiter quisque tolerat responderi sibi diuina voce specialiter quaerat... Cogitationibus uel tentationibus singulorum non iam passim per prophetarum uoces, non per angelica officia satisfacit, quia in Scriptura sacra quidquid potest singulis euenire comprehendit... »

4. *Mor.* 30, 19, 64 (*PL*, 76, 559 B-C) : « Montes pascuae sunt altae contemplationes internae refectionis... Possunt adhuc montes pascuae accipi altae sententiae Scripturae sacrae, de quibus per psalmistam dicitur : « Montes excelsi ceruis » (*Ps.* 103, 18), quia hi qui iam dare contemplationis saltus nouerunt, altos sententiarum diuinarum uertices quasi cacumina montium ascendunt. »

nuit sera pour moi une lumière délicieuse ' (*Ps.* 138, 11), puisque, quand l'âme attentive trouve sa nourriture dans l'intelligence mystique, l'obscurité de la vie présente est déjà en elle illuminée de la splendeur du jour qui vient, en sorte que, même au milieu des ténèbres de notre corruption, fait irruption en son intelligence la force de la lumière à venir[5]. » Ailleurs il compare l'Écriture à un chant qui retentit dans la nuit. « Le chant dans la nuit, c'est la joie dans l'épreuve, puisque même affligés par les épreuves de la condition temporelle, nous goûtons déjà par l'espérance les joies de l'éternité. C'est ce chant dans la nuit que célébrait Paul : ' Ayez la joie dans l'espérance, la constance dans la tribulation. ' (*Rom.* 12, 12). C'est ce chant dans la nuit qu'entonnait David : ' Tu m'es un refuge dans l'épreuve qui m'assiège. O ma joie, délivre-moi de ceux qui m'assiègent '. (*Ps.* 31, 7)... Comme nous ne pouvons retourner au bonheur éternel qu'à travers les maux temporels, tout le dessein de la sainte Écriture est de nous réconforter au milieu des adversités qui passent par l'espérance de la joie qui demeure[6]. » Ce très beau texte aide à comprendre le sens qu'il faut donner habituellement à l'expression de « culture biblique » lorsqu'on l'applique à Grégoire. Ses complications exégétiques, ses raffinements de moraliste peuvent surprendre ou décevoir, mais il ne faut jamais perdre de vue ce qui justifie à ses yeux cette exégèse et cette morale : éclairer l'existence humaine à la lumière du mystère de Dieu, cette lumière devant être cherchée avant tout dans l'Écriture sainte.

Bible et révélation de Dieu   Cette préoccupation spirituelle n'empêche pourtant pas Grégoire de considérer parfois l'Écriture à la façon d'un théologien. Reprenant l'image de la lumière, il établit par exemple une distinction entre la lumière incréée qu'est Dieu et cette lumière créée que constituent les deux Testaments. « L'Écriture, dans les ténèbres de la vie présente est devenue la lumière de notre chemin... Nous savons cependant que notre lampe elle-même

---

5. *Mor.* 16, 19, 24 (*PL*, 75, 1132 D = *SC*, 221, p. 174) : « Ecclesia nisi uerborum Dei deliciis afflueret, de deserto uitae praesentis ascendere ad superiora non posset. Deliciis ergo affluit, et ascendit, quia dum mysticis intelligentiis pascitur, ad superna quotidie contemplanda subleuatur. Hinc etiam Psalmista ait : « Et nox illuminatio mea in deliciis meis », quia dum per intellectum mysticum studiosa mens reficitur, iam in ea uitae praesentis obscuritas fulgore diei subsequentis illuminatur, ut etiam in huius corruptionis caligine in intellectum illius uis futuri luminis erumpat. »

6. *Mor.* 26, 16, 26 (*PL*, 76, 362 D - 363 A) : « Carmen in nocte est laetitia in tribulatione, quia etsi pressuris temporalitatis affligimur, spe iam tamen de aeternitate gaudemus. Carmina Paulus in nocte praedicabat, dicens : « Spe gaudentes, in tribulatione patientes. » Carmen in nocte Dauid sumpserat, qui dicebat : « Tu mihi es refugium a pressura quae circumdedit me, exsultatio mea, redime me a circumdantibus me »... Quia enim ad aeterna gaudia redire non possumus, nisi per temporalia detrimenta, tota sacrae Scripturae intentio est ut spes manentis laetitiae nos inter haec transitoria aduersa corroboret. » Dans sa *Regula pastoralis*, Grégoire compare encore l'Écriture à une lumière qui brille dans la nuit de notre vie présente (*Past.* 3, 24 : *PL*, 77, 94 A).

est obscure si la vérité ne l'illumine pas dans nos esprits. C'est pourquoi le psalmiste dit : ' C'est toi, Yahvé, ma lampe ; mon Dieu, éclaire ma ténèbre ' (*Ps.* 18, 29). Qu'est-ce en effet qu'un luminaire ardent, si ce n'est la lumière ? Mais la lumière créée ne luit pas à nos yeux, si elle n'est illuminée par la lumière non créée. Car le Dieu tout puissant lui-même, en vue de notre salut, a créé les paroles des deux Testaments et il nous les a rendues accessibles[7]. » On n'a pas de peine à reconnaître les origines augustiniennes d'une telle conception : la compréhension de l'Écriture résulte d'une illumination intérieure, qui vient de Dieu, et, par la *lectio diuina*, l'homme entre donc en communion avec celui qui est la source de toute lumière, la vérité et la sagesse[8]. La méditation de l'Écriture, lumière créée, nous donne accès aux réalités surnaturelles, à l'égal du Christ, qui est la Sagesse incarnée. « Nous avons déjà dit souvent que la foi est une porte et que par cette même foi peut être signifié notre Seigneur et rédempteur lui-même, le médiateur entre Dieu et les hommes, Jésus-Christ, parce que, grâce à la foi qui est en lui, s'ouvre l'entrée dans la vie. Mais l'Écriture sainte elle aussi, qui nous ouvre cette même foi pour nous faire comprendre notre rédempteur, nous avons bien raison de l'appeler une porte, car, une fois que nous l'avons connue comme il faut, nous accédons à la compréhension des choses invisibles[9] ». La Bible apparaît ainsi comme le moyen que Dieu lui-même met à la disposition des hommes pour le connaître. N'est-ce pas en fonction de ce principe qu'il convient de comprendre les règles de l'exégèse grégorienne ? Certes, les textes bibliques se prêtent à plusieurs interprétations, mais toutes sont une façon d'approcher le mystère de Dieu en s'appuyant sur sa parole, telle qu'elle est contenue et exprimée dans l'Ancien et le Nouveau Testament.

Pour Grégoire, il est clair que l'homme ne peut se passer de la Bible pour aller à Dieu. Même si nous avons aujourd'hui l'impression de nous égarer à travers le dédale de ses commentaires exégétiques, il reste

---

7. *HEz* 1, 7, 17 (*PL*, 76, 848 C-D = *CCh*, 142, p. 93-94) : « Haec nobis Scriptura in tenebris uitae praesentis facta est lumen itineris... Scimus tamen quia et ipsa nobis nostra lucerna obscura est, nisi hanc nostris mentibus ueritas illustret. Vnde iterum psalmista ait : « Quoniam tu illuminas lucernam meam, Domine, Deus meus, illumina tenebras meas ». Quid enim lucerna ardens, nisi lumen est ? Sed lumen creatum nobis non lucet, nisi illuminetur a lumine non creato. Quia ergo omnipotens Deus ad salutem nostram sanctorum Testamentorum dicta et ipse creauit, et ipse aperuit... »

8. Dans son étude sur la mystique grégorienne, F. LIEBLANG n'a pas songé à cette relation que Grégoire établit entre la lecture de la Bible et la vie contemplative.

9. *HEz* 2, 5, 3 (*PL*, 76, 986 B-C = *CCh*, 142, p. 277) : « Saepe iam diximus, portam fidem, et per eamdem fidem ipsum Creatorum ac Redemptorem nostrum, Mediatorem Dei et hominum Iesum Christum posse signari, quia per fidem quae in eo est introitus ad uitam patet. Sed etiam Scripturam Sacram, quae nobis eamdem ipsam fidem in Redemptoris nostri intellectum aperit, non immerito portam accipimus, quia, ea ut oportet cognita, ad intelligenda inuisibilia intramus. »

que l'auteur des *Moralia* s'est toujours efforcé de suivre ce chemin et
d'y engager ses auditeurs. Car il n'y a pas pour lui d'autre moyen de
demeurer attaché au Seigneur. « Comme des serviteurs bien dociles
sont toujours attentifs au visage de leurs maîtres, pour saisir immédiatement et se hâter d'exécuter leurs ordres, ainsi les esprits des justes
demeurent par leur attention présents au Seigneur tout puissant et
contemplent pour ainsi dire sa face dans son Écriture, de sorte qu'ils
s'écartent d'autant moins de sa volonté qu'ils reconnaissent cette même
volonté dans sa parole, puisque, par elle, Dieu dit tout ce qu'il veut.
Par suite, ses paroles ne traversent pas superficiellement leurs oreilles,
mais ils les fixent dans leur cœur[10]. » Dans ses lettres de direction spirituelle, Grégoire met ce principe en application. Il écrit par exemple à
un ami de Constantinople, le médecin Théodore : « Qu'est-ce que l'Écriture
sainte, sinon une lettre du Dieu tout puissant à sa créature ? Certes,
si votre gloire se trouvait ailleurs et qu'elle reçût un message de l'empereur
de la terre, elle n'aurait de cesse, elle n'aurait de repos, elle n'accorderait
de sommeil à ses yeux qu'elle n'ait d'abord pris connaissance de ce que
lui aurait écrit l'empereur de la terre. L'empereur du ciel, le Seigneur
des hommes et des anges, t'a fait parvenir des lettres de lui qui intéressent
ta vie, et, pourtant, glorieux fils, tu négliges de lire passionnément ces
lettres ! Mets-toi donc à l'étude, je t'en prie, et médite chaque jour les
paroles de ton Créateur[11]. » On ne saurait mieux dire : la Bible contient
les communications que Dieu adresse aux hommes pour les guider vers
lui. Lire la Bible, c'est prendre connaissance de ces messages d'en haut.
Quoi de plus urgent et de plus utile ? Une telle conviction explique la
prolixité et la hardiesse avec lesquelles Grégoire développe ses propres
commentaires. C'est qu'il ne se lasse pas de transmettre aux hommes
la parole de Dieu.

Il dispose aussi de quelques critères pour distinguer plusieurs aspects
de cette parole, ou plusieurs étapes dans cette révélation. La distinction
la plus fondamentale est celle qui établit une gradation qui va de la loi
aux apôtres, en passant par les prophètes et l'Évangile. « L'Écriture

---

10. *Mor.* 16, 35, 43 (*PL*, 75, 1142 C-D = *SC*, 221, p. 204) : « Sicut bene
obsequentes famuli dominorum suorum uultibus semper intenti sunt, ut
ea quae praeceperint, festine audiant et implere contendant, sic iustorum
mentes per intentionem suam omnipotenti Domino assistunt, atque in
scriptura eius quasi os eius intuentur, ut quia per eam Deus loquitur
omne quod uult, tanto a uoluntate eius non discrepent, quanto eamdem
uoluntatem illius in eius eloquio agnoscunt. Vnde fit ut eius uerba non
per eorum aures superuacue transeant, sed haec in suis cordibus figant. »

11. *Ep.* 5, 46 (*MGH*, I, p. 345-6) : « Quid est autem Scriptura sacra,
nisi quaedam epistola omnipotentis Dei ad creaturam suam ? Et certe
sicubi esset gloria uestra alibi constituta, et scripta terreni imperatoris
acciperet, non cessaret, non quiesceret, somnum oculis non daret, nisi
prius quid sibi imperator terrenus scripsisset agnouisset. Imperator
coeli, Dominus hominum et angelorum, pro uita tua tibi suas epistolas
transmisit, et tamen, gloriose fili, easdem epistolas ardenter legere
negligis. Stude ergo, quaeso, et quotidie Creatoris tui uerba meditare. »

sainte atteint les cœurs des hommes par la loi, en scellant le mystère. Par les prophètes, elle les atteint un peu plus ouvertement, en prophétisant le Seigneur. Par l'Évangile, elle les atteint en montrant celui qu'elle a prophétisé. Par les apôtres, elle les atteint en prêchant celui que le Père a montré pour notre rédemption[12]. » Cette progression suppose que la révélation de Dieu culmine dans le Christ, qui occupe une position centrale dans l'Écriture. En lui se trouve la plénitude de la parole que Dieu adresse à l'humanité et les deux Testaments sont pareils aux deux anges qui gardent son tombeau ou aux deux chérubins debout près du propitiatoire. « Nous pouvons en effet dans les deux anges reconnaître les deux Testaments, l'un qui vient d'abord, et l'autre qui le suit. En vérité, les anges sont réunis à l'endroit où se trouve le corps du Seigneur, car en fait les deux Testaments, en annonçant en des sens identiques que le Seigneur s'est incarné, est mort et est ressuscité, sont pour ainsi dire assis, l'Ancien à sa tête et le Nouveau à ses pieds. C'est pourquoi également les deux chérubins qui protègent le propitiatoire se regardent l'un l'autre... Car chérubin veut dire plénitude de science. Et que désignent les deux chérubins sinon les deux Testaments ? Que figure le propitiatoire sinon le Seigneur incarné, dont Jean dit « il s'est fait propitiation pour nos péchés '. Et lorsque l'Ancien Testament montre que doit s'accomplir ce que le Nouveau proclame accompli dans le Seigneur, ils se regardent l'un l'autre comme les chérubins, en tournant leur regard vers le propitiatoire, car, en apercevant placé entre eux le Seigneur incarné, ils ne s'écartent pas de sa vue et racontent de façon concordante le mystère de la miséricorde[13]. »

Cette idée de la concordance des deux Testaments à cause de la primauté du Christ, qui en fait l'unité parce qu'il en est la fin et la plénitude, dominera toute l'exégèse du Haut Moyen Age[14]. Déjà Origène et Augustin

---

12. *HEz* 1, 6, 16 (*PL*, 76, 836 B-C = *CCh*, 142, p. 77) : « Scriptura sacra per legem ad corda hominum uadit, signando mysterium. Per prophetas uadit paulo apertius, prophetando Dominum. Per Euangelium uadit, exhibendo quem prophetauit. Per apostolos uadit, praedicando eum quem Pater pro nostra redemptione exhibuit. » Cf. *ibid.* 14 (835 A = p. 75).

13. *HEv* 2, 25, 3 (*PL*, 76, 1191 C-D) : « Possumus etiam per duos angelos duo Testamenta cognoscere, unum prius, et aliud sequens. Qui uidelicet angeli per locum dominici corporis sibimet sunt coniuncti, quia nimirum utraque Testamenta, dum pari sensu incarnatum et mortuum ac resurrexisse Dominum nuntiant, quasi Testamentum prius ad caput, et Testamentum posterius ad pedes sedet. Unde et duo Cherubim quae propitiatorium tegunt sese inuicem aspiciunt... Cherubim quippe plenitudo scientiae dicitur. Et quid per duo Cherubim nisi utraque Testamenta signantur ? Quid uero per propitiatorium nisi incarnatus Dominus figuratur ? De quo Iohannes ait : « Ipse est enim propitiatio pro peccatis nostris ». Et dum Testamentum uetus hoc faciendum denuntiat quod Testamentum nouum de Domino factum clamat, quasi utraque cherubim se inuicem aspiciunt, dum uultus in propitiatorium uertunt, quia dum inter se positum incarnatum Dominum uident, a suo aspectu non discrepant, quae dispensationis eius mysterium concorditer narrant. »

14. H. de LUBAC (*op. cit.*, I, 1, *Symboles de la concorde*, p. 347) indique

l'ont mise en œuvre dans leurs commentaires, mais les œuvres de Grégoire, qui eurent tant d'influence du VIIᵉ au XIIᵉ siècle, ont dû faire beaucoup pour l'imposer définitivement, grâce aux images et aux symboles au moyen desquels il la rendait compréhensible à tous. Les deux Testaments sont à la fois distincts et unis, non seulement comme les deux anges du tombeau ou les deux chérubins du propitiatoire, mais comme la rose dans la roue du char d'Ézéchiel[15], comme la corde et l'arc[16], comme le seuil intérieur et le seuil extérieur d'une même porte[17], comme des ruisseaux étroits prolongés par des ruisseaux plus larges[18], comme Arcturus et les Pléiades[19], etc... Ce symbolisme peut nous sembler touffu et même incohérent, mais il concourt à mettre en relief le principe essentiel de toute allégorie scripturaire : l'Écriture entière, de l'Ancien au Nouveau Testament, annonce le Christ, qui lui donne son sens. L'exégèse grégorienne, quelles que soient ses complications ou ses naïvetés, ne fait que tirer les conséquences de ce principe créateur.

En outre, un tel principe établit une relation étroite entre l'intelligence spirituelle de l'Écriture et la vie concrète du chrétien, appelé au renouvellement intérieur, par sa foi au Christ[20]. Voici, par exemple, comment Grégoire invite à méditer le *Cantique des Cantiques* : « Nous devons nous rendre à ces saintes noces de l'époux et de l'épouse avec la compréhension que donne la charité intérieure, c'est-à-dire avec le vêtement nuptial : de peur qu'en ne revêtant pas le vêtement nuptial, c'est-à-dire l'intelligence qui convient à l'amour, nous ne soyons rejetés loin de ce festin des noces, dans les ténèbres extérieures, c'est-à-dire dans l'aveuglement de l'ignorance... L'apôtre dit : ' Si tu es une créature nouvelle dans le Christ, les choses anciennes sont passées ' (2 *Cor.* 5, 17). Et nous savons que, lors de notre résurrection, le corps est tellement lié à l'esprit que tout ce qui avait été souffrance est assumé par la force de l'esprit. Celui qui sert Dieu doit donc imiter chaque jour sa résurrection : de même qu'alors il n'aura plus rien de passible dans son corps, de même maintenant qu'il n'ait rien de passible dans son cœur ; pour qu'il soit déjà une nouvelle créature selon l'homme intérieur, qu'il piétine tout ce qui a une résonance ancienne et qu'il recherche dans les paroles anciennes la seule force de la nouveauté[21] ». Ainsi, par la compréhension spirituelle de l'Écriture,

---

que ce symbolisme remonte à Jérôme et ajoute : « Saint Grégoire l'adopte, entraînant toute la tradition latine. »

15. Cf. *HEz* 1, 7, 9-16 (*PL*, 76, 844-848 = *CCh*, 142, p. 88-93).
16. Cf. *Mor.* 19, 30, 55 (*PL*, 76, 134 A-B).
17. Cf. *HEz* 2, 3, 16 (*PL*, 76, 966 A - 968 B = *CCh*, 142, p. 247-248).
18. Cf. *Mor.* 18, 39, 60 (*PL*, 76, 71 C-D).
19. Cf. *Mor.* 29, 31, 73 (*PL*, 76, 518 B-D).
20. Cf. H. de LUBAC (*op. cit.*, *ibid.*, p. 352-354).
21. *In Cant. cant.* 4 (*CCh*, 144, p. 4-6) : « Debemus ad has sacras nuptias sponsi et sponsae cum intellectu intimae caritatis, id est cum ueste uenire nuptiali, necesse est : ne, si ueste nuptiali, id est digna caritatis intelligentia, non induimur, ab hoc nuptiarum conuiuio in exte-

l'homme non seulement passe des réalités visibles aux invisibles, mais anticipe sa vie de ressuscité. En insistant sur ce lien entre l'exégèse et l'expérience chrétienne, en montrant le pouvoir transfigurateur de la *lectio diuina*, Grégoire a joué un rôle très important. Tous les écrivains du Haut Moyen Age devaient retenir cette leçon : grâce à l'auteur des *Moralia*, qui a vulgarisé ces principes, ils savent que l'Écriture est la source de tout renouveau spirituel. Leur culture biblique a des résonances grégoriennes[22].

« Scriptura sacra, multipliciter exposita » On sait que Grégoire distingue habituellement trois sens de l'Écriture : le sens historique ou littéral (*fundamentum historiae*), le sens allégorique ou typologique (*significatio typica*) et le sens tropologique ou moral (*moralitatis gratia*)[23]. Il lui arrive d'y ajouter un quatrième sens : le sens anagogique ou mystique (*intelligentia contemplatiua*)[24]. Je n'ai pas ici à analyser cette méthode d'exégèse[25], mais seulement à déceler ses implications spirituelles. En quoi la gradation établie entre ces divers sens, ces divers niveaux de compréhension de l'Écriture intéresse-t-elle la vie des chrétiens ?

C'est tout d'abord un fait d'expérience que l'Écriture se prête à des interprétations qui varient avec le degré de culture et d'avancement spirituel de ses lecteurs. « Le cercle des préceptes que contient l'Écriture est tantôt en haut, tantôt en bas, parce qu'aux âmes plus parfaites ces préceptes parlent de façon spirituelle, tandis que les âmes faibles les comprennent selon la lettre ; et les éléments mêmes que les gens simples comprennent selon la lettre, les hommes instruits les poussent

---

riores tenebras, id est in ignorantiae caecitate, repellamur... Ait apostolus : « Si qua igitur in Christo noua creatura, uetera transierunt. » Et scimus, quia in resurrectione nostra ita corpus spiritui adnectitur, ut omne, quod fuerat passionis, in uirtute spiritus adsumatur. Is ergo, qui deum sequitur, imitari debet quotidie resurrectionem suam : ut, sicut tunc nihil passibile habebit in corpore, ita nunc nihil passibile habeat in corde ; ut secundum interiorem hominem iam noua creatura sit, iam quidquid uetustum sonuerit calcet, et in uerbis ueteribus solam uim nouitatis inquirat. »

22. Cf. R. WASSELYNCK, *L'influence de Saint Grégoire sur les commentaires bibliques médiévaux*, dans *RTA*, 32, 1965, p. 157-204.

23. Ces principes se trouvent résumés dans la lettre-dédicace des *Moralia*, adressée à Léandre de Séville (*Ep.* 5, 53 a, 2 : *SC*, 32 bis, p. 122-124).

24. Cf. *Mor.* 16, 19, 24 (*PL*, 75, 1132 B-C = *SC*, 221, p. 172) : « In cuius nimirum uerbis tot delicias inuenimus, quot ad profectum nostrum intelligentiae diuersitates accipimus, ut modo nuda nos pascat historia, modo sub textu litterae uelata medullitus nos reficiat moralis allegoria, modo ad altiora suspendat contemplatio, in praesentis uitae tenebris iam de lumine aeternitatis intermicans. »

25. Pour cela, cf. H. de LUBAC, *op. cit.*, I, 1, p. 187-189 : Grégoire, Cassien, Eucher. R. MANSELLI, *Gregorio Magno e la Bibbia*, dans *La Bibbia nel Alto Medioevo*, Spolète, 1963, p. 78-86.

plus loin grâce à leur intelligence spirituelle[26] ». Cette hiérarchie entre les *paruuli* et les *docti* se rencontre souvent sous la plume de Grégoire : il est normal à ses yeux que chacun trouve dans l'Écriture ce qu'il est capable d'y chercher[27], et le prédicateur qu'est Grégoire a toujours le souci d'adapter ses commentaires aux capacités de ses auditoires[28].

Néanmoins, Grégoire ne règle pas son exégèse en fonction de considérations purement pratiques, comme si l'on pouvait tirer de la Bible ce qui correspondrait à des besoins déterminés. La raison d'être de cette diversité de niveaux d'interprétation de l'Écriture réside dans l'Écriture elle-même et, d'une certaine façon, on rejoint ici la doctrine grégorienne de la docte ignorance. En effet, il est essentiel à la parole de Dieu de comporter des zones qui sont comme au-delà des possibilités de l'intelligence humaine. « Les régions supérieures du ciel, le Seigneur les a cachées dans les eaux, car les hauteurs de l'Écriture Sainte, c'est-à-dire ce qui traite de la nature de la divinité ou des joies éternelles, nous les ignorons encore, et seuls les anges en ont connaissance dans le secret[29]. »

Grégoire revient à maintes reprises sur cette idée que Dieu a voulu une hiérarchie des intelligences créées. « Dans l'Écriture, beaucoup d'éléments sont écrits de façon claire, de sorte qu'ils nourrissent les humbles ; certains sont voilés par des expressions plus obscures, de manière à exercer les forts dans la mesure où l'effort que l'on fait pour les comprendre accroît le plaisir que l'on a. Certains restent fermés, de sorte qu'en prenant conscience de notre faiblesse et de notre aveuglement, par le fait même que nous ne les comprenons pas, nous progressions en humilité plus qu'en intelligence. Il est en effet des éléments qui parlent des choses célestes de telle façon qu'ils ne sont accessibles qu'aux seuls citoyens de la cité céleste établis dans leur patrie, sans nous être encore dévoilés à nous qui sommes en route... Nous donc, nous sommes encore en chemin, nous entendons beaucoup de choses relatives à cette patrie céleste, il en est que nous comprenons déjà par l'esprit et la raison, certaines qu'en revanche nous vénérons sans les comprendre[30] ». Mais

---

26. *HEz* 1, 6, 2 (*PL*, 76, 829 B-C = *CCh*, 142, p. 67) : « Circulus quippe praeceptorum illius modo sursum, modo deorsum est, quae perfectioribus spiritaliter dicuntur, infirmis iuxta litteram congruunt, et ipsa quae paruuli iuxta litteram intellegunt, docti uiri per spiritalem intelligentiam in altum ducunt. »

27. Cf. *HEz* 1, 7, 9-10 (*PL*, 76, 844 C-D = *CCh*, 142, p. 88-90) ; *ibid.* 1, 9, 30-31 (883 C - 884 A = p. 139-140).

28. Cf. L. WEBER, *op. cit.*, p. 23-28.

29. *HEz* 1, 9, 30 (*PL*, 76, 883 C-D = *CCh*, 142, p. 139) : « Huius ergo caeli superiora Dominus in aquis tegit, quia alta sacri eloquii, id est ea quae de natura diuinitatis uel de aeternis gaudiis narrat, nobis adhuc nescientibus, solis angelis in secreto sunt cognita. »

30. *HEz* 2, 5, 4 (*PL*, 76, 986 C-D = *CCh*, 142, p. 277) : « Multa quippe in illa ita aperte scripta sunt ut pascant paruulos, quaedam uero obscurioribus sententiis ut exerceant fortes, quatenus cum labore intellecta plus grata sint. Nonnulla autem ita in ea clausa sunt, ut dum ea non intellegimus, agnoscentes infirma nostrae caecitatis, ad humilitatem magis quam

si ces révélations supérieures contenues dans l'Écriture nous échappent, ce n'est pas seulement notre esprit qui en est responsable, mais Dieu lui-même, qui reste finalement ineffable. « Les Écritures Saintes qui sont destinées à nous faire connaître notre rédempteur, doivent être vénérées à cause de leur caractère sublime alors même qu'on ne les comprend pas... Car l'Écriture Sainte a été instituée si admirablement par le Dieu tout-puissant que, malgré la multiplicité apparente de ses expressions (*etsi multipliciter uideatur exposita*), elle ne manque cependant pas de passages secrets, dans lesquels elle garde des vérités cachées... Ce caractère incompréhensible montre que le Dieu tout-puissant a veillé dans sa grande providence sur la nature changeante de l'homme. Car, pour éviter que l'Écriture ne soit dépréciée à force d'être familière, il a fait en sorte, de façon admirable, qu'elle demeure incomprise, tout en étant connue[31] ».

Cette dernière formule (*ut cognita nesciatur*) rappelle indéniablement le paradoxe général de la docte ignorance, et l'on constate à nouveau qu'il ne s'agit nullement d'une hostilité à la science exégétique, mais d'un principe hautement spirituel, qui découle de la théodicée grégorienne[32]. La transcendance de Dieu est telle, que sa parole échappe partiellement à nos facultés de connaissance. Le caractère incompréhensible de ces passages de l'Écriture ne provient pas seulement des limites de notre intelligence : il manifeste l'essence même de Dieu, dont nous n'aurons jamais qu'une connaissance imparfaite durant notre vie terrestre. Ce n'est là qu'un aspect des idées de Grégoire sur l'expérience mystique : même les saints ne peuvent parvenir qu'à une vision obscure de Dieu[33]. « Tant que nous vivons dans cette demeure terrestre, nous ne pénétrons

---

ad intelligentiam proficiamus. Sunt enim quaedam quae ita de caelestibus loquuntur, ut solis illis supernis ciuibus in patria sua persistentibus pateant necdumque nobis peregrinantibus reserentur... Nos igitur adhuc in uia sumus, multa de illa caelesti patria audimus, alia iam per spiritum et rationem intelligimus, quaedam uero non intellecta ueneramur. »

31. *In I Reg.* Prol. 3 (*CCh*, 144, p. 51) : « Scripturae sacrae, quae ad cognoscendum redemptorem sunt editae, pro sublimitatis suae dignitate uenerandae tunc etiam sunt, cum non intelleguntur... Scriptura etenim sacra tam mirabiliter ab omnipotente Deo condita est, ut, etsi multipliciter uideatur exposita, non desunt tamen ei secreta, quibus seruet occulta... Qua profecto eius incomprehensibilitate omnipotens Deus humanae mutabilitati magna dispensatione consuluit. Nam, ut uilescere nota non possit, sic mire disposita est, ut cognita nesciatur... » Dans un autre passage (*HEz* 1, 6, 1 : *PL*, 76, 829 A-B = *CCh*, 142, p. 67), Grégoire affirme la même conviction, mais dans un sens légèrement différent : l'obscurité de certains passages de l'Écriture est destinée plutôt à stimuler notre intelligence.

32. Dans son étude de cette théodicée, M. Frickel (*op. cit.*) n'envisage que les deux voies de la connaissance naturelle de Dieu : à travers la création et par le regard intérieur. Il omet la connaissance qui est offerte à partir de la Bible, et qui s'accorde parfaitement avec la conception grégorienne de la transcendance divine.

33. Cf. F. Lieblang, *op. cit.*, p. 137-144.

absolument pas, pour ainsi dire, le mur de notre corruption avec les yeux de notre esprit, et il ne nous est pas possible de voir les uns chez les autres ce qui est caché. C'est pourquoi la sainte Église qui désirait voir le visage de son époux dans sa divinité, sans y parvenir, parce que l'humanité qu'il a assumée masquait à ses yeux la forme de cette divinité qu'elle avait souhaité contempler, dit avec tristesse dans le *Cantique des Cantiques* : « Voici qu'il se tient derrière notre mur ». (*Cant.* 2, 9)[34]. Même à travers l'Écriture, Dieu ne cesse pas de se manifester comme un Dieu caché, que nous ne faisons qu'entrevoir, en des images fugitives ou obscures. Mais ce principe n'a rien de décourageant, bien au contraire : s'il apparaît toujours au-delà des prises de notre intelligence, Dieu appelle celle-ci à se dépasser, en gravissant l'échelle de l'Écriture pour s'élever jusqu'à lui[35]. Le caractère ineffable de Dieu stimule en définitive notre désir de le connaître.

La Bible dans la mission de l'Église   Il semble parfois que Grégoire admette l'existence dans la Bible de deux catégories de textes : les uns qui se prêteraient à une interprétation simple et accessible à tous et d'autres, qui ne seraient compris que des spirituels ou des anges. Mais plus souvent il reconnaît qu'en fait, ce sont les mêmes textes qui sont susceptibles de plusieurs exégèses : le sens historique n'exclut pas, mais appelle le sens allégorique[36]. Si bien que la lecture des livres saints nous entraîne au-delà des apparences et nous donne une intelligence toujours plus pénétrante des réalités spirituelles. « Comprenant avec prudence, par l'inspiration de l'Esprit Saint, les sens mystiques du texte sacré, le prophète dit : « Tes témoignages sont merveilleux, Seigneur, et c'est pourquoi mon âme les a scrutés » (*Ps.* 118, 129). Et il dit encore : « Ouvre mes yeux et je considérerai les merveilles de ta loi » (*ibid.* 18). Celui, en effet, qui, dans les choses claires, ne comprend pas encore les éléments cachés, a les yeux voilés. Mais celui qui déjà les comprend, ses yeux grand ouverts, considère les merveilles de la loi de Dieu, car, en discernant spirituellement les paroles de la lettre, il mesure quelle grandeur est cachée au-dedans[37]. Cette idée qu'un progrès est

---

34. *Mor.* 18, 48, 78 (*PL*, 76, 84 C-D) : « In hac itaque terrestri domo quousque uiuimus, ipsum, ut ita dicam, corruptionis nostrae parietem mentis oculis nullatenus penetramus, et uicissim in aliis uidere occulta non possumus. Vnde sancta Ecclesia sponsi sui speciem uidere in diuinitate desiderans, nec tamen ualens, quia aeternitatis illius formam quam intueri concupiuerat ab eius oculis assumpta humanitas abscondebat, in Canticis Canticorum moerens dicit : « En ipse stat post parietem nostrum ».

35. Cf. *In I Reg.*, Prol. 7 (*CCh*, 144, p. 53) ; *in Cant. cant.* 2 (*ibid.*, p. 3-4).

36. Cf. *HEz* 2, 1, 3 (*PL*, 76, 936 C-D = *CCh*, 142, p. 208-209).

37. *HEz* 2, 10, 1 (*PL*, 76, 1058 A-B = *CCh*, 142, p. 379) : « Sacri eloquii mysticos sensus propheta per aspirationem Sancti Spiritus prudenter intelligens, dicit : « Mirabilia testimonia tua, Domine, ideo scrutata est ea anima mea. » Qui rursus ait : « Reuela oculos meos, et considerabo mirabilia de lege tua. » Qui enim necdum occulta de apertis intellegit,

toujours possible dans l'intelligence de l'Écriture ne doit pas être négligée : elle complète et corrige l'affirmation d'une hiérarchie des sens bibliques et des publics aptes à les comprendre. D'où cet avertissement : « Certains de ceux qui lisent les textes de l'Écriture Sainte, pénétrant les sentences les plus élevées, ont coutume de mépriser, à cause de leur orgueil intellectuel, les recommandations plus humbles données aux plus faibles, et de vouloir les interpréter autrement. Si ces gens-là comprenaient correctement les hautes leçons de l'Écriture, ils ne feraient pas fi des plus petites recommandations, car les préceptes divins s'adressent à certains égards aux grands, de manière à convenir cependant aux humbles, à d'autres égards ; les humbles, grâce au développement de leur intelligence, progressent, comme par des sortes de pas spirituels, et parviennent à comprendre des choses plus importantes[38] ».

Ceux à qui Dieu accorde l'intelligence de sa Parole ont une grande responsabilité, car ils ne doivent pas garder pour eux ce don spirituel, mais en faire profiter tous leurs frères. La prédication prolonge ainsi la *lectio diuina*, et les prédicateurs chrétiens, à la suite des prophètes, sont les interprètes autorisés des volontés divines. Le livre enroulé, qui est remis à Ézéchiel, symbolise l'obscurité de l'Écriture, qui est loin d'être accessible au sens commun. Mais « le livre est déployé devant le prophète, car l'obscurité de l'Écriture Sainte se dévoile devant les prédicateurs[39] ». Le charisme d'enseignement vient ainsi compléter le charisme exégétique. L'ordre donné par Dieu à Ézéchiel d'annoncer tout ce qu'il voit à la maison d'Israël définit la mission de tout prédicateur. « Tu vois pour annoncer, car quiconque progresse dans la vision des réalités spirituelles doit aussi les communiquer aux autres par la parole. Celui qui a le souci de faire progresser son prochain par la prédication, dans la mesure où lui-même progresse, voit pour annoncer. Aussi est-il écrit ailleurs : ' Que celui qui entende dise : viens ' (*Apoc.* 22, 17). Car celui qui, dans son cœur, ressent l'action de la parole de Dieu qui l'appelle, doit absolument s'exprimer en paroles à l'intention du prochain par l'office de la prédication ; et ainsi il en appelle d'autres parce que lui-même a été

---

oculos uelatos habet. Qui vero iam intellegit, reuelatis oculis mirabilia de lege Dei considerat, quia, spiritaliter litterae uerba discutiens, quae interius magnitudo lateat pensat. »

38. *HEz* 1, 10, 1 (*PL*, 76, 886 C = *CCh*, 142, p. 145) : « Solent quidam scripta sacri eloquii legentes, cum sublimiores eius sententias penetrant, minora mandata quae infirmioribus data sunt tumenti sensu despicere, et ea uelle in alium intellectum permutare. Qui si recte in eo alta intelligerent, mandata quoque minima despectui non haberent, quia diuina praecepta sic in quibusdam loquuntur magnis, ut tamen in quibusdam congruant paruulis, qui per incrementa intelligentiae quasi quibusdam passibus mentis crescant atque ad maiora intelligenda perueniant. »

39. *HEz* 1, 9, 29 (*PL*, 76, 882 C-D = *CCh*, 142, p. 138) : « Coram propheta liber expanditur, quia coram praedicatoribus sacri eloquii obscuritas aperitur. »

appelé[40] ». On voit que Grégoire a une vision large et profonde du mystère de la parole de Dieu. De l'Ancien Testament à la mission présente de l'Église, c'est une même réalité qui se déploie de façon continue. Dieu confère l'intelligence spirituelle à des hommes, prophètes ou prédicateurs, dont il fait ses messagers, afin qu'ils aillent le révéler à leurs frères.

Dans ces conditions, l'usage de l'Écriture, qui vise à comprendre et à transmettre la parole de Dieu, représente aussi un problème pastoral. Dans sa *Regula pastoralis*, Grégoire recommande cette méditation assidue de l'Écriture. « Que le pasteur médite chaque jour avec ardeur les préceptes de l'Écriture Sainte, afin que les paroles des instructions divines restaurent fortement en lui son zèle et son attention prévoyante à l'égard de la vie du ciel, qui sont sans cesse détruits par les contingences de notre vie d'homme ; celui que la fréquentation des affaires du siècle amène à vieillir, doit toujours se renouveler dans l'amour de sa patrie spirituelle, en aspirant à la componction. Car au milieu des paroles humaines le cœur a bien des défaillances, et puisqu'il est indéniable et évident que le tumulte extérieur des occupations provoque en lui-même un effondrement, il doit étudier sans relâche pour se redresser en s'instruisant avec ardeur[41] ». Par la fréquentation assidue de l'Écriture, le pasteur évitera donc de se laisser dévorer et affaiblir par les soucis du monde ; il y puisera cette force intérieure qu'il est sans cesse menacé de perdre. La *lectio diuina* est pour lui un devoir primordial, une nécessité spirituelle. Des pasteurs nourris de la science des Écritures seront capables de soutenir l'Église et d'assurer son unité. « Il faut rechercher des docteurs courageux et persévérants comme des bois imputrescibles : en adhérant toujours à l'enseignement des livres Saints, ils manifesteront l'unité de la sainte Église et, en quelque sorte, ils porteront l'arche en soutenant ses cerceaux. Car porter l'arche sur des barres, c'est pour les vrais docteurs amener la sainte Église jusqu'aux esprits frustes des infideles par leur prédication[42] ». Nourriture spirituelle des pasteurs, l'Écriture est donc l'instru-

---

40. *HEz* 2, 2, 4 (*PL*, 76, 950 D - 951 A = *CCh*, 142, p. 227) : « Ideo uides ut annunties, quia quisquis spiritalia uidendo proficit, oportet ut haec loquendo etiam aliis propinet. Videt quippe ut annuntiet, qui in eo quod in se proficit etiam de profectu proximi praedicando curam gerit. Vnde et alibi scriptum est : « Qui audit dicat : ueni ». Cui enim iam uox uocantis Dei efficitur in corde, necesse est ut proximis per praedicationis officium erumpat in uoce, et idcirco alium uocet, quia iam ipse uocatus est. »

41. *Past.* 2, 11 (*PL*, 77, 48 C-D) : « ... Studiose quotidie sacri eloquii praecepta meditetur ; ut in eo uim sollicitudinis, et erga coelestem uitam prouidae circumspectionis, quam humanae conuersationis usus indesinenter destruit, diuinae admonitionis uerba restaurent ; et qui ad uetustatem uitae per societatem saecularium ducitur, ad amorem semper spiritalis patriae compunctionis aspiratione renouetur. Valde namque inter humana uerba cor defluit ; cumque indubitanter constet quod externis occupationum tumultibus impulsum a semetipso corruat, studere incessabiliter debet, ut per eruditionis studium resurgat. »

42. *Ibid.* (49 A-B) : « ... Fortes perseuerantesque doctores uelut imputribilia ligna quaerendi sunt, qui instructioni sacrorum uoluminum

ment privilégié de la mission chrétienne. On ne construit efficacement l'Église qu'en demeurant au contact de la Parole de Dieu.

Dans son activité de pape, Grégoire n'a pas manqué d'appliquer ces principes. Il veut des évêques dont la culture biblique soit solide. Pour le siège de Ravenne, il se refuse à ordonner le prêtre Jean, parce qu'il ignore les psaumes[43]. Pour les mêmes raisons, il fait des réserves sur le diacre Rusticus, élu au siège d'Ancône[44]. Il s'enquiert de savoir ce qu'un autre candidat à l'épiscopat connaît de la Bible[45]. Quand il s'agit des moines, qui devraient faire de la *lectio diuina* leur occupation principale, il se montre encore plus exigeant et admoneste ainsi l'abbé d'un monastère de Syracuse : « Quant aux frères de ton monastère que je vois, je ne trouve pas qu'ils se consacrent à la lecture de l'Écriture. Il est indispensable de réfléchir à la gravité du péché qu'il y a à négliger l'enseignement des instructions divines[46] ».

Mais ce moine, si sévère à l'égard de ses confrères négligents, est aussi un pasteur plein de bon sens, qui veille à ce que l'Écriture soit employée à bon escient. Il se soucie des gens sans culture qui ne peuvent pas tout comprendre, et qui risquent d'être déconcertés par des commentaires trop savants. C'est ainsi qu'il reproche à Marinien un usage malencontreux de ses *Moralia*. « On m'a rapporté que mon très vénéré frère et compagnon dans l'épiscopat, Marinien, fait lire en public pour les vigiles mes commentaires du bienheureux Job ; je ne l'ai pas appris avec plaisir, car ce n'est pas une œuvre populaire et pour des auditeurs sans instruction elle est source de difficultés plus que de progrès. Mais dites-lui de faire lire aux vigiles des commentaires de psaumes, qui sont un excellent moyen de donner une bonne formation morale aux esprits des gens du siècle[47] ». Marinien était peut-être un exégète distingué, mais son

---

semper inhaerentes, sanctae Ecclesiae unitatem denuntient, et quasi intromissi circulis arcam portent. Vectibus quippe arcam portare est bonis doctoribus sanctam Ecclesiam ad rudes infidelium mentes praedicando deducere. »

43. *Ep.* 5, 51 (*MGH*, I, p. 351) : « Nec Iohannem presbyterum psalmorum nescium praeuidimus ordinare. »

44. *Ep.* 14, 11 (*MGH*, II, p. 430) : « Rusticus autem diaconus... uigilans quidem homo dicitur, sed, quantum asseritur, psalmos ignorat. »

45. *Ep.* 10, 13 (*MGH*, II, p. 247) : « Requirendum quoque est si in opere Dei studium habuit uel psalmos nouit. »

46. *Ep.* 3, 3 (*MGH*, I, p. 161) : « In ipsis autem fratribus monasterii tui quos uideo, non inuenio eos ad lectionem uacare. Vnde considerare necesse est quantum peccatum est ut... uos mandata Dei discere negligatis. »

47. *Ep.* 12, 6 (*MGH*, II, p. 352) : « Illud autem quod ad me quorumdam relatione perlatum est, quia reuerendissimus frater et coepiscopus meus Marinianus legi commenta beati Iob publice ad uigilias faciat, non grate suscepi, quia non est illud opus populare, et rudibus auditoribus impedimentum magis quam prouectum generat. Sed dic ei ut commenta Psalmorum legi ad uigilias faciat, quae mentes saecularium ad bonos mores praecipue informant. »

admiration pour l'auteur des *Moralia*, son ancien compagnon du *Coelius*, lui avait enlevé tout sens pastoral. Car l'usage de l'Écriture n'exclut pas le discernement. Pour instruire efficacement les fidèles, il ne suffit pas d'être très savant ; encore faut-il connaître son auditoire et lui expliquer la Parole de Dieu en tenant compte de ses aptitudes intellectuelles.

Les effets   L'Écriture est la source majeure de la morale
de la « lectio diuina »   et de la spiritualité de Grégoire, qui est certain
                 qu'à travers les livres Saints, Dieu s'adresse à
tous les hommes pour les corriger, les instruire et les mener sur le chemin de la perfection. « Par l'enseignement de l'Écriture Sainte, Dieu arrose l'univers de ses eaux : il accorde l'humilité à l'orgueilleux, inspire l'assurance au timide, protège le luxurieux de l'impureté par l'amour de la chasteté, modère l'appât du gain de l'avare par la tempérance, redresse le négligent par la rectitude du zèle, réfrène l'excitation et l'emportement du coléreux ; car Dieu met en chacun, selon la diversité des caractères, la force de sa parole, pour que chacun trouve dans l'Écriture de quoi porter en soi le germe de la vertu qui lui est nécessaire[48] ». La Bible est ainsi une source inépuisable d'inspiration, la règle constante de toute expérience humaine[49]. Elle contient des enseignements innombrables si bien que chacun peut espérer y trouver ce qui conviendra à sa situation et à ses besoins.

Mais il ne faudrait pas croire que l'Écriture contient en réserve une série d'applications toutes prêtes, qui n'attendraient plus que leurs utilisateurs. Comme la connaissance de Dieu, la connaissance de l'Écriture par le chrétien s'insère dans un mouvement incessant, un développement qui n'est jamais achevé, à tel point que Grégoire a cette formule aussi concise que frappante : « Les paroles de Dieu progressent avec celui qui les lit[50] ». De même que le char contemplé par Ézéchiel suivait dans sa marche les mouvements de l'Esprit de vie qui était dans ses roues, de même nous progressons dans l'intelligence de l'Écriture à mesure que l'intelligence de l'Écriture croît en nous. « Les animaux avancent lorsque les saints comprennent dans l'Écriture Sainte comment ils doivent vivre moralement. Les animaux sont élevés de terre, lorsque les saints s'élèvent dans la contemplation. Et plus un saint a progressé

---

48. *Mor.* 6, 16, 22 (*PL*, 75, 741 A-B) : « ... Per doctrinam sacri eloquii, dum superbo humilitas tribuitur, timido confidentia praebetur, luxuriosus per castitatis studium ab immunditia tergitur, auarus per continentiam ab ambitionis aestu temperatur, remissus zeli rectitudine erigitur, iracundus a praecipitationis suae excitatione refrenatur, uniuersa Deus aquis irrigat ; quia uim sui sermonis in singulis iuxta morum diuersitatem format, ut hoc in eius eloquio quisque inueniat, per quod uirtutis necessariae germen ferat. »
49. Cf. L. WEBER, *op. cit.*, p. 45-49 ; B. de VRÉGILLE, *art. cit.*, col. 175.
50. *HEz* 1, 7, 8 (*PL*, 76, 843 D = *CCh*, 142, p. 87) : « Diuina eloquia cum legente crescunt. »

dans l'Écriture Sainte, plus cette même Écriture Sainte progresse en lui[51] ». Grégoire explique ce dynamisme spirituel par l'action de l'Esprit, qui, à travers l'Écriture, communique aux hommes une énergie immense pour la transformation de leur vie. « Dans les roues, en effet, est l'Esprit de vie, car grâce aux textes sacrés, nous sommes vivifiés par le don de l'Esprit, afin de repousser loin de nous des actions porteuses de mort. On peut en effet comprendre que l'Esprit avance, lorsque Dieu touche l'esprit du lecteur par des moyens et selon des procédés divers, puisque, par l'intermédiaire des paroles du texte sacré, tantôt l'excitant dans son zèle, il le pousse à la vengeance, tantôt il l'apaise pour lui faire prendre patience, tantôt il l'instruit en vue de la prédication, tantôt il lui inspire la componction en vue des regrets de la pénitence[52] ».

Tout au long de cette septième homélie sur Ézéchiel, Grégoire ne se lasse pas d'évoquer ce pouvoir transformateur de l'Écriture en des images très poétiques et très profondes. « Les roues elles aussi s'avancent ensemble, s'arrêtent, s'élèvent, car l'Écriture Sainte que l'on interroge se découvre telle que devient celui-là même qui l'interroge. Avez-vous progressé dans la vie active, elle chemine avec vous. Avez-vous progressé vers l'immobilité et la constance de l'esprit, elle s'arrête avec vous. Êtes-vous parvenus à la vie contemplative par la grâce de Dieu, elle s'envole avec vous[53] ». Le Père de Lubac a rapproché des remarques analogues de Raban Maur, certainement inspirées de Grégoire, de cette phrase d'un philosophe contemporain : « Selon le niveau d'intelligence qu'on prend, l'Écriture différencie ses réponses ; et celles-ci, on s'en doute, valent ce que vaut la qualité de l'interrogation[54] ». L'auteur des *homélies sur Ézéchiel* n'est-il pas un de ceux qui ont le plus magnifiquement exposé ce principe capital de toute l'herméneutique chrétienne, selon lequel la Parole de Dieu, lue et méditée dans la foi, ne cesse d'approfondir et de renouveler l'intelligence du croyant ? Le même Père de Lubac, en constatant ce fait, réfute avec ardeur les détracteurs de Grégoire, de

---

51. *Ibid.* (843 C-D = p. 87) : « Ambulant animalia cum sancti uiri in Scriptura sacra intelligunt quemadmodum moraliter uiuant. Eleuantur uero a terra animalia cum sancti uiri se in contemplatione suspendunt. Et quia unusquisque Sanctorum quanto ipse in Scriptura sacra profecerit, tanto haec eadem Scriptura sacra proficit apud ipsum... »

52. *Ibid.* 11 (846 A-B = p. 90) : « In rotis enim spiritus uitae est, quia per sacra eloquia dono spiritus uiuificamur ut mortifera a nobis opera repellamus. Potest enim intellegi quia spiritus uadit, cum legentis animum diuersis modis et ordinibus tangit Deus, quando hunc per uerba sacri eloquii modo in zelo excitans ad ultionem erigit, modo ad patientiam mitigat, modo in praedicationem instruit, modo ad paenitentiae lamenta compungit. »

53. *Ibid.* 16 (848 A = p. 93) : « Et rotae pariter uadunt, stant, eleuantur, quia quaesita sacra lectio talis inuenitur, qualis et fit ipse, a quo quaeritur. Ad actiuam enim uitam profecisti ? ambulat tecum. Ad immobilitatem atque constantiam spiritus profecisti ? stat tecum. Ad contemplatiuam uitam per Dei gratiam peruenisti ? uolat tecum. »

54. H. DUMÉRY, *Critique et religion*, Paris, 1957, p. 247, n. 3.

Mélanchton à Harnack, en leur faisant grief d'avoir au moins méconnu
la façon dont la septième homélie sur Ézéchiel exprime ce développement
de la révélation divine à travers l'Écriture, qui est comme une loi de la
connaissance religieuse en même temps que du progrès spirituel[55]. Il
en commente ainsi la richesse théologique. « Elle constitue aux yeux (de
Grégoire) l'un des fondements de l'exégèse chrétienne, et il la fonde
elle-même sur cette vérité que c'est le même Dieu qui donne l'Écriture
et qui la fait comprendre... Il y aura par conséquent priorité ou causalité
réciproque entre le sens objectif et son interprétation, chaque fois que
celle-ci viendra de l'Esprit... Pas plus que le monde, l'Écriture, cet
autre monde, n'est créée une fois pour toutes : l'Esprit la crée encore,
chaque jour pour ainsi dire, à mesure qu'il l'ouvre. Par une merveilleuse
et rigoureuse correspondance, il la dilate à mesure qu'il dilate l'intelligence
de celui qui la reçoit... Le *uolatus* de l'âme contemplative, si loin qu'il la
conduise à l'intérieur du ciel des Écritures, ne la fera jamais se heurter à
quelque frontière : car l'espace et le vol sont fournis à la fois, à mesure...
Vue audacieuse, mais, si on la comprend bien, d'une audace qui est
celle-même de la foi[56] ».

Grégoire revient inlassablement sur ce lien étroit qui unit la vie chrétienne à la méditation de l'Écriture. C'est la Parole de Dieu qui mesure
notre marche vers la perfection, qui nous signale progrès, reculs ou
faux pas[57]. C'est Dieu lui-même, en définitive, qui ouvre notre intelligence et nous permet d'avancer[58]. En lisant la Bible, nous entrons donc
en communication avec son auteur en même temps que nous y trouvons
une nourriture substantielle pour écarter le péché et suivre le chemin
de la sainteté. A cause de cette étroite dépendance entre l'exégèse et
la morale, tout progrès dans la charité conditionne également la croissance
de notre intelligence spirituelle. C'est là une autre règle souvent rappelée
par Grégoire. « Il nous reste par les progrès quotidiens de notre charité,
à nous avancer dans ce que nous comprenons. Et, bien que nos proches
eux non plus ne voient pas combien nous les aimons et que dans l'Écriture
Sainte nous vénérions humblement ce que nous ne comprenons pas encore,
nous devons cependant nous laisser dilater par les bonnes actions dans
les choses auxquelles nous parvenons par l'intelligence[59] ». Il est normal

---

55. H. de Lubac, *op. cit.*, I, 2, p. 655-657 : L'unité du quadruple sens.
56. *Ibid.*, p. 653-654.
57. Cf. *HEz* 2, 1, 14 (*PL*, 76, 945 A = *CCh*, 142, p. 219) : « Potest etiam
calamus mensurae Scriptura sacra pro eo intellegi, quod quisquis hanc
legit, in ea semetipsum metitur uel quantum in spiritali uirtute proficit,
uel quantum a bonis quae praecepta sunt longe disiunctus remansit,
quantum iam assurgat ad bona facienda, quantum adhuc in prauis
actibus prostratus iaceat. »
58. Cf. *HEz* 1, 10, 5 (*PL*, 76, 887 B-C = *CCh*, 142, p. 146).
59. *HEz* 2, 5, 5 (*PL*, 76, 987 B = *CCh*, 142, p. 278) : « Restat ergo ut
in his quae intellegimus in profectu quotidie caritatis ambulemus. Et
quamuis in nobis proximi nostri non uideant quantum diligantur a
nobis atque in sacro eloquio ea quae necdum intellegimus humiliter
ueneremur, in his tamen ad quae intellegendo peruenimus, dilatari per
bonam operationem debemus. »

que la charité soit la source d'une meilleure compréhension de l'Écriture, car celle-ci enseigne avant tout l'amour de Dieu et du prochain[60]. C'est aller contre la nature de l'Écriture que de vouloir la comprendre et l'exposer pour satisfaire simplement notre désir de connaître ou de paraître : c'est là le reproche majeur que Grégoire fait aux hérétiques. Leurs discours se réfèrent à la Bible, mais en faisant abstraction de sa finalité la plus profonde[61]. Car la Parole de Dieu nous invite sans relâche à l'amour mutuel, et non à l'orgueil de l'intelligence.

En affirmant de tels principes, Grégoire se montre un fidèle disciple de Cassien, qui recommandait ainsi la pratique de la *lectio diuina* en vue du progrès spirituel : « Évitez avec le plus grand soin que votre zèle de la lecture, au lieu de vous procurer la lumière de la science, et la gloire sans fin promise à l'homme qu'illuminent les clartés de la doctrine, ne vous devienne une cause de perdition, par de vaines prétentions. Puis, après avoir banni tous les soins et les pensées terrestres, efforcez-vous de toutes manières de vous appliquer assidûment, que dis-je constamment à la lecture sacrée, tant que cette méditation continuelle imprègne enfin votre âme, et la forme, pour ainsi dire, à son image[62] ».

Conditions de l'intelligence spirituelle   Grégoire est un mystique : pour sa part, il puise dans la *lectio diuina* ce qui entretient sa foi, sa recherche de Dieu, son désir de la sainteté et sa charité. Mais il sait aussi, avec ce grand souci de l'adaptation que je signalais plus haut, éduquer les fidèles à la lecture de l'Écriture. Chemin faisant, il multiplie les conseils pratiques, signalant les conditions, et non plus seulement les effets spirituels, d'une intelligence authentique de cette Parole de Dieu si riche d'enseignements. La condition qu'il rappelle le plus souvent est l'humilité, car l'orgueil empêche l'esprit d'entrer en communion avec Dieu. Là encore, Grégoire ne fait que reprendre et prolonger ces recommandations de Cassien : « Oui, si vous voulez parvenir à la science véritable des Écritures, hâtez-vous d'abord d'acquérir une humilité de cœur inébranlable. C'est elle

---

60. Cf. *HEz* 1, 10, 14 (*PL*, 76, 891 B = *CCh*, 142, p. 150) : « ... ad hoc solum Deus per totam nobis sacram Scripturam loquitur, ut nos ad suum et proximi amorem trahat. »

61. Cf. *Mor.* 20, 9, 20 (*PL*, 76, 149 B-C) : « Qui herbas quoque et arborum cortices mandunt, quia elationis suae obice repulsi, in sacro eloquio magna et intima percipere nequeunt. »

62. *Conf.* 14, 10 (*SC*, 54, p. 195) : « Et idcirco omni cautione deuita, ne tibi per studium lectionis non scientiae lumen nec illa perpetua quae per illuminationem doctrinae promittitur gloria, sed instrumenta perditionis de adrogantiae uanitate nascantur. Deinde hoc tibi est omnimodis enitendum, ut expulsa omni sollicitudine et cogitatione terrena adsiduum te ac potius iugem sacrae praebeas lectioni, donec continua meditatio inbuat mentem tuam et quasi in similitudinem sui formet. »

qui vous conduira, non à la science qui enfle, mais à celle qui illumine, par la consommation de la charité[63] ».

Mais il exploite ces conseils dans un contexte moins étroitement monastique, à la façon d'un polémiste, puisqu'il s'en prend à l'orgueil des hérétiques, qui, pareils à des adultères, se servent de l'Écriture « non pas pour engendrer des fils, mais pour faire étalage de leur gloire[64] ». Leur orgueil les aveugle et finalement les condamne[65]. Ces critiques sont si souvent reprises par Grégoire que le mot hérésie est presque synonyme chez lui d'orgueil intellectuel dans la compréhension de l'Écriture. Sont hérétiques ceux qui commentent la Bible pour se mettre en valeur, en dehors de toute préoccupation spirituelle, alors que Dieu ne se fait connaître qu'aux humbles. L'humilité intellectuelle doit donc être la règle primordiale de quiconque cherche à pénétrer les réalités surnaturelles à partir des livres saints. « Ceux qui, dans la sainte Église, sont véritablement humbles et véritablement instruits, savent, quand ils abordent les secrets célestes, à la fois en comprendre certains qu'ils ont étudiés et en vénérer certains autres qu'ils n'ont pas compris, de manière à retenir avec vénération ce qu'ils comprennent et à attendre humblement ce qu'ils ne comprennent pas encore[66] ». L'humilité est au fond la seule attitude qui convienne de la part de l'homme affronté à la Parole de Dieu ; elle consiste à reconnaître simplement la trasncendance de cette Parole. En définitive, une telle humilité est un gage d'intelligence, car elle permet aux chrétiens de pénétrer du dedans même ce qui leur semblait impossible à comprendre. On voit que ces perspectives s'accordent avec tout ce que Grégoire affirme par ailleurs sur la connaissance de Dieu. L'humilité exégétique est en quelque sorte un aspect particulier de la docte ignorance.

On commettrait un contre-sens si l'on interprétait ces conseils comme un signe d'obscurantisme. L'humilité n'est nullement une forme de résignation intellectuelle. Elle est la disposition d'esprit normale pour qui

---

63. *Ibid.* : « Festinandum igitur tibi est, si ad ueram scripturarum uis scientiam peruenire, ut humilitatem cordis immobilem primitus consequaris, quae te non ad illam quae inflat, sed ad eam quae illuminat scientiam caritatis consummatione perducat. »

64. *Mor.* 16, 60, 74 (*PL*, 75 ,1156 C = *SC*, 221, p. 250-252) : « Adulter quippe in carnali coitu non prolem, sed uoluptatem quaerit. Et peruersus quisque ac uanae gloriae seruiens recte adulterare uerbum Dei dicitur, quia per sacrum eloquium non Deo filios gignere, sed suam scientiam desiderat ostentare. »

65. Cf. *Mor.* 29, 30, 60 (*PL*, 76, 511 C) : « Ibi quippe errant ubi corrigere errata debuerant ; et dum a superna intelligentia resplendentis eloquii, et obdurati ipsi, et seducturi caeteros, corrunt, ad ima uenientes ut gelu, et alios astringunt. »

66. *Mor.* 20, 8, 19 (*PL*, 76, 148 C) : « Hi qui in sancta Ecclesia ueraciter sunt humiles, et ueraciter docti, norunt de secretis coelestibus et quaedam considerata intelligere, et quaedam non intellecta uenerari ut et quae intelligunt ueneranter teneant, et quae necdum intelligunt humiliter exspectent. »

veut comprendre la Bible, et d'ailleurs elle n'exclut pas l'étude, que Grégoire considère comme une autre condition de l'intelligence spirituelle. Il lui arrive même de comparer le travail de l'exégète à celui du laboureur. « La Parole de Dieu est une terre qui rapporte un fruit d'autant plus abondant que le labeur de celui qui cherche l'aura remuée davantage. L'intelligence de la parole sacrée doit donc être tournée et retournée par une multiple recherche, puisque la terre plusieurs fois retournée par le labour est plus apte, elle aussi, à une riche moisson[67] ». C'est pourquoi celui qui a reçu le don de l'intelligence doit s'attacher à le faire valoir. Toute négligence serait coupable. « Souvent, un sot a au-dedans de lui la source d'un breuvage, mais il ne boit pas, car il reçoit le don de l'intelligence, mais cependant dédaigne de connaître, par la lecture, les avis de la vérité ; il sait qu'il est capable de comprendre en étudiant, mais, par paresse, il renonce à toute étude de la doctrine. Ce sont aussi des richesses de l'esprit que les paroles de la sainte Écriture ; mais le sot regarde ces richesses, sans y prendre le moins du monde de quoi embellir sa vie, car, en écoutant les paroles de la loi, il reconnaît sans doute leur importance, mais il ne fait aucun effort pour les comprendre avec le zèle de l'amour[68]. »

Grégoire juge une telle attitude inconcevable et même scandaleuse, car, pendant ce temps, d'autres ont soif de la Parole de Dieu, mais ils n'ont pas la capacité intellectuelle de la comprendre : « D'autres ont soif, mais n'ont aucun don naturel ; c'est l'amour qui les pousse à la méditation, l'hébétude de leur intelligence étant pour eux un obstacle, et souvent ils comprennent à force d'études, en s'instruisant de la loi divine, ce que les gens doués ignorent à cause de leur négligence... Chez ceux-là en vérité l'œil de l'amour éclaire les ténèbres de l'intelligence[69] ». Après avoir évoqué les écueils opposés qui menacent les exégètes trop paresseux ou trop appliqués, l'auteur des *Moralia* formule cette loi du travail exégétique : « Pour comprendre ce qui est juste, nous sommes formés tantôt par une étude laborieuse, tantôt par des épreuves doulou-

---

67. *Mor.* 31, 15, 29 (*PL*, 76, 589 C) : « Terra est uerbum Dei, quam quanto labor inquirentis exigit, tanto largius fructum reddit. Debet ergo intellectus sacri eloquii multiplici inquisitione uentilari, quia et terra, quae saepius arando uertitur, ad frugem uberius aptatur. »

68. *Mor.* 6, 10, 12 (*PL*, 75, 735 D - 736 A) : « Saepe stultus habet interni liquoris fontem, sed non bibit, quia ingenium quidem intelligentiae accipit, sed tamen ueritatis sententias cognoscere legendo contemnit ; scit quia intelligere studendo praeualeat, sed ab omni doctrinae studio fastidiosus cessat. Diuitiae quoque mentis sunt uerba sacrae locutionis ; sed has diuitias stultus oculis aspicit, et in ornamenti sui usum minime assumit, quia, uerba legis audiens, magna quidem esse considerat, sed ad comprehendenda haec nullo studio amoris elaborat. »

69. *Ibid.* (736 A) : « Alius sitim habet, ingenium non habet ; amor ad meditandum pertrahit, sensus hebetudo contradicit ; et saepe hoc in diuinae legis eruditione quandoque studendo intelligit, quod per negligentiam ingeniosus nescit... In his nimirum tenebras hebetudinis illustrat oculus amoris. »

reuses[70] ». Il savait sans doute de quoi il parlait, lui qui a commenté en trente cinq livres les malheurs de Job ! Là encore, l'expérience humaine rejoint la recherche exégétique pour faire découvrir le sens caché de l'Écriture.

Exégèse et morale   Il ne suffit pas de lire ou d'écouter l'Écriture ; il faut surtout la mettre en pratique. Quand il s'agit de la Parole de Dieu, comprendre n'est rien, si l'intelligence ne conduit pas à l'action. C'est là un thème essentiel de la pensée grégorienne. « Beaucoup en effet lisent l'Écriture et après cette lecture, ils sont à jeûn. Beaucoup entendent la voix des prédicateurs, mais après l'avoir entendue, ils restent vides quand ils s'en vont. Bien que leur ventre se nourrisse, leurs entrailles ne se remplissent pas, car ils ont beau percevoir le sens de la parole sacrée avec leur esprit, comme ils oublient et ne gardent pas ce qu'ils ont entendu, ils ne le déposent pas dans les entrailles de leur cœur[71] ». Au contraire, les justes, les vrais auditeurs de la Parole, ne manquent pas de l'intérioriser et de la faire fructifier par toute leur conduite, à l'exemple de Marie. « Car nous cachons les paroles de sa bouche dans les replis de notre cœur, quand nous écoutons ses recommandations non pas de façon passagère, mais pour les accomplir effectivement. C'est ce qui est écrit de la Vierge Marie : ' Marie gardait toutes ces paroles, en les méditant dans son cœur ' (*Luc* 2, 19). En vérité, ces paroles, même si elles passent en actes, demeurent enfouies dans les replis du cœur, si l'âme de celui qui agit n'est pas élevée intérieurement par ce qu'il fait extérieurement[72] ».

Le péché consiste précisément dans la connaissance que n'accompagne aucune conversion. « Les méchants reçoivent à bon droit le don d'intelligence : les avis de l'Écriture sainte les instruisent, ils disent de bonnes choses, mais ne font cependant d'aucune manière ce qu'ils disent : ils profèrent les paroles de Dieu, sans les aimer ; ils les amassent dans leurs éloges et les foulent aux pieds dans leurs vies[73] ». Cette dénonciation

---

70. *Mor.* 6, 11, 13 (736 D) : « Ad intelligenda autem quae recta sunt, aliquando laboris studio, aliquando uero dolore percussionis erudimur. »

71. *HEz* 1, 10, 7 (*PL*, 76, 88 C = *CCh*, 142, p. 147) : « Multi etenim legunt, et ab ipsa lectione ieiuni sunt. Multi uocem praedicationis audiunt, sed post uocem uacui recedunt. Quorum etsi uenter comedit, uiscera non replentur, quia etsi mente intellectum sacri uerbi percipiunt, obliuiscendo et non seruando quae audierint, haec in cordis uisceribus non reponunt. »

72. *Mor.* 16, 36, 44 (*PL*, 75, 1143 A = *SC*, 221, p. 204-206) : « In sinu etenim cordis uerba oris eius abscondimus, quando mandata illius non transitorie, sed implenda opere audimus. Hinc est quod de ipsa matre Virgine scriptum est : « Maria autem conseruabat omnia uerba haec, conferens in corde suo. » Quae nimirum uerba, et cum ad operationem prodeunt, in sinu cordis absconsa latent, si per hoc quod foris agitur intus agentis animus non eleuatur. »

73. *Mor.* 6, 8, 10 (*PL*, 75, 735 A-B) : « Iniquus quisque donum recte intelligentiae accipit : Scripturae sacrae sententiis docetur, bona loquitur,

rejoint celles du Christ à l'adresse des pharisiens : que vaut une vie qui dément ce que l'on affirme en paroles ? C'est par ses actes que l'homme prouve la vérité de ce qu'il dit. Ceux qui comprennent l'Écriture sans la mettre en pratique cèdent à une tentation diabolique. « Il est certains hommes que le diable ne tente pas dans leur intelligence, et auxquels il ne s'oppose pas dans leur méditation de l'Écriture sainte ; mais il ruine leur vie dans l'ordre de l'action et ces gens, loués pour la valeur de leur savoir, ne remarquent pas du tout les torts que font leurs actions[74] ».

Les *Moralia* contiennent de très nombreux passages où apparaissent les couples *scire - facere, loqui - uiuere, scientia - operatio*, qui évoquent en quelque sorte les deux aspects de toute vie humaine, deux aspects qui devraient être complémentaires, mais qui sont parfois antithétiques. « L'hypocrite veut savoir les paroles divines, sans cependant les pratiquer. Il veut en parler savamment, sans en vivre. Du fait qu'il n'accomplit pas ce qu'il connaît, il perd même ce qu'il connaît, si bien que, faute d'associer à sa connaissance une action pure, il perd même la connaissance, en raison de son mépris pour la pureté de la bonne action[75] ». Maintes fois, Grégoire recourt au symbolisme pour mettre davantage en lumière ce qui est presque à ses yeux la loi fondamentale de la vie chrétienne : l'unité intime, la dépendance réciproque qui relie la connaissance à l'action. « L'arc à la main, c'est l'Écriture Sainte en action. Tient en effet son arc à la main celui qui met parfaitement en pratique les paroles divines qu'il connaît par l'intelligence. L'arc est bien tenu en main, lorsque tout ce que l'on connaît par l'étude de la science sacrée est accompli dans la vie... Il n'est pas admirable seulement de connaître, mais de pratiquer la parole de Dieu. Il a en effet une épée, mais ne la tient pas, celui qui connaît les paroles divines, mais néglige de vivre en fonction d'elles... Car il n'est pas du tout capable de résister aux tentations, celui qui, en vivant mal, dédaigne de tenir ce glaive de la parole de Dieu[76] ». Ces métaphores guerrières de l'arc, du glaive viennent

---

sed tamen nullo modo hoc quod dicit operatur : uerba Dei profert, nec tamen diligit ; laudando exaggerat, uiuendo calcat. »

74. *Mor.* 6, 9, 11 (735 B-C) : « Nam saepe quosdam in intellectu non tentat (antiquus hostis), eisque in sacri eloquii meditatione non obuiat ; sed tamen eorum uitam in operatione supplantat, qui dum de scientiae uirtute laudantur, nequaquam suorum operum damna respiciunt. »

75. *Mor.* 15, 14, 17 (*PL*, 75, 1088 D - 1089 A = *SC*, 221, p. 32) : « Vult hypocrita scire diuina eloquia, nec tamen facere. Vult docte loqui, nec uiuere. Pro eo ergo quod non agit quae nouit, etiam hoc quod nouit amittit, ut quia scientiae suae puram operationem non sociat, contempta puritate boni operis et scientiam perdat. »

76. *Mor.* 19, 30, 56 (*PL*, 76, 134 C) : « Arcus in manu est Scriptura sacra in operatione. In manu etenim arcum tenet qui diuina eloquia quae intellectu cognoscit operatione perficit. Instauratur ergo arcus in manu, dum quidquid de sacro eloquio studendo cognoscitur, uiuendo completur... Verbum Dei non est mirabile solummodo scire, sed facere. Habet quippe, sed non tenet gladium, qui diuinum quidem eloquium, nouit, sed secundum illud uiuere negligit... Nam resistere tentationibus omnino non sufficit, qui hunc uerbi Dei tenere gladium male uiuendo postponit. »

rappeler le dynamisme virtuel qui est contenu dans la Bible. Par la *lectio diuina*, l'homme s'approprie ce dynamisme : la parole de Dieu n'est plus seulement une lumière pour son esprit, ou un guide pour son cheminement spirituel, elle devient alors la source d'une énergie nouvelle pour toutes ses activités.

Le couple *scire - facere* (et les couples apparentés, sans parler des images qui les illustrent) exprime en fait, à propos de l'Écriture sainte et de son utilisation, ce que l'on pourrait appeler une structure fondamentale de l'expérience humaine. Toute l'œuvre grégorienne exploite en des antithèses innombrables cette bipolarité : l'idéal moral consiste toujours plus ou moins à réaliser une cohérence harmonieuse entre la parole et l'action[77], la pensée et l'action[78], la prière et l'action[79], la foi et l'action[80]. N'est-ce pas le Romain qui transparaît alors, avec son goût du concret, son mépris pour les théories abstraites, son intelligence pratique[81] ? Plus profondément, l'auteur des *Moralia* ne se situe-t-il pas dans la lignée des grands moralistes de l'Antiquité latine, eux aussi soucieux de guider l'action des hommes, autant que leur pensée ? Sans doute le haut fonctionnaire qu'était Grégoire avait dû lire le *De officiis* de Cicéron et, en tout cas, à travers Ambroise et Augustin, il a été imprégné des catégories de la morale stoïcienne[82], qui entendait fixer dans le détail les règles du comportement. De Sénèque, il ne cite qu'une formule devenue certainement proverbiale (*Cum amicis omnia tractanda sunt, sed prius de ipsis*), mais il est frappant de constater aussi que l'antithèse entre la parole ou la connaissance et l'action était familière à l'auteur des *Lettres à Lucilius*[83]. Il faut renoncer à prouver une influence directe, car Grégoire cite très rarement les auteurs païens[84], mais du moins est-il permis de supposer que l'auteur des *Moralia* a bénéficié à Rome d'un climat, d'une culture qui n'ont pu que mûrir ses talents de moraliste.

Grégoire et la morale chrétienne du Haut Moyen Age   C'est sous le titre de *Moralia* qu'est passée à la postérité l'œuvre principale de Grégoire, ce qui prouve bien que l'on était surtout sensible au contenu moral de ses commentaires exégétiques.

---

77. *Praedicare - facere, sermo - opus* : cf. *Mor.* 19, 7, 13 (*PL*, 76, 103 B-C) ; *os - opus* : cf. *Mor.* 21, 21, 33 (*PL*, 76, 209 A-B).

78. *Cogitatio - opus* : cf. *Mor.* 21, 2, 5 (*PL*, 76, 191 C) ; *deliberatio - opus* : cf. *HEz* 1, 3, 18 (*PL*, 76, 814 B = *CCh*, 142, p. 44).

79. *Oratio - operatio* : cf. *Mor.* 18, 5, 10 (*PL*, 76, 42 D - 43 A).

80. *Fides - operatio* : cf. *HEz* 1, 9, 4 (*PL*, 76, 872 A = *CCh*, 142, p. 125).

81. Cf. R. MANSELLI, *art. cit.*, p. 82.

82. Cf. L. WEBER, *op. cit.*, p. 52-53.

83. *Ep. ad Lucilium* 9, 75, 4 (éd. PRÉCHAC, Paris, 1957, p. 51) : « Haec sit propositi nostri summa : quod sentimus loquamur, quod loquimur sentiamus : concordet sermo cum uita » ; *ibid.* 7 (p. 52) : « Non est beatus qui scit illa, sed qui facit. »

84. Cf. L. WEBER, *op. cit.*, p. 66-67.

D'ailleurs, le jugement de la postérité correspond parfaitement aux intentions de Grégoire qui, en méditant sur l'exemple de Job, cherchait avant tout à exposer de façon très libre les devoirs et les privilèges de la vie vraiment chrétienne[85]. Laissons-le s'en expliquer lui-même, dans sa lettre-dédicace à Léandre, où il évoque les circonstances qui l'ont amené à entreprendre ce vaste commentaire, pour les moines qui l'accompagnaient à Constantinople. « Ce fut alors... qu'il plut à ces mêmes frères, et sur vos instances, de me harceler de demandes importunes pour que je commente le livre de Job, et pour que je leur découvre, dans la mesure où la Vérité m'en rendrait capable, les mystères d'une telle profondeur. Ils aggravèrent leur demande en réclamant non seulement l'interprétation allégorique de l'histoire, mais ses applications morales... C'est assurément pour me conformer à leurs multiples invitations, tantôt par une exégèse littérale, tantôt par l'interprétation plus élevée que donne la contemplation, tantôt par une leçon morale, que j'ai achevé en six volumes cet ouvrage de trente-cinq livres. Dans ce commentaire, je puis paraître souvent sacrifier ce qui touche à l'exégèse littérale pour m'appliquer un peu plus longuement au vaste champ du sens moral et du sens mystique. Mais quiconque parle de Dieu doit regarder comme nécessaire toute enquête qui éduque la vie morale de ses auditeurs... Tel doit être le commentateur de la parole divine : quel que soit le sujet qu'il traite, s'il vient à rencontrer sur sa route une bonne occasion d'édifier, qu'il détourne en quelque sorte vers cette vallée voisine les flots de sa parole... Nous établissons d'abord les fondements du sens littéral ; ensuite, par le sens typique, nous faisons de l'architecture de notre âme une citadelle de la foi ; enfin, par l'agrément du sens moral, nous revêtons en quelque sorte l'édifice d'une couche de peinture. Et en effet, que sont les paroles de la Vérité sinon des aliments pour fortifier nos âmes[86] ? ».

---

85. Cf. R. GILLET, *Introduction aux Moralia, SC*, 32 bis, p. 12-13.

86. *Ep.* 5, 53 a, 1-3 (*PL*, 75, 511 D - 513 A = *SC*, 32 bis, p. 118-124) : « Tunc eisdem fratribus etiam cogente te placuit... ut librum beati Iob exponere importuna me petitione compellerent et, prout ueritas uires infunderet, eis mysteria tantae profunditatis aperirem. Qui hoc quoque mihi in onere suae petitionis addiderunt, ut non solum uerba historiae per allegoriarum sensus excuterem, sed allegoriarum sensus protinus in exercitium moralitatis inclinarem... Quibus nimirum multa iubentibus dum parere modo per expositionis ministerium, modo per contemplationis ascensum, modo per moralitatis instrumentum uolui, opus hoc per triginta et quinque uolumina extensum in sex codicibus expleui. Unde et in eo saepe quasi postponere ordinem expositionis inuenior et paulo diutius contemplationis latitudini ac moralitatis insudo. Sed tamen quisquis de Deo loquitur, curet necesse est, ut quidquid audientium mores instruit rimetur... Sic diuini uerbi esse tractator debet, ut, cum de qualibet re disserit, si fortasse iuxta positam occasionem congruae aedificationis inuenerit, quasi ad uicinam uallem linguae undas intorqueat... Nam primum quidem fundamenta historiae ponimus ; deinde per significationem typicam in arcem fidei fabricam mentis erigimus ; ad extremum quoque per moralitatis gratiam, quasi superducto aedificium colore uestimus. Uel certe quid ueritatis dicta nisi reficiendae mentis alimenta credenda sunt ? » On peut rapprocher les formules de cette

Grégoire esquisse ainsi les règles d'une rhétorique nouvelle à l'usage des commentateurs de l'Écriture ; cette rhétorique, qui n'est pas sans rapport avec celle de l'Antiquité, vise surtout à instruire, à édifier. Telle est la finalité essentielle de ce qu'il appelle *moralitas* et qui devient ainsi un domaine central de toute l'exégèse chrétienne. Ce terme de *moralitas* indique qu'il faut méditer l'Écriture, afin d'y trouver des modèles de vie chrétienne et afin que cette méditation aide à la conversion personnelle. La leçon morale, le sens moral ou tropologique sont ceux qui font progresser le croyant qui les comprend et se les applique.

Cette méthode exégétique de Grégoire, dominée par le souci de la *moralitas*, suppose une tripartition qu'il développe dans son commentaire du *Cantique des Cantiques*. Il y distingue en effet trois formes de vie : la vie morale, la vie naturelle et la vie contemplative, ou bien, d'après les termes grecs, la vie éthique, la vie physique et la vie théorique, auxquelles correspondent trois livres bibliques, respectivement les *Proverbes*, *l'Ecclésiaste* et le *Cantique des Cantiques*, ou trois personnages de l'Ancien Testament, Abraham, Isaac et Jacob[87]. Il note au passage que le degré supérieur de la contemplation n'est atteint que si l'on commence par observer les règles de la vie morale. On reconnaît là, appliquée à l'Écriture, une division héritée de la philosophie platonicienne et souvent reproduite par les auteurs chrétiens[88]. Comme eux, Grégoire s'affirme héritier de la pensée antique, puisqu'il ne craint pas de rattacher la science biblique aux distinctions de la sagesse païenne[89]. Mais il leur fait subir une transposition notable : d'une part, ce ne sont pas des secteurs de la connaissance qu'il distingue, mais des aspects de la vie humaine entre lesquels il marque une hiérarchie ; d'autre part, cette tripartition, une fois appliquée à l'exégèse, l'amènera à privilégier le domaine moral, le sens tropologique de l'Écriture. Qu'il l'ait voulu ou non, son commentaire du livre de Job est apparu durablement comme une somme de morale chrétienne.

Les écrivains du Haut Moyen Age, d'Isidore de Séville à Alcuin et

---

lettre d'envoi de formules analogues contenues dans d'autres œuvres. Cf. *In I Reg.* 5 (*CCh*, 144, p. 52) : « Cum suauis sit in superficie litterae, altior in typis allegoriae, *moribus* instruendis utilis, lucida in exemplis exhibendis, in locis tamen singulis et historica asserere et typica proferre et conferre *moralia* et proponere exempla refugio. »..

87. Cf. *In Cant. Cant.* 9 (*CCh*, 144, p. 12) : « Veteres enim tres uitae ordines esse dixerunt : moralem, naturalem et contemplatiuam, quas graeci uitas ethicam, physicam, theoricam nominauerunt. In Prouerbiis quoque moralis uita exprimitur... In Ecclesiastem uero, naturalis... In Canticis uero canticorum contemplatiua uita exprimitur... Hos etiam ordines trium patriarcharum uita signauit : Abraham, Isaac uidelicet et Iacob. »

88. Cf. EUCHER, *Formulae Spiritalis intelligentiae*, praef. (*CSEL*, 31, 4-5) ; AUGUSTIN, *De ciuit. Dei* 11, 25 (*PL* 41, 338). Ces deux auteurs emploient les termes *physica, ethica, logica* (*naturalis, moralis, rationalis*).

89. Cf. H. de LUBAC, *op. cit.*, I, 1, p. 194 : Grégoire, Cassien, Eucher.

Hincmar de Reims[90], s'en sont inspirés pour traiter des vices et des vertus. Tous leurs traités de morale dépendent, directement ou indirectement, de cette véritable encyclopédie théologique que constituaient ces trente-cinq livres de commentaires sur le livre de Job. Mais tous ces auteurs ne se sont pas trompés sur les intentions de Grégoire : ils ont compris que la culture, dans son ensemble, devait se subordonner à l'étude de la Bible, et que la Parole de Dieu elle-même devait être méditée non pas de façon spéculative, mais avec un but pratique, en vue d'un enseignement concret. C'est dans l'Ancien et le Nouveau Testament qu'il fallait désormais chercher les normes de l'expérience humaine. Bref, si Grégoire apparaît comme le maître à penser des écrivains du Haut Moyen Age, il convient de préciser que c'est le moraliste qu'ils ont vu et admiré en lui, bien plus que l'exégète ou le prédicateur.

Grégoire se serait certainement réjoui d'un tel prestige posthume, car c'est bien dans le domaine de la morale qu'il entendait faire œuvre créatrice, et qu'il innovait réellement. Son maître Augustin fait place à l'aspect religieux et intellectuel de la culture, mais assez peu à l'aspect moral. « C'est là, je crois, estime M. Marrou, une des grandes originalités de cette culture. Parcourons les ouvrages qu'elle a inspirés : il n'y est pour ainsi dire jamais question de morale, mais seulement de métaphysique, des problèmes de l'existence de Dieu, de la nature de l'âme, etc... Par là, Augustin s'oppose à l'orientation de presque toute la pensée hellénistique, qui s'était de plus en plus intéressée aux seules questions concernant la conduite de la vie, aux seuls problèmes pratiques de la poursuite du bonheur, de la vertu[91] ». A cet égard, Grégoire se distingue d'Augustin : il réintroduit la morale au cœur de la culture chrétienne, avec une telle ampleur que tout le Haut Moyen Age en sera profondément marqué. Il renoue ainsi avec une tradition propre sans doute aux écrivains de Rome : l'analyse scrupuleuse du comportement humain et la direction des consciences en fonction d'un idéal supérieur, le tout s'accompagnant souvent d'un certain mépris pour les questions métaphysiques.

Le paradoxe est qu'en se rattachant ainsi, sans doute inconsciemment, à tout un courant de la culture antique, Grégoire est devenu un précurseur. Il a ouvert des voies nouvelles à la culture chrétienne. D'abord, il a façonné la réalité morale du christianisme. En ranimant la vie des chrétiens au milieu d'un monde décadent et menacé[92], il contribuait à la naissance d'un monde nouveau, où les mœurs chrétiennes définiront l'idéal humain. Et surtout, il a, sinon créé, du moins donné une impulsion déterminante à un genre littéraire qui conditionnera le développement ultérieur de toute la culture chrétienne : le commentaire biblique, conçu non pas

---

90. Cf. R. Wasselynck, *Les Moralia in Iob dans les ouvrages de morale du Haut Moyen Age latin*, dans *RTA*, 31, 1964, p. 5-31.

91. H.-I. Marrou, *Saint Augustin et la fin de la culture antique*, Paris, 1949², p. 181.

92. Cf. R. Manselli, *art. cit.*, p. 84.

comme un exposé scientifique construit de manière systématique, mais comme une réflexion appuyée sur l'Écriture et destinée à fournir des normes de vie et d'action, à guider concrètement les chrétiens dans leur expérience et leur recherche de Dieu. Il a posé ainsi les fondements d'une tradition théologique, qui ne fera que s'épanouir dans le cadre de la chrétienté médiévale : la théologie spirituelle, qui concurrencera durablement la théologie scolastique[93].

---

93. Cf. J. LECLERCQ, *Saint Bernard et la théologie monastique du XIIe siècle*, dans *Analecta Sacri ordinis cisterciensis*, IX, 1953, fasc. 3-4, p. 7-23.

CHAPITRE III

Le langage grégorien de l'expérience

Un homme   La façon dont Grégoire médite l'Écriture Sainte
d'expérience   montre clairement où réside son originalité.
                     Tous les commentateurs s'accordent désormais
sur ce point qui semble définitivement admis[1]. Grégoire doit être étudié
avant tout comme un auteur spirituel qui cherche à unir la sagesse à la
vie, la théologie à la pratique et qui trouve dans la Bible de quoi éclairer
et guider l'expérience des chrétiens.

A première vue, l'œuvre grégorienne peut sembler impersonnelle,
voire incohérente si l'on s'attend à y découvrir de profondes considéra-
rations dogmatiques. Mais, si l'on entreprend de la lire sans a priori,
sans y appliquer aucun cadre préétabli d'interprétation, elle ne tarde
pas à révéler son caractère humain : à travers digressions et sinuosités,
on se familiarise peu à peu avec la personnalité de l'auteur et l'on comprend qu'il s'agit d'un homme appliqué à parler et à écrire avec toute
son expérience. Une expérience singulièrement riche et diverse : expérience
de moine avide de paix et de prière, expérience de psychologue, apte à
saisir en lui-même et chez les autres les moindres mouvements du cœur,
expérience de malade qui n'a pas cessé de souffrir dans son corps et
comprend mieux, de ce fait, les limites d'une vie humaine, expérience
de pasteur affronté aux innombrables difficultés d'une époque de crise[2].
A tout cela s'ajoutent encore les compétences acquises par l'exercice
d'une haute magistrature, celle de préfet de Rome, qui permettront à

---

1. Cf. H. DUDDEN, *op. cit.*, II, p. 289 : « He had a supreme distrust of
abstract thougt ». M. FRICKEL, *op. cit.*, p. 1 : « Die Grösse Gregors des
Grossen liegt nicht auf dem Gebiete der theologischen Spekulation ».
J. LECLERCQ, *Histoire de la spiritualité*, 1961, II, p. 14 : « passage du
plan métaphysique au plan moral. »
2. Cf. J. LECLERCQ, *Amour des lettres et désir de Dieu*, p. 33.

Grégoire, une fois devenu pape, de traiter d'égal à égal avec les fonctionnaires impériaux ou de prendre ses responsabilités en matière politique ou économique.

Ces multiples expériences composent une personnalité assez exceptionnelle. Cependant, on aurait tort de se représenter Grégoire comme un homme complet, fier de sa formation et sûr de ses moyens. Tout au contraire : le drame de sa vie fut sans doute de ne jamais parvenir à cette unité intérieure, qui était son aspiration principale, mais qui devait lui échapper toujours en raison des circonstances. C'est dans la lettre-préface des *Moralia*, adressée à son grand ami Léandre de Séville, qu'il nous a laissé sur ce point des confidences sans ambiguïté.« Longtemps, indéfiniment, je retardai la grâce de la conversion... Enfin fuyant après réflexion tous ces embarras, je gagnai le havre d'un monastère et ayant abandonné les soins du monde, comme je l'ai cru alors à tort, nu, je m'échappai du naufrage de cette vie...[3] » *Ut frustra tunc credidi* : cette incise de quatre mots n'a rien d'une formule ; elle contient en effet l'aveu de ce qui provoquera chez Grégoire une souffrance permanente, l'impossibilité dans laquelle il sera constamment, malgré lui, de réaliser sa vocation

En cela, Grégoire diffère profondément d'Augustin, qui, lui, a pu louer Dieu pour sa conversion et la libération intérieure qu'elle lui a apportée. Grégoire, au contraire, demeurera un homme divisé, douloureux, anxieux. Comme il l'explique à Léandre, sa vie ressemble à une odyssée spirituelle, dans laquelle il s'est trouvé embarqué contre son gré. « Comme il arrive souvent aux flots d'arracher un navire mal amarré, même de la baie la mieux abritée, quand la tempête se déchaîne, ainsi brusquement, sous le prétexte de mon ordination, je me suis retrouvé sur l'océan des affaires temporelles... Comme, pour m'engager dans le ministère du saint autel, on m'opposa la vertu d'obéissance, j'acceptai sous couleur de mieux servir l'Église : à cette heure, si je le pouvais impunément, je m'en libérerais par la fuite. Plus tard, quelque résistance que j'aie pu opposer à ce lourd ministère de l'autel, on y a ajouté le fardeau de la charge pastorale. Je le supporte d'autant plus difficilement maintenant que, ne me sentant pas à la hauteur de ma tâche, nulle assurance ne me console, ni ne me permet de respirer[4] ».

---

3. *Ep.* 5, 53 a, 1 (*SC*, 32 bis, p. 114-116) : « Diu longeque conuersionis gratiam distuli... Quae tandem cuncta sollicite fugiens portum monasterii petii et relictis quae mundi sunt, ut frustra tunc credidi, ex huius uitae naufragio nudus euasi. »

4. *Ibid.* (p. 116) : « Quia enim plerumque nauem incaute religatam etiam de sinu tutissimi litoris unda excutit, cum tempestas excrescit, repente me sub praetextu ecclesiastici ordinis in causarum saecularium pelago repperi... Nam cum mihi ad percipiendum sacri altaris ministerium oboedientiae uirtus opponitur, hoc sub ecclesiae colore susceptum est, quod, si inulte liceat, iterum fugiendo deflectatur. Postque hoc nolenti mihi atque renitenti, cum graue esset altaris ministerium, etiam pondus est curae pastoralis iniunctum. Quod tanto nunc durius tolero, quanto me ei imparem sentiens in nulla fiduciae consolatione respiro. »

Cette impression d'insécurité, ce déchirement intérieur, que rythmèrent l'entrée au monastère, le départ pour Constantinople, le retour à Rome et l'élection à la papauté, sont les traits dominants de la psychologie grégorienne, et sa psychologie aide à mieux comprendre son œuvre : s'il a choisi de commenter le livre de Job, c'est qu'il sait personnellement ce qu'est la souffrance et combien il est dur d'avoir à accepter de la main de Dieu des épreuves que l'on n'attend pas. Il le reconnaît d'ailleurs lui-même : « Peut-être fut-ce le dessein de la divine Providence de me faire commenter sous le coup de l'épreuve l'histoire de Job sous le coup de l'épreuve et de me faire mieux comprendre par des tribulations l'âme d'un homme dans la tribulation[5]. » Ainsi, toute l'exégèse allégorique des *Moralia* repose sur une sorte de connivence préétablie entre le livre de Job et son commentateur. Peu doué pour les hautes spéculations, bien moins brillant qu'Augustin, comme il le reconnaît sans peine[6], Grégoire est dépourvu d'ambitions théologiques. Il lui restait à exploiter et à approfondir en fonction de l'Écriture une expérience spirituelle, qui n'était pas celle qu'il aurait souhaitée, mais qui lui offrait pourtant une source inépuisable de réflexions. C'est la voie qu'il a choisie de suivre. Dans la méditation des textes sacrés se déploient les ressources de sa personnalité et en le lisant, à travers les mêmes thèmes sans cesse repris, mais diversement orchestrés, nous rejoignons les cheminements de sa pensée, qui reflètent le plus souvent ceux de sa vie.

Les reflets   Il est bien des façons de se raconter et de livrer
d'une expérience   son expérience personnelle. Il y a la façon d'Augus-
spirituelle   tin, qui, dans la lumière de la foi, retrace à partir
de sa naissance les lents mûrissements de la grâce dans le but de remercier Dieu, en qui il reconnaît la source de sa vie, l'auteur de sa conversion, le principe de toute connaissance. Il y a la façon de Montaigne, qui entreprend d'exercer sa pensée sans idées préconçues, en faisant jouer très librement toutes ses facultés, en savourant tout ce qu'il doit à sa nature autant qu'à sa culture. Il y a la façon de Pascal, qui cherche à aller à l'essentiel, pour réveiller ses lecteurs et leur révéler à la fois la misère de l'homme sans Dieu et la grandeur spirituelle à laquelle il est appelé.

Je ne prétends certainement pas mettre Grégoire sur le même plan que ces trois hommes. Il est loin de posséder le génie théologique du

---

5. *Ibid.* 5 (p. 130) : « Et fortasse hoc diuinae prouidentiae consilium fuit, ut percussum Iob percussus exponerem, et flagellati mentem melius per flagella sentirem. »

6. Cf. *Ep.* 10, 16 (*MGH*, II, p. 251-2) : « Si vous désirez vous engraisser d'une délicieuse pâture, lisez les œuvres du bienheureux Augustin votre compatriote. Alors que vous disposez de son froment, ne vous mettez pas en peine de notre son. » Dans une lettre à Marinien, accompagnant l'envoi des *Homélies sur Ezéchiel* (*Ep.* 12, 16 a : *MGH*, II, p. 363), Grégoire utilise un cliché de saint Jérôme, précisément pour opposer son eau fade à l'eau de source des bienheureux Pères Ambroise et Augustin.

premier, la liberté d'esprit du second, ou la vigueur dialectique du troisième. Je cherche seulement à préciser quel rapport existe entre sa vie et son œuvre, à quelles catégories il a eu recours pour communiquer des réflexions qu'il veut toujours pratiques et liées à l'existence. Il me semble que la manière originale qu'il a de laisser transparaître son expérience personnelle à travers ses écrits exégétiques ou de méditer sur l'expérience chrétienne en général s'apparente à la fois aux *Confessions*, aux *Essais* et aux *Pensées*.

Certes, Grégoire est fort différent d'Augustin. Il n'a pas comme lui à raconter le long conflit du péché et de la grâce et sans doute n'aurait-il eu ni la même profondeur, ni la même finesse pour en éclairer les phases successives. Mais surtout, il ne se met jamais directement en relation avec Dieu : même ses lettres ou ses homélies ne contiennent aucun de ces soliloques ou de ces dialogues qui font le prix des *Confessions*. Grégoire ne s'adresse pas à Dieu. Cependant, sa réflexion sur l'homme rejoint celle de son maître : car il s'agit d'une méditation qui s'efforce de pénétrer le mystère de l'homme intérieur et d'atteindre cette profondeur de l'âme où se prépare l'union avec Dieu. Pour les deux auteurs, l'intériorité apparaît comme une catégorie fondamentale de l'expérience spirituelle et la vie du chrétien est avant tout considérée sous cet aspect là. Autant qu'Augustin, Grégoire mérite le titre de « docteur du désir[7] ». Le cri des âmes, « c'est leur grand désir, car l'homme crie d'autant moins que moindre est son désir. L'âme frappe les oreilles de l'Esprit infini d'une voix d'autant plus forte qu'elle s'épanche plus pleinement dans le désir de cet Esprit. Le langage des âmes, c'est donc leur désir[8] ». L'écrivain spirituel, aux yeux de Grégoire comme d'Augustin, sera donc celui qui analyse la vie de l'âme et qui lui prête un langage. D'autre part, l'expérience spirituelle est conçue plus ou moins comme un combat entre Dieu et le monde qui se disputent l'âme. Grégoire n'a pas personnellement éprouvé ce combat dans sa chair et son esprit au même degré d'Augustin ; il l'évoque pourtant comme l'expérience cruciale des chrétiens, celle qui conditionne leur salut. « Il est en effet des gens qui négligent leur vie : convoitant les biens qui passent, méconnaissant les biens éternels ou les méprisant s'ils les connaissent, ils n'éprouvent pas de souffrance et ne savent pas tenir conseil... En aucune manière, ils ne lèvent les yeux de leur esprit vers cette lumière de vérité pour laquelle ils avaient été créés. Jamais ils ne tendent le regard de leur désir vers l'éternelle patrie... A l'opposé, les âmes des élus, voyant le néant de tout ce qui se passe, cherchent pour quels biens elles ont été créées ; rien ne les satisfaisant assez en dehors de Dieu, leur esprit, las de ce travail de recherche, se

---

7. Cf. J. Leclercq, *op. cit.*, p. 30.

8. *Mor.* 2, 7, 11 (*PL*, 75, 560 B = *SC*, 32 bis, p. 270) : « Magnus quippe earum clamor magnum est desiderium. Tanto enim quisque minus clamat, quanto minus desiderat ; et tanto maiorem uocem in aures incircumscripti spiritus exprimit, quanto se in eius desiderium plenius fundit. Animarum igitur uerba ipsa sunt desideria. »

repose dans l'espérance et dans la contemplation du Créateur[9] ». Approfondir le mystère de l'âme en quête de Dieu, mettre en relief, à l'aide de grandes catégories antithétiques[10] la dialectique spirituelle qui préside à cette quête : voilà ce qui rapproche le langage grégorien du langage des *Confessions*.

Si étrange que cela puisse paraître, les écrits de Grégoire, et spécialement les *Moralia*, ne sont pas sans ressembler aussi aux *Essais* de Montaigne. Je n'ignore pas la distance infinie qui sépare les deux hommes et je ne cherche pas à établir entre eux un dialogue des morts, bien que l'on puisse voir une certaine parenté spirituelle entre ces deux magistrats d'une grande cité, que leur expérience du monde conduisit à choisir une retraite faite pour la réflexion. Mais ce sont surtout leurs œuvres qui les rapprochent. Moins par leur contenu que par leur composition et leur méthode. Grégoire, comme Montaigne, se méfie de toute systématisation et procède par approches successives d'un problème ; d'où les reprises et les longueurs à travers lesquelles apparaissent pourtant de grandes constantes, et surtout l'art des nuances, la finesse dans le discernement des consciences. L'empirisme psychologique que Montaigne appliquera à l'analyse de l'homme, Grégoire ne l'a-t-il pas appliqué à l'analyse du chrétien ? Tous deux ne sont-ils pas convaincus que l'expérience est le meilleur moyen d'acquérir la sagesse ? « C'est chez les anciens qu'est la sagesse, et c'est dans un grand âge que se trouve la prudence ». Cette maxime de l'Ancien Testament (*Job* 12, 12) n'aurait pas déplu à Montaigne. Grégoire la commente ainsi : « Les paroles qui tiennent ferme à la racine de la sagesse sont celles qui prennent toute leur force dans un art de vivre par l'épreuve même de l'action[11]. » Par delà ces formules (*uiuendi usum, actuum experimento*), qui s'apparentent au terme d'« essais », ne peut-on discerner une intention commune ? De même que Montaigne ne sépare pas la culture livresque de la vie et puise chez les auteurs grecs et latins ce qui affinera son intelligence, Grégoire cherche dans la Bible les fondements d'une sagesse chrétienne qui ne soit pas démentie, mais vérifiée par l'expérience.

---

9. *Mor.* 1, 25, 34 (*PL*, 75, 542 D - 543 B = *SC*, 32 bis, p. 216) : « Nam sunt nonnulli, qui uitam suam negligunt : et dum transitoria appetunt, dum aeterna uel non intelligunt, uel intellecta contemnunt, nec dolorem sentiunt, nec habere consilium sciunt... Nequaquam enim ad ueritatis lucem, cui conditi fuerant mentis oculos erigunt : nequaquam ad contemplationem aeternae patriae desiderii aciem tendunt... At contra electorum mentes dum cuncta transitoria nulla esse conspiciunt, ad quae sint conditae, exquirunt ; cumque eorum satisfactioni nihil extra Deum sufficit, ipsa inquisitionis exercitatione fatigata illorum cogitatio, in conditoris sui spe et contemplatione requiescit. »

10. J. Leclercq (*op. cit.*, p. 30) mentionne « la dialectique de la présence et de l'absence, de la possession et de la non-possession, de la certitude et de l'incertitude, de la lumière et de l'obscurité, de la foi et de la vie éternelle. »

11. *Mor.* 11, 7, 10 (*PL*, 75, 958 B = *SC*, 212, p. 54) : « Illa enim dicta in sapientiae radice solidata sunt, quae per uiuendi usum etiam actuum experimento conualescunt. »

D'où l'allure déconcertante de leurs développements : à travers citations, digressions ou anecdotes, il s'agit de cerner l'homme dans ce qu'il a d'ondoyant et divers. *Sunt nonnulli qui...* : cette locution revient très souvent dans les *Moralia*. Il en est certains qui font ceci, pensent cela, présentent telle vertu ou tel vice. C'est le langage d'un observateur qui sait la variété de nos conduites et se garde bien de dogmatiser. Montaigne et Grégoire me pardonneront de les rapprocher pour les ranger dans la même catégorie des moralistes non systématiques, qui ont peint dans leurs œuvres le tableau si complexe de l'humaine nature !

Grégoire était connu et étudié dans le milieu de Port Royal[12], et peut-être Pascal l'a-t-il lu. Mais, en tout cas, la manière pascalienne d'évoquer la condition chrétienne, avec ce qu'elle a de fragile aussi bien que d'exaltant, rappelle les méditations de Grégoire. Les homélies renferment des maximes qui ont la simplicité et la force des *Pensées*. « Quand vous faites le bien, frères, rappelez toujours à votre mémoire vos mauvaises actions, afin qu'examinant scrupuleusement vos fautes, votre esprit ne se réjouisse jamais étourdiment de ce que vous avez fait de bien... Que chacun s'étudie à être grand, mais qu'il ignore de quelque manière s'il l'est, de peur qu'il ne perde la grandeur qu'il s'attribuerait arrogamment...[13] » Grégoire cherche toujours à démystifier, à démasquer les apparences de vertu ; comme Pascal, il veut montrer l'homme dans sa vérité. D'où l'usage permanent de la *discretio* pour déchiffrer l'expérience. « Car une même chose n'est pas toujours une vertu, puisque les circonstances modifient la valeur de nos actions[14] ». Cette constatation ne veut pas dire que Grégoire est un adepte de la morale de situation. Comme Pascal, il est sans illusions sur l'homme : il sait à quel point nous pouvons nous tromper nous-mêmes ; il sait surtout que nous sommes fragiles et vulnérables, et pour évoquer notre quête de Dieu, il trouve des accents d'un réalisme spirituel, qui rappelle celui des *Pensées*. « Se tairait-on sur les douleurs de l'homme et les fièvres qui l'épuisent, il resterait encore, même dans

---

12. La seule traduction française complète des *Moralia* (3 vol., Paris, 1666-1667-1669) est due au duc de Luynes (Louis-Charles d'Albret, 1620-1690), qui était très lié à Port-Royal, et notamment à Lancelot (cf. SAINTE-BEUVE, *Port-Royal*, V, éd. Maxime LEROY, p. 42 et L. COGNET, *Claude Lancelot, solitaire de Port-Royal*, Paris, 1950, p. 85, 88-91, 150). Or on sait que Lancelot, avec Saint Cyran, encourageait fortement l'étude des Pères et que le jansénisme fut à l'origine d'une véritable renaissance patristique. A cause de son augustinisme, il était inévitable que Grégoire devînt l'un des auteurs les plus lus à Port-Royal, et sans doute la traduction du duc de Luynes est-elle l'œuvre commune d'un certain nombre de latinistes associés à Lancelot.

13. *HEv* 1, 7, 4 (*PL*, 76, 1102 B-C) : « Cum bona, fratres, agitis, semper ad memoriam male acta reuocate, ut dum caute culpa conspicitur numquam de bono opere incaute animus laetetur... Magnus ergo unusquisque esse studeat, sed tamen aliquo modo esse se nesciat, ne dum sibi magnitudinem arroganter tribuit, amittat. »

14. *Mor.* 28, 11, 28 (*PL*, 76, 464 C) : « Non enim res eadem semper est uirtus, quia per momenta temporum saepe merita mutantur actionum. »

ce qu'on appelle la santé, un être oppressé comme par une sorte de malaise. Se reposer l'étiole, travailler l'épuise... Les fièvres disparues et les douleurs cessant, notre santé est encore un état maladif à qui le besoin de se soigner ne fait jamais défaut. Car tous ces soulagements que nous cherchons pour user de l'existence sont comme autant d'antidotes que nous opposons à notre malaise[15]. » C'est un malade qui s'exprime ici : comme Pascal, Grégoire sait par expérience combien l'âme est appesantie par la souffrance physique. Mais la souffrance aiguise la lucidité : d'où la dénonciation de ces *solatia*, analogues aux divertissements de Pascal. Et ce passage des *Moralia* s'achève par des remarques qui rappellent la méditation sur les deux infinis : « Notre âme veut comprendre comment, incorporelle, elle gouverne son corps, et elle ne le peut. On s'étonne de la voir rechercher des solutions insuffisantes, et elle défaille, ignorante, sous ce qu'elle cherche avec sagesse. Se voyant tout ensemble vaste et bornée, elle ne sait plus ce qu'elle doit vraiment penser d'elle-même : si elle n'était grande, jamais elle ne se poserait de telles questions, et inversement si elle n'était petite, elle résoudrait au moins les problèmes qu'elle se pose[16] ». Réduire l'anthropologie et la spiritualité grégoriennes au dualisme âme-corps serait donc un contre-sens. Conscient, jusqu'à l'angoisse, des contradictions internes de notre nature, l'auteur des *Moralia* entend suivre pas à pas les mouvements mêlés de notre pesanteur et de la grâce divine. Il n'oublie jamais le caractère paradoxal de toute expérience spirituelle : à cet égard, ne peut-on le considérer comme un des précurseurs de Pascal ?

De l'expérience
mystique
à l'expérience
pastorale

Il me semble indispensable de rectifier ici une perspective. On a parfois trop tendance à étudier les textes grégoriens de façon impersonnelle, en faisant abstraction de leur auteur, alors que, sous les complications de l'exégète ou du moraliste, se cachent souvent de véritables expériences, qu'il s'agit de discerner. Le tort de certaines études relatives à la mystique de Grégoire[17] ou à sa doctrine de Dieu[18], consiste à aborder son œuvre comme si elle

---

15. *Mor.* 8, 32, 53 (*PL*, 75, 834 C-D) : « Vt enim taceamus hoc, quod dolores tolerat, quod febribus anhelat, sua quadam aegritudine constringitur ipsa haec nostri corporis quae salus uocatur. Nam otio tabescit, opere deficit... Remotis ergo febribus, cessantibusque doloribus, ipsa nostra salus aegritudo est, cui curandi necessitas numquam deest. Quot enim solatia ad uiuendi usum quaerimus, quasi tot nostrae aegritudini medicamentis obuiamus. » Ce beau texte est cité et traduit par le P. GILLET (*SC*, 32 bis, p. 17-18).
16. *Ibid.* (835 B-C) : « Semetipsam qualiter incorporea corpus regat intueri uult, et non ualet. Requirit mire quod sibi respondere non sufficit, et sub eo ignara deficit, quod prudenter requirit. Amplam se simul et angustam considerans, qualem se ueraciter aestimet, ignorat, quia si ampla non esset, nequaquam tam inuestiganda requireret, et rursum si angusta non esset, hoc ipsum saltem quod ipsa requirit inueniret. »
17. Cf. F. LIEBLANG, *op. cit.*
18. Cf. M. FRICKEL, *op. cit.*

était celle d'un dogmaticien ou d'un métaphysicien[19] et d'enfermer dans des notions préétablies (grâce extraordinaire — grâce habituelle, transcendance — immanence) la pensée d'un auteur qui cherche toujours à demeurer proche de l'expérience, pour mieux l'éclairer. Il est vrai que Grégoire recourt à certaines grandes catégories pour analyser cette expérience, mais on ne saurait oublier que ces catégories reflètent son propre itinéraire spirituel, non de façon transparente, mais dans une mesure qui reste à déterminer.

Cela est vrai, tout d'abord, en ce qui concerne la vie mystique, comme l'avait bien montré dom Butler[20]. Certes, Grégoire n'évoque jamais directement ses extases, comme l'avait fait Augustin, et, par ailleurs, il se souvient de son maître, notamment quand il veut suggérer le caractère transitoire de toute vision de Dieu, à cause de cette pesanteur corporelle qui entraîne notre âme vers le bas[21]. Mais plusieurs de ses développements ont un accent qui ne trompe pas, notamment les *Homélies sur Ezéchiel*. « Il y a dans la vie contemplative une grande tension de l'âme, lorsqu'elle s'élève vers les hauteurs célestes, qu'elle concentre son attention sur les choses spirituelles, qu'elle s'efforce de dépasser tout ce qu'elle voit corporellement, qu'elle se resserre pour être dilatée. Et quelquefois, elle est victorieuse et surmonte la résistance des ténèbres de son propre aveuglement, pour atteindre, de façon furtive et ténue, quelque chose de la lumière incirconscrite ; mais cependant, elle retourne à elle-même aussitôt, après avoir été refoulée, et quittant cette lumière où elle est parvenue en respirant, elle revient en soupirant aux ténèbres de son propre aveuglement[22] ». Il est vrai que ce passage contient une allusion à l'étroitesse de l'âme, qui fait songer à l'image origénienne des *fenestrae*[23]. Il est certain, aussi, que le thème du refoulement de l'âme, de la *reuerberatio*, renvoie à Philon à travers Augustin[24].

Mais ces rapprochements ne devraient pas empêcher de reconnaître le caractère « vécu » de l'expérience mystique que décrit ici Grégoire :

---

19. Cf. les remarques critiques d'H.-I. MARROU dans son compte rendu de l'étude de FRICKEL (*RHR*, t. 152, 1957, p. 224-226).

20. C. BUTLER, *Western mysticism*, Londres, 1927², p. 102-107.

21. Cf. *ibid*. p. 106-107 : plusieurs parallèles entre Grégoire et Augustin. Cf. également P. COURCELLE, *Les Confessions de saint Augustin dans la tradition littéraire*, Paris, 1963, p. 225-231.

22. *HEz* 2, 2, 12 (*PL*, 76, 955 A-B = *CCh*, 142, p. 232-233) : « Est autem in contemplatiua uita magna mentis contentio, cum sese ad caelestia erigit, cum in rebus spiritalibus animum tendit, cum transgredi nititur omne quod corporaliter uidetur, cum sese angustat ut dilatetur. Et aliquando quidem uincit et reluctantes tenebras suae caecitatis exsuperat, ut de incircumscripto lumine quiddam furtim et tenuiter attingat, sed tamen ad semetipsam protinus reuerberata reuertitur atque ab ea luce, ad quam respirando transit, ad suae caecitatis tenebras suspirando redit. »

23. Cf. R. GILLET, *DSp.*, VI, 903-904.

24. Cf. P. COURCELLE, *op. cit.*, p. 52-55 et 538.

comment nier que l'auteur de ces lignes a connu cette tension intérieure dont il parle, cet effort pour dépasser le sensible, cette illumination trop brève qui marque le sommet de la contemplation et d'où il faut bien redescendre, avec une immense nostalgie de ce que l'on a pu saisir de l'essence divine ? Même si son langage véhicule l'héritage d'une longue tradition, Grégoire a quelque chose d'original à exprimer, cette jubilation intime de celui qui s'est trouvé en présence, ne fût-ce qu'un instant, de la splendeur divine.

Telle est l'impression que donne son commentaire de ces « fenêtres ébrasées » du temple vu par Ezéchiel. « Dans les fenêtres ébrasées, la partie par laquelle entre la lumière n'est qu'une étroite ouverture, mais la partie intérieure qui recueille cette lumière est large. C'est que les âmes de ceux qui contemplent ont beau ne voir qu'une faible lueur de la véritable lumière, cependant tout en elles semble se dilater largement. Sans doute ne peuvent-elles saisir que peu de chose de ce qu'elles regardent. Ce que, en contemplant, elles voient de l'éternité n'est presque rien, mais ce rien suffit à dilater le sein des âmes et à augmenter leur ferveur et leur amour. Accueillant la lumière de la vérité comme au travers de meurtrières, tout, chez elles, semble s'élargir... Celui qui a son cœur au-dedans de lui, reçoit aussi la lumière de la contemplation. Car ceux qui pensent encore, de façon trop immodérée, aux biens extérieurs, ignorent par quelles fentes pénètre la lumière intérieure. Et, en effet, ils saisissent la lumière incorporelle répandue en eux avec les images des choses corporelles, parce que la lumière invisible n'est pas reçue dans leur âme, quand ils pensent seulement aux réalités visibles[25] ». Cette allégorie des fenêtres ou des fentes permet à Grégoire d'expliquer un phénomène qu'il a assurément observé pour lui-même : l'immensité divine ne peut être l'objet que d'une saisie partielle de la part de l'homme. Chemin faisant, il souligne deux idées qui lui tiennent à cœur : l'amour est le principe de la connaissance de Dieu, laquelle est du domaine de l'intériorité. Remarquons enfin l'antithèse intériorité-extériorité, qui recouvre ici l'opposition de l'invisible et du visible : ce sont des catégories proprement grégoriennes, dont je montrerai plus loin qu'elles n'ont rien d'abstrait.

---

25. *HEz* 2, 5, 17-18 (*PL*, 76, 995 A-B = *CCh*, 142, p. 289) : « In fenestris obliquis pars illa per quam lumen intrat angusta porta est, sed pars interior quae lumen suscipit lata, quia mentes contemplantium quamuis aliquid tenuiter de uero lumine uideant, in semetipsis tamen magna amplitudine dilatantur. Quae uidelicet et ipsa quae conspiciunt capere pauca uix possunt. Exiguum ualde est quod de aeternitate contemplantes uident, sed ex ipso exiguo laxatur sinus mentium in augmentum feruoris et amoris, et inde apud se amplae fiunt, unde ad se ueritatis lumen quasi per angustias admittunt... Qui cor intus habet, ipse quoque lumen contemplationis suscipit. Nam qui adhuc exteriora immoderatius cogitant, quae sint de aeterno lumine rimae contemplationis ignorant. Neque enim cum corporearum rerum imaginibus illa infusio incorporea lucis capitur, quia dum sola uisibilia cogitantur, lumen inuisibile ad mentem non admittitur. » Ce texte est cité par C. Butler (*op. cit.*, p. 103) et partiellement traduit par R. Gillet (*art. cit.*, 903).

Ces descriptions n'épuisent pas la spiritualité grégorienne de la contemplation. Car ce contemplatif n'a pas été un homme heureux et sa vie mystique elle-même est sous le signe de la souffrance plus que de l'exultation, du regret autant que du désir. Certes, il a exalté la vie mixte, où s'uniraient harmonieusement les joies mystiques et les tâches apostoliques, mais il n'a pas bénéficié lui-même de cette harmonie. La dialectique de l'action et de la contemplation, avant d'être un des thèmes majeurs de ses conceptions pastorales, a été d'abord pour lui une tension très profondément ressentie, une épreuve qui domine son expérience spirituelle et apparaît d'un bout à l'autre de sa correspondance. En avril 591, il y a sept mois qu'il est pape, et pourtant sa nostalgie de la vie monastique est immense. Il écrit à son meilleur confident, Léandre de Séville : « En pleurant, je me rappelle le tranquille rivage de mon repos, que j'ai perdu, je regarde en soupirant la terre où des vents contraires m'empêchent d'aborder[26] ». Huit ans plus tard, il n'a pas changé et confie sa souffrance au même Léandre : « L'honneur qui m'a été fait m'accable de son poids, les soucis innombrables m'étourdissent et, quand mon âme veut se recueillir en Dieu, ils m'assaillent et me déchirent comme des glaives. Plus de repos pour mon cœur. Il gît prostré dans les bas-fonds, accablé sous le poids de ses pensées. L'aile de la contemplation ne l'élève plus dans les hauteurs que bien rarement ou plus du tout[27]. » De telles plaintes ne font-elles pas ressortir l'authenticité de l'expérience mystique de Grégoire ? Il n'éprouverait pas une telle nostalgie de Dieu, s'il ne l'avait réellement contemplé, au temps où il goûtait la paix monastique et pouvait vaquer librement à la prière contemplative ?

Mais l'expérience pastorale est venue, qui a profondément modifié sa vie spirituelle. En suivant la chronologie de ses lettres, L. Weber[28] croit même pouvoir déceler une évolution de son caractère. Grégoire aurait peu à peu renoncé à son autoritarisme de haut fonctionnaire pour se comporter vraiment en serviteur de ses frères. De l'intransigeance disciplinaire ou doctrinale, il en serait venu à une attitude plus conciliante. Avec les évêques et les abbés récalcitrants ou défaillants, il aurait adopté une ligne de conduite de plus en plus réaliste. En somme, l'exercice du pouvoir pontifical l'aurait amené à atténuer la rigueur de certains principes et l'on pourrait suivre ses progrès dans sa correspondance.

Je ne suis pas sensible à une telle évolution. En matière pastorale, c'est plutôt l'empirisme qui me semble constituer le trait dominant de

---

26. *Ep.* 1, 41 (*MGH*, I, p. 57) : « Flens reminiscor quod perdidi meae placidum littus quietis, et suspirando terram conspicio, quam tamen rerum uentis aduersantibus tenere non possum. »

27. *Ep.* 9, 227 (*MGH*, II, p. 21) : « At me multum |nunc deprimit honor onerosus, curae innumerae perstrepunt, et cum sese ad Deum animus colligit, hunc suis impulsibus quasi quibusdam gladiis scindunt. Nulla cordis quies est. Prostratum in infimis iacet, suae cogitationis pondere depressum. Aut rara ualde aut nulla hoc in sublimia penna contemplationis leuat. »

28. L. WEBER, *op. cit.*, p. 69-74.

Grégoire. Un empirisme qui n'exclut pas deux convictions fondamentales. D'une part, l'humilité est pour lui la première des vertus, la qualité indispensable à tout prédicateur[29]. Si bien que la charge pastorale est définie comme un véritable *magisterium humilitatis*[30] : le patriarche Jean le Jeûneur est donc gravement coupable d'ambitionner le titre d'*uniuersalis*, qui est abominablement orgueilleux[31]. D'autre part, un vrai pasteur doit être le modèle de son troupeau, non seulement par ses paroles, mais par ses actes : « Il faut que tes actions, écrit-il par exemple à Agnellus, évêque de Fondi, offrent à ton peuple des exemples d'une vie vertueuse... Applique dans tes œuvres ce que tu enseignes et prêches à tes sujets[32] », et Grégoire ne se lasse pas de souligner l'importance des bons exemples pour la vie de tout le peuple chrétien[33].

C'est pourquoi la charité constitue à ses yeux la règle principale de toute vie pastorale et la *cura animarum* suppose, si l'on peut dire, la *cura corporum*. « Certains assument la charge du troupeau, mais ils désirent se consacrer aux choses spirituelles, à tel point qu'ils ne s'occupent aucunement des choses extérieures. Négligeant totalement de veiller aux biens du corps, ils ne subviennent pas du tout aux besoins de leurs sujets. Évidemment, leur prédication est très souvent méprisée ; car, quand ils reprennent les actions des pécheurs, mais sans leur donner ce qui leur est nécessaire pour la vie présente, on ne les écoute pas bien volontiers. En effet, la parole de l'enseignement ne pénètre pas l'âme de l'indigent, si la main de la miséricorde n'y prépare pas son esprit[34]. » L'activité pastorale de Grégoire montre à quel point il a appliqué ce principe. Sa première lettre, adressée aux évêques de Sicile, contient une invitation pressante à alléger la souffrance des pauvres et des opprimés[35]. Le patri-

---

29. Cf. *Mor.* 23, 13, 24 (*PL*, 76, 265 B-C) : « Humilitatem namque, quae magistra est omnium materque uirtutum, et loquendo dicere, et uiuendo conatur ostendere, ut eam apud discipulos ueritatis plus moribus quam sermonibus eloquatur. »

30. *Past.* 1, 1 (*PL*, 77, 14 B) : « Qui susceptum curae pastoralis officium ministrare digne tanto magis nequeunt, quanto ad humilitatis magisterium ex sola elatione peruenerunt. »

31. Cf. *Ep.* 5, 44 (*MGH*, I, p. 339) : « ... nefandum elationis uocabulum..., stulto ac superbo uocabulo... » La lettre s'achève par une vibrante exhortation à l'humilité (*ibid.*, p. 341-342).

32. *Ep.* 3, 13 (*MGH*, I, p. 172) : « In tuis actibus plebi exempla bene uiuendi existant... Operibus exerce quod subjectos doces et praedicas. »

33. Cf. *HEv* 1, 11, 1 (*PL*, 76, 1115 B-C) ; *HEz* 1, 5, 7 (*PL*, 76, 823 C = *CCh*, 142, p. 60).

34. *Past.* 2, 7 (*PL*, 77, 41 A) : « Nonnulli gregis quidem curam suscipiunt, sed sic sibimet uacare ad spiritalia appetunt, ut rebus exterioribus nullatenus occupentur. Qui cum curare corporalia funditus negligunt, subditorum necessitatibus minime concurrunt. Quorum nimirum praedicatio plerumque despicitur ; quia dum delinquentium facta corripiunt, sed tamen eis necessaria praesentis uitae non tribuunt, nequaquam libenter audiuntur. Egentis etenim mentem doctrinae sermo non penetrat, si hunc apud eius animum manus misericordiae non commendat. »

35. *Ep.* 1, 1 (*MGH*, I, p. 2) : « ... ad necessitatem pauperum oppressorumque subleuandam. »

moine de l'Église constitue à ses yeux le bien des pauvres, la *res pauperum*, et il le rappelle sans relâche[36]. Un grand nombre de ses lettres traite des secours à apporter à des veuves, des orphelins, des prisonniers, des réfugiés, des religieuses chassées de leurs monastères, des paysans ruinés par la guerre ou les calamités. C'est un fait historique que, depuis Justinien, et à cause des ravages provoqués par la guerre et les invasions, les évêques d'Italie et spécialement le pape ont des responsabilités accrues dans le domaine social. Grégoire a su faire de nécessité vertu. Il a été personnellement le promoteur de cette charité pastorale, subordonnant l'action de l'Église aux besoins du peuple. S'adressant par exemple au sous-diacre Anthemius, le recteur du patrimoine de Campanie, il lui recommande « de s'occuper en son nom des affaires de l'Église seulement dans la mesure où cela permet de soulager les besoins des pauvres[37] ».

Ce souci des hommes ne commande pas seulement l'action des pasteurs. Il doit inspirer aussi leur prédication, et, dans ce domaine, la charité devient principe d'adaptation[38]. L'important est alors d'être compris et cette préoccupation explique la diversité des registres de l'œuvre grégorienne. Familier et concret dans ses *Homélies sur l'Évangile*, qui s'adressaient pour la plupart à l'ensemble des fidèles, Grégoire approfondit le sens allégorique ou anagogique dans les *Moralia* ou les *Homélies sur Ezéchiel*, qu'a écoutées sans doute un cercle plus restreint composé surtout de moines. Les *Dialogues* se présentent comme un recueil des récits édifiants, accessibles d'abord au peuple et peut-être même à certains barbares désireux de mieux connaître la religion chrétienne, mais l'on y retrouve, sous une forme simplifiée, les grands thèmes de la spiritualité grégorienne. Quant à ses 868 lettres, elles témoignent de la diversité immense du langage pastoral de Grégoire. Sensible et délicat avec ses amis, Léandre de Séville, Euloge d'Alexandrie, la patricienne Rusticiana, ferme et même impérieux avec les hauts fonctionnaires ou les évêques récalcitrants, comme celui de Salone, diplomate et prudent avec les empereurs Maurice et Phocas, intransigeant quand il s'agit des vertus évangéliques, notamment face à Jean le Jeûneur, il sait trouver le ton qui convient pour se confier, donner des ordres, réclamer de l'aide, inviter au courage ou à l'effort spirituel. Il a enfin le souci constant des *rudes*, des gens sans culture, et il combat l'iconoclasme pour des raisons pastorales : « On met des peintures dans les églises, pour que ceux qui ne savent pas lire puissent du moins, en regardant les murs, déchiffrer ce qu'ils sont incapables de lire dans les livres[39]. » Bref, Grégoire, en exerçant ses responsabilités

---

36. Cf. *Ep.* 1, 74 (*MGH*, I, p. 94) ; 3, 55 (I, p. 215) ; 3, 57 (I, p. 217) ; 6, 49 (I, p. 424) ; 6, 56 (I, p. 431) ; 10, 10 (II, p. 245) ; 13, 22 (II, p. 388) ; 13, 23 (II, p. 389).

37. *Ep.* 1, 53 (*MGH*, I, p. 78) : « ... ut illic uice nostra non tantum pro utilitatibus ecclesiasticis, quantum pro subleuandis pauperum necessitatibus fungereris. »

38. Cf. L. WEBER, *op. cit.*, p. 23-25.

39. *Ep.* 9, 208 (*MGH*, II, p. 195) : « Idcirco enim pictura in ecclesiis

apostoliques, en veillant sur la vie matérielle et spirituelle du peuple chrétien, est demeuré pleinement fidèle à l'idée de la culture qu'il avait déjà développée dans ses œuvres plus théoriques. Si le langage du pasteur doit correspondre aux capacités et aux besoins de ses auditeurs, c'est que la formation de la foi s'appuie avant tout sur l'expérience.

Primauté   Grégoire n'a pas cessé de dénoncer la contra-
de l'expérience   diction qui consiste à dire, et à ne pas faire, en
                 se limitant à une pure connaissance intellectuelle
ou à des paroles démenties par l'existence. « Il en est certains qui étudient les préceptes spirituels avec un soin scrupuleux, mais ils foulent aux pieds par leur vie ce qu'ils pénètrent par leur intelligence ; ils enseignent hâtivement ce qu'ils ont appris par la méditation et non par des actes ; et ce qu'ils prêchent en paroles, ils le combattent par leurs mœurs[40]. » A travers de telles critiques, au moyen des antithèses qui les expriment, et dont j'ai déjà noté la fréquence dans l'œuvre grégorienne, se manifeste une conviction positive : la sagesse chrétienne repose non sur un savoir théorique, mais sur une expérience personnelle, et Grégoire s'applique à tirer les conséquences de ce principe fondamental. Pour lui, la vérité de l'enseignement dépend de la vérité de celui qui le transmet. Le premier devoir du prédicateur est donc de s'examiner lui-même : « Nous, en effet, puisque nous sommes de faibles hommes, quand nous parlons de Dieu aux hommes, nous devons d'abord nous rappeler ce que nous sommes, pour qu'en fonction de notre propre faiblesse, nous pesions bien par quelle méthode d'enseignement nous devons nous occuper de nos frères, qui sont faibles comme nous. Songeons par conséquent ou bien que nous sommes tels que certaines personnes que nous réprimandons, ou bien que nous avons jadis été tels, même si nous ne le sommes plus grâce à l'action de la grâce divine, afin de les réprimander d'un cœur humble avec d'autant plus de mesure que nous nous reconnaissons nous-mêmes avec plus de vérité chez ceux que nous reprenons[41]. » L'exercice de la *cura animarum* suppose donc la connaissance de soi : le prédicateur vraiment efficace est celui qui n'ignore pas à quel point il ressemble à ses auditeurs. Ce conseil pratique montre bien que la science authentique

---

adhibetur, ut hi qui litteras nesciunt, saltem in parietibus uidendo legant quae legere in codicibus non ualent. » Cf. *Ep.* 11, 10 (p. 270).

40. *Past.* 1, 2 (*PL*, 77, 15 C) : « Et sunt nonnulli qui sollerti cura spiritalia praecepta perscrutantur, sed quae intelligendo penetrant, uiuendo conculcant ; repente docent quae non opere, sed meditatione didicerunt ; et quod uerbis praedicant, moribus impugnant. »

41. *Mor.* 23, 13, 25 (*PL*, 76, 266 A) : « Nos enim, quia infirmi homines sumus, cum de Deo hominibus loquimur, debemus primum meminisse quod sumus, ut ex propria infirmitate pensemus quo docendi ordine infirmis fratribus consulamus. Consideremus igitur quia aut tales sumus quales nonnullos corrigimus ; aut tales aliquando fuimus, etsi iam diuina gratia operante non sumus, ut tanto temperantius humili corde corrigamus, quanto nosmetipsos uerius in his quos emendamus agnoscimus. »

part d'une expérience et s'épanouit dans l'amour. « C'est une chose d'entendre simplement prononcer le nom d'un mets, une autre chose de le déguster. Ainsi les élus ne peuvent entendre nommer une nourriture de sagesse sans la déguster, car ce qu'ils entendent reçoit de l'amour une saveur qui les pénètre jusqu'à la moelle. Chez les réprouvés, au contraire, la science se limite à la connaissance d'un son, en sorte que, s'ils entendent les noms des vertus, la glace de leur cœur ignore la qualité de leur saveur. C'est dire que, par ces paroles, le bienheureux Job condamne l'inexpérience de ses amis et l'arrogance de ceux qu'enfle de vanité la science de la sagesse, car avoir quelque connaissance de Dieu est une chose, mais autre chose est goûter avec le palais de l'intelligence ce que l'on découvre de lui[42]. »

Un tel développement fait songer à la doctrine origénienne des sens spirituels, mais c'est surtout de Cassien que Grégoire s'inspire quand il évoque la saveur de la sagesse chrétienne. L'auteur des *Conférences* explique qu'il faut « goûter » pour « savoir » : « Je suppose un homme qui n'ait jamais goûté rien de doux. On veut lui faire saisir avec des paroles la douceur du miel. Mais les mots qui entrent par ses oreilles ne lui donnent pas le sentiment d'une suavité que son palais n'a point éprouvée[43]. » Grégoire applique simplement à la science spirituelle en général ce que Cassien disait de la vie monastique : « Il est absolument impossible par une méditation abstraite ou un enseignement verbal de transmettre le sens de ces réalités ou de le comprendre ou d'en garder le souvenir. Car tout consiste dans la seule expérience et la pratique, et de même que ces réalités ne peuvent être transmises que par celui qui les a éprouvées, ainsi ne peuvent-elles être même perçues ou comprises que par celui qui aura peiné pour les saisir avec une égale application[44]. »

---

42. *Mor.* 11, 6, 9 (*PL*, 75, 957 D - 958 A = *SC*, 212, p. 54) : « Aliud namque est nominatum cibus audire solummodo, aliud uero etiam gustare. Electi itaque cibum sapientiae sic audiunt, ut degustent, quia hoc quod audiunt eis per amorem medullitus sapit. Reproborum uero scientia usque ad cognitionem sonitus tenditur, ut quidem uirtutes audiant, sed tamen corde frigido qualiter sapiant ignorent. Quibus uidelicet uerbis beatus Iob amicorum suorum imperitiam, et eorum qui de doctrina sapientiae inflantur arrogantiam reprobat, quia aliud est de Deo aliquid scire, aliud uero hoc quod cognoscitur fauce intelligentiae gustare. »

43. *Conf.* 12, 13 (*SC*, 54, p. 142-143) : « Tamquam si quis dulcedinem mellis ei qui numquam quicquam dulce gustauerit uelit sermonibus enarrare, profecto nec ille saporis illius suauitatem quam numquam ore percepit auribus capiet... »

44. *Inst.* préf., 4-5 (*SC*, 109, p. 27) : « ... cum harum rerum ratio nequaquam possit otiosa meditatione doctrinaque uerborum uel tradi uel intelligi uel memoria contineri. Totum namque in sola experientia usuque consistit, et quemadmodum tradi nisi ab experto non queunt, ita ne percipi quidem uel intelligi nisi ab eo, qui ea pari studio ac sudore adprehendere elaborauerint, possunt. » Ce texte, avec d'autres, également relatifs à la notion d'expérience chez Cassien, sont cités par P. MIQUEL, *Un homme d'expérience : Cassien*, dans *Collectanea Cisterciensia*, 30, 1968, 3, p. 131-146.

Le principe est identique : à la différence des autres sciences où l'enseignement verbal précède la pratique, la science spirituelle commence par l'expérience. Cela explique que l'enseignement des grands spirituels reflète parfaitement leur expérience. C'est ainsi que nous pouvons connaître la personnalité de Benoît à travers sa Règle, parce qu'il n'y a aucune distance entre ce qu'il a écrit et ce qu'il a fait. « Si l'on désire pénétrer plus délicatement son caractère et sa vie, il sera loisible de trouver dans les dispositions de cette règle tous les actes de son magistère, car le saint homme ne pouvait en aucune façon enseigner autrement qu'il ne vivait[45]. » L'unité intérieure que réalise la sainteté permet donc cette transparence de l'expression.

De cette primauté de l'expérience découle l'importance accordée aux exemples personnels, qui servent autant que les paroles à la formation des fidèles « afin que le troupeau qui suit la voix et les mœurs de son pasteur s'avance grâce à ses exemples plutôt que grâce à ses paroles[46]. » Les exemples ont donc plus d'efficacité pastorale ; ils sont surtout un merveilleux instrument de la pédagogie divine. « Le Seigneur établit ses témoins contre nous, car il nous montre pour nous corriger que d'autres accomplissent les bonnes actions que nous-mêmes négligeons d'accomplir : de cette façon, si ses préceptes ne nous enflamment pas, ces exemples du moins voudraient nous réveiller, et, dans son désir de droiture, notre âme ne trouvera difficile pour elle rien de ce qu'elle voit parfaitement accompli par d'autres[47]. » L'expérience spirituelle des saints n'est pas un simple objet d'admiration : elle a une portée pratique ; pour les pécheurs que nous sommes, elle peut devenir la preuve vivante que la perfection n'est pas impossible à atteindre.

Les *Dialogues* et les *Homélies sur l'Évangile* sont l'application de ce principe. Grégoire y expose des *exempla* de sainteté, qui composent une sorte d'exégèse hagiographique, parallèle à l'exégèse biblique, mais plus adaptée à un public populaire[48]. Le premier de ces deux écrits commence par un dialogue, au cours duquel le diacre Pierre fait cette remarque, qui peut servir de préface aux récits qui vont suivre. « Il y a

---

45. *Dial.* 2, 36 (éd. Moricca, p. 132) : « Cuius si quis uelit subtilius mores uitamque cognoscere, potest in eadem institutione regulae omnes magisterii illius actus inuenire : quia sanctus uir nullo modo potuit aliter docere quam uixit. »

46. *Past.* 2, 3 (*PL*, 77, 28 B) : « ... ut... grex qui pastoris uocem moresque sequitur, per exempla melius quam per uerba gradiatur. »

47. *Mor.* 9, 59, 89 (*PL*, 75, 909 A) : « Testes itaque suos contra nos Dominus instaurat, quia bona quae facere ipsi negligimus, haec ad correptionem nostram fieri ab aliis demonstrat, ut qui praeceptis non accendimur, saltem exemplis excitemur, atque in appetitu rectitudinis nihil sibi mens nostra difficile aestimet quod perfecte peragi ab aliis uidet. »

48. Cf. E. Auerbach (*Lingua letteraria e pubblico nella tarda antichità latina e nel Medioevo,* trad. de l'allemand, Milan, 1960, p. 92-98), qui souligne l'influence des *Dialogues* sur le genre médiéval du *sermo humilis.*

des gens chez qui l'amour de la patrie céleste s'enflamme grâce aux exemples plus qu'aux prédications[49] ». De même, Grégoire introduit ainsi l'histoire de ses trois tantes, destinée à illustrer la phrase de l'Évangile « Beaucoup sont appelés, mais peu sont élus » : « Puisque parfois les âmes des auditeurs sont converties par les exemples des fidèles plutôt que par les paroles des docteurs, je veux vous dire un fait très récent, que vos cœurs puissent entendre avec d'autant plus de crainte qu'il a pour nous des résonances plus proches[50]. » Ailleurs, un récit de miracle sert à éveiller non plus la crainte, mais l'amour de Dieu et du prochain[51]. Dans tous les cas, il s'agit de montrer que la vie des saints éclaire la nôtre : comme eux, nous sommes appelés à la perfection. En somme, l'hagiographie grégorienne correspond au même principe et à la même intention que ses commentaires de l'Écriture : guider l'expérience spirituelle des chrétiens en leur offrant des références précises, puisées non plus dans des textes inspirés, mais dans des existences exemplaires, où se révèle l'action de Dieu.

Le langage　　　　Le terme d'*experientia* est très fréquent chez
de l'expérience :　Cassien[52]. En revanche, il est très rare chez
« *experimentum* »　Grégoire[53], qui emploie plutôt *experior* et surtout
　　　　　　　　　le substantif *experimentum*.

Experior semble se rattacher au vocabulaire homilétique ou parénétique. Le prédicateur ou le moraliste s'en sert pour interpeler ses auditeurs, en les prenant à témoins de ce qu'il affirme. Le bouleversement des saisons n'est-il pas un signe annonciateur de la fin des temps ? « Nous

---

49. *Dial.* I, préf. (éd. MORICCA, p. 16) : « Sunt nonnulli quos ad amorem caelestis patriae plus exempla quam praedicamenta succendunt. »
50. *HEv* 2, 38, 15 (*PL*, 76, 1290 D) : « Sed quia nonnumquam mentes audientium plus exempla fidelium quam docentium uerba conuertunt, uolo uobis aliquid de proximo dicere, quod corda uestra tanto formidolosius audiant, quanto eis hoc de propinquo sonat. »
51. Cf. *ibid.* 2, 39, 10 (1300 B) : « Quia ad amorem Dei et proximi plerumque corda audientium plus exempla quam uerba excitant, caritati uestrae indicare studeo... miraculum. »
52. Cf. *supra*, n. 44, l'article de P. Miquel, où se trouvent cités plusieurs textes sur la nature de l'expérience, l'expérience et l'Écriture, l'expérience et la tradition, l'expérience pratique, l'expérience du mal, l'expérience spirituelle.
53. Grégoire l'emploie cependant au début d'une homélie pour opposer les plaisirs charnels aux plaisirs spirituels : « La recherche des premiers séduit, mais leur usage (*experientia*) déçoit ; alors que la recherche des seconds n'est pas attirante, mais que leur usage plaît bien davantage. » (*HEv* 2, 36, 1 : *PL*, 76, 1266 B). *Experientia* a ici une signification générale, puisque le terme est appliqué indifféremment à deux catégories d'objets radicalement opposées. Il s'agit de l'expérience en tant que connaissance vécue, puisque sensible. Mais on voit tout de même l'importance que Grégoire accorde à cette expérience, puisqu'elle permet à l'homme d'apprécier la valeur de ses « appétits », de ses « tendances » naturelles.

aussi, récemment, nous avons eu l'expérience de cela, puisque nous avons vu l'époque estivale toute changée au point de donner des pluies d'hiver[54]. » L'expérience concerne ici les phénomènes naturels, que tout le monde peut voir et constater ; à partir de ces évidences, toutefois, Grégoire avertit les fidèles de la proximité du jugement dernier. L'expérience commune n'est donc qu'un point de départ : elle fournit des signes qu'il reste à interpréter à la lumière de la foi et de l'Écriture, comme le fait Grégoire en commentant les prédictions du Christ sur les événements qui précéderont son retour (*Luc*, 21, 9-19).

Mais, assez souvent, le verbe *experior* désigne immédiatement l'expérience spirituelle, par laquelle l'homme comprend la conduite de Dieu à son égard. Cela est vrai du pécheur qui doit accepter sa punition. « Souvent, le méchant, alors qu'il vit encore ici-bas, fait l'expérience de l'indignation de son créateur, qu'il est destiné à subir pour l'éternité, en perdant la prospérité qu'il aime et en rencontrant le malheur qu'il redoute[55]. » Cela est vrai également du pécheur qui bénéficie de la patience et de la miséricorde de Dieu. « Ceux qui se sont détournés par orgueil, dans sa bienveillance Dieu les rappelle et, n'ayant pas pu nous frapper quand nous nous détournons, il nous promet des récompenses pour que nous revenions. La si grande miséricorde de notre créateur peut donc amollir la dureté de nos fautes, et l'homme qui aurait pu faire l'expérience du mal, en tombant sous le coup du châtiment, peut du moins en rougir, puisque Dieu l'a attendu[56]. »

L'analyse des emplois du mot *experimentum* va confirmer ces premières observations : pour Grégoire, le domaine de l'expérience coïncide plus ou moins avec celui de la vie chrétienne, et spécialement de la vie morale des chrétiens. L'*experimentum* a d'abord un sens très large : il s'agit des petits faits quotidiens, qui sont la base de toute pédagogie spirituelle. Le Seigneur déclare qu'il se réjouit davantage pour un pécheur qui se repent que pour quatre-vingt dix-neuf justes qui n'ont pas besoin de pénitence. Cette affirmation évangélique se comprend dès qu'on la rapproche de l'expérience courante, « de ce que nous-mêmes savons *per quotidianum uisionis experimentum*, par des exemples que nous avons chaque jour sous les yeux, puisque, très souvent, ceux qui savent qu'ils ne sont nullement accablés par une masse de péchés, demeurent sur la

---

54. *HEv* 2, 35, 1 (*PL*, 76, 1260 C) : « Quod nos quoque nuper experti sumus, quia aestiuum tempus omne conuersum in pluuias hiemales uidimus. »

55. *Mor.* 15, 58, 69 (*PL*, 75, 1117 A = *SC*, 221, p. 120) : « Saepe malus indignationem conditoris sui, quam in aeternum passurus est, et in hac quoque uita positus experitur, dum prosperitatem quam amat amittit, et aduersitatem quam formidat inuenit. »

56. *HEv* 2, 34, 17 (*PL*, 76, 1257 C) : « Superbe auersos benigne reuocat, et qui ferire nos auersantes potuit, ut reuertamur munera promittit. Tanta ergo conditoris nostri misericordia duritiam nostri reatus emolliat, et homo qui malum quod fecit experiri percussus poterat, saltem exspectatus erubescat. »

voie de la justice, n'accomplissent aucune action illicite, mais n'aspirent cependant pas avec anxiété à la patrie céleste[57]. » En ce sens-là, l'expérience apparaît comme éminemment formatrice : car elle recouvre non seulement les faits extérieurs, d'où nous pouvons tirer des leçons fort utiles, mais aussi les événements, heureux ou malheureux, de notre propre vie. L'expérience spirituelle du chrétien, c'est l'usage qu'il fait de ces événements, et particulièrement des seconds, car, souvent, les *experimenta* sont à rapprocher des *flagella*, des épreuves que Dieu nous envoie pour nous instruire[58]. Ce sont ces épreuves qui peuvent conduire à la sainteté, selon qu'on les accepte dans la foi ou qu'on les rejette. « Quelquefois, devant des esprits sans droiture que ne peut redresser la prédication des hommes, il est nécessaire de leur souhaiter, en toute bonté, les fléaux de Dieu[59]. » C'est pourquoi Job se permet de faire des remontrances à ses amis « pour que ceux-ci, qui ne savaient pas compatir par charité à sa douleur, apprennent par l'expérience comment ils auraient dû prendre en pitié l'affliction d'autrui[60]. »

Finalement, l'attitude adoptée en face des *experimenta*, entendus comme les épreuves de la vie, distingue les vrais croyants des hérétiques. « Les hérétiques, comme ils attachent un grand prix aux biens présents, ne reconnaissent pas l'Église quand elle se trouve blessée. Car ce qu'ils aperçoivent en elle, ils ne le relisent pas dans la connaissance de leurs cœurs. Alors qu'elle grandit aussi grâce aux adversités, eux restent prisonniers de leur stupidité : parce qu'ils n'ont aucune connaissance

---

57. *HEv* 2, 34, 4 (1248 A-B) : « ... hoc quod ipsi per quotidianum uisionis experimentum nouimus, quia plerumque hi qui nullis se oppressos peccatorum molibus sciunt, stant quidem in uia iustitiae, nulla illicita perpetrant, sed tamen ad coelestem patriam anxie non anhelant. »

58. Cf. R. GILLET (*DSp*, VI, 889) note que ces *flagella Dei* sont mentionnés sous les termes *aduersa, aduersitas, flagella, tentatio, tribulatio, uerbera*, environ 600 fois dans les *Moralia* et 100 fois dans les autres œuvres réunies. Il aurait pu joindre à ces termes celui d'*experimentum*. C'est ainsi que l'expérience de la pureté n'exclut pas les tentations charnelles : « Et quis se derelictum iam gratia diuina non deputet cum post experimentum munditiae lacessiri se carnis tentationibus uidet, inhonesta ad animum congeri et ante cogitationis oculos nonnulla improba et immunda uersari ? » (*Mor.* 9, 13, 20 : *PL*, 75, 870 C). Les épreuves envoyées par Dieu servent à dompter les âmes de ceux qui s'abandonnent à la licence : « ... ut iam flagelli experimentis edomiti, quasi iumenta domestica praeceptorum loris mentis colla subjiciant, et uitae praesentis itinera ad nutum praesidentis pergant. » On voit, d'après ces exemples, que le terme d'*experimentum* est facilement associé à ceux de *tentatio* ou de *flagellum*. Ils appartiennent au même vocabulaire de l'ascèse grégorienne.

59. *Mor.* 13, 5, 5 (*PL*, 75, 1019 C = *SC*, 212, p. 250) : « Aliquando necesse est ut prauis mentibus quae humana praedicatione corrigi nequeunt diuina flagella optari benigne debeant. »

60. *Ibid.* : « ... ut amici, qui dolori illius per caritatem compati nesciebant, ab experimento discerent alienae afflictioni qualiter misereri debuissent. »

expérimentale de ce qu'ils voient[61]. » *Per experimentum ignorant quae uident* : à partir de cette affirmation négative, on peut reconstituer l'affirmation positive, qui, dans la pensée de Grégoire, la corrobore nécessairement. Si les hérétiques sont des aveugles qui en restent à une appréciation purement humaine des faits bruts, les croyants sont ceux qui sont capables d'une lecture spirituelle des mêmes faits. Cette intelligence en profondeur des événements du monde constitue l'expérience de la foi, que fait l'Église tout entière, quand elle « désire ici-bas endurer des malheurs, pour pouvoir parvenir purifiée à la récompense de la rétribution éternelle. Très souvent elle redoute le succès, et se réjouit des leçons qui l'instruisent[62]. » *Disciplina eruditionis* : nous sommes ici au-delà de l'empirique, puisque précisément la foi permet de dépasser les apparences et d'acquérir une connaissance pleinement personnelle des réalités de l'existence. Cette connaissance vécue et éclairée par la foi constitue l'expérience spirituelle.

Il est donc clair que la notion d'*experimentum* se rattache au vocabulaire de la morale et de l'ascèse grégoriennes, puisque les *experimenta* sont des événements qui obligent l'âme à choisir entre Dieu et le monde. Mais, l'expérience, telle que l'entend Grégoire, est liée plus encore au domaine de la connaissance : les *experimenta*, tout en étant des épreuves pour la volonté, sont surtout des signes pour l'esprit. Pour comprendre les affirmations de l'Écriture, Grégoire fait toujours appel à l'expérience courante. Évoquant les visions nocturnes de Job, après avoir indiqué les six causes des songes (satiété, faim, illusion, pensées illusoires, révélation, pensées révélatrices), il note que les deux premières « nous les connaissons tous par expérience, alors que nous trouvons les quatre suivantes dans les pages de l'Écriture Sainte[63]. » Cela lui permet d'associer des exemples bibliques à des observations naturelles. De même, à propos de la fournaise où sont jetés les trois jeunes Hébreux, il remarque l'ambivalence du feu, qui est lumière pour les élus et ténèbres pour les damnés, ce qui n'a rien d'étonnant « puisque nous savons par expérience que la flamme des torches donne une lumière sombre[64]. » C'est au fond cette connaissance par analogie, qui permet d'apprécier les miracles bibliques, en les rapprochant de ces miracles quotidiens que nous offre la nature.

---

61. *Mor.* 3, 24, 47 (*PL*, 75, 623 B-C) : « Haeretici igitur, quia pro magno praesentia appetunt, eam in uulneribus positam non cognoscunt. Hoc namque in illa cernunt, in suorum cordium cognitione non relegunt. Cum ergo haec et aduersitatibus proficit, ipsi suo stupori inhaerent : quia per experimentum ignorant quae uident. »

62. *Ibid.* : « Ipsa quippe appetit hic mala recipere, ut possit ad aeternae remunerationis praemium purgata peruenire. Plerumque prospera metuit et disciplina eruditionis hilarescit. »

63. *Mor.* 8, 24, 42 (*PL*, 75, 827 A) : « Duo quae prima diximus omnes experimento cognoscimus, subiuncta autem quatuor in sacrae Scripturae paginis inuenimus. »

64. *Mor.* 9, 66, 102 (*PL*, 75, 916 A) : « ... quando experimento nouimus quia et taedarum flamma lucet obscura. »

Les fleurs de la baguette d'Aaron ne devraient pas susciter plus d'étonnement que la poussée quotidienne des arbres. La multiplication des pains n'est pas plus admirable que la croissance des grains de blé, et le miracle de Cana ne doit pas faire oublier cette merveille qu'est le vin de la vigne. « Admirables sont tous ces phénomènes que les hommes négligent d'admirer, parce que l'habitude les empêche de les remarquer[65]. » Grégoire fonde sur ces observations la foi en la résurrection des corps. « Cela ne peut assurément pas être compris par la raison, mais peut cependant être cru facilement grâce à un exemple. Qui pourrait croire en effet qu'un arbre immense va surgir d'une seule graine, s'il n'en avait pas la certitude par expérience[66]. » C'est l'argument d'Augustin, au dernier livre de la *Cité de Dieu*, qui s'accorde avec cette idée grégorienne selon laquelle « les miracles divins doivent être toujours considérés *per studium*, et jamais discutés *per intellectum*[67]. » L'*intellectus*, c'est l'exercice de la raison discursive, alors que *studium* évoque l'intelligence du cœur, l'attention amoureuse de la foi. Le langage de la foi n'est donc pas un langage empirique, mais un langage qui fait appel à l'expérience de la foi, et l'expérience de la foi, qui aide à percevoir le mystère de Dieu, suppose et couronne l'expérience sensible qui permet d'admirer les merveilles de la nature.

Si bien que les mêmes *experimenta* qui laissent l'impie indifférent, peuvent approfondir la connaissance spirituelle du croyant. Il me semble qu'il faut comprendre ainsi un autre passage, où Grégoire parle des apparitions du Christ ressuscité, qu'il commente ainsi : « Si l'action divine est comprise par la raison, elle n'est pas objet d'admiration ; et la foi n'a pas de mérite, quand la raison humaine lui fournit des preuves expérimentales[68] ». J'admets que cette dernière affirmation ne concorde pas avec la réflexion relative à la résurrection des morts. Mais, tout d'abord, on aurait tort de demander à Grégoire une théorie systématique de la connaissance surnaturelle et de lui reprocher d'être ici fidéiste, alors

---

65. Cf. *Mor.* 6, 15, 18 (*PL*, 75, 739 A) : « Quia arida Aaron uirga floruit, cuncti mirati sunt ; quotidie ex arente terra arbor producitur, uirtusque pulueris in lignum uertitur, et nemo miratur. Quia quinque sunt panibus quinque millia homines satiati, creuisse escas in dentibus cuncti mirati sunt ; quotidie sparsa grana seminum, plenitudine multiplicantur spicarum, et nemo miratur. Aquam semel in uinum permutatam uidentes cuncti mirati sunt ; quotidie humor terrae in radicem uitis attractus, per botrum in uinum uertitur, et nemo miratur. Mira sunt itaque omnia quae mirari homines negligunt, quia ad considerandum, ut praediximus, usu torpescunt. »

66. *Ibid.* 19 (739 C-D) : « Hoc nimirum comprehendi per rationem non potest, sed tamen credi facile per exemplum potest. Quis enim ab uno grano seminis immensam surgere arborem crederet, nisi certum hoc per experimentum teneret ? »

67. *Ibid.* (739 B) : « ... et semper debent considerari per studium, et numquam discuti per intellectum. »

68. *HEv* 2, 26, 1 (*PL*, 76, 1197 C) : « ... Diuina operatio si ratione comprehenditur, non est admirabilis ; nec fides habet meritum, cui humana ratio praebet experimentum. »

qu'il défend ailleurs une certaine analogie de la connaissance. Il faut surtout replacer cette affirmation dans son contexte[69]. Car ce n'était qu'un avertissement préalable à l'adresse des fidèles, puisque Grégoire reconnaît que le Christ a donné son corps à toucher à ses disciples, pour dissiper leurs doutes. Reste à admettre le caractère paradoxal d'un tel *experimentum*, qui s'adresse à la foi ; et non à la raison, puisque le Christ « use ainsi de deux manifestations étonnantes et fort contradictoires entre elles par rapport à la raison humaine, puisqu'après sa résurrection, il a montré que son corps était à la fois incorruptible et cependant palpable[70]. » En définitive, Grégoire reste fidèle à sa conception générale selon laquelle les mystères divins dépassent les capacités de l'intelligence humaine, autrement dit que, du côté de l'homme, l'expérience de la foi conduit à entrevoir un au-delà de l'expérience[71].

Mais l'homme a-t-il accès au monde invisible par le moyen de l'*experimentum* ? Peut-on parler d'une véritable expérience des réalités surnaturelles ? Ce problème est à distinguer de celui de la vie mystique, car il est certain que pour Grégoire, l'âme humaine est naturellement tendue vers son créateur, et qu'elle est capable, par l'ascèse, de s'élever jusqu'à la vision de Dieu, vision cependant fugitive, qui ne permet que d'entrevoir comme un reflet de la lumière incirconscrite[72]. Grégoire affirme donc à la fois la possibilité et les limites de la contemplation : grâce à une discipline intérieure, tout homme peut accéder à cette perception supérieure de Dieu. Mais cette perception, même si elle fait intervenir des sens spirituels, présente cependant un caractère paradoxal ; elle se situe, pour ainsi dire, au-delà de l'expérience, puisque l'âme qui se trouve un instant en présence de la splendeur divine en est à la fois illuminée et éblouie. Bref, l'expérience mystique n'est pas exactement du même ordre que la connaissance de foi, et c'est pourquoi il reste à savoir si la foi permet de saisir les réalités de l'au-delà et dans quelle mesure elle peut devenir la source d'une expérience spirituelle.

Le quatrième livre des *Dialogues* pose ce problème de nos relations avec l'au-delà. Grégoire répond ainsi à une question du diacre Pierre, qui se demandait comment, en enfer, l'âme immatérielle pouvait ressentir la brûlure d'un feu matériel : « Elle ressent le feu du fait même qu'elle le voit ; et elle est brûlée, parce qu'elle se regarde brûler. Si bien qu'une chose corporelle consume une chose incorporelle, puisque le feu visible entraîne une chaleur et une douleur invisibles, à tel point que, à cause

---

69. Ce que ne fait pas L. Weber (*op. cit.*, p. 39), qui a tendance à présenter Grégoire comme un fidéiste avant la lettre, en distinguant trop nettement la foi et la science.

70. *HEv* 2, 26, 1 (1198 A) : « Qua in re duo mira, et iuxta humanam rationem sibi ualde contraria ostendit, dum post resurrectionem suam corpus suum et incorruptibile et tamen palpabile demonstrauit. »

71. Cf. art. *Expérience spirituelle*, *DSp*, VI, 2, 2005-2006.

72. Sur ce problème de la mystique grégorienne, outre l'ouvrage de F. Lieblang, on se référera aux excellentes analyses de R. Gillet (*DSp*, VI, 896-907).

d'un feu corporel, l'âme incorporelle est tourmentée même dans des flammes corporelles[73]. » Le diacre Pierre n'est pas satisfait par cette explication, et Grégoire devra réaffirmer le caractère immatériel des démons et le caractère matériel du feu de l'enfer. Certes, on peut penser que cette « physique de l'au-delà » est assez sommaire, en comparaison de l'interprétation d'autres Pères, comme Basile, Grégoire de Nazianze ou Jean Chrysostome, qui insistent sur le caractère spirituel des peines de l'enfer[74]. Mais il faut remarquer que Grégoire rattache cette conception des supplices infernaux à son idée de l'expérience spirituelle, puisqu'il note au passage, à la lumière des textes de l'Évangile, « que l'âme subit le feu non seulement en le voyant, mais aussi en l'éprouvant[75]. » *Non solum uidendo, sed etiam experiendo* : cette allusion à l'expérience doit être rapprochée de l'ensemble de sa doctrine des sens spirituels, si bien que l'enfer est malgré tout évoqué d'une façon moins matérialiste qu'il ne le semblerait à première vue : les tourments infernaux constituent en quelque sorte l'autre pôle de l'expérience intérieure, à l'opposé des joies de la contemplation.

D'autre part, ce passage sur l'« expérience » de l'enfer doit être rapproché du premier chapitre de ce quatrième livre des *Dialogues*, où Grégoire esquisse toute une doctrine sur la connaissance humaine du monde invisible. Un point essentiel s'en dégage : par suite du péché originel, l'homme est privé de toute connaissance expérimentale de l'au-delà, mais cette connaissance, cet *experimentum* des réalités surnaturelles devient possible par la foi, à cause de l'Incarnation du Verbe et grâce au don de l'Esprit. On aurait tort de minimiser ce développement : il est en parfaite cohérence avec l'ensemble de l'anthropologie grégorienne[76]. Mais il montre surtout que l'*experimentum* des choses divines n'est pas le seul apanage des mystiques, car il ne s'accomplit pas seulement par la contemplation, mais à travers l'expérience de la foi, que les saints mènent à sa perfection. « Tous les hommes charnels, n'étant pas capables de connaître les réalités invisibles de façon expérimentale, doutent de l'existence de ce qu'ils ne voient pas avec les yeux du corps. Ce doute n'a pas pu exister chez nos premiers parents, car, après leur exclusion des joies du paradis, ils se rappelaient qu'ils avaient eu auparavant la vision de ce qu'ils avaient perdu. Mais les charnels ne peuvent pas sentir ou se rappeler ce qu'ils auraient entendu, car ils n'en ont aucune connaissance expéri-

---

73. *Dial.* 4, 30 (éd. Moricca, p. 272-273) : « Ignem namque eo ipso patitur, quo uidet ; et quia concremari se aspicit, concrematur. Sicque fit ut res corporea incorpoream exurat, dum ex igne uisibili ardor ac dolor inuisibilis trahitur, ut per ignem corporeum mens incorporea etiam incorporea flamma crucietur. »

74. Cf. G. Bardy, *Les Pères de l'Église en face des problèmes posés par l'enfer*, dans *L'Enfer*, Paris, 1950, p. 157-170.

75. *Dial.* 4, 30 (*ibid.*) : « ... quia incendium anima non solum uidendo, sed etiam experiendo patiatur. »

76. Cf. F. Lieblang, *op. cit.*, p. 29-43.

mentale, comme nos premiers parents, du moins pour le passé. Car c'est
comme si l'on envoyait en prison une femme enceinte, et qu'elle y mette
au monde un enfant, qui, après sa naissance, soit nourri dans la prison
et y grandisse ; si par hasard la mère disait à son enfant le nom du soleil,
de la lune, des étoiles, des montagnes et des plaines, des oiseaux qui volent,
des chevaux qui galopent, cet enfant, né et nourri dans la prison, ne
pourrait connaître rien d'autre que les ténèbres de la prison et il entendrait
parler de l'existence de ces choses, mais il douterait de leur réalité, parce
qu'il ne les connaît pas de façon expérimentale. De même les hommes nés
dans l'obscurité de leur exil, quand ils apprennent l'existence des réalités
suprêmes et invisibles, se demandent si elles existent vraiment, car ils
ne connaissent que les réalités visibles, celles d'ici-bas, où ils sont nés.
C'est pourquoi le Fils unique du Père, le Créateur des choses invisibles
et visibles, vint lui-même pour racheter le genre humain et envoyer
l'Esprit Saint dans nos cœurs, afin que, vivifiés par lui, nous croyions
ce que nous ne pouvons pas connaître jusqu'ici de façon expérimentale...
Quiconque n'est pas encore affermi dans cette croyance, doit sans aucun
doute accorder sa foi aux paroles des anciens et croire à ceux qui ont déjà,
grâce à l'Esprit Saint, la connaissance expérimentale des réalités invisibles, car c'est sottise de la part de l'enfant de penser que sa mère lui
ment en parlant de la lumière, parce que lui-même n'a connu rien d'autre
que les ténèbres de sa prison[77]. »

On n'a pas assez remarqué ce passage : Frickel ne le mentionne pas
et ne considère que deux façons de connaître Dieu, à travers la création
et par le regard intérieur[78] ; Lieblang[79] se contente de le rapprocher

---

77. *Dial.* 4, 1 (éd. Moricca, p. 230) : « Sed carnales quique, quia illa
inuisibilia scire non ualent per experimentum, dubitant utrumne sit quod
corporalibus oculis non uident. Quae nimirum dubietas in primo parente
nostro esse non potuit, quia exclusus a paradisi gaudiis, hoc quod amiserat,
quia uiderat recolebat. Hi autem sentire uel recolere audita non possunt,
quia eorum nullum, sicut ille, saltem de praeterito, experimentum tenent.
Ac si enim praegnans mulier mittatur in carcerem, ibique pariat puerum,
qui natus puer in carcere nutriatur et crescat ; cui si fortasse mater quae
hunc genuit, solem, lunam, stellas, montes et campos, uolantes aues,
currentes equos nominet, ille uero qui est in carcere natus et nutritus nihil
aliud quam tenebras carceris sciat, et haec quidem esse audiat, sed
quia ea per experimentum non nouit, ueraciter esse diffidat ; ita in hac
exsilii sui caecitate nati homines, dum esse summa et inuisibilia audiunt,
diffidunt an uera sint, quia sola haec infima in quibus nati sunt uisibilia
nouerunt. Vnde factum est ut ipse inuisibilium et uisibilium Creator
ad humani generis redemptionem Unigenitus Patris ueniret, et sanctum
Spiritum ad corda nostra mitteret, quatenus per eum uiuificati credere-
mus, quae adhuc scire per experimentum non possumus... Quisquis autem
in hac credulitate adhuc solidus non est, debet procul dubio maiorum
dictis fidem praebere, eisque iam per Spiritum sanctum inuisibilium
experimentum habentibus credere, quia et stultus est puer si matrem ideo
aestimet de luce mentiri, quia ipse nihil aliud quam tenebras carceris
agnouit. »
78. M. Frickel, *op. cit.*, p. 18-27.
79. F. Lieblang, *op. cit.*, p. 48.

d'autres textes, où Dieu apparaît, grâce à l'Incarnation, comme celui qui restitue à l'homme la possibilité de le connaître. Mais il convient surtout de noter la fréquence du terme d'*experimentum*, tout au long de ce développement théologique, destiné à éclairer la lecture du quatrième livre des *Dialogues*. Il est permis de parler de l'au-delà, parce que l'accès à sa connaissance, fermé par le péché, a été ouvert à la foi, et les saints sont ceux qui ont expérimenté ce chemin. Témoins privilégiés de l'invisible, ils attestent que l'homme peut avoir un contact réel avec les réalités qui le dépassent. N'est-ce pas là qu'il faut chercher le principe d'interprétation de toute l'hagiographie populaire qui va suivre ? Ce principe herméneutique invite à dépasser l'aspect fabuleux de ces récits, et la matérialisation grossière de l'au-delà qu'ils comportent, pour comprendre que ce monde invisible peut être effectivement l'objet d'une connaissance non pas sensible ou imaginaire, mais expérimentale, par la foi, grâce à l'Esprit qui vivifie et ouvre nos cœurs.

Le langage de l'expérience : « nonnulli » — Le langage grégorien de l'expérience comporte un autre terme très fréquemment employé. Il s'agit du pronom *nonnulli* : « il en est certains qui... ». Cette formule permet de se référer à des cas précis, qui sont cités pour illustrer des vérités générales, pour montrer aux fidèles ce qu'ils doivent faire ou ne pas faire. Positivement ou négativement, *nonnulli* sert à esquisser toute une thématique de l'expérience chrétienne.

L'emploi de ce terme réalise d'abord la jonction entre les affirmations de l'Écriture et les réalités de la vie. La parole de Job « Il est vivant le Dieu qui m'a refusé justice, le Tout puissant qui a rendu ma vie amère » (*Job.* 27, 2) renvoie en effet aux propos des incroyants, qui sont le tourment de l'Église. « Nous connaissons beaucoup de gens, explique alors Grégoire, qui, lorsqu'ils subissent des adversités en cette vie, croient que Dieu existe. Certains (*nonnulli*) pensent que Dieu existe, mais qu'il ne s'occupe pas du tout des affaires humaines[80]. » Ces deux réactions sont aussitôt illustrées par deux phrases tirées des psaumes, qui feront encore mieux ressortir la foi de Job. On voit le lien étroit ainsi établi entre la Bible et l'expérience chrétienne. Grégoire ne cherche pas à confondre les incroyants ou les épicuriens par des raisonnements ; il note d'abord qu'une telle attitude existe effectivement et qu'elle n'est pas en contradiction avec l'Écriture. Ce n'est plus du tout le mouvement de l'apologétique classique, qui partait des textes bibliques pour réfuter ou pour démontrer. Il s'agit au contraire d'éclairer les textes bibliques par des faits d'expérience, et réciproquement.

Grégoire se réfère à des cas particuliers pour traiter de la conversion ou, plus précisément, de ses différents processus. Il distingue ainsi deux

---

80. *Mor.* 18, 2, 3 (*PL*, 76, 39 C) : « Multos autem nouimus qui cum in hac uita aliqua aduersa patiuntur, Deum esse credunt. Nonnulli uero Deum esse aestimant, sed res humanas minime curare. »

catégories de chrétiens. « Il en est certains qui, avant de s'associer dans
la vie religieuse au service du Dieu tout-puissant, aiment déjà faire le
bien. Mais il en est d'autres qui apprennent à bien agir, après être venus
au service du Dieu tout-puissant[81]. » *Nonnulli, alii* désignent deux cheminements qu'un moine comme Grégoire a certainement pu observer
autour de lui. La suite de l'homélie montre que *nonnulli* appartient au
vocabulaire de la vie spirituelle : chaque fois que le terme apparaît,
il s'agit de cas particuliers, qui illustrent les étapes de l'expérience religieuse, et, sans doute, plus spécialement, de l'expérience monastique.
« Car il en est (*quidam*) qui méditent de grandes choses et, conscients
de leurs péchés, décident de distribuer aux indigents beaucoup des biens
qu'ils possèdent... Et déjà ils commencent à le réaliser et très souvent,
au milieu de la réalisation, la peur de la pauvreté ébranle leur esprit...
Il en est certains (*nonnulli*) qui réalisent le bien qu'ils reconnaissent et,
tout en le réalisant, ils songent à faire encore mieux, mais en réfléchissant
aux choses meilleures auxquelles ils avaient songé, ils changent de décision
et certes, ils font le bien qu'ils avaient commencé, mais renoncent au
mieux auquel ils avaient songé[82]. » L'examen de ces cas particuliers,
rythmé par l'emploi de *quidam* et de *nonnulli*, laisse entrevoir le fil
conducteur de ces développements : non pas une doctrine synthétique
de l'expérience chrétienne, mais des références précises aux progrès
et aux reculs spirituels.

Derrière le terme *nonnulli*, c'est l'homme d'expérience qui apparaît,
le pasteur d'âmes qui connaît les défaillances humaines et cherche à les
prévenir en les analysant, car toutes ces analyses sont autant de mises
en garde. « Certains en vérité quittent le monde, abandonnent la vanité
d'honneurs transitoires et, aspirant aux profondeurs de l'humilité,
dépassent par leurs vertus la façon de vivre des autres hommes... mais,
négligeant de se protéger par la circonspection, frappés par les traits
de la vaine gloire, leur chute d'en haut est pire[83]. » Pour mieux illustrer
les trois formes de l'orgueil, Grégoire dépeint trois catégories d'orgueil-

---

81. *HEz* 1, 3, 11 (*PL*, 76, 810 C-D = *CCh*, 142, p. 39-40) : « Et sunt
nonnulli qui priusquam omnipotentis Dei seruitio in sancta conuersatione
socientur, iam bona operari diligunt. Sunt uero alii qui bona opera,
postquam ad seruitium omnipotentis Dei uenerint, discunt. »

82. *Ibid.* 18 (813 C - 814 D = p. 43-44) : « Sunt etenim quidam qui
magna deliberant, et, peccatorum conscii, multa ex his quae possident
egenis distribuere pertractant... Iamque haec operari inchoant, et plerumque cum operantur paupertatis timor eorum animum concutit...
Sunt uero nonnulli qui bona quidem quae nouerunt operantur, atque
haec operantes meliora deliberant, sed retractantes meliora quae deliberauerant, immutant, et quidem bona agunt quae coeperant, sed a melio-
ribus quae deliberauerant succumbunt. »

83. *Mor.* 33, 6, 13 (*PL*, 76, 679 B-C) : « Nonnulli quippe mundum
deserunt, honorum transeuntium uana derelinquunt et, ima humilitatis
appetentes, humanae conuersationis morem bene uiuendo transcendunt...
Sed quia semetipsos circumspiciendo tegere negligunt, inanis gloriae
telo percussi, peius de alto ruunt. »

leux, à l'aide du mot *nonnulli* répété à trois reprises : « Il en est certains
qui tombent dans l'orgueil, parce qu'ils connaissent, grâce à la subtilité
de leur intelligence, même le bien qu'ils ne font pas... Il en est certains
que leur intelligence ne met pas au-dessus des autres, mais qui s'exaltent
des actions qu'ils accomplissent... Et il en est certains qui ne peuvent
même pas s'enorgueillir de leurs propres actions, mais dès que les hommes
commencent à faire leur éloge pour cette même bonne action...[84] ». Comme
on le voit par ce passage, *nonnulli* ne se rattache pas seulement au vocabulaire de la description psychologique, des analyses morales, ou des
conseils pastoraux. Il fait partie de la rhétorique grégorienne ; il sert à
présenter des comportements similaires, à travers lesquels se manifeste
un même vice. Certes, Grégoire n'a rien d'un Juvénal, mais il est bien
dans la tradition des moralistes latins, d'Horace à Sénèque, qui savent
observer et démasquer maintes apparences : celles des savants qui se
taisent quand on ne les écoute pas[85], celles des riches qui se consolent
des tristesses de la vie en contemplant leurs richesses[86], celles des hérétiques qui cherchent la protection des puissants[87].

Il ne se borne d'ailleurs pas à cette dénonciation du péché. Il sait aussi
discerner la fécondité spirituelle et là encore, l'emploi de *nonnulli* montre
qu'il est fidèle à sa méthode d'analyse concrète ou par grandes catégories.
« Il en est certains que n'a remués ni le soc de la méditation, ni celui de
l'exhortation, et qui produisent cependant d'eux-mêmes de bonnes choses,
bien qu'en proportion très réduite, comme une terre pas encore labourée.
Mais il en est certains qui, toujours attentifs à écouter et à retenir les
prédications et les méditations religieuses, renonçant à leur dureté d'âme
de jadis, en quelque sorte retournés comme par le soc de la langue, reçoivent les germes de l'exhortation et produisent les fruits des bonnes
œuvres à travers les sillons d'une punition volontaire[88]. »

---

84. *Mor.* 22, 7, 15 (*PL*, 76, 222 A-B) : « Sunt enim nonnulli qui eo in
elationem corruunt, quo per subtilem intelligentiam uel quae non faciunt
bona cognoscunt... Sunt uero nonnulli quos intelligentia quidem non
eleuat, sed exhibita operatio exaltat... Et sunt nonnulli quos nec operatio
propria extollit ; sed cum laudari ab hominibus pro hac eadem bona
operatione coeperint... »

85. Cf. *Mor.* 23, 11, 18 (*PL*, 76, 262 C) : « Saepe contigit ut sapientes
uiri cum se non audiri considerant, ori suo silentium indicant... »

86. Cf. *Mor.* 18, 41, 66 (*PL*, 76, 76 A) : « Nam plerumque huius saeculi
diuites solent mentis taedio affecti, bona temporaliter accepta conspicere,
et tristitiam delinire. »

87. Cf. *Mor.* 18, 17, 27 (*PL*, 76, 51 D) : « Et quia saepe haeretici in
contemptu uniuersalis Ecclesiae potentum saeculi patrociniis fulciuntur,
eisque diuites protectione atque administratione quanta praeualent opi-
tulari non cessant... »

88. *Mor.* 22, 21, 52 (*PL*, 76, 245 C-D) : « Et sunt nonnulli qui nullo
lectionis, nullo exhortationis uomere proscissi, quaedam bona, quamuis
minima, tamen ex semetipsis proferunt, quasi terra necdum exarata.
Sunt uero nonnulli qui, ad audiendum semper atque retinendum sanctis
praedicationibus ac meditationibus intenti, a priori mentis duritia, quasi
quodam linguae uomere scissi, semina exhortationis accipiunt, et fruges
boni operis per sulcos uoluntariae afflictionis reddunt. »

Il serait évidemment faux de penser que Grégoire a en vue des personnes bien déterminées, chaque fois qu'il emploie *nonnulli*. Ce terme lui est habituel, non seulement quand il veut capter l'attention de ses auditeurs, moines ou laïcs, en évoquant des cas précis, en esquissant même des portraits, mais surtout quand il entend démontrer que telle affirmation biblique ou tel principe général est vérifié par l'expérience. *Nonnulli* est alors une sorte de mot-signal, qui aiguille la réflexion du côté des faits. C'est un fait, par exemple, que « certains » orgueilleux rêvent de résister à Dieu et se trouvent pris à leurs propres pièges[89]. C'est un fait que « certains » pasteurs sont jaloux des richesses de leurs ouailles[90]. C'est un fait que « certains » se permettent d'injurier les indigents qu'ils secourent[91]. On n'en finirait pas de citer des exemples analogues : chacun montre à sa manière comment la rhétorique peut s'allier à la morale et donner du relief au langage de l'exhortation ou de la direction spirituelle.

Un enseignement   Dans sa propre prédication[92], Grégoire se
fondé   préoccupe de fournir un enseignement qui soit
sur l'expérience   constamment en relation avec l'expérience la
                        plus concrète des fidèles qu'il instruit. Veut-il
leur indiquer la meilleure façon de prier, il ne fait aucune allusion à la vie mystique, mais dénonce franchement le caractère impie de certaines demandes. « Vous êtes agenouillés, vous frappez votre poitrine, vous dites à haute voix des paroles de prière et de confession, vous arrosez de larmes vos visages. Mais pesez vos demandes, je vous en conjure ; examinez si vous demandez au nom de Jésus, c'est-à-dire si vous réclamez les joies du salut éternel... Voici que l'un, dans sa prière, sollicite une épouse, l'autre demande un domaine, un autre réclame de quoi se vêtir, un autre supplie pour qu'on lui donne de quoi manger... Et un autre encore, ce qui est plus grave, réclame la mort de son ennemi[93] ». Une

---

89. Cf. *Mor.* 6, 18, 28 (*PL*, 75, 745 A-B) : « Saepe enim nonnulli humana sapientia inflati, dum desideriis suis diuina iudicia contrarie conspiciunt, astutis eis reluctari machinationibus conantur... »

90. Cf. *Mor.* 22, 22, 53 (*PL*, 76, 247 B) : « Sed sunt nonnulli qui in eo quod officium praedicationis exhibent, aliis inuident bonum quod habent, atque ideo iam ueraciter non habent. »

91. Cf. *Mor.* 21, 19, 29 (*PL*, 76, 206 C) : « Sunt nonnulli qui mox ut ab egenis fratribus fuerint necessaria postulati, post dona largituri, in eos prius contumeliosa uerba iaculantur. »

92. Pour l'étude de la prédication grégorienne, outre l'ouvrage déjà ancien de H. SCHWANK, *Gregor der Grosse als Prediger* (Dissertation Berlin), Hanovre, 1934, j'ai consulté surtout le travail inédit d'A. TARICCO, *Le Omelie sui Vangeli e su Ezechiele di san Gregorio Magno. Struttura e forma letteraria*, Tesi di Laurea, Turin, 1969.

93. *HEv* 2, 27, 7 (*PL*, 76, 1208 C-D) : « Genua flectitis, pectus tunditis, uoces orationis ac confessionis emittitis, faciem lacrimis rigatis. Sed pensate, quaeso, petitiones uestras ; uidete si in nomine Iesu petitis, id est si gaudia salutis aeternae postulatis... Ecce alius in oratione quaerit uxorem, alius petit uillam, alius postulat uestem, alius dari sibi deprecatur alimentum... Sed adhuc, quod est grauius, alius postulat mortem inimici. »

fois de plus, le moraliste chrétien fait preuve ici d'un don d'observation et d'une vigueur de ton dignes des auteurs satiriques ou des philosophes stoïciens, qui aimaient stigmatiser dans leurs diatribes les ridicules et les vices du genre humain.

Ailleurs et à bien des reprises, Grégoire tire de la vie quotidienne à Rome des analogies qui lui servent à stimuler la piété des chrétiens. Pour comparaître devant le Christ, ne faut-il pas préparer notre défense ? Une métaphore judiciaire, qui n'a rien d'étonnant de la part d'un ancien *praefectus Urbis*, aidera à mieux faire comprendre l'importance d'un tel examen de conscience. « Si l'un d'entre vous, voulant plaider sa cause contre son adversaire, devait se présenter demain à mon tribunal, il passerait peut-être une nuit entière sans sommeil, il réfléchirait en lui-même, l'esprit tout préoccupé et échauffé, à ce qu'on pourrait lui dire, à ce qu'il répondrait aux objections...[94] » A leur manière, les rencontres de la rue sont une image de la façon dont il faut aller à Dieu. « Si l'un d'entre vous, mes frères, se rend au forum ou peut-être au bain, et qu'il rencontre un oisif, il l'invite à venir avec lui. Que votre conduite terrestre elle-même vous instruise, et puisque vous allez vers Dieu, tâchez de ne pas arriver seuls auprès de lui[95]. » Une métaphore, également tirée de la vie sociale et introduite par *si*, insistera sur le devoir que nous avons de recevoir Dieu comme on reçoit un hôte important dans sa maison. « Si un ami riche et puissant entrait dans votre maison, en toute hâte, la maison entière serait nettoyée, pour qu'il n'y eût rien qui pût heurter les regards de votre ami à son entrée[96]. » Chacun de ces trois passages est caractéristique du style simple et familier des homélies de Grégoire, qui ne cherche pas à égaler la profondeur théologique de son prédécesseur Léon le Grand[97], mais se souvient sans doute des moralistes de l'Antiquité, d'Horace ou de Sénèque, qui étaient déjà soucieux d'enseigner une sagesse accessible à tous. Pour illustrer cette sagesse chrétienne, Grégoire use comme eux d'allusions à la vie quotidienne, esquissant des portraits ou des tableaux, qui invitent à appliquer très concrètement l'idéal évangélique. Ces procédés font de Grégoire un des créateurs de la rhétorique

---

94. *HEv* 2, 26, 11 (*PL*, 76, 1203 B-C) : « Si aliquis uestrum cum suo aduersario causam dicturus in meo iudicio die crastino esset exhibendus, totam fortasse noctem insomnem duceret, quid sibi dici posset, quid obiectionibus responderet, secum sollicita et aestuante mente uersaret... »

95. *HEv* 1, 6, 6 (*PL*, 76, 1098 B-C) : « Si quis uestrum, fratres, ad forum aut fortasse ad balneum pergit, quem otiosum esse considerat ut secum ueniat inuitat. Ipsa ergo terrena actio uestra uos conueniat, et si ad Deum tenditis, curate ne ad eum soli ueniatis. »

96. *HEv* 2, 30, 2 (*PL*, 76, 1220 D - 1221 A) : « Si domum uestram quisquam diues ac praepotens amicus intraret, omni festinantia domus tota mundaretur, ne quid fortasse esset quod oculos amici intrantis offenderet. »

97. Cf. P. Battifol, *op. cit.*, p. 70-71 : « Il ne faut pas chercher dans les homélies de Grégoire la noble tenue de celles de saint Léon ; elles ont en revanche un laisser-aller, une simplicité, une familiarité, que saint Léon ne connaît pas : les deux genres s'excluent. »

populaire du *sermo humilis*, qui aura tant de succès durant tout le Moyen Age[98]. Mais cette technique littéraire exprime surtout une préoccupation plus profonde : l'expérience prime l'éloquence, et celle-ci doit dériver de celle-là.

On aurait donc tort de penser que Grégoire, du moins dans sa prédication, se contente de raconter des faits en employant un style imagé. Même quand il se réfère à des expériences déterminées, il a tout un art de les interpréter, et, finalement, il faut le lire souvent en tenant compte de cette intelligence spirituelle, qui est la clé de toute son exégèse. Considérons par exemple une de ses homélies, dont l'*expositio* est remplacée par des confidences sur sa santé. « Le climat de l'été qui est tout à fait contraire à mon corps, m'a empêché de vous parler de l'Évangile depuis bien longtemps. Mais si ma bouche s'est tue, croyez-vous que l'ardeur de ma charité se soit arrêtée ? Ce que je dis là, en effet, chacun de vous le constate en lui-même : il arrive que la charité, au milieu des occupations qui l'encombrent, est toute brûlante dans le cœur et cependant ne se montre pas dans les actes : le soleil, caché par les nuages, ne se montre pas à la terre, et reste cependant ardent dans le ciel. C'est ainsi que la charité est ordinairement toute accaparée : au-dedans, elle manifeste la force de son ardeur, sans laisser voir au-dehors les flammes de ses activités[99]. » Avant de commenter l'Évangile, Grégoire se livre en quelque sorte à l'exégèse de sa propre expérience. Il recourt pour cela au procédé qui lui est familier : l'évocation d'une réalité extérieure, visible, l'ardeur du soleil, lui permet d'attirer l'attention sur une réalité intérieure, invisible : l'ardeur de la charité. Cet exorde est donc plus qu'une introduction familière ; il obéit à la même méthode que le reste de l'homélie : il est déjà une invitation à l'intelligence spirituelle du récit évangélique.

Il arrive aussi que les événements quotidiens éclairent d'eux-mêmes les paroles du Christ. Il suffit alors que l'exégète, pour persuader son auditoire, commente en même temps l'Écriture et l'histoire la plus contemporaine. Nul effort à faire, par exemple, pour comprendre dans leur sens littéral les avertissements concernant la fin des temps. « Il y aura des signes dans le soleil, la lune et les étoiles, et sur la terre les nations seront dans l'angoisse, inquiètes du fracas de la mer et des flots » (*Luc* 21, 25). « Parmi tous ces événements nous constatons que certains se sont déjà produits, nous redoutons la venue très prochaine des autres. En effet, que des nations se dressent les unes contre les autres, que leur oppression

---

98. Cf. *supra*, n. 48.

99. *HEv* 2, 34, 1 (*PL*, 76, 1246 C) : « Aestiuum tempus quod corpori meo ualde contrarium est, loqui me de expositione Euangelii longa mora interueniente prohibuit. Sed numquid quia lingua tacuit, ardere caritas cessauit ? Hoc etenim dico, quod apud se uestrum unusquisque recognoscit. Plerumque caritas quibusdam occupationibus praepedita, et integra flagrat in corde, et tamen non monstratur in opere, quia et sol cum nube tegitur, non uidetur in terra, et tamen ardet in caelo. Sic sic esse occupata caritas solet, et intus uim sui ardoris exerit, et foris flammas operis non ostendit. »

pèse sur la terre, nous constatons que c'est déjà un fait actuel plus encore que nous ne le lisons dans les livres[100]. » Cet appel à l'expérience de ses auditeurs sert également d'exorde à la première des homélies sur l'Évangile. Grégoire se livre alors à l'exégèse des catastrophes contemporaines. Cette exégèse est de type prophétique, selon les règles énoncées dans la première des *Homélies sur Ezéchiel*[101], où Grégoire distingue les temps, les modes et les qualités des prophéties[102]. Il constate d'abord que les tremblements de terre constituent une série d'événements à la fois nombreux, universels et passés[103]. Quant aux épidémies, elles sont permanentes et présentes[104]. Les signes célestes, eux, sont à mi-chemin entre le présent et l'avenir ; leur nombre est encore limité, mais tout annonce qu'il va grandir[105]. Enfin, le fracas de la mer et des flots appartient aux phénomènes qui restent à attendre : mais le passé récent garantit leur venue[106]. Là encore, la référence à l'expérience, qui sert d'exposition à cette homélie, ne se fait pas de façon immédiate : en même temps qu'il confronte les prédictions de Luc et les calamités dont ses auditeurs ont été, sont ou vont être les témoins, Grégoire traite de l'eschatologie en fonction des règles du genre prophétique. Il invite ainsi les chrétiens de Rome à faire comme lui une lecture spirituelle du temps qu'ils sont en train de vivre. On voit quel lien étroit relie l'Écriture à l'expérience, la première étant le principe d'interprétation de la seconde, et la seconde constituant la réalisation de la première.

La méditation sur l'expérience : « conuersatio hominum »   L'œuvre de Grégoire n'a pas seulement le mérite de contenir un certain nombre de références à l'expérience spirituelle, la sienne ou celle des chrétiens de son temps. Elle comporte aussi une méthode d'analyse de cette expérience. Dom Jean Leclercq n'hésite pas à qualifier cette méthode de théologique. Grégoire, à ses yeux, « livre une réflexion profonde et, comme on dit de nos jours,

---

100. *HEv* 1, 1, 1 (*PL*, 76, 1078 B-C) : « Ex quibus profecto omnibus alia iam facta cernimus, alia e proximo uentura formidamus. Nam gentem super gentem exsurgere, earumque pressuram terris insistere, plus iam in nostris temporibus cernimus quam in codicibus legimus. »

101. Cf. *HEz* 1, 1, 1 (*PL*, 76, 786-795).

102. Cf. L. WEBER, *op. cit.*, p. 55, n. 9.

103. *HEv* 1, 1, 1 (1078 B) : « Quod terrae motus urbes innumeras subruat, ex aliis mundi partibus scitis quam frequenter audiuimus. »

104. *Ibid.* : « Pestilentias sine cessatione patimur. »

105. *Ibid.* : « Signa uero in sole, et luna, et stellis, adhuc aperte minime uidemus, sed quia et haec non longe sint, ex ipsa iam aeris immutatione colligimus. »

106. *Ibid.* (1078 C) : « Confusio autem maris et fluctuum necdum noua exorta est. Sed cum multa praenuntiata iam completa sint, dubium non est quin sequantur etiam pauca quae restant, quia sequentium rerum certitudo est praeteritarum exhibitio. »

structurée, au sujet de l'expérience[107]. » L. Weber fait remarquer que les analyses morales de Grégoire portent sur des actions, au lieu de partir de définitions générales[108].

Ce qui intéresse indubitablement Grégoire, c'est avant tout la vie des chrétiens, considérée à la fois d'un point de vue psychologique et moral. Quel que soit son point de départ, il en revient le plus souvent à ce qu'il appelle la *conuersatio hominum*, c'est-à-dire l'existence concrète des hommes, leur comportement, sur lequel il médite en vue de l'orienter vers Dieu. Après avoir longuement disserté sur la hiérarchie des anges, il s'interroge : « A quoi nous sert-il de saisir ce qui concerne les esprits angéliques, si nous ne tâchons pas de le référer à nos propres progrès par une méditation convenable ?... Nous devons nous aussi tirer quelque parti de ces distinctions entre les citoyens de la cité d'en haut pour en user dans notre existence (*ad usum nostrae conuersationis*)...[109] » Suit une transposition des catégories du monde angélique dans le monde humain, *per conuersationis similitudinem*, grâce à un parallélisme entre les anges et les hommes. Grégoire établit ainsi une sorte de « hiérarchie terrestre » entre les chrétiens. Au même niveau que les anges, il y a ceux qui comprennent et annoncent les vérités les plus humbles de la foi. Ensuite viennent ceux qui comprennent et annoncent les mystères de Dieu et qui sont comparables aux archanges, puis ceux qui ont le don de faire des miracles et des guérisons et qui sont au même niveau que les vertus et les puissances des cieux. A la hiérarchie des charismes s'ajoutent les divers degrés de la perfection chrétienne : pratique de la vertu, domination des vices et de soi-même, crainte de Dieu, amour de Dieu et du prochain, contemplation, qui correspondent respectivement aux principautés, aux dominations, aux trônes, aux Chérubins et aux Séraphins[110].

Chacun de ces développements est introduit par la formule *et sunt nonnulli*, qui, à elle seule, oriente l'attention vers des faits humains, et surtout, chaque degré de perfection est illustré par des comportements précis, évoqués souvent par une série d'expressions qui font image. Ainsi le degré supérieur de la contemplation. « Et il en est certains qui, enflammés par le feu de la contemplation des choses d'en haut, ne soupirent de désir qu'après leur créateur, ne souhaitent plus rien en ce monde, ne se nourrissent que de l'amour de l'éternité, rejettent tous

---

107. J. Leclercq, *L'amour des lettres et le désir de Dieu*, Paris, 1957, p. 30.
108. L. Weber, *op. cit.*, p. 55-56, emploie l'expression « Merksätze der Praxis », pour qualifier ces analyses.
109. *HEv* 2, 34, 11 (*PL*, 76, 1252 B-C) « Quid prodest nos de angelicis spiritibus ista perstringere, si non studeamus haec etiam ad nostros profectus congrua consideratione deriuare ? ... Debemus et nos aliquid ex illis distinctionibus supernorum ciuium ad usum nostrae conuersationis trahere... »
110. Cf. *ibid.* (1252 D - 1253 D).

les biens terrestres, s'élèvent avec leur âme au-dessus de toutes les choses temporelles, sont pleins d'amour et d'ardeur, et trouvent leur repos dans leur ardeur elle-même ; leur amour les embrase ; en leur parlant, ils enflamment aussi les autres, et ceux qu'ils atteignent par leurs paroles, ils les font aussitôt brûler d'amour pour Dieu[111]. » Telle est la manière habituelle de Grégoire : pas de considérations abstraites, mais une sorte de présentation imagée, avec des verbes, appartenant le plus souvent au registre de la sensibilité humaine (désirer, aimer) et appliqués à la vie spirituelle ou, plus précisément, aux mouvements profonds de l'âme en quête de Dieu. Cette « hiérarchie terrestre » n'a donc rien d'un catalogue. Grégoire s'intéresse moins à l'idéal chrétien considéré en lui-même qu'aux différents moyens de l'atteindre, et c'est pourquoi, dans la liste des neuf catégories angéliques, il cherche des points de repère pour jalonner le progrès de la vie spirituelle.

De même, dans les *Moralia*, il entreprend de décrire les divers processus de la tentation, à partir de l'expression « Ses vertèbres sont comme des tubes d'airain » (*Job*, 40, 18) que Iahvé applique à Béhémoth. Il commence par donner une rapide exégèse de cette phrase : les vertèbres représentent les suggestions du diable, qui sont comme des tubes d'airain à cause des résonances qu'elles provoquent dans les âmes ; mais pour mieux faire comprendre la subtilité du malin, il propose de donner des exemples. Premier exemple : celui de l'homme qui est satisfait de sa situation et décide de rester à l'écart des affaires, mais que le diable trouble, en lui faisant redouter le dénuement qui l'attend. Deuxième cas : celui de l'homme qui forme le projet de renoncer à ses biens pour mener une vie libre et dépouillée, et que le diable inquiète, en lui faisant entendre qu'il n'est pas apte à mener cette vie-là, car Dieu ne lui en a pas donné la force. Troisième cas : celui de l'homme qui a renoncé à tout et se soumet à l'autorité d'un supérieur et que la diable tente, en lui suggérant tout ce qu'il pourrait faire s'il n'était pas soumis à cette autorité extérieure. Quatrième cas : celui de l'homme très engagé dans la voie du détachement et du service des autres et auquel le diable reproche de s'oublier lui-même, en s'occupant trop des autres[112]. Ces quatre exemples sont tous introduits par *alius*, qui joue un rôle identique à *nonnulli* : il ne s'agit pas d'une simple description psychologique, mais d'une suite de tableaux vivants, qui permettent d'évoquer à la fois les quatre étapes possibles du renoncement chrétien et le mouvement négatif de la tentation. A la fin de chaque tableau, une phrase assure la liaison entre ces cas particuliers et l'expression qui a fourni le point

---

111. *Ibid.* (1253 C) : « Et sunt nonnulli qui, supernae contemplationis facibus accensi, in solo conditoris sui desiderio anhelant, nihil iam in hoc mundo cupiunt, solo aeternitatis amore pascuntur, terrena quaeque abiiciunt, cuncta temporalia mente transcendunt, amant et ardent, atque in ipso suo ardore requiescunt, amando ardent, loquendo et alios accendunt, et quos uerbo tangunt, ardere protinus in Dei amore faciunt. »

112. Cf. *Mor.* 32, 21, 41-44 (*PL*, 76, 659 C - 661 D).

de départ (« Ses vertèbres sont comme des tubes d'airain »). En même temps, le moraliste y rejoint le psychologue, en caractérisant les différentes suggestions de l'Ennemi. Ces quatre phrases de conclusion, construites selon un schéma identique comme une explicitation de la formule biblique, marquent aussi une gradation : les conseils diaboliques sont successivement qualifiés de pernicieux, parce qu'ils flattent par leur douceur celui qui les écoute[113], de trompeurs, parce que leur son agréable masque leur malfaisance[114], de clandestins, parce qu'ils détournent l'âme du droit chemin[115], et de frauduleux, parce qu'ils finissent par décevoir[116]. On voit que ces quatre exemples correspondent en fait à quatre cas de conscience, que l'exégèse allégorique aide à distinguer autant qu'à relier : grâce à ces évocations successives, mais non indépendantes, Grégoire indique les grandes lignes du combat spirituel. La méditation sur l'expérience suppose constamment une invitation à la vigilance.

Dans le chapitre précédent du même livre des *Moralia*, Grégoire répond à une sorte de consultation morale. Il commente l'expression « Les nerfs de ses cuisses s'entrelacent » (*Job*, 40, 17), également appliquée à Béhémoth et dans laquelle il voit une allusion aux situations inextricables, dans lesquelles se trouvent parfois les hommes. Il se propose d'envisager trois types de ces situations, correspondants aux trois catégories de chrétiens qu'il distingue habituellement, les gens mariés, les religieux et les pasteurs. Premier dilemme : celui de l'homme marié qui s'engage envers un ami à ne trahir aucun de ses secrets, et qui apprend que cet ami commet l'adultère et songe à tuer le mari de sa maîtresse. Restera-t-il lié par sa promesse, au point d'être à cause de son silence, complice d'un adultère et d'un homicide ? Second dilemme : celui de l'homme qui s'engage dans la vie religieuse, mais doit obéir à un mauvais supérieur, qui l'empêche de faire ce qui plairait à Dieu. Va-t-il, à cause de son engagement, retrouver le monde malgré lui ? Troisième dilemme : celui du pasteur qui a accédé à une charge importante malgré son indignité, et qui ne parvient pas à y pratiquer la sainteté. Doit-il renoncer à la garde du troupeau qui lui a été confié[117] ? L'exégèse aboutit ici à la casuistique, selon le processus habituel : une phrase de l'Écriture est reliée à la vie des chrétiens, et trois cas particuliers, choisis en fonction

---

113. *Ibid.* 41 (660 B) : « Ossa itaque eius sicut fistulae aeris sunt, quia perniciosa eius consilia auditori suo consulentis uocis suauitate blandiuntur. »

114. *Ibid.* 42 (660 D) : « Ossa itaque eius sicut fistulae aeris sunt, quia dolosa eius consilia dum blandum ex exterioribus sonum reddunt, perniciosum dispendium de interioribus ingerunt. »

115. *Ibid.* 43 (661 B) : « Ossa itaque eius sicut fistulae aeris sunt, quia clandestina eius consilia unde quasi animum blanda delectant, inde perniciosa a recta intentione dissipant. »

116. *Ibid.* 44 (662 C-D) : « Quando enim per fraudulenta consilia audientis animo blandum sonat, quasi cum fistula aeris cantat, ut unde mulcet, inde decipiat. »

117. Cf. *Mor.* 32, 20, 36-39 (*PL*, 76, 657 A - 659 B).

d'une tripartition couramment admise, vont éclairer une vérité générale. Finalement, c'est le critère du moindre mal qui permet de sortir de ces dilemmes, comme Grégoire le suggère à la fin, en se recommandant de saint Paul. « Il est cependant possible de faire quelque chose d'utile pour détruire ces artifices, afin que l'âme, contrainte de choisir entre des péchés plus ou moins grands, si elle ne trouve aucun moyen de s'échapper sans commettre de péché, choisisse toujours le moindre mal, car celui qui est empêché de s'enfuir par des murs qui l'entourent de toutes parts, s'échappe par là où le mur est le plus bas. Et Paul, voyant qu'il y a dans l'Église des hommes qui ne gardent pas la continence, leur a concédé les plus petits péchés, pour qu'ils évitent les péchés plus graves. ' A cause du risque de fornication, que chacun ait sa propre femme ' (1 Cor. 7, 2). ' Et puisque l'union conjugale est exempte de faute seulement lorsque les époux s'unissent non pour satisfaire leur plaisir, mais pour engendrer des enfants... Paul a ajouté : ' Ce que je dis là est une concession, non un ordre' (*ibid.* 6)[118]. » L'idée selon laquelle le plaisir est un but illicite pour les rapports conjugaux est traditionnelle chez les moralistes chrétiens, surtout depuis Augustin. Mais, en présentant le mariage comme un moindre mal, Grégoire aurait encore aggravé la discipline[119]. On ne comprendrait rien à cette consultation morale, si l'on n'en retenait que la conclusion : le mariage n'est évoqué ici que pour éclairer la solution proposée aux trois dilemmes précédents, et ce principe du moindre mal représente une issue pratique à des situations apparemment inextricables.

---

118. *Ibid.* 39 (658 D - 659 A) : « Est tamen quod ad destruendas eius uersutias utiliter fiat, ut dum mens inter minora et maxima peccata constringitur, si omnino nullus sine peccato euadendi aditus patet, minora semper eligantur, quia et qui murorum undique ambitu ne fugiat clauditur, ibi se in fugam praecipitat, ubi breuior murus inuenitur. Et Paulus dum quosdam in Ecclesia incontinentes aspiceret, concessit minima, ut maiora declinarent, dicens : « Propter fornicationem autem unusquisque uxorem suam habeat » (I *Cor.* 7, 2). Et quia tunc solum coniuges in admistione sine culpa sunt cum non pro explenda libidine, sed pro suscipienda prole miscentur... illico adiunxit : « Hoc autem dico secundum indulgentiam, non secundum imperium. »

119. J. T. NOONAN (*Contraception et mariage*, Paris, 1969, p. 195-196) accable Grégoire en des jugements catégoriques : « En faisant faire un pas de plus à la loi alexandrino-augustinienne, il ne rejette pas seulement le manichéisme, mais il barre la route encore plus énergiquement à la contraception. Dans le contexte de sa doctrine sur les rapports sexuels, la contraception a dû apparaître comme un monstrueux démenti à l'unique excuse possible pour le coït. La doctrine de Grégoire fixe à son plus haut point l'opposition aux actes contraceptifs. L'autorité de cette doctrine, accrue par le prestige personnel de Grégoire, croît encore avec l'autorité grandissante de la papauté au Moyen Age, et assure la condamnation absolue de la pratique de la contraception par l'ensemble de l'organisation ecclésiastique. » Cette condamnation sans appel s'appuie sur des textes, mais ignore complètement leur contexte et la perspective qui est celle de Grégoire quand il traite de ces questions.

Examen et contrôle   En fait, ce passage est très caractéristique de
de l'expérience :   l'esprit et de la méthode selon lesquels Grégoire
la « discretio »   traite à peu près toujours de la *conuersatio homi-
                         num.* Tout d'abord, il est certain que Grégoire,
à la suite de son maître Augustin, pense qu'à cause du péché originel,
la nature humaine est profondément déchue[120] : il accorde une place
considérable aux vices et aux tentations dans ses analyses psychologiques ;
qu'il écrive ou qu'il prêche, il s'applique à réveiller une société, dont
l'affaissement moral s'accentue ; bref, l'expérience du péché apparaît
dans toutes ses œuvres comme étant au cœur de l'existence humaine.
Mais il résulte de tout cela qu'il traite du péché non comme un théologien,
mais comme un pasteur, ou du moins comme un directeur d'âmes :
l'important à ses yeux est de connaître les multiples manifestations
du péché et les multiples pièges de l'Ennemi en vue de les combattre
ou de les éviter. Sa perspective n'est donc pas tellement pessimiste :
il a un sens aigu de la faiblesse humaine, mais il sait aussi que le péché
peut stimuler notre progrès spirituel. « La tentation extérieure ne met
pas le comble à nos fautes, parce que le désir intérieur nous attire vers
le haut ; et inversement, notre désir spirituel ne dégénère pas en orgueil,
parce que la tentation extérieure nous humilie et nous abaisse. Et ainsi,
par un grand principe d'équilibre, nous comprenons ce que nous recevons
de Dieu à l'occasion de nos progrès intérieurs, et ce que nous sommes
à l'occasion de nos défaillances extérieures[121] ».

Le péché constitue donc l'autre pôle de l'expérience spirituelle ; à
l'opposé de la contemplation, qui nous élève vers Dieu, il nous dégrade
et nous détourne de Dieu, en nous entraînant vers le bas. Cette dialectique
domine la méditation grégorienne de la *conuersatio hominum*, qui est
tout entière sous le signe du combat intérieur. S'il est si important de
connaître le péché, c'est afin de mieux le combattre. Tout, dans l'œuvre
grégorienne, est subordonné à ce point de vue ascétique et pastoral : les
allusions à la doctrine du péché originel permettent de mettre en relief
la nécessité de la conversion ; la description psychologique des tentations
sert à mettre en garde les fidèles[122] ; les développements de type casuistique, enfin, constituent autant de conseils pratiques destinés aux
pasteurs et aux directeurs d'âmes.

Pour analyser et guider correctement l'expérience chrétienne, Grégoire
recommande sans relâche une vertu qu'il considère comme l'instrument

---

120. Cf. L. WEBER, *op. cit.*, p. 224-244.

121. *Mor.* 19, 6, 12 (*PL*, 76, 103 B) : « ... Nec tentatio exterior culpam
perficit, quia interior intentio sursum trahit ; nec rursum intentio interior
in superbiam eleuat, quia tentatio exterior humiliat dum grauat. Sicque
magno ordine cognoscimus in interiori profectu quid accipimus, in
exteriori defectu quid sumus. »

122. Cf. F. GASTALDELLI, *Il meccanismo psicologico del peccato nei
Moralia in Iob di san Gregorio Magno*, dans *Salesianum*, 27, 1965,
p. 563-603.

privilégié du discernement moral et comme la qualité principale requise des pasteurs, en vue de la direction des âmes et de l'instruction des fidèles : la *discretio*[123]. Ce terme ne se rattache pas chez lui au vocabulaire de la connaissance, intellectuelle ou mystique, avec le sens de séparation[124], mais, presque exclusivement, au vocabulaire de la vie morale et spirituelle. La *discretio* désigne alors le sens de la mesure, la prudence, l'équilibre du jugement, qui doivent régler toute la conduite humaine. A cet égard, Grégoire est l'héritier d'une longue tradition : celle-ci s'enracine dans la sagesse grecque, qui, de Platon à Aristote, ne cesse d'enseigner dans tous les domaines l'ordre, l'harmonie, l'équilibre des facultés, et s'épanouit dans la spiritualité monastique, en Orient d'abord, mais surtout en Occident. Cassien apparaît sans conteste comme le maître de cette doctrine : il consacre en effet les vingt-six chapitres de sa seconde Conférence à ce thème de la discrétion, écrivant notamment : « Sans la grâce de la discrétion, il n'est point de vertu achevée, ni constante... Car la mère, gardienne et modératrice de toutes les vertus, c'est la discrétion[125]. » « Magnifique formule qu'on retrouvera souvent après lui. Le rôle de la discrétion est de maintenir le moine à égale distance des excès, de le guider sur la voie royale en ne lui permettant de s'écarter ni à droite dans une ferveur excessive qui dépasse la mesure d'une juste tempérance, ni à gauche dans la mollesse et le relâchement qui conduisent à la tiédeur spirituelle[126]. » A la suite de Cassien, Grégoire continue à faire de la *discretio* la vertu monastique par excellence, et l'on sait en quels termes il célèbre la règle de Benoît, qualifiée de *discretione praecipuam* et *sermone luculentam*[127], la discrétion servant à caractériser le chef-d'œuvre spirituel comme la clarté caractérise le chef-d'œuvre littéraire.

Mais l'originalité de Grégoire consiste à vulgariser cette vertu, car il ne la réserve nullement aux moines, mais envisage plutôt ses multiples applications dans la vie morale de chaque chrétien et dans l'activité pastorale des prédicateurs. La notion de *discretio* implique avant tout l'idée de mesure, comme le suggère le passage suivant où les termes de *regula*, de *limes* et de *mensura* servent à en préciser la portée. « On tend une ligne au-dessus de cette terre, quand on montre aux âmes des élus les exemples des pères d'autrefois, pour qu'elles choisissent une règle de vie ; en s'inspirant de leur vie, elles pourront ainsi considérer

---

123. Cf. *ibid.*, p. 596-597 ; *DSp*, art. *Discrétion*, 3, 1321-1322.

124. A une exception près, semble-t-il. Traitant de la connaissance de Dieu, Grégoire évoque ces images variées que l'esprit doit écarter « de devant les yeux de son attention, par le moyen de son discernement » (*manu discretionis* : *Mor.* 5, 34, 62 = *PL*, 75, 713 C). Cf. R. GILLET, *SC*, 32 bis, p. 28.

125. *Conf.* 2, 4 (*SC*, 42, p. 116) : « Quibus manifestissime declaratur nullam sine discretionis gratia perfecte posse uel perfici uel stare uirtutem... Omnium namque uirtutum generatrix, custos moderatrixque discretio est. »

126. *DSp*, art. cit., 1320-1321.

127. *Dial.* 2, 36 (éd. MORICCA, p. 131).

ce qu'elles doivent observer dans leurs actions, de manière à respecter le tracé d'une juste limite, en évitant soit de tomber trop bas par négligence, soit de tendre trop haut par orgueil, soit d'essayer d'entreprendre moins qu'elles ne sont capables, soit de saisir plus qu'elles n'ont reçu, afin qu'elles ne s'empêchent pas d'atteindre la mesure qu'elles doivent atteindre ou qu'abandonnant la même mesure, elles ne tombent en dehors de leurs limites. Car étroite est la porte qui conduit à la vie ; et celui-là s'y engage, qui, dans tout ce qu'il fait se modère soigneusement à cause d'elle, grâce à la délicatesse de sa discrétion[128]. »

Cette suite de métaphores spatiales indique clairement que la discrétion permet à chacun d'orienter comme il faut sa vie morale et spirituelle, puisque, négativement, elle sert à éviter les excès et que, positivement, elle aide à suivre le droit chemin. On comprend que cette qualité soit exigée avant toute autre des pasteurs qui ont la responsabilité de guider les autres chrétiens. Ce discernement pastoral est symbolisé par l'organe de l'odorat et, commentant le texte du *Lévitique* où sont énumérées les infirmités qui interdisent d'exercer le sacerdoce, Grégoire développe ainsi ce symbolisme. « Il a un petit nez, celui qui n'est pas apte à garder la mesure de la discrétion. C'est avez le nez que nous distinguons bonnes et mauvaises odeurs. Il est donc juste d'exprimer par le nez la discrétion, qui nous permet de choisir les vertus, de réprouver les fautes. C'est pourquoi l'épouse est louée en ces termes (*Cant.* 7, 4) : ' Ton nez est comme la tour qui est au Liban ' ; car il est certain que la sainte Église se sert de la discrétion pour envisager les épreuves qui lui viennent de causes particulières et pour prévoir de haut les combats futurs contre les vices. Mais il en est certains qui, refusant d'être considérés comme sots, s'exerçant souvent à certaines recherches plus qu'il n'est nécessaire, se trompent par excès de subtilité. C'est pourquoi le même passage évoque ' ceux qui ont un nez grand et tordu '. En effet, le nez grand et tordu, c'est la subtilité immodérée de la discrétion qui, s'étant développée plus qu'il ne convient, perd de vue la droite ligne de conduite[129]. »

---

128. *Mor.* 28, 11, 26 (*PL*, 76, 463 B-C) : « Super hanc enim terram linea tenditur, quando electae unicuique animae ad sumendam uiuendi regulam patrum praecedentium exempla monstrantur, ut ex illorum uita consideret quid in suis actibus seruet, quatenus respecto iusti limitis tramite, nec infra minima negligens deficiat, nec ultra maxima superbiens tendat, nec minus conetur explere quam sufficit nec plus arripiat quam accepit, ne aut ad mensuram quam debet non perueniat, aut eamdem mensuram deserens, extra limitem cadat. Angusta quippe porta est quae ducit ad uitam ; et ille hanc ingreditur qui in cunctis quae agit discretionis subtilitate propter hanc sollicite coarctatur. »

129. *Past.* 1, 11 (*PL*, 27, 24 B-C) : « Paruo autem naso est, qui ad tenendam mensuram discretionis idoneus non est. Naso quippe odores fetoresque discernimus. Recte ergo per nasum discretio exprimitur, per quam uirtutes eligimus, delicta reprobamus. Vnde et in laude sponsae dicitur : « Nasus tuus sicut turris quae est in Libano », quia nimirum sancta Ecclesia quae ex causis singulis tentamenta prodeant, per discretionem conspicit, et uentura uitiorum bella ex alto deprehendit. Sed sunt nonnulli qui dum aestimari hebetes nolunt, saepe se in quibusdam inqui-

A vrai dire, le même terme de *discretio* oscille entre deux valeurs assez différentes : dans le premier texte, il s'agit du sens de la mesure, de la prudence qui empêche l'âme de s'égarer ; dans le second, il s'agit du discernement qui éclaire et oriente l'action. La plupart du temps, ces deux significations sont mêlées dans l'œuvre grégorienne, car ce qui intéresse surtout l'auteur des *Moralia*, c'est l'usage de la *discretio*, qui tantôt apparaît comme une vertu personnelle, utile pour cheminer au milieu des difficultés, tantôt comme une qualité proprement pastorale, indispensable pour éduquer la conscience des chrétiens.

Le premier usage se rencontre surtout dans les *Moralia.* Par rapport à la vie de l'esprit, la *discretio* a une fonction régulatrice. Elle domine le mouvement désordonné de nos pensées : « Posséder un grand nombre de serviteurs, c'est tenir sous l'autorité de notre raison nos innombrables pensées, les empêchant de dominer l'âme par leur multitude, et de fouler aux pieds par leur désordre la souveraineté de notre discernement[130]. »

Elle exerce la surveillance de notre conscience : « La portière trie le blé lorsque la vigilance de l'âme sépare avec discernement les vertus des vices. Si elle s'endort, elle laisse entrer les assassins de son maître ; car quand le discernement cesse de veiller, la porte est ouverte aux esprits malins qui cherchent à tuer l'âme[131]. »

Elle assure une certaine stabilité de l'âme malgré le trouble qu'apportent les tentations : « Souvent l'ennemi, en fondant sur nous par le trouble soudain qu'apporte la tentation, surprend inopinément la vigilance de notre cœur, comme s'il passait au fil de l'épée toutes les petites sentinelles. Un de ces serviteurs cependant s'échappe pour annoncer le désastre : malgré ce que l'âme peut endurer de la part de l'ennemi, toujours le discernement de la raison revient à l'esprit et annonce pour ainsi dire qu'il est le seul à s'être échappé, lui qui, par lui-même, mesure tout ce que l'âme a vaillamment supporté. Tous les autres donc ayant péri, un seul rentre à la maison ; dans le trouble causé par les tentations, le discernement revient vite dans la conscience ; de la sorte, l'âme préoccupée médite sur ce qu'elle vient de perdre par ces attaques soudaines ;

---

sitionibus plus quam necesse est exercentes, ex nimia subtilitate falluntur. Unde hic quoque subditur : « Vel grandi et torto naso. » Nasus enim grandis et tortus est discretionis subtilitas immoderata, quae dum plus quam decet excreuerit, actionis suae rectitudinem ipsa confundit. »

130. *Mor.* 1, 30, 42 (*PL*, 75, 546 A-B = *SC*, 32 bis, p. 226) : « Multam nimis familiam possidemus, cum cogitationes innumeras sub mentis dominatione restringimus : ne ipsa sui multitudine animum superent, ne peruerso ordine discretionis nostrae principatum calcent. »

131. *Ibid.* 35, 49 (549 C = p. 236) : « Ostiaria triticum purgat, cum mentis custodia discernendo uirtutes a uitiis separat. Quae si obdormierit, in mortem proprii Domini insidiatores admittit : quia cum discretionis sollicitudo cessauerit, ad interficiendum animum malignis spiritibus iter pandit. »

de la sorte, pénétrée d'affliction par une ardente componction, elle le recouvre[132]. »

Elle permet toujours un retour sur soi-même après le péché : « il arrive souvent que même un homme de discernement trébuche soudain dans le péché, et aussi que tel autre, sans discernement et sans force, produise de bonnes œuvres. Mais celui qui est sans discernement et sans force s'enorgueillit parfois davantage de ce qu'il a fait de bien et il tombe ainsi dans une faute plus lourde ; un homme de discernement, au contraire, du fait même qu'il comprend le mal qu'il a fait, se plie de façon plus stricte à une règle sévère et il progresse d'autant plus haut dans la voie de la justice qu'il semblait être tombé un moment des hauteurs de la justice[133]. »

Cette *discretio* est à la fois prudence et discernement : prudence puisqu'elle impose un certain ordre intérieur, et discernement puisqu'elle indique et permet d'éviter les égarements possibles. Si bien qu'elle se confond presque avec la conscience morale et qu'elle apparaît, avec la connaissance de soi et l'humilité, comme un des instruments principaux de l'ascèse grégorienne[134].

Mais comment cet esprit de *discretio*, qui assure le développement cohérent de la vie spirituelle, n'assurerait-il pas aussi le succès du ministère pastoral ? Car tout prédicateur, dans ses exhortations morales, doit avoir le sens de l'équilibre. « Sa discrétion doit être telle que sa rigueur ne soit pas excessive, ni sa miséricorde relâchée, pour éviter qu'ayant remis une faute contrairement aux règles, le coupable ne soit puni plus lourdement au moment de sa condamnation ; et inversement, pour éviter que retenant une faute contrairement aux normes, celui qu'il reprend ne devienne pire, en songeant qu'on n'a pas du tout agi envers lui par bienveil-

---

132. *Mor.* 2, 46, 73 (*PL*, 75, 589 D - 590 A = *SC*, 32 bis, p. 362) : « Plerumque hostis, dum subita ad nos perturbatione tentationis irruit, circumspectiones cordis inopinate praeueniens, quasi ipsos custodes pueros gladio occidit. Sed tamen unus fugit, qui alia periisse nuntiet : quia in eo quod mens ab hoste patitur, rationis discretio semper ad animum redit ; et quasi solam se euasisse indicat, quae apud semetipsam fortiter quidquid pertulerit, pensat. Aliis ergo pereuntibus unus ad domum redit, dum turbatis in tentatione motibus discretio ad conscientiam recurrit ; ut quod repentinis incursibus praeoccupata mens perdidisse se pensat, hoc compunctionis studio afflicta recipiat. »

133. *Mor.* 11, 49, 65 (*PL*, 75, 982 D - 983 A = *SC*, 212, p. 132-134) : « Et saepe contigit ut etiam discretus quisque subito labatur in culpam, atque indiscretus alius et infirmus bonam exhibeat operationem. Sed is qui indiscretus atque infirmus est nonnumquam de eo quod bene egerit amplius eleuatur, atque grauius in culpam cadit ; discretus uero quisque etiam ex eo quod male se egisse intelligit, ad districtionis regulam arctius se reducit ; et inde altius ad iustitiam proficit, unde ad tempus a iustitia cecidisse uidebatur. »

134. Cf. R. GILLET, *DSp*, *art. cit.*, 890.

lance gracieuse[135] ». Il est clair qu'ici, la *discretio* grégorienne est très proche de celle de Cassien : c'est la juste mesure qui permet d'éviter les erreurs dans la conduite des âmes.

Sans cette *discretio*, le pasteur ne peut espérer être compris de ses auditeurs. Au contraire, s'il la pratique, il saura toujours s'adapter aux circonstances et aux personnes. « Quand le prédicateur garde scrupuleusement le discernement dans son enseignement, Dieu lui accorde une plus grande abondance de parole. Car, lorsqu'il sait compatir par charité aux souffrances de ses disciples, lorsqu'il comprend, grâce à son discernement, quel est le moment convenable pour enseigner, spontanément il reçoit de plus grandes capacités d'intelligence non seulement pour lui-même, mais aussi pour ceux auxquels il dispense les soins de son labeur[136]. » Un texte des *Moralia* explique en quoi consiste ce discernement de la part du prédicateur, dont la parole est comparée au chant du coq : « Le coq a reçu l'intelligence pour compter d'abord les heures de la nuit, et après seulement pour lancer son cri qui réveille, car assurément tous les saints prédicateurs considèrent d'abord chez leurs auditeurs la qualité de leur vie et après seulement ils formulent les paroles convenables de leur prédication en vue d'instruire. Car distinguer les heures de la nuit, c'est pour ainsi dire discerner les mérites des pécheurs, distinguer les heures de la nuit, c'est pour ainsi dire corriger les actions ténébreuses par des paroles adaptées de réprimande. Le coq reçoit donc d'en-haut l'intelligence, parce que Dieu accorde la vertu de discernement à celui qui enseigne la vérité, pour qu'il sache à qui, en quels termes, quand et comment parler[137]. »

---

135. *HEz* 2, 9, 18 (*PL*, 76, 1054 C-D = *CCh*, 142, p. 372) : « Tanta quippe debet esse discretio, ut nec disciplina nimia, nec misericordia sit remissa, ne si inordinate culpa dimittitur, is qui est culpabilis, in reatu grauius astringatur, et rursum, si culpa immoderate retinetur, tanto qui corrigitur deterior fiat, quanto erga se nihil ex benignitatis gratia agi considerat. »

136. *Mor.* 30, 9, 35 (*PL*, 76, 543 B-C) : « Quae doctrinae discretio dum caute a praedicatore custoditur, ei diuinitus largior copia praedicationis datur. Dum enim per caritatem compati afflictis discipulis nouit, dum per discretionem congruum doctrinae tempus intelligit, ipse non solum pro se, sed etiam pro eis, quibus laboris sui studia impendit, maiora intelligentiae suae munera percipit. »

137. *Mor.* 30, 3, 11 (*PL*, 76, 529 D - 530 A) : « Intelligentiam quoque gallus accepit, ut prius nocturni temporis horas discutiat, et tunc demum uocem excitationis emittat, quia uidelicet sanctus quisque praedicator in auditoribus suis prius qualitatem uitae considerat, et tunc demum ad erudiendum congruam uocem praedicationis format. Quasi enim horas noctis discernere est peccatorum merita diiudicare, quasi horas noctis discernere est actionum tenebras apta increpationis uoce corripere. Gallo itaque intelligentia desuper tribuitur, quia doctori ueritatis, uirtus discretionis, ut nouerit, quibus, quid, quando, uel quomodo inferat, diuinitus ministratur. »

Cette référence aux principes de la rhétorique antique[138] ne sert ici qu'à présenter la *discretio* comme la faculté d'adaptation pastorale par excellence : des médications différentes ne sont-elles pas employées pour chaque maladie et l'harmonie de la cithare n'est-elle pas produite par une multiplicité de cordes[139] ? Pour souligner encore l'importance de cette adaptation, Grégoire se lance dans une longue énumération sur laquelle nous reviendrons et où il distingue les diverses catégories d'auditeurs, en fonction desquels devra s'exercer la *discretio*[140]. Cette espèce de catalogue sera repris et développé dans la troisième partie du *Liber regulae pastoralis*, qui envisage cas par cas l'application du discernement pastoral et que Grégoire conclut ainsi : « Voilà ce que le directeur d'âmes doit observer dans la diversité de ses prédications, afin d'appliquer avec soin des remèdes adaptés aux blessures de chacun. Mais, malgré la grande application qu'il faut pour exhorter chacun en particulier à des fins particulières, et bien qu'il soit fort difficile d'instruire chacun de façon personnelle, en lui prêtant l'attention qui lui est due, il l'est cependant bien plus d'instruire des auditeurs innombrables et travaillés par des passions diverses, au même moment et avec une seule bouche, il faut tempérer ses paroles avec un art tel qu'en dépit de la diversité des vices des auditeurs, chacun y trouve ce qui lui convient, sans que ces paroles soient cependant contradictoires ; et il faut que celles-ci se frayent un unique chemin entre des passions moyennes, mais qu'à la façon d'une épée à deux tranchants, elles frappent des deux côtés l'enflure des pensées charnelles, de façon à ce que l'humilité soit prêchée aux orgueilleux, sans qu'augmente la peur des craintifs, que l'autorité soit inculquée aux craintifs, sans que grandisse la licence des orgueilleux. Il faut prêcher aux oisifs et aux apathiques le souci des bonnes actions, sans pour autant augmenter encore l'excès d'une activité sans mesure chez les inquiets. Il faut imposer une mesure aux inquiets, sans que les oisifs ne tombent dans une torpeur tranquille. Il faut éteindre la colère des impatients, en évitant de laisser grandir la négligence de ceux qui sont relâchés et mous. Il faut enflammer de zèle les mous, sans attiser l'ardeur des irascibles...[141] ». Bien que le terme *discretio* ne figure pas

---

138. Ces principes se trouvent repris et développés dans un passage d'une homélie (*HEz* 1, 11, 12-16), que nous analyserons plus loin.

139. Cf. *Mor.* 30, 3, 12 (*PL*, 76, 530 A-B).

140. Cf. *ibid.* 13 (530 B - 531 B).

141. *Past.* 3, 36 (*PL*, 77, 121 C - 122 A) : « Haec sunt quae praesul animarum in praedicationis diuersitate custodiat, ut sollicitus congrua singulorum uulneribus medicamina opponat. Sed cum magni sit studii ut exhortandis singulis seruiatur ad singula, cum ualde laboriosum sit unumquemque de propriis sub dispensatione debitae considerationis instruere, longe tamen laboriosius est auditores innumeros ac diuersis passionibus laborantes, uno eodemque tempore uoce unius et tanta arte uox temperanda est, ut cum diuersa sint auditorum uitia, et singulis inueniatur congrua, et tamen sibimetipsi non sit diuersa ; ut inter passiones medias uno quidem ductu transeat, sed more bicipitis gladii tumores cogitationum carnalium ex diuerso latere incidat, quatenus sic

dans ce développement. il est évident que c'est cette vertu qui permettra au prédicateur à la fois de discerner les écueils qu'il doit éviter, d'effectuer dans ses exhortations une sorte de va-et-vient et surtout de garder sa capacité d'adaptation. Cette intelligence pastorale, à la fois sens de la mesure, équilibre du jugement et faculté d'intuition commande finalement toute l'activité des prédicateurs.

Une rhétorique   Ces règles, inspirées du principe de la *discretio*, *à l'usage des pasteurs*   Grégoire les a codifiées dans un ouvrage spécial, qui est précisément ce *Liber regulae pastoralis*, connu habituellement sous le titre de *Pastoral*.

Il ne faut pas se méprendre sur le genre littéraire de cette œuvre. Les circonstances en font une sorte d'apologie du ministère pastoral, puisque Grégoire y répond à Jean, l'évêque de Ravenne, qui lui avait reproché de s'être dérobé par la fuite à la charge d'évêque de Rome : ses modèles, à cet égard, pouvaient être soit l'*Apologeticus pro fuga* de Grégoire de Nazianze, soit le *De sacerdotio* de Jean Chrysostome[142]. Si l'on se fie aux déclarations de Grégoire dans sa lettre-dédicace, il s'agirait plutôt d'un traité de morale ecclésiastique, comparable au *De officiis* d'Ambroise. Voici en effet comment est présenté le plan de l'œuvre : « Lorsque la nécessité l'exige, il faut bien examiner comment chacun doit parvenir au faîte du pouvoir ; y parvenant selon les règles, comment il doit y vivre ; y vivant dans le bien, comment il doit y enseigner et y enseignant comme il faut, combien il doit être attentif à considérer chaque jour sa propre faiblesse[143]. »

En fait, Grégoire ne s'est guère conformé au programme qu'il annonçait. Il a accordé une énorme importance à la troisième partie, celle qui concerne l'enseignement pastoral : dans la patrologie, elle occupe près de soixante quinze colonnes, correspondant à quarante chapitres, alors que la première n'en occupe que douze (onze chapitres), la seconde vingt-cinq (onze chapitres) et la quatrième deux (un unique chapitre). Cette disproportion montre clairement que l'essentiel de ce *Liber regulae pastoralis* se trouve dans les quarante chapitres de la troisième partie.

---

superbis praedicetur humilitas, ut tamen timidis non augeatur metus, sic timidis infundatur auctoritas, ut tamen superbis non crescat effrenatio. Sic otiosis ac torpentibus praedicetur sollicitudo boni operis, ut tamen inquietis immoderatae licentia non augeatur actionis. Sic inquietis ponatur modus, ut tamen otiosis non fiat torpor securus. Sic ab impatientibus exstinguatur ira, ut tamen remissis ac lenibus non crescat negligentia. Sic lenes accendantur ad zelum, ut tamen iracundis non addatur incendium. »

142. Cf. R. GILLET, *art. cit.*, 877.

143. *Past.*, prol. (*PL*, 77, 13 A-B) : « Cum rerum necessitas exposcit, pensandum ualde est ad culmen quisque regiminis qualiter ueniat ; atque ad hoc rite perueniens, qualiter uiuat ; et bene uiuens, qualiter doceat ; et recte docens, infirmitatem suam quotidie quanta consideratione cognoscat... »

Or ces quarante chapitres composent un catalogue sur la façon de s'adresser à trente-neuf espèces d'auditeurs, déjà distingués dans un passage des *Moralia*[144]. Grégoire y classe les pécheurs par grandes catégories antithétiques : hommes et femmes, jeunes et vieux, pauvres et riches, esclaves et maîtres, sujets et chefs, humbles et orgueilleux, etc... Des critères extrêmement divers (sociaux, moraux, fondés sur l'âge ou le caractère, etc...) servent à établir ces distinctions. Dans chaque cas Grégoire précise avec beaucoup de détails comment il convient que le pasteur discerne et combatte les défauts opposés des uns et des autres : « *Aliter admonendi sunt... atque aliter...* » De tels procédés ont de quoi surprendre. Comment expliquer à la fois le déséquilibre interne de ce traité et la bizarrerie du genre littéraire de cette troisième partie ?

En fait, cette casuistique si déconcertante pour nous était conforme au génie de l'époque aussi bien qu'à celui de Grégoire. Dès le début du ve siècle, Cassien n'avait-il pas fondé l'ascèse chrétienne sur un examen très minutieux des vices et des vertus ? Puisqu'il est prouvé par ailleurs que Grégoire s'en inspire à maintes reprises[145], il n'est pas étonnant qu'il ait voulu transmettre aux pasteurs, sous une forme simplifiée et schématique, les leçons qu'il puisait dans les *Conférences* et les *Institutions*.

D'autre part, n'était-il pas naturel de la part de l'ancien moine qu'était Grégoire de s'inspirer des règles monastiques et de composer à son tour une *regula* à l'intention du clergé séculier ? On sait que Grégoire emploie le mot de *regula* avec le sens précis de règle monastique[146]. Dans sa lettre-dédicace, il s'abstient de l'employer à propos de son œuvre, se contentant de dire qu'il y traitera de la charge (*cura*) ou du magistère (*magisterium*) pastoral. Mais, dans sa correspondance, il emploie l'expression de *Codex regulae pastoralis*[147] ou celle de *Liber regulae pastoralis*[148] : c'est la preuve que l'on avait rapidement pris l'habitude de rapprocher son traité pastoral des règles monastiques et que lui-même ne pouvait refuser un tel usage, qui devait être conforme à ses intentions. N'avait-il pas cherché en effet à fournir aux pasteurs, comme certains religieux à leurs moines, un ensemble de règles, un code plus ou moins organisé pour les aider à mieux conduire leur vie et à exercer convenablement leur mission ? On pourrait ajouter que le genre de la *regula* correspond à une intention pédagogique : c'est un maître qui enseigne à ses disciples, parfois sous forme de questions et réponses[149]. Grégoire a pu s'inspirer

---

144. Cf. *Mor.* 30, 3, 13 (*PL*, 76, 530 B - 531 A).

145. R. GILLET (*SC*, 32 bis, p. 89-102) montre dans le détail cette influence de Cassien sur Grégoire.

146. *Dial.* 2, 36 (éd. MORICCA, p. 131) : « (Benedictus) scripsit monachorum regulam. » Cf. O. PORCEL, *La doctrina monastica de san Gregorio Magno y la regula monachorum*, Madrid, 1951.

147. *Ep.* 5, 17 (*MGH*, I, p. 299).

148. *Ep.* 5, 53 (*MGH*, I, p. 352) ; 12, 6 (*MGH*, II, p. 352).

149. C'est spécialement le cas de la *Regula magistri* (Cf. A. de VOGÜE, *SC*, 105, p. 147).

de ce précédent : ne commence-t-il pas par critiquer l'*imperitia* de ceux qui exercent la fonction pastorale d'enseignement (*magisterium*) sans avoir rien appris[150] ? En somme, il va s'occuper de l'éducation des pasteurs, comme l'abbé s'occupe de l'éducation de ses moines. Il pouvait alors s'inspirer d'Augustin, qui avait fait de la quatrième partie de son *De doctrina christiana* une sorte de traité d'éloquence chrétienne à l'usage des clercs[151]. Mais, tandis qu'Augustin traitait de façon assez générale des règles qui doivent présider à l'instruction du peuple chrétien à partir de l'Écriture, Grégoire examine des cas très précis : il entend composer un manuel dans lequel les prédicateurs pourront trouver les moyens pratiques d'adapter leur enseignement à leurs auditeurs. Cette intention correspond sans doute à un appauvrissement de la culture, mais aussi et surtout à la finalité presque exclusivement pastorale que Grégoire assigne à la prédication.

Pour codifier cet enseignement ascétique et moral, Grégoire disposait en outre d'une bonne référence : les Pénitentiels, qui contenaient des listes de péchés et de peines expiatoires à l'usage des confesseurs et qui, dès le vi^e siècle, faisaient sentir leur influence sur le continent[152]. Colomban lui-même, qui reflète l'esprit de la chrétienté celtique, appréciait ainsi l'ouvrage de Grégoire : « J'ai lu ton livre qui traite du gouvernement pastoral ; il est bref par son style, riche par sa doctrine, rempli des mystères de la foi[153]. » Ces compliments, insérés dans une lettre où le moine irlandais adresse par ailleurs de très vives remontrances au pape au sujet de la date de Pâques, ne prouvent-ils pas qu'il ne trouvait rien à redire au *Liber regulae pastoralis*, parce que, par son genre littéraire, cet ouvrage lui rappelait les pénitentiels de son propre pays ?

En somme, en composant ce livre, Grégoire a voulu esquisser une sorte de rhétorique pastorale, c'est-à-dire un art oratoire doublé d'un manuel de spiritualité ascétique. Mais comment séparer ces deux aspects de l'œuvre, puisque, à son avis, l'orateur chrétien, le prédicateur, doit être avant tout un moraliste, un directeur d'âmes ? Dès lors, il n'est

---

150. *Past.* prol. (*PL*, 77, 13 B) : « Quia sunt plerique mihi imperitia similes, qui dum metiri se nesciunt, quae non didicerint docere concupiscunt ; qui pondus magisterii tanto leuius aestimant, quanto uim magnitudinis illius ignorant... ». *Ibid.*, 1, 1 (15 A-B) : « Quae nimirum pastorum saepe imperitia meritis congruit subiectorum, quia quamuis lumen scientiae sua culpa exigente non habeant, districto tamen iudicio agitur, ut per eorum ignorantiam hi etiam qui sequuntur offendant. »

151. *De doctrina christiana*, traduction de G. Combes et J. Farge, Paris, 1949, Bibl. aug., 11, p. 424-451. Cf. H.-I. Marrou, *Saint Augustin et la fin de la culture antique*, Paris, 1938, p. 505-508.

152. Cf. art. *Pénitence* dans *DTC*, 12, 1, 841, et art. *Pénitentiels*, *ibid.*, 1162-1165.

153. *Ep.* 1 (éd. W. Gundlach, *MGH*, t. III des *Epistulae*, Berlin, 1892, p. 156-160) : « Legi librum tuum pastorale regimen continentem, stilo breuem, doctrina prolixum, mysteriis refertum : melle dulcius egenti opus esse fateor ; mihi idcirco sitienti tua largire per Christum precor opuscula quae in Ezechielem miro, ut audiui, elaborasti ingenio. »

pas possible de dissocier la rhétorique de la morale chrétienne, qui en est le fondement.

Rhétorique et morale   Cette rhétorique pastorale correspond surtout au talent personnel de Grégoire. La minutie avec laquelle il distingue trente-neuf genres d'exhortations est-elle le résultat de sa formation juridique ? On sait là-dessus peu de choses, sinon qu'il a dû recevoir « des juristes ce qu'il lui fallait connaître pour exercer la carrière administrative à laquelle il se destinait[154] » et que sa correspondance contient des allusions au *Code Justinien* et aux *Novelles*.

La codification des règles relatives à la parénèse chrétienne s'inspire davantage des cadres de la rhétorique profane tels que Grégoire les distingue dans une homélie sur *Ézéchiel*[155]. « Celui qui enseigne, doit tenir compte de ceci : ce qu'il dit, à qui il le dit, quand il le dit, comment il le dit et combien de temps il le dit. Car si un de ces éléments fait défaut, sa parole ne sera pas adaptée[156] ». Dans la suite de l'homélie, Grégoire reprend un à un chacun de ces principes pour en préciser la portée. Il n'insiste guère sur le premier qui concerne le contenu de la prédication. Au sujet du second, relatif à la personne des auditeurs, il déclare qu'« une parole de réprimande qui est admise par une personne, n'est pas admise par l'autre. Et souvent, la même personne devient autre en fonction de ce qu'elle fait...[157] ». Quant au moment de la prédication, qui concerne le troisième principe, il faut le choisir avec soin parce que « souvent, bien que l'on diffère la réprimande, elle est favorablement reçue par la suite[158] ». La façon de parler (quatrième principe) est d'une extrême importance et là, Grégoire fait appel à Paul qui recommande la rigueur à Tite et la patience à Timothée ; c'est qu'« il fallait enjoindre au premier, qui était doux, d'user de l'autorité de son pouvoir et de parler avec sévérité, tandis que celui qui avait l'ardeur de l'Esprit, devait se modérer en usant de patience[159]. » Il convient enfin (c'est le dernier principe) de faire attention à la durée de la prédication : on risque toujours de lasser son auditoire et, par ailleurs, il vaut mieux être bref, quand on

---

154. Cf. P. Riché, *op. cit.*, p. 184.

155. Cf. *ibid.* p. 190.

156. *HEz* 1, 11, 12 (*PL*, 76, 910 D = *CCh*, 142, p. 174) : « Pensare etenim doctor debet quid loquatur, cui loquatur, quando loquatur, qualiter loquatur, et quantum loquatur. Si enim unum horum defuerit, locutio apta non erit. »

157. *Ibid.* 13 (911 A = p. 175) : « Pensandum uero nobis est cui loquamur quia saepe increpationis uerbum quod haec admittit persona, altera non admittit. Et saepe ipsa eadem persona secundum factum fit altera. »

158. *Ibid.* 14 (911 B = p. 175) : « Pensandum quoque est quando loqui debeamus, quia saepe etsi differtur increpatio, postmodum benigne recipitur. »

159. *Ibid.* 15 (911 C = p. 175-176) : « Leni per auctoritatem imperii iniungenda erat seueritas uerbi, is autem qui per spiritum feruebat, per patientiam temperandus fuerat... »

s'adresse à des gens modestes, « pour qu'ils entendent peu de choses, mais du moins celles qu'ils sont capables de saisir[160] ». Il y a là comme une transposition des règles de la rhétorique profane dans le domaine de la prédication chrétienne, en vertu du principe majeur de l'adaptation : pour instruire, il faut tenir le plus grand compte des auditeurs et des circonstances. Les quarante chapitres qui constituent la troisième partie du *Pastoral* ne sont qu'une application très détaillée de ces cinq règles.

Mais il résulte de tout cela que le ministère pastoral, qui se définit d'abord par la fonction d'enseignement, n'exige pas seulement des qualités morales, mais une préparation technique, une véritable compétence. On ne s'improvise pas prédicateur ; c'est une science qui s'apprend, comme la rhétorique profane. Au début de son traité, Grégoire insiste sur la nécessité d'un tel apprentissage. « On ne peut prétendre enseigner aucune science, si on ne commence pas par l'étudier par une réflexion approfondie. Ceux qui, sans aucune compétence, assument l'enseignement pastoral font preuve d'une grande témérité, alors que la direction des âmes est la science des sciences[161] ». On a remarqué que la formule *ars est artium regimen animarum* vient de Grégoire de Nazianze[162], auquel Grégoire emprunte également la métaphore médicale qui suit : « Bien des fois ceux qui n'ont jamais étudié les règles de la spiritualité, ne craignent pas de se présenter comme des médecins du cœur, alors que ceux qui ignorent les propriétés des médicaments rougissent de passer pour médecins de la chair[163] ». Mais on ne souligne pas assez que Grégoire intègre cette formule et cette métaphore dans sa propre conception du ministère pastoral, que domine le principe de l'unité entre la culture et l'expérience, l'enseignement et la vie morale, la *doctrina* et la *disciplina* : « En vérité, la parole de celui qui enseigne est détestable, quand il s'instruit d'une façon et enseigne d'une autre[164] ». Le magistère pastoral doit correspondre à une authentique expérience spirituelle et cette correspondance distingue les vrais pasteurs des imposteurs, des ambitieux ou des incapables. Ce principe se rattache évidemment à l'éthique grégorienne : il n'est qu'un cas particulier du principe général de l'accord

---

160. *Ibid.* 16 (912 A = p. 176) : « Hoc tamen infirmis praecipue congruit, ut pauca quidem, et quae praeualent capere, audiant... »

161. *Past.* 1, 1 (*PL*, 77, 14 A) : « Nulla ars doceri praesumitur, nisi intenta prius meditatione discatur. Ab imperitis ergo pastorale magisterium qua temeritate suscipitur, quando ars est artium regimen animarum. »

162. *Or.* 2, 16 (*PG*, 35, 425 A) : « Τῷ ὄντι γὰρ αὕτη μοι φαινεται τέχνη τις εἶναι τεχνῶν, καὶ ἐπιστήμη ἐπιστημῶν, ἄνθρωπον ἄγειν, τὸ πολυτροπώτατον ζῷον καὶ ποικιλώτατον ».

163. *Past.* 1, 1 (*PL*, 77, 14 A) : « Saepe qui nequaquam spiritalia praecepta cognouerunt, cordis se medicos profiteri non metuunt : dum qui pigmentorum uim nesciunt, uideri medici carnis erubescunt. » Cf. *Or.* 2, 16 (425 B) et 2, 26 (435 A-B).

164. *Past.* 1, 1 (14 B) : « Ipsa quippe in magisterio lingua confunditur, quando aliud discitur, et aliud docetur. »

entre les paroles et la vie. L'enseignement pastoral est une science qui s'apprend et qui s'enseigne de façon pratique, de sorte que le prédicateur chrétien instruira ses fidèles par sa vie autant que par ses discours. « Celui-là en effet qui est rigoureusement tenu en raison de sa charge d'annoncer les plus hautes vérités, se trouve placé dans une obligation aussi stricte de fournir les plus hauts exemples. Or la parole qui a pour recommandation la conduite du prédicateur pénètre plus facilement dans le cœur des auditeurs ; ce que la bouche prescrit, l'exemple aide à le faire[165] ». Ainsi se trouve établi, sous l'égide d'un Père oriental, un trait d'union entre la rhétorique pastorale et la morale chrétienne : une telle liaison porte en elle le développement ultérieur de cette culture chrétienne qui ne sépare pas la théorie de la pratique, ni la science de l'expérience.

---

165. *Past.* 2, 3 (*PL*, 77, 28 B) : « Qui enim loci sui necessitate exigitur summa dicere, hac eadem necessitate compellitur summa monstrare. Illa namque uox libentius auditorum cor penetrat, quam dicentis uita commendat, quia quod loquendo imperat, ostendendo adiuuat ut fiat. »

DEUXIÈME PARTIE

Structures de l'expérience chrétienne

PREMIÈRE SECTION

Intériorité

Il est une série de termes qui reviennent dans les écrits de Grégoire avec une extraordinaire fréquence. Ce sont ceux qui expriment la notion d'intériorité : adjectifs comme *interior, intimus* ou adverbes comme *intus, interius, intrinsecus*. Le plus souvent, on les rencontre avec leurs contraires (*exterior, foris, exterius, forinsecus*), formant des couples antithétiques. Il suffit d'ouvrir les *Moralia* ou les *Dialogues* pour être immédiatement frappé par la constance d'une telle antithèse, à laquelle Frickel réserve d'ailleurs une section spéciale dans son étude sur la théodicée grégorienne, à propos de la notion de Dieu conçu comme *iudex internus*[1].

L'analyse sémantique, appliquée à l'étude de cette antithèse, qui fait si évidemment partie du langage grégorien de l'expérience, permettra de voir comment Grégoire s'en sert pour « structurer » son discours de pasteur, de directeur spirituel ou d'exégète. Dans quelle mesure ces catégories antinomiques de l'intériorité et de l'extériorité interviennent-elles pour rendre compte dans des contextes différents du mouvement concret de la vie chrétienne ? Ne s'agit-il pas là d'une véritable « structure », antérieure à tout contenu théologique particulier et qui se prête à de multiples applications dans des domaines très divers[1 bis] ?

---

1. Cf. M. FRICKEL, *op. cit.*, p. 114 sq., à propos de cette notion de *iudex internus*, distingue deux applications de l'idée d'intériorité dans l'œuvre grégorienne : à son avis, *interior* désigne tantôt la partie psychique, spirituelle de la nature humaine, tantôt la présence divine au-dedans de l'homme. Cette distinction est loin d'épuiser toute la richesse de la doctrine grégorienne relative à l'intériorité.

1 bis. P. AUBIN (*Intériorité et extériorité dans les Moralia in Job de saint Grégoire le Grand*, dans *RSR*, 62, 1974, p. 117-166) s'est livré à une enquête extrêmement minutieuse et chiffrée relative aux adverbes et prépositions, aux adjectifs et aux substantifs, qui se rattachent à ces

Ma tâche consiste justement à rechercher les domaines où Grégoire recourt à ces catégories et à cette antithèse. Il est très clair, par exemple, qu'il s'en sert pour opposer la contemplation à l'action, la sainteté au péché, le sens allégorique au sens historique. C'est dire que cette « structure » constitue un élément essentiel de sa doctrine spirituelle : elle intervient dans sa conception de la vie mixte, elle est au centre de son anthropologie, elle domine beaucoup de ses développements exégétiques. Tels sont les trois secteurs principaux où j'essaierai d'en déterminer la portée et la valeur.

---

notions d'intériorité et d'extériorité. Il a relevé 2 486 emplois, qu'il a classés, selon leur fréquence, en sept catégories d'importance décroissante : intériorité ecclésiale, intériorité judicielle, intériorité perdue, intériorité retrouvée, intériorité combattante, intériorité désirée, intériorité eschatologique. Les résultats de cette enquête et de ce classement lexicographiques sont par eux-mêmes très significatifs. Mais de tels relevés, si utiles qu'ils soient, ont quelque chose de trop statique. Il reste à comprendre la façon dont cette antithèse si constante de l'intériorité et de l'extériorité permet à Grégoire de « structurer » sa compréhension et sa description de l'expérience chrétienne. Tel est le but de mon étude.

CHAPITRE PREMIER

La dialectique de l'intériorité et de l'extériorité dans la vie pastorale

Les notions d'intériorité et d'extériorité, et les couples de termes antithétiques (*intus - foris, interius - exterius*) qui servent à les exprimer, apparaissent fort souvent, lorsque Grégoire traite de la vie contemplative et de la vie active. La première, en effet, ne peut s'épanouir que dans la paix et la solitude ; elle s'oppose donc à la seconde, qui est tournée vers l'extérieur et implique d'incessantes relations avec les autres hommes. En simplifiant quelque peu, ne pourrait-on pas caractériser le contemplatif comme l'homme de l'intériorité parfaite, tandis que ceux qui sont voués aux activités du monde risquent toujours de se perdre dans l'extériorité ? C'est évidemment dans ses œuvres pastorales, *Homélies* et *Regula Pastoralis*, que Grégoire insiste le plus souvent sur une telle opposition : les circonstances ne l'ont-elles pas obligé à vivre lui-même dans un écartèlement incessant entre les charges temporelles et la nostalgie du repos monastique, avec le souci des autres pasteurs, auxquels il doit prodiguer ses conseils, pour les aider à supporter le mieux possible un déséquilibre comparable au sien ? Cependant, on sera assez étonné de constater que maints passages des *Moralia* traitent aussi de la tension inhérente à la vie pastorale : suffit-il, pour rendre compte de cette apparente anomalie, d'affirmer que Grégoire s'y exprime d'une façon surtout théorique, sans avoir fait l'expérience de cette vie, ou faut-il supposer que ces passages n'ont été introduits dans les *Moralia* qu'après 590 ? C'est en tout cas dans toute l'œuvre de Grégoire que s'affirme ce contraste et cette espèce de dialectique de l'intériorité et de l'extériorité, qui caractérisent la vie pastorale.

Grégoire le Grand,   Cette opposition de l'intériorité et de l'extério-
un contemplatif voué   rité, de la contemplation et de l'action, avant
à l'action   d'être un thème central de la doctrine spirituelle
                    de Grégoire, est d'abord une réalité dont il a fait
la douloureuse expérience[2]. Les termes tels qu'*intus - foris* lui servent
à exprimer fortement cette tension intime, qu'il ne cessera plus de
ressentir, à partir du jour où il est devenu pape, et a dû renoncer définitivement au calme de la vie monastique qu'il n'aurait jamais voulu
abandonner. Sa correspondance est riche de confidences à ce sujet[3].
A peine élevé à la papauté, en octobre 590, il s'adresse à Théoctiste,
la sœur de l'empereur Maurice, qu'il avait connue lors de son séjour à
Constantinople ; il évoque ainsi son désarroi : « J'ai perdu en effet les
joies profondes de mon repos et je donne l'impression de m'être élevé
extérieurement, alors qu'au-dedans, je suis effondré. Aussi déplorè-je
d'avoir été chassé loin de la face de mon Créateur. Chaque jour, en effet,
je m'efforçais de vivre hors du monde, hors de la chair, d'écarter des yeux
de mon âme toutes les images corporelles, et de regarder les joies d'en
haut... Je me suis hâté de m'asseoir aux pieds du Seigneur avec Marie,
de saisir les paroles de sa bouche, et voici qu'avec Marthe je suis contraint
de m'occuper de tâches extérieures, de me démener dans des tâches
multiples... « Tu les as jetés à bas, tandis qu'ils s'élevaient » (*Ps. 72, 18*).
Il n'est pas dit : Tu les as jetés à bas, après qu'ils se fussent élevés, mais
pendant qu'ils s'élevaient, car tous les méchants tombent intérieurement,
lorsque, comblés d'honneurs temporels, ils semblent s'élever au dehors.
C'est donc leur élévation elle-même qui est leur ruine... Et il est cependant bien des hommes qui savent dominer ces promotions extérieures,
de manière à ce qu'elles ne provoquent en eux aucun effondrement
intérieur. C'est pourquoi il est écrit : « Dieu ne rejette pas les puissants,
alors que lui aussi est puissant » (*Job. 36, 5*)[4].

---

2. Tous les commentateurs de Grégoire ont insisté à juste titre sur
ce point. Cf., en dernier lieu, R. GILLET (Introduction aux *Moralia*,
SC, 32 bis, p. 16) : « Cet ancien *praefectus Vrbis* devenu homme d'Église,
redevenu homme public, unit donc la vie contemplative à la vie active,
ce qui est le caractère commun de tous les grands évêques et presque
la définition de leur genre de vertu. Mais Grégoire le Grand n'arrivera
jamais, comme avant lui l'avaient fait spontanément un Athanase et un
Ambroise, à la conviction vécue d'un accord profond entre les deux
vocations. Bien plutôt, il était de la lignée de ces évêques-moines, Jean
Chrysostome, Grégoire de Nazianze, Grégoire de Nysse, pour qui l'épiscopat reste le fardeau aimé qui fait souffrir ». J. LECLERCQ (*Amour
des lettres et désir de Dieu*, p. 34) est du même avis : « Le suprême pontificat restera pour lui un fardeau, et la souffrance qu'il éprouvera d'être
ainsi partagé suscitera son ardente aspiration à la paix. »

3. Certaines des lettres que nous analysons sont citées par P. BATIFFOL
(*op. cit.*, p. 54-55).

4. *Ep.* 1, 5 (*MGH*, I, p. 5-6) : « Alta enim quietis meae gaudia perdidi
et *intus* corruens ascendisse *exterius* uideor. Vnde me a conditoris mei
facie longe expulsum deploro. Conabar namque cotidie *extra* mundum,
extra carnem fieri, cuncta phantasmata corporis ab oculis mentis abigere et

L'antithèse de l'extériorité et de l'intériorité se trouve au cœur de ces lignes, soulignant l'opposition entre la vie contemplative et la vie active, symbolisées par Marie et Marthe, la tension durement ressentie par Grégoire entre la paix du monastère et ses nouvelles charges temporelles, et mettant en relief le contraste, suggéré par le verset du psaume, entre la promotion apparente et la chute spirituelle qu'elle entraîne. Au début du texte, Grégoire évoque l'expérience mystique en termes d'extériorité (*extra mundum, extra carnem fieri*), ce qui est rare chez lui[5] : il fait ainsi allusion à l'effort d'ascèse, nécessaire au contemplatif,

---

superna gaudia uidere... (Cette dernière phrase de Grégoire semble calquée sur une déclaration analogue d'Augustin dans les *Confessions*, 8, 1, 1, p. 145-146 : « Clamabat uiolenter cor meum aduersus omnia phantasmata mea et hoc uno ictu conabar abigere circumuolantem turbam immunditiae ab acie mentis meae. ») Sedere ad pedes Domini cum Maria festinaui, uerba oris eius percipere, et ecce cum Martha compellor in *exterioribus* ministrare, erga multa satagere... « Deiecisti eos, dum alleuarentur » (*Ps.* 72, 18). Neque dixit : Deiecisti eos postquam leuati sunt, sed dum alleuarentur, quia praui quique, dum temporali honore suffulti *foras* uidentur surgere, *intus* cadunt. Alleuatio ergo ipsa ruina est... Et quidem multi sunt, qui sic *exteriores* prouectus regere sciunt, ut per eos nequaquam *interius* corruant. Vnde scriptum est : « Deus potentes non abiicit, cum et ipse sit potens » (*Job*, 36, 5). Ce thème de l'effondrement intérieur contrastant avec une élévation extérieure est repris plusieurs fois par Grégoire dans ses *Moralia*, toujours à l'aide des termes *intus* et *foris* : « Miro enim ordine uno eodemque tempore conuenire in actibus bonorum solet et *foris* honor culminis, et *intus* afflictae moeror humilitatis. Vnde sanctus quoque uir eleuatus rebus et honoribus moerens, incedebat, quia etsi hunc praelatum hominibus gloria potestatis ostenderat, *interius* tamen moerore suo secretum sacrificium Domino contrito cordis offerebat... Sciunt autem electi quique consideratione *intima* contra *exterioris* excellentiae tentamenta pugnare ». (*Mor.* 20, 38, 73 : *PL*, 76, 181 D). Souvent, Grégoire commente ce thème à propos des versets bibliques cités dans la lettre ci-dessus, qu'il s'agisse du verset du psaume : « Hinc enim per Psalmistam dicitur : Deiecisti eos cum alleuarentur », quia eo *intrinsecus* corruunt, quo male *extrinsecus* surgunt ». (*Mor.* 17, 8, 10 : *PL*, 76, 15 C), ou du verset du livre de Job, « Deus potentes non abiicit, cum et ipse sit potens » : « Dum *foris* immenso fauore circumdatur, *intus* ueritate uacuatur ; atque oblitus sui, in uoces se spargit alienas ; talemque se credit, qualem *foris* audit, non qualem *intus* discernere debuit... « Ascendam super altitudinem nubium » (*Is.* 14, 14)... Miro ergo iudicio *intus* foueam directionis inuenit, dum *foris* se in culmine potestatis extollit » (*Mor.* 26, 26, 44 : *PL*, 76, 357 A-B). C'est dire le lien étroit qui unit, dans l'œuvre de Grégoire, ce que lui avait appris la *lectio diuina* et ce dont il a fait l'expérience. En s'appliquant à lui-même ces versets, il insiste sur la sincérité de ses craintes et la profondeur de son trouble.

5. Généralement, la phase préparatoire à l'acte de contemplation consiste plutôt en un mouvement d'introversion : cf. *HEz*, 2, 5, 9 (*PL*, 76, 989 D = *CCh*, 142, p. 281-282). Sur ce sujet, cf. les commentaires de C. BUTLER, *Western mysticism*, p. 97-98. Cependant, dans les *Dialogues* (2, 3, éd. Moricca, p. 82), Grégoire distingue deux modes de sortie de soi, par le péché et par la contemplation : cf. à propos de Benoît, l'article de P. HÖRGER, *Extra mundum fuit. Zur Vision des heiligen Benedikts nach Gregor dem Grossen*, dans *Benedictus, der Vater des Abendlandes*,

qui ne parvient à la vision de Dieu qu'en échappant aux contraintes du monde et aux limitations de la chair. Mais à cette sortie de soi, en vue de la contemplation, va succéder pour lui un mouvement négatif d'extériorisation : ses responsabilités de pasteur l'empêcheront désormais de goûter le repos et la paix du monastère. De là vient pour lui cette impression de déséquilibre, cette insatisfaction profonde dont il souffre déjà et qui ne fera que redoubler, à mesure que les soucis extérieurs se multiplieront, et, avec eux, le désir inassouvi de la tranquillité d'autrefois. *Foris, exterius,* qui s'appliquent à la vie extérieure, aux soucis temporels, s'opposent très nettement à *intus,* qui désigne tout le domaine de la vie et des réalités spirituelles. Accablé par la lourdeur des fonctions dont il est investi, Grégoire ne l'est pas moins par le sentiment que son effort de sanctification et son expérience mystique seront désormais compromis par ces fonctions. Il y aura dans sa vie deux parts, l'une négative et l'autre positive, mais très réduite : *foris* évoque tout ce qui, dans sa nouvelle charge, n'est que vaine apparence de dignité, ou bien pesanteur des préoccupations mondaines, qui avivent son regret des joies intérieures de la contemplation.

Dans une autre lettre des débuts de son pontificat, Grégoire exprime en termes identiques ces mêmes sentiments au patrice Narsès de Constantinople : « En me décrivant les hauteurs de la contemplation, vous renouvelez les gémissements que je pousse sur ma ruine, à moi qui ai compris ce que j'ai intérieurement perdu, quand extérieurement je suis monté sans l'avoir mérité au faîte du pouvoir... Je mesure, à présent que je m'effondre du haut de la cime élevée du repos qui était le mien, quelle chute a provoqué pour moi la promotion à une dignité extérieure[6]. » Là encore, l'opposition entre l'intériorité et l'extériorité recouvre la tension ressentie par Grégoire, partagé entre la nostalgie du repos monastique perdu et la crainte d'un effondrement spirituel d'autant plus profond que ses responsabilités sont plus hautes. Neuf ans plus tard, en août 599, dans une lettre adressée à son ami Léandre de Séville, Grégoire se livre à des confidences qui n'ont guère varié ; il ne s'est pas consolé d'avoir été arraché à sa vie de moine et il cite encore le verset du psaume, qui se trouvait dans sa lettre à Théoctiste : « Je dois bien avouer que ma promotion extérieure a déterminé une chute intérieure et j'appréhende d'être du nombre de ceux dont il est écrit : ' Tu les as jetés à bas, tandis qu'ils s'élevaient. ' Car il est jeté à bas, tandis qu'il s'élève, celui qui progresse dans les honneurs, mais dont les mœurs se dégradent. Pour moi, suivant les voies de mon chef, j'avais pris la résolu-

---

München, 1947, p. 317-340. Je reviendrai sur ces problèmes au cours du second chapitre.

6. *Ep.* I, 6 (*MGH*, I, p. 7-8) : « Dum contemplationis alta describitis, ruinae meae mihi gemitum renouastis, qui audiui, quid *intus* perdidi, dum *foras* ad culmen regiminis immeritus ascendi... Penso quidem ab alto quietis meae culmine corruens, ad quam deiectum *exterioris* prouectus culmen ascendi ».

tion d'être à tout prix l'opprobre des hommes et l'abjection du peuple et d'avoir le sort de celui dont le psalmiste dit encore : ' Il a fait monter les chemins de son cœur jusqu'à une haute vallée de larmes ', de façon, assurément, à m'élever de manière d'autant plus véridique au-dedans de moi, qu'au dehors, je serais plus humblement gisant dans une vallée de larmes[7] ».

La preuve que ces déclarations sont sincères et correspondent à une douleur tenace, est que Grégoire ne craint pas de les répéter en des endroits très importants de son œuvre. En 593, dans le prologue de ses *Dialogues*, il se confie au diacre Pierre, son interlocuteur, en opposant encore le caractère insupportable de ses charges temporelles à la douceur reposante de son ancienne vie de moine : « A présent, en raison de ma charge pastorale, mon esprit peine, occupé aux affaires du siècle, si bien qu'après la splendeur si belle du repos qu'il a connu, il se souille dans la poussière des actions terrestres. Et, s'étant répandu dans des choses extérieures, pour descendre au niveau de la multitude, même lorsqu'il aspire à des biens intérieurs, il revient vers eux dans un état diminué, sans aucun doute. Je mesure donc ce que je supporte, je mesure ce que j'ai perdu[8] ». Son expérience de pasteur a donc appris à Grégoire que ses craintes et ses pressentiments n'étaient pas vains : les charges extérieures sont pour lui causes de souillure et de dispersion, elles l'éloignent de Dieu en l'obligeant à s'occuper des choses de la terre et affaiblissent sa capacité de contemplation. A la nostalgie permanente du bonheur perdu s'ajoute donc le sentiment d'une sorte d'usure intérieure, provoquée par l'immensité de ses soucis.

Deux ans plus tard, en juillet 595, dans la lettre-dédicace des *Moralia*, qu'il adresse à son ami Léandre de Séville, il commence par se reprocher la place restreinte qu'il accorde à la vie contemplative : « En ces temps troublés où le monde est tout près de sa fin, les maux se multiplient, et nous-même, que l'on croit en train de servir les mystères intérieurs,

---

7. *Ep.* 9, 227 (*MGH*, II, p. 219) : « Multum fateor, *exterius* proficiendo *interius* cecidi, neque de eorum numero esse pertimesco de quibus scriptum est : « Deiecisti eos cum alleuarentur » (*Ps.* 72, 18). Cum alleuatur enim deiicitur, qui honoribus proficit et moribus cadit. Ego enim uias mei capitis sequens, summopere esse decreueram opprobrium hominum et abiectio plebis atque in eius sorte currere, de quo rursum per psalmistam dicitur : « Ascensus in corde eius disposuit in conuallem lacrimarum » (*Ps.* 83, 6) ut uidelicet tanto uerius *intus* ascenderem, quanto in conualle lacrimarum *foris* humilius iacerem ».

8. *Dial.*, prologue (éd. Moricca, p. 14) : « At nunc (animus) ex occasione curae pastoralis saecularium hominum negotia patitur ut post tam pulchram quietis suae speciem terreni actus puluere foedatur. Cumque se pro condescensione multorum ad *exteriora* sparserit, etiam cum *interiora* appetit, ad haec procul dubio minor redit. Perpendo itaque quod tolero, perpendo quid amisi ».

nous sommes empêtré dans les soucis extérieurs[9] ». Ces deux derniers textes ont d'autant plus de relief, qu'ils figurent dans les préfaces des deux principales œuvres de Grégoire, les *Dialogues* et les *Moralia*[10] : et l'on peut imaginer le retentissement qu'auront eu ces confidences du pape chez les destinataires de ces œuvres, humbles croyants qui avaient besoin de *signa* pour croire ou moines plus cultivés, qui avaient déjà une certaine habitude de la vie mystique. A tous, Grégoire ne désirait-il pas faire comprendre, à partir de son expérience de contemplatif voué, malgré lui, à l'action pastorale, quel bien inestimable est le repos du cloître et avec quel soin il importe de préserver, quand cela est possible, le primat de l'intériorité dans la vie monastique ? A coup sûr, la spiritualité de Grégoire est celle d'un moine, qui place au-dessus de tout la recherche de Dieu, avec la solitude et le silence qu'elle exige[11] : la notion d'extériorité s'applique donc pour lui aux charges et aux activités pastorales, qui troublent inévitablement cette solitude et ce silence et, par suite, compromettent la recherche de Dieu.

Autobiographie   Au sujet des menaces que les tâches extérieures
et tradition spirituelle   font peser sur la vie intérieure, ces textes, pour
                    ainsi dire autobiographiques, de la correspondance
de Grégoire, sont extrêmement révélateurs. Mais il faut bien constater que les *Moralia*, ce vaste recueil de conférences monastiques adressées par Grégoire à ses compagnons du Cœlius, qui l'avaient suivi à Constantinople, contiennent aussi des déclarations analogues. Au livre second, leur auteur analyse en particulier l'inquiétude de l'homme trop occupé par l'administration temporelle, sous prétexte de commenter un verset de Job sur les trois bandes de Chaldéens qui ont enlevé les chameaux du saint homme : « Qu'un homme préside à la gestion des biens terrestres, et le voilà exposé aux traits de l'ennemi caché... Très souvent, tant de pensées l'assiègent de leurs détours qu'il peut à peine porter tout ce qu'il agite dans sa prévoyance ; alors sans rien réaliser, il peine vivement sous un cœur trop lourd. Et parce que, au-dedans, il éprouve de dures souffrances, il est épuisé, bien qu'à l'extérieur il soit dans le calme et la

---

9. *Ep.* 5, 53 a, 1 (*PL*, 75, 511 B-C = *SC*, 32 bis, p. 116) : « Quia enim mundi iam tempora malis crebrescentibus termino propinquante turbata sunt, ipsi nos, qui *interius* mysteriis deseruire credimur, curis *exterioribus* implicamur ».

10. Nous insistons ici sur les analogies de contenu entre les préfaces de ces deux ouvrages. F. Tateo (*La struttura dei dialoghi di Gregorio Magno*, dans *Vetera Christianorum*, 2, 1965, p. 101 sq) a très justement noté la parenté formelle qui existe entre ces préfaces, notamment la constance d'une distinction entre un texte prononcé et un texte rédigé et remanié par la suite.

11. Même les études qui cherchent à mettre en relief les tâches apostoliques confiées par Grégoire à des moines ne nient pas cette conception grégorienne de la vie monastique : cf. R. Rudmann, *Mönchtum und kirchlicher Dienst in den Schriften Gregors des Grossen*, dissertation de saint Anselme, Rome, 1956 (dactylographiée : p. 32-56).

paix... Aussi, quand l'esprit s'efforce de se porter utilement à la conduite des affaires extérieures, il se trouve arraché à la considération de soi-même et ignore quel dommage il se cause en apportant un zèle excessif à travailler pour les autres... Mais très souvent, alors même que l'esprit veille avec soin à cette double obligation... il est entraîné dans un précipice : de la sorte, toutes ses précautions sont brutalement englouties. Ainsi les Chaldéens passent au fil de l'épée les petits serviteurs qui gardent les chameaux. Il en réchappe un cependant : parce qu'en l'occurrence, le juste discernement se présente aux yeux de notre esprit, et que notre âme, attentive à elle-même, comprend ce qu'elle a intérieurement perdu d'un seul coup, sous le coup de la tentation[12]. » Et au douzième livre des *Moralia*, Grégoire fait encore usage des notions d'intériorité et d'extériorité, lorsqu'il évoque le danger que représentent les soucis du monde pour la vie spirituelle : « il arrive souvent, en effet, que, dans l'intérêt général, même des saints s'asservissent à des activités extérieures... Si leur cœur ne se fortifie pas au préalable dans les désirs célestes par une longue étude et une ascèse prolongée, lorsqu'il se replonge dans des activités extérieures, il est déraciné et incapable de bien agir[13]. » Et, un peu plus loin, Grégoire formule cet avis, où l'on reconnaît bien l'auteur de la *Regula Pastoralis* : « Dans les activités terrestres, l'âme se refroidit beaucoup, si elle n'a pas encore été affermie par des dons intérieurs. D'où la nécessité pour eux de n'assumer hautes situations ou charges extérieures, pour le service des besoins des hommes, que si l'on sait trancher ces problèmes et les dominer, en puisant en soi-même une force profonde[14]. »

---

12. *Mor.* 2, 48, 75 (*PL*, 75, 591 A - 592 A = *SC*, 32 bis, p. 364-368) : « Omnis enim, qui dispensandis terrenis rebus praesidet, occulti hostis iaculis latius patet... Plerumque autem tantis cogitationum uoluminibus implicatur, ut ipse ferre uix ualeat, quae intra se prouidus uersat : et cum nihil opere faciat, sub magno cordis sui pondere uehementer insudat. Quia enim dura sunt quae apud semetipsum *intus* patitur, quietus *foris* otiosusque lassatur... ut dum se ad administranda *exterius* mens efficaciter extendere nititur, a sui consideratione separetur ; et eo damna, quae de semetipsa patitur, nesciat, quo erga aliena fortiori studio, quam decet, elaborat... Sed tamen plerumque dum ad utraque mens solerter inuigilat... ita in praeceps rapitur, ut ab ea subito cunctae circumspectiones eius obruantur. Vnde et custodes camelorum pueros Chaldaei gladio feriunt. Sed tamen unus redit ; quia inter haec discretionis ratio mentis nostrae oculis occurrit, et sollicita sibimet anima quid subito impulsu tentationis *intrinsecus* amittat, intelligit. »
13. *Mor.* 12, 52, 59 (*PL*, 75, 1014 A-B = *SC*, 212, p. 230) : « Quia enim saepe contigit ut pro utilitate multorum etiam sancti uiri *exterioribus* actibus seruiant... Nisi enim prius cor longo studio et diutina conuersatione in desideriis coelestibus conualescat, cum ad *exteriora* agenda refunditur, ab omni statu boni operis eradicatur. »
14. *Ibid.* 60 (1015 A = p. 232-234) : « In terrenis quippe actibus ualde frigescit animus, si necdum fuerit per *intima* dona solidatus. Vnde necesse est ut loca maiora uel *exteriora* opera, quae humanis sunt necessitatibus profutura, illi exercenda suscipiant, qui haec diiudicare atque sub semetipsis premere ex uirtute *intima* nouerunt. »

En commentant un des premiers versets du *Cantique des Cantiques*, Grégoire insiste sur la même idée : les responsabilités extérieures détournent l'âme d'elle-même et la distraient de cette « garde » intérieure qui ne devrait jamais se relâcher. « Les fils de ma mère m'ont mise à garder les vignes, ma vigne à moi je ne l'ai pas gardée » (*Cant.* 1, 6). Les vignes sont en effet les actions terrestres. Cela revient à dire : « Ils m'ont mise à garder les actions terrestres ». Et qu'est-il arrivé ? « Ma vigne à moi, c'est-à-dire mon âme, ma vie, mon esprit, j'ai négligé de la garder : parce que, en me laissant empêtrer extérieurement dans l'accomplissement des choses terrestres, j'ai glissé hors de la garde intérieure. » La plupart des gens s'examinent en fonction de ce qui est à côté d'eux, non en fonction de ce qu'ils sont. A côté d'eux sont les dignités, à côté d'eux sont les fonctions extérieures ; et, tandis qu'ils gardent ce qu'ils ont à côté d'eux, ils négligent de se garder eux-mêmes. On peut donc dire : « Ils m'ont mise à garder les vignes, ma vigne à moi, je ne l'ai pas gardée. » C'est-à-dire : « En étant au service d'une garde extérieure au milieu des actions du monde, j'ai perdu le souci de la garde intérieure[15]. » Ces remarques ont une portée plus large que les précédentes : elles ne valent pas seulement pour les pasteurs de l'Église, que les charges sociales risquent de détourner de la contemplation, mais elles sont un avertissement adressé à tout homme soucieux de préserver son équilibre spirituel. Cela prouve que Grégoire n'écrit pas exclusivement à l'intention des moines ou des pasteurs, mais de tous ceux qui ont conscience des menaces liées aux diverses formes d'extériorité, dans le monde aussi bien que dans l'Église. A tous, il recommande le retour à l'intériorité, qui lui semble l'unique moyen d'assurer à chacun son épanouissement personnel dans sa relation avec Dieu.

Comment rendre compte de ces développements sur les risques d'une vie mal conduite, où Grégoire, tout comme dans les passages autobio-

---

15. *Exp. in Cant. cant.* 40 (*CCh*, 144, p. 39-40) : « Posuerunt me custodem in uineis, uineam meam non custodiui. » Vineae enim sunt actiones terrenae. Ac si dicat : « In actionibus terrenis custodem me posuerunt ». Et quid ? « Vineam meam, id est animam meam, uitam meam, mentem meam, custodire neglexi : quia, dum *exterius* in rerum terrenarum actione inuoluta sum, ab *interna* custodia elapsa sum. » Plerique ex eo se considerant quod iuxta ipsos est, non ex eo quod sunt. Iuxta ipsos sunt dignitates, iuxta ipsos sunt *exteriora* ministeria : et, dum custodiunt quod iuxta se habent, se ipsos custodire negligunt. Dicat ergo : « Posuerunt me custodem in uineis, uineam meam non custodiui. » Id est : dum *exteriori* custodiae in actionibus saeculi deseruio, *interioris* custodiae sollicitudinem amisi. » Notons au passage que la présence de cette thématique de l'intériorité et de l'extériorité est une confirmation supplémentaire de l'authenticité grégorienne de ce commentaire des premiers chapitres du *Cantique des cantiques*, dont la rédaction a dû être assez voisine de celle des *Moralia* : cf., à ce sujet, mon compte rendu du livre de V. RECCHIA (*L'esegesi di Gregorio Magno al Cantico dei cantici*, Turin, 1967) : je propose de voir dans cette *Expositio* une des toutes premières œuvres du futur pape, peut-être un ensemble de conférences monastiques données par Grégoire à ses confrères du mont Coelius (*Rivista di Storia e letteratura religiosa*, 1969, 1, p. 165).

graphiques, recourt aux notions d'intériorité et d'extériorité ? Faut-il faire une distinction entre les analyses des *Moralia*, qui auraient été écrites avant 590 et resteraient purement théoriques, et les confidences contenues dans la *Correspondance*, dans lequelles Grégoire, devenu pape, ferait part de son expérience de pasteur arraché au repos du monastère ? Mais une telle distinction serait artificielle, car les textes des *Moralia* que nous avons cités ne sont guère théoriques ou abstraits, mais remplis de notations très humaines et, en outre, elle reposerait sur une chronologie contestable : car si les *Moralia* sont pour l'essentiel des homélies prononcées à Constantinople devant des moines, Grégoire ne les a achevées que pendant son pontificat ; il explique lui-même dans sa lettre à Léandre comment il a repris, remanié, complété son commentaire oral du début[16].

On pourrait évidemment supposer que les passages relatifs à l'inquiétude et au trouble intérieur de l'homme absorbé dans les affaires du siècle ont été incorporés après coup dans un texte primitif, qui avait été adressé exclusivement à des moines et n'aurait comporté aucune allusion à la vie pastorale. Mais une telle hypothèse serait gratuite, et, de surcroît, déformerait la psychologie de Grégoire. Car celui-ci n'a pas découvert pour la première fois, lorsqu'il devint pape, les dangers d'une existence trop occupée. N'avait-il pas déjà, comme préfet de Rome, fait l'expérience de ce qu'est l'administration temporelle ? Et ce n'est pas d'une manière brutale, mais par étapes successives, qu'il dut renoncer à chercher Dieu dans la solitude de son monastère[17] : ses fonctions d'apocrisiaire à Constantinople ne l'exposaient-elles pas à retrouver le siècle, qu'il avait voulu fuir, et à se disperser de nouveau dans ces activités et ces conversations oiseuses, qu'il désirait éviter à tout prix ? Bref, même à l'époque où il commença à donner à ses compagnons ces conférences spirituelles, qui formèrent plus tard les *Moralia*, il n'ignorait pas ce qu'est la vie pastorale et combien elle peut compromettre l'expérience mystique. L'immensité de la charge pontificale, à une époque particulièrement troublée, n'a pu qu'aviver en lui cette tension intérieure et conférer un tour plus dramatique à ce déchirement de l'âme, qu'il avait déjà décrit, sans le ressentir encore avec une telle intensité.

---

16. Cf. *SC*, 32 bis, p. 116-118 et l'introduction de R. GILLET, p. 10 : « Grégoire continua à travailler ce qui n'avait été au début qu'un commentaire oral. Les dernières retouches datent de son pontificat. »

17. Sur ce sujet on trouvera d'intéressantes remarques dans l'article de B. LEBBE, *L'élévation de saint Grégoire au souverain pontificat. Une leçon d'humilité*, dans *Revue liturgique et monastique*, 15, 1930, p. 124-134. L'auteur note par exemple (p. 125, n. 4) : « L'expression employée par un de ses biographes (Jean Diacre, *Vita Gregorii*, I, 25) que le pape « l'arracha violemment au repos de son monastère pour l'élever à la charge du ministère ecclésiastique » ne suppose pas une résistance de la part de Grégoire, mais sans doute quelque lutte intérieure : cette nomination faisait certainement violence à son attrait pour la vie cachée et la contemplation. »

Le contraste, maintes fois évoqué dans les *Moralia* ou dans les lettres, entre la paix intérieure et la dispersion dans les affaires extérieures, s'enracine donc dans une expérience lentement mûrie, et qui s'est approfondie comme par degrés. Il ne faut cependant pas oublier qu'il se rattache aussi à une tradition de la littérature spirituelle. En effet, Grégoire associe fort souvent le thème de l'intériorité à celui du repos[18] : or, dom Jean Leclercq a bien montré[19] que cette opposition entre l'agitation extérieure et la paix qui caractérise la vie intérieure se trouve aussi chez Sénèque. Ce dernier recommandait au destinataire de son traité *Sur la brièveté de la vie* d'échapper aux tempêtes du monde et de gagner le port tranquille de la méditation, pour goûter enfin le repos : « Dégage-toi donc du vulgaire, très cher Paulinus, et, sans te laisser ballotter pour la durée de ton existence, retire-toi enfin dans ce port plus tranquille. Songe à tous les flots qui t'ont assailli, à toutes les tempêtes que, simple particulier, tu as subies, ou, fonctionnaire public, tu as soulevées contre toi... Fais retraite vers ces occupations plus tranquilles, plus sûres, plus importantes... Dans ce genre de vie t'attendent nombre de belles qualités, l'amour des vertus et leur pratique, l'oubli des passions, la science de la vie ou de la mort, une profonde quiétude[20] ». Dom Jean Leclercq omet de remarquer que ces images des tempêtes et du port, cette expression d'*alta quies* se retrouvent chez Grégoire, qui évoque en ces termes sa conversion : « Je gagnai le havre d'un monastère et, ayant abandonné pour toujours, je le croyais du moins, les soins du monde, nu, je m'échappai du naufrage de la vie[21]. » Mais, ces images maritimes, il les applique désormais à la vie monastique, comme les auteurs spirituels des ve et vi[e] siècles[22]. La vie des moines n'est-elle pas ordonnée à la contemplation, dont le repos est la condition nécessaire ? Grégoire se trouve ainsi au terme d'une longue évolution qui unit la sagesse païenne à la spiritualité chrétienne. Cette évolution s'affirme chez Cicéron et Sénèque qui, le

18. Cf., dans les textes que j'ai déjà cités : *Ep.* 1, 5 : « alta... *quietis* meae gaudia » ; *Ep.* 1, 6 : « ab alto *quietis* meae culmine ; *Ep.* 9, 227 : « nulla cordi *quies* est » ; *Dial.*, prol. : « post tam pulchram *quietis* suae speciem » ; *Ep.* 5, 53 a, 1 : « *quietem* monasterii... perdendo cognoui. »

19. J. LECLERCQ, *Otia monastica. Études sur le vocabulaire de la contemplation au Moyen Âge.* (*Studia Anselmiana*, 51), Rome, 1963, p. 13-26.

20. SÉNÈQUE, *De breuitate uitae*, 18, 1-19, 1-2 (éd. Bourgery, p. 74-76) : « Excerpe itaque te uulgo, Pauline carissime, et in tranquilliorem portum non pro aetatis spatio iactatus tandem recede. Cogita quot fluctus subieris, quot tempestates partim priuatas sustinueris, partim publicas in te conuerteris... Recipe te ad haec tranquilliora, tutiora, maiora... Exspectat te in hoc genere uitae multum bonarum artium, amor uirtutum atque usus, cupiditatum obliuio, uiuendi ac moriendi scientia, alta rerum quies. »

21. *Ep.* 5, 53 a, 1 (p. 116) : « Portum monasterii petii et relictis quae mundi sunt, ut frustra tunc credidi, ex huius uitae naufragio nudus euasi. » Cf. *Ep.* 9, 227.

22. R. GILLET en relève des exemples chez Fauste de Riez (*Sermo* 24, *CSEL*, 21, 319) et dans le poème du sous-diacre Arator, *De actibus apostolorum* (*PL*, 68, 76).

premier dans les *Tusculanes* et le second dans plusieurs de ses traités et beaucoup de ses lettres, proposent une notion assez intériorisée du loisir indispensable à la réflexion du sage, et vantent le bonheur profond lié à l'acquisition de la sagesse[23]. Cette évolution se prolonge chez Augustin qui n'a pas cessé, dès l'heure de sa conversion[24], de chercher ce repos intérieur si nécessaire à quiconque veut penser et agir en chrétien, à commencer par les pasteurs, et qui lui-même a connu la tension inévitable entre les exigences du travail pastoral et l'aspiration à la vie contemplative[25]. Ce mouvement culmine dans la littérature monastique d'Occident, où se manifeste ce que certains appellent un hésychasme latin[26]. L'originalité de Grégoire consiste à se rattacher à cette longue tradition, tout en exprimant une expérience intimement personnelle, dont il entend faire profiter les autres pasteurs.

*Action
et contemplation
dans la vie pastorale*
Une fois devenu pape, quand il compare sa vie présente à son passé de moine, Grégoire est amené à opposer la paix de la contemplation, à laquelle il ne cessera plus d'aspirer, aux agitations que comporte la charge pontificale. Mais il ne se contente pas de soupirer après le passé et de se plaindre du présent. Il lui faut bien constater que la vie pastorale, en raison des circonstances historiques, entrave de fait toute recherche de l'intériorité, parce qu'elle oblige à s'occuper des affaires du monde, des choses extérieures. Et, devant cette situation, il ne dissimule pas sa tristesse : « Il est une autre chose, frères très chers, qui, à propos de la vie des pasteurs, m'afflige vivement ; mais pour que personne ne prenne pour une injure ce que j'affirme, je m'accuse moi aussi, pareillement, quoique ce soit sous la contrainte des nécessités d'une époque barbare, que je gis bien malgré moi dans une telle situation. Car nous nous sommes abaissés à des affaires extérieures, par notre fonction nous avons assumé une responsabilité, et c'en est une autre que nous exerçons en raison des obligations de notre action. Nous délaissons le ministère de la prédication... En effet, occupés à des tâches séculières, nous devenons d'autant plus insensibles au-dedans de nous, que nous semblons plus attachés à ces choses du dehors[27]. » C'est à un véritable

---

23. Sur la notion de contemplation dans la tradition païenne. Cf. Pierre Boyancé, *Cicéron et la vie contemplative*, dans *Latomus*, 26, 1, janv.-mars 1967, p. 3-26.

24. Sur le projet de retraite studieuse que forme Augustin au moment de sa conversion et sur l'inspiration manichéenne, cicéronienne ou pythagoricienne de ce projet, cf. P. Courcelle, *Les Confessions de saint Augustin dans la tradition littéraire. Antécédents et postérité*, Paris, 1963, p. 21-26.

25. Cf., à ce sujet, M. Pellegrino, *Saint Augustin a-t-il réalisé l'unité de sa vie ?* (dans *Corpus christianorum*, supplément 1-50, 1968, p. 25-38).

26. Cf. J. Leclercq, *art. cit.*, p. 24.

27. *HEv* 1, 17, 14 (*PL*, 76, 1146 A-B) : « Est et aliud, fratres carissimi, quod me de uita pastorum uehementer affligit ; sed ne cui hoc iniuriosum uideatur fortasse quod assero, me quoque pariter accuso, quamuis, barba-

examen de conscience que Grégoire se livre dans cette homélie qui aurait été prononcée devant des évêques réunis dans la basilique du Latran ; il emploie la première personne du pluriel pour bien montrer qu'il est pareil aux autres pasteurs : tous sont contraints de renoncer à leurs fonctions de prédicateurs, pour s'occuper de ces *exteriora negotia*, qui désignent ici non pas la vie active, en tant qu'elle a son autonomie et sa valeur propre, mais les charges temporelles qui détournent du vrai ministère pastoral.

Grégoire continue, en commentant un verset des *Lamentations* : « Faisons appel aux larmes de Jérémie ; qu'il considère notre mort et exprime ainsi ses plaintes : « Comment l'or s'est-il terni, comment sa couleur si belle a-t-elle changé, et comment les pierres du sanctuaire ont-elles été dispersées au coin de toutes les rues ? » (*Lam.* 4, 1)... C'est nous, frères très chers, c'est nous qui sommes les pierres du sanctuaire, nous qui devons toujours être dans l'intimité de Dieu ; nous n'avons nul besoin d'être regardés du dehors, c'est-à-dire d'être jamais vus dans les activités extérieures. Mais les pierres du sanctuaire ont été dispersées au coin de toutes les rues, parce que ceux qui, par leur vie et leur prière auraient toujours dû être au-dedans, s'occupent des choses du dehors, en menant une vie coupable. Voici que désormais il n'est aucune activité séculière qui ne soit exercée par des prêtres. Ces hommes établis dans une fonction sacrée, en s'occupant de choses extérieures, gisent au dehors, comme les pierres du sanctuaire[28]. » Pour Grégoire, les pasteurs, qui devraient assurer le service de Dieu par la prière et la prédication, sont en fait dévorés par des tâches temporelles, qui les dispersent, les détournent de leur vraie mission et finissent par les avilir. Sans doute n'a-t-on pas tort de faire remarquer que Grégoire a permis souvent à des moines d'exercer des responsabilités pastorales (sa correspondance l'atteste), qu'il a lui-même encouragé les activités missionnaires et apostoliques, celles, par exemple, de ses compagnons du Cœlius, partis

---

rici temporis necessitate compulsus, ualde in his iaceo inuitus. Ad *exteriora* enim negotia delapsi sumus, et aliud ex honore suscepimus atque aliud officio actionis exhibemus. Ministerium praedicationis relinquimus... Curis enim saecularibus intenti, tanto insensibiliores *intus* efficimur, quanto ad ea quae *foris* sunt studiosiores uidemur... »

28. *Ibid.* 15 (1147 A-B) : « Imploremus Ieremiae lacrimas ; consideret mortem nostram et deplorans dicat : « Quomodo obscuratum est aurum, mutatus est color optimus, dispersi sunt lapides sanctuarii in capite omnium platearum ? » (*Lam.* 4, 1)... Nos ergo, fratres carissimi, nos sumus lapides sanctuarii qui apparere semper debemus in secreto Dei ; quos numquam necesse est *foris* conspici, id est numquam in *extraneis* actionibus uideri. Sed dispersi sunt lapides sanctuarii in capite omnium platearum, quia hi qui per uitam et orationem *intus* semper esse debuerant per uitam reprobam *foris* uacant. Ecce iam pene nulla est saecularis actio quam non sacerdotes administrent. Dum ergo, in sancto habitu constituti, *exteriora* sunt quae exhibent, quasi sanctuarii lapides *foris* iacent. »

évangéliser les Angles[29]. Mais, à ses yeux, cet accès des moines aux fonctions naturellement réservées au clergé ne constitue nullement la règle ; seules, des circonstances particulières, la pénurie ou la défaillance des clercs, les bouleversements d'une époque qui pose à l'Église des problèmes nouveaux face aux peuples barbares, peuvent expliquer de telles exceptions. Dans l'absolu, Grégoire juge inconciliables la vie monastique et le ministère pastoral, d'autant plus qu'il n'ignore pas (ses plaintes le prouvent amplement et lui-même en a fait l'expérience) que les pasteurs risquent d'être la proie de tâches qui ne sont pas de leur ressort. C'est pourquoi il insiste d'autant plus fortement sur le recueillement, la solitude, l'intériorité, qu'il faut préserver dans les monastères, et, s'il traite de la vie pastorale, c'est pour bien souligner les dangers qui la menacent, et la finalité qui doit demeurer la sienne : non pas des activités extérieures, mais le gouvernement spirituel, et seulement lorsqu'il n'est plus possible de se dérober à une telle fonction, et que la charité exige de se mettre au service des hommes.

Dans une de ses *Homélies sur Ézéchiel*, donc en 593, Grégoire répète ses motifs d'inquiétude, pour lui-même et pour ses frères dans l'épiscopat : comment exercer son rôle de veilleur *(speculator)*[30], alors qu'affluent de toutes parts les dangers dus aux Barbares, ou les tâches auxquelles un pasteur doit faire face pour protéger son peuple[31] ? Mais cette homélie s'achève par des considérations plus positives : au lieu d'opposer simple-

---

29. Ce problème de l'apostolat monastique dans la pensée de Grégoire a fait couler beaucoup d'encre. Les uns (cf. R. RUDMANN, *Mönchtum und kirchlicher Dienst...*, p. 95-110) font remarquer que Grégoire a apporté d'assez nombreuses atténuations au contenu traditionnel de la vie monastique et qu'il a rendu moins stricte la distinction entre les moines, spécialistes de la contemplation, et les clercs, chargés du ministère pastoral. D'autres ne nient pas que Grégoire ait choisi dans des monastères des évêques, des administrateurs, des missionnaires, des diplomates, mais insistent sur le fait que ces mesures restent exceptionnelles et permettaient de faire face à des situations difficiles, car, par principe, Grégoire voulait éviter la confusion entre les fonctions de moine et celles de pasteur : cf. L. LÉVEQUE, *Saint Grégoire le Grand et l'ordre bénédictin*, Paris, 1910, p. 203-261 ; Ch. CHAZOTTES, *Sacerdoce et ministère pastoral d'après la correspondance de Grégoire le Grand*, Thèse de Théologie, dactylographiée, Lyon, 1955, p. 10 sq. ; O. PORCEL, *San Gregorio Magno y el monacato. Cuestiones controvertidas*, dans *Scripta et Documenta*, 12, *Monastica 1*, Montserrat, 1960, p. 79-89.

30. Sur cette notion dans la littérature spirituelle, cf. P. COURCELLE, *La vision cosmique de saint Benoît*, dans *REAug.*, 1967, XIII 1-2, p. 100-106.

31. Cf. *HEz* 1, 11, 26 (*PL*, 76, 917 B-C = *CCh*, 142, p. 182) : « Quando etenim possum et ea quae circa me sunt sollicite omnia curare et memetipsum adunato sensu conspicere ?... Quando ualeo et de his quae sunt necessaria fratribus cogitare et contra hostiles gladios de urbis uigiliis sollicitudinem gerere, ne incursione subita ciues pereant, prouidere, et inter haec omnia pro animarum custodia plene atque efficaciter uerbum exhortationis impendere ?... Quam ergo exhortationum uobis *speculator* uester, fratres carissimi, faciat, quem tot rerum confusio perturbat ? »

ment contemplation et responsabilité temporelles, Grégoire admet que la fonction sacerdotale comporte à la fois des exigences de vie intérieure et des devoirs extérieurs. Commentant un verset d'Ézéchiel (44, 17), il note que les prêtres de l'Ancien Testament portaient des vêtements de lin pour franchir le parvis intérieur du temple, et des vêtements de laine, plus grossiers, lorsqu'ils se montraient au peuple, sur le parvis extérieur : « Lorsque le prêtre accède à ses fonctions sacrées, lorsqu'il pénètre au-dedans par la componction, il est indispensable qu'il se revête d'une intelligence plus subtile, comme d'un vêtement de lin. Mais quand il va au dehors, vers le peuple, il faut qu'il quitte les vêtements avec lesquels il a exercé ses fonctions intérieures, et qu'il apparaisse au peuple avec d'autres habits, car s'il se tient dans la fermeté de sa componction, et persévère dans l'état d'affliction qu'il a connu au moment de la prière, il n'accepte pas de prononcer des propos relatifs à des affaires extérieures[32]. »

Il est fort intéressant de remarquer que cette dialectique de l'intériorité et de l'extériorité était évoquée chez Origène, à l'aide de termes et d'images bibliques tout à fait identiques. Dans une *Homélie sur le Lévitique*, Origène explique la double tenue vestimentaire des prêtres, par la double nature de leurs fonctions, à la fois intérieures et extérieures : « Il faut observer cependant que le prêtre use de certains vêtements, lorsqu'il est en train d'accomplir les sacrifices, et d'autres vêtements, lorsqu'il s'avance vers le peuple. C'est ce que faisait également Paul... Vous voyez comment ce très savant prêtre, lorsqu'il est au-dedans, au milieu des parfaits, tout comme dans le Saint des Saints, use d'un autre revêtement de doctrine ; mais lorsqu'il sort, pour aller vers ceux qui sont dépourvus d'intelligence, il change le revêtement de sa parole et enseigne des choses inférieures[33]. » Dans une *Homélie sur les Nombres*, traitant des devoirs du sacerdoce, Origène distingue de même un autel extérieur, destiné aux holocaustes du peuple, et un autel intérieur, réservé aux prêtres, qui doivent s'occuper surtout de ce qui est caché derrière le voile : « Quant aux deux autels, l'intérieur et l'extérieur, l'autel étant le symbole de la prière, je pense que cela signifie ce que dit l'Apôtre : ' Je prierai du souffle, je prierai aussi de l'intelligence ' (1 *Cor.* 4, 15).

---

32. *Ibid.* 28 (918 C-D = p. 183-184) : « Cum sacerdos ad sanctum ministerium accedit, cum *intus* per compunctionem ingreditur, subtiliori intellectu necesse est quasi lineo uestitu uestiatur. Sed cum ad populum *foras* egreditur, oportet ut uestimenta in quibus *intrinsecus* ministrauerat reponat atque populo aliis uestibus indutus appareat, quia si in compunctionis suae rigore se teneat, si in eo quem orationis tempore habuit moerore perduret, *exteriorum* rerum uerba suscipere non admittit. »

33. ORIGÈNE, *Hom. in Levit.* 4, 6 (*GCS*, 29, 6, p. 324-325) : « Observandum tamen est quod aliis indumentis sacerdos utitur, dum est in sacrificiorum ministerio, et aliis cum procedit ad populum. Hoc faciebat et Paulus... Vides ergo istum doctissimum sacerdotem, quomodo, *intus* cum est inter perfectos, uelut in sanctis sanctorum alia utitur stola doctrinae ; cum uero *exit* ad eos qui incapaces sunt, mutat stolam uerbi et inferiora docet. »

Lorsqu'en effet, je prie du cœur, je m'approche de l'autel intérieur. Et c'est, je crois, ce que le Seigneur dit aussi dans l'Évangile : ' Mais toi, quand tu pries, entre dans ta chambre, ferme ta porte' et prie ton Père dans 'e secret ' (*Matt.* 6, 6). Celui donc qui prie de la manière que j'ai dite, s'approche de l'autel de l'encens qui est à l'intérieur. Mais lorsqu'on exprime sa prière à Dieu à haute voix et avec des paroles sonores, comme pour édifier les auditeurs, on prie ' avec le souffle ' et l'on offre en quelque sorte une victime sur l'autel qui est dressé au dehors pour les holocaustes du peuple. Il faut donc que les soins des prêtres et leurs veilles aillent surtout à ce qui est enveloppé à l'intérieur, derrière le voile, pour qu'on n'y trouve rien de souillé, rien d'impur, c'est-à-dire qu'il faut s'occuper de l'homme intérieur et des parties cachées du cœur pour qu'elles y restent sans tache[34]. » Cette idée selon laquelle le ministère du prêtre est avant tout d'ordre intérieur, et doit s'appliquer aux âmes, ces métaphores empruntées à la Bible, l'emploi des notions d'intériorité et d'extériorité, ne se retrouvent-ils pas chez Grégoire ? Il est fort possible que l'auteur des *Moralia* ait lu et pratiqué Origène[35]. Pour s'adresser aux pasteurs de son temps, il s'appuie sur une longue tradition, remontant à l'Ancien Testament, au nom de laquelle il leur recommande de ne pas négliger, malgré toutes leurs occupations, la prière et la contemplation.

Actifs et contemplatifs   Il semblerait donc que Grégoire tende à insister
dans l'Église   exclusivement sur l'opposition qui existe entre
la vie contemplative et la vie active, soit qu'il fasse appel à son expérience de moine, livré malgré lui à la charge pastorale. suprême et incapable d'oublier la paix du monastère, soit qu'il se lamente sur la situation des pasteurs de son temps, accablés de préoccupations tout à fait étrangères à leur mission véritable. En réalité, sa pensée sur ces problèmes est beaucoup plus complexe, car, si son idéal propre est la seule contemplation, « son idéal absolu reste l'union de l'action et de la contemplation[36] », si bien qu'il a élaboré, au fil des années, une

---

34. ID., *Hom. in Num.* 10, 3 (*SC*, 29, 197-198) : « Altaria uero duo, id est *interius* et *exterius*, quoniam altare orationis indicium est, illud puto significare, quod dicit Apostolus : «orabo spiritu, orabo et mente» (1 *Cor.* 4, 15). Cum enim in corde orauero, ad altare *interius* ingredior, et hoc puto esse etiam quod Dominus in euangeliis dicit : « Tu autem cum oras, intra in cubiculum tuum et claude ostium tuum et ora patrem tuum in absconditum » (*Matt.* 6, 6). Qui ergo ita orat, ut dixi, ingreditur ad altere incensi, quod est *interius*. Cum autem quis clara uoce et uerbis cum sono prolatis, quasi ut aedificet audientes, orationem fundit ad Deum, hic « spiritu orat » et offerre uidetur hostiam in altari, quod *foris* est ad holocausmata populi constitutum. Oportet ergo sacerdotes ea curare praecipue et custodire, quae *intra* uelamen *interius* conteguntur, ne quid ibi pollutum, ne quid inueniatur immundum, hoc est *interiorem* hominem et cordis secreta curare, ut ibi immaculata permaneant. »

35. Cette hypothèse est discrètement avancée par J. LECLERCQ (*La doctrine de saint Grégoire*, dans *Histoire de la Spiritualité*, II, Paris, 1961, p. 13).

36. R. GILLET, *SC*, 32 bis, p. 16.

doctrine de la vie mixte, qui est proprement la vie pastorale. Le dossier des textes grégoriens relatifs à la vie contemplative et à la vie active a été constitué et étudié par Butler[37]. Je n'ai pas à le reprendre ici, mais seulement à analyser la valeur et le sens exacts des notions d'intériorité et d'extériorité et des termes qui les expriment, lorsque ces notions et ces termes sont appliqués à la vie active et à la vie contemplative.

Lorsqu'il traite de l'action et de la contemplation dans la perspective de la vie mixte, Grégoire n'oublie certes pas sa nostalgie personnelle du repos monastique, ni ses récriminations au sujet des occupations qui alourdissent et dénaturent le ministère pastoral. Dans un des premiers chapitres de la *Regula Pastoralis*, il évoque le sort de l'âme entraînée au dehors par des soucis trop nombreux, et qui, négligeant de s'étudier elle-même, en vient à perdre jusqu'au sentiment de la faute qu'elle commet ainsi : « Un sage donne ce prudent avis : ' Mon fils, n'applique pas ton activité à une multitude de choses ' (*Si.* 11, 10). Car il est clair que l'âme ne se recueille jamais pleinement pour méditer quoi que ce soit, lorsqu'elle s'éparpille et se partage entre diverses occupations. Et quand elle est entraînée au dehors par une tâche trop prenante, elle se départit de cette crainte intime, qui faisait sa force ; elle est accaparée par l'organisation de choses extérieures et, ignorante seulement d'elle-même, elle est capable de former de nombreuses pensées, tout en se méconnaissant elle-même. Car lorsqu'elle s'empêtre, plus qu'il n'est nécessaire, dans des affaires extérieures, elle oublie le but vers lequel elle tendait, retenue en chemin, pour ainsi dire, par ses occupations. Si bien qu'indifférente au soin avec lequel elle devrait s'étudier elle-même, elle ne s'aperçoit plus du tort qu'elle se cause et ignore l'énormité de ses fautes[38]. » Cela revient à affirmer que l'activité extérieure risque toujours de compromettre et de ruiner toute vie intérieure, en interdisant la vraie connaissance de soi et en ôtant le sens du péché. La notion d'extériorité a alors un contenu absolument négatif, puisqu'elle désigne tout ce qui est contraire au développement d'abord de la connaissance de soi, ensuite et surtout de la contemplation. De même, dans un passage souvent cité d'une *Homélie sur Ézéchiel*, où il développe une définition des deux vies, en énumérant les activités propres à chacune d'elles, Grégoire définit la vie contemplative par exclusion de l'action extérieure : « La vie contem-

---

37. *Western mysticism*, p. 213-221.

38. *Past.* 1, 4 (*PL*, 77, 17 C) : « Quidam sapiens prouide admonet, dicens : « Fili, ne in multis sint actus tui » (*Si.* 11, 10), quia uidelicet nequaquam plene in uniuscuiusque operis ratione colligitur, dum mens per diuersa sparsa partitur. Cumque *foras* per insolentem curam trahitur, a timoris *intimi* soliditate uacuatur ; fitque in *exteriorum* dispositione sollicita, et sui solummodo ignara, scit cogitare multa se nesciens. Nam cum plusquam necesse est se *exterioribus* implicat, quasi occupata in itinere obliuiscitur quo tendebat ; ita ut a studio suae inquisitionis alienata, ne ipsa quidem quae patitur damna consideret et per quanta delinquat ignoret. » Je me propose de revenir en détail sur ce thème de la connaissance de soi chez Grégoire et sur ses sources augustiniennes.

plative consiste à s'abstenir de l'action extérieure, à être attaché au seul désir de son Créateur[39]. » On ne saurait plus fortement indiquer l'incompatibilité de l'action et de la contemplation. Des textes de ce genre sous-entendent en effet la suprématie de la vie contemplative et semblent presque mettre sous la notion d'extériorité tout ce qui est mauvais et détourne l'homme de sa vocation essentielle.

Mais ces définitions si tranchées, qui opposent l'extériorité à l'intériorité comme le mal au bien, ne doivent pas faire oublier les passages, assez nombreux, dans .esquels Grégoire apparaît comme un docteur de la vie pastorale, qui associe l'action à la contemplation. L'extériorité n'est plus alors synonyme de péché, mais désigne tout ce qui se rapporte à la vie active et qui a une valeur propre. Cette conjugaison des deux vies implique d'abord une hiérarchie : c'est ainsi que Grégoire, suivant en cela l'opinion de Denys l'Aréopagite, distingue deux catégories d'anges. Tandis que la catégorie inférieure comprend les anges qui sont envoyés au dehors et chargés d'un ministère extérieur, la catégorie supérieure est composée des anges qui jouissent éternellement de la contemplation intime de Dieu et dont les précédents sont les messagers. « Denys l'Aréopagite, père assurément ancien et vénérable, déclare, à ce que l'on rapporte, que des anges appartenant aux troupes inférieures sont envoyés au dehors de façon visible ou invisible, pour accomplir leurs fonctions, pour la bonne raison qu'ils viennent consoler les hommes comme les anges et les archanges. En effet, les troupes supérieures ne s'écartent jamais des biens les plus intérieurs, car, ayant la prééminence, elles n'exercent jamais de fonctions extérieures[40]. » Si les anges de cette

---

39. *HEz* 2, 2, 8 (*PL*, 76, 953 A-B = *CCh*, 142, p. 230) : « Contemplatiua uero uita est... ab *exteriore* actione quiescere, soli desiderio Conditoris inhaerere. »

40. *HEv* 2, 34, 12 (*PL*, 76, 1254 B) : « Fertur uero Dionysius Areopagita, antiquus uidelicet et uenerabilis Pater, dicere quod ex minoribus angelorum agminibus *foras* ad explendum ministerium uel uisibiliter uel inuisibiliter mittuntur, scilicet quia ad humana solatia ut angeli aut archangeli ueniunt. Nam superiora illa agmina ab *intimis* numquam recedunt, quoniam ea quae praeeminent usum *exterioris* ministerii nequaquam habent. » Le problème de savoir dans quelle mesure Grégoire a connu Denys l'Aréopagite, qu'il cite ici nommément et à qui il emprunte cette idée d'une hiérarchie des fonctions angéliques, n'est pas facile à résoudre. Pour R. GILLET (*SC*, 32 bis, p. 84, n. 1), « saint Grégoire n'a pas eu connaissance directe des écrits du pseudo-Aréopagite, traduits seulement au ixᵉ siècle par Jean Scot Erigène. » L. KURZ (*Gregors des Grossen Lehre von den Engeln*, Rome, 1938, p. 76, n. 3), pour l'interprétation du *fertur* qui introduit le texte de Grégoire, cite la note des Mauristes (reproduite dans *PL*, 76, 1254) selon laquelle le doute que laisse percer ce terme porterait non sur le livre, mais sur la personnalité de son auteur. Mais KURZ cite aussi l'avis différent de STILGLMAYR (*Das Aufkommen der Ps. Dionysius Schriften und ihr Eindringen in die christliche Literatur bis zum Lateran-Konzil* 649, Feldkirch, 1895), selon lequel, par ce *fertur*, Grégoire a voulu laisser entendre qu'il ne connaissait pas le texte grec de Denys. Quant à E. BOISSARD (*La doctrine des anges chez saint Bernard*, dans *Saint Bernard théologien*, *Analecta Sacri Ordinis Cisterciensis*, IX,

seconde catégorie sont semblables aux contemplatifs, puisqu'ils ont comme eux une fonction supérieure, les anges de la première catégorie font penser aux pasteurs : leur dignité est peut-être moindre, mais le fait d'exécuter des missions extérieures ne leur interdit pas de vaquer eux aussi à la contemplation. Plus encore : ils ne sont aptes à remplir leur fonction secondaire d'envoyés que dans la mesure où ils bénéficient de la connaissance intime de Dieu : « Au sujet des troupes envoyées en mission, nous sommes sûrs que, même lorsqu'elles viennent vers nous, elles remplissent extérieurement leurs fonctions, de façon, cependant, à ne jamais cesser d'être à l'intérieur par la contemplation[41]. » La contemplation, activité intérieure, est pour eux comme la condition nécessaire à l'accomplissement de leurs missions à l'extérieur.

Cette notion de hiérarchie, qui implique à la fois la supériorité de la contemplation sur l'action et la subordination de la seconde à la première, est exprimée ailleurs par Grégoire à partir d'une image inspirée par un texte de l'*Exode* (26, 1-14). Il s'agit d'un passage dans lequel Dieu recommande à Moïse d'orner l'intérieur du Saint des Saints avec des étoffes précieuses, de lin, de pourpre et de cramoisi, et d'en protéger l'extérieur avec des peaux plus grossières et une couverture de cuir. Les étoffes précieuses sont pareilles aux contemplatifs qui vivent à l'intérieur

---

1953, p. 127), il écrit : « Il ne me paraît pas douteux que saint Grégoire a dû lire au moins les passages de la *Hiérarchie céleste* qui traitent du nombre et de la hiérarchie des anges, car il expose fort bien l'opinion de Denys, qui veut que le Séraphin qui purifie les lèvres d'Isaïe soit un ange vulgaire, les esprits des classes supérieures n'étant jamais envoyés en mission. Mais parce que cet ange brûle avec un charbon ardent les lèvres du prophète, il joue alors un rôle de brûlant, donc de séraphin, et peut être considéré comme tenant la place d'un esprit de la hiérarchie suprême qui agirait par son entremise : d'où le nom que lui donne Isaïe. Après avoir exposé cette théorie dionysienne, qui évidemment repose sur un système à priori plutôt que sur l'interprétation impartiale de l'Écriture, le saint Docteur ajoute tranquillement : « Pour notre part, nous ne voulons pas affirmer ce que nous ne pouvons prouver par des textes clairs et indubitables » (*PL*, 76, 1255 A), façon discrète de montrer que l'affirmation de Denys manque de base scripturaire solide. Bref, de tout cet ensemble de faits, il me semble résulter que s. Grégoire n'était pas bien persuadé d'avoir affaire dans ce Denys à un véritable disciple et interprète de l'apôtre des nations. » Personnellement, je partage à peu près cet avis ; il est clair que Grégoire s'inspire de Denys sur beaucoup de points dans le texte en discussion : distinction des hiérarchies supérieures qui contemplent Dieu et des hiérarchies inférieures qui sont envoyées en mission, étymologie du mot Séraphin (*Hiér. cél.* III, 3, *SC*, 58, p. 91-92 ; IV, 3, p. 98 ; VII, 1, p. 105-107). Mais peut-être n'a-t-on pas suffisamment insisté sur le fait que Grégoire emprunte aussi à Denys l'orchestration biblique de ces thèmes : c'est ainsi qu'il cite *Is.* 6, 6-7 et *Dan.* 7, 10, qui se trouvent également commentés dans la *Hiérarchie céleste* (XIII, 1-4, p. 148-162 ; XIV, 1, p. 162). Il est douteux que cette similitude soit purement accidentelle.

41. *HEv* 2, 34, 13 (*PL*, 76, 1255 A) : « De ipsis agminibus quae mittuntur certum tenemus, quia et cum ad nos ueniunt, sic *exterius* implent ministerium, ut tamen numquam desint *interius* per contemplationem. »

de l'Église et l'ornent de leurs vertus, tandis que les peaux plus grossières ressemblent aux pasteurs qui sont tournés vers l'extérieur et préservent l'Église des tempêtes. Les seconds sont indispensables aux premiers, qui ne pourraient pratiquer la vie contemplative, si d'autres n'assuraient pas leur tranquillité : « En effet, pour qu'à l'intérieur du tabernacle le lin resplendisse, la pourpre étincelle, le cramoisi éclate de sa couleur sombre, par-dessus, des peaux et des étoffes en poil supportent les pluies, les vents et la poussière. Ceux qui, au sein de la sainte Église, ont de grandes vertus et accomplissent des progrès, ne doivent pas mépriser la vie de leurs supérieurs, quand ils les voient occupés à des affaires extérieures, car, si, eux-mêmes, pénètrent en toute sécurité les réalités intérieures, ils le doivent à l'aide de ceux qui, au dehors, peinent en luttant contre les tempêtes de ce siècle[42]. » Les moines qui ont une fonction intérieure, seraient donc malvenus de critiquer les pasteurs : « Qu'en aucun cas il ne murmure contre un supérieur occupé à des activités extérieures, celui qui, à l'intérieur de la sainte Église, resplendit déjà spirituellement. Si, en effet, tu brilles intérieurement, en toute sécurité, comme la pourpre, pourquoi accuses-tu le manteau qui te protège[43] ? » A l'intérieur même de l'Église, Grégoire recommande une équitable répartition des tâches, permettant à tous d'accomplir leur vocation. « Il faut veiller avec grand soin à ce que les hommes qui se signalent par leurs dons spirituels, n'abandonnent pas complètement les affaires de leur prochain, quand celui-ci est faible, mais qu'ils en confient l'exécution à ceux qui en sont dignes. C'est ainsi que Moïse a établi à sa place soixante-dix hommes, afin de pouvoir pénétrer d'autant plus ardemment les réalités intérieures, qu'il échappait aux tâches extérieures. Si bien que les hommes très supérieurs font plus de progrès dans les dons spirituels, lorsque leurs âmes ne foulent pas les choses inférieures, et que les hommes qui ont le dernier rang dans l'Église ne vivent pas sans bonnes œuvres, lorsqu'ils trouvent du bien à faire dans les choses extérieures[44]. »

42. *Mor.* 25, 16, 39 (*PL*, 76, 347 A) : « Vt enim in *interioribus* tabernaculi byssus fulgeat, coccus coruscet, hyacinthus caeruleo colore resplendeat, desuper pelles et cilicia imbres, uentos et puluerem portant. Qui igitur magnis uirtutibus in sanctae Ecclesiae sinu proficiunt, praepositorum suorum uitam despicere non debent, cum uacare eos rebus *exterioribus* uident, quia hoc quod ipsi securi *intima* penetrant, ex illorum adiumento est qui contra procellas huius saeculi *exterius* laborant. »

43. *Ibid.* (347 B) : « Nequaquam ergo contra rectorem suum *exteriora* agentem murmuret is qui *intra* Ecclesiam sanctam iam spiritaliter fulget. Si enim te secure *interius* ut coccus rutilas, cilicium quo protegeris, cur accusas ? »

44. *Mor.* 19, 25, 43 (*PL*, 76, 125 C-D) : « Curandum magnopere est ut hi qui donis spiritalibus emicant nequaquam proximorum infirmantium negotia funditus deserant, sed haec aliis quibus dignum est tractanda committant. Vnde Moyses quoque ac populum uiros pro se septuaginta constituit, ut quanto se ab *exterioribus* causis absconderet, tanto ardentius *interna* penetraret. Sicque fit ut summi uiri magis ad spiritalia dona proficiant, dum eorum mentes res infimas non conculcant ; et rursum uiri in Ecclesia ultimi sine bono opere non uiuant, dum in rebus *exterioribus* inueniunt recta quae agant. »

On mesure à quel point l'antithèse *intus - foris* ne recouvre plus ici la même réalité : les notions d'intériorité et d'extériorité, au lieu d'avoir des sens restreints et d'opposer la vie contemplative aux activités temporelles qui détournent l'âme d'elle-même et de Dieu, servent à exprimer les rapports intimes qui peuvent unir la première aux secondes ; elles désignent en somme deux sortes de fonctions, inégales en dignité, mais également utiles à l'Église. *Intus* n'évoque pas seulement l'état monastique, mais s'applique plus largement aux relations de l'homme avec Dieu, par la prière et la vie intérieure ; *foris* n'a plus un contenu négatif, défini par opposition à l'intériorité, considérée comme le seul bien véritable, mais exprime une extériorité positive, celle des relations avec les hommes, que comporte le ministère des pasteurs. D'une part, les relations avec Dieu, la pratique de la contemplation et de la vie spirituelle préparent et conditionnent le succès des relations avec les hommes, de la prédication, de l'action pastorale. D'autre part, les premières et les secondes définissent deux fonctions distinctes, mais complémentaires dans l'Église.

Les conditions de l'équilibre   En maints endroits, Grégoire, à l'aide d'images et de métaphores très variées, généralement inspirées de l'Ancien et du Nouveau Testament, s'attache à analyser ce va-et-vient de l'intérieur à l'extérieur, cette alternance de l'action et de la contemplation, qui constitue la difficulté et l'originalité de la vie pastorale. La *Regula Pastoralis*, ce traité de la vie pastorale qu'il composa en 591 à l'occasion de son élection à la papauté, contient un chapitre particulièrement significatif à ce sujet[45], puisqu'il s'efforce d'y définir le juste équilibre nécessaire à toute vie de pasteur. A vrai dire, ce chapitre tout entier est un modèle d'équilibre. Grégoire commence par y affirmer ce principe général, dont il ne fera ensuite que développer les conséquences : « Que (le pasteur) ne réduise point, dans sa préoccupation de l'extérieur, sa sollicitude pour l'intérieur, mais que, dans sa préoccupation de l'intérieur, il ne renonce pas à veiller à l'extérieur, de peur que, livré aux affaires du dehors, il ne connaisse l'effondrement intérieur, ou qu'occupé aux seules choses intérieures, il

---

45. Les divers commentaires du *Pastoral*, qui existent à ce jour, ne mettent guère en valeur cet équilibre qui, aux yeux de Grégoire, est indispensable à la vie pastorale. La raison de cette omission est très claire : la plupart des commentateurs cherchent dans le *Pastoral* un traité de morale sacerdotale, alors que Grégoire s'adresse d'abord aux pasteurs par excellence, aux évêques. Cf. J.-C. HEDLEY, *Lex leuitarum. La formation sacerdotale d'après saint Grégoire le Grand*, Maredsous, 1922 (trad. par B. LEBBE) ; G. HOCQUARD, *L'idéal du pasteur des âmes selon saint Grégoire le Grand*, dans *La Tradition sacerdotale*, Lyon, 1959, p. 143-167. B. LEBBE, (*L'esprit du gouvernement des âmes d'après saint Grégoire le Grand*, dans *Revue liturgique et monastique*, 14, 1929, p. 127-138) est plus respectueux de la pensée de Grégoire et du genre propre au *Pastoral*.

ne se consacre pas à ses devoirs extérieurs envers son prochain[46]. »
Les pasteurs ont donc à rechercher une *uia media* entre l'extériorité et
l'intériorité, c'est-à-dire entre le temporel et le spirituel[47].

La suite du chapitre analyse les deux excès opposés, les deux ruptures
d'équilibre, qui sont toujours possibles. Le premier danger est que le
pasteur, trop absorbé par les soucis extérieurs, en vienne à négliger le
spirituel : « Souvent, en effet, certains pasteurs, comme s'ils oubliaient
que c'est pour les besoins des âmes qu'ils ont été établis sur leurs frères,
s'adonnent de tout l'effort de leur cœur aux affaires du siècle... Si bien
que, tandis qu'ils se réjouissent d'être pressés par les tumultes du monde,
ils ignorent les vérités intérieures qu'ils auraient dû enseigner aux
autres[48]. » Pour un pasteur, la véritable extériorité consiste à susciter
et à guider la vie intérieure du troupeau, par la prédication ; mais il
arrive que les pasteurs trahissent leur mission et deviennent pareils
aux pierres du sanctuaire, semées au coin de toutes les rues : « Les pierres
du sanctuaire sont dispersées sur les places, lorsque ceux qui, pour
ainsi dire, auraient dû dans le secret du temple, s'adonner aux mystères
intérieurs pour l'ornement de l'Église, convoitent au dehors les voies
larges des occupations séculières[49]. » Mais un second danger, inverse
du précédent, menace aussi les pasteurs : celui de sacrifier l'extériorité
à l'intériorité, de négliger le temporel, pour vouloir trop se consacrer au
spirituel. « Par contre, il est certains pasteurs qui, certes, prennent
soin de leur troupeau, mais qui désirent tellement se consacrer eux-mêmes
à la vie spirituelle, qu'ils ne s'occupent plus du tout des affaires extérieures... D'où l'obligation pour le pasteur d'être capable d'inculquer
les principes de la vie intérieure, et de pourvoir aussi en toute pureté
d'intention aux nécessités extérieures. Qu'ainsi donc les pasteurs s'occupent avec ferveur des besoins intérieurs de ceux qui leur sont soumis,
sans négliger la vigilance à l'égard de ce qui touche aussi à leur existence

---

46. *Past.* 1, 7 (*PL*, 77, 38 C-D) : « Sit rector *internorum* curam in
exteriorum occupatione non minuens, *exteriorum* prouidentiam in *internorum* occupatione non relinquens, ne aut *exterioribus* deditus ab *intimis*
corruat, aut solis *interioribus* occupatus, quae *foris* debet proximis non
impendat. »

47. J. BOUTET (*Le Pastoral de saint Grégoire le Grand*, Paris, 1928,
p. 71-79) traduit presque toujours *exterior* ou *foris* par temporel, et
interior ou *intus* par spirituel. Je suis d'assez loin sa traduction, qui
manque parfois de fidélité et d'exactitude.

48. *Past.* 1, 7 (*PL*, 77, 38 D - 39A) : « Saepe namque nonnulli uelut
obliti quod fratribus animarum causa praelati sunt, toto cordis adnisu
saecularibus curis inseruiunt... Sicque fit ut dum urgeri se mundanis
tumultibus gaudeant, *interna* quae alios docere debuerant ignorent. »

49. *Ibid.* (40 C) : « Sanctuarii quoque lapides in plateas disperguntur,
cum causarum saecularium *foras* lata itinera expetunt hi, qui ad ornamen-
tum Ecclesiae *internis* mysteriis quasi in secretis sanctuarii uacare debuerunt. » Cette image biblique (*Lam.* 4, 1) est reprise dans *HEv* 1, 17, 15
(*PL*, 76, 1147 A-B).

extérieure[50]. » Pour être écouté de son troupeau et avoir des chances
de l'ouvrir aux réalités spirituelles, intérieures, un pasteur doit d'abord
veiller à ses besoins matériels. L'activité extérieure est ici à comprendre
dans un sens pleinement positif, comme l'exercice de la charité, qui
conditionne le succès du ministère pastoral. La vie pastorale n'est plus
conçue par opposition à la vie monastique. Bien au contraire : elle apparaît
comme une vie mixte, comportant à la fois intériorité et extériorité. Elle
est une activité intérieure, dans le mesure où elle a pour fin le souci
des âmes et de leur vie spirituelle, mais les pasteurs n'atteindront cette
fin qu'en tenant le plus grand compte de l'activité extérieure, qui y prépare, c'est-à-dire en subvenant aux besoins de leur troupeau, en exerçant
la charité.

Après avoir analysé ces deux dangers opposés, inhérents au ministère
pastoral, Grégoire termine ce chapitre en réaffirmant le principe initial
et en insistant sur la nécessité d'un équilibre, d'une mesure : « Il faut
veiller avec soin à ce que le zèle exercé extérieurement par les pasteurs
ne les engloutisse loin de la méditation intérieure. Bien souvent, en effet,
comme nous l'avons dit plus haut, quand les cœurs des pasteurs s'adonnent
sans précaution au soin du temporel, ils se refroidissent de la charité
intérieure ; et répandus au dehors, ils ne craignent pas d'oublier qu'ils
ont reçu charge d'âmes. Il est donc nécessaire que le zèle dépensé extérieurement au service de leurs subordonnés, soit maintenu dans une
certaine limite[51]. » Bien que ce long chapitre sous-entende, dans l'absolu,
la supériorité de la vie contemplative sur la vie active, et insiste sur
le danger qui consiste à sacrifier le spirituel au temporel plus que sur
le risque inverse, il contient cependant une spiritualité très équilibrée
de la vie pastorale : les notions d'intériorité et d'extériorité s'y sont
encore élargies ; la première s'appliquant aux activités spirituelles
dans leur ensemble, et notamment à la prédicaton, la seconde à l'exercice
de la charité, à la vie active en ce qu'elle a de plus positif. Les motifs
qui font parfois que des hommes doués pour l'expérience mystique,
renoncent à la vie contemplative et acceptent de devenir des pasteurs,
ne peuvent qu'être surnaturels : c'est la charité, le désir de secourir
leurs frères qui les pousse alors. « Il faut savoir que, lorsque viennent
à manquer des hommes aptes à se consacrer aux affaires extérieures du

---

50. *Ibid.* (41 A-B) : « At contra, nonnulli gregis quidem curam suscipiunt, sed sic sibimet uacare ad spiritualia appetunt, ut rebus *exterioribus*
nullatenus occupentur... Vnde rectorem necesse est, ut *interiora* possit
infundere, cogitatione innoxia etiam *exteriora* prouidere. Sic itaque
pastores erga *interiora* studia subditorum suorum ferueant, quatenus
in eis *exterioris* quoque uitae prouidentiam non relinquant. »

51. *Ibid.* (41 D) : « Vigilanter intuendum, ne dum cura ab eis *exterior*
agitur, ab *interna* intentione mergantur. Plerumque enim, ut praediximus, corda rectorum dum temporali sollicitudine incaute deseruiunt,
ab *intimo* amore frigescunt, et *foras* fusa obliuisci non metuunt, quia
animarum regimina susceperunt. Sollicitudo ergo quae subditis *exterius*
impenditur, sub certa necesse est mensura teneatur. »

prochain, ceux qui sont remplis de dons spirituels doivent s'abaisser jusqu'à sa faiblesse, dans la mesure convenable de leurs capacités, se mettre au service de ses besoins terrestres, par cet abaissement de la charité[52]. » Tel est le grand principe, sur lequel Grégoire revient avec insistance au début du *Pastoral* : seules les détresses d'autrui et le zèle de la charité qu'elles inspirent, peuvent justifier l'acceptation d'un ministère pastoral de la part des contemplatifs[53]. Ceux-ci, en se faisant conducteurs d'âmes, gagnent d'ailleurs au change. L'exercice de fonctions temporelles est une voie qui peut les mener jusqu'à la perfection : « Au-dedans, ils servent leur désir de piété, au-dehors, ils accomplissent le ministère de l'ordre sacré... C'est un signe admirable de la bonté divine, que celui qui tend d'un cœur parfait à la contemplation soit occupé à des fonctions terrestres ; de sorte que son âme parfaite est utile à beaucoup de gens plus faibles, et que ce en quoi il se considère comme imparfait lui sert à s'élever plus parfaitement jusqu'au faîte de l'humilité[54]. »

La tension intérieure, sans cesser d'être une cause de souffrances, devient ainsi une source de fécondité spirituelle. C'est qu'*intus* et *foris*, bien loin de s'opposer, ne désignent plus ici deux fonctions complémentaires dans l'Église, mais deux aspects de l'unique vie pastorale. Cette analyse sémantique ne rejoint-elle pas ainsi ce que signale dom Jean Leclercq au sujet de la vie active et de la vie contemplative[55] ? Celles-ci ne doivent pas s'entendre seulement, en un sens restreint, de deux états de vie exclusifs l'un de l'autre, mais, en un sens large, de deux genres

---

52. *Mor.* 19, 25, 45 (*PL*, 76, 126 B) : « Sciendum est, quia cum proximorum causis *exterioribus* qui apte deseruiant desunt, debent hi quoque qui spiritalibus donis pleni sunt eorum infirmitati condescendere terrenisque illorum necessitatibus, in quantum decenter ualeant, caritatis condescensione seruire. »

53. Cf. *Past.* 1, 5 (*PL*, 77, 32 C - 34 B). R. RUDMANN (*op. cit.*, p. 118-121) souligne à juste titre que cette conception de la responsabilité sociale, de la charité, permet d'expliquer les apparentes contradictions de Grégoire qui tantôt interdit, tantôt permet aux moines d'exercer un ministère pastoral.

54. *Mor.* 5, 4, 5 (*PL*, 75, 682 C) : « *Intus* quidem seruant desiderium pietatis, *foris* autem explent ministerium ordinis... Mira enim diuinitatis pietate agitur, cum is qui perfecto corde ad contemplationem tendit, humanis ministeriis occupatur ; ut et multis infirmioribus eius mens perfecta proficiat, et quo se ipse imperfectum respicit, inde ad humilitatis culmen perfectior assurgat. » R. RUDMANN (p. 116-117) voit dans cette doctrine de l'appel divin un de ces motifs profonds qui éclairent la conduite de Grégoire à l'égard des moines.

55. J. LECLERCQ (*La doctrine de saint Grégoire*, dans *Histoire de la Spiritualité*, II, p. 20) : « La notion la plus générale qui se dégage de tous ces textes est que la vie active est principalement ordonnée au salut du prochain, la contemplative au salut personnel ; dans la première, on se livre surtout au travail personnel, dans la seconde à un effort de sanctification par la prière. » Cf. aussi les commentaires de R. RUDMANN (p. 124-127) qui montrent bien que la distinction action-contemplation est intérieure à la vie pastorale et rend compte de son unité profonde.

d'activités, qui doivent se rencontrer en chacun des deux états de vie. En d'autres termes, les notions d'intériorité et d'extériorité ont des relations et des sens différents, selon qu'elles s'appliquent à la vie monastique, qui est principalement ordonnée au salut personnel, ou à la vie pastorale, qui l'est au salut du prochain. S'il s'agit de la vie monastique, l'intériorité et l'extériorité s'opposent absolument, puisque la première désigne la contemplation, incompatible avec la seconde qui en détournerait l'âme. S'il s'agit de la vie pastorale, ces deux mêmes notions sont corrélatives : l'intériorité exprime tout ce qui vise au salut du prochain, auquel concourt la charité, qui est d'ordre extérieur.

La pratique   Pour maintenir ce difficile équilibre, les pasteurs
de la vie mixte   doivent pratiquer une sorte d'alternance, se ménager des périodes de retraite qui leur permettront de se recueillir et de rentrer en eux-mêmes. « Ceux qui sont occupés aux affaires temporelles, s'occupent convenablement des choses extérieures, lorsqu'ils ont soin de se réfugier à l'intérieur, lorsqu'ils ne s'attachent pas du tout au tumulte des agitations du dehors, mais se reposent en eux-mêmes, au dedans, au sein de la tranquillité[56]. » C'est là une conduite difficile, mais une telle intériorisation, au sein même des occupations mondaines, est indispensable aux pasteurs, qui veulent se conformer pleinement aux desseins de Dieu : « Remplis d'une sagesse supérieure, ils discernent comment ils doivent avoir à la fois une disponibilité intérieure et des occupations extérieures, différentes, pour que, si d'aventure, Dieu, par une disposition cachée, impose à ceux qui ne le désirent pas quelque fonction dans les affaires de ce monde, ils cèdent au Dieu qu'ils aiment, et que, même si leur amour pour lui ne leur inspire intérieurement que le désir de le voir, sa crainte leur fasse accomplir humblement, à l'extérieur, l'activité dont ils sont chargés... Et au milieu du tumulte des préoccupations extérieures, intérieurement règne un calme très paisible, dans l'amour[57]. » Mais ce calme n'est pas obtenu immédiatement, et Grégoire souligne qu'il succède à un désarroi initial, car les saints « ne désirent pas du tout ces charges extérieures, mais gémissent de sentir qu'une décision cachée de Dieu les leur impose[58]. » Cependant,

---

56. *Mor.* 5, 11, 19 (*PL*, 75, 689 B-C) : « Qui ergo rebus temporalibus occupantur, tunc bene *exteriora* disponunt, cum sollicite ad *interiora* refugiunt ; cum nequaquam *foras* perturbationum strepitus diligunt, sed apud semetipsos *intus* in tranquillitatis sinu requiescunt. »

57. *Mor.* 18, 43, 70 (*PL*, 76, 79 B-C) : « Pleni quippe superna sapientia discernunt qualiter debeant et ad aliud uacare *intrinsecus*, et ad aliud *extrinsecus* occupari ut si forte occulta Dei ordinatione aliquid eis non appetentibus de huius saeculi curis imponitur, cedant Deo quam diligunt, et prae amore eius *intrinsecus* solam illius desiderent uisionem, prae timore uero eius impositam sibi *extrinsecus* humiliter expleant actionem... Cumque occupationes *extrinsecus* perstrepunt, *intrinsecus* in amore pacatissima quies tenetur. »

58. *Ibid.* (79 C) : « Sancti etenim uiri nequaquam eas appetunt, sed occulto ordine sibi superimpositas gemunt. »

l'important est de ne pas se dérober, et surtout de chercher à connaître la volonté de Dieu : « ils entrent, en effet, dans leur cœur, et là se demandent ce que veut la volonté cachée de Dieu[59]. » La paix n'est finalement donnée qu'à ceux qui savent surmonter leur répulsion instinctive et qui pratiquent l'obéissance aux appels divins : « Quiconque agit ainsi n'est jamais atteint intérieurement par les tumultes extérieurs, quels qu'ils soient. Si bien que, tout en désirant une chose intérieurement, il en accomplit une autre extérieurement ; et cette sagesse remplit des cœurs qui ne sont plus agités et confus, mais tranquilles[60]. »

Cet apaisement n'est obtenu qu'au terme d'un long effort et au prix de nombreuses souffrances ; et même si Grégoire en fait un des principaux thèmes de sa spiritualité pastorale, on ne peut s'empêcher de penser que lui-même, en particulier, n'a guère connu cette paix, qu'il évoque ici, mais, tout au contraire, un constant déchirement intérieur. Faut-il faire intervenir la chronologie et supposer que cette page des *Moralia* a été rédigée au temps du repos monastique et avant les lourdes charges du pontificat ? Mais ce serait là une hypothèse indémontrable, et, de surcroît, insuffisante, car, comme nous l'avons noté précédemment, Grégoire savait, avant d'être pape, quels soucis apporte avec elle l'administration temporelle. Il serait préférable de remarquer que cette paix intérieure, conquise par l'obéissance à la volonté de Dieu et maintenue malgré les remous du monde extérieur, est conçue par Grégoire comme un idéal, que n'atteignent pas les débutants, qui se désolent et voudraient éviter les tâches qu'on leur impose. Cet idéal comprend plusieurs étapes que l'on retrouvera en étudiant le processus de la conversion : le mouvement initial de fuite et de répulsion, la recherche de la volonté de Dieu, l'acceptation d'un équilibre difficile entre action et contemplation, et la tranquillité d'âme, qui apparaît comme une grâce finale. Grégoire semble n'être jamais parvenu à ce dernier état : il n'a en quelque sorte franchi que les deux premières étapes, sans jamais parvenir à surmonter le divorce intérieur dont il souffrait. Mais il était sûr d'obéir ainsi à la volonté de Dieu ; ce sentiment, et aussi le zèle de sa charité, expliquent qu'il ait accepté une pareille souffrance. Et cela n'empêche pas qu'il considère l'apaisement intérieur comme l'idéal de la vie pastorale. Mais ceux qui ont su pratiquer cette sagesse supérieure et qui sont parvenus à cet équilibre parfait et à cette paix de l'âme sont rares : il faut citer Joseph et Daniel, qui ont admirablement concilié l'action et la contem-

---

59. *Ibid.* (79 D) : « Intrant enim ad cor suum et ibi consulunt quid uelit occulta uoluntas Dei. »

60. *Ibid.* (79 D - 80 A) : « Quisquis uero talis est, quilibet tumultus uersentur *extrinsecus*, numquam ad eius *interiora* peruentiunt. Itaque agitur ut aliud *intrinsecus* uoto, aliud *extrinsecus* teneatur officio ; et hac sapientia non iam turbulenta atque confusa, sed tranquilla corda repleantur. »

plation[61], Moïse, qui quittait la foule pour se retirer *ad tabernaculum*[62] et l'épouse du *Cantique des Cantiques*, qui déclare que son cœur veille tandis qu'elle dort[63].

Grégoire évoque de bien des manières ce passage incessant de l'action à la contemplation, cette espèce de dialectique de l'extériorisation, en vue du salut des autres, et de l'intériorisation, en vue de la contemplation : il les compare au va-et-vient de l'éclair[64] et aux déplacements

---

61. *Mor.* 18, 43, 69 (*PL*, 76, 78 D - 79 A) : « Sed quid est quod plerosque antiquorum patrum nouimus hanc sapientiam et *intrinsecus* uiuaciter tenuisse, et curas mundi *extrinsecus* solemniter ministrasse ? An perceptione huius sapientiae Ioseph priuatum dicimus... ? An ab hac sapientia Daniel alienus exstitit... ? »

62. *Mor.* 23, 20, 38 (*PL*, 76, 274 A-B) : « Hinc est quod idem Moyses crebro de rebus dubiis ad tabernaculum redit, ibique secreto Dominum consulit, et quid certi decernat agnoscit. Relictis quippe turbis ad tabernaculum redire est, postpositis *exteriorum* tumultibus, secretum mentis intrare. Ibi enim Dominus consulitur, et quod *foris* agendum est publice, *intus* silenter auditur. Hoc quotidie boni rectores faciunt, cum se res dubias discernere non posse cognoscunt, ad secretum mentis, uelut ad quoddam tabernaculum reuertuntur ; diuina lege perspecta, quasi coram posita arca, Dominum consulunt, et quod prius *intus* tacentes audiunt, hoc *foris* postmodum agentes innotescunt. » Dans la *Regula Pastoralis*, Grégoire applique encore plus nettement aux pasteurs cette métaphore des entrées et des sorties de Moïse. Cf. *Past.* 2, 5 (*PL*, 77, 33 B-C) : « Hinc Moyses crebro tabernaculum intrat et exit, et qui *intus* in contemplationem rapitur, *foris* infirmantium negotiis urgetur. *Intus* Dei arcana considerat, *foris* onera carnalium portat. Qui de rebus quoque dubiis semper ad tabernaculum recurrit, coram Testamenti arca Dominum consulit ; exemplum procul dubio rectoribus praebens, ut cum *foris* ambigunt quid disponant, ad mentem semper quasi ad tabernaculum redeant, et uelut coram Testamenti arca Dominum consulant, si de his in quibus dubitant, apud semetipsos *intus* sacri eloquii paginas requirant. »

63. *Mor.* 23, 20, 38 (*PL*, 76, 274 B-C) : « Vt enim *exterioribus* officiis inoffense deseruiant, ad secreta cordis recurrere incessabiliter curant ; et sic uocem Dei quasi per somnium audiunt, dum in meditatione mentis a carnalibus motibus abstrahuntur. Hinc est quod Sponsa in Canticis Canticorum sponsi uocem quasi per somnium audierat, quae dicebat : « Ego dormio et cor meum audiebat » (*Cant.* 5, 2). Ac si diceret : dum *exteriores* sensus ab huius uitae sollicitudinibus sopio, uacante mente uiuacius *interna* cognosco. *Foris* dormio, sed *intus* cor uigilat, quia dum *exteriora* quasi non sentio, *interiora* solerter apprehendo... » Il convient de rapprocher ce passage d'un fragment de l'*Expositio in Reg.* dans lequel Grégoire développe, à propos du sommeil de Samuel, ce même thème du sommeil caractérisé par l'éveil de l'attention intérieure : « Nam dum ad ea quae *foris* sunt, per sollicitudinem uigilamus, *interna* et spiritalia non sentimus. Repulsio itaque terrenae curae praeparatio est nostra ad perceptionem supernae gratiae : quia in electis eo fit uberior diuini muneris, quo mens fuerit purior per custodiam *internae* meditationis. » (*Exp. in Reg.* I, II, 123 : *CCh*, 144, p. 185-186).

64. *Mor.* 30, 2, 8 (*PL*, 76, 526 D - 527 C) : « Fulgura etenim... sancti uiri mittuntur, et eunt cum a secreto contemplationis ad publicum operationis exeunt. Mittuntur et uadunt cum ex abscondito speculationis *intimae* in actiuae uitae latitudinem diffunduntur. Sed reuertentes dicunt

du Christ, qui faisait ses miracles dans les villes et se retirait dans la montagne pour prier[65]. D'autres textes évoquent la nécessité pour les prédicateurs de passer du champ de l'apostolat à la maison de leur cœur[66], du seuil extérieur au seuil intérieur[67]. Toutes ces métaphores servent à donner une idée de ce rythme qui est l'élément constitutif de la vie pastorale : mouvement vers l'extérieur et retour à l'intérieur y alternent sans cesse et toute interruption de cette alternance risque d'avoir de graves conséquences. Les pasteurs doivent non seulement contrôler ce rythme en eux-mêmes, mais le faire pratiquer aussi par les fidèles, car il assure l'équilibre de toute vie spirituelle. Comme le cordeau des maçons, la prédication des pasteurs remet à leur place les âmes qui leur sont confiées : « Le cordeau du maçon permet d'ordinaire

---

Deo, adsumus, quia post opera *exteriora* quae peragunt semper ad sinum contemplationis recurrunt, ut illic ardoris sui flammam reficiant... Ad locum ergo de quo exeunt flumina reuertuntur, quia sancti uiri etsi a conspectu creatoris sui, cuius claritatem mente conspicere conantur, *foras* propter nos ad actiuae uitae ministerium ueniunt, incessanter tamen ad sanctum contemplationis studium recurrunt, et si in praedicatione sua *exterius* nostris auribus per corporalia uerba se fundunt, mente tamen tacita ad considerandum semper ipsum fontem luminis reuertuntur... Subaudis ut ego, qui praedicatores meos cum uoluero post contemplationis gratiam ad actiuae uitae ministerium compono. »

65. *Mor.* 28, 13, 33 (*PL*, 76, 467 A-C) : « Lapis quippe angularis est ad sacra eloquia intellectus duplex. Qui tunc diuinitus dimittitur, quando nequaquam districto iudicio ignorantiae suae tenebris illigatur ; sed quadam libertate perfruitur, dum in praeceptis Dei sufficit uel exsequendo *exteriora* agere, uel contemplando *interna* sentire... Cum in urbe miracula faceret, in monte uero orando continue pernoctaret, exemplum suis fidelibus praebuit, ut nec contemplationis studio proximorum curam negligant, nec rursum cura proximorum immoderatius obligati contemplationis studia derelinquant. » Ce thème se retrouve dans le passage de la *Regula Pastoralis* (2, 5 : *PL*, 77, 33 C) qui évoque les entrées et les sorties de Moïse : « Hinc ipsa Veritas per susceptionem nostrae humanitatis ostensa nobis, in monte orationi inhaeret, miracula in urbibus exercet ; imitationis uidelicet uiam bonis rectoribus sternens, ut etsi iam summa contemplando appetant, necessitatibus tamen infirmantium compatiendo misceantur. »

66. *HEz* 1, 12, 10 (*PL*, 76, 922 A-B = *CCh*, 142, p. 188) : « Quid enim est, quod exire propheta ad campum iubetur, nisi quod unusquisque qui praedicat propter eos quos extra se positos corrigit, atque ab iniquitate compescit, loquendo ad campum exit ?... *Foras* ergo exeundo in altam uisionem ducitur, quia unde in alienis cordibus ignorantiae caecitatem ministerio suae locutionis illuminat, inde eum superna gratia in altiorem intelligentiam exaltat. Sed quia semper praedicator debet ad mentem recurrere, humilitatem atque munditiam *intrinsecus* custodire post campum necesse est ut ad domum redeat, quatenus in his quae ducit qualis etiam ipse sit intra conscientiam agnoscat. »

67. *HEz* 2, 3, 23 (*PL*, 76, 972 C = *CCh*, 142, p. 256) : « Sin uero porta hoc loco unusquisque praedicator accipitur, limen *exterius* in porta est actiua uita, limen uero *interius* uita contemplatiua. Per illam quippe ambulatur in fide, per hanc uero festinatur ad speciem. Illa *exterius* ducit, ut unusquisque bene uiuere debeat ; ista *interius* perducit, ut ex bona uita ad gaudia aeterna pertingat. »

de pouvoir reconnaître que le mur qui s'élève est bien uni et bien droit ;
si une pierre est à l'intérieur, il faut la tirer vers le dehors ; si elle dépasse
à l'extérieur, il faut la ramener à l'intérieur. C'est là ce que fait chaque
jour la prédication de ceux qui enseignent, cherchant à ramener à l'intérieur, même si elles cherchent à apparaître au dehors, toutes les âmes,
auxquelles il n'est peut-être pas utile d'assumer des charges de gouvernement, et inversement à tirer vers l'extérieur pour qu'elles apparaissent,
les âmes qui veulent se cacher et s'occuper seulement d'elles-mêmes,
si elles peuvent rendre service à elles-mêmes et à beaucoup de gens,
même lorsqu'elles désirent se cacher[68].» Autrement dit, il appartient
aux pasteurs de ramener à la vie intérieure les âmes trop portées vers
l'extérieur et inversement, d'inciter à la charité celles qui tendraient
à se replier égoïstement sur elles-mêmes. Cette dialectique de l'intériorité
et de l'extériorité peut quelquefois être beaucoup plus complexe : au
milieu des occupations extérieures, il s'agira d'entretenir en soi-même
le désir intérieur des biens célestes. C'est souvent la seule solution offerte
aux laïcs pieux, qui ne peuvent quitter le monde, tel le comte Théophane
dont Grégoire raconte la mort édifiante et les miracles qui l'accompagnent : « J'ai raconté cela pour pouvoir montrer, à partir d'un exemple
proche de nous, que certains, tout en gardant l'habit du siècle, n'ont
pas une âme séculière. Car ceux qui, comme Théophane, sont attachés
au monde par la nécessité, au point de ne pouvoir absolument pas s'en
échapper, doivent garder ce qui est du monde, tout en s'interdisant
cependant d'y succomber, en laissant leur âme se briser. Songez donc
à cela, et quand vous ne pouvez pas quitter tout ce qui est du monde,
acquittez-vous bien, extérieurement, de vos devoirs extérieurs, mais
hâtez-vous avec ardeur, intérieurement, vers les biens éternels[69].»
Quand la rupture totale avec le monde n'est pas possible, c'est le détachement intérieur qui donne leur vrai sens aux activités extérieures. On
est loin, ici, de l'intransigeance du contemplatif, qui semblait identifier
l'extériorité avec le mal et le péché.

---

68. *HEz* 2, 1, 10 (*PL*, 76, 942 D - 943 A = *CCh*, 142, p. 216) : « In funi-
culo autem caementariorum hoc agi solet, ut cognosci aequalitas uel
rectitudo surgentis parietis ualeat ; et si lapis *intus* est, *foras* eiiciatur ; si
exterius prominet, *interius* reuocetur. Et certe quotidie hoc agit praedicatio doctorum, ut unaquaeque anima, cui regiminis onera suscipere
fortasse non expedit, etiamsi *foris* apparere appetat, *interius* reuocetur ;
et rursum quae latere uult et sui tantummodo curam gerere, si sibi ac
multis esse utilis potest, etiam cum latere desiderat, *exterius* producatur ut
appareat. »

69. *HEv* 2, 37, 13 (*PL*, 76, 1274 B-C) : « Haec igitur dixi ut e uicino
exemplo ostendere possem nonnullos et saecularem habitum gerere, et
saecularem animum non habere. Quos enim tales in mundo necessitas
ligat, ut ex omni parte exui a mundo non possint, sic debent ea quae
mundi sunt tenere, ut tamen eis nesciant ex mentis fractione succumbere.
Hoc ergo cogitate, et cum relinquere cuncta quae mundi sunt non potestis,
exteriora bene *exterius* agite, sed ardenter *interius* ad aeterna festinate. »
Grégoire reprend ce même exemple, mais sans son commentaire moral,
dans un chapitre des *Dialogues* (4, 28, p. 270).

La réflexion de Grégoire, que nous avons cherché à cerner à partir de considérations sémantiques, est plus complexe qu'elle ne le paraissait au premier abord. Même si elle s'enracine dans une conception traditionnelle du repos monastique et même si elle oppose souvent les charges temporelles à la contemplation, elle vise surtout à élaborer une doctrine cohérente de la vie mixte, et une spiritualité proprement pastorale, dont la dialectique de l'intériorité et de l'extériorité est la composante essentielle. Les termes, *foris, exterius* oscillent donc entre un sens restreint et négatif, celui d'activités extérieures, en tant que celles-ci entravent la sanctification personnelle, et un sens large et positif, celui de l'exercice des vertus, et, en particulier, de la charité. De même, les termes antithétiques *intus, interius* oscillent entre un sens restreint, celui de vie monastique, d'exercices religieux réservés aux contemplatifs, et un sens large, celui d'activités spirituelles, qui doivent aider à la sanctification de tous. Autrement dit, ces notions d'intériorité et d'extériorité se comprennent et se conjuguent différemment selon qu'elles s'appliquent à la vie monastique, à la vie pastorale, ou même à la vie laïque.

Docteur de la contemplation et de l'expérience mystique, Grégoire l'est sans aucun doute, par la primauté qu'il reconnaît à l'intériorité dans la vie monastique et dans toute vie spirituelle. Mais ne peut-il pas être considéré tout autant comme un docteur de la vie mixte, caractérisée par l'alternance constante de l'intériorité et de l'extériorité ? Il est certain, en tout cas, que cette dialectique et cette alternance lui servent à « structurer » de façon particulièrement nette sa conception du ministère pastoral. L'antithèse de l'intériorité et de l'extériorité se trouve au cœur de son ecclésiologie. Grégoire apparaît ainsi comme un des relais de la tradition augustinienne, qui distingue, voire oppose, l'esprit et la lettre, la foi et les œuvres et, en ce qui concerne l'Église, les éléments intérieurs, seuls décisifs, et les éléments extérieurs, souvent secondaires. Avec son talent de psychologue et son tempérament de contemplatif livré malgré lui à des tâches extérieures, Grégoire n'a fait qu'accentuer une telle tendance, qui culminera chez Luther, lequel n'hésite pas à dresser face à face une Église intérieure et une Église extérieure. Même s'ils l'ont méprisée, les théologiens de la Réforme n'ont pas pu ne pas subir l'influence indirecte de cette conception du sacerdoce et du pastorat, véhiculés tout au long du Moyen Age par la *Regula Pastoralis*[70].

---

70. Cf. Y. CONGAR, *L'Église de saint Augustin à l'époque moderne*, Paris, 1970, p. 34, p. 355. Il faut ajouter qu'à l'intérieur du protestantisme, tout un courant, surtout luthérien, n'a pas cessé de faire l'éloge de Grégoire, apprécié pour sa conception de l'autorité, son humilité et sa bienveillance pastorales : cf. introduction, p. 15, n. 9. Sur la conception grégorienne de l'autorité et sur son exercice dans l'Église, cf. John Th. BOSMANN, *Authority in the Discourses of St. Gregory the Great*, Dissertatio ad lauream in Theologia, Academia Alfonsiana, dactylographiée, Rome, 1971.

CHAPITRE II

La spiritualité de Grégoire le Grand :
la primauté de l'intériorité

L'histoire du salut   Les notions antithétiques d'intériorité et d'extériorité ne servent pas seulement, dans les œuvres
de Grégoire, à caractériser la vie pastorale et cette espèce de tension
dialectique qu'elle comporte entre les charges temporelles et le désir
de la contemplation, que les hommes trop occupés ne parviennent pas
à satisfaire pleinement. Cette opposition intérieure que ressentent plus
que d'autres les pasteurs, n'est-elle pas en fait le propre de toute âme
qui cherche Dieu en se détournant du monde extérieur, mais à qui il
arrive souvent de défaillir et, finalement, de se perdre dans l'univers
sensible, au point d'en oublier Dieu ? Si bien que Grégoire recourt fréquemment aux termes tels qu'*intus* et *foris*, lorsqu'il traite de l'homme et
de la vie spirituelle, lorsqu'il développe ces fines analyses de psychologie
religieuse ou de morale qui font son originalité.

Un passage des *Moralia* montrera fort bien comment il a fait place
aux concepts antithétiques d'intériorité et d'extériorité pour évoquer
toute l'histoire du salut. « L'homme, en effet, créé pour contempler son
créateur, mais écarté des joies intérieures en punition de sa conduite,
tombant dans le malheur de la corruption, supportant l'aveuglement
de son exil, souffrait et ignorait à la fois les supplices consécutifs à sa
faute ; si bien qu'il prenait son lieu d'exil pour sa patrie, et, vivant sous
le poids de la corruption, se réjouissait comme s'il avait vécu dans la
liberté du salut. Mais celui que l'homme avait délaissé au dedans de lui,
Dieu, ayant pris chair, est apparu au dehors ; et, s'étant manifesté extérieurement, il a ramené aux réalités intérieures l'homme qui avait été
rejeté hors d'elles, pour lui permettre désormais de voir ses torts, de
gémir sur l'aveuglement qui est sa punition... Le sable de la mer, en
effet, est rejeté à l'extérieur par le bouillonnement des flots, car, par

son péché, l'homme, puisqu'il a supporté les flots mouvants des tentations, s'est écarté de sa propre intimité, en sortant de lui-même[1]. »

Cette évocation de l'histoire du salut contient comme un abrégé de l'anthropologie grégorienne, et l'on voit quelle place importante y revient aux notions d'intériorité et d'extériorité, qui servent à dépeindre la destinée humaine, de la création à l'incarnation, en passant par cette rupture que constitue le péché originel. La vocation de l'homme était, à l'origine, la parfaite intériorité de la vision de Dieu. La chute a compromis cette vocation et l'homme, chassé du paradis, s'est perdu dans l'extériorité du péché. Mais Dieu, en s'incarnant, est venu abolir les conséquences de la chute et rendre à l'homme sa destinée primitive : en se faisant homme, le Christ descend pour ainsi dire dans l'univers de l'extériorité, pour permettre aux hommes de retrouver le chemin de l'intériorité. N'est-il pas clair que, dans ce texte, ce sont les concepts d'intériorité et d'extériorité, qui dominent la perspective de Grégoire et « structurent » son discours théologique ? L'homme était destiné à vivre à l'intérieur du monde divin : tel était son lieu d'origine. En cédant au péché, il s'est exclu lui-même de ce lieu privilégié. Désormais, l'extériorité, à laquelle il est livré, sous la forme du péché, de l'aveuglement et de l'exil, l'empêche d'atteindre l'intériorité dont il garde la nostalgie, c'est-à-dire la sainteté, la lumière, la joie d'être dans sa vraie patrie. L'intériorité naturelle du paradis et l'intériorité qu'il faut reconquérir par l'ascèse constituent l'origine et le terme de l'histoire du salut. Entre les deux, le péché originel se présente comme une chute dans l'extériorité, et l'incarnation du Christ comme la venue dans cette même extériorité de celui qui est l'intériorité parfaite. C'est assez dire la place privilégiée qu'occupent ces notions dans l'anthropologie grégorienne.

Il n'est pas dans mon intention d'analyser en détail cette doctrine,

---

1. *Mor.* 7, 2, 2 (*PL*, 75, 767 D - 768 C) : « Homo namque ad contemplandum auctorem conditus, sed exigentibus meritis ab *internis* gaudiis deiectus, in aerumnam corruptionis ruens, caecitatem exsilii sustinens, culpae suae supplicia et tolerabat, et nesciebat ; ita ut exsilium patriam crederet, et sic sub corruptionis pondere quasi in salutis libertate gauderet. Sed is, quem *intus* homo reliquerat, assumpta carne, *foris* apparuit Deus ; cumque se exterius praebuit, expulsum *foras* hominem ad *interiora* reuocauit, ut iam damna sua uideat, iam poenam caecitatis ingemiscat... Arena etenim maris, undarum aestu *exterius* pellitur, quia et delinquens homo, quoniam tentationum fluctus mobiliter pertulit, *extra* se ab *intimis* exiuit. » R. Gillet (*SC*, 32 bis, p. 87) met ce texte en parallèle avec le passage suivant du *De libero arbitrio* (3, 10, 30 : *Bibl. august.*, 6, p. 442) d'Augustin : « Cibus rationalis creaturae factus est uisibilis, non commutatione naturae suae, sed habitu nostrae, ut uisibilia sectantes, ad se inuisibilem reuocaret. Sic eum anima, quem superbiens *intus* reliquerat, *foris* humilem inuenit, imitatura eius humilitatem uisibilem et ad inuisibilem altitudinem reditura. » Il est clair que Grégoire a emprunté à Augustin le schéma qui lui sert à expliquer le déroulement de l'histoire du salut.

qui est encore assez mal connue[2], d'autant plus que l'auteur des *Moralia* ne l'expose jamais de façon systématique, mais que ses éléments en sont épars, de façon très diffuse, dans la totalité de ses œuvres[3]. Je me contenterai d'étudier l'emploi des termes opposés tels qu'*intus* et *foris* à l'intérieur de cette anthropologie, c'est-à-dire lorsque Grégoire, à la suite d'Augustin, évoque les étapes de l'histoire religieuse de l'humanité, créée pour jouir de la vision de Dieu, privée de cette vision par le péché originel, mais rendue capable d'y accéder de nouveau, grâce à l'Incarnation du Christ. L'emploi de cette terminologie et de ces concepts constitue-t-il seulement un procédé commode d'expression, une habitude rhétorique, ou bien ne correspond-il pas à ce que nous pouvons appeler une « structure » de son langage et de sa pensée, lorsqu'il envisage les relations entre Dieu et l'humanité ? Dans quelle mesure les notions d'intériorité et d'extériorité rendent-elles compte de ces relations et du caractère dramatique de la condition présente des hommes ?

---

2. F. H. Dudden, *op. cit.*, II, p. 374-392, indique les grandes lignes de l'anthropologie grégorienne : constitution de l'homme, état originel, chute, conséquences de la chute, péché, péché originel, état de péché. F. Lieblang (*op. cit.*, p. 29-43) étudie dans un premier chapitre la manière dont Grégoire envisage le problème de la contemplation : l'homme était créé pour s'élever naturellement à la vision de Dieu ; le péché originel lui a fait perdre cette *soliditas standi,* mais l'élévation mystique, désormais obtenue avec la grâce de l'Esprit Saint, lui permettra de retrouver la connaissance directe de Dieu dont il jouissait avant la chute. On trouve aussi, dans l'ouvrage de L. Weber relatif à la morale grégorienne d'utiles indications sur l'anthropologie, surtout dans la seconde partie, consacrée à l'étude du contenu théologique de cette morale : cf. en particulier, la vocation de l'homme comme image de Dieu appelé à la vie éternelle (p. 106-116) ; le ciel comme but de l'homme (p. 128-164) ; le chemin de la grâce et de la vertu (p. 140-164) ; la chute et la faute originelle (p. 224-233). Mais toutes ces analyses sont loin d'être assez complètes et précises pour épuiser la question et fournir une vue pleinement synthétique de l'anthropologie grégorienne. Faut-il d'ailleurs chercher une synthèse dans ce domaine ?

3. Tous ceux qui étudient Grégoire ne manquent pas de remarquer le caractère fort peu systématique de sa pensée. Cf. R. Gillet (*SC,* 32 bis, p. 109) : « Cette doctrine haute et simple, concrète et pleine d'idéal, n'est pas d'emblée communicable : elle ne séduit pas comme les virtuosités de l'intelligence et le brillant d'une science qui cherche à se faire valoir. Mais elle est latente partout, plutôt que didactiquement exprimée. Et c'est pourquoi il est si malaisé de comprendre à fond, de circonscrire et de juger avec sagacité un tel enseignement. » J. Leclercq me semble pécher par excès d'optimisme, lorsqu'entraîné par son désir de montrer l'actualité de l'œuvre grégorienne, il écrit (*Amour des Lettres et désir de Dieu,* p. 39) : « Cette doctrine est une vraie théologie : elle implique une théologie dogmatique, elle développe une théologie de la vie morale et de la vie mystique ; or celles-ci constituent aussi l'objet de la théologie. Pour être répartie au cours de longs commentaires, cette théologie n'est pas moins explicite. » Explicite, mais en tout cas dispersée à l'extrême dans une multitude d'explications partielles, si bien qu'il n'est pas commode de la recomposer, ni d'en reconstituer les lignes générales.

Le péché comme sortie   L'homme avait été créé pour contempler
hors de soi   Dieu. Il devait ainsi conserver une parfaite
stabilité intérieure et rester à l'abri de la corruption. Mais la chute est intervenue, compromettant cette situation primitive : outre qu'elle entraîne une perte de la vision et de l'amour de Dieu, elle constitue avant tout une sorte de renversement ; le péché originel introduit au cœur de l'homme un déséquilibre, que rien ne peut empêcher. L'âme perd sa stabilité ; l'homme est en quelque sorte, par sa faute, chassé hors de lui-même, exclu de cette demeure intérieure où il vivait uni à son Créateur ; et Grégoire recourt à des expressions à peu près identiques pour présenter le péché originel comme une sortie hors de soi-même : *infra se per corruptionem corruens etiam a semetipso dissensit*[4], *extra se per inoboedientiam missus*[5], *a se recessit*[6], *extra semetipsum fusus*[7]. Le paradis terrestre était, pour ainsi dire, le royaume de la parfaite intériorité ; par sa faute, l'homme a été précipité dans le monde de l'extériorité. Le salut consisterait, comme pour le malade après sa guérison par le Christ, à rentrer au-dedans de soi, à regagner sa demeure intérieure, afin d'y retrouver la paix et la stabilité ; mais ce chemin de l'intériorité reste fermé au pécheur, qui s'exclut lui-même de la retraite de son cœur, en se répandant à l'extérieur : « D'ordinaire, on entend par maison l'habitation du cœur. D'où cette parole du Christ à un homme qu'il a guéri :

---

4. *Mor.* 8, 10, 19 (*PL*, 75, 813 A) : « Ad hoc namque homo conditus fuerat ut, stante mente, in arcem se contemplationis erigeret, et nulla hunc corruptio a conditoris sui amore declinaret. Sed in eo quod ab ingenita standi soliditate uoluntatis pedem ad culpam mouit, a dilectione conditoris in semetipsum protinus cecidit. Amorem uero Dei, ueram scilicet stationis arcem deserens, nec in se constitere potuit, quia, lubricae mutabilitatis impulsu, *infra se per corruptionem corruens etiam a semetipso dissensit.* »

5. *Ibid.* 8, 18, 34 (*PL*, 75, 821 C) : « Ad contemplandum quippe Creatorem homo conditus fuerat, ut eius semper speciem quaereret, atque in sollemnitate illius amoris habitaret. Sed *extra se per inoboedientiam missus*, mentis suae locum perdidit, quia, tenebrosis itineribus sparsus, ab inhabitatione ueri luminis elongauit. » Il est à noter que Grégoire, dans ce texte et dans les textes suivants, indique, grâce à des métaphores lumineuses, qu'une des principales conséquences du péché originel est l'obscurcissement de l'âme : cf. L. WEBER, *op. cit.*, p. 226-227. Quant au thème du *locus mentis*, Grégoire y revient à plusieurs reprises : cf. *Mor.* 26, 44, 79 (*PL*, 76, 395 B : « Nam sicut locus est corporis spatium corporale, ita locus est mentis unaquaeque intentio cogitationis... » ; *Mor.* 27, 16, 32 (*PL*, 76, 417 C) : « Locus quippe humani cordis est delectatio uitae praesentis. Sed cum diuina aspiratione tangitur locus nostri cordis, fit amor aeternitatis... »

6. *Ibid.* 11, 43, 59 (*PL*, 75, 979 C-D = *SC*, 212, p. 122) : « Humanum genus contemplationem lucis intimae habuit in paradiso ; sed sibimetipsi placens, quo *a se recessit*, lumen conditoris perdidit, eiusque faciem. »

7. *Dial.* 4, 1 (éd. Moricca, p. 229) : « Postquam de paradisi gaudiis, culpa exigente, pulsus est primus humani generis parens, in huius exsilii atque caecitatis quam patimur aerumnam, quia peccando *extra semetipsum fusus* iam illa caelestis patriae gaudia, quae prius contemplabatur, uidere non potuit. »

« Regagne ta maison » (*Mc*, 5, 19), car assurément, il convient qu'un pécheur, après avoir été pardonné, rentre dans son âme, pour éviter un nouveau malheur qui le frapperait à juste titre. Mais celui qui est descendu en enfer, ne remontera plus dans sa maison, car l'homme écrasé par le désespoir est chassé hors de la demeure de son cœur, et n'est plus capable de revenir à l'intérieur de lui-même, parce que, s'étant répandu au dehors, il s'effondre, porté à accomplir des actes toujours plus vils[8]. »

Le péché originel marque donc l'origine d'une série de chutes successives qui entraînent le pécheur toujours plus bas, et, en même temps, toujours plus loin de lui-même. Toutes les analyses de Grégoire ne font que confirmer et préciser cette identification du péché avec l'extériorité. Le cœur de l'homme est le siège de l'intériorité ; le péché, au contraire, arrache l'homme à lui-même, le projette vers l'extérieur, le pousse à se répandre au dehors et à s'y perdre. L'âme qui a perdu sa stabilité intérieure devient la proie de désirs innombrables qui l'attirent au dehors : « Il est clair en effet que l'âme, qui a perdu au dedans d'elle le siège de sa décision, se répand au dehors par des désirs innombrables. Et parce qu'elle néglige de faire ce qu'elle a compris, elle est à juste titre frappée d'aveuglement, au point d'ignorer même ce qu'elle fait... Le Dieu tout puissant l'appelle sa gentille fille, lorsqu'il arrache l'âme de tous ceux qu'il aime aux pénibles servitudes de ce monde, pour lui éviter, sous le coup des activités extérieures, de s'endurcir en s'écartant des désirs intérieurs. Mais la fille des Chaldéens ne reçoit pas le qualificatif de mignonne et gentille, car, l'âme livrée aux désirs pervers est abandonnée au milieu des peines de ce siècle, qu'elle désire anxieusement, si bien qu'au dehors elle sert le monde comme une servante, en n'aimant pas du tout Dieu comme le fait une fille, au-dedans d'elle-même[9]. » En sortant de soi-même, le pécheur s'éloigne de Dieu et devient peu à peu l'esclave du monde. Ce mouvement d'extraversion est d'ailleurs sans fin : « comme le dit le Psalmiste (11, 9), « les impies marchent en cercle », car ne désirant pas les biens qui sont en eux, ils se fatiguent à la poursuite de ceux qui

---

8. *Mor.* 8, 18, 34 (*PL*, 75, 821 B) : « Solet etiam domus inhabitatio cordis intelligi. Vnde sanato cuidam dicitur : « Vade in domum tuam » (*Mc* 5, 19), quia nimirum dignum est ut peccator post ueniam ad mentem suam redeat, ne iterum quo iuste feriatur admittat. Sed qui ad infernum descenderit, ad domum suam ulterius non ascendet, quia eum quem desperatio obruit, a cordis sui habitaculo *foras* mittit, et redire *introrsus* non ualet, quia, fusus *exterius*, ad deteriora compulsus cadit ».

9. *Ibid.* 6, 16, 26 (*PL*, 75, 743 B-C) : « Liquet enim quod mens, quae *intus* consilii sedem perdiderit, *foras* se per desideria innumerabiliter spargit. Et quia agere intellecta dissimulat, caecatur recte, ut etiam nesciat quod agat... Omnipotens ergo Deus quasi teneram filiam uocat, quando dilectam uniuscuiusque animam a laboriosis huius mundi seruitiis reuocaret ; ne dum *exterioribus* actibus afficitur, ab *internis* desideriis obduretur. Sed Chaldaeorum filia mollis et tenera non uocatur ; quia mens prauis desideriis dedita, in eo quod anxia appetit huius saeculi labore relinquitur, ut *foras* mundo uelut ancilla seruiat, quae *intus* Deum et filia nequaquam amat. »

sont au dehors[10]. » Cette interminable dispersion de l'âme dans l'univers matériel est doublement néfaste, « car l'âme de l'homme répandue au dehors en faisant le mal s'est tellement dispersée dans les choses corporelles qu'elle ne revient plus en elle-même, intérieurement, et qu'elle n'est plus capable de concevoir l'être invisible[11]. » Le pécheur, livré à l'extériorité des biens sensibles, s'interdit à lui-même l'accès à ce qui est intérieur : c'est-à-dire aussi bien à la connaissance de soi, qui exige de ne pas abandonner la retraite intime du cœur, qu'à la connaissance de Dieu, qui ne se trouve pas dans le monde visible.

De la philosophie antique à l'expérience augustinienne — En assimilant le péché à cette tendance qui porte l'âme hors d'elle-même et provoque en elle une continuelle dégradation, Grégoire s'inscrit dans une longue tradition philosophique. Pour les Stoïciens, en effet, la connaissance du Vrai et la pratique du Bien sont essentiellement intérieures : tomber dans l'erreur ou commettre le mal, c'est pour l'homme se laisser séduire par ce qui est extérieur, qu'il s'agisse des objets sensibles ou des biens matériels[12]. Ce même concept d'intériorité domine la doctrine stoïcienne de l'âme : celle-ci distingue l'homme des animaux ; se laisser entraîner par des appétits charnels, par la colère ou le désir, c'est donc échapper à sa propre nature et sortir de soi-même[13]. La philosophie plotinienne n'ignore rien de cette psychologie et de cette éthique de l'intériorité, mais elle y ajoute une doctrine de la contemplation : pour trouver Dieu, l'homme doit éviter de se perdre dans l'extériorité et son âme doit rentrer en elle-même[14].

Les penseurs chrétiens ont largement profité de ces leçons de la philosophie antique : à leur tour, ils identifient le péché avec un mouvement d'extériorisation, qui fait sortir l'âme d'elle-même, en l'éloignant ainsi de Dieu. Grégoire de Nysse invite l'homme à fuir les passions qui l'en-

---

10. *Ibid.* 2, 6, 7 (*SC*, 32 bis, p. 264) : « Hinc est enim quod et de eius membris per Psalmistam dicitur : « In circuitu impii ambulant », quia dum *interiora* non appetunt, in *exteriorum* labore fatigantur. »

11. *Ibid.* 15, 46, 52 (*PL*, 75, 1107 A = *SC*, 221, p. 88) : « Mens enim hominis male *exterius* fusa, sic in rebus corporeis sparsa est, ut neque ad semetipsam *intus* redeat, neque eum qui est inuisibilis cogitare sufficiat. »

12. Cf. M. POHLENZ, *Die Stoa. Geschichte einer geistigen Bewegung*, Göttingen, 1959, p. 59-61 et 120-123.

13. Cf. K. GRONAU, *Poseidonios und die jüdisch-christliche Genesis-exegese*, Leipzig, 1914, p. 246, n. 2, indique que les Stoïciens employaient des verbes comme « ἐξίστασθαι » et « ἐκφέρεσθαι » pour désigner ces mouvements qui font sortir l'âme d'elle-même.

14. Cf. R. ARNOU, *Le désir de Dieu dans la philosophie de Plotin*, Paris, 1921, p. 191 sq., étudie la théorie plotinienne de l'introversion. Il écrit notamment (p. 192) : « Hors d'eux-mêmes, loin de Dieu. Tel est le malheureux état de la plupart des hommes. »

traînent hors de lui-même et à rechercher l'intériorité[15]. Athanase explique que l'âme pécheresse, oubliant qu'elle a été créée à l'image de Dieu, n'est plus capable de contempler le Logos divin : « Sortant d'elle-même, elle ne pense et n'imagine que le néant[16]. » Ambroise compare au fils prodigue, qui a quitté la demeure paternelle, le pécheur qui sort de lui-même et devient un être extérieur, entièrement livré au monde ; en préférant sa volonté propre à celle de Dieu, au lieu de chercher le Christ dans la maison de l'âme, il est devenu une chair séparée de Dieu et s'est éloigné de lui-même[17].

Mais c'est probablement dans l'œuvre d'Augustin, que Grégoire s'est familiarisé avec ce thème du péché conçu comme un abandon de l'intériorité, une sortie hors de soi-même. Augustin, en effet, affirme à maintes reprises que l'homme tombe dans le péché, lorsqu'il se laisse entraîner loin de lui-même et loin de Dieu[18]. Comme pour l'auteur des *Moralia*, le péché est à ses yeux une propension à sortir de soi. Cette conception s'exprime à maintes reprises dans les *Confessions*, et particulièrement dans les premiers livres de celles-ci. En effet, lorsqu'Augustin évoque tous ces égarements, ces erreurs, ces fautes qui ont précédé sa conversion, il use presque constamment de la notion d'extériorité pour exprimer son expérience personnelle du péché. Après avoir réfléchi sur son état d'esprit lors du vol de poires, il note que l'âme fornique lorsqu'elle se détourne de Dieu et cherche en dehors de lui ce qu'elle ne trouve pur et sans mélange qu'en revenant à lui[19]. Plus tard, à Carthage, il rappelle qu'il était incapable d'assimiler une nourriture intérieure, parce qu'il était livré à sa sensualité, et que son âme « se jetait hors d'elle-même, misérablement avide de se gratter contre les réalités sensibles[20]. » S'il a cédé alors à la

---

15. Cf. J. Daniélou, *Platonisme et théologie mystique. Essai sur la doctrine spirituelle de saint Grégoire de Nysse*, Paris, 1954², p. 45 sq.

16. Athanase, *Oratio contra gentes* 8 (*SC*, 18, p. 122 ; *PG*, 25, 16 D) : « ἔξω δὲ ἑαυτῆς γενομένη ».

17. Cf. W. Seibel, *Fleisch und Geist beim heiligen Ambrosius* (*Münchener Theologische Studien, Systematische Abteilung*, 14), Münich, 1958, p. 141-142.

18. Dans son étude sur l'anthropologie augustinienne, E. Dinkler, *Die Anthropologie Augustins* (*Forschungen zur Kirchen- und Geistesgeschichte* 4), Stuttgart, 1934, n'aborde pas directement ce thème de la sortie de soi, qui était pourtant un des éléments de cette philosophie néoplatonicienne, dont il s'attache à démontrer l'influence néfaste sur la pensée d'Augustin. En revanche, on trouve des analyses très détaillées chez Huguette Fugier, *Les images de la conversion dans les Confessions de saint Augustin*, Thèse complémentaire, dactylographiée, Paris, 1963, qui applique l'analyse phénoménologique à l'itinéraire spirituel d'Augustin.

19. *Conf.* 2, 6, 14 (éd. de Labriolle, p. 39) : « Ita fornicatur anima, cum auertitur abs te et quaerit *extra te* ea quae pura et liquida non inuenit, nisi cum redit ad te. »

20. *Ibid.* 3, 1, 1 (p. 45) : « Famis mihi erat *intus* ab *interiore* cibo, te ipso, deus meus, et ea fame non esuriebam, sed eram sine desiderio alimentorum incorruptibilium, non quia plenus eis eram, sed quo inanior,

séduction des fables manichéennes, c'est qu'il habitait hors de lui-même, sous le regard de sa chair[21]. « Oui, de quelque côté que se tourne l'âme de l'homme, c'est pour sa douleur qu'elle se fixe partout ailleurs qu'en vous, se fixât-elle sur les plus belles choses en dehors de vous, en dehors de soi[22] », s'écrie-t-il un peu plus loin en s'adressant à Dieu : c'est que l'attirance des biens extérieurs entraîne l'âme loin d'elle-même, et, par conséquent, loin de Dieu, qui est présent tout au fond du cœur de l'homme. Lorsqu'il compose son traité *De pulchro et apto*, Augustin est toujours loin de Dieu : il voudrait se tenir devant lui, mais n'y parvient pas, parce que les voix de son cœur l'entraînent au dehors[23]. Il suit une route ténébreuse, cherchant Dieu en dehors de lui et ne le trouvant pas[24]. Une fois converti, il découvrira qu'en fait, il a longtemps erré : le péché l'entraînait loin de lui-même, alors que Dieu était avec lui : « Tard, je t'ai aimée, ô Beauté si ancienne et si nouvelle, tard je t'ai aimée ! Mais quoi, tu étais au-dedans de moi et j'étais moi, en dehors de moi-même ! Et c'est au dehors que je te cherchais ; je me ruais, dans ma laideur, sur la grâce de tes créatures. Tu étais avec moi, et je n'étais pas avec toi, retenu loin de toi par ces choses qui ne seraient point, si elles n'étaient en toi[25]. »

En se convertissant, Augustin a donc fait une double découverte. Tout d'abord, il a compris pourquoi, jusque-là, il avait vécu dans le péché : son erreur avait consisté à se laisser distraire de lui-même, entraîner par des convoitises charnelles, dominer par l'extériorité. Cette voie ne pouvait le mener à Dieu, car — et c'est l'objet de la seconde découverte, complémentaire de la première — Dieu est une réalité profondément intérieure à l'homme, et, par conséquent, l'homme ne peut le trouver qu'en évitant de sortir de lui-même, en ne cédant pas à la fascination de l'extériorité, et en se convertissant à l'intériorité. Certes, Grégoire n'a pas eu du péché, ni de la conversion, une expérience comparable à celle d'Augustin. Il est d'autant plus significatif de constater combien

---

fastidiosior. Et ideo non bene ualebat anima mea et ulcerosa proiiciebat se *foras*, miserabiliter scalpi auida contactu sensibilium. »

21. *Ibid.* 3, 6, 11 (p. 54) : « Quae me seduxit, quia inuenit *foris* habitantem in oculo carnis meae et talia ruminantem apud me, qualia per illum uorassem. »

22. *Ibid.* 4, 10, 15 (p. 77) : « Nam quoquouersum se uerterit anima hominis, ad dolores figitur alibi praeterquam in te, tametsi figitur in pulchris *extra te* et *extra se.* »

23. *Ibid.* 4, 15, 27 (p. 86) : « ... et non poteram, quia uocibus erroris mei rapiebar *foras.* »

24. *Ibid.* 6, 1, 1 (p. 117) : « Ambulabam per tenebras et lubricum et quaerebam te *foris* a me et non inueniebam deum cordis mei. »

25. *Ibid.* 10, 27, 38 (p. 268) : « Sero te amaui, pulchritudo tam antiqua et tam noua, sero te amaui ! Et ecce *intus* eras et ego *foris* et ibi te quaerebam et in ista formosa, quae fecisti, deformis inruebam. Mecum eras, et tecum non eram. Ea me tenebant longe a te, quae si in te non essent, non essent. »

sa conception du péché est proche de celle de l'auteur des *Confessions* :
pour l'un et l'autre, l'âme vit dans le péché lorsqu'elle sort d'elle-même
et qu'elle devient la proie des séductions du monde extérieur. Le chemin
qui mène à Dieu est celui de l'intériorité. Comment s'étonner de cette
parenté d'inspiration entre Grégoire et Augustin ? N'a-t-on pas déjà
fait observer à propos de la doctrine de la contemplation, ou de la psychologie de la conversion chrétienne, que le pape du vıᵉ siècle « utilise sans
cesse les *Confessions*, mais à la manière de quelqu'un qui en est nourri,
plutôt qu'à la manière d'un plagiaire[26] » ? S'il emprunte à l'auteur des
Confessions sa conception du péché comme sortie de soi, tendance dirigée
vers l'extérieur, s'il s'inspire de l'expérience d'un autre pour développer
cette notion, c'est en vue de l'approfondir et d'y greffer ses propres
analyses psychologiques et morales sur la vie de l'âme, l'habitation
du cœur, et même — ce qui est assez exceptionnel chez ce docteur si
peu spéculatif — toute son anthropologie.

Le chemin du salut :   Pour rencontrer Dieu, il faut donc que l'âme
retour à l'intériorité   se détourne de l'univers sensible, où elle s'est
                              dispersée par le péché, et rentre en elle-même.
Mais avant d'être une exigence personnelle, qui s'impose à l'âme du
pécheur qui cherche à rejoindre Dieu, le retour en soi représente une étape
de cette histoire religieuse de l'humanité que Grégoire esquisse en maints
endroits ; il est un des thèmes principaux de son anthropologie. Par le
péché originel, le genre humain est devenu aveugle, et s'est dispersé dans
le monde de l'extériorité. Pour retrouver la lumière, que sa vocation
le destine à contempler, il a besoin de l'aide du Rédempteur qui, par
sa présence, chasse les ténèbres et l'illumine à nouveau. C'est ainsi que
Grégoire applique à l'Incarnation et à la Rédemption les notions d'intériorité et d'extériorité. C'est le Christ qui, en venant sur la terre, procure
de nouveau à l'homme déchu les joies de la contemplation, de la *lux
interna*[27]. Le Christ est en quelque sorte le mur qui protège l'édifice
spirituel qu'est l'Église : « et il faut noter que ce mur de l'édifice spirituel
est dit extérieur. En effet, le mur que l'on construit pour protéger un
édifice, est d'ordinaire placé non à l'intérieur, mais à l'extérieur. Pourquoi
donc était-il nécessaire de dire qu'il est extérieur, puisque d'ordinaire
on ne place jamais ce mur à l'intérieur ? Parce que cela est indispensable
si l'on veut que le mur placé à l'extérieur défende ce qui est au-dedans.
Mais par ce terme, désigne-t-il clairement autre chose que l'Incarnation
même du Seigneur ? Car si Dieu est pour nous un mur intérieur, le Dieu

---

26. P. Courcelle, *Les Confessions de saint Augustin dans la tradition
littéraire. Antécédents et postérité*, Paris, 1963, p. 231.

27. *HEv* 1, 2, 1 (*PL*, 76, 1082 C) : « Caecus quippe est genus humanum,
quod in parente primo a paradisi gaudiis expulsum, claritatem supernae
lucis ignorans, damnationis suae tenebras patitur ; sed tamen per Redemptoris sui praesentiam illuminatur, ut *internae* lucis gaudia iam per desiderium uideat, atque in uia uitae boni operis gressus ponat. »

fait homme est un mur extérieur. C'est pourquoi un prophète lui dit
ceci : « Tu es sorti pour sauver ton peuple, pour sauver ceux que tu as
oints » (*Habac.* 3, 13). Et en effet, ce mur, à savoir le Seigneur incarné,
ne serait pas un mur pour nous, s'il ne se trouvait pas au-dehors, car
il ne nous protégerait pas au-dedans, s'il n'apparaissait pas à l'extérieur[28]. »
Ce qu'il faut retenir de cette curieuse métaphore, c'est l'emploi qu'y
fait Grégoire des notions d'intériorité et d'extériorité, qui lui servent à
exprimer dans des catégories qui lui sont familières, le dogme et la réalité
de l'Incarnation. L'Incarnation représente pour Dieu une sorte de passage
du dedans au dehors ; Dieu est l'intériorité pure ; en se faisant homme,
il s'extériorise pour nous sauver et devenir le rempart de son Église.
L'extériorité de Dieu est donc un concept pleinement positif.

Mais, à cette extériorisation salvatrice de la part de Dieu, doit correspondre une intériorisation, par laquelle l'homme racheté par le Christ
se convertit, passe du dehors au dedans, renonce aux activités ou aux
distractions extérieures qui le dispersent et le dégradent, pour revenir
à ces biens intérieurs, qui peuvent seuls le satisfaire. Fort souvent,
lorsqu'il veut évoquer ou provoquer chez ses auditeurs ce mouvement
de conversion, Grégoire emploie l'expression *redire ad cor*. Revenir à
son cœur, c'est se détourner du monde extérieur, c'est-à-dire de toutes
ces choses visibles, qui nous ont charmés et nous ont fait oublier l'invisible.
C'est aussi prendre conscience de notre péché, comprendre à quel point
nous nous sommes laissés entraîner loin de Dieu et combien nous l'avons
offensé : « Revenons à notre cœur, réformons notre conduite et accusons
tout ce qui en nous offense la règle de la justice divine, afin que devant

---

28. *HEz* 2, 2, 5 (*PL*, 76, 951 C-D = *CCh*, 142, p. 228) : « Et notandum
quod iste murus spiritalis aedificii esse *forinsecus* dicitur. Murus quippe
qui ad munitionem aedificii construitur, non *interius*, sed *exterius* poni
solet. Quid ergo necessarium fuit ut diceretur *forinsecus*, cum numquam
poni murus *intrinsecus* soleat ? Quia necesse est ut *exterius* positus ea
quae *intus* sunt defendat. Sed in hoc uerbo quid aperte nisi ipsa dominica
incarnatio demonstratur ? Murus enim nobis *intus* est Deus, murus uero
foris est Deus homo. Vnde ei per quemdam prophetam dicitur : « Existi in
salutem populi tui, ut saluos facias Christos tuos » (*Habac.* 3, 13). Iste
enim murus incarnatus, uidelicet Dominus, murus nobis non esset, si
forinsecus non fuisset, quia *intus* nos non protegeret, si *exterius* non
appareret. » Dans l'exégèse chrétienne, chez les prédécesseurs de Grégoire,
cette image du mur est plutôt rattachée à un verset paulinien (*Eph.* 2, 14)
sur le Christ venu abattre le mur qui séparait l'humanité de Dieu. L'exégèse de Grégoire, en revanche, rappelle assez celle d'Ambroise : « Souhai-
tons que soit intacte la muraille de notre maison, de la maison spirituelle
qui est en nous, car elle ne peut être construite par l'homme, mais par
le Dieu vivant, qui a dit : « Et je l'ai entourée d'une muraille » (*Is.* 5, 2).
Ils ont donc perdu le salut ceux qui ont perdu la muraille. Ainsi que la
muraille demeure, que demeure cette clôture. » (*Exp. Evang. sec. Lucam*,
3, 25 : *SC*, 45, p. 133). Un peu plus loin (*ibid.*, p. 134), Ambroise utilise
les notions d'intériorité et d'extériorité, mais en les appliquant à l'homme,
et non au mur.

le juge sévère, notre propre accusation nous serve d'excuse[29]. » Pour obtenir le pardon de Dieu il faut pratiquer cet examen de conscience, et il appartient aux prédicateurs d'y aider leurs fidèles, trop souvent accaparés par les soucis extérieurs ou matériels. Le but de la prédication est de susciter ce mouvement d'intériorisation, de les « rappeler à leur cœur[30]. » Lorsqu'il entend évoquer cet idéal spirituel de l'intériorité, cette nécessité pour l'âme de s'évader du monde sensible en s'enfermant en elle-même, Grégoire parle aussi de l'habitation du cœur. L'âme est pareille à Jacob, cet homme tranquille qui demeurait sous les tentes. « En effet, demeurer sous les tentes ou dans une maison, c'est s'enfermer à l'intérieur de la retraite de l'âme, et ne se dissiper aucunement à l'extérieur par ses désirs[31]. » *Habitare secum* : c'est ainsi que Grégoire définit la recherche

---

29. *Mor.* 25, 7, 18 (*PL*, 76, 330 A-C) : « Excitati ergo tot uocibus praeceptorum, adiuti tot comparationibus exemplorum, *ad corda nostra redeamus*, discutiamus omne quod agimus, et quidquid in nobis diuinae rectitudinis regulam offendit, accusemus, ut apud districtum iudicem ipsa nos accusatio excuset. In hoc enim mentes nostrae iudicio tanto citius absoluimur, quanto nos districtius reos tenemus... Negotia occupant quae nobis incessanter apposita a considerandis nobismetipsis mentis nostrae oculum declinant. In istis namque uisibilibus quae intuetur cor nostrum *extra se* spargitur, et quid de se *intrinsecus* agatur obliuiscitur dum *extrinsecus* occupatur... Vt enim superius diximus, ipso usu uitae ueteris mens male assueta deprimitur, et in haec quae spectat *exterius* quasi dormiens sopitur : quae postquam semel se ad appetenda uisibilia *foras* fudit, a contemplandis inuisibilibus *intus* euanuit. Vnde nunc necesse est ut quae per uisibilia spargitur de inuisibilibus iudiciis feriatur ; et quia in iis se *exterioribus* male delectata prostrauit, saltem percussa requirat quod deseruit. » Ce thème du retour à soi est appliqué à la réflexion salutaire que provoque la punition des méchants ; cf. *Mor.* 18, 24, 37 (*PL*, 76, 57 B) : « Dum itaque alienum interitum conspiciunt, reuocantur ad cor, ut recogitent suum ; et unde alius ad tormenta ducitur, a tormento alius inde liberatur. » L'examen de conscience que font les justes pour eux-mêmes et pour leur prochain exige aussi de revenir à son cœur ; *ibid.* 19, 22, 35 (*PL*, 76, 120 A) : « Intus quippe ab omni strepitu saeculari ad corda sua redeunt, ibique ascendunt tribunal mentis, atque ante oculo se et proximum statuunt... Transferunt in se personam proximi et sollicite attendunt quid sibi si ita essent fieri uel non fieri iuste uoluissent, sicque districto iure atque iudicio causam suam et proximi iuxta tabulas diuinae legis in foro cordis examinant. »

30. *Ibid.* 19, 14, 25 (*PL*, 76, 112 A) : « Omnino difficile est in terrenis actionibus huius uitae iter agere, et nulla ex labore itineris uulnera sustinere. Cum ergo uigilantes praepositi, auditores suos curis *exterioribus* intentos ad cor reuocant, ut quae inter ipsa licita opera admiserint malā cognoscant, et quae cognouerint defleant, pedes butyro lauant, quia eorum uulneribus poenitentiae unguenta subministrant. »

31. *Ibid.* 5, 11, 20 (*PL*, 75, 690 A) : « Iacob uero uir simplex in tabernaculis uel in domo habitare perhibetur, quia nimirum omnes, qui in curis *exterioribus* spargi refugiunt, simplices in cogitatione atque in conscientiae suae habitatione consistunt. In tabernaculis enim aut in domo habitare est se intra mentis secreta restringere, et nequaquam *exterius* per desideria dissipare, ne dum ad multa *foras* inhiant, a semetipsis alienatis cogitationibus recedant. »

de la parfaite intériorité, qui est un des principaux aspects de l'idéal monastique de Benoît[32].

Intériorité　　　　　　Cependant, la recherche de l'intériorité ne se
et contemplation　　　　confond ni avec l'effort de purification, que
　　　　　　　　　　　　l'homme doit faire pour se libérer de l'emprise
du sensible afin de mieux tendre vers Dieu, ni avec la connaissance qu'il prend de son péché en vue d'implorer le pardon. Les expressions telles que *redire ad cor, in domo habitare*, ne définissent pas seulement l'ascèse ou la pénitence, car le thème du retour en soi, qu'elles servent à orchestrer, se rattache moins à la théologie morale de Grégoire qu'à sa doctrine de la contemplation. Revenir à son cœur, c'est la première démarche que l'âme doit accomplir pour se retrouver elle-même et pour trouver Dieu en elle. « Craindre le Seigneur, voilà la sagesse, et s'écarter du mal, voilà l'intelligence » (*Job*, 28, 28), c'est-à-dire en clair : Reviens en toi-même, homme, explore la retraite de ton cœur. Si tu constates que tu crains Dieu, il est bien net, à coup sûr, que tu es rempli de cette sagesse. Car si tu ne peux pas encore savoir ce qu'elle est en elle-même, tu sais en attendant ce qu'elle est en toi. Cette sagesse, en effet, qui en elle-même est l'objet de la crainte des anges, est appelée en toi crainte du Seigneur, parce qu'il est certain que tu la possèdes, s'il n'est pas douteux que tu

---

32. Cf. P. Courcelle, « *Habitare secum* » *selon Perse et selon Grégoire le Grand*, dans *REA*, t. 69, 1967, p. 266-279. En commentant ce thème de l'*habitare secum*, Grégoire en vient à concevoir un autre type de relation entre la sortie de soi et le retour en soi. L'état normal de l'âme serait l'intériorité, et il existerait en réalité deux modes de sorties de soi : une sortie de soi vers le haut, par la contemplation qui nous élève au-dessus de nous-mêmes, et une sortie de soi vers le bas, par le trouble de nos pensées qui nous rabaissent au-dessous de nous-mêmes. Cf. *Dial.* 2, 3 (p. 82) : « Duobus modis extra nos ducimur, quia aut per cogitationis lapsum sub nosmetipsos recedimus, aut per contemplationis gratiam etiam super nosmetipsos leuamur... Vterque ergo ad se rediit, quando et ille ab errore operis se collegit ad cor, et ille a contemplationis culmine ad hoc rediit, quod intellectu communi et prius fuit. » Il n'est pas facile de savoir si Grégoire veut dire que le péché devrait être aussi exceptionnel que la contemplation, ou, à l'opposé, qu'ils sont tous deux des mouvements qui affectent l'âme humaine selon une alternance inéluctable. Je penche plutôt pour la seconde interprétation. En tout cas, il est incontestable que ce texte présente l'intériorité, le fait de l'*habitare secum*, non pas comme la phase préparatoire à la contemplation, mais comme l'état naturel d'une âme qui cherche Dieu et écarte les distractions. Il convient donc de noter que Grégoire utilise ici l'antithèse de la sortie de soi et du retour intérieur, si fréquente dans ses autres œuvres, en lui conférant une signification assez différente. C'est une preuve, parmi d'autres, du caractère original de ses *Dialogues*. F. Tateo (*La struttura dei Dialoghi di Gregorio Magno, Vetera Christianorum*, 1965, 2, p. 125) cite deux passages du même chapitre des *Dialogues* (*ibid.* p. 81 et 82) et conclut à la permanence de l'antithèse des notions d'intériorité et d'extériorité dans toutes les œuvres de Grégoire ; il omet cependant de signaler le passage que j'ai commenté et dans lequel Grégoire donne à cette antithèse une valeur assez nouvelle.

crains Dieu[33]. » Pour accéder à Dieu, l'homme doit donc d'abord se connaître soi-même. Le retour en soi-même est donc bien, aux yeux de Grégoire, la première étape de la vie contemplative.

Butler[34], et tous ceux qui, après lui, ont étudié la doctrine spirituelle de Grégoire[35] n'ont pas manqué de souligner que, pour l'auteur des *Moralia*, la contemplation comporte toujours cette première phase d'introversion : pour s'élever jusqu'à la vision de Dieu, l'âme doit d'abord se concentrer, se ramasser, se replier sur elle-même. Ce retour en soi-même, qui exige qu'elle se sépare à la fois des objets extérieurs et des phantasmes intérieurs, est le premier degré de cette *scala considerationis*[36] qu'il lui faut gravir. Elle ne pourra s'élever jusqu'à la vision de Dieu qu'en délaissant l'univers des corps, le sensible, qui est pure extériorité, et en évitant absolument de sortir d'elle-même : « Si la voie des errements extérieurs lui est fermée, la retraite intérieure est ouverte à l'effort de l'âme. Car dans la mesure où une âme, en se disciplinant, n'a plus le moyen de se disperser hors d'elle-même, elle peut, en progressant, tendre au-dessus d'elle-même ; c'est ainsi qu'un arbre, dont on empêche les branches de s'étaler, est obligé de pousser vers le haut, et qu'en obstruant les canaux d'une source, nous contraignons ses eaux à s'élever[37]. » C'est donc en s'efforçant de ne jamais se disperser dans l'extériorité et en entrant

---

33. *Mor.* 19, 8, 14 (*PL*, 76, 104 C-D) : « Ecce timor Domini ipsa est sapientia, et recedere a malo intelligentia. » Ac si aperte diceretur : ad temetipsum homo reuertere, cordis tui secreta perscrutare. Si Deum te timere deprehendis, profecto constat quia hac sapientia plenus es. Quam si adhuc cognoscere non potes quid sit in se, iam cognoscis interim quid sit in te. Quae enim apud se ab angelis metuitur, apud te timor Domini uocatur, quia hanc habere te certum est, si timere te Deum incertum non est. »

34. C. BUTLER (*Western mysticism*, p. 96-98) cite et commente le texte fondamental (*HEz* 2, 5, 9 : *PL*, 76, 989 D = *CCh*, 142, p. 281-282) : « Primus ergo gradus est ut se ad se colligat, secundus ut uideat qualis est collecta, tertius ut super semetipsam surgat, ac se contemplationi auctoris inuisibilis intendendo subiiciat. »

35. F. LIEBLANG (*op. cit.*, p. 108-120) analyse cette première phase de l'ascension mystique, le « se ad se colligere ». R. GILLET (*SC*, 32 bis, p. 64-65) insiste sur ces conditions de la contemplation que sont la circonspection et la connaissance de soi. M. FRICKEL (*op. cit.*, p. 22-27) considère ce processus d'intériorisation comme l'un des deux modes de la connaissance de Dieu selon Grégoire, le second étant la connaissance du créateur à travers ses créatures.

36. *Mor.* 15, 46, 52 (*PL*, 75, 1107 B-C = *SC*, 221, p. 90) : « Quia ergo rebus uisibilibus inuisibilia praestantiora sunt, carnales quique ex semetipsis pensare debuerunt, atque per hanc, ut ita dixerim, scalam considerationis tendere in Deum : quia eo est, quo inuisibilis permanet, et eo summus permanet quo comprehendi nequaquam potest. »

37. *Ibid.* 30, 10, 39 (*PL*, 76, 546 C) : « Intentioni quippe animae, si *exterior* euagatio clauditur, *interior* secessus aperitur. Nam quo extra se spargi propter disciplinam mens non potest, eo super se intendere per profectum potest, quia et in altum crescere arbor cogitur, quae per ramos diffundi prohibetur ; et cum riuos fontis obstruimus, fluenta surgere ad superiora prouocamus. »

en elle-même, que l'âme devient capable de s'élever vers Dieu. Seul, le chemin de l'intériorité peut la conduire à la connaissance et à la vision de son Créateur.

Mystique et morale   Que l'introversion soit pour l'âme le seul moyen
de l'intériorité   de s'élever jusqu'à Dieu, que la connaissance
      de soi et la connaissance de Dieu soient rigoureu-
sement parallèles et dépendent l'une de l'autre, voilà un thème qui avant de s'épanouir dans la spiritualité chrétienne, a inspiré la philosophie antique, et, en particulier, la pensée néoplatonicienne[38]. Plotin ne cesse d'insister sur cette idée, que l'âme, pour s'élever jusqu'au νοῦς, doit se tourner vers ce qu'il y a de plus intime en elle : « qu'on se retire du monde extérieur, et qu'on se tourne totalement vers l'intérieur, qu'on ne se penche pas sur les choses du dehors[39]. » Le recueillement, le retour en soi-même constitue la première phase de la contemplation. On comprend la fortune d'un pareil thème chez presque tous les penseurs chrétiens, qui évoquent l'expérience mystique comme une expérience d'intériorité. Grégoire de Nysse invite sans cesse l'âme à rentrer en elle-même[40]. Pour Origène, c'est dans la partie principale de l'âme, dans l'ήγεμονικον, que résident les secrets de Dieu et c'est donc là que l'homme doit pénétrer, pour découvrir l'image du roi céleste qu'il porte en lui-même[41]. Ambroise affirme à son tour que le péché est une dispersion dans l'extériorité, qu'il faut, pour rencontrer le Christ, rentrer en soi-même, comme l'enfant prodigue qui retourne à la maison de son père[42] : cette demeure intérieure, qu'il désigne par l'expression d'*animae principale* que l'on retrouve chez l'auteur des *Moralia*[43], est un lieu de calme et de sécurité, à l'abri des

---

38. P. Courcelle a retracé l'histoire de ce thème, de l'Antiquité grecque au Moyen Age, dans « *Nosce teipsum* » *du Bas-Empire au Haut Moyen Age. L'héritage profane et les développements chrétiens*, dans *Il passagio dall'Antichità al Medioevo in Occidente*, Spolète, 1962, p. 265-295, ainsi que dans son étude d'ensemble : « *Connais-toi toi-même* », t. I, *De Socrate à saint Bernard*, Paris, 1974, p. 204-229.

39. Plotin, *Enn.* 6, 9, 7 (éd. Bréhier, VI, 2, p. 181). Cf. Arnou, *op. cit.*, p. 194 sq.

40. Cf. J. Daniélou, *op. cit.*, p. 45 sq.

41. *Homélie sur les Nombres* 10, 1 (*GCS*, 7, 73, 17-20) : « Interiora uelaminis, ubi inaccessibilia conteguntur, principale cordis dicemus, quod solum recipere potest mysteria ueritatis et capax esse arcanorum Dei. » Cf. *homélie sur la Genèse* 13, 4 (*GCS*, 6, 119, 14) : « Intra te namque collocata est imago regis caelestis. »

42. *Exp. Euang. sec. Lucam* 7, 220 (*SC*, 52, p. 91) : « Bene in se reuertitur, qui a se recessit. Etenim qui ad dominum regraditur se sibi reddit et qui recedit a Christo se sibi abdicat. » Sur ce thème de l'intériorité de l'homme nouveau dans l'anthropologie d'Ambroise, cf. W. Seibel, *Fleisch und Geist beim heiligen Ambrosius*, München, 1958, p. 190-194.

43. *Mor.* 2, 52, 82 (*PL*, 75, 595 C = *SC*, 32 bis, p. 380) : « Quid uero per caput, nisi ea quae *principale* uniuscuiusque actionis est, mens ipsa signatur ? » *Ibid.* 3, 25, 49 (623 D) : « Quid per caput, nisi hoc quod *principale* nostrum est, mens uidelicet, designatur ? » *Ibid.* 5, 31, 55

remous et des périls du monde extérieur[44] ; elle est comparable également soit à la Jérusalem céleste[45], où habite Dieu, soit au sein de la Vierge Marie, qui a porté le Sauveur[46]. Mais c'est à coup sûr Augustin qui a le plus approfondi ce thème de l'intériorité, déjà si important dans la pensée chrétienne : pour lui, le principe de toute connaissance est intérieur, ne se trouve nullement dans la réalité sensible, mais seulement au-dedans de l'âme ; tous les commentateurs s'accordent à reconnaître que la doctrine augustinienne de la connaissance est commandée par la loi d'intériorité[47]. Je me réserve d'envisager dans le prochain chapitre ce que Grégoire a retenu d'une telle doctrine ; je voudrais pour l'instant me contenter de voir comment Augustin a fait pour lui-même l'expérience de l'intériorité, et ce que Grégoire a pu retirer de son témoignage.

(709 B) : « Quia nimirum ipse ab *exterioribus* operibus cessans, inter-*na* penetrat, qui intenta mente, quae *principale* est Graece τὸ ἡγεμονικὸν hominis, imitationem sui redemptoris obseruat. » *Ibid.* 19, 11, 18 (*PL*, 76, 107 C) : « Quia autem *principale* nostrum mens est, appellatione capitis mens uocatur. » *HEv* 1, 12, 2 (*PL*, 76, 1120 C) : « *Principale* etenim nostrum caput est. Appellatione autem capitis ea quae principatur corpori mens uocatur. » Il est fort possible que ce soit par l'intermédiaire d'Ambroise que Grégoire ait eu connaissance de la notion grecque d'ἡγεμονικὸν, latinisée en « *principale* ».

44. Ambroise, *Noe* 11, 38 (*CSEL*, 32, 1, 437, 4-9) : « Bene dicit Dominus iusto : « intra tu », hoc est : in te ipsum intra, in tuam mentem, in tuae animae *principale*. Ibi salus est, ibi gubernaculum, *foris* diluuium, *foris* periculum, si autem *intus* fueris, et *foris* tutus es, quia ubi mens sui arbitra est, bonae cogitationes, bonae exsecutiones. » *Ep.* 31, 12 (*PL*, 16, 1068 B) : « Et pulchre ait : « Postea intrabis ad eam » (*Deut.* 21, 13) ; ut totus ingrediaris in animam tuam, atque *intra* ipsam te colligas, et in ea habites, apud eam commoreris, in ipsa tibi sit omnis conuersatio ; ut sis non in carne, sed in spiritu. »

45. *Id.*, 29, 23 (*PL*, 16, 1060 B) : « *Intus* ergo esto, *intra* Hierusalem, *intra* animam tuam pacificam, mitem atque tranquillam. Non exeas de ea. »

46. *Id.*, *Ep.* 30, 3 (1062 A-B) : « Sed illud templum quaerebat, quod in hominum conderetur mentibus, quibus dicendum foret : « uos estis templum Dei » (1 *Cor.* 3, 16) ; in quo habitaret Dominus Iesus, et unde ad redemptionem uniuersorum procederet, ut in utero Virginis sacra reperiretur aula, in quo Rex habitaret caelestium, et corpus humanum Dei templum fieret ; quod etiam cum solutum esset, in triduo resuscitaretur. »

47. Cf. É. Gilson (*Introduction à l'étude de saint Augustin*, Paris, 1931, p. 93) : « Qu'il s'agisse de connaître l'un des objets de l'intelligence ou l'un des objets des sens, toute la connaissance s'opère au-dedans et du dedans, sans que jamais rien ne s'y introduise de l'extérieur. La doctrine d'Augustin semble donc tendre à dégager de chaque ordre de connaissance une même loi que l'on pourrait nommer la loi d'intériorité. » F. Körner (*Die Entwicklung Augustins von der Anamnesis-zur Illuminationslehre im Lichte seines Innerlichkeitsprinzips*, dans *Theologische Quartalschrift*, 1954, p. 397-447) estime qu'Augustin est demeuré fidèle à ce principe de l'intériorité, alors qu'il renonçait à la théorie platonicienne de la réminiscence pour adopter la conception de l'illumination. Indications identiques chez A. Schöpf (*Die Verinner-lichung des Wahrheitsproblems beim Augustin*, dans *REAug*, XIII 1-2, 1967, p. 85-96).

L'auteur de la fameuse phrase « *Nouerim me, nouerim te*[48] » proclame, par toute son œuvre, que la connaissance de soi et la connaissance de Dieu sont étroitement solidaires[49]. Le monde des corps ne peut rien nous apprendre sur les réalités invisibles. Aller à la recherche de Dieu, ce n'est pas sortir de soi-même pour trouver un objet dans le monde extérieur, c'est au contraire se détourner de ce monde et se replier sur soi-même. « Au lieu d'aller dehors, rentre en toi-même ; c'est au cœur de l'homme qu'habite la vérité[50]. » Et ses *Confessions* retracent les diverses étapes de ce cheminement, de cet itinéraire intérieur, qui est la voie directe pour parvenir à Dieu. Son âme de converti brûle d'entraîner les autres âmes dans sa découverte de Dieu : « Aimons-le ; c'est lui qui a fait toutes choses, et il n'est pas loin. Il ne les a pas faites pour les quitter ensuite ; venues de lui, elles sont en lui. Vois, il est là, où se sent le goût de la vérité. Il est tout au fond du cœur, et pourtant le cœur s'est écarté loin de lui. Revenez, pécheurs, à votre cœur, attachez-vous à celui qui vous a créés[51]. » L'effet produit en lui par la lecture des fameux *libri Platonicorum* fut également de l'inciter à rentrer en lui-même : « Averti de revenir à moi, j'entrai dans l'intimité de mon cœur, et c'était vous mon guide... J'y entrai et je vis avec l'œil de mon âme, si trouble fût-il, au-dessus de l'œil de mon âme, au-dessus de mon intelligence, la lumière immuable[52]. » Au livre X des *Confessions*, Augustin décrit en détail son ascension vers Dieu, évoquant au moyen de métaphores spatiales l'espace intérieur dans lequel son âme se meut à la recherche de Dieu[53]. L'étude du *De libero arbitrio* et du *De Trinitate* aboutirait aux mêmes conclusions[54] : le retour intérieur est le moyen pour l'âme d'expliciter et d'approfondir la connaissance obscure de Dieu qu'elle porte en elle-même.

Même si Grégoire emprunte à Origène et à Ambroise certains des termes et des développements exégétiques qui lui servent à orchestrer sa conception mystique de l'intériorité, c'est de l'œuvre d'Augustin

---

48. *Solil.* 2, 1, 1 (*PL*, 32, 885).

49. Cf. G. VERBEKE, *Connaissance de soi et connaissance de Dieu chez saint Augustin*, dans *Augustiniana* IV, 1954, p. 495-515.

50. *De uera religione* 39, 72 (éd. PÉGON, *Bibl. aug.* 8, 1951, p. 129) : « Noli *foras* ire, in teipsum redi ; in *interiore* homine habitat ueritas. »

51. *Conf.* 4, 12, 18 (p. 79) : « Hunc amemus : ipse fecit haec et non est longe. Non enim fecit atque abiit, sed ex illo in illo sunt. Ecce ubi est, ubi sapit ueritas ? *Intimus* cordi est, sed cor errauit ab eo. Redite, praeuaricatores, ad cor et inhaerete illi, qui fecit uos. »

52. *Ibid.* 7, 10, 16 (p. 161) : « Et inde admonitus redire ad memetipsum intraui in intima mea duce te... Intraui et uidi qualicumque oculo animae meae, supra mentem meam lucem incommutabilem. »

53. P. BLANCHARD (*L'espace intérieur chez saint Augustin d'après le livre X des Confessions*, dans *Augustinus Magister*, Paris, 1954, I, p. 535-542) étudie ces métaphores spatiales et leur signification par rapport à l'expérience d'Augustin.

54. Cf. G. VERBEKE, *art. cit.*, p. 506-512.

qu'il s'est surtout inspiré : l'âme ne peut connaître Dieu qu'en se déta-chant du sensible pour rentrer en elle-même, la connaissance de Dieu passe par la connaissance de soi et s'accomplit progressivement par une ascension spirituelle ; autant de thèmes que l'auteur des *Moralia* a trouvés chez l'auteur des *Confessions*, sans compter l'image de l'habitation intérieure et l'expression du *redire ad cor*. Mais, même s'il s'est inspiré de l'évêque d'Hippone pour développer ces divers thèmes, il reste que le pape du vie siècle les a traités d'une façon qui lui est propre et qu'il n'est pas inutile de souligner[55]. D'abord, l'auteur des *Moralia* n'a pas subi l'influence de ces *libri Platonicorum*, qui ont contribué à façonner la foi d'Augustin : si la théorie augustinienne du retour en soi et de l'ascen-sion intérieure de l'âme vers Dieu est d'inspiration néoplatonicienne[56], la conception de Grégoire, en revanche, ne doit rien de direct à la culture profane ; elle est purement chrétienne ou, si l'on veut, augustinienne, même si, à travers Augustin, Grégoire s'est familiarisé avec certains concepts de la pensée néo-platonicienne[57]. Et surtout, Grégoire ne donne pas à ce thème du retour intérieur le même sens, ni la même portée que l'auteur des *Confessions* : alors que le second en fait une invitation à la conversion, à la connaissance de soi en vue de la connaissance de Dieu et de la recherche de la vérité, le premier le rattache à sa conception de l'homme déchu[58] et y voit la phase préparatoire à la contemplation. Le principe d'intériorité est chez Augustin l'un des fondements de sa philosophie de la connaissance, à tel point qu'on a pu dire que la méta-physique augustinienne est une métaphysique de l'intériorité[59]. L'auteur

---

55. C. Butler (*Western mysticism*, p. 98) ne manquait pas de tenter ce parallèle entre Grégoire et Augustin, à propos de la première étape de l'expérience mystique : « Striking passages of the kind have been adduced from st Augustine, wherein is described under the act of intro-version. The soul's search to find God within itself, a search which for st Augustine appears to have been a process predominantly intellectual, but culminating in a fully religious experience. St Gregory's passages on introversion, though of greatly inferior power, is of much interest, as being the only account he gives, knouwn to me, of the intellectual side of contemplation. »

56. G. Verbeke (*art. cit.*, p. 513-515) indique les sources plotiniennes de ces thèmes de la pensée augustinienne. Selon P. Courcelle (*Recherches sur les Confessions de saint Augustin*, Paris, 1968,², p. 400-402) cette conception de la présence de Dieu immanente à l'âme humaine s'inspire de Sénèque et d'Épictète autant que du néoplatonisme.

57. R. Gillet (*SC*, 32 bis, p. 107) : « On ne se nourrit pas de saint Augustin, et, par lui ou par d'autres, d'une part importante des traditions de l'Église grecque, sans être pénétré de Plotin, et donc aussi de Platon. Nous avons pu constater que le vocabulaire mystique de saint Grégoire, emprunté à saint Augustin, met en jeu précisément, quelques notions néoplato-niciennes. »

58. De même, le thème du *redire ad cor* (*Conf.* 4, 12, 18) qui est chez Augustin un appel à la conversion et à la reconnaissance envers Dieu, devient chez Grégoire une exhortation au repentir adressée à l'âme pécheresse.

59. G. Verbeke (*art. cit.*, p. 513).

des *Moralia*, en revanche, n'est pas un métaphysicien, mais plutôt un moraliste : c'est à sa morale de l'homme pécheur, qui s'efforce difficilement d'atteindre Dieu, qu'il a intégré ce principe d'intériorité. Il en a fait aussi une des pièces maîtresses de sa doctrine de la contemplation : rentrer en soi-même est le premier pas de l'expérience mystique. Autrement dit, on comprend mieux, à propos de ce thème du retour intérieur, que Grégoire ne se contente pas de répéter Augustin ; il a su l'assimiler et faire place à ses intuitions dans sa synthèse personnelle[60]. Son influence fut si large et si profonde sur toute la littérature spirituelle et monastique de l'époque médiévale[61] qu'il y a lieu de penser que c'est par son intermédiaire que ce thème de l'intériorité, déjà exploité par Origène et Ambroise, et amplement développé par Augustin, a imprégné la tradition mystique de l'Occident chrétien, jusqu'à sainte Thérèse d'Avila lorsqu'elle évoque le château de l'âme. C'est, en effet, dans l'intimité de l'âme que Dieu établit sa demeure, et c'est là que l'homme doit aller le chercher, par un effort qui l'amènera à se détourner du monde extérieur et à rentrer en lui-même. Mais, comme j'ai tâché de le démontrer, Grégoire ne constitue pas seulement un relais entre l'Antiquité chrétienne et le Moyen Age ; il apporte une contribution personnelle à cette tradition de l'intériorité nécessaire à la vie mystique, qu'il a héritée d'Augustin et transmettra aux générations futures[62].

A vrai dire, ce thème de l'intériorité ne s'applique pas seulement à la phase qui prépare la contemplation. C'est toute l'expérience mystique

---

60. H.-I. Marrou (compte rendu de M. Frickel, *op. cit.*, dans *RHR*, t. 152, 1957, p. 226) se refuse à voir chez Grégoire de l'augustinisme dégradé : « Il est bien évident que l'influence augustinienne est partout présente chez lui, mais saint Grégoire n'est pas simplement un écho, plus ou moins déformant, plus ou moins infidèle ; il a aussi une expérience propre, un message à transmettre, une pensée qui n'appartient qu'à lui. »

61. Cf. J. Leclercq (*L'amour des Lettres et le désir de Dieu*, p. 31) : « Tous, en effet, l'avaient lu et vivaient de lui. Nous en avons plusieurs sortes de preuves. Les manuscrits de ses œuvres sont innombrables. A toutes les époques, on a constitué des centons, faits d'extraits, plus ou moins élaborés, de ses textes caractéristiques ; des témoignages explicites nous disent qu'on le lisait continuellement, à Cluny et ailleurs. »

62. W. Seibel (*op. cit.*, p. 194) note à quel point ce thème de l'intériorité, qu'il a analysé chez Ambroise, fleurira dans la spiritualité et la mystique médiévales, mais il omet de mentionner le rôle essentiel de Grégoire dans sa transmission : « Wenn die Mystik des Mittelalters vom Seelenfünklein reden wird, in dem wir Gottes teilhaft werden, und Theresa von Avila von der Seelenburg, in deren innerste Gemächer wir eintreten sollen, um Christus und uns selbst zu finden, dann lebt darin einer der tiefsten Gedanken des grossen Alexandriners Origenes dort, der Gedanke vom Geheimnis des inneren Menschen, den Ambrosius vom Origenes übernahm und seinem Schüler Augustinus weiterreichte, nicht ohne vorher dem Bild einen neuen Zug hinzugefügt zu haben : dass der innere Mensch, der am letzten Schöpfungstat geschaffen und von Christus erneuert wurde, im letzten ein marianisches Geheimnis ist, weil in ihm Christus empfangen und geboren wird. »

qui apparaît chez Grégoire comme faite de réalités intérieures. La contemplation n'est-elle pas pareille à un tombeau, dans lequel les saints, après être morts au monde et aux désirs qu'il inspire, viennent s'ensevelir ? Il faut se détacher du tumulte des objets extérieurs pour s'enfouir dans les replis de l'âme[63], y chercher les clartés de l'illumination divine[64] et le silence, si difficile à préserver[65]. Lorsqu'il décrit la contemplation en termes d'intériorité, lorsqu'il évoque notamment cette douceur intérieure qui saisit l'âme au cours de l'expérience mystique, Grégoire s'inspire évidemment d'Augustin : des parallèles textuels établis par P. Courcelle entre plusieurs passages des *Moralia* et des *Confessions* en fournissent la preuve[66]. Mais, une fois de plus, il faut souligner que c'est en moraliste, et pas seulement en docteur de la vie mystique, que Grégoire emploie le langage de l'intériorité lorsqu'il traite de la contemplation. L'âme qui rentre en elle-même ne parviendra à la vision bienheureuse de Dieu que si ce retour intérieur est pour elle une occasion de se repentir, de considérer son péché, de réveiller en elle la crainte du juge suprême. « Faire de Dieu notre juge, c'est, à l'intérieur de la partie secrète de notre âme, par la contemplation de la foi, ouvrir les yeux de notre intelligence, en vue

---

63. *Mor.* 5, 6, 9 (*PL*, 75, 684 B-C) : « Sicut enim sepulcrum locus est quo absconditur corpus, ita diuina contemplatio quoddam sepulcrum mentis est, quo absconditur anima. Quasi enim huic adhuc mundo uiuimus, cum mente in eum *foras* uagamur ; sed mortui in sepulcro absconditur, cum mortificati *exterius*, in secreto *internae* contemplationis celamur. Sancti igitur uiri ab importunitate desideriorum temporalium, a tumultu inutilium curarum, a clamore perstrepentium perturbationum, semetipsos sacri uerbi gladio mortificare non desinunt, atque *intus* ante Dei faciem in sinu mentis abscondit. »

64. *Ibid.* 5, 7, 13 (*PL*, 75, 686 B) : « Cumque tenebras, quibus circumdatur, respicit, splendoris *intimi* ardenti se desiderio affligit ; omnique intentionis adnisu semetipsam concutit, et supernam lucem, quam condita deseruit, repulsa quaerit. Vnde fit plerumque, ut in ipsis piis fletibus illa *interni* gaudii claritas erumpat ; et mens... ad inspectionem fulgoris *intimi* suspiriis uegetata conualescat. »

65. *Ibid.* 7, 37, 59 (*PL*, 75, 800 D) : « Vnde et redire *interius* ad sui cognitionem non sufficit, quia per multiloquium *exterius* sparsa, uim *intimae* considerationis amittit. »

66. *Les Confessions de saint Augustin dans la tradition littéraire*, p. 225 : *Mor.* 23, 21, 43 (*PL*, 76, 277 B : « Vnde aliquando ad quamdam inusitatam dulcedinem *interni* saporis admittitur... Atque hoc intra se appetit quod sibi dulce sapere *intrinsecus* sentit, quia uidelicet eius amore dulcedinis sibi coram se uiluit ») rappelle *Conf.* 10, 40, 65 (p. 289 : « Aliquando intromittis me in affectum multum inusitatum *introrsus* ad nescio quam dulcedinem, quae si perficiatur in me, nescio quid erit quod uita ista non erit »). Autre parallèle textuel concernant le vocabulaire de la contemplation (*ibid.* p. 227-228) : *Mor.* 5, 33, 58 (*PL*, 75, 711 C : « Neque enim in suauitate contemplationis *intimae* diu mens figitur quia ad semetipsam ipsa immensitate luminis reuerberata reuocatur. Cumque *internam* dulcedinem degustat, amore aestuat. ») rappelle *Conf.* 9, 4, 10 (p. 217 : « O si uiderent *internum* aeternum, quod ego quia gustaueram frendebam ») et *Conf.* 10, 40, 65 (p. 289 ; « *introrsus* ad nescio quam dulcedinem. »).

du terrible discernement que fera la majesté divine, considérer ce à quoi l'homme pécheur doit s'attendre, et combien sera effrayante plus tard l'apparition de ce juge, qui reste pour l'instant caché et silencieux[67]. » L'auteur des *Moralia* exprime donc la pénitence aussi bien que la contemplation à l'aide des termes qui lui servent à évoquer le retour en soi-même. D'ailleurs, la présence divine dans l'âme humaine, que traduisent des adjectifs tels qu'*interior* ou des adverbes tels qu'*intus*, est avant tout, selon Grégoire, celle d'un juge, qui connaît notre péché. Les fautes que nous commettons avec notre cœur sont inconnues des hommes, mais n'échappent pas à Dieu qui est le témoin de notre conscience[68]. Ce *iudex internus* est avant tout le juge eschatologique, l'*internus agricola*[69] qui séparera le bon grain de l'ivraie à la fin des temps, ou bien le juge divin, en tant qu'il reste inaccessible, mais nous juge sans cesse intérieurement[70]. La formule grégorienne comporte plus rarement des allusions à une immanence véritable de Dieu dans l'homme : c'est là encore une différence entre Grégoire et Augustin. Il serait maladroit d'en faire grief au premier[71], qui reste simplement fidèle à son génie personnel : son originalité consiste à analyser dans le détail, d'un point de vue psychologique et moral, la vie de l'âme partagée entre le péché et la sainteté, entre l'extériorité, où elle risque de se disperser, et l'intériorité, qui la conduira à Dieu, en aidant au développement de son expérience mystique.

L'homme intérieur et　　　L'affrontement de l'homme intérieur et de
l'homme extérieur　　　l'homme extérieur est devenu, depuis saint Paul,
　　　　　　　　　　un des thèmes fondamentaux de l'anthropologie
chrétienne[72] : à l'homme extérieur, qui se détourne de Dieu et vit dans

---

67. *Mor.* 16, 28, 35 (*PL*, 75, 1138 B = *SC*, 221, p. 190) : « Coram Deo iudicium ponere est *intra* secretum mentis per fidei contemplationem ad tremendum examen maiestatis illius oculos nostrae considerationis aperire, quid peccator homo mereatur attendere, et occultus nunc et tacitus iudex quam terribilis post appareat considerare. »

68. *Past.* 1, 4 (*PL*, 77, 18 A) : « *Intus* quippe est qui iudicat, *intus* quod iudicatur. Cum ergo in corde delinquimus, latet homines quod apud non agimus, sed tamen ipso iudice teste peccamus. » *HEv* 2, 38, 12 (*PL*, 76, 1289 D) : « Ille *foris* increpat, qui testis conscientiae *intus* animum accusat. »

69. *Mor.* 27, 30, 54 (*PL*, 76, 431 D) : « In hac purgatione sanctae Ecclesiae mores contrarios reproborum portant, quousque haec *internus* agricola uentilabro iudicii dirimat. »

70. *Ibid.* 8, 53, 90 (*PL*, 76, 857 A-B) : « Quis igitur digne penset iniquorum confusio quanta tunc erit, quando et *foris* aeternus iudex cernitur, et *intus* ante oculos culpa uersatur ? »

71. Cf. M. Frickel (*op. cit.*, p. 126) : « Es bleibt nachdrücklich darauf hinzuweisen, dass Gregor nicht wie seinerseits Augustinus aus der Wahrheit der allgemeinen Innenpräsenz Gottes denkt und lebt und so bei ihm neu in verblasstem Formelbestand liegt, was bei dem Sohn der Monika noch lebendiger und glutvoller Glaubenbesitz gewesen war. »

72. Cf. *ThWNT*, art. ἄνθρωπος, I, p. 366 ; *ibid.*, art. ἔσω, II, p. 696-697 : selon l'auteur de l'article, l'expression paulinienne d'homme intérieur

le péché, en devenant la proie de ses désirs charnels, s'oppose l'homme intérieur, qui s'ouvre à la grâce et se sanctifie, en suivant la loi de l'Esprit et la volonté de Dieu. Avec des nuances diverses, Origène[73], Ambroise[74], Augustin[75] ont largement repris et développé ce thème, en faisant une des pièces maîtresses de leur théologie morale et commentant inlassablement le verset de l'*épître aux Corinthiens* (2 *Cor.* 4, 16) où Paul évoque l'homme intérieur « qui se renouvelle de jour en jour » et l'homme extérieur « qui se corrompt ». On s'attendrait à ce que Grégoire accordât dans ses œuvres une place importante à ce thème, si souvent abordé par ses devanciers, en raison même de ces notions d'intériorité et d'extériorité, qu'il maniait avec une prédilection dont toute son œuvre nous offre le témoignage. Or, l'auteur des *Moralia* emploie très rarement les expressions d'*homo interior* et d'*homo exterior* et, lui qui qualifie si souvent saint Paul de *praedicator egregius* et le cite abondamment[76], ne commente pas souvent le fameux verset de l'*épître aux Corinthiens* et en propose une exégèse qui surprendra. « C'est lorsque la chair est accablée d'épreuves, que l'âme est soulevée pour atteindre des réalités plus hautes ; Paul l'atteste en disant : « Encore que l'homme extérieur en nous se corrompe, l'homme intérieur se renouvelle de jour en jour. » L'homme est donc né pour peiner, et l'oiseau pour voler, puisque l'âme s'envole vers les sommets, lorsque la chair dans les bas-fonds peine plus durement[77]. »

(*Rom.* 7, 22 ; 2 *Cor.* 4, 16 ; *Eph.* 3, 16) n'est pas d'origine biblique, mais issue de la terminologie propre à la mystique et à la gnose hellénistiques. *Ibid.*, art. ἔξω, II, p. 572-573.

73. *Hom. in Num.* 24, 2 (*SC*, 29, p. 462-464) ; *Comment. in Cant.* prol., (*GCS*, 33, 8, p. 62 et 63-64) ; *Hom. in Leuit.* 7, 1 (*GCS*, 29, p. 372) ; *Hom. in Gen.* 1, 13 (*GCS*, 29, p. 15) ; *Hom. in Ex.* 8, 6 (*GCS*, 29, p. 230-231). Origène insiste plus particulièrement sur deux points : l'homme intérieur est créé à l'image de Dieu et il se renouvelle constamment. Cf. H. CROUZEL, *Théologie de l'image de Dieu chez Origène*, Paris, 1956 : la création de l'homme selon l'image de Dieu (p. 147-179) et la participation à l'image et le péché (p. 181-215).

74. Cf. W. SEIBEL, *op. cit.*, p. 137-142 et p. 169-194.

75. *De diuersis quaest.* 83, 51 (Bibl. aug. 10, 1952, p. 132) ; *de Trin.* 11, 1, 1 (*ibid.*, 16, 1955, p. 160-161) ; *ibid.* 12, 1, 1 (p. 212-213). L'originalité d'Augustin consiste à approfondir la portée métaphysique et théologique de ces notions pauliniennes. Dans son livre sur l'anthropologie augustinienne, E. Dinkler a négligé l'étude de ce thème de l'opposition entre l'homme intérieur et l'homme extérieur. H. RONDET (*L'anthropologie religieuse de saint Augustin*, *RSR*, 29 avril 1939, p. 163-196) ne signale pas cette lacune et emploie lui-même les expressions d'homme intérieur et d'homme extérieur sans analyser leur signification.

76. R. GILLET (*SC*, 32 bis, p. 82) a noté que 19 % des citations de l'Écriture contenus dans les *Moralia* proviennent des Évangiles et 17 % des épîtres de saint Paul.

77. *Mor.* 6, 13, 15 (*PL*, 75, 737 C) : « Sed in eo quod caro flagellis afficitur, mens ad appetenda altiora subleuatur ; Paulo rursus attestante, qui ait : « Et licet is qui *foris* est noster homo corrumpitur, tamen is qui *intus* est, renouatur de die in diem » (2 *Cor.* 4, 16). Homo ergo ad laborem nascitur, et auis ad uolatum, quia inde mens ad summa euolat, unde caro in infimis durius laborat. »

On discerne immédiatement l'originalité de l'exégèse grégorienne :
une fois de plus, c'est le docteur de la contemplation qui s'exprime ici.
Certes, il conçoit, comme n'avaient pas manqué de le faire avant lui
Ambroise et Augustin, que l'opposition qui, au-dedans de l'homme,
règne entre la chair et l'esprit, n'est pas étrangère à celle que Paul discerne
entre l'homme intérieur et l'homme extérieur. Mais il interprète cette
opposition d'une manière qui lui est propre. La chair évoque pour lui,
non les désirs de la concupiscence, mais les souffrances et les épreuves
de la vie présente ; et, de même, l'esprit n'est pas simplement ce qui
s'oppose à la chair, mais ce qui, en l'homme, aspire à contempler Dieu.
Et ce qui constitue l'intérêt de ce passage, c'est qu'au lieu d'y insister sur
la tension entre la chair et l'esprit, Grégoire y affirme une étroite relation
entre l'état naturel de l'homme, qui le condamne à peiner dans sa chair,
durant la vie présente, et l'élan surnaturel qui porte son âme vers les
biens célestes. C'est toute sa conception de l'utilité des *flagella Dei*[78],
dont Job est la vivante illustration : plus l'homme souffre, plus il aspire à
s'élever jusqu'à Dieu ; les épreuves stimulent son désir de la contemplation.
Grégoire n'est-il pas ici à la fois plus humain et plus optimiste que ceux
de ses prédécesseurs, qui avaient commenté le même verset de saint
Paul ? Plus humain, parce qu'il insiste sur les épreuves de la vie, dont
lui-même, éternel malade, faisait la douloureuse expérience[79] ; plus
optimiste, parce qu'il croit à la bienfaisance de ces épreuves pour aviver
au cœur de l'homme le désir de Dieu.

Il lui arrive, dans un autre passage des *Moralia*, de traiter de l'homme
intérieur : ce ne sera pas pour approfondir cette notion, mais pour la
rattacher au thème du combat spirituel. Commentant le verset de Job
(10, 10) : « Ne m'as-tu pas... vêtu de peau et de chair, tissé en os et en
nerfs ? », il écrit : « L'homme intérieur est vêtu de peau et de chair,
car lorsqu'il s'élève vers les biens d'en haut, les mouvements de sa chair
l'assiègent et l'investissent. Mais celui qui tend vers la justice n'est
jamais, à l'heure de la tentation, abandonné par son créateur, qui, par
l'infusion de sa grâce, vient même au-devant du pécheur ; mais l'âme

---

78. Cf. R. GILLET (*SC*, 32 bis, p. 58) : « La doctrine de saint Grégoire,
comme celle de Cassien, ne s'en tient pas, en effet, à l'ascétisme, fût-il
le plus héroïque. La purification par la tentation (tentation-épreuve)
y est considérée comme absolument nécessaire pour introduire à la
vie contemplative, dont le point culminant est la vue de Dieu. »

79. Cf. J. LECLERCQ (*L'amour des Lettres et le désir de Dieu*, p. 33) :
« L'infirmité de son corps lui donne un sens très vif de la misère humaine,
de toutes les séquelles du péché d'origine, mais aussi de l'utilité des
faiblesses et des tentations pour les progrès spirituels. Il a parlé plus
d'une fois des malaises qu'il éprouve et en des termes qui émeuvent.
La maladie de saint Grégoire est l'un des grands événements de l'histoire
de la spiritualité, car elle détermine en partie sa doctrine, elle lui donne
ce caractère d'humanité, de discrétion, et ce ton de conviction qui expliquent son influence : la misère de l'homme n'est point pour lui une
notion théorique ; il l'a constatée en lui-même, au prix d'une sensibilité aiguisée et accrue par les difficultés de chaque jour. »

qui s'élève vers lui, tout en la livrant extérieurement à des combats, il la fortifie intérieurement. C'est pourquoi il est juste d'ajouter : « Tu m'as tissé en os et nerfs. » Nous sommes vêtus de chair et de peau, mais tissés en os et en nerfs, car, bien que nous soyons frappés par la tentation qui surgit du dehors, au-dedans cependant la main du créateur nous fortifie, pour que nous ne soyons pas brisés[80]. » A la tentation extérieure, qui atteint la chair et que Dieu permet, correspond par conséquent un appui intérieur que nous fournit la grâce. Une fois de plus, au lieu de faire le tableau de l'homme pécheur déchiré entre le corps et l'esprit, Grégoire développe cette idée, que la grâce de Dieu est proportionnée à la tentation et que l'homme n'est jamais tenté sans recevoir l'aide qui lui permet d'y résister. L'homme intérieur, d'autre part, apparaît ici comme composé de chair et d'esprit, et non pas en tant qu'il s'oppose à l'homme extérieur, mais en tant qu'il est le théâtre d'un combat spirituel. N'est-ce pas la preuve que Grégoire, à la différence de ses prédécesseurs, n'a pas songé à faire de l'opposition paulinienne entre l'homme intérieur et l'homme extérieur un des fondements de son anthropologie de l'homme pécheur et racheté ? Certes, c'est à la fécondité de cette opposition chez la plupart des écrivains de l'Antiquité chrétienne qu'il doit l'antithèse *intus-foris*, dont il fait une si large utilisation dans des domaines très divers. Mais, au lieu d'approfondir la portée doctrinale de ces notions d'intériorité et d'extériorité appliquées à l'homme, il a préféré, suivant en cela la pente de son esprit, les rattacher à ses analyses de l'expérience chrétienne et, tout particulièrement, à sa doctrine du combat spirituel, qu'il nous faut à présent étudier.

Le combat spirituel   Ce combat ne naît pas d'un antagonisme entre l'homme intérieur et l'homme extérieur, ou entre la chair et l'esprit. Il met plutôt en jeu une relation entre la créature, qu'affaiblissent sans cesse des épreuves et des tentations provenant du dehors, et son Créateur, qui la fortifie intérieurement par sa grâce. Les notions d'extériorité et d'intériorité recouvrent cette antithèse permanente de la faiblesse humaine et de la force divine. Plus exactement, le combat spirituel se caractérise par un étonnant paradoxe : plus l'homme est éprouvé dans sa chair, plus son âme se sanctifie, comme si les épreuves extérieures étaient nécessaires pour provoquer des progrès intérieurs. Le saint homme Job ne fournit-il pas un vivant exemple d'un tel paradoxe et d'une telle correspondance ? « Extérieurement jeté à terre par les

---

80. *Mor.* 9, 53, 79 (*PL*, 75, 902 C) : « Pelle quippe et carnibus *interior* homo uestitur, quia in eo quod ad superna erigitur, carnalium motuum obsidione uallatur. Sed tendentem ad iustitiam nequaquam in tentatione conditor deserit, qui per infusionem gratiae etiam peccantem praeuenit ; sed subleuatam mentem et ad bella *exterius* laxat, et *interius* roborat. Vnde adhuc apte suiungitur : « Ossibus et neruis compegisti me. » Carnibus et pelle uestimur, sed ossibus neruisque compingimur, quia etsi tentatione *foras* irruente concutimur, *intus* tamen nos conditoris manus roborat, ne frangamur. »

blessures de sa chair, il demeure intérieurement debout grâce au rempart de son âme[81]. » Telle est, en effet, la pédagogie de Dieu : c'est pour les inciter au repentir et à la conversion que le Seigneur envoie aux hommes des épreuves, « afin que, jetés extérieurement à terre, ils se relèvent intérieurement, de sorte qu'ils se redressent intérieurement, une fois qu'ils sont terrassés physiquement, puisque, lorsqu'ils étaient extérieurement debout, leur âme ne l'était pas, mais gisait à terre[82]. »

Les *flagella* Dei, les souffrances, les malheurs de tout genre sont donc destinés à opérer au cœur de l'homme une sorte de résurrection : la prospérité extérieure dissimule un effondrement intérieur ; ce sont les épreuves qui, en troublant cette prospérité, inciteront l'homme à se ressaisir, en vue d'un redressement intérieur. Cette correspondance entre l'affaiblissement physique et le progrès spirituel est une des lois de la vie chrétienne : c'est ainsi que « par un grand principe d'équilibre, nous comprenons ce que nous recevons de Dieu à l'occasion de nos progrès intérieurs, et ce que nous sommes à l'occasion de nos défaillances extérieures[83]. » Si Grégoire emploie ici les notions d'intériorité et d'extériorité, c'est afin de mettre mieux en évidence cette dialectique de la force et de la faiblesse, qui constitue l'un des paradoxes de l'expérience spirituelle dont il s'efforce de suivre le développement. Le Nouveau Testament, et en particulier l'épisode fameux de la tentation du Christ, l'aide à compléter ses analyses, en confirmant sa conception de la valeur surnaturelle des épreuves. Le Christ accepte d'affronter les tentations du diable, « il a jugé bon de supporter tout cela extérieurement, de telle manière, cependant, que son âme, unie à sa divinité, demeurât intérieurement à l'abri de tout ébranlement[84]. » La mort du Christ illustre cette doctrine du combat spirituel : elle est une défaite, mais seulement extérieure, que Dieu concède à Satan ; c'est parce que le diable « a reçu extérieurement le pouvoir de faire mourir la chair du Seigneur, que le pouvoir intérieur qu'il détenait sur nous a été aboli. Il a, en fait, été vaincu intérieurement,

---

81. *Ibid.* 3, 10, 17 (*PL*, 75, 608 C) : « Ecce stratus *foris* uulneribus carnis, erectus *intrinsecus* munimine permanet mentis ; et sub semetipso omne iaculum transuolare conspicit, quod in se *exterius* districta manu saeuiens hostis figit, uigilanter deprehendit iacula, modo uulneribus contra se a facie, modo uerbis quasi ex latere intorta. »

82. *Ibid.* 20, 35, 67 (*PL*, 76, 178 D - 179 A) : « Manum itaque suam Dominus ad consumptionem peccantium non emittit, cum feriendo a peccatis corripit, et corruentes saluat, dum cadentes ad culpam in salutem corporis uulnerat, ut prostrati *exterius*, *interius* surgant, quatenus iacentes corpore ad *interiorem* statum redeant, qui stantes *exterius* a statu mentis iacebant. »

83. *Ibid.* 19, 6, 12 (*PL*, 76, 103 A) : « Sicque magno ordine cognoscimus in *interiori* profectu quid accipimus, in *exteriori* defectu quid sumus ».

84. *Ibid.* 3, 16, 30 (*PL*, 75, 615 C) : « Sic enim dignatus est haec *exterius* cuncta suscipere, ut eius tamen mens *interius* diuinitati suae inhaerens inconcussa permaneret. »

en remportant une sorte de victoire extérieure[85]. » L'échec extérieur de la mort du Christ est ce qui permet son triomphe véritable et sa victoire sur Satan, de même que, pour les âmes individuelles, les épreuves charnelles, physiques, extérieures sont indispensables pour provoquer le redressement spirituel et l'ascension intérieure.

On aurait sans doute tort de chicaner Grégoire sur ses conceptions christologiques, comme si sa manière d'évoquer la tentation et la mort du Christ s'appuyait sur un dualisme qui rappelle l'hérésie de Nestorius. En réalité, il entend traiter du combat spirituel non en théologien, soucieux de rectifier des erreurs, mais en maître de la vie spirituelle : c'est pour guider les fidèles qu'il leur rappelle sans relâche que, pour eux comme pour le Christ, le combat spirituel est avant tout intérieur, qu'il se déroule au-dedans de l'homme. Le verset des *Proverbes* (16, 32) selon lequel « Mieux vaut un homme patient qu'un héros, un homme maître de soi qu'un preneur de villes », lui est une occasion de proclamer la supériorité des victoires intérieures sur les victoires extérieures[86] : peut-être se souvient-il alors des déclarations d'Augustin, reprochant à ses compatriotes de délaisser le combat intérieur pour des spectacles de joutes extérieures[87]. Mais il a surtout recours à cette métaphore militaire pour évoquer les dangers du combat spirituel : pour prendre d'assaut une ville bien fortifiée, le siège ne suffit pas, il faut aussi s'assurer de complicités à l'intérieur ; c'est la ruse dont Satan va se servir pour avoir raison de Job : « Il voit, en effet, que la cité dont il enviait la conquête était très fortifiée : et c'est pourquoi, en lui infligeant tant de fléaux, il fait approcher d'elle, en quelque sorte à l'extérieur, des troupes d'assiégeants ; mais en enflammant le cœur de la femme par des paroles d'une perfidie persuasive, il se ménage des intelligences en quelque sorte à l'intérieur.

---

85. *Ibid.* 17, 30, 47 (*PL*, 76, 33 B) : « Qui (= diabolus) ad *interiora* non ualuit, ad eius se *exteriora* conuertit, ut quia mentis uirtute uictus est, cum quem decipere tentatione non ualuit, carnis saltem uideretur morte superare, atque... permissus est in illud quod ex nobis mortalibus Mediator acceperat... Vnde accepit *exterius* potestatem Dominicae carnis occidendae, inde *interior* potestas eius qua nos tenebat occisa est. Ipse namque *interius* uictus est, dum quasi uicit *exterius*. »

86. *HEv* 2, 35, 5 (*PL*, 76, 1262 C) : « Melior est patiens uiro forti, et qui dominatur animo suo expugnatore urbium » (*Prov.* 16, 32). Minor est ergo uictoria urbes expugnare, quia *extra* sunt quae uincuntur. Maius autem est quod per patientiam uincitur, quia ipse a se animus superatur, et semetipsum sibimetipsi subiicit ». Cf. *Past.* 3, 9 (*PL*, 77, 60 C) : « Minor est uictoria urbium, quia *extra* sunt quae subiguntur. Valde autem magis est quod per patientiam uincitur, quia ipse a se animus superatur ; et is qui semetipsum sibimetipsi subiicit, quando eum patientia *intra* se frenari compellit. »

87. AUGUSTIN, *Serm.* 9, 13 (*PL*, 38, 85 C) : « Quia dissimulatis a pugna *interiore*, et delectant uos pugnae *exteriores*, ideo non uultis pertinere ad canticum nouum ubi dicitur : « Qui docet manus meas ad proelium » (*Ps.* 143, 1) ; est enim bellum quod secum agit homo, dimicans contra concupiscentias malas, frenans auaritiam, elidens superbiam, suffocans ambitionem, trucidans libidinem. »

Les guerres extérieures nous donnent en effet une idée de ce que l'on peut ressentir dans des luttes intérieures. Quand un ennemi déchaîné encercle une ville de ses armées répandues à l'entour, s'il y aperçoit des défenses imprenables, il a recours à d'autres moyens de combat et se ménage aussi l'intelligence de quelques citoyens à l'intérieur. Car quand il déclenche son attaque au dehors, il a des gens pour l'aider au-dedans ; et au plus fort de l'assaut, la trahison perfide de ceux dont il s'est acquis le concours démunit la ville et la fait tomber en son pouvoir[88]. » Grégoire a coutume d'employer assez souvent des métaphores militaires, qui ne manquent pas non plus chez les auteurs de son époque[89] : les invasions gothe et lombarde, l'état de délabrement de l'Italie parcourue par les soldats des deux camps, les séditions, les pillages, bref le spectacle continuel de la guerre n'y sont probablement pas étrangers.

Cependant, c'est de la littérature monastique que Grégoire semble s'être inspiré, lorsqu'il applique au combat spirituel ces métaphores guerrières. Un passage de la *Regula Magistri*, qui insiste sur la nécessité de la purification intérieure, et dans lequel reviennent à plusieurs reprises les termes *intus* et *foris*, évoque lui aussi le danger que représentent les ennemis du dedans. « Le camp retranché ne peut être non plus en sécurité, quand l'ennemi est à l'intérieur. De même, la porte est prisonnière de sa propre fermeture, quand, au lieu de repousser l'adversaire, les murs le tiennent enfermé[90]. » Et Cassien, de son côté, traitant du combat spirituel, dénonce ces mêmes complicités intérieures, qu'il est indispensable de démasquer : « Comment croire qu'il a écrasé la luxure qui fait corps avec sa chair, celui qui n'a pas été capable de renoncer à la concupiscence de l'argent, qui est extérieure et étrangère à notre nature ? Si hauts soient les remparts, et si solidement fermées les portes qui protègent une ville, la trahison d'une seule poterne, si petite soit-elle, la

---

88. *Mor.* préf. 4, 9 (*PL*, 75, 521 D - 522 A = *SC*, 32 bis, p. 152) : « Ciuitatem quippe, quam expugnare appetiit, nimis munitam uidit : et idcirco *exterius* tot plagas inferens, quasi *foras* exercitum admouit ; animum uero uxoris in uerbis malae persuasionis accendens, quasi *intus* ciuium corda corrupit. Ex bellis enim *exterioribus* discimus, quid de *interioribus* sentiamus. Inimicus namque saeuiens, et urbem circumfusis exercitibus uallans, si eius munimina inuicta conspexerit ad alia se pugnandi argumenta conuertit, ut *intus* etiam quorumdam ciuium corda corrumpat ; quatenus cum *extrinsecus* impugnatores admouerit, *internos* quoque habeat adiutores, atque increscente belli *foras* certamine, de quorum *intus* fide confiditur, eorum perfidia urbs destituta capiatur. »

89. Cf. à ce sujet les remarques de L. WEBER (*op. cit.*, p. 65).

90. *Reg. Mag.* 15, 1-5 (*SC*, 106, p. 62-64) : « Fratres, tunc rami arboris mundi sunt, si lignum eius a radice purgetur. Nec enim dignum est, mundatis *foris* regiis, cubiculum *intus* inquinari de sordibus, sed decenter efficitur, si de *intrinsecus foris* eiecta surditie, iam tum demum et *foras* iuste mundetur. Non enim secura possunt esse fossata, ubi *intus* est hostis Simul et porta clusura sua captiua est, ubi muri non repellunt, sed inclusum continent inimicum. »

livrera au pillage[91]. » Et Cassien ajoute un peu plus loin que notre principal ennemi est intérieur, et que, lui vaincu, les oppositions extérieures seront affaiblies[92]. Nous ne prétendons nullement que Grégoire a cherché consciemment à copier ces passages, en prolongeant à sa manière les images qu'ils contiennent. Mais comment aurait-il pu comparer les dangers qui menacent l'âme dans sa lutte intérieure, aux manœuvres perfides que tentent les ennemis pour prendre une ville, s'il n'avait eu aucune connaissance de la tradition monastique qui avait déjà su exploiter ce thème ? Du reste, la conception de la vie spirituelle, le programme d'ascétisme qu'il trouvait dans cette littérature correspondaient parfaitement à ses propres idées. Tout comme Cassien, Grégoire n'était-il pas plus préoccupé de spiritualité que de métaphysique ? Son but était de décrire le combat spirituel et d'aider ses fidèles à le bien livrer, en les prévenant des pièges qui les guettaient, et en leur indiquant les moyens pratiques de s'en prémunir. Grâce à lui, les notions d'intériorité et d'extériorité quittaient le domaine de l'anthropologie pour prendre place dans celui de la pratique spirituelle.

L'opposition entre l'ordre humain et l'ordre divin — L'extériorité s'oppose à l'intériorité comme ce qui détourne de Dieu à ce qui permet de le rencontrer. Cette opposition, si fréquente dans les *Moralia* et si manifestement héritée de la tradition augustinienne, fournit à Grégoire d'autres développements. *Interior* définit aussi, dans son œuvre, et particulièrement dans ses écrits pastoraux, l'ordre de Dieu, c'est-à-dire l'ordre des réalités essentielles et des valeurs véritables, tandis qu'*exterior* s'applique à l'ordre humain, au monde, où dominent l'erreur et l'illusion. Le couple des termes antithétiques *interior-exterior, intus-foris* définit cet antagonisme radical de Dieu et du monde, qui se vérifie tout particulièrement dans les opinions que les hommes portent sur eux-mêmes. Dans sa *Regula Pastoralis*, Grégoire recommande vivement aux pasteurs d'observer l'humilité ; c'est une vertu qu'ils pratiqueront d'autant plus difficilement qu'en raison de leur rang et de leurs charges, ils sont l'objet de la vénération de leurs fidèles. Qu'ils n'oublient pas que leur grandeur intérieure ne se mesure pas à leur réputation extérieure ! « Que ceux qui président s'appliquent donc sans trêve à rabaisser d'autant plus au-dedans d'eux-mêmes leur

---

91. *Inst.* 5, 11, 2 (*SC*, 109, p. 206-208) : « Quemadmodum credendus est insertam carni luxuriam conculcasse, qui pecuniarum concupiscentiam forinsecus sitam atque alienam a nostra substantia non ualuit abdicare ?... Quantalibet urbs sublimitate murorum et clausarum portarum firmitate muniatur, posterae unius quamuis paruissimae proditione uastabitur. »

92. *Ibid.* 5, 21, 1 (p. 224) : « Non enim nobis est aduersarius *extrinsecus* formidandus : in nobismetipsis hostis inclusus est, intestinum cotidie geritur bellum. Deuicto eo, omnia quae *forinsecus* sunt reddentur infirma ac militi Christi uniuersa pacata erunt et subdita. Non habebimus aduersarium nobis *extrinsecus* metuendum si ea quae *intra* nos sunt spiritui leuicta subdantur. »

puissance, que celle-ci apparaît grande au-dehors[93]. » _Exterius_ désigne
ici le jugement du monde, qui risque d'inspirer de l'orgueil au chef qui
cède au goût du pouvoir, _interius_, au contraire, s'applique au jugement
de la conscience, seule susceptible de rappeler à l'âme où se trouve la
véritable grandeur. Et, bien des fois, Grégoire se plaît à méditer sur ces
paradoxes de la vie chrétienne, que seuls les saints savent comprendre.
S'ils acceptent d'être méprisés et supportent les persécutions, c'est
parce qu'ils savent qu'ils deviennent ainsi dignes d'une gloire éternelle.
« Les saints sont méprisés au dehors et, comme s'ils étaient des gens
indignes, supportent tout ; mais sûrs d'être dignes des demeures d'en
haut, ils attendent avec assurance la gloire de l'éternité[94]. » L'opposition
du monde (_foris_) est en quelque sorte un gage de sainteté. Les louanges
des hommes risquent souvent d'inciter l'âme à sortir d'elle-même ;
au contraire, les outrages l'y ramènent. _Intus_ et _foris_ servent à rythmer
ce renversement des valeurs : « Souvent une âme faible, quand elle reçoit
les faveurs des gens pour ses bonnes actions, se laisse détourner vers
des joies extérieures, si bien qu'elle fait moins de cas de ce qu'elle désire
intérieurement et se laisse volontiers aller, séduite par ce qu'elle entend
au-dehors... Celui qui a pu sortir au-dehors à cause des louanges reçues,
repoussé par les outrages, revient en lui-même et s'affermit d'autant
plus solidement en Dieu au-dedans de lui-même, qu'il n'a pas trouvé
au-dehors d'endroit pour se reposer[95]. » D'un côté, l'extériorité, c'est-à-
dire l'approbation du monde, qui conduit l'âme au péché ; de l'autre,
l'intériorité, qui permet le retour en soi-même et la conformité à Dieu.
La simplicité du juste vérifie à sa manière le paradoxe chrétien : méprisée
des hommes, elle ne brille pas au dehors, mais seulement au dedans.
« C'est donc à bon droit que la simplicité du juste est à la fois qualifiée
de lampe, et méprisée. Lampe, parce qu'elle brille intérieurement, méprisée, parce qu'elle ne brille pas extérieurement. Au-dedans brûle la flamme
de la charité ; au-dehors la réputation de sa beauté ne resplendit nullement[96]. »

---

93. _Past._ 2, 6 (_PL_, 77, 37 A) : « Studeant igitur sine intermissione
qui praesunt, ut eorum potentia quanto magna _exterius_ cernitur, tanto
apud eos _interius_ deprimatur, ne cogitationem uincat, ne in delectationem
sui animam rapiat, ne iam sub se mens eam regere non possit, cui se
libidine dominandi supponit. »

94. _Mor._ 6, 16, 24 (_PL_, 75, 742 B-C) : « Sancti itaque uiri _foris_ despecti
sunt, et uelut indigni omnia tolerant ; sed dignos se supernis sedibus
confitentes, aeternitatis gloriam cum certitudine exspectant. »

95. _Ibid._ 10, 28, 74 (_PL_, 75, 946 A-B) : « Saepe infirma mens, cum de
bonis actibus aura humani fauoris excipitur, ad gaudia _exteriora_ deriuatur,
ut postponat quod _intus_ appetit, et in hoc libenter resoluta iaceat, quod
foris audit... Qui exire _foras_ per laudes potuit, repulsus contumeliis, ad
semetipsum redit, et eo se _intus_ robustius in Deo solidat, quo _foris_ non
inuenit quo requiescat. »

96. _Ibid._ 10, 30, 59 (_PL_, 75, 949 B-C) : « Bene itaque iusti simplicitas
et lampas esse dicitur, et contempta. Lampas, quia _interius_ lucet ; contempta, quia _exterius_ non lucet. _Intus_ ardet flamma caritatis, _foris_ nulla
gloria resplendet decoris. »

Ses *Homélies* et ses *Dialogues* fournissent à Grégoire maintes occasions d'illustrer par des exemples cette opposition entre le jugement des hommes et le jugement de Dieu. A la fin d'une de ses *Homélies sur l'Évangile*, après avoir raconté l'histoire de Romula, une religieuse qui avait vécu dans la pauvreté et mourut entourée par les chœurs des anges, il recommande d'honorer les pauvres qui, au dehors, sont l'objet du mépris des hommes, mais, au dedans, sont les amis de Dieu : « Honorez ceux que vous voyez vivre dans la pauvreté, et ceux dont vous constatez au-dehors qu'ils sont l'objet du mépris du siècle, songez au-dedans de vous qu'ils sont les amis de Dieu[97]. » Dans cette phrase, *intus* et *foris* s'opposent aussi nettement qu'il est possible, comme la gloire qui vient des hommes et celle qui vient de Dieu. C'est pourquoi les saints, dont il est question dans les *Dialogues*, ne désirent pas que leurs miracles soient connus des hommes : ils craignent trop que la faveur du monde ne les corrompe. Ainsi Boniface, évêque de Ferentum, qui multiplia du pain, mais demande de ne pas divulguer ce miracle : « il recommande, tant qu'il serait vivant dans son corps, de ne révéler ce miracle à personne ; il redoutait évidemment, sous le coup de la louange humaine que provoquerait son action, de devenir la proie d'un vide intérieur, du fait même qu'il apparaîtrait au-dehors comme un grand personnage[98]. » L'abbé Equitius, de Valérie, a lui aussi accepté le mépris du monde : sa réputation de thaumaturge et de prédicateur étant parvenue jusqu'à Rome, des clercs confièrent au pape leur inquiétude à son sujet ; quel était ce paysan (*uir rusticus*) qui avait l'audace de prêcher ? Le pape ordonne d'aller à la recherche d'Equitius et de le lui ramener, mais un songe l'avertit de ne pas déranger le saint abbé. Grégoire, à l'intention de son diacre Pierre, tire la leçon de cette histoire : « Comprends donc, Pierre, combien sont sous la garde de Dieu ceux qui, en cette vie, savent se mépriser eux-mêmes, avec quels citoyens sont intérieurement honorés, ceux qui ne rougissent pas d'être au-dehors l'objet du mépris des hommes[99]. » Cette leçon est double : d'abord, le pape lui-même a cédé à l'appréciation du monde, représentée par ses clercs qui se méfiaient des succès d'Equitius ; ensuite, cette appréciation du monde est superficielle, extérieure, et s'oppose à celle de Dieu, qui seul connaît l'intérieur des cœurs[100]. Le récit hagiographique, non

---

97. *HEv* 2, 40, 12 (*PL*, 76, 1312 B) : « Honorate quos pauperes uidete, et quos *foris* conspicitis despectos saeculi *intus* arbitramini amicos Dei. »

98. *Dial.* 1, 9 (p. 52) : « Praecepit ne, quousque ipse in corpore uiueret, hoc miraculum cuilibet indicaret, uidelicet pertimescens, ne in uirtute facti humano fauore pulsatus inde *intus* inanesceret, unde *foris* hominibus magnus appareret. »

99. *Ibid.* 1, 4 (p. 37) : « Cognosce igitur, Petre, in quanta Dei custodia sunt qui in hac uita seipsos despicere nouerunt, cum quibus *intus* ciuibus in honore numerantur, qui despecti *foris* hominibus esse non erubescunt. »

100. A la fin du chapitre (*ibid.*), Grégoire cite ce verset de Luc (16, 15) : «Vos estis qui iustificatis uos coram hominibus. Deus autem nouit corda uestra, quia quod hominibus altum est, abominabile est ante Deum. »

seulement met en œuvre cette opposition du jugement des hommes et du jugement de Dieu qui anthentifie la sainteté, mais encore assure le triomphe du second sur le premier[101]. Ainsi s'achève le paradoxe : l'ordre divin (*intus*) manifeste sa supériorité sur l'ordre des hommes (*foris*).

Cet antagonisme du monde et de Dieu s'applique en particulier à l'opposition entre l'enseignement des hommes et l'enseignement de Dieu. De même que la vraie sainteté ne peut se concilier avec la gloire terrestre, parce que l'estime de Dieu et l'estime des hommes se réfèrent à des valeurs absolument différentes, de même la science des choses surnaturelles se distingue toujours du simple savoir humain. C'est que ce savoir humain fait appel à des disciplines extérieures, telle cette rhétorique aux règles de laquelle Grégoire refuse de se soumettre, lorsqu'il entreprend son commentaire sur le livre de Job : « J'ai donc dédaigné de m'astreindre à cet art de bien dire qu'enseignent les règles d'une discipline extérieure[102]. » Toutes les analyses que je viens de faire montrent que l'adjectif *exterior* doit être traduit par « extérieur », plutôt que par « étranger », car il est là pour souligner cet écart, et même cette opposition, qui existe entre la grammaire, discipline purement extérieure, et la science sacrée, qui a l'ambition d'aborder le mystère même de Dieu et n'y parvient qu'en suivant la voie de l'intériorité et en évitant tout ce qui l'en détournerait.

Comme je l'ai déjà indiqué, de telles déclarations ne font pas de Grégoire un ennemi de la culture : il ne prétend pas mépriser ou rabaisser les sciences profanes, mais seulement les remettre à leur place. Il distingue pour cela des ordres de réalités et il considère toujours l'ordre de la vie spirituelle, dominé par le principe d'intériorité, comme très supérieur à l'ordre de la connaissance, dont les objets restent extérieurs. Dans les *Dialogues*, il lui arrive souvent d'employer l'expression de *studia exteriora* pour qualifier la formation profane des saints personnages dont il raconte les miracles[103]. L'évêque Paulin de Nole, les moines Speciosus et Grégoire ont beau être fort cultivés, ce n'est pas leur culture, mais leur sainteté, leur valeur spirituelle, leurs vertus intérieures qui sont à l'origine de leur réputation.

Par opposition, Grégoire ne cesse de répéter que la connaissance spirituelle, celle qui permet à l'homme de chercher Dieu et de le trouver, appartient tout entière à l'ordre de l'intériorité. Le Christ et l'Esprit

---

101. Grégoire souligne encore d'une autre manière le renversement de situation. Au début, c'est Equitius qui passe pour présomptueux (p. 36: « officium apostolici nostri domini sibimet usurpare indoctus praesumpsit ») ; à la fin, c'est le pape qui se repent de sa présomption (*ibid.* : « pontifex fuerat uehementer exterritus, cur ad exhibendum Dei hominem mittere praesumpsisset. »)

102. *Ep.* 5, 53 a, 5 (*SC*, 32 bis, p. 132) : « Vnde et ipsam loquendi artem, quam magisteria disciplinae *exterioris* insinuant, seruare despexi... »

103. *Dial.* 3, 1 (p. 136) : « uir eloquentissimus atque adprime *exterioribus* quoque studiis eruditus » (Paulin de Nole) ; *ibid.* 4, 9 (p. 240) : « *exterioribus* studiis eruditi » (les moines Speciosus et Grégoire).

Saint sont des maîtres qui se chargent d'instruire les âmes du dedans, qu'il s'agisse de Marie-Madeleine, qui peut ainsi reconnaître celui qui se présente à elle sous les traits d'un jardinier[104], d'Honorat de Fundi, saint personnage des *Dialogues*, qui n'a pas bénéficié de l'enseignement extérieur d'un maître humain, mais a été instruit intérieurement par l'Esprit Saint, tout comme Jean-Baptiste et Moïse[105], ou en général de tout prédicateur, qui ne peut exercer son ministère qu'avec l'aide d'un maître intérieur[106]. En insistant ainsi sur ce charisme de l'inspiration, Grégoire se souvient sans aucun doute des leçons d'Augustin[107]. Mais il rattache cette doctrine à sa propre thématique, en opposant le magistère intérieur de l'Esprit au magistère extérieur des hommes.

Apparence extérieure   Pour démasquer les contradictions des pécheurs
et réalité intérieure   aussi bien que pour mettre en lumière les para-
doxes de la sainteté, Grégoire recourt encore à l'antithèse *intus-foris* ; il ne s'agit plus alors de montrer que l'antagonisme de Dieu et du monde domine la vie chrétienne, mais d'analyser des conduites particulières. *Intus* désignera la réalité profonde, souvent cachée, mais seule importante, et qui fournit des critères de jugement moral. A l'opposé, *foris* s'appliquera à l'apparence, maintes fois trompeuse, et derrière laquelle se dissimule le mal. C'est ainsi que dans la troisième partie du *Pastoral*, il multiplie les conseils à l'adresse des prédicateurs, les invitant à adapter leurs propos aux catégories si diverses de leurs auditeurs ; c'est l'occasion pour lui de faire la preuve de sa finesse de moraliste, en dressant une sorte de catalogue des vices et des vertus

---

104. *HEv* 2, 25, 5 (*PL*, 76, 1192 D - 1193 A) : « Maria ergo quia uocatur ex homine, recognoscit auctorem, atque eum protinus rabboni, id est magistrum uocat, quia et ipse erat, qui quaerebatur *exterius*, et ipse qui eam *interius* ut quaereret docebat. »

105. *Dial.* 1, 1 (p. 19) : « Sunt nonnumquam qui ita per magisterium spiritus *intrinsecus* docentur, ut, etsi eis *exterius* humani magisterii disciplina desit, magistri *intimi* censura non desit. Sic quippe etiam Iohannes Baptista magistrum habuisse non legitur, neque ipsa Veritas quae praesentia corporali apostolos docuit eum corporaliter inter discipulos adgregauit, sed quem *intrinsecus* docebat, *extrinsecus* quasi in sua libertate reliquerat. Sic Moyses in heremo edoctus ab angelo mandatum didicit quod per hominem non cognouit. »

106. *HEv* 2, 30, 3 (*PL*, 76, 1222 A) : « Nemo ergo docenti homini tribuat quod ex ore docentis intelligit, quia nisi *intus* sit qui doceat, doctoris lingua *exterius* in uacuum laborat. » Cette affirmation de Grégoire est un écho direct de ce passage d'Augustin (*Comment. in I Jn*, 3, 13 : *SC*, 75, p. 210) : « Sonus uerborum nostrorum aures percutit, magister *intus* est. Nolite putare quemquam aliquid discere ab homine. Admonere possumus per strepitum uocis nostrae ; si non sit *intus* qui doceat, inanis fit strepitus noster. »

107. Cf. É. GILSON, *Introduction à l'étude de saint Augustin*, Paris, 1931, p. 99. Cette doctrine du maître intérieur se trouve surtout dans les derniers chapitres du *De magistro* : cf. *CCh*, 29, p. 194-203 ; *Bibl. august.* 6, p. 144-153. J'ai déjà abordé ce thème au chapitre I (p. 40-45), en traitant de la « *sapientia iustorum* ».

opposés. Il prend grand soin, en particulier, d'attirer l'attention des pasteurs sur les pièges et les masques de l'orgueil. On pourrait dire que son principe d'analyse reste constant : il faut aller au-delà de l'apparence extérieure, qui risque d'être trompeuse, pour discerner la réalité intérieure où se cache souvent le péché. Les excès d'ascétisme, par exemple, sont susceptibles d'engendrer un orgueil très sournois et difficile à dépister : certains qui domptent leur chair, manifestent au-dehors de l'humilité, mais, au-dedans, s'enorgueillissent de cette humilité. « Lorsque l'on mate sa chair par l'abstinence, plus qu'il n'est nécessaire, il y a au-dehors étalage d'humilité, mais cette humilité elle-même devient intérieurement une grave source d'orgueil[108]. » Le devoir du pasteur consistera à démasquer le péché qui se cache derrière l'apparence de vertu.

Ce désaccord entre l'intérieur et l'extérieur est synonyme d'hypocrisie et, dans les multiples passages des *Moralia* où il traite de ce vice, Grégoire ne manque pas de recourir à son antithèse favorite. Pour ne pas être connus au-dedans d'eux-mêmes, les hypocrites se protègent grâce à la dissimulation extérieure[109]. Ils feignent la sainteté et gagnent sans peine l'estime de ceux qui aperçoivent l'extérieur, mais sont incapables de discerner l'intérieur. « Souvent, lorsqu'un hypocrite feint la sainteté, sans craindre le moins du monde de montrer son iniquité, tous les gens l'honorent et sa réputation de sainteté est reconnue par ceux qui regardent l'extérieur, mais sont incapables de percevoir l'intérieur[110]. » Ils s'enrichissent extérieurement, mais s'appauvrissent intérieurement, parce qu'ils n'ont pas droit au pain de la sagesse[111]. Comme ils ne recherchent que la gloire qui vient des hommes, la science sacrée, qu'ils prétendent enseigner, se transforme en poison au-dedans d'eux-mêmes[112]. Leur comportement n'est qu'une tromperie permanente, puisqu'ils doivent

---

108. *Past.* 3, 19 (*PL*, 77, 82 A) : « Dum plus quam necesse est caro atteritur per abstinentiam, humilitas *foris* ostenditur, sed de hac ipsa humilitate grauiter *interius* superbitur. »

109. *Mor.* 33, 26, 46 (*PL*, 76, 703 A) : Les hypocrites sont comparés à des portes qui « ad deprehendum clausae sunt, quia ne *intrinsecus* cognosci ualeant, *exteriori* simulatione muniuntur. »

110. *Ibid.* 15, 3, 4 (*PL*, 75, 1083 C = *SC*, 221, p. 14) : « Saepe hypocrita dum sanctum se simulat, et iniquum exhibere minime formidat, ab omnibus honoratur eique sanctitatis gloria defertur ab iis qui *exteriora* cernunt, sed *interiora* prospicere nequeunt. »

111. *Ibid.* 15, 8, 9 (*PL*, 75, 1085 D - 1086 A = *SC*, 221, p. 22) : « Quia dum *exterius* multiplicantur, *interius* inanes fiunt, et diuites pariter et egentes esse memorantur, quia uidelicet pane sapientiae satiari minime merentur. »

112. *Ibid.* 15, 13, 16 (*PL*, 75, 1088 B-C = *SC*, 221, p. 30) : « Vel certe, quia panis, scripturae sacrae intelligentia non inconuenienter accipitur, quae mentem reficit eique boni operis uires praebet, et plerumque hypocrita etiam sacri eloquii erudiri mysteriis studet ; non tamen ut ex eisdem uiuat, sed ut caeteris hominibus quam sit doctus appareat ; panis eius utero illius in fel aspidum *intrinsecus* uertetur, quia dum de sacrae legis scientia gloriatur, uitae potum conuertit sibi in ueneni poculum. »

accomplir leurs mauvaises actions derrière une apparence de sainteté, sous le voile de l'honnêteté[113].

Grégoire met autant d'acharnement et de perspicacité à dénoncer cette *sancta species* des hypocrites et des faux docteurs, qu'il en met à démontrer que les vices se cachent trop souvent sous l'apparence des vertus[114]. Sa veine de moraliste se donne ici libre cours. Mais il n'oublie pas qu'il doit prêcher la vraie sainteté ; et, de fait, il s'ingéniera longuement à montrer qu'elle est avant tout affaire d'intériorité, ou plutôt de coïncidence entre nos actes extérieurs et notre vie intérieure. Au comportement des hypocrites, il opposera l'exemple des saints : alors que les premiers — et il emploie alors la première personne du pluriel, pour laisser entendre que nous sommes souvent de leur nombre — se préoccupent de l'appréciation des hommes qui est purement extérieure, et non de celle de Dieu qui est intérieure, les seconds sont attentifs à contrôler leurs actions extérieures, afin qu'elles servent d'exemples à leurs frères, aussi bien qu'à veiller sur leurs sentiments intérieurs, afin d'être irréprochables aux regards de Dieu qui les juge ; si l'hypocrisie est le triomphe de l'apparence, la sainteté est donc un effort qui concerne l'intérieur et l'extérieur, ainsi que leur accord mutuel : « les actions extérieures sont exposées aux yeux des hommes, alors que, d'une façon de beaucoup incomparable, nos pensées intérieures les plus subtiles sont exposées aux regards de Dieu... et souvent, en accomplissant une action extérieure, nous craignons d'apparaître aux yeux des hommes comme des gens sans règles, mais dans nos pensées intérieures, nous ne craignons pas d'être aperçus par celui que nous ne voyons pas alors qu'il voit tout. Car nous sommes bien plus accessibles intérieurement aux regards de Dieu qu'extérieurement à ceux des hommes. C'est pourquoi tous les saints se contrôlent au-dehors et au-dedans : ou bien ils s'adressent des reproches extérieurement, ou bien ils craignent de se montrer méchants intérieurement d'une manière invisible. C'est ainsi que les animaux que voit le prophète sont, selon la tradition, remplis d'yeux sur leur circonférence et au-dedans. Quiconque, en effet, se conduit bien extérieurement, mais néglige l'intérieur, a des yeux sur la circonférence, mais pas au-dedans. Tous les saints, parce que, d'une part, ils contrôlent leur conduite extérieure, pour donner de bons exemples à leurs frères, et que, d'autre part, ils font scrupuleu-

---

113. *Ibid.* 33, 24, 44 (*PL*, 76, 701 C-D) : « Leviathan iste aliter religiosas hominum mentes, aliter uero huic mundo deditas tentat ; nam prauis mala quae desiderant aperte obiicit, bonis autem latenter insidians, sub specie sanctitatis illudit. Illis uelut familiarius suis iniquum se manifestius insinuat ; istis uero uelut extraneus cuiusdam quasi honestatis praetextu se palliat, ut mala quae eis publice non ualet, tecta bonae actionis uelamine subintromittat. »

114. *Ibid.* 3, 33, 65 (*PL*, 75, 631 B-C) : « Quaedam se nobis uitia sub specie uirtutum tegunt, et quasi blanda ad nos facie ueniunt... Nam saepe immoderata ira, iustitia ; et saepe dissoluta remissio misericordia uult uideri. Saepe incautus timor humilitas ; saepe effrenata superbia appetit libertas apparere. »

sement attention à leur vie intérieure et se montrent sans reproches aux
regards du juge intérieur, ont, affirme-t-on, des yeux sur la circonférence
et au-dedans[115]. »

Les hommes ne s'attachent qu'aux apparences, parce qu'ils ne sont
capables de connaître et d'apprécier que des comportements extérieurs.
Au contraire, Dieu voit au-dedans des cœurs et, comme il est plus important de plaire à Dieu qu'aux hommes, la vie spirituelle comportera avant
tout un effort d'intériorisation. C'est là un des principes fondamentaux
de la morale grégorienne, et l'un des thèmes principaux de sa prédication.
Grégoire n'hésite pas, par exemple, à appliquer l'épithète d'*exterior* à la
gloire et à la classer parmi les vices qu'inspire la chair, en l'opposant
au progrès intérieur (*interior prouectus*) qui se trouve du côté des vertus
commandées par l'esprit. « Chez les élus et les réprouvés, diverses sont
les impulsions. Chez les élus ce sont évidemment les impulsions de l'esprit,
chez les réprouvés celles de la chair. Les impulsions de la chair poussent
l'âme à la haine, à l'orgueil, à l'impureté, au vol, à la gloire extérieure.
Les impulsions de l'esprit incitent l'âme à la charité, à l'humilité, à la
continence, à la générosité de la miséricorde, au progrès intérieur...[116]»
Ce qui est extérieur s'oppose donc à ce qui est intérieur, comme le mal
au bien et les vices aux vertus.

Les paradoxes   Mais, pour rendre ses nombreux auditoires
de la sainteté   de moines ou de simples fidèles plus sensibles
                            à cette vérité centrale, pour provoquer en eux
cette spiritualisation, cette intériorisation indispensable à leur vie chrétienne, Grégoire ne s'est pas contenté d'affirmer de façon abstraite ce
primat de l'intériorité. Parce qu'il était un mystique, personnellement

---

115. *Mor.* 19, 12, 20 (*PL*, 76, 108 D - 109 A-B) : « *Exteriora* namque
opera patent oculis hominum, longe uero incomparabiliter *interiores*
ac subtilissimae cogitationes nostrae patent oculis Dei... Et saepe in
exteriori opere ante oculos hominum inordinati apparere metuimus, et
in *interiori* cogitatione illius respectum metuimus, quem uidentem
omnia non uidemus. Multo enim magis *intrinsecus* Deo quam *extrinsecus*
hominibus conspicabiles sumus. Vnde et sancti omnes *foris* se *intusque*
circumspiciunt, et uel reprehendendo se *exterius*, uel iniquos se *interius*
uideri inuisibiliter timent. Hinc est quod animalia quae per prophetam
uidentur, in circuitu et *intus* plena oculis esse memorantur. Quisquis
enim *exteriora* sua honeste disponit, sed *interiora* negligit, in circuitu oculos habet, sed *intus* non habet. Sancti uero omnes, quia et *exteriora* sua
circumspiciunt, ut bona de se exempla fratribus praebeant, et *interiora*
sua uigilanter attendunt, quia sese irreprobabiles *interni* iudicis obtutibus
parant, et oculos in circuitu et *intus* habere perhibentur. »

116. *HEz* 1, 5, 2 (*PL*, 76, 821 C-D = *CCh*, 142, p. 57) : « In electis et
reprobis diuersi sunt impetus. In electis uidelicet impetus spiritus, in
reprobis impetus carnis. Impetus quippe carnis ad odium, ad elationem,
ad immunditiam, ad rapinam, ad *exteriorem* gloriam... animum impellit.
Impetus uero spiritus ad caritatem, ad humilitatem, ad continentiam,
ad largitatem misericordiae, ad *interiorem* prouectum... mentem pertrahit. »

attentif aux réalités intérieures, au mystère de l'âme partagée entre le
péché et la vertu, et également parce qu'il savait, en tant que pasteur,
s'adapter à chacun, il s'est préoccupé aussi d'illustrer ses affirmations
par des exemples. L'expérience des saints lui en fournissait. Ceux-ci sont
par excellence les hommes de l'intériorité, parce qu'ils mènent, chacun
à sa manière, la vie contemplative et parce qu'ils se préoccupent davantage de plaire à Dieu qu'aux hommes. Ils ont souvent poussé le mépris
du monde, de l'extériorité, jusqu'au paradoxe, et c'est en mettant en
lumière ces paradoxes de la sainteté que Grégoire prêche sa morale
de l'intériorité. Job, le saint homme Job, n'est-il pas par exemple, un
vivant témoignage du contraste évangélique entre le dépouillement
extérieur et la richesse intérieure ? Privé extérieurement de ses biens,
il est intérieurement rempli de Dieu, semblable à Paul qui, apercevant
en lui la richesse de la sagesse intérieure et voyant qu'il était lui-même
un corps corruptible, parlait de ce trésor que nous portons dans des vases
d'argile (2 *Cor.* IV, 7). Le vase d'argile de Job, ce sont les blessures qui
affaiblissent son corps, mais au-dedans de lui-même, il continue à porter
le trésor de la sagesse divine[117]. Des paradoxes identiques abondent chez
les personnages des *Dialogues.* Herménégild, emprisonné sur l'ordre
de son père Léovigild, refuse courageusement de céder aux sollicitations
d'un évêque arien, qui lui a été envoyé : car, s'il souffrait de la contrainte
extérieure de l'emprisonnement, « sur la grande cime de son âme »,
c'est-à-dire en lui-même, il jouissait d'une totale liberté[118]. Le fameux
Spes, abbé d'un monastère voisin de Nursie, resta aveugle pendant
quarante ans : mais, s'il vivait dans les ténèbres extérieures, il ne manqua
jamais de la lumière intérieure[119]. Quant à Galla, la fille de Symmaque,
elle préféra devenir laide plutôt que se marier : pourquoi aurait-elle
redouté la laideur extérieure, puisqu'elle aimait la beauté de son époux
intérieur[120] ?

Tel est, sous des formes multiples, le paradoxe constant de la sainteté :
les saints savent discerner les biens véritables, qui ne résident ni dans
la richesse matérielle, ni dans l'absence de contraintes ou d'infirmité,

---

117. *Mor.* 3, 9, 15 (*PL*, 75, 606 C-D) : « Inter haec igitur sanctum uirum
intueri libet, *foras* rebus uacuum, *intrinsecus* Deo plenum. Paulus cur
in seipso diuitias sapientiae *internae* conspiceret, seque ipsum *exterius*
esse corruptibile corpus uideret, ait : « Habemus thesaurum istum in
uasis fictilibus » (2 *Cor.* 4, 7). Ecce in beato Iob uas fictile scissuras ulce-
rum *exterius* sensit ; sed hic thesaurus *interius* integer mansit. *Foras*
enim per uulnera crepuit, sed indeficienter *interius* nascens thesaurus
sapientiae per uerba sanctae eruditionis emanauit. »
118. *Dial.* 3, 31 (p. 205) : « Sed uir Deo deditus arriano episcopo
uenienti exprobrauit, ut debuit, eiusque a se perfidiam dignis increpatio-
nibus reppulit, quia, etsi *exterius* iacebat legatus, apud se tamen in
magno mentis culmine stabat securus. »
119. *Ibid.* 4, 11 (p. 242) : « Dum *exterioribus* tenebris premeret,
interna numquam luce destituit. »
120. *Ibid.* 4, 14 (p. 247) : « Sed sancta mulier nihil *exterius* defor-
mitatis timuit, quae *interioris* sponsi speciem amauit. »

ni dans la beauté physique. Ce ne sont là que des choses extérieures, qui risquent plutôt de faire oublier que comptent seules la richesse, la liberté, la clarté et la beauté intérieures. Chacun de ces *exempla* de sainteté est donc fondé sur un schéma constant dont l'élément essentiel est l'opposition *intus-foris* : à un bien intérieur, surnaturel, un bien extérieur peut faire écran ou obstacle ; mais les saints savent discerner et préférer le bien surnaturel. A travers ce schéma perce l'intention morale de Grégoire : la vie chrétienne doit affronter cette opposition, dont les saints ont fait l'expérience d'une manière plus dramatique que d'autres. Mais il est évident que les *Dialogues* nous présentent des cas extrêmes de cette opposition : il ne faudrait pas perdre de vue le but pédagogique que poursuit leur auteur. Il s'agit moins pour lui d'ériger en principe cette opposition, que de mieux faire ressortir le primat de l'intériorité. Qu'il soit amené à forcer un peu les traits n'a donc rien d'étonnant. Le genre littéraire de l'œuvre, qui utilise les récits hagiographiques à des fins démonstratives, explique certaines exagérations.

C'est ainsi que Grégoire insiste vigoureusement sur le contraste entre l'ignorance du prêtre Sanctulus et sa grandeur spirituelle. Ce saint personnage ignorait les rudiments de la culture profane, il ne connaissait pas non plus les préceptes de la loi, mais puisque « la plénitude de la loi c'est la charité » (*Rom.* 13, 10), il a observé pleinement cette loi en aimant Dieu et son prochain ; ce qu'il n'a pas connu extérieurement par la connaissance, il l'a vécu intérieurement par l'amour ; n'est-il pas plus important de faire que de connaître, et la *docta ignorantia* de Sanctulus ne surpasse-t-elle pas notre *indocta scientia*[121] ? Voilà le paradoxe de l'ignorance des saints poussé jusqu'à ses dernières conséquences, et ce passage est évidemment l'un de ceux où l'on peut puiser des arguments pour reprocher à Grégoire sa barbarie et son hostilité non seulement à l'égard des lettres profanes, mais aussi à l'égard de toute forme de culture, fût-elle même sacrée. Peut-être vaudrait-il mieux distinguer deux éléments dans ce développement hagiographique. Pour ce qui est du thème, tout d'abord, il faut reconnaître qu'il n'a rien d'étonnant sous la plume de Grégoire ; en maints autres endroits, l'antithèse *intus-foris* contribue à faire ressortir le caractère extérieur de la connaissance, de

---

121. *Ibid.* 3, 47 (p. 223-224) : « Scimus certe quia isdem uenerabilis uir Sanctulus ipsa quoque elementa litterarum bene non nouerat, legis praecepta nesciebat, sed quia « plenitudo legis est caritas », legem totam in Dei ac proximi dilectione seruauit, et quod *foras* in cognitione non nouerat, ei *intus* uiuebat in amore ; et qui numquam fortasse legerat, quod de Redemptore nostro Iohannes apostolus dixit : « quoniam ille pro nobis animam suam posuit, sic et nos debemus pro fratribus animam ponere », tam sublime apostolicum praeceptum faciendo magis quam sciendo nouerat ; comparemus, si placet, cum hac nostra indocta scientia illius doctam ignorantiam. » J'ai déjà étudié ce texte au cours du premier chapitre (cf. p. 47-48 et n. 58), en montrant qu'il illustrait l'acquisition du degré supérieur de la sagesse et en le rapprochant d'un passage d'Augustin où la *docta ignorantia* s'applique à la prière (*Ep.* 130, 14, 28 : *PL,* 33, 505).

l'enseignement humain, auquel il est reproché d'ignorer les réalités de la vie spirituelle. Mais, dans ce chapitre des *Dialogues*, la nouveauté consiste en ce que l'opposition est intérieure à la vie chrétienne elle-même, puisque *foris* s'applique à la connaissance religieuse, à la culture sacrée, et non plus simplement à la culture profane, et que l'antithèse traditionnelle est ici destinée à mettre en relief la primauté non de la valeur spirituelle sur la formation intellectuelle, mais de l'amour sur la connaissance.

Même si l'auteur des *Dialogues* s'inscrit dans une tradition, il n'est pas interdit de penser que c'est le genre littéraire des *Dialogues* qui permet, dans une large mesure, de rendre compte d'une telle interprétation. Grégoire ne s'exprime pas en moraliste, soucieux d'explorer les mystères de la vie spirituelle et d'y introduire ses moines, mais en mystique, qui se sert du genre hagiographique pour illustrer certains principes de l'expérience chrétienne en présentant à des auditeurs sans doute très divers et en majorité peu cultivés, les paradoxes de la sainteté. Au lieu d'évoquer minutieusement, comme dans ses *Moralia*, le cheminement de l'âme vers la contemplation et les étapes de l'ascension spirituelle, il met en scène des personnages, dont la vie elle-même doit être un enseignement. Quoi d'étonnant, dès lors, si les actes comptent plus que les connaissances, puisque chacun de ces *exempla* est, pour ainsi dire, la mise en œuvre d'une vérité religieuse ? En outre, en exaltant la docte ignorance de Sanctulus, Grégoire ne cherche-t-il pas à rendre plus proche d'un public populaire ce moine, que ses miracles extraordinaires éloignent du commun des hommes ? Ne veut-il pas laisser entendre que la vraie sainteté n'est pas si inaccessible aux *rudes* qu'on pourrait le penser, puisque Sanctulus lui non plus n'était, à aucun égard, un homme cultivé ? Si bien que cette exagération, à des fins pastorales, du thème de la *docta ignorantia* est un moyen d'atténuer ce que la sainteté pourrait avoir de décourageant.

Des degrés de l'être   *Intus-foris, interius-exterius, intrinsecus-extrin-*
                          secus ; il est indéniable que ces couples d'adverbes
antithétiques reviennent constamment sous la plume de Grégoire, lorsqu'il traite soit de l'histoire du salut, soit du destin de l'homme, que le péché attire au-dehors, mais qui ne trouve le chemin de Dieu qu'en rentrant en lui-même pour se connaître et se repentir, soit de la vie spirituelle et morale, qui est essentiellement d'ordre intérieur, qui se déroule dans les profondeurs de l'âme, là où se cache la divinité, soit des exemples édifiants tirés de la vie des saints, qui seuls ont pleinement compris et réalisé en eux-mêmes ce primat de l'intériorité jusqu'au paradoxe. Une exception est pourtant digne d'être relevée : Grégoire fait peu de cas de l'opposition paulinienne entre l'homme intérieur et l'homme extérieur, que les maîtres de la vie spirituelle qui le précèdent avaient su approfondir et placer au centre de l'anthropologie chrétienne. Même si c'est de cette opposition et de sa postérité dans la littérature chrétienne, qu'il hérite de ces notions d'intériorité et d'extériorité, auxquelles il recourt dans ses analyses

psychologiques et morales aussi bien que dans ses récits hagiographiques, il est permis de se demander si cette antithèse ne serait pas chez lui un simple procédé rhétorique, servant à mieux rythmer le déroulement de la pensée, ou si elle ne répondrait pas à son souci pastoral et pédagogique de frapper l'esprit de ses lecteurs et de ses auditeurs, en leur proposant des schémas assez simplifiés. Mais ce désir de rendre plus persuasifs ses développements, plus démonstratifs ses exemples ne peut suffire à rendre compte de l'usage important et permanent qu'il fait de ces notions antithétiques, lorsqu'il traite de l'anthropologie ou de la spiritualité chrétiennes, surtout si l'on songe qu'il a eu soin, à maintes reprises, d'affirmer son mépris pour la rhétorique, cette *disciplina exterior*, et sa conviction que les faits sont plus efficaces que les mots, que les *exempla* convertissent plus sûrement que les *uerba*[122]. Chez cet écrivain, qui proclame sa volonté de subordonner la forme au fond, la grammaire à la science sacrée et à la vie spirituelle, ce n'est pas un souci d'expression qui peut justifier l'emploi si régulier de termes tels qu'*intus* et *foris*.

Ces termes, et l'opposition qu'ils impliquent, doivent constituer une des structures fondamentales de l'expérience chrétienne, de la vie de l'âme sollicitée par deux tendances contraires, l'une qui la porte vers l'extérieur, et qui n'est autre que le péché, l'autre qui la ramène en elle-même et qui constitue le premier degré de la contemplation. Ces deux tendances commandent toute la théologie morale de Grégoire, ou, plus exactement, la spiritualité et l'anthropologie qui, en quelque sorte, enveloppent cette théologie : par le péché originel, l'homme, qui avait été créé pour jouir d'une parfaite intériorité, par la vision de son Créateur, s'est perdu et dispersé dans l'extériorité ; sa vie ici-bas est, dès lors, devenue un combat, dont le but est d'échapper à cette dispersion et de retrouver l'intériorité primitive. Si bien que l'ordre naturel se caractérise avant tout par son extériorité, tandis que l'ordre surnaturel est tout intériorité ; le premier est synonyme d'apparence, tandis que les vraies réalités sont toujours intérieures. Les saints sont les vivants exemples de cette tension inhérente à la vie spirituelle, dont ils font l'expérience parfois dramatique. A leur manière, ils témoignent de ce primat de l'intériorité, qui est un des éléments fondamentaux de la pensée grégorienne. Certes, Augustin est le maître de Grégoire, qui a parfaitement retenu et assimilé son enseignement, voire sa métaphysique, à laquelle il emprunte le grand principe de l'intériorité : l'homme doit rentrer en lui-même pour y chercher et y rencontrer Dieu, qui ne se trouve qu'au-dedans de l'âme, et qui est le seul et unique fondement de toute connaissance aussi bien que de tout effort moral et de toute vie spirituelle.

Il est parfaitement légitime de constater que ce qui était « métaphysique de l'intériorité » chez Augustin, devient, chez son disciple,

---

122. Cf. J. Th. WELTER, *L'exemplum dans la littérature religieuse et didactique du Moyen Age*, Paris, 1927, p. 1-16 : on trouvera l'histoire de ce thème dans la littérature chrétienne, des origines à Grégoire le Grand.

« morale et spiritualité de l'intériorité ». Mais il est injuste de parler à ce propos d'une « baisse de tension[123] » Une telle appréciation est, en outre, inexacte, dans la mesure où elle méconnaît, non seulement l'originalité de Grégoire, dont toute la philosophie est subordonée à la morale et à la mystique, mais, plus encore, le fait trop peu souligné que l'auteur des *Moralia* puise son inspiration dans la riche tradition de la spiritualité monastique autant que dans la métaphysique augustinienne. Si Grégoire n'est pas un métaphysicien, ce n'est ni par incapacité intellectuelle, ni parce qu'il aurait déformé la profonde pensée d'Augustin ; c'est parce qu'il entend d'abord être à la fois un pasteur, multipliant les conseils à l'adresse de ses très divers auditoires, et un auteur spirituel, s'intéressant à la pratique de la vie chrétienne, dont il décrit avec finesse le développement concret. Son maître dans ce domaine ne pouvait être seulement Augustin : c'est par Cassien que l'auteur des *Moralia* se rattache à l'ascétisme d'inspiration monastique. Il n'est pas étonnant qu'il s'inspire de cet auteur, et qu'il lui emprunte plusieurs des expressions qu'il emploie[124] : comme lui, il se plaît à décrire la vie de l'âme partagée entre le bien et le mal, les vices et les vertus, non pas en vue d'élaborer une psychologie cohérente, mais afin d'éclairer les consciences des fidèles désireux de mener une vie pleinement chrétienne. C'est donc chercher à Grégoire une mauvaise querelle que de le présenter comme un médiocre élève du grand Augustin, pour la simple raison qu'Augustin n'est pas son unique maître, mais qu'il suit aussi les leçons d'une tradition spirituelle, aussi riche, mais différente, moins abstraite et moins théorique, plus tournée vers la réalisation d'une sainteté dont les héros des *Dialogues* sont les représentants les plus éminents, mais qui, cependant, s'offre à tout chrétien, et même aux *rudes*.

Mais qu'il s'occupe ainsi de morale pratique, qu'il esquisse les principes de son anthropologie, qu'il évoque les paradoxes de la sainteté, il ne cessera pas de recourir aux notions opposées d'intériorité et d'extériorité, qui ne correspondent nullement chez lui à une certaine habitude de penser ou de s'exprimer par antithèse, mais, comme Frickel en avait eu l'intuition[125], à deux aspects antinomiques de l'être, ou mieux à deux degrés

---

123. M. FRICKEL (*op. cit.*, p. 134) emploie ce terme de « Depotenzierung » pour caractériser ce passage du plan métaphysique au plan moral. On sait que ce point de vue est vivement critiqué par H.-I. MARROU (*RHR*, t. 152, 1957, p. 225).

124. R. GILLET (*SC*, 32 bis, p. 89-102) dresse le catalogue des thèmes et des expressions que Grégoire a empruntés à Cassien : classification des vices, description de l'orgueil et de l'humilité, de la gourmandise, de la colère.

125. M. FRICKEL (*op. cit.*, p. 114) contredit ses propres affirmations lorsqu'il souligne le contenu métaphysique de ces notions : « Das Aussen ist Raum, Vielheit, Zerstreutheit ; es fällt unter die Sinne des « äusseres Menschen » und seine Erfahrung. Das Innen ist Geist, nicht extensives, sondern intensives Sein, liegt ausserhalb der sinnlichen Erfahrbarkeit, weil unsichtbar. Das Innen des Geistes ist Gesammeltsein und wird nur in gesammelter Innenschau erfasst. Im letzten ist Innen

de l'être. Cette antinomie ou cette différence de degrés ne recouvrent nullement l'antagonisme de l'âme et du corps, mais la distance qui sépare d'un côté l'être dans ce qui fait sa profondeur, sa plénitude, et qui le rapproche de Dieu, de l'autre l'être dans ce qu'il a d'imparfait, de faible, de trop humain. Mais Grégoire conçoit ces degrés de l'être, non comme un métaphysicien ou même un théologien, mais comme un moraliste et un maître de la contemplation : son but essentiel est donc d'exhorter ses fidèles à fuir l'extériorité, à ne pas se perdre dans ces réalités inférieures et superficielles, mais par un effort d'ascétisme à s'engager sur la voie de l'intériorité, qui seule les mènera jusqu'à Dieu, qui a la plénitude de l'être, parce qu'il est parfaite intériorité.

---

die Selbstidentität der göttlichen Einheit, Gott selber. » Une telle analyse est du reste trop exclusive : même si elles présentent ce contenu métaphysique, les notions d'intériorité et d'extériorité ne prennent tout leur sens chez Grégoire que dans une morale et en tant qu'éléments de la vie spirituelle de l'homme.

CHAPITRE III

La théorie grégorienne de la connaissance : l'« interna intelligentia »

C'est la recherche de l'intériorité qui caractérise l'exercice de la vie pastorale aussi bien que le développement de toute vie chrétienne : le pasteur doit veiller à ne pas sacrifier le spirituel au temporel, la contemplation à l'action, cependant que la vocation de toute l'humanité et de chaque individu consiste à rentrer en soi-même pour échapper aux pièges du monde et pour s'élever jusqu'à Dieu. Aux yeux de Grégoire, l'effort de sanctification apparaît le plus souvent comme identique à l'effort d'intériorisation. Mais peut-être n'a-t-on pas assez remarqué jusqu'ici que cette doctrine de la vie spirituelle repose sur une théorie de la connaissance, aussi peu systématique qu'il est possible, mais qui s'exprime à diverses occasions d'une façon relativement claire. Si l'auteur des *Moralia* est préoccupé de morale pratique, soucieux de rappeler à ceux qui l'oublient les vertus de la contemplation ou la nécessité du retour en soi-même, c'est parce qu'il est convaincu que l'objet principal de la connaissance humaine est constitué d'un ensemble de réalités intérieures, c'est-à-dire invisibles. C'est de cette conviction que dépend par exemple son interprétation des textes bibliques ou sa conception du miracle : l'hagiographie et l'exégèse grégoriennes sont prégnantes, en effet, d'une théorie de la connaissance, que la terminologie de l'extérieur et de l'intérieur contribue dans une large mesure à préciser. L'homme devra à la fois dépasser et utiliser l'extérieur, le visible pour découvrir et comprendre l'invisible, l'intérieur, et parvenir ainsi à cette *interna intelligentia*, qui apparaît comme une des notions essentielles de la pensée grégorienne. Dans ce troisième chapitre, je voudrais analyser la genèse et les multiples expressions de cette notion, en essayant de scruter les textes et les thèmes à travers lesquels Grégoire, d'une manière le plus souvent implicite, laisse apercevoir les grandes lignes de sa théorie de la connaissance.

Psychologie   Une fois de plus, il conviendra de nous adresser
de la tentation   tout d'abord au moraliste, qui constate que Job
                         a évité de regarder des jeunes filles, parce qu'à
travers les sens, la tentation s'insinue jusqu'à l'âme. « La vue, l'ouïe,
le goût, l'odorat et le toucher sont comme les chemins par lesquels l'âme
se porte au-dehors, et convoite des biens extérieurs à sa substance.
C'est, en effet, à travers ces sens corporels, comme à travers des fenêtres,
que les âmes regardent les biens extérieurs, et, en les regardant, les
convoitent... Quiconque regarde sans précaution vers l'extérieur à travers
ces fenêtres du corps, finit le plus souvent, même contre son gré, à trouver
du plaisir dans le péché[1] ». Cette image des fenêtres se trouvait chez
Augustin, mais très liée à sa théorie de la connaissance, selon laquelle
l'âme ne doit pas chercher à voir Dieu avec les yeux du corps[2]. L'analyse
de Grégoire s'apparente plutôt à un texte de la *Regula Magistri*, où la
même image est également appliquée à la genèse du péché de concupiscence : « De l'intérieur, l'âme regarde à travers le mur du corps par
ces espèces de fenêtres que sont les orifices des yeux, et nous la voyons
inviter sans cesse, du dedans, l'objet de ses convoitises[3] ».

Il arrive parfois au moraliste qu'est Grégoire, d'indiquer plus clairement
le processus mental qui explique le phénomène de la tentation ; ainsi,
lorsqu'il évoque les idoles de la maison d'Israël peintes sur un mur
(*Ézéchiel*, 8, 10) : « Il est exact de dire qu'elles étaient peintes : car,
lorsque les formes des réalités extérieures sont attirées à l'intérieur
de nous-mêmes, tout ce que l'on pense en songeant à ces vaines images
se peint en quelque sorte dans notre cœur[4] ». N'y a-t-il pas là, mêlée

---

1. *Mor.* 21, 2, 4 (*PL*, 76, 189 C - 190 A) : « Visus quippe, auditus, gustus,
odoratus et tactus, quasi quaedam uiae mentis sunt, quibus *foras* ueniat,
et ea quae *extra* eius sunt substantiam concupiscat. Per hos etenim
corporis sensus quasi *per fenestras quasdam exteriora* quaeque anima
respicit, respiciens concupiscit... Quisquis uero per has corporis fenestras
incaute *exterius* respicit, plerumque in delectationem peccati etiam
nolens cadit. »
2. *En. in Ps.* 41, 7 (*PL*, 36, 468) : « Redeo ad meipsum... ; inuenio me
habere corpus et animam... discerno animam melius esse aliquid quam
corpus. Oculi membra sunt carnis, *fenestrae* sunt mentis : *interior* est
qui per has uidet... Deus meus qui fecit haec, quae oculis uideo, non
istis oculis est inquirendus... Quid est, *intus* uideam. »
3. *Regulam Magistri*, 8, 9 (*SC*, 105, p. 400) : Le siège de l'âme est le
cœur, qui en est la racine, laquelle possède dans le corps deux rameaux
vulnérables au péché « unum, in quo corporali muro quasi *per quasdam
fenestras oculorum* foraminibus *deintus* animam credimus respicere et de
intrinsecus concupiscentias suas ipsam intelligimus inuitare. »
4. *Past.* 2, 10 (*PL*, 77, 45 D) : « Bene autem dicitur, depicta erant :
quia dum *exteriorum* rerum *intrinsecus* species attrahuntur, quasi in
corde depingitur, quidquid fictis imaginibus deliberando cogitatur. »
Cf. *Mor.* 23, 21, 42 (*PL*, 76, 277 A) : « Perfectam scilicet animam ista
compunctio afficere familiarius solet, qua omnes imaginationes corporeas
insolenter sibi obuiantes discutit, et cordis oculum figere in ipso radio
incircumscriptae lucis intendit. Has quippe figurarum corporalium species
ad se *intus* ex infirmitate corporis traxit. »

à l'allégorie de l'exégète, une certaine conception de la connaissance empirique ? Les objets extérieurs sont connus au moyen des images que l'âme s'en forme, mais l'esprit ne reste pas purement passif, lorsqu'il perçoit ainsi les réalités sensibles ; celles-ci ne se gravent pas en lui d'une façon mécanique, mais seulement par l'intermédiaire des *fictas imagines* produites par son activité réflexive, par sa *deliberatio*. Même si les expressions de Grégoire ont des résonances quelque peu matérialistes, sa conception de la connaissance sensible, bien loin de se confondre avec le sensualisme des épicuriens, rappelle celle d'Augustin : même dans la sensation ou dans l'imagination, ce ne sont pas les réalités corporelles qui s'imposent à l'esprit, comme du dehors ; bien au contraire, c'est au-dedans de l'âme qu'il faut chercher le principe de toute connaissance[5].

Néanmoins, chez l'auteur des *Moralia*, le moraliste l'emporte généralement sur le philosophe, et son but est de démontrer que la tentation risque de marquer le triomphe de l'extérieur sur l'intérieur, si l'esprit n'y prend pas garde, car l'âme, fascinée par le sensible, en devient peu à peu l'esclave[6]. En fait, Grégoire poursuit sa description, en distinguant deux types de tentations : « De même que souvent la tentation est attirée à travers les yeux, de même, parfois, elle est conçue intérieurement et oblige les yeux à se soumettre à elle extérieurement[7] ». C'est ainsi que la convoitise de David pour la femme d'Urie est née d'un désir intérieur : « C'est souvent de l'intérieur que la concupiscence impose sa domination, et l'esprit charmé exige, à la façon d'un tyran, que les sens corporels soient au service de ses besoins, contraint les yeux à être les esclaves de ses plaisirs, et, pour ainsi dire, ouvre aux ténèbres de l'aveuglement des fenêtres faites pour la lumière[8] ».

---

5. É. Gilson (*Introduction à l'étude de saint Augustin*, Paris, 1934, p. 86 sq.) a fortement mis en évidence cette idée fondamentale que, pour Augustin, le principe de toute connaissance, même sensible, est extérieur au sensible ; toute connaissance s'opère du dedans et au-dedans, sans que jamais rien ne s'y introduise de l'extérieur. P. Prime (*Tenuissima forma cognitionis : predication in st. Augustine's theory of knowledge*, dans *JTS*, janv.-avril 1942, p. 48 sq.) lui fait écho, en montrant que c'est de la pensée, et non des réalités corporelles que procède toute connaissance : cf. *de Trin.* 9, 6 ; *Conf.* 10, 15 (où se trouve exposé la théorie augustinienne de la mémoire, réservoir d'images que l'âme recueille, inventorie et reconnaît).

6. Sur ce mécanisme psychologique de la tentation, on trouvera d'excellentes analyses dans l'article de F. Gastaldelli, *Il meccanismo psicologico del peccato nei Moralia in Iob di san Gregorio Magno*, dans *Salesianum*, 27, 1965, p. 563-605.

7. *Mor.* 21, 8, 13 (*PL*, 76, 197 B-C) : « Sicut enim saepe tentatio per oculos trahitur, sic nonnumquam concepta *intrinsecus* compellit, sibi *extrinsecus* oculos deseruire. »

8. *Ibid.* (197 C) : « Saepe autem *intrinsecus* concupiscentia dominatur, et illecebratus animus ad usus suos sensus corporeos famulari more tyrannidis exigit, suisque uoluptatibus oculos seruire compellit atque, ut ita dicam, fenestras luminis ad tenebras aperit caecitatis. »

C'est là tout le contraire d'une pensée simpliste. Grégoire ne conçoit pas la tentation comme une intrusion malfaisante des objets matériels dans l'âme, qui serait souillée par leur contact ; il envisage aussi une forme plus subtile du péché, celui qui prend naissance au-dedans de l'âme elle-même. De même que, pour Augustin, l'âme est l'agent de la sensation, qui n'est pas une passion qu'elle subit, mais une action qu'elle exerce sur elle-même[9], de même Grégoire admet que l'âme peut être la cause de la tentation. Succomber au mal ne consiste donc pas toujours à céder à l'attrait du sensible, qui pénètre en nous à travers les sens ; l'âme elle aussi est capable de susciter le péché au-dedans d'elle-même, et de faire des sens les esclaves de ses désirs. Dans les deux cas, le visible l'emporte sur l'invisible, et l'âme devient la proie de l'extériorité. Mais la genèse du péché est fort différente, selon que l'âme se laisse, malgré elle, fasciner et dominer par les corps extérieurs, ou selon qu'elle se sert d'eux consciemment pour satisfaire ses passions. Dans le premier cas, le monde extérieur et les réalités sensibles sont causes de la tentation, dans le second, c'est l'âme elle-même qui est principe intérieur du péché, et les réalités extérieures n'en sont alors que des occasions ou des moyens.

Péché originel   La théorie grégorienne de la connaissance
et connaissance   dépasse les seules analyses de psychologie ou de
de Dieu   morale, si fines soient-elles : elle ne se comprend
                          pleinement qu'à partir du moment où on la
replace dans la perspective générale de l'histoire du salut[10], car, aux yeux de Grégoire, les conséquences du péché originel valent aussi pour la pensée. « L'âme humaine, chassée des joies du paradis par la faute des premiers hommes, a perdu la lumière de l'invisible, et s'est répandue tout entière dans l'amour du visible ; elle s'est d'autant plus écartée, en aveugle, de la contemplation intérieure, qu'elle s'est dispersée honteusement au-dehors, si bien qu'elle ne connaît que les objets qu'elle perçoit, en les touchant, pour ainsi dire, avec les yeux du corps. L'homme, en effet, qui, s'il avait consenti à observer les commandements, aurait été un être spirituel, même dans sa chair, est devenu par le péché un être charnel, même dans son âme, à tel point qu'il ne conçoit que les réalités, qu'il attire dans son esprit par des images corporelles. Corporels sont en effet le ciel, la terre, les eaux, les animaux et toutes les choses visibles, qu'il regarde sans trêve, et, tandis que son âme charmée s'y projette

---

9. É. Gilson (*op. cit.*, p. 93, 102) insiste fortement sur ce principe d'intériorité dans la théorie augustinienne de la connaissance, même sensible : la sensation, par exemple, n'est pas une action du corps, mais de l'âme, à travers et par le moyen du corps.

10. F. Lieblang (*op. cit.*, p. 29 sq.) introduit cette perspective de l'histoire du salut (l'être paradisiaque, l'homme après le péché originel, l'homme nouveau, le retour à la connaissance paradisiaque par l'élévation mystique) à propos du problème de la connaissance.

toute entière, elle perd, en s'enflant, la finesse de la compréhension intérieure[11] ».

Ainsi donc, la connaissance humaine, qui était à l'origine parfaitement une et totalement spirituelle, a perdu, par suite du péché originel, cette unité et cette spiritualité. Désormais, il y a lieu de distinguer entre une connaissance extérieure, qui a les sens pour instrument et pour objet les réalités visibles et corporelles — c'est en somme la connaissance sensible —, et une connaissance intérieure, qui s'applique aux réalités invisibles et s'achève par la vision de Dieu. C'est plus que la connaissance rationnelle, et c'est presque la contemplation en tant qu'elle est une connaissance et implique une discipline de la pensée. L'essentiel pour l'esprit sera de passer de l'une à l'autre, ou, plus exactement, de dépasser la connaissance sensible pour parvenir jusqu'à la *speculatio interna*, et pour reconquérir, par l'élévation mystique, la connaissance purement spirituelle, dont Adam jouissait au paradis.

Les grandes étapes de l'évolution religieuse de l'humanité, qui soustendaient déjà l'anthropologie de Grégoire, se reflètent également dans sa théorie de la connaissance : c'est à cause du péché originel que l'intelligence de l'homme est tiraillée entre le visible et l'invisible, entre les objets matériels du monde extérieur, qu'elle perçoit naturellement, mais dans lesquels elle est menacée de se perdre et de se disperser, et les réalités spirituelles du royaume de Dieu, que sa vocation consiste à découvrir malgré une multitude d'obstacles. En d'autres termes, il y a, par suite de la chute, deux modes de connaissance, correspondants à deux ordres de réalités ; mais Grégoire est moins soucieux d'approfondir une telle distinction que d'en tirer les conséquences pratiques.

Comme pour Augustin, le problème essentiel pour Grégoire est de parvenir à la connaissance de Dieu. Quel itinéraire l'âme doit-elle suivre pour remonter du sensible au spirituel, du visible à l'invisible, pour passer de la connaissance naturelle, qui procède par images, à la connaissance des réalités surnaturelles ? La réponse de Grégoire est avant tout celle du maître de la vie contemplative : il s'agit de délaisser la connaissance «extérieure» pour se convertir à l'intériorité, parce qu'à ses yeux, la connaissance mystique est avant tout une conuaissance intérieure. L'âme peut répéter alors ces paroles de l'épouse du *Cantique des Cantiques* (5, 2) « Je dors, mais mon cœur veille », c'est-à-dire : « tandis

---

11. *Mor.* 5, 34, 61 (*PL*, 75, 712 D - 713 A) : « Humana quippe anima, primorum hominum uitio a paradisi gaudiis expulsa, lucem inuisibilium perdidit, et totam se in amorem uisibilium fudit ; tantoque ab *interna* speculatione caecata est, quanto *foras* deformiter sparsa ; unde fit ut nulla nouerit nisi ea quae corporeis oculis, ut ita dixerim, palpando cognoscit. Homo enim, qui si praeceptum seruare uoluisset, etiam carne spiritalis futurus erat, peccando factus est etiam mente carnalis ut sola cogitet, quae ad animum per imagines corporum trahit. Corpus quippe est caeli, terrae, aquarum, animalium, cunctarumque rerum uisibilium, quas indesinenter intuetur, in quibus dum totam se delectata mens proiicit, ab *internae* intelligentiae subtilitate grossescit. »

que je laisse sommeiller mes sens extérieurs, loin des troubles de la
vie présente, mon âme est disponible pour connaître plus intensément
les réalités intérieures. Au-dehors je dors, mais au-dedans mon cœur
veille, car, pendant que je ne sens pour ainsi dire plus ce qui est extérieur,
je perçois finement ce qui est intérieur[12] ».

Toute l'œuvre de Grégoire tend à montrer que cet épanouissement
de la connaissance intérieure, qui est une sorte de sensibilité spirituelle,
comporte deux étapes : il exige d'abord une ascèse de la pensée, par
laquelle l'âme écarte tout ce qui provient du sensible, de l'extérieur ;
il s'achève d'autre part au-dedans de l'âme, qui ne peut trouver Dieu
qu'en elle-même. C'est lorsqu'il décrit la première étape que Grégoire
peut donner libre cours à ses talents de moraliste, en expliquant pourquoi
sa morale et sa théorie de la connaissance sont étroitement solidaires
l'une de l'autre. En effet, si les images corporelles permettent à l'âme
de connaître les objets sensibles, elles risquent aussi, constamment, de
l'en détourner, en devenant des sources de tentation[13]. Moyens de
connaissance, elles peuvent devenir des instruments du mal. Pour découvrir le monde extérieur, l'esprit a besoin de ces représentations, mais
il est toujours menacé de se laisser séduire par elles et d'en oublier les
réalités invisibles. C'est ainsi qu'Ève a commis le premier péché : « Il
nous faut songer avec quelle maîtrise nous devons contrôler nos regards
envers les choses interdites, nous qui vivons dans une condition mortelle,
si même la mère des vivants a trouvé la mort par ses yeux. En désirant
en effet des biens visibles, elle a perdu les vertus invisibles. Elle qui
a été privée du fruit intérieur à cause de son regard extérieur, c'est à cause
des yeux du corps qu'elle a eu à souffrir de la prise de son cœur[14] ».
Par conséquent, l'âme qui entreprend de sonder les mystères de l'invisible,
interna mysteria[15], doit s'imposer une ascèse, tout comme lorsqu'elle
désire atteindre la sainteté, car les obstacles auxquels elle se heurte dans
son appétit de connaître sont aussi nombreux que ceux qu'elle peut
rencontrer dans sa vie spirituelle.

12. *Mor.* 23, 20, 38 (*PL*, 76, 274 B) : « Hinc est quod sponsa in Canticis
canticorum sponsi uocem quasi per somnium audierat, quae dicebat :
« Ego dormio et cor meum uigilat » (*Cant.* 5, 2). Ac si diceret : dum
exteriores sensus ab huius uitae sollicitudinibus sopio, uacante mente
uiuacius *interna* cognosco. Foris dormio, sed *intus* cor meum uigilat,
quia dum *exteriora* quasi non sentio, *interiora* solerter apprehendo. »
    13. Cf. F. LIEBLANG, *op. cit.*, p. 33-34.
    14. *Mor.* 21, 2, 4 (*PL*, 76, 190 C) : « Hinc ergo pensandum est quanto
debeamus moderamine erga illicita uisum restringere nos qui mortaliter
uiuimus, si et mater uiuentium per oculos ad mortem uenit... Concupis-
cendo enim uisibilia, inuisibiles uirtutes amisit. Quae ergo *interiorem*
fructum per *exteriorem* uisum perdidit, per oculum corporis pertulit
praedam cordis. »
    15. Grégoire appelle Daniel « uir sanctus *internis* mysteriis plenus »
(*Mor.* 22, 20, 47 : *PL*, 76, 242 A). Il se reproche à lui-même dans sa
lettre à Léandre de ne pas être assez absorbé par les mystères de la
vie intérieure : « *interius* mysteriis deseruire » (*Ep.* 5, 53 a, 1 : *SC*, 32
bis, p. 116).

Ascèse
et contemplation
Pratiquer une telle ascèse intellectuelle consistera avant tout à écarter les images sensibles qui risquent d'encombrer l'esprit, à s'arracher à tout ce qui serait extériorité, afin d'atteindre les réalités immatérielles. Ainsi faisait le prophète Daniel, lorsqu'il refusait les mets extérieurs pour pouvoir mieux goûter aux nourritures intérieures : « Cet homme que, par la suite, la voix de l'ange qualifie d'homme de convoitises (*Dan.* 10, 11), en raison de son désir de connaissance intérieure, avait d'abord, raconte-t-on, dompté en lui, dans le palais du roi, les désirs charnels, de sorte qu'il ne touchait pas à des mets délectables, mais préférait des aliments grossiers et sans apprêt à des plats riches et raffinés, afin de parvenir aux délices de la nourriture intérieure, en se privant des douceurs des aliments extérieurs ; et afin de goûter la sagesse au-dedans de lui-même, d'autant plus avidement qu'il avait réprimé plus vigoureusement au-dehors la saveur de la chair, en raison de cette même sagesse[16] ». De même, l'homme ne goûtera la connaissance de Dieu, qui est de nature intérieure, qu'à la condition d'éloigner de son âme toutes les images provenant du monde extérieur[17]. Cette phase d'introversion doit être préparée par le rejet de tout ce qui pourrait alourdir l'esprit et l'empêcher de s'élancer vers Dieu. Ceux qui désirent atteindre les sommets de la contemplation, doivent d'abord se demander « si, lorsqu'ils reviennent intérieurement en eux-mêmes, au moment de scruter les réalités spirituelles, ils ne traînent pas avec eux les ombres de réalités corporelles[18] », car l'homme ne peut parvenir au recueillement intérieur « s'il n'a d'abord appris à écarter des yeux de l'âme les phantasmes des images terrestres et célestes, à repousser et à fouler aux pieds tout ce qui par la vue, par l'ouïe, par l'odorat, par le toucher et le goût corporels s'introduit dans sa pensée, afin de chercher à être intérieurement tel qu'il est sans ces phantasmes. Car lorsqu'il les a dans sa pensée, il garde au-dedans de lui, pour ainsi dire, les ombres des corps[19] ». Pour connaître les mystères

---

16. *Mor.* 30, 10, 39 (*PL*, 76, 546 B-C) : « Ille quippe qui postmodum uoce angelica pro cognitionis *internae* concupiscentia « uir desideriorum » dicitur (*Dan.* 10, 11), prius in aula regia carnis in se desideria edomuisse memoratur, ut nihil ex delectabilibus cibis attingeret, sed lautis ac mollioribus duriora atque asperiora cibaria praeferret (*Dan.* 1, 12) ut dum sibi *exterioris* cibi blandimenta subtraheret, ad *interni* pabuli delectamenta perueniret ; et tanto auidius gustum sapientiae *intus* acciperet, quanto saporem carnis pro eadem sapientia *foris* robustius repressisset. »

17. Cf. *Mor.* 28, 21, 42 (*PL*, 76, 277 A-B) ; *HEz* 2, 5, 8 (*PL*, 76, 989 C-D = *CCh*, 142, p. 281) ; *HEz* 2, 5, 18 (*ibid.*, 995 C-D = p. 289), textes cités par F. Lieblang, *op. cit.*, p. 110-112.

18. *Mor.* 6, 37, 59 (*PL*, 75, 763 C-D) : « Qui igitur culmen apprehendere perfectionis nituntur, cum contemplationis arcem tenere desiderant... perpendant si cum ad semetipsos *introrsus* redeunt, in eo quod spiritalia rimantur, nequaquam secum rerum corporalium umbras trahunt, uel fortasse tractas manu discretionis abigunt ; si incircumscriptum lumen uidere cupientes, cunctas circumscriptionis suae imagines deprimunt. »

19. *HEz* 2, 5, 9 (*PL*, 76, 989 D - 990 A = *CCh*, 142, p. 282) : « Sed se ad se nullo modo colligit, nisi prius didicerit terrenarum atque coelestium

de Dieu, qui sont d'essence intérieure, il faut cultiver en soi une sensibilité
spirituelle, qui ne s'épanouit que dans le repos des sens. Les âmes grossières, qui se laissent charmer par les images provenant du monde extérieur, n'ont pas droit à ces révélations, qui, en revanche, sont accordées
à ceux qui ont accepté de s'imposer une telle discipline. Le ravissement
qui les saisira viendra couronner leurs efforts d'intériorisation : « L'âme
des élus foule désormais aux pieds les désirs terrestres, s'élève au-dessus
de toutes les choses dont elle constate le caractère transitoire, s'abstient
de trouver du plaisir dans les réalités extérieures, et perçoit quels sont
les biens invisibles, et, lorsqu'elle se comporte ainsi, très souvent, elle
est ravie dans la douceur de la contemplation venue d'en haut, et entrevoit
comme à travers une fumée, quelque chose des réalités les plus intérieures[20] ».

Toute cette théorie grégorienne de la connaissance des réalités invisibles,
qui exige un dépassement de la connaissance sensible et de ces *imagines*
par lesquelles elle procède, s'inscrit dans le droit fil de la tradition augustinienne : Augustin lui aussi affirme à maintes reprises que la connaissance
du vrai doit se passer d'images, qu'elle est une connaissance intérieure,
qui s'accomplit au-dedans de l'âme. Les choses incorporelles, immatérielles
échappent à la sensation et à l'imagination : c'est par l'âme et dans l'âme
qu'elles sont connues[21]. Toutes les données des sens, qui sont purement
extérieures, ne peuvent en aucune façon nous renseigner sur elles, et
Gilson incline à qualifier une telle doctrine d'« intrinsécisme », « pour
signifier la non-extériorité radicale qui caractérise notre connaissance
du vrai[22] ».

---

imaginum phantasmata ab oculis mentis compescere, quidquid de uisu,
quidquid de auditu, quidquid de odoratu, quidquid de tactu et gustu
corporeo cogitationi eius occurrerit, respuere atque calcare, quatenus
talem se quaerat *intus*, qualis sine istis est. Nam haec quando cogitat,
quasi quasdam umbras corporum *introrsus* uersat. »

20. *Mor.* 8, 30, 50 (*PL*, 75, 832 D - 833 A) : « Ecce enim electorum
mens iam terrena desideria subiicit, iam cuncta quae considerat praeterire
transcendit, iam ab *exteriorum* delectatione suspenditur, et quae sint
bona inuisibilia rimatur, atque haec agens plerumque in dulcedinem
supernae contemplationis rapitur, iamque de *intimis* aliquid quasi per
caliginem conspicit. »

21. *Conf.* 10, 11, 18 (p. 253) : « Quocirca inuenimus nihil esse aliud
discere ista, quorum non per sensus haurimus imagines, sed sine imaginibus, sicuti sunt, per seipsa *intus* cernimus, nisi ea quae passim atque
indisposite memoria continebat, cogitando quasi colligere, atque anima-
duertendo curare, ut tamquam ad manum posita in ipsa memoria, ubi
sparsa prius et neglecta latitabant, iam familiari intentioni facile occur-
rant ». Cf. *De uera religione* 24, 45 (*Bibl. aug.* 8, éd. PEGON, Paris, 1951,
p. 86) : « Nam in quem locum quisque ceciderit, ibi debet incumbere ut
surgat. Ergo ipsis carnalibus formis, quibus detinemur, nitendum est ad
eas cognoscendas quas caro non nuntiat. Eas enim carnales uoco quae
per carnem sentiri queant, id est, per oculos, per aures, ceterosque corporis sensus. »

22. *Op. cit.*, p. 103.

L'ascension mystique   S'arracher à l'extériorité des images corporelles
ne suffit pas pour parvenir à la connaissance de
Dieu, et Grégoire s'avère encore un parfait élève d'Augustin lorsqu'il
identifie l'étape principale de l'ascension mystique avec le mouvement
par lequel l'âme, qui s'est écartée du sensible, rentre en elle-même pour
se connaître. Telle est la véritable intériorité : pour aller des choses à
Dieu, du visible à l'invisible, l'âme doit passer par elle-même, puisque
c'est au-dedans d'elle-même qu'elle aura la possibilité de percevoir les
réalités surnaturelles : « Lorsque l'homme, par des efforts admirables,
s'efforce de s'élever au-dessus des choses corporelles, il est fort important
que l'âme, une fois écartées les représentations corporelles, soit amenée
jusqu'à la connaissance d'elle-même, afin qu'elle se pense sans image
corporelle, et qu'en se pensant, elle s'ouvre à elle-même la voie qui
mène jusqu'à la contemplation de la substance éternelle. De cette façon,
elle constitue pour elle-même une sorte d'échelle, par laquelle s'élevant
à partir des réalités extérieures, elle puisse passer en elle-même, et à
partir d'elle-même tendre vers son créateur[23] ». Pour parvenir jusqu'à la
connaissance de Dieu, qui s'accomplit dans la contemplation, l'âme doit
donc passer par elle-même, car elle est un relais essentiel dans l'itinéraire
qui la mène du monde extérieur à Dieu. L'homme doit se détourner
des choses pour entrer au-dedans de son âme : mais, à son tour, celle-ci
ne passe par elle-même que pour se dépasser, car elle n'est pas le dernier,
mais l'avant-dernier degré de l'ascension mystique. Il convient « que,
d'abord, elle se considère elle-même, si elle en est capable, et qu'alors
elle cherche à atteindre, autant qu'elle le pourra, cette nature supérieure[24] ».

L'auteur des *Confessions* ne concevait-il pas en des termes analogues
ce retour à l'intérieur de soi-même et cette ascension progressive de
l'âme vers la vérité éternelle ? « C'est ainsi que, par degrés, je montais
des corps à l'âme qui sent par l'intermédiaire du corps, et, de là, à cette
force intérieure à laquelle les sens corporels communiquent les perceptions
extérieures et qui marque la limite de l'intelligence des animaux ; et
de là encore à cette puissance rationnelle, au jugement de laquelle est
soumis ce que les sens corporels ont perçu. Mais cette puissance elle-même,
se reconnaissant en moi sujette au changement, s'éleva à l'intelligence

---

23. *Mor.* 5, 34, 61-62 (*PL*, 75, 713 A-B) : « Cum uero miris conatibus
ab his exsurgere nititur, magnum ualde est, si ad cognitionem suam,
repressa corporali specie, anima perducatur ; ut semetipsam sine corporea
imagine cogitet, et cogitando se uiam sibi usque ad considerandam aeternitatis substantiam paret. Hoc autem modo quasi quamdam scalam
sibi exhibet semetipsam, per quam ab *exterioribus* ascendendo in se
transeat, et a se in auctorem tendat. »

24. *HEz* 2, 5, 8 (*PL*, 76, 989 C-D = *CCh*, 142, p. 281) : « Saepe uolumus
omnipotentis Dei naturam inuisibilem considerare, sed nequaquam
ualemus, atque ipsis difficultatibus fatigata anima ad semetipsam redit,
sibique de seipsa gradus ascensionis facit, ut primum semetipsam, si
ualet, consideret, et tunc illam naturam, quae super ipsam est, in quantum potuerit, inuestiget. »

d'elle-même ; elle entraîna ma pensée loin de la tyrannie de l'habitude,
elle se déroba à l'essaim des fantômes avec leurs suggestions contradictoires... et parvint enfin, dans l'éclair d'un regard frémissant, à l'Être
lui-même[25] ».

Sans doute, à travers Augustin, qui s'inspire ici des leçons plotiniennes[26], Grégoire a-t-il eu connaissance de certains des concepts néo-
platoniciens relatifs à l'expérience mystique. Plotin ne présente-t-il
pas la contemplation, comme un mouvement continu d'intériorisation,
par lequel l'âme dépasse le sensible pour s'élever jusqu'à la vision directe
de Dieu, sans l'aide d'aucune image corporelle ? Celui qui contemple
« regarde au-dessus de la beauté elle-même : il a dépassé le chœur même
des vertus, comme l'homme entré à l'intérieur d'un sanctuaire a laissé
derrière lui les statues placées dans la chapelle ; c'est elles qu'il reverra
les premières quand il sortira du sanctuaire, après l'avoir contemplé
intérieurement et après s'être uni non plus à une statue, ni à une image
du dieu, mais au dieu lui-même[27] ». Pour l'auteur des Ennéades, c'est
dans l'âme et par l'âme que la pensée peut connaître l'Un et le monde
invisible, et toute véritable connaissance doit être intérieure, c'est-à-dire
nous ramener du dehors au-dedans des choses : « Nous qui ne sommes
pas habitués à voir l'intérieur des choses, qui ne le connaissons pas,
nous recherchons l'extérieur, et nous ignorons que c'est l'intérieur qui
nous émeut[28] ».

L'auteur des Moralia, conformément à son génie propre, a approfondi
cette notion d'intériorité, qu'il a certainement découverte chez l'auteur
des Confessions et qui remontait à la philosophie plotinienne, et il l'a
placée au centre de sa doctrine de la contemplation. Celle-ci, en effet,
par opposition à la tentation que caractérise l'esclavage de l'extérieur,

---

25. Conf. 7, 17, 23 (p. 166-167) : « Atque ita gradatim a corporibus ad
sentientem per corpus animam atque inde ad eius interiorem uim, cui
sensus corporis exteriora nuntiaret, et quousque possunt bestiae, atque
inde rursus ad ratiocinantem potentiam, ad quam refertur iudicandum,
quod sumitur a sensibus corporis ; quae se quoque in me conperiens
mutabilem erexit se ad intelligentiam suam et abduxit cogitationem a
consuetudine, subtrahens se contradicentibus turbis phantasmatum...
et peruenit ad id, quod est in ictu trepidantis aspectus. » Cf. Conf. 10, 40, 65
(p. 289) et En. in ps. 41, 7 (PL, 36, 468). Ce passage des choses à l'âme et
de l'âme à Dieu est commenté par E. Gilson (op. cit., p. 99-104) et
par G. Verbeke (Connaissance de soi et connaissance de Dieu chez saint
Augustin), dans Augustiniana, 6, 1954, p. 501 : « La ligne générale est
très claire : l'attention est détournée du monde extérieur et orientée
vers les réalités du monde intérieur ; on y passe graduellement par
des étapes successives constituant chaque fois un degré supérieur de
perfection, depuis le monde corporel jusqu'à l'intelligence dans son
activité la plus pure. »
26. Cf. P. Courcelle, Recherches sur les Confessions de saint Augustin,
Paris, 1968², p. 164-167, qui définit ce processus comme une « dialectique
des degrés. »
27. Ennéades 6, 9, 11 (éd. Bréhier, VI, 1, p. 187).
28. Ibid. 5, 8, 2 (V, p. 137).

apparaît comme intérieure à un double titre : non seulement parce qu'elle exige, comme une condition préalable, le rejet de tout ce qui est extérieur, mais surtout parce qu'elle a pour objet des réalités intérieures qui ne peuvent être perçues que dans les profondeurs de l'âme. Grégoire a coutume de qualifier presque toujours la contemplation de l'épithète d'intérieure[29]. Il use d'expressions multiples pour signifier que l'expérience mystique ne s'accomplit que dans les zones les plus intimes de l'être humain : *intra se*[30], *in interiora, in sinu mentis*[31]. Plus encore : il affirme nettement que cette expérience porte sur des réalités intérieures : « lorsque nous détournons notre âme de l'amour de la vie corruptible, nous nous hâtons avec les pas de notre cœur, en quelque sorte, vers ce qui est intérieur[32] ». De telles affirmations, sous la plume de l'auteur des *Moralia*, aident à préciser sa pensée au sujet de la contemplation. Parce qu'elle est une authentique connaissance, bien que d'une nature particulière et qui exige une discipline de l'esprit et de l'âme, l'expérience mystique ne se situe pas, à ses yeux, hors du domaine de la vie de grâce habituelle, et ne s'accomplit pas par des moyens extraordinaires[33]. Bien au contraire, elle représente la perfection de la connaissance humaine la plus normale, dont Dieu demeure le but suprême. C'est l'histoire du salut, telle que Grégoire la conçoit, qui permet d'éclairer sa doctrine de la connaissance mystique. Dans l'état paradisiaque, l'homme percevait spontanément les réalités spirituelles ; le péché originel est venu marquer sa pensée du caractère de l'extériorité. Désormais, son esprit se meut en quelque sorte entre deux pôles opposés : d'un côté, la tentation est le triomphe de l'extériorité ; de l'autre, la contemplation et l'ascèse intellectuelle qu'elle implique lui ouvrent la voie de cette connaissance purement intérieure, qu'il avait perdue par sa faute. C'est ainsi qu'il peut échapper aux limitations de sa pensée, conséquence de la chute, et retrouver, au prix d'efforts constants, cette perception de l'invisible dont il jouissait au paradis. Grégoire ne conçoit pas la contemplation autrement que comme l'archétype, le modèle achevé et en même temps le couronnement de toute connaissance humaine. Le mouvement d'intériorisation jalonne l'itinéraire par lequel l'homme déchu recherche Dieu et, au

---

29. Cf. *Mor.* 5, 34, 61 (*PL*, 75, 712 D) : « *interna* speculatione » ; *Mor.* 30, 10, 39 (*PL*, 76, 546 B) : « cognitionis *internae* » ; *Mor.* 5, 6, 9 (*PL*, 75, 684 B) : « cum mortificati *exterius* in secreto *internae* contemplationis celamur. »

30. *Mor.* 23, 20, 43 (*PL*, 76, 277 B) : « (Anima) hoc *intra se* appetit quod sibi dulce sapere *intrinsecus* sentit...

31. *Mor.* 5, 6, 9 (*PL*, 75, 684 B-C) : « Sanci igitur uiri... *intus* ante Dei faciem *in sinu mentis* abscondunt... cum a temporalium desideriorum tumultibus delectatione *in interiora* rapiuntur. »

32. *Mor.* 22, 19, 45 (*PL*, 76, 240 C) : « Cum mentem a uitae corruptibilis amore diuertimus, quasi quibusdam cordis passibus ad *interiora* properamus. »

33. F. LIEBLANG (*op. cit.*, p. 128) insiste fortement sur ce point, très important dans la problématique de cette époque relative à l'essence de la mystique (cf. p. 1-16).

terme d'une longue ascèse, parvient jusqu'à lui par la vision mystique.
Mais le contemplatif n'est pas un être privilégié qui ferait une expérience
réservée à lui seul : il montre plutôt à chacun quels devraient être l'objet
véritable et l'usage normal de la connaissance humaine.

Du visible à l'invisible   La tentation et la contemplation sont les deux
                                  tendances extrêmes qui sollicitent l'esprit de
l'homme, mais c'est entre ces deux pôles que la connaissance humaine
s'exerce et s'épanouit. Comment le peut-elle ? Voilà le problème essentiel
qui intéresse Grégoire au premier chef, car son génie n'est pas celui d'un
métaphysicien, qui élaborerait une théorie complète de l'acte de connaître,
mais celui d'un auteur spirituel, qui se demande par quel chemin l'âme
passe de la perception du visible à la connaissance de l'invisible. Visible
est synonyme d'extérieur, invisible d'intérieur : Grégoire entend montrer
à tous les fidèles qu'il leur est possible de parvenir à Dieu par un itinéraire
qui va précisément du visible à l'invisible, de l'extérieur à l'intérieur.

Le point de départ de cet itinéraire est la connaissance sensible :
par ses sens corporels, l'homme connaît les qualités des corps, c'est-à-dire
des objets extérieurs. Mais Grégoire donne à ce sujet une précision fort
intéressante : il indique, en effet, qu'à chaque sens se rattachent des
perceptions qui lui sont propres, et qui ne peuvent se confondre ; la
cause de cet ordre harmonieux, qui fait que chaque sens a une fonction
particulière, est l'existence d'une sorte de sens interne, qu'il identifie
avec le cerveau ; ce sens interne est supérieur aux sens externes, qu'il
juge et qu'il dirige, et toutes les sensations extérieures lui sont en quelque
sorte rapportées. Il suffira de mettre en parallèle le passage des *Moralia*
où se trouve exposé ce point de vue, et quelques lignes des *Confessions*,
où Augustin exprimait une conception identique sur le rôle directeur
du sens interne par rapport aux sens externes[34], pour comprendre que
c'est à Augustin que, sans conteste, Grégoire a emprunté ses idées.

Mor. 11, 6, 8 (*SC*, 212, p. 52) :	*Conf.* 10, 6, 9, p. 246, 17-25 :
« Pene nullum latet quod quinque sensus corporis nostri, uidelicet uisus, auditus, gustus, odoratus et tactus, in omne quod sentiunt atque discernunt, uirtutem discretionis et sensus a cerebro trahunt. Et cum unus sit *iudex*	« Et ecce corpus et anima in me mihi praesto sunt, unum exterius et alterum interius. Quid horum est, unde quaerere debui deum meum, quem iam quaesiueram per corpus a terra usque ad caelum, quousque potui mittere

---

34. Cf. É. Gilson, *op. cit.*, p. 16-18. On pourrait aussi trouver cette
conception appliquée au travail de l'artiste dans un passage du *De
libero arbitrio* (2, 16, 42 : *Bibl. august.*, 6, p. 365) : « Les artistes possèdent
aussi en leur art les nombres de toutes les formes corporelles, pour y
conformer leurs œuvres ; et ils travaillent de la main et de l'outil, jusqu'à
ce que l'objet façonné au dehors, rapporté à la lumière des nombres au
dedans, acquière tout son fini et plaise, par l'intermédiaire des sens, au
juge intérieur qui regarde les nombres supérieurs. »

sensus cerebri qui *intrinsecus prae-sidet*, per meatus tamen proprios sensus cerebri quinque discernit. Deo mira operante, ut *neque oculus audiat, neque auris uideat* ; neque os olfaciat, neque nares gustent, neque manus odorentur. Et cum per unum sensum cerebri omnia disponantur, quilibet tamen horum sensus aliquid facere non potest, praeter id quod ex dispositione conditoris accepit. »

nuntios radios oculorum meorum ? Sed melius quod *interius.* Ei quippe renuntiabant omnes nuntii corporales *praesidenti* et *iudicanti* de responsionibus caeli et terrae... »

Conf. 10, 7, 11, p. 248, 9-14 :

« Est alia uis, non solum qua uiuifico, sed etiam qua sensifico carnem meam, quam mihi fabricauit dominus, iubens *oculo, ut non audiat, et auri, ut non uideat,* sed illi, per quem uideam, huic, per quam audiam, et propria singillatim ceteris sensibus sedibus suis et officiis suis. »

Mais pour parvenir à discerner les réalités spirituelles, l'homme doit recourir non pas à ce *sensus cerebri*, qui, bien qu'intérieur, a pour seul rôle de coordonner les perceptions des sens externes, mais aux sens intérieurs, qui sont comparables à des dents, parce qu'ils assimilent tout ce que nous pensons et le font passer dans le ventre de notre mémoire[35]. En développant cette métaphore, sans doute Grégoire s'est-il souvenu autant de la conception augustinienne de la mémoire, qui suit immédiatement les passages des *Confessions* cités plus haut[36], que de la doctrine origénienne des sens spirituels[37].

Il insiste d'ailleurs assez peu sur cette notion de compréhension intérieure, préférant dénoncer, avec beaucoup d'insistance, le vice de la *curiositas.* Pour lui, ce vice est le principal obstacle que l'homme devra écarter sur la route qui le mène à la connaissance des réalités invisibles.

---

35. Cf. *Mor.* 11, 33, 45 (*PL*, 75, 973 B-C = *SC*, 212, p. 102-104) : « Quare lacero carnes meas dentibus meis et animam meam porto in manibus meis ? » (*Job* 13, 14). In scriptura sacra dentes aliquando sancti praedicatores, aliquando uero *interni* accipi sensus solent... Rursum quia dentes *interiores* sensus accipi solent, Ieremias propheta testatur, dicens : « Fregit ad numerum dentes meos » (*Lam.* 3, 10). Per dentes etenim cibus frangitur, ut glutiatur. Vnde non immerito in dentibus *internos* sensus accipimus, qui singula quae cogitant quasi mandunt et comminuunt, atque ad uentrem memoriae transmittunt. Quos propheta ad numerum fractos dicit, quia iuxta mensuram uniuscuiusque peccati intelligentiae caecitas generatur in sensibus, et secundum quod quisque egit *exterius*, in eo quod obstupescit quod de *internis* atque inuisibilibus intelligere potuit. »

36. *Conf.* 10, 8, 12 (p. 248) : « Venio in campos et lata praetoria memoriae, ubi sunt thesauri innumerabilium imaginum de cuiuscemodi rebus sensis inuectarum. Ibi reconditum est quidquid etiam cogitamus, uel augendo uel minuendo uel utcumque uariando ea quae sensus attigerit. »

37. Cf. H. Crouzel, *Origène et la connaissance mystique*, Paris, 1961, p. 486-487.

Le curieux, en effet, est celui qui s'avère incapable de dépasser la connaissance sensible, parce qu'il s'arrête à l'extérieur, c'est-à-dire aux objets
corporels qu'ont perçus ses sens : « Les sens corporels, parce qu'ils sont
incapables de saisir ce qui est intérieur, mais ne connaissent que ce qui
est extérieur, et, abandonnant les réalités intimes, ne touchent que ce
qui est en dehors d'eux, désignent à juste titre la curiosité. Cherchant
à percer à jour la vie d'autrui, ignorant toujours ce qui lui est le plus
intérieur, elle s'applique à penser ce qui est extérieur. C'est, en effet,
un vice grave que la curiosité, qui, en poussant vers l'extérieur l'âme
de quiconque cherche à scruter la vie de son prochain, lui dissimule
toujours sa vérité intime, de sorte que, tout en connaissant ce qui concerne
les autres, elle ne se connaît plus elle-même et que l'esprit de l'homme
curieux devient d'autant plus ignorant de soi-même, qu'il a été plus
habile à déceler la conduite d'autrui[38]. » Cette notion de *curiositas* est
elle aussi augustinienne[39], mais il est clair qu'ici, Grégoire l'interprète
selon les données de sa propre conception de la connaissance : être curieux,
c'est négliger l'intérieur au profit de l'extérieur, ce dernier terme pouvant
désigner soit les perceptions fournies par les sens, soit les renseignements
concernant la vie d'autrui. Mais, dans chaque cas, l'essence de ce vice
demeure la même : il s'agit d'un intérêt limité à ce qui est en dehors
de l'âme, si bien que celle-ci finit par perdre conscience d'elle-même.
L'auteur des *Moralia* laisse entrevoir ainsi, une fois de plus, que la connaissance humaine ne peut se borner à saisir les réalités corporelles, mais
qu'elle doit toujours aller jusqu'à l'intérieur, en dépassant le sensible.

Il reste à savoir si un tel dépassement est humainement possible.
Grégoire admet que certains n'ont reçu de Dieu que leurs cinq sens
comme moyens de connaissance : ils ne sont doués que pour l'*exteriorum
scientia*, pareils aux serviteurs de la parabole qui ont reçu cinq talents :
« Les cinq talents désignent le don des cinq sens, c'est-à-dire la science
des choses extérieures[40]. » Il leur reste la possibilité de faire fructifier

---

38. *HEv* 2, 36, 4 (*PL*, 76, 1268 B-C) : « Qui uidelicet corporales sensus,
quia *interna* comprehendere nesciunt, sed sola *exteriora* cognoscunt
et, deserentes *intima*, ea quae *extra* sunt tangunt, recte per eos curiositas
designatur. Quae dum alienam quaerit uitam discutere, semper sua *intima*
nesciens, studet *exteriora* cogitare. Graue namque curiositatis est uitium,
quae dum cuiuslibet mentem ad inuestigandam uitam proximi *exterius*
ducit, semper ei sua *intima* abscondit, ut aliena sciens, se nesciat, et
curiosi animus quanto peritus fuerit alieni meriti, tanto fiat ignarus
sui. »

39. Cf. P. COURCELLE, *Les Confessions de saint Augustin dans la
tradition littéraire*, Paris, 1963, p. 101-109 : Le péché de curiosité : Augustin
et Apulée. Par *curiositas*, Augustin désigne cette tendance de son intelligence et aussi de son affectivité, qui l'a longtemps détourné de la recherche
du vrai. La conception grégorienne est moins liée à une expérience
personnelle, elle se rattache davantage à sa théorie de la connaissance.

40. *HEv* 1, 9, 1 (*PL*, 76, 1106 C) : « Quinque ergo talentis donum
quinque sensuum, id est *exteriorum* scientia, exprimitur. » Il est à remarquer qu'Origène interprétait lui aussi cette parabole des talents à la

ces talents en donnant aux autres de bons exemples de cette science de l'extérieur, qui est la leur : « Celui qui avait reçu cinq talents en a gagné cinq autres, parce qu'il y a certains hommes qui, bien qu'incapables de pénétrer les réalités intérieures et mystiques, cependant parce qu'ils sont tendus vers la patrie d'en haut, donnent à ceux qu'ils peuvent de bons enseignements à partir de ces dons extérieurs qu'ils ont reçus[41]. » Le terme d'extérieur, par un glissement imperceptible, en vient ainsi à désigner, non plus exactement les objets de la connaissance sensible, mais une sorte de science pratique. Et, un peu plus loin, Grégoire affirme que cette science pratique, extérieure, n'est pas incompatible avec la connaissance intérieure qu'est la contemplation, car, en définitive, ceux qui ont su utiliser ce don « extérieur » méritent de recevoir en récompense le don de l'intelligence intérieure. « Les cinq talents désignent les cinq sens, c'est-à-dire la science des choses extérieures, les deux talents la faculté de comprendre et celle d'agir. Celui qui a reçu deux talents a reçu plus que celui qui en avait reçu cinq, car celui qui, en recevant cinq talents, a mérité d'administrer les choses extérieures, est encore privé de l'intelligence des choses intérieures. Le talent unique, qui désigne, avons-nous dit, la faculté de connaître aurait dû être donné à celui qui a bien administré les biens extérieurs qu'il avait reçus. C'est un fait que nous voyons chaque jour dans la sainte Église, car en administrant correctement les biens extérieurs qu'ils reçoivent, beaucoup d'hommes, avec l'aide de la grâce, sont conduits également jusqu'à l'intelligence mystique, si bien que ceux qui administrent fidèlement des biens extérieurs jouissent aussi de l'intelligence intérieure[42]. » Dépas-

---

lumière de sa théorie de la connaissance ; mais là se borne la ressemblance avec Grégoire, car pour Origène, le serviteur aux cinq talents est celui qui a reçu la connaissance que donne l'Écriture et qui a su monter des réalités bibliques aux objets des cinq sens spirituels : cf. *Fragm. in Matth.* 506 (*GCS*, 41, 12, p. 208) cité par H. Crouzel (*op. cit.*, p. 105 et 487).

41. *HEv* 1, 9, 1 (*PL*, 76, 1106 C-D) : « Sed is qui quinque talenta acceperat alia quinque lucratus est, quia sunt nonnulli qui, etsi *interna* ac mystica penetrare nesciunt, pro intentione tamen supernae patriae docent recta quos possunt de ipsis *exterioribus* quae acceperunt. » Cette remarque s'inspire d'Augustin qui compare lui aussi les cinq talents aux cinq sens corporels dont l'homme peut se servir pour connaître Dieu. Cf. *De uera religione* (54, 106 : *Bibl. august.*, 8, p. 178-180) : « Qui uero bene utitur uel ipsis quinque sensibus corporis ad credenda et praedicanda opera Dei, et nutriendam caritatem ipsius, uel actione uel cognitione ad pacificandam naturam suam, et cognoscendum Deum, intrat in gaudium Domini sui... Nondum enim habet ad aeterna contemplanda idoneam mentis aciem, qui uisibilibus tantum, id est temporalibus credit : sed habere potest, qui horum omnium sensibilium Deum artificem laudat, et eum persuadet fide, et exspectat spe, et quaerit caritate. »

42. *Ibid.* 5 (*PL*, 76, 1108 C) : « Per quinque talenta, quinque uidelicet sensus, id est *exteriorum* scientia designatur, per duo autem intellectus et operatio exprimitur. Plus ergo habuit, qui duo quam qui quinque talenta perceperat, quia qui per quinque talenta *exteriorum* administrationem meruit, ab intellectu *interiorum* adhuc uacuus fuit. Vnum ergo talentum,

ser la connaissance sensible, partir des données extérieures fournies
par les sens pour saisir les réalités intérieures qui s'offrent à la connaissance spirituelle, n'est donc pas réservée à une élite, mais possible à
tous. Mieux encore : des hommes, qui, apparemment, ne sont doués
que pour la *scientia exteriorum*, ne doivent pas désespérer d'acquérir
l'*interna intelligentia*.

Fondement et usage   Par conséquent, il est possible à chacun de
de l'analogie   parvenir à la connaissance de l'invisible, ou,
                plus exactement, de passer de la connaissance
du visible à la connaissance de l'invisible, selon le grand principe que
pose Grégoire : « De ces considérations corporelles et extérieures, il
faut donc tirer des conclusions intérieures et spirituelles : c'est en passant
par ce qui en nous est public que nous devons atteindre ce qui en nous
est secret et nous échappe à nous-mêmes[43]. » Ce passage de l'extérieur
à l'intérieur, Augustin le recommandait lui aussi comme le chemin
qui mène à Dieu, sans qu'on puisse affirmer qu'il constitue dans son
œuvre le nœud d'une preuve de l'existence de Dieu par l'ordre et la
beauté du monde[44]. Grégoire, reprenant à son tour ce principe, en appro-

---

quod intellectum significare diximus, illi dari debuit, qui bene *exteriora*
quae acceperat ministrauit. Quod quotidie in sancta Ecclesia cernimus,
quia plerique dum bene ministrant *exteriora* quae accipiunt, per adiunc-
tam gratiam ad intellectum quoque mysticum perducuntur, ut etiam de
interna intelligentia polleant qui *exteriora* fideliter administrant. »

43. *Mor.* 11, 6, 8 (*PL*, 75, 957 C = *SC*, 212, p. 52) : « Ex istis ergo
corporalibus et *exterioribus*, *interiora* et spiritalia colligenda sunt, ut
per id quod in nobis publicum est transire debeamus ad secretum quod
in nobis est et nosmetipsos latet. » C'est ce que L. WEBER (*op. cit.*, p. 64)
appelle l'argument par analogie, citant des textes voisins, par exemple
Mor. 4, 29, 55 (*PL*, 75, 665 C) : « Ex rebus insensibilibus discimus quid
de sensibilibus atque intelligibilibus sentiamus », ou bien *HEv* 1, 11, 1
(*PL*, 76, 1114 D - 1115 A) : « Coelorum regnum, fratres carissimi, idcirco
terrenis rebus simile dicitur, ut ex his quae animus nouit surgat ad
incognita, quatenus exemplo uisibilium se ad inuisibilia rapiat. »

44. É. GILSON (*op. cit.*, p. 26 sq.) explique qu'il y a chez Augustin
un dualisme apparent au sujet des preuves de l'existence de Dieu : tantôt
il semble que l'ordre et la beauté du monde font partie de la preuve
augustinienne de Dieu, tantôt que l'itinéraire de l'âme à Dieu exige
de transcender le sensible. Mais la route qui mène à Dieu reste avant
tout pour Augustin celle qui va de l'extérieur à l'intérieur et de l'inférieur
au supérieur. Cf. *En. in ps.* 145, 5 (*PL*, 37, 1887) : « Nihil inuenimus
amplius in homine quam carnem et animam : totus homo hoc est, spiritus
et caro. An forte ipsa anima sibi dicit, et sibi quodam modo imperat,
et se exhortatur atque excitat ? Quibusdam enim perturbationibus ex
quadam sui parte fluitabat ; ex quadam uero parte, quam uocat mentem
rationalem, illam qua cogitat sapientiam, inhaerens Domino iam et
suspirans in illum, animaduertit quasdam suas inferiores partes pertur-
bari motibus saecularibus, et cupiditate quadam terrenorum desideriorum
ire in *exteriora*, relinquere *interiorem* Deum : reuocat se ab *exterioribus*
ad *interiora*, ab inferioribus ad superiora. » Cf. aussi *De libero arbitrio*
2, 16, 41, Bibl. august. 6, p. 352-354.

fondit la portée, dans un développement dont la dialectique et la rigueur philosophiques sont assez rares chez lui. Ce n'est plus ici le problème de la connaissance, en tant que tel, qu'il s'efforce d'éclaircir, c'est plutôt un problème de métaphysique, et, pour ainsi dire, de théodicée. Commentant la parole de Job au sujet de Dieu « Ipse enim solus est » (*Job* 23, 13), il distingue deux sens du mot être : au sens premier, ce terme *esse* s'applique à l'Etre nécessaire et immuable, et ce n'est qu'en un sens second et dérivé qu'on l'emploie pour désigner les êtres contingents et changeants. Car les seconds n'existent qu'à cause du premier : c'est Dieu qui a créé et qui soutient dans l'existence toutes les créatures, à qui il donne la vie et le mouvement[45]. Ayant posé cette distinction fondamentale entre l'Etre nécessaire et les êtres contingents, Grégoire poursuit son développement, en affirmant la possibilité et la nécessité pour l'homme d'expliquer les phénomènes extérieurs par leur cause première, qui est aussi une cause intérieure. « Est-ce que par hasard, les êtres, que nous avons dit inanimés ou vivants, sont poussés par leurs propres instincts et non pas plutôt par des impulsions venant de Dieu ? A travers tous les phénomènes qui se produisent à l'extérieur, il faut voir celui qui les ordonne intérieurement. Dans toute cause, il faut voir celui qui est absolument. Lorsque nous sommes frappés par des épreuves que nous voyons, nous devons soigneusement craindre celui que nous ne voyons pas. Le saint homme Job peut donc mépriser tout ce qui effraie extérieurement, toutes ces choses qui tendraient au néant, en vertu de leur essence, si elles n'étaient pas gouvernées par Dieu[46]. »

A travers les réalités contingentes de l'ordre naturel, l'esprit humain peut donc apercevoir l'action de Dieu, qui est comparable à une cause ordonnatrice, en partie immanente au monde. Le spectacle des choses extérieures invite à admettre l'existence d'une réalité qui leur soit intérieure et puisse expliquer leur apparition, parce que les êtres vivants ne peuvent se suffire à eux-mêmes : leur contingence et leur caractère changeant exigent un Etre nécessaire, qui agit en eux. Contestera-t-on que Grégoire apparaît ici comme un philosophe ? Il essaie de fonder sa théorie de la connaissance, et son affirmation selon laquelle l'esprit peut passer du visible à l'invisible, sur des considérations ontologiques,

---

45. *Mor.* 16, 37, 45 (*PL*, 75, 1143 B = *SC*, 221, p. 206) : « Sed aliud est esse, aliud principaliter esse ; aliud mutabiliter esse, aliud immutabiliter esse. Sunt enim haec omnia, sed principaliter non sunt, quia in semetipsis minime subsistunt, et nisi gubernantis manu teneantur, esse nequaquam possunt. »

46. *Ibid.* (1143 D - 1144 A = p. 208) : « Numquidnam haec quae inanimata uel quae uiuentia diximus, suis instinctionibus et non magis diuinis impulsionibus agitantur ? Quidquid est itaque quod *exterius* saeuit, per hoc ille *interius* est, qui hoc disponit. In omni igitur causa solus ipse intuendus est, qui principaliter est... Cum itaque flagellamur per ea quae uidemus, illum debemus sollicite metuere, quem non uidemus. Vir itaque sanctus despiciat quidquid *exterius* terret, quidquid per essentiam suam nisi regeretur, ad nihilum tenderet. »

que la pensée scolastique reprendra pour démontrer l'existence de Dieu[47]. Notons surtout qu'encore une fois, l'auteur des *Moralia* a recours aux notions d'intériorité et d'extériorité, pour indiquer que l'Etre même de Dieu peut être atteint dans ses créatures, au-dedans desquelles il se manifeste, en les faisant être et agir. Connaître le Dieu invisible, c'est saisir la cause intérieure des réalités extérieures, c'est remonter, non pas seulement du visible à l'invisible, mais surtout des êtres secondaires, parce que soumis au changement, à l'Etre premier, parce qu'immuable.

Mais des développements aussi abstraits sont rares chez Grégoire, qui excelle à filer des métaphores, plus qu'à bâtir de véritables raisonnements, lorsqu'il guide les âmes sur le chemin de Dieu. C'est ainsi qu'il reprend, pour l'interpréter à sa manière, l'image de Dieu-soleil du monde intelligible, qu'Augustin, l'empruntant à Platon, avait utilisée avant lui[48]. Dieu, tout comme le soleil, ne peut être vu en lui-même : sa lumière éblouirait les yeux de l'âme ; mais, de même que nous avons la possibilité de regarder la nature éclairée par les rayons solaires, il nous reste à contempler Dieu au travers des hommes qu'il éclaire, c'est-à-dire des saints : « L'âme, attentive aux choses visibles, ne peut voir l'être invisible. En effet, elle ne conçoit que des choses visibles... en attirant leurs images au-dedans d'elle-même... Mais, si nous ne pouvons pas voir Dieu, nous avons un moyen de nous ménager un chemin permettant à l'œil de notre intelligence d'arriver jusqu'à lui. A coup sûr, celui que nous ne pouvons voir en lui-même, d'aucune façon, nous pouvons dès maintenant le voir dans ses serviteurs. En les regardant accomplir des actions merveilleuses, nous avons la certitude que Dieu habite dans leurs âmes. Quand il s'agit d'une chose incorporelle, sachons user des choses corporelles. En effet, aucun d'entre nous, en fixant sa sphère, ne peut regarder le soleil levant, dans sa clarté, parce que ses yeux plongés dans ses rayons sont repoussés ; mais nous apercevons les montagnes éclairées par le soleil... Étant donné, donc, que nous ne pouvons pas voir en lui-même le soleil de justice, tâchons de voir les montagnes illuminées par sa clarté, c'est-à-dire les apôtres, qui brillent par leurs vertus, resplendissent par leurs miracles, eux que la clarté du soleil levant a baignés, et bien qu'il soit invisible en lui-même, il s'est rendu visible pour nous par leur inter-

---

47. Le raisonnement de Grégoire s'apparente à la fois à la seconde preuve de l'existence de Dieu par l'ordre des causes efficientes, et à la quatrième, par la considération des degrés de l'être (cf. É. GILSON, *Le thomisme. Introduction au système de saint Thomas d'Aquin*, Paris, 1927, p. 78-81 et 83-90).

48. Cf. PLATON, *Repub.* 517 b ; AUGUSTIN, *Solil.* 1, 6, 12 (*PL*, 32, 875) ; *de Ciu. Dei* 10, 2 (*PL*, 41, 279) ; cf. É. GILSON, *Introduction à l'étude de saint Augustin*, p. 104 sq. Avant Augustin, Origène s'était également inspiré de la dialectique platonicienne pour expliquer qu'on ne peut fixer le soleil, mais qu'on le voit dans sa lumière et que, de même, on aperçoit Dieu dans ses œuvres : cf. *Peri Archôn* 1, 1, 6 (*GCS*, 28, 5, p. 21), texte cité par H. CROUZEL (*op. cit.*, p. 105).

médiaire comme par celle des montagnes éclairées[49]. » Il est clair que
c'est l'auteur des *Dialogues* qui s'exprime ici, ou le prédicateur des
Homélies sur l'Évangile : les exemples tirés de la vie des saints sont
comme des reflets de la lumière divine ; notre âme n'est pas capable
de supporter l'éclat de cette lumière ; mais du moins pouvons-nous
contempler des êtres humains, qui resplendissent de la clarté divine
elle-même.

On voit comment Grégoire infléchit l'argument selon lequel l'invisible
est connu à travers le visible. Le visible, ce ne sont plus ici les réalités
sensibles, le monde extérieur, la nature, mais les vertus et les miracles
des saints, la vie spirituelle, telle qu'elle se manifeste chez ses représentants
les plus éminents. Les saints constituent ces réalités visibles, à travers
lesquelles l'esprit peut entrevoir le Dieu invisible. N'est-ce pas là l'annonce
de la méthode hagiographique de Grégoire, et du but même qu'il s'est
proposé en composant les *Dialogues* ? Pour révéler aux hommes les
réalités intérieures des mystères de Dieu, il est bon de passer par cette
autre intériorité, qui est comme un reflet de la précédente, et qui s'exprime
dans la personne des saints. Les miracles, dont leur vie est souvent
remplie, réalisent concrètement une telle analogie. Ils comportent des
éléments extérieurs qui sont le signe des réalités intérieures. C'est ainsi
que la lumière extérieure, qui accompagne la fameuse vision cosmique
de saint Benoît, correspond à cette lumière intérieure, qui permet au
contemplatif de s'élever vers les réalités supérieures : « Dans la lumière,
qui a brillé à ses yeux extérieurs, une lumière intérieure s'est faite dans
son âme, qui a montré à l'âme du voyant ravie vers les réalités supérieures,
combien sont étroites toutes les choses inférieures[50]. »

---

49. *HEv* 2, 30, 10 (*PL*, 76, 1226 C - 1227 A) : « ... Mens, uisibilibus
intenta, uidere nescit inuisibilem. Nulla enim nisi uisibilia cogitat... eorum
imagines introrsus trahit... Sed cum Deum uidere non possumus, habemus
aliquid quod agamus, unde iter fiat quo ad eum nostrae intelligentiae
oculus ueniat. Certe quem in se uidere nullo modo ualemus, hunc in
seruis suis uidere iam possumus. Quos dum mira conspicimus agere,
certum nobis fit in eorum mentibus Deum habitare. In re autem incorporea a rebus corporalibus usum trahamus. Nemo etenim nostrum orien-
tem clare solem, in sphaeram illius intendendo, ualet conspicere, quia
tensi in eius radiis oculi reuerberantur ; sed sole illustratos montes aspicimus... Quia ergo solem iustitiae in seipso uidere non possumus, illustratos montes claritate illius uideamus, sanctos uidelicet apostolos, qui uirtutibus emicant, miraculis coruscant, quos nati solis claritas perfudit, et
cum in seipso sit inuisibilis, per eos nobis quasi per illustratos montes se
uisibilem praebuit. » L'image des montagnes appliquée aux apôtres est
augustinienne. Cf. *En. in Ps. XXV*, 9 (*CCh*, 38, p. 328) : « Qui sunt montes
Dei ? Qui dicti sunt nubes, ipsi sunt et montes Dei : magni praedicatores,
montes Dei. Et quomodo, quando oritur sol, prius luce montes uestit, et
inde lux ad humillima terrarum descendit, sic quando uenit Dominus
Iesus Christus prius radiauit in altitudinem apostolorum, prius illustrauit
montes, et sic descendit lux eius ad conuallem terrarum. »

50. *Dial.* 2, 35, p. 131 : « In illa ergo luce, quae *exterioribus* oculis
fulsit, lux *interior* in mente fuit, quae uidentis animum, quia ad superiora
rapuit, ei, quam angusta essent omnia inferiora, monstrauit.

Je préciserai plus loin que maints récits des *Dialogues* présentent
des analogies comparables : ce qui, dans un miracle, est visible et extérieur
renvoie presque toujours à une réalité invisible et intérieure, comme
s'il existait une sorte d'analogie entre la connaissance naturelle et la
sensibilité spirituelle, que Grégoire cherche à éveiller chez ses lecteurs ;
tandis que la première doit dépasser la nature extérieure, pour atteindre
les réalités divines, la seconde passe directement des phénomènes surnaturels, en ce qu'ils ont d'extérieur, à leur signification intérieure. Tel
est d'ailleurs le conseil que donne Grégoire dans un passage des *Homélies
sur l'Évangile*, en évoquant la destruction de Jérusalem : « Nous devons
tirer une analogie intérieure des faits extérieurs et la destruction des
murs des édifices doit nous faire redouter la ruine morale[51]. » La méditation de l'Écriture, aussi bien que la vie et les miracles des saints, sont
comme une invitation permanente à passer de l'extérieur à l'intérieur.
Ce qui était théorie de la connaissance, fondée sur l'analogie qui relie
les créatures et le monde extérieur à leur cause intérieure, devient ainsi
méthode d'exégèse ou d'hagiographie, consistant à proposer des exemples
extérieurs qui contiennent toujours une leçon intérieure. L'analogie,
telle que la conçoit Grégoire, explique que l'esprit humain puisse parvenir
à connaître l'invisible ; elle est surtout au cœur de son exégèse, de ses
récits hagiographiques, de sa prédication. Montrer, de façon quelque
peu théorique, que la connaissance de l'invisible n'est pas impossible,
ne constitue pas le souci principal de l'auteur des *Dialogues*. Il lui importe
bien plus de faire connaître cet invisible, de rendre les réalités intérieures
sensibles aux cœurs de fidèles trop tournés vers l'extérieur. Il convient
de remarquer enfin, que, dans le sacramentaire grégorien, on rencontre
à maintes reprises cette même opposition de l'intérieur et de l'extérieur[52].
N'est-ce pas la preuve que l'auteur des *Moralia* a eu une part importante
dans la rédaction de ces textes et qu'il est resté fidèle, dans le domaine
liturgique, à l'antithèse à laquelle il a recours si souvent dans le reste de
ses œuvres et qui suppose toute une théorie de l'analogie ?

---

51. *HEv* 2, 39, 3 (*PL*, 76, 1295 C) : « ... Debemus ex rebus *exterioribus
introrsus* aliquam similitudinem trahere, atque ex euersis aedificiis
parietum morum ruinam timere. »

52. A. BLAISE, *Le vocabulaire latin des principaux thèmes liturgiques*,
Turnhout, 1966, p. 531, par. 394, cite deux exemples tirés du sacramentaire grégorien. « Quae *extrinsecus* annua tribuis deuotione uenerari,
interius assequi gratiae tua luce concede. » (Or. pr. distrib. cand. 2 febr.,
Greg. 27, 1) et « *interius exteriusque* custodi » (Or. dom. 2 Quadr. Greg.,
45, 1). Sur le rôle de Grégoire dans la rédaction du sacramentaire qui
porte son nom : cf. B. CAPELLE, *La main de saint Grégoire dans le sacramentaire grégorien*, dans *RB*, 49, 1937, p. 13-28, qui relève des oppositions
comme *fides-species, uisibilis-inuisibilis*, assez voisines de l'antithèse
intus-foris ; H. ASHWORTH, *Gregorian elements in the Gelasian-Sacramen-
tary*, dans *Ephemerides liturgicae*, 67, 1953, p. 9-23 et *Liturgical Prayers
of Pope Gregory I*, dans *Traditio*, 15, 1959, p. 107-161.

La théorie   Nombreux sont les auteurs qui ont entrepris
grégorienne   d'expliquer la méthode qu'a suivie Grégoire
des « signa »   lorsqu'il composa ses *Dialogues* ; la plupart
constatent qu'il s'agit avant tout de rechercher
la signification surnaturelle, suprahistorique de ces *signa*[53], qui constituent
l'essentiel de ce recueil hagiographique, mais ils omettent d'indiquer
au préalable en quoi consiste la conception grégorienne des *signa*. Or
il nous semble évident qu'en exposant et en interprétant à sa manière
les faits extraordinaires relatifs aux Pères d'Italie, Grégoire s'est montré
fidèle à la théorie du miracle, qu'il a esquissée dans certaines de ses œuvres.
Pour percer le sens de ces légendes apparemment naïves et toujours
déconcertantes, il ne suffit peut-être pas, même si cette étude demeure
indispensable, de chercher quel rapport leur auteur admet entre leur
réalité historique et le récit qu'il en transmet ; outre ces recherches de
« Formgeschichte » ou de « Redaktionsgeschichte » dont la synthèse
reste à faire, il importe aussi de savoir quelle application Grégoire fait,
dans ses *Dialogues*, des principes qu'il affirme ailleurs, au sujet du rôle
et de la valeur des *signa*.

Une première constatation s'impose : dans les textes autres que les
Dialogues, Grégoire entend par *signum* tout fait miraculeux qui implique
une intervention surnaturelle et se produit de manière visible. Il envisage
donc le miracle dans ce qu'il a de plus extérieur, et lui reconnaît une
fonction précise : celle de provoquer la conversion, ou du moins la foi
des incroyants, qui ne sont guère sensibles aux paroles, mais que des
faits risquent d'ébranler davantage. Si le Christ guérit un aveugle, sur
le chemin de Jéricho, c'est parce que ses disciples sont encore trop charnels :
ils ne l'ont pas cru, quand il leur a annoncé sa mort et sa résurrection ;
un miracle, un fait surnaturel, sera plus efficace pour leur ouvrir les
yeux[54]. Si bien que la pédagogie divine du miracle ne peut se comprendre
que si on la replace dans l'histoire religieuse de toute l'humanité. Le
miracle est nécessaire, à l'aube du salut, pour amener à la foi les incroyants.
L'étoile, qui a guidé les mages vers la crèche, est de ces signes par lesquels
Dieu se fait connaître aux païens, qui ne savent pas encore appliquer leur
raison aux réalités spirituelles : les pasteurs de Judée, en revanche,

---

53. Cf. W. F. Bolton, *The supra-historical sense in the Dialogues of Gregory I*, dans *Aevum*, 33, 1959, p. 206-213, qui souligne que pour Grégoire, le monde visible est comme une métaphore du monde invisible (p. 211). G. Penco (*Il monachesimo in Umbria dalle origini al sec. VII incluso*, dans *Il convegno di Studi Umbri*, Gubbio, 1964, p. 257-276) note au passage que Grégoire ne prétend pas être un historien, ni un hagiographe, mais un docteur de la mystique (p. 260) et qu'il cherche à concrétiser l'idéal religieux, biblico-monastique du *uir Dei* (p. 261).

54. *HEv* 1, 2, 1 (*PL*, 76, 1082 B) : « Quia carnales adhuc discipuli nullo modo ualebant capere uerba mysterii, uenitur ad miraculum. Ante eorum oculos caecus lumen recipit, ut qui caelestis mysterii uerba non caperent, eos ad fidem caelestia facta solidarent. »

n'ont besoin que des paroles d'un ange[55]. Aux premiers temps de l'Église,
les miracles servent à confirmer la prédication des apôtres, « afin que
la vertu ainsi manifestée donnât du crédit à leurs paroles[56]. » L'acte
extérieur a pour but de produire la foi intérieure, que les seules paroles
seraient impuissantes à éveiller, d'autant plus que la paix du monde
n'invitait guère, alors, à croire à l'invisible. « Le monde étant florissant,
... qui, entendant parler d'une autre vie, aurait pu y croire ? Qui aurait pu
préférer l'invisible au visible ? Mais, les infirmes recouvrant la santé,
les morts ressuscitant, les lépreux retrouvant une chair purifiée, les
possédés étant arrachés à l'emprise des esprits impurs, tant de miracles
visibles s'étant produits, qui aurait pu ne pas croire à ce qu'il entend
prêcher au sujet de l'invisible ? Les miracles visibles interviennent afin
d'entraîner les cœurs de ceux qui voient à la foi dans les réalités invisibles,
de sorte que, par l'intermédiaire du fait merveilleux qui a lieu au-dehors,
on se rende compte qu'il existe une réalité intérieure, de beaucoup plus
merveilleuse[57]. » Telle est la finalité des *signa*, des miracles extérieurs,
dans la première époque de l'histoire du Salut, lorsque l'Église commence
à s'implanter dans un univers tranquille, où les esprits se tournent
difficilement vers les choses spirituelles : ces miracles sont destinés à
assurer le succès de la prédication auprès des incroyants, qui, pour
croire, c'est-à-dire pour admettre l'existence d'un monde invisible[58],
ont besoin de réalités visibles ; le miracle est le signe extérieur, qui,
aux premiers temps de l'Église, produit chez les païens la foi intérieure.

---

55. *HEv* 1, 10, 1 (*PL*, 76, 110 C) : « Quaerendum nobis est quidnam sit
quod, Redemptore nato, pastoribus in Iudaea angelus apparuit, atque
ad adorandum nunc ab Oriente magos non angelus, sed stella perduxit ?
Quia uidelicet Iudaeis, tamquam ratione utentibus, rationale animal,
id est angelis, praedicare debuit ; gentiles uero, quia uti ratione nesciebant, ad cognoscendum Dominum non per uocem, sed per signa perducuntur. Vnde etiam per Paulum dicitur : « Prophetiae fidelibus datae
sunt, non infidelibus ; signa autem infidelibus, non fidelibus (I *Cor.*
14, 22). »

56. *HEv* 1, 4, 3 (*PL*, 76, 1090 C) : « Vnde et adiuncta sunt praedicatoribus sanctis miracula, ut fidem uerbis daret uirtus ostensa. »

57. *Ibid.* (1090 C - 1091 A) : « Florente mundo, crescente humano
genere, diu in hac uita subsistente carne, exuberante rerum opulentia,
quis cum audiret uitam esse aliam crederet ? Quis inuisibilia uisibilibus
praeferret ? Sed ad salutem redeuntibus infirmis, ad uitam resurgen-
tibus mortuis, carnis munditiam recipientibus leprosis, ereptis a iure
immundorum spirituum daemoniacis, tot uisibilibus miraculis exactis,
quis non crederet quod de inuisibilibus audiret ? Ad hoc quippe uisibilia
miracula coruscant, ut corda uidentium ad fidem inuisibilium pertrahant, ut per hoc quod mirum *foris* agitur hoc quod *intus* est longe mira-
bilius esse sentiatur. »

58. Cf. F. LIEBLANG, *op. cit.*, p. 53-60 : le concept de foi surnaturelle.
Lieblang aurait pu faire remarquer que cette idée, selon laquelle le miracle
conduit du visible à l'invisible, vient d'Augustin. Cf. *Ep.* 2, 120, 5 (*PL*,
33, 454) : « Sunt enim, et multi sunt qui plus tenentur admiratione
rerum quam cognitione causarum, ubi miracula mira esse desistunt, et
opus est eos ad inuisibilium fidem uisibilibus miraculis excitari, ut caritate
purgati, eo perueniant ubi familiaritate ueritate mirari desistant. »

Mais, dans la période suivante, lorsqu'il n'y a plus d'incroyants, le miracle perd sa raison d'être : « A présent que le nombre des fidèles s'est accru, il y a, à l'intérieur de la sainte Église, beaucoup de gens, qui mènent une vie vertueuse, mais sans les signes liés à ces vertus, parce qu'il est inutile qu'un miracle extérieur se produise si la raison intérieure de son action n'existe plus[59]. » C'est ainsi que Paul guérit par ses prières le père de Publius, gouverneur de Malte, qui était un incroyant, tandis qu'à son compagnon Timothée, qui était croyant, il se contente de donner quelques conseils médicaux : « L'un, qui intérieurement n'était pas vivant, devait être guéri au dehors par un miracle, pour qu'au travers de ce que manifesterait le pouvoir extérieur de l'apôtre, une vertu intérieure lui rendît la vie. En revanche, il n'y avait pas eu à employer des signes extérieurs, pour guérir la maladie de son compagnon croyant, qui jouissait de la santé intérieure[60]. » Le miracle est donc l'instrument de la conversion des seuls incroyants : dans une lettre à Augustin, Grégoire évoque le peuple païen des Angles, dont « les âmes sont entraînées jusqu'à la grâce intérieure par des miracles extérieurs[61]. » L'extériorité du signe vise à produire l'intériorité de la foi : l'antithèse de ces deux notions exprime toute la conception grégorienne des *signa*, qui conduisent les incroyants du visible à l'invisible.

Mais l'histoire de l'Église comporte un nouveau progrès : aux miracles corporels succèdent des miracles spirituels[62] et la conscience religieuse des croyants doit suivre et discerner une telle évolution. « Les miracles sont d'autant plus importants, qu'ils sont spirituels, d'autant plus importants, qu'ils servent à réveiller non les corps, mais les âmes... Ce n'est pas à partir de ces signes extérieurs que la vie peut être obtenue par ceux qui les opèrent. Car ces miracles corporels montrent parfois

---

59. *HEv* 1, **4**, 3 (*PL*, 76, 1091 A) : « Vnde nunc quoque cum fidelium numerositas excreuit, intra sanctam Ecclesiam multi sunt qui uitam uirtutum tenent, sed signa uirtutum non habent, quia frustra miraculum *foris* ostenditur, si deest quod *intus* operetur. »

60. *Ibid.* (1091 B) : « Quia nimirum ille *foris* per miraculum sanandus erat, qui *interius* uiuus non erat, ut per hoc quod *exterior* potestas ostenderet, hunc ad uitam *interior* uirtus animaret. Aegrotandi autem fideli socio exhibenda *foris* signa non fuerant, qui salubriter *intus* uiuebat. »

61. *Ep.* 11, 36 (*MGH*, 2, p. 305-306) : « Scio enim, quia omnipotens Deus per dilectionem tuam in gente quam elegi uoluit magna miracula ostendit. Vnde necesse est, ut de eodem dono caelesti et timendo gaudeas et gaudendo pertimescas ; gaudeas uidelicet quia Anglorum animae per *exteriora* miracula ad *interiorem* gratiam pertrahuntur... »

62. *HEv* 2, 29, 4 (*PL*, 76, 1215 C-D) : « Habemus de his signis atque uirtutibus quae adhuc subtilius considerare debeamus. Sancta quippe Ecclesia quotidie spiritaliter facit quod tunc per apostolos corporaliter faciebat. Nam sacerdotes eius cum per exorcismi gratiam manum credentibus imponunt, et habitare malignos spiritus in eorum mente contradicunt, quid aliud faciunt, nisi daemonia eiiciunt ? Et fideles quique qui iam uitae ueteris saecularia uerba derelinquunt, sancta autem mysteria insonant, conditoris sui laudes et potentiam, quantum praeualent, narrant, quid aliud faciunt, nisi nouis linguis loquuntur ? »

la sainteté, mais ne la produisent pas ; tandis que les miracles spirituels,
qui s'accomplissent dans l'âme, ne montrent pas la valeur d'une vie,
mais la produisent[63]. » Grégoire pense donc que les miracles spirituels
sont bien supérieurs aux miracles corporels, et cette intériorisation, cette
spiritualisation de la notion de *signum* domine à ses yeux l'histoire
de l'Église. Aux miracles extérieurs, destinés aux incroyants, et qui
aident à la révélation de l'invisible, succèdent les miracles spirituels,
intérieurs, dont les croyants auront à pénétrer la signification[64].

Les « Dialogues » :   Il nous reste à présent à voir comment et en
une pédagogie   quoi les *Dialogues* peuvent se rattacher à cette
du miracle   conception théorique du rôle des miracles. Remarquons pour commencer que les *signa* qui composent
cet ouvrage sont pour ainsi dire contemporains de Grégoire, ou qu'ils
ne remontent guère à plus d'un siècle avant lui[65] : le pape du VIe siècle
a pour ainsi dire cherché à établir une pédagogie du miracle pour les
hommes de son temps. Or, d'après les aperçus que Grégoire lui-même
a esquissés sur la place des *signa* dans l'histoire du salut, l'époque en
question n'est plus celle des origines chrétiennes ; le monde n'a plus
l'aspect séduisant de celui d'autrefois ; c'est au contraire un monde
de ruines et de décadence, qui devrait faciliter le détachement vis-à-vis
des biens visibles[66]. Les miracles qui pourront se produire, maintenant
que l'Église a grandi et que le nombre des incroyants a diminué, ne
sauraient plus servir à appuyer la prédication des pasteurs, comme au

---

63. *Ibid.* (1216 A) : « Quae nimirum miracula tanto maiora sunt,
quanto spiritalia ; tanto maiora sunt, quanto per haec non corpora,
sed animae suscitantur : haec itaque signa, fratres carissimi, auctore
Deo si uultis uos facitis. Ex illis enim *exterioribus* signis obtineri uita ab
haec operantibus non ualet. Nam corporalia illa miracula ostendunt
aliquando sanctitatem, non autem faciunt ; haec uero spiritalia, quae
aguntur in mente, uirtutem uitae non ostendunt, sed faciunt. »

64. *HEv* 1, 2, 1 (*PL*, 76, 1082 B-C) : « Miracula Domini et Saluatoris
nostri sic accipienda sunt, fratres carissimi, ut et in ueritate credantur
facta, et tamen per significationem nobis aliquid innuant. Opera quippe
eius et per potentiam aliud ostendunt, et per mysterium aliud loquuntur. »

65. U. MORICCA (*op. cit.*, introduction, p. XLV) précise : « Per lo più
tuttavia si può dire che i miracoli, di cui Gregorio tratta, son da collocarsi
nel corso del VI secolo : in maggior numero durante il regno di Totila e
l'invasione longobarda. » Dans le tableau qu'il donne (p. LIII-LIV), la
date la plus reculée est 477-484 (*Dial.* 3, 32 : il s'agit d'un miracle survenu
sous le règne du roi vandale Hunéric).

66. *HEv* 1, 4, 2 (*PL*, 76, 1090 B) : « Missis autem praedicatoribus, quid
praecipiatur audiamus. ' Euntes praedicate, dicentes quia appropin-
quauit regnum caelorum ' (*Matt.* 10, 7). Hoc iam, fratres carissimi, etiam
si Euangelium taceat, mundus clamat. Ruinae namque illius uoces eius
sunt. Qui enim tot attritus percussionibus a gloria sua cecidit, quasi
iam nobis a proximo regnum aliud quod sequitur ostendit. Ipsis iam
et a quibus amatur amarus est. Ipsae enim ruinae praedicant quod
amandus non est. »

temps du Christ et des apôtres. Si Grégoire applique sa propre théorie sur la fonction des *signa* dans l'histoire de l'Église, il est donc à prévoir qu'il ne s'agira pas pour lui de remplacer les paroles par des faits, et qu'il insistera moins sur des événements matériels que sur des réalités spirituelles, puisqu'en principe, il s'adresse à des esprits plus spontanément tournés vers l'invisible, ou, du moins, plus détachés, par la force des choses, d'un univers en pleine décomposition.

Quel était le public réel auquel Grégoire destinait son œuvre ? Paul-Diacre assure qu'il a envoyé un exemplaire des *Dialogues* à Théodelinde, la reine catholique des Lombards ariens[67] et l'on a pu émettre l'hypothèse que le récit du martyre d'Herménégild pourrait bien receler quelque intention de propagande missionnaire à l'adresse d'Agilulf[68]. Les Lombards étaient non pas des *infideles*, des incroyants, mais des *haeretici*, des chrétiens dont la foi devait être mâtinée d'éléments hétérodoxes ou franchement païens. On pense communément que les récits des *Dialogues*, avec leur pittoresque et leur naïveté, ne s'adressaient qu'à un public très populaire[69]. Il faut nuancer ce jugement. Ces récits apparemment naïfs, sont composés suivant les règles de la meilleure rhétorique et l'on y retrouve les thèmes et les procédés auxquels Grégoire recourt dans ses autres œuvres[70]. Mais ne peut-on pas apporter quelques précisions supplémentaires, que fournirait l'examen objectif des *signa* contenus dans les *Dialogues* ? Il est certain que les *signa* extérieurs n'y manquent pas, pareils à ceux que rapportent les *Évangiles* ou les *Actes des Apotres*[71] : malades guéris, morts ressuscités, lépreux purifiés, démons chassés, sans compter les visions, prophéties et miracles[72]. C'est donc que Grégoire n'exclut pas de pouvoir atteindre des païens, dont il cherche ainsi à éveiller la foi, même s'il est infidèle à ses propres déclarations sur le fait que les miracles intérieurs auraient dû, à l'époque où il écrit, succéder aux signes extérieurs. Enfin, il faut faire la part, dans ce domaine, de toute une stylisation et de cette typologie propre au genre hagiographique, que l'on n'a guère étudiée jusqu'ici qu'à propos de la vie de Benoît et du second livre des *Dialogues*[73].

---

67. Cf. Paul Diacre, *Hist. Lang.* 4, 5, cité par F. H. Dudden (*op. cit.*, p. 323).

68. Cette hypothèse a été formulée par J. Fontaine dans sa communication sur « *Conversion et culture chez les Wisigoths d'Espagne* », dans *La conversione al cristianesimo nell' Europa dell'Alto Medioevo*, Spolète, 1967, p. 115-116.

69. Cf. U. Moricca, *op. cit.*, p. xvi-xvii.

70. Cf. F. Tateo, *La struttura dei Dialoghi di Gregorio Magno*, dans *Vetera Christianorum*, 2, 1965, p. 101-127.

71. Cf. *HEv* 1, 4, 3 (*PL*, 76, 1090 C) : « Vnde et adiuncta sunt praedicatoribus sanctis miracula... sicut in hac eadem lectione subiungitur : « Infirmos curate, mortuos suscitate, leprosos mundate, daemones eiicite » (*Matt.* 10, 8).

72. Cette dernière tripartition est celle de Dudden (*op. cit.*, p. 325).

73. Cf. C. Lambot, *La vie et les miracles de saint Benoît racontés par saint Grégoire le Grand*, dans *Revue monastique*, 1956, 143, p. 49-61 ;

C'est l'œuvre elle-même qu'il faut surtout interroger et, en particulier, les interventions de l'interlocuteur de Grégoire, ce diacre Pierre, qui est non seulement l'instrument du dialogue, selon les lois du genre, et le représentant de la mentalité commune face au surnaturel, mais qui, chaque fois, par ses questions ou ses remarques, fait avancer le débat, et, pour tout dire, permet le passage du fait miraculeux à sa signification spirituelle[74], du visible ou l'invisible. Classer les récits des *Dialogues* en deux catégories bien distinctes, celle des *signa* extérieurs et celle des *signa* intérieurs, les uns destinés aux *infideles*, les autres aux *fideles*, serait donc une vue de l'esprit. La fonction de Pierre, et, par suite, l'intention de Grégoire, consistent à ménager une transition entre le miracle, en tant qu'événement extérieur, et les réalités intérieures, dont il est le signe. Il y a progression de l'extérieur à l'intérieur, et non pas distinction entre miracles extérieurs et miracles intérieurs, et, de même, il n'y a probablement pas deux publics différents, face auxquels Grégoire userait de deux séries différentes d'exemples habilement sélectionnés, mais un public unique, composé de croyants encore proches du paganisme et dont la foi demande à se spiritualiser, à s'intérioriser. Le récit de ces *miracula* y aidera, en faisant accéder les esprits des lecteurs à la compréhension spirituelle, intérieure, d'événements qui, par eux-mêmes, échappent déjà aux explications naturelles. Et l'on devine qu'en fin de compte, le but de Grégoire est plus que celui d'un hagiographe, qu'il est plutôt celui d'un moraliste, d'un auteur spirituel, qui n'a entrepris de raconter les hauts faits des Pères d'Italie que pour inciter ceux qui l'écoutent à rentrer en eux-mêmes et à progresser sur le chemin de l'intériorité, en méditant ces *exempla* de sainteté.

Miracle extérieur   S'il fallait caractériser le genre littéraire des
et vertu intérieure   *Dialogues*, le qualificatif d'historique serait déplacé :
                           Grégoire n'a nullement l'intention de prouver
la réalité historique des faits qu'il évoque. Il ne souffle mot des effets de ces miracles pour la foi ou les mœurs des Goths, des Lombards, des mauvais prêtres, des clercs ambitieux, des moines corrompus, qui y sont mêlés. Ces miracles lui sont avant tout matière à méditation et le terme de pédagogie exprimerait mieux son intention profonde qui est, à travers la matérialité de ces prodiges surnaturels, de donner un enseignement quelque peu doctrinal, ou du moins moral, de proposer à des fidèles assez peu cultivés, moines, clercs ou laïcs, des *signa* qui manifestent

---

144, p. 97-102 ; 145, p. 149-158. O. Rousseau, *Saint Benoît et le prophète Elisée*, dans *Revue monastique*, 144, 1956, p. 103-114. B. Steidle, *Homo Dei Antonius. Zum Bild des « Mannes Gottes » im alten Mönchtum*, dans *Antonius Magnus Eremita* (356-1956), (*Studia Anselmiana*, 38), 1956, p. 148-200. Jh. Wansbrough, *St. Gregory's intention in the Stories of St. Scholastica and St. Benedict*, dans *RB*, 75, 1965, p. 145-151. P. Courcelle, *La vision cosmique de saint Benoît*, dans *REAug.*, 13, 1967, p. 97-117.

74. Cf. F. Tateo, *art. cit.*, p. 107-108.

au dehors une vertu intérieure. Et, chaque fois, par l'intermédiaire de Pierre, Grégoire s'efforce d'aller de l'extérieur à l'intérieur, du signe à sa signification.

Il distingue, par exemple, le martyre physique extérieur, qui a lieu en temps de persécution, du martyre spirituel, qui s'accomplit dans le secret du cœur, par la pratique des vertus évangéliques[75]. Il met en parallèle la mort violente de Jacques et la mort paisible de Jean, s'inspirant certainement d'Augustin qui soutenait que la continence de Jean lui valait bien la palme du martyre, que Pierre avait méritée par son supplice[76]. Raconte-t-il la résurrection d'un mort par un moine thaumaturge, il s'empresse aussitôt après, en répondant à Pierre, de faire remarquer que la conversion d'un pécheur est une autre forme de résurrection, bien supérieure à la précédente : « si nous sommes attentifs aux faits visibles, nécessairement nous croyons aux miracles ; mais si nous apprécions les réalités invisibles, il est clair assurément, que c'est un plus grand miracle de convertir un pécheur par les paroles de la prédication et les consolations de la prière que de ressusciter un mort dans sa chair[77]. » Grégoire peut conclure ainsi ce raisonnement par analogie : « Il est donc de moindre importance que quelqu'un soit ressuscité dans sa chair, sauf dans le cas où par la vivification de sa chair, il est ramené à la vie de l'âme, de sorte que le miracle extérieur lui est un moyen de se convertir et d'être vivifié intérieurement[78]. » Cette affirmation est pleinement conforme à la théorie grégorienne des miracles : l'extérieur est ici le signe efficace de l'intérieur ; il est signe puisqu'il invite à prendre en considération ce qui est invisible et se déroule au-dedans de l'homme ;

---

75. *Dial.* 3, 26 (p. 197) : « Duo sunt, Petre, martyrii genera : unum in occulto, alterum quoque in publico. Nam et si persecutio desit *exterius*, martyrii meritum in occulto est, cum uirtus ad passionem prompta flagrat in animo. » Cf. *HEv* 2, 35, 7 (*PL*, 76, 1263 B-C) et 1, 3, 4 (1089 A).

76. *Dial.* 3, 26 (p. 198) : « Cum nimirum constat, quia Iacobus in passione occubuit, Iohannes uero in pace ecclesiae quieuit, incunctanter colligitur esse et sine aperta passione martyrium quando et ille calicem Domini bibere dictus est, qui ex persecutione mortuus non est. » Cf. AUGUSTIN, *De bono coniugali* 21, 26 (éd. COMBES, *Bibl. august.*, p. 82-84) : « Qui uident continentiae uirtutem in habitu animi semper esse debere, in opere autem pro rerum ac temporum opportunitate manifestari, sicut uirtus patientiae sanctorum martyrum in opere apparuit, caeterorum uero atque sanctorum in habitu fuit. Quocirca sicut non est qui passus non est, sic non est impar meritum continentiae in Iohanne qui nullas expertus est nuptias et in Abraham qui filios generauit. » Ce texte est cité par H. DELEHAYE, *Sanctus. Essai sur le culte des saints dans l'Antiquité*, Bruxelles, 1927, qui évoque l'histoire de ce thème du martyre spirituel, de Clément d'Alexandrie à Sulpice Sévère (p. 83-112).

77. *Dial.* 3, 17 (p. 182) : « Si uisibilia adtendimus, ita necesse est ut credamus ; si uero inuisibilia pensamus, nimirum constat, quia maius est miraculum praedicationis uerbo atque orationis solacio peccatorem conuertere, quam carne mortuum resuscitare. »

78. *Ibid.* (p. 183) : « Minus est ergo quempiam in carne suscitari, nisi forte cum per uiuificationem carnis ad uitam reducitur mentis, ut hoc ei agatur per *exterius* miraculum, quatenus conuersus *interius* uiuificetur. »

il est efficace, puisqu'il apparaît comme le moyen de la conversion. Un tel
chapitre des *Dialogues* constitue une totalité très cohérente : Grégoire
commence par raconter un miracle, la résurrection d'un mort accomplie
par un saint moine ; de ce fait visible, il passe par le truchement de son
interlocuteur, à la considération des réalités invisibles qu'il évoque et
qui lui sont supérieures, à savoir de la conversion intérieure ; il note,
pour finir, que le signe extérieur peut être aussi l'instrument d'une
opération spirituelle. Mais, le plus souvent, il attire l'attention sur la
vertu intérieure, d'où jaillissent les miracles, comme s'il voulait spiritualiser la foi de ses contemporains, purifier leur culte des saints et des reliques :
si les paysans, fait-il remarquer à Pierre, obtiennent la pluie en brandissant
la tunique de l'abbé Euthicius, ce n'est pas par quelque phénomène
magique : « Cela fait ressortir quelle vertu intérieure, quel mérite avait
l'âme de cet homme, dont le vêtement montré au-dehors détournait
le courroux du Créateur[79]. » On reproche à Grégoire de s'être trop inspiré
du merveilleux païen. Mais ne faudrait-il pas lui reconnaître plutôt le
mérite d'avoir orienté vers le surnaturel chrétien des esprits encore
très frustes ?

De telles distinctions dictent à Grégoire le plan qu'il doit suivre dans
ses récits. La plupart des chapitres des *Dialogues* sont construits sur
ce va-et-vient entre miracles extérieurs et sainteté intérieure. Après
avoir campé, dans le 1er chapitre du 3e livre, l'abnégation de l'évêque
Paulin de Nole, se livrant comme esclave aux Vandales à la place du
fils d'une veuve, il invite à considérer des miracles plus extérieurs, relatifs
à d'autres personnages : « Puisque la valeur de Paulin, dont j'ai parlé
plus haut, est profondément intérieure, à présent, si tu permets, venons-en
à des miracles extérieurs[80]. » Parfois, c'est le chemin inverse que préfère
suivre Grégoire. Constance, un moine de l'église St-Étienne d'Ancône,
fait brûler des lampes avec de l'eau au lieu d'huile. Pierre écoute ce
miracle et le commente ainsi : « Ce que j'entends là est tout à fait prodi-
gieux, mais je voudrais savoir quelle humilité pouvait avoir au-dedans
de lui-même cet homme, qui était au-dehors si extraordinaire[81]. » Cette
brève demande permet à Grégoire de passer à l'examen des vertus intérieures du saint, et les exemples qui les illustrent n'ont plus simplement
une valeur narrative : ils ont une fonction pédagogique, une finalité
spirituelle, si bien que Pierre, enfin satisfait par cette explication supplé-

---

79. *Dial.* 3, 15 (p. 175) : « Ex qua re patuit eius anima quid uirtutis
intus, quid meriti habuerit, cuius *foris* ostensa uestis iram conditoris
auerteret. »

80. *Dial.* 3, 1 (p. 139) : « Quia haec, quam superius dixi, Paulini uirtus
ualde est *intima*, nunc, si licet, ad miracula *exteriora* ueniamus, quae et
multis iam nota sunt, et ergo tam religiosorum uirorum relatione didici,
ut de his omnimodo ambigere non possum. »

81. *Dial.* 1, 5 (p. 40) : « Mirum est ualde quod audio, sed uelim nosse
cuius humilitatis apud se *intus* esse potuit iste, qui tantae excellentiae
foris fuit. »

mentaire, peut conclure : « Je le reconnais, cet homme était grand au-dehors, par ses miracles, mais plus grand au-dedans par son humilité[82]. »

Le chapitre consacré au prêtre Sanctulus de Nursie comporte un plan analogue : après des miracles extérieurs (de l'eau changée en huile, une multiplication de pains), qui montrent la puissance thaumaturgique du personnage, voici comment Grégoire introduit la seconde partie de ses récits, qui obéit à un dessein d'édification spirituelle, parce qu'elle doit mettre en évidence les vertus plus intérieures du saint : « Pour que tu ne t'étonnes pas plus longtemps de ce qu'a accompli extérieurement, par la force du Seigneur, Sanctulus, cet homme vénérable, apprends quelle était, par la force du Seigneur, sa valeur intérieure[83]. »

En définitive, les *Dialogues* sont une œuvre fort complexe et les récits qui les composent devraient être analysés et compris à la lumière de tous les autres écrits de Grégoire. Ce rapide aperçu sur la conception grégorienne du miracle n'en est-il pas une preuve particulière, et ne fournit-il pas une sorte de guide pour la lecture des *signa* qui remplissent ces pages ? D'abord, il ne faut pas s'arrêter au sens littéral des miracles, mais pénétrer leur sens spirituel, aller du visible à l'invisible, en songeant que l'élément extérieur, même surnaturel, n'est que le signe, et parfois l'instrument d'une vertu intérieure. Telle est la règle fondamentale de ce que l'on pourrait appeler la méthode d'exégèse hagiographique de Grégoire : elle ne s'écarte guère de sa théorie de la connaissance et elle est assez analogue à sa méthode d'exégèse biblique, dont nous aurons à parler un peu plus loin. Il convient d'ajouter ensuite que la portée de ces récits de miracles se mesure à ce qu'ils illustrent : s'ils doivent mettre en relief les pouvoirs thaumaturgiques d'un saint, il est normal que les éléments extérieurs l'emportent ; si, en revanche, ils sont destinés à manifester sa valeur spirituelle, c'est leur sens intérieur qu'il importe de saisir. On aurait tort, en tout cas, de les mettre tous sur le même plan : le merveilleux chrétien enveloppe les premiers, tandis que les seconds sont chargés d'un enseignement plus profond.

L'exégèse grégorienne : le sens extérieur et le sens intérieur   La règle d'or de l'exégèse grégorienne consiste dans la distinction des trois sens de l'Écriture. L'auteur des *Moralia* expose lui-même sa méthode : ayant cédé aux invitations pressantes de ses frères, il a entrepris de commenter le *livre de Job*, « tantôt par une exégèse littérale, tantôt par l'interprétation plus élevée que donne la contemplation, tantôt par une leçon morale[84]. »

---

82. *Ibid.* (p. 41) : « Vt agnosco, uir iste magnus *foris* fuit in miraculis, sed maior *intus* in humilitate. »

83. *Dial.* 3, 37 (p. 220) : « Ne diutius mireris, quid in uirtute Domini uenerandus uir Sanctulus *exterius* fecerit, audi ex uirtute Domini, qualis *interius* fuit. »

84. C'est dans sa lettre-dédicace adressée à Léandre que Grégoire explique ainsi sa propre méthode (*SC*, 32 bis, p. 122) : « Quibus nimirum

Tel est donc le principe : passer du sens historique, qui suit la lettre du texte, au sens allégorique, qui s'applique au Christ ou à l'Église, et au sens moral, qui vise à éclairer l'expérience commune des fidèles. Ce principe n'est pas neuf : Origène, puis Augustin l'avaient déjà pris en considération[85]. Grégoire, du reste, est loin de l'appliquer avec une régularité constante, et n'omet pas de s'en justifier dans sa lettre-dédicace à Léandre[86].

Mais ce qui est digne de remarque, et n'a rien de bien surprenant, c'est que, sous-jacente à cette règle des trois sens de l'Écriture, il semble en exister une autre. Fidèle à sa théorie de la connaissance, qu'il applique aux *exempla* de sainteté contenus dans les *Dialogues*, l'auteur des *Moralia*, lorsqu'il s'efforce de commenter les textes sacrés, recourt fort souvent à son antithèse familière de l'intérieur et de l'extérieur. Passer d'un sens extérieur à un sens intérieur constitue aussi un principe de son exégèse : comment peut-il se concilier avec le principe précédent ? Comment Grégoire fait-il intervenir cette terminologie de l'intériorité et de l'extériorité, qui, chez lui, n'est pas un simple procédé d'exposition, mais correspond à ses vues personnelles sur la connaissance humaine, condamnée par suite de la faute d'Adam à toujours aller du visible à l'invisible ?

Dans une *Homélie sur Ézéchiel*, il range, sans plus de nuances, l'Ancien Testament dans la catégorie de l'extériorité et le Nouveau Testament dans celle de l'intériorité. « Admettons que la porte intérieure soit pour nous le Nouveau Testament, et la porte extérieure l'Ancien Testament, parce que le premier nous ouvre l'intelligence spirituelle, tandis que le second, à l'intention des âmes encore grossières, a gardé dans son contenu historique la lettre du texte sacré[87]. » Cette idée d'un développement et d'un progrès, qui commencent avec l'Ancien Testament et s'achèvent avec le Nouveau, est conforme à une pensée grégorienne, qui se trouve exprimée ailleurs[88]. Mais l'emploi, qui est fait ici des termes *interior* et *exterior*, est tout à fait exceptionnel. En général, c'est dans l'Écriture tout entière, Ancien et Nouveau Testament, que Grégoire a coutume de distinguer ce qu'il appelle un dehors et un dedans ; il développe ainsi l'image du livre d'Ézéchiel écrit au recto et au verso :

---

multa iubentibus dum parere modo per expositionis ministerium, modo per contemplationis ascensum, modo per moralitatis instrumentum volvi ; opus hoc per triginta et quinque uolumina extensum in sex codicibus expleui. » Ces déclarations sont commentées par H. de LUBAC (*Exégèse médiévale*, I, p. 187 sq.). Cf. également les remarques de R. GILLET sur cette méthode d'exégèse : *SC*, 32 bis, p. 11-12.

85. Cf. H. de LUBAC, *op. cit.*, p. 177 sq., 198 sq.

86. Cf. *SC*, 32 bis, p. 123-131.

87. *HEz* 2, 9, 2 (*PL*, 76, 1042 C = *CCh*, 142, p. 356) : « Sit itaque nobis porta *interior* Testamentum nouum, porta uero *exterior* Testamentum Vetus, quia et hoc spiritalem intellectum aperit, et illud rudibus adhuc mentibus in historia sacri eloquii litteram custodiuit. »

88. Cf. F. H. DUDDEN, *op. cit.*, II, p. 303-304.

« Le livre de la sainte Écriture est écrit au-dedans par l'allégorie, au-dehors par la lettre. Au-dedans par l'intelligence spirituelle, au-dehors par le simple sens littéral, qui convient aux esprits encore faibles. Au-dedans, car il propose des biens invisibles, au-dehors, car, à propos des biens terrestres, qui sont dignes de mépris, il prescrit comment on doit les considérer quand on en use, ou les éviter quand on les désire. Autre, en effet, est ce qu'il dit des secrets célestes, autre ce qu'il ordonne pour ce qui est des actes extérieurs. Et ce qu'il conseille au-dehors est accessible ; mais ce qu'il raconte au sujet des réalités intérieures ne peut être pleinement compris[89]. » A un sens extérieur, qui s'applique à un ensemble de règles pratiques, s'oppose donc un sens intérieur, par lequel s'opère une révélation supérieure. Le premier est aussi clair que le second est caché, et, comme dans le texte précédent, Grégoire, en moraliste et, plus encore, en pasteur, insiste sur cette idée, que l'Écriture est comprise selon les capacités de chacun : certains, parmi les fidèles, ne pourront dépasser le sens extérieur ; d'autres s'élèveront jusqu'aux vérités célestes que contient le sens intérieur. Leur responsabilité est grande à l'égard des premiers, car c'est à eux qu'il appartient d'acquérir une intelligence spirituelle des textes sacrés, et d'expliquer à la masse des fidèles ce qui lui est accessible : « Aussi dit-on de la noblesse de Judée qu'elle a péri non de soif, mais de faim : car ceux qui passaient pour l'élite, s'étant donnés tout entiers à l'intelligence extérieure, se privaient de ce dont une méditation intérieure aurait pu les nourrir. Quand les spirituels, en effet, s'éloignent du sens intérieur, l'intelligence des petits ne se désaltère même plus dans le sens extérieur[90]. »

Il est donc clair qu'aux divers sens de l'Écriture correspondent, selon Grégoire, diverses catégories de fidèles, inégalement doués pour s'élever de l'extérieur à l'intérieur, de la lettre à l'allégorie. Il est moins facile d'indiquer les relations qui, selon Grégoire, existent entre ce sens intérieur et ce sens extérieur, d'une part, et, d'autre part, les trois sens, qu'il

---

89. *HEz* 1, 9, 30 (*PL*, 76, 883 B-C = *CCh*, 142, p. 139) : « Liber enim sacri eloquii *intus* scriptus est per allegoriam, *foris* per historiam. *Intus* per spiritalem intellectum, *foris* autem per sensum litterae simplicem, adhuc infirmantibus congruentem. *Intus* quia inuisibilia promittit ; *foris* autem, quia terrena contemptibilia qualiter sint uel in usu habenda, uel ex desiderio fugienda, praecipit. Alia namque de secretis coelestibus loquitur, alia uero in *exterioribus* actionibus iubet. Et ea quidem quae *foris* praecipit patent, sed illa quae de *internis* narrat plene apprehendi nequeunt. »

90. *Mor.* 1, 21, 29 (*PL*, 75, 540 D = *SC*, 32 bis, p. 208-210) : « Et idcirco Iudaeae nobiles non siti, sed fame interiisse asserit : quia hi qui praeesse uidebantur, dum totos se *exteriori* intelligentiae dederant, quod de *intimis* discutiendo manderent, non habebant. Quia uero sublimioribus ab *interno* intellectu cadentibus, paruulorum intelligentia et in *exterioribus* exsiccatur. » Sur cette idée qu'aux divers sens de l'Écriture correspondent divers niveaux d'auditeurs, cf. *Ep.* 5, 53 a, 4 (*ibid.*, p. 128) : « Diuinis etenim sermo sicut mysteriis prudentes exercet, sic plerumque superficie simplices refouet. Habet in publico unde paruulos nutriat, seruat in secreto, inde mentes sublimium in admiratione suspendat. »

distingue ailleurs. Comment la bipartition et la tripartition se recouvrent-
elles ? Si, au début du passage cité plus haut sur les deux faces du *livre
d'Ézéchiel*, il identifie le sens extérieur avec le commentaire littéral ou
historique et le sens intérieur avec l'allégorie, il continue en rangeant
du côté du sens extérieur, ce qui a trait à la conduite de l'homme. Sans
doute entend-il désigner alors, non pas le troisième sens, l'exégèse morale,
mais les préceptes de la Loi, qui ont écrasé les Juifs en les empêchant de
s'élever jusqu'à l'intelligence spirituelle[91]. Ailleurs, Grégoire évoque
ainsi le passage du sens allégorique au sens moral : « Nous avons expliqué
rapidement ces versets en les appliquant à notre Chef ; maintenant,
pour l'édification de son corps, il faut les reprendre et les expliquer au
sens moral, afin que le récit des actions extérieures nous apprenne ce
qui se passe dans l'intérieur des âmes[92]. » Ici, c'est le sens moral qui
apparaît comme intérieur, à la fois parce qu'il exige une intelligence
spirituelle et parce qu'il s'applique à la vie de l'âme, qui est une réalité
intérieure, alors que, semble-t-il, le sens allégorique aussi bien que le
sens littéral sont rejetés du côté de l'extérieur, dans la mesure où ils
demeurent étrangers, extérieurs à la vie intérieure des fidèles.

Mais tel autre texte des *Homélies sur Ezéchiel* identifie, en revanche,
sens extérieur et sens littéral, sens intérieur et sens allégorique : « Si,
en cet endroit, nous entendons par porte l'Écriture Sainte, celle-ci
aussi a deux seuils, l'un qui est extérieur et l'autre intérieur, car elle
comporte une division entre la lettre et l'allégorie. Le seuil extérieur
de l'Écriture Sainte, c'est la lettre ; le seuil intérieur, c'est l'allégorie.
Car du fait que nous tendons à l'allégorie en passant par la lettre, nous
allons pour ainsi dire du seuil extérieur au seuil intérieur. Et il est de
très nombreux éléments, qui, en suivant la lettre, édifient l'âme, de
sorte qu'à travers des actions extérieures, l'âme de l'auditeur est entraînée
vers l'intérieur[93]. » Ce qui est important ici, ce n'est pas tellement la
distinction entre la lettre et l'allégorie, qui se trouvent correspondre
au sens extérieur et au sens intérieur ; c'est que la loi de l'exégèse coïncide
très exactement avec la démarche même de toute pensée, selon les affirmations répétées de Grégoire : pour parvenir aux réalités intérieures,

---

91. Cf. *Mor.* 1, 16, 24 (*PL*, 75, 538 B = *SC*, 32 bis, p. 202) : « Quos
graue iugum legis presserat, quia *exteriora* litterae mandata tolerabant. »

92. *Mor.* 2, 38, 63 (*PL*, 75, 586 C = *SC*, 32 bis, p. 350-352) : « Haec in
significationem nostri capitis breuiter tractata transcurrimus : nunc in
aedificationem eius corporis, ea moraliter tractanda replicemus : ut quod
actum *foris* narratur in opere, sciamus quomodo *intus* agatur in mente. »

93. *HEz* 2, 3, 18 (*PL*, 76, 968 A = *CCh*, 142, p. 250) : « Si uero portam
scripturam sacram hoc in loco accipimus, ipsa quoque duo limina habet,
exterius et *interius*, quia in litteram diuiditur et allegoriam. Limen quippe
Scripturae sacrae *exterius*, littera ; limen uero *interius*, allegoria. Quia
enim per litteram ad allegoriam tendimus, quasi a limine quod est *exterius*,
ad hoc quod est *interius* uenimus. Et sunt in ea permulta, quae ita iuxta
litteram mentem aedificant, ut per hoc quod *exterius* agitur audientis mens
interius trahatur. »

l'esprit a besoin de passer par des éléments extérieurs, qui lui serviront de tremplin en vue d'une connaissance plus approfondie ; s'il s'agit d'interpréter les livres Saints, la lettre est le moyen indispensable à une pénétration spirituelle.

Cette idée est au cœur de la plupart des développements théoriques de Grégoire sur sa méthode exégétique, et peut-être faut-il renoncer à établir entre la division tripartite et la théorie des deux faces ou des deux seuils de l'Écriture une rigoureuse correspondance, qui risquerait d'être étrangère aux intentions mêmes de Grégoire. En opposant un sens intérieur à un sens extérieur, l'auteur des *Moralia*, sans oublier sa division tripartite, ne se réfère-t-il pas davantage à sa propre conception de la connaissance ? Comme le monde extérieur, comme la vie des saints, les livres sacrés sont un moyen d'accéder aux réalités spirituelles ; l'*historia* est le signe de ces biens invisibles ; l'essentiel est de savoir passer de la lettre à l'esprit, des préceptes extérieurs de la Loi à l'intelligence spirituelle, intérieure des vérités divines.

La recherche   •   En fin de compte, on est en droit de se demander
du sens intérieur   si Grégoire n'a pas eu recours à ce dernier principe,
                     plus volontiers et plus souvent qu'à la division tripartite, qu'il est loin de suivre rigoureusement. Les termes d'intérieur et d'extérieur lui servent à exprimer ses scrupules d'exégète. D'une part, il faut savoir toujours approfondir la lettre d'un texte pour en déchiffrer le sens caché sous d'apparentes contradictions : «L'impossibilité d'accorder entre elles certaines expressions de la lettre nous montre qu'il y faut chercher autre chose. C'est leur manière de nous dire : lorsque vous voyez que dans notre sens superficiel nous perdons toute signification, cherchez donc en nous un sens, qui puisse, au-dedans, être découvert logique et cohérent[94]. » Mais, d'autre part, le désir de trouver à tout prix un sens intérieur risque de masquer la clarté du sens extérieur : « Quelquefois cependant, négliger de prendre à la lettre les expressions de l'histoire, c'est voiler la lumière de vérité qui s'offre, et à vouloir trouver laborieusement dans ces textes autre chose d'intérieur, on laisse échapper ce qu'on pouvait atteindre au-dehors sans difficulté[95]. » La tâche de celui qui commente l'Écriture n'est pas aisée : il lui faut constamment tenir un juste milieu, en évitant des excès contraires ; il ne doit, en effet, ni se limiter au sens littéral, extérieur, ni le négliger pour

---

94. *Ep.* 5, 53 a, 3 (*SC*, 32 bis, p. 128) : « Sed nimirum uerba litteras, dum collata sibi conuenire nequeunt, aliud in se aliquid quod quaeratur ostendunt, acsi quibusdam uocibus dicant : dum nostra non conspicitis superficie destrui, hoc in nobis quaerite, quod ordinatum sibique congruens apud nos ualeat *intus* inueniri. »

95. *Ibid.* 4 (p. 128) : « Aliquando autem qui uerba accipere historiae iuxta litteram negligit, oblatum sibi ueritatis lumen abscondit, cumque laboriose inuenire in eis aliud *intrinsecus* appetit, hoc, quod *foris* sine difficultate assequi poterat, amittit. »

en venir trop vite à l'interprétation allégorique. Grégoire insiste fortement
sur ce principe d'équilibre, qu'il faut toujours respecter, à mi-chemin
entre la lettre du texte et le mystère, dont il est porteur. « Il est bien
des versets si chargés d'un contenu allégorique, que quiconque cherche
à s'en tenir à leur seul sens historique se prive, par sa propre négligence,
de la connaissance de ces allégories. Mais il en est certains qui servent
si bien à un enseignement extérieur, que si l'on désire les pénétrer plus
subtilement, on ne trouve rien au-dedans et l'on se dissimule à soi-même
ce qu'ils disent extérieurement[96]. » Les livres Saints ne sont-ils pas
pareils à de petites branches ? Les comprendre selon la lettre, c'est éviter
d'enlever leur écorce ; détacher celle-ci, c'est au contraire pénétrer leur
sens intime, allégorique[97]. La lettre apparaît dans cette métaphore comme
l'enveloppe extérieure, qui cache le contenu intérieur. Mais il est un danger
inverse. A trop presser les mamelles pour obtenir du lait, on finit par
faire jaillir du sang : de même, à vouloir déchiffrer trop subtilement
le sens allégorique des textes sacrés, on risque d'en revenir à une intelligence charnelle[98].

Certains raffinements, dans la recherche du sens intérieur, éloignent
de la vérité et font oublier la teneur même de l'Écriture. L'exégète
trouve son chemin entre ces deux excès contraires ; sans délaisser la
lettre du texte et son sens extérieur, il s'élève jusqu'à l'intelligence
spirituelle du sens intérieur, mais en observant toujours une saine mesure,
afin d'être compris de tous et de ne pas s'égarer dans un symbolisme
creux. Grégoire lui-même s'efforce de respecter ce grand principe d'équilibre. En fait, il ne se soucie guère des fantaisies auxquelles peut s'aban-

---

96. *Mor.* 21, 1, 1 (*PL*, 76, 187 B) : « Multae quippe eius sententiae tanta
allegoriarum conceptione sunt grauidae, ut quisquis eas ad solam tenere
historiam nititur, earum notitia per suam incuriam priuetur. Nonnullae
uero ita *exterioribus* praeceptis inseruiunt, ut si quis eas subtilius penetrare
desiderat, *intus* quidem nihil inueniat, sed hoc sibi etiam quod *foris*
loquuntur abscondat. »

97. *Ibid.* 2 (188 B) : « Ante considerationis enim nostrae oculos praecedentium patrum sententiae quasi uirgae uariae ponuntur. In quibus dum
plerumque intellectum litterae fugimus, quasi corticem subtahimus, et
dum plerumque intellectum litterae sequimur, quasi corticem reseruamus.
Dumque ab ipsis cortex litterae subducitur, allegoriae candor *interior*
demonstratur, et dum cortex relinquitur, *exterioris* intelligentiae uirentis
exempla monstrantur. »

98. *Ibid.* 3 (188 D - 189 A) : « Quis diuinae sententiae aliquando *interius*
rimandae sunt, aliquando *exterius* obseruandae, per Salomonem quoque
dicitur : « Qui fortiter premit ubera ad eliciendum lac, exprimit butyrum ;
et qui uehementer emungit, elicit sanguinem » (*Prov.* 30, 33). Vbera
quippe fortiter premimus, cum uerba sacri eloquii subtili intellectu
pensamus, qua pressione dum lac quaerimus, butyrum inuenimus, quia
dum nutriri uel intellectu quaerimus, ubertate *internae* pinguedinis ungi-
mur. Quod tamen hoc nimia nec semper agendum est, ne dum lac quaeritur
ab uberibus, sanguis sequatur. Plerumque etenim quidam dum uerba
sacri eloquii plus quam debent discutiunt, in carnalem intellectum
cadunt. »

donner l'exégète qui s'écarte trop du sens historique. La grande règle demeure pour lui de passer de l'extérieur à l'intérieur, c'est-à-dire à la fois de dépasser le commentaire littéral pour parvenir à l'intelligence spirituelle et de discerner quelles réalités intérieures évoque le texte sacré. S'interrogeant sur le symbolisme du bois, il note : « Mais puisque le sens littéral est ici évident, nous devons donc ramener notre esprit vers le monde intérieur et chercher à voir comment ces paroles doivent être comprises au plan spirituel[99]. » Il ajoute que le bois peut désigner la croix, l'homme juste ou injuste, ou bien la sagesse incarnée de Dieu.

Les paroles de Job révèlent ses pensées intimes : le texte de l'Écriture apporte de la même façon la révélation des mystères intérieurs de Dieu. « De même que nous ignorons ce que renferment au-dedans des vases fermés, mais que nous connaissons ce qu'ils contiennent à l'intérieur, une fois leur orifice ouvert, de même les cœurs des saints, qui sont secrets lorsque leur bouche est fermée, se découvrent quand ils l'ouvrent ; et quand ils découvrent leurs pensées, on dit qu'ils ouvrent la bouche, pour qu'avec attention, nous nous empressions de savoir, comme dans des vases ouverts, ce qu'ils contiennent intérieurement[100]. » Job, lorsqu'il parle, est lui-même un parfait modèle pour l'exégète : « Voici que le saint homme, admirant des réalités extérieures, considérant des vérités intérieures, racontant des faits évidents, pénétrant des faits cachés, » s'efforce de dire tout ce qui se passe intérieurement et extérieurement[101]. » Mais c'est Dieu lui-même qui s'exprime ainsi par la bouche des prophètes : « Par la voix de Jérémie, le Seigneur, racontant des faits extérieurs, révélant des réalités intérieures, déclare...[102] » Ainsi donc, si le travail de l'exégète consiste à discerner l'intérieur caché sous l'extérieur, c'est que Dieu lui-même a inspiré les auteurs des livres Saints et voulu que l'Écriture révélât son mystère, au travers de paroles humaines.

En fait, les principes exégétiques de Grégoire, ou du moins ce principe dominant qui consiste à passer de réalités extérieures à leur signification intime, correspondent à sa conception de l'inspiration[103] : toute parole

---

99. *Mor.* 12, 4, 5 (*PL*, 75, 998 B = *SC*, 212, p. 152) : « Sed quia hoc iuxta litteram patet, debemus sensum ad *interiora* reducere et qualiter haec iuxta spiritum intelligi debeant perscrutari. »

100. *Mor.* 4, 1, 1 (*PL*, 75, 637 C-D) : « Sicut enim clausa uascula quid *intus* habeant ignoramus, aperto uero ore uasculorum quid *intrinsecus* contineatur, agnoscimus, ita sanctorum corda, quae clauso ore occulta sunt, aperto ore deteguntur ; et cum cogitationes detegunt, os aperire referuntur, ut intenta mente, quasi apertis uasculis, quid *intus* contineant festinemus cognoscere. »

101. *Mor.* 9, 11, 18 (*PL*, 75, 869 C) : « Ecce uir sanctus *exteriora* mirans, *interiora* considerans, aperta narrans, occulta penetrans, omne quod *interius exterius*que agitur dicere conatur. »

102. *Mor.* 9, 10, 11 (*PL*, 75, 865 B) : « Quod bene etiam per Ieremiam Dominus *exteriora* narrans, *interiora* denuntians, dicit... »

103. Cf. au sujet de cette doctrine grégorienne de l'inspiration, F. H. DUDDEN, *op. cit.*, p. 304-305.

dite ou écrite exprime et révèle la pensée de son auteur. Or l'Écriture
n'est autre que la parole de Dieu, transmise par des intermédiaires
tels que le saint homme Job. Commentant les malédictions de Job, qu'il
rapproche de celles de Jérémie et de David, Grégoire écrit : « Ce texte,
assurément, est intérieurement rempli q'un mystère d'autant plus grand,
qu'extérieurement, il est vide de raison humaine. Car si une parole
raisonnable avait retenti extérieurement, elle n'allumerait pas du tout
en nous le désir d'une intelligence intérieure. C'est donc qu'une parole
a pour nous un sens intérieur d'autant plus plein, qu'extérieurement,
elle ne nous montre rien de raisonnable[104]. » La foi est donc à la source
de l'intelligence spirituelle de l'Écriture : il lui est possible de pénétrer
un sens intérieur, qui échappe aux prises de l'esprit humain, parce qu'il
se rattache toujours plus ou moins au mystère de Dieu.

Les mots et les choses   Chercher par la foi l'intelligence spirituelle
                               de l'Écriture, c'est finalement aller des mots
aux choses, des *verba* extérieurs aux *res* intérieures. Grégoire est conduit
à formuler cette règle fondamentale de l'exégèse : « En reconnaissant les
paroles extérieures, nous parvenons à l'intelligence intérieure[105]. » Les
premiers chapitres de l'*Expositio in Canticum canticorum* contiennent
à ce sujet des affirmations d'une exceptionnelle netteté, et au lieu de
soupçonner encore l'authenticité grégorienne de ce commentaire mystique,
on peut se demander s'il ne faut pas le rattacher à la toute première
expérience contemplative de Grégoire, lorsqu'il venait d'entrer au
monastère du *Clivus Scauri* et se livrait avec délices à la *lectio diuina*[106].
Ébloui par la lumière qu'il découvrait dans la parole de Dieu, il aurait
alors exprimé de façon très simple sa propre certitude : en dépassant
les mots de l'Écriture, l'homme est assuré d'atteindre les réalités surnaturelles. « Il nous faut veiller avec soin à ce qu'en entendant les paroles
qui expriment l'amour extérieur, nous n'en restions pas à des sensations
extérieures et à ce que la machine faite pour nous soulever ne nous
accable plutôt, en nous empêchant d'être soulevés. Car dans ces mots
charnels, dans ces mots extérieurs nous devons chercher tout ce qui est
intérieur, et, tout en parlant de la chair, devenir pour ainsi dire étrangers
à la chair[107]. » La connaissance spirituelle est ainsi liée à l'ascèse et à
l'amour spirituel, qui sait dépasser le sensible.

---

104. *Mor.* 4, *praefatio* 4 (*PL*, 75, 636 D - 637 A) : « Hoc nimirum tanto
intrinsecus maiori mysterio plenum est, quanto *extrinsecus* humana
ratione uacuum. Nam si quid *exterius* rationabile fortasse sonuisset,
nequaquam nos ad studium *interioris* intellectus accenderet. Eo ergo
nobis plenius aliquid *intus* innuit, quo *foris* rationabile nihil ostendit. »
105. *In Cant. cant.* 2 (*CCh*, 144, p. 4) : « Dum recognoscimus *exteriora*
uerba, peruenimus ad *interiorem* intelligentiam. »
106. Cf. les analyses très pénétrantes de V. RECCHIA (*L'egesi di Gregorio
Magno al Cantico dei cantici*, Turin, 1967) et mon propre compte rendu
(*Rivista di Storia e letteratura religiosa*, 1969, p. 165).
107. *In Cant. cant.* 4 (*CCh*, 144, p. 4) : « Hoc autem nobis solle⸗ter
intuendum est ne, cum uerba *exterioris* amoris audimus, ad *exteriora*

Cette discipline exige de l'exégète qu'il soit attentif aux choses encore plus qu'aux mots, sous peine de demeurer extérieur au sens profond de la parole de Dieu. « Car l'Écriture sainte s'exprime dans des mots et des significations, de même que la peinture le fait dans des couleurs et des sujets : et c'est faire preuve de trop de sottise que de s'attacher aux couleurs de la peinture au point d'ignorer les choses qui y sont peintes. Quant à nous, en effet, si nous embrassons les mots prononcés au-dehors en ignorant leur signification, nous en restons seulement aux couleurs, en ignorant pour ainsi dire les choses qui sont peintes[108]. » On a reproché à Grégoire d'abuser de l'allégorie et de favoriser un symbolisme confus. Mais, quoi qu'il en soit de l'application, il faut reconnaître que les principes qu'il assigne à son exégèse définissent un réalisme spirituel, et non un symbolisme allégorique : comprendre la Parole de Dieu, c'est chercher le sens spirituel des mots dans lesquelles elle s'exprime et vouloir atteindre, par-delà les mots extérieurs, les réalités intérieures qui s'y révèlent. Une fois encore, le principe de l'intériorité définit une méthode qui correspond à une conception d'ensemble du mystère chrétien : car ce mystère ne se dévoile qu'au prix d'une ascèse de la connaissance, parce qu'il coïncide avec la réalité même de Dieu, qui est profondément cachée[109].

Aux yeux de Grégoire, l'exégèse des hérétiques est aux antipodes de ce réalisme spirituel : esclaves de l'extérieur, les hérétiques ne font rien pour parvenir à une compréhension intérieure des livres saints ; ils en restent aux mots ou se contentent d'impressions superficielles. Ils rongent pour ainsi dire l'Écriture, au lieu de la manger vraiment : « Ils la tâtent de l'extérieur, lorsqu'ils essaient de la manger, mais sans parvenir à son contenu intérieur... Eux qui mâchent des herbes et des écorces d'arbres, parce que l'élévation des paroles sacrées est un verrou qui les repousse, ils sont incapables d'en percevoir les grandes et intimes réalités, mais en connaissent à peine certains éléments fragiles et extérieurs. Les herbes désignent les paroles les plus accessibles, l'écorce des arbres les propos extérieurs des Pères... (Les hérétiques) se nourrissent pour ainsi dire d'herbe et d'écorce, car ce sont les choses les plus basses, ou bien les choses extérieures, qui alimentent les âmes des orgueilleux... Ils mâchent les écorces des arbres, parce qu'il en est certains qui dans

---

sentienda remaneamus et machina, quae ponitur ut leuet, ipsa magis opprimat ne leuemur. Debemus enim in uerbis istis corporeis, in uerbis *exterioribus* quidquid *interius* est quaerere et loquentes de corpore, quasi extra corpus fieri. »

108. *In Cant. cant.* 4 (*ibid.*) : « Sic est enim Scriptura sacra in uerbis et sensibus, sicut pictura in coloribus et rebus : et nimis stultus est, qui sic picturae coloribus inhaeret, ut res, quae pictae sunt, ignoret. Nos enim, si uerba, quae *exterius* dicuntur, amplectimur et sensus ignoramus, quasi ignorantes res, quae depictae sunt, solos colores tenemus. »

109. *Ibid.* 6 (*ibid.*, p. 9) : « Ita Cantica canticorum secretum quoddam et sollemne *interius* est. Quod secretum in occultis intelligentiis penetratur : nam, si *exterioribus* uerbis adtenditur, secretum non est. »

les livres saints vénèrent seulement le sens superficiel de la lettre, et ne font nullement attention à ce qui tient à l'intelligence spirituelle, supposant qu'il n'y a rien de plus dans les paroles de Dieu que ce qu'ils ont entendu extérieurement[110]. » L'exégèse des hérétiques est donc purement extérieure, pour diverses raisons : non contente de se borner à un commentaire littéral, qui ne dépasse pas le sens historique du texte, elle démontre que les hérétiques sont incapables d'atteindre à l'intelligence spirituelle des livres saints, et que leur but véritable n'est pas de découvrir la vérité qui se trouve contenue dans l'Écriture, mais de conquérir cette vaine gloire qu'accordent les hommes à ceux qui savent les séduire. C'est le désir d'un prestige extérieur qui explique l'insuffisance de leur méthode.

Cette façon de dénoncer une fausse compréhension de l'Écriture confirme que la règle suprême de l'exégèse grégorienne est la recherche du sens intérieur, qui révèle le mystère de Dieu au travers des paroles humaines, extérieures, qu'il a lui-même inspirées. Cette règle, l'auteur des *Moralia* l'observe plus que celle des trois sens de l'Écriture : bien souvent, au lieu d'appliquer à un texte un commentaire d'abord historique, suivi d'une interprétation allégorique, puis morale, il se contente de rechercher les réalités spirituelles que cache et exprime à la fois la lettre des livres sacrés. L'exégète rejoint l'hagiographe, et tous deux se conforment à une théorie de la connaissance, qui fait du visible ou de l'extérieur le signe de l'invisible et le moyen de l'atteindre.

Cependant, les *Dialogues* et les *Moralia*, s'ils utilisent la même méthode, ne s'adressent pas au même public : dans le premier ouvrage, Grégoire propose à des gens assez peu cultivés des *signa*, en vue de provoquer une spiritualisation de leur foi ; mais, généralement, ces *signa* concernent des hommes, leurs pouvoirs thaumaturgiques, leur vie spirituelle ; avant de les imiter, il faut comprendre la vertu intérieure, qui explique leurs miracles. Les *Dialogues* ne sont souvent qu'une introduction aux réalités spirituelles. Les commentaires bibliques et avant tout les *Moralia* n'occupent-ils pas un rang supérieur dans l'œuvre grégorienne ? Les faits extérieurs, qui y sont médités, ne sont plus des *exempla* humains, mais les paroles mêmes dictées par Dieu ; sans doute ces paroles contiennent-elles parfois des enseignements extérieurs, que chacun peut

---

110. *Mor.* 20, 9, 20 (*PL*, 76, 149 A-B) : « *Exterius* quippe illam contrectant, cum quidem conantur, sed non ad eius *interiora* perueniunt... Qui herbas quoque et arborum cortices mandunt, quia elationis suae obice repulsi, in sacro eloquio magna et *intima* percipere nequeunt, sed uix in illo quaedam tenera et *exteriora* cognoscunt. Per herbas quippe dicta planiora, per arborum cortices, Patrum eloquia *exteriora* signantur... Quasi ex herba et cortice pascuntur, quia uel ima, uel *exteriora* sunt, quae mentes superbientium nutriunt... Qui arborum quoque cortices mandunt, quia sunt nonnulli qui in sacris uoluminibus solam litterae superficiem uenerantur, nec quidquam de spiritali intellectu custodiunt, cum nihil in uerbis Dei amplius nisi hoc quod *exterius* audierint esse suspicantur. »

comprendre ; mais Grégoire entend s'adresser davantage à des fidèles qui ont déjà l'expérience des réalités spirituelles, qui n'ont plus besoin d'y être introduits, mais dont l'intelligence spirituelle doit être sans cesse ravivée et renouvelée, non par des *signa*, mais par la pénétration méthodique de l'Écriture. Dans les *Dialogues*, le sens intérieur indique seulement à quelle puissance invisible renvoient les miracles visibles accomplis par des hommes. Dans les *Moralia*, rechercher le sens intérieur, c'est atteindre le mystère même du Christ, de l'Église ou de l'âme en quête de Dieu : Grégoire s'y révèle non plus seulement comme un pédagogue de la spiritualité, mais comme un moraliste et un docteur de la contemplation.

Que le premier sens de l'Écriture soit extérieur et que la compréhension allégorique soit doublement intérieure, à la fois parce qu'elle exige l'intervention de la foi, d'une forme de connaissance susceptible de dépasser le sensible, et parce qu'elle se rapporte à quelque chose d'intérieur, « à une réalité qui comporte toujours, outre la donnée du fait, un dedans[111] », Grégoire n'est pas le premier à l'affirmer. Avant lui, Augustin avait évoqué la nécessité de cette intériorisation, en vue de l'intelligence spirituelle de l'Écriture[112]. Mais, cette fois, c'est plutôt d'Hilaire que s'inspire l'auteur des *Moralia*. Dans son commentaire sur Matthieu, Hilaire parle des divers niveaux d'intelligibilité de l'Écriture : « La parole de Dieu... comprise simplement ou scrutée intérieurement, est nécessaire à tout progrès. Mais, laissant de côté ce qui est clair pour l'intelligence commune, arrêtons-nous aux causes intérieures[113]. » Et, à maintes reprises, il insiste sur cette notion d'*interior intelligentia*[114]. Il n'y a pas lieu de s'étonner du fait que Grégoire suit ici Hilaire de préférence à Augustin. Il avait probablement lu et pratiqué cet auteur : ne conçoit-il pas comme lui l'omniprésence enveloppante de Dieu, qu'il

---

111. H. de Lubac, *op. cit.*, II, p. 510.

112. Dans un passage du *De uera religione* (50, 99, Bibl. august. 8, p. 168-170), Augustin se demandait « qui sit modus interpretandae allegoriae, quae per sapientiam dicta creditur in Spiritu sancto : utrum a uisibilibus antiquioribus ad uisibilia recentiora eam perducere sufficiat, an usque ad animae affectiones atque naturam, an usque ad incommutabilem aeternitatem. » Ce texte est cité par de Lubac (*op. cit.*, p. 508-509).

113. Hilaire, *Comment. in Matt.* 12, 12 (*PL*, 9, 987 C-D) : « Sermo Dei... uel simpliciter intellectus, uel inspectus *interius*, ad omnem profectum est necessarius. Sed relictis his, quae ad communem intelligentiam patent, causis *interioribus* immoremur. »

114. *Ibid.* 2, 2 (924 C) : « In Iohanne locus, praedicatio, uestibus cibus est intuendus : atque ita ut meminerimus gestorum ueritatem non idcirco corrumpi, si gerendis rebus *interioris intelligentiae* ratio subiecta sit. » *Ibid.* 14, 3 (997 B) : « Frequenter monuimus, omnem diligentiam Euangeliorum lectioni adhibere oportere : quia in his, quae gesta narrantur, subesse *interioris intelligentiae* ratio reperiatur. Habet enim omnium operum narratio suum ordinem : sed gestorum effectibus causae subiacentis species praeformatur, ut in Herode ac Iohanne intelligitur. »

fonde sur les deux versets d'Isaïe (66, 1 et 40, 12) que cite précisément Hilaire[115] ? Il est normal que les méthodes exégétiques d'Hilaire, autant que ses idées générales sur la théodicée, aient pu influencer Grégoire. Ce grand principe de l'intériorité, appliqué à l'interprétation de l'Écriture, sera en tout cas repris par bien des auteurs du Moyen Age : Raban-Maur, Paschase Radbert, etc...[116]

En définitive, la théorie grégorienne de la connaissance n'est-elle pas à mi-chemin entre la tradition patristique, surtout augustinienne, et la pensée scolastique ? Grégoire affirme et applique sans cesse cette loi de l'esprit : il faut échapper aux limites du sensible, tendre à une connaissance spirituelle qui non seulement s'accomplit au-dedans de l'âme, en écartant toute image corporelle, mais surtout s'applique à l'univers des réalités immatérielles et divines. Telle est l'idée fondamentale qui est au cœur de sa méthode hagiographique aussi bien qu'exégétique, avec les inévitables différences que nous avons relevées au passage. Puisque le visible est le signe de l'invisible, l'extérieur de l'intérieur, l'esprit n'atteindra le mystère de l'âme et de Dieu qu'en se servant du sensible, mais en le dépassant. Les miracles des saints, la lettre et les récits de l'Écriture sont constitués de ces réalités extérieures, qui tout à la fois dissimulent et révèlent les vérités intérieures. Le mérite de Grégoire est d'avoir fait une large application, à l'intention des divers publics, qu'il trouvait dans la Rome du VIe siècle, de ces règles héritées d'Augustin. Son entreprise contenait en germe bien des éléments que la pensée médiévale systématisera, qu'il s'agît de la notion d'analogie, des degrés de l'être, des preuves de l'existence de Dieu ou de l'emploi de l'allégorie et du symbole dans l'interprétation de l'Écriture.

---

115. M. FRICKEL (op. cit., p. 80-84) a pu mettre en parallèle un texte d'Hilaire, du de Trinitate (1, 6 : PL, 10, 29-30) et un passage de Grégoire (Mor. 2, 12, 20 : SC, 32 bis, p. 286-288), mais il hésite à admettre que le second dépende du premier : la parenté de l'orchestration scripturaire chez les deux auteurs, l'utilisation des deux mêmes versets d'Isaïe devraient permettre de lever le doute à cet égard.

116. Cf. R. WASSELYNCK, Les Moralia in Iob dans les ouvrages de morale du Haut-Moyen Age latin, dans RTA, 31, 1964, p. 6-11 ; L'influence de l'exégèse de saint Grégoire le Grand sur les commentaires bibliques médiévaux, dans RTA, 32, 1965, p. 157-204.

DEUXIÈME SECTION

Conversion

A travers toutes ses œuvres, Grégoire exalte l'idéal de l'intériorité : c'est le seul chemin qui mène à Dieu, aussi bien dans la vie des pasteurs que dans la vie morale et spirituelle de chaque chrétien, ou quand il s'agit de pénétrer les réalités surnaturelles. L'intériorité est même la structure fondamentale de l'expérience chrétienne : car c'est au-dedans de l'âme que s'éveille le désir de Dieu, que commence l'exercice de l'ascèse, que s'accomplit la contemplation et que se comprennent les miracles des saints ou les textes de la Bible. Mais Grégoire sait bien que cet idéal ne se réalise qu'à travers un combat. La recherche de l'intériorité suppose une conversion permanente. On aurait tort de croire que la spiritualité grégorienne rejoint l'hésychasme oriental : cet homme déchiré entre ses aspirations spirituelles et ses obligations temporelles, en même temps qu'il souligne l'éminente valeur de l'intériorité, ne cesse d'opposer l'extériorité à l'intériorité, l'action à la contemplation, le péché à la sainteté, l'apparence ou le mensonge à la vérité. Si bien qu'il conçoit le passage de l'un à l'autre comme une structure également essentielle à toute expérience chrétienne et qu'il s'efforce par tous les moyens de stimuler chez les hommes et dans l'Église de son temps le désir de la conversion.

Tel est donc l'autre mouvement qui se manifeste dans la vie spirituelle et qui en assure même le développement : non plus le mouvement qui porte l'homme à rentrer en lui-même, à se séparer du monde extérieur pour explorer l'espace de l'intériorité, mais le mouvement qui le conduit au-delà de lui-même, qui le pousse au dépassement, dans la recherche ou l'annonce de Dieu. Cette seconde structure de l'expérience chrétienne recouvre évidemment l'action de la grâce divine, par laquelle le Créateur entre en relation avec ses créatures : Grégoire sait identifier avec beaucoup se finesse les divers cheminements de cette *conuersionis gratia*, qu'il d'agisse d'établir une doctrine générale de la conversion, ou de mettre en évidence le processus concret de la conversion chez tel ou tel individu particulier. Mais ses talents de psychologue et de pédagogue ne font jamais perdre de vue à Grégoire sa responsabilité pastorale : l'Église entière est chargée de la conversion du monde, si bien que cette structure relie ce qu'il y a de plus intime dans une aventure spirituelle à ce qu'il y a de plus public dans le travail de l'Église. Car la conversion définit l'exigence adressée par Dieu à tout homme, mais elle rend compte également du mouvement qui anime en permanence la vie de l'Église dans le monde.

On peut même se demander si Grégoire n'a pas choisi de commenter spécialement le livre de Job pour mieux mettre en relief cette portée générale de la conversion. Car Job est un païen, et non un juif soumis à la Loi. Or ce païen ne cesse de se tourner vers Dieu, au milieu des épreuves qui l'atteignent ; son comportement a donc une valeur universelle, que Grégoire souligne avec insistance dans sa préface : « Tout homme, du fait même qu'il est homme, doit reconnaître son créateur. Il se soumettra à sa volonté d'autant plus complètement qu'il aura mieux évalué son propre néant. Malheureusement, toutes créatures que nous soyons, nous avons négligé de penser à Dieu. Alors, des commandements nous ont été donnés, nous avons refusé d'y obéir ; des exemples y sont joints que des hommes soumis à la Loi ont accomplis pour notre édification, nous ne voulons pas les suivre. Sous prétexte que c'est à des hommes placés sous la Loi que Dieu a parlé de façon manifeste, nous ne nous jugeons pas intéressés par des préceptes qui ne nous ont pas été adressés à titre personnel. Alors, pour confondre notre impudence, c'est l'exemple d'un Gentil qui nous est offert[1]. » Certes, Grégoire ne destine pas ses *Moralia* à des lecteurs païens ; mais c'est l'expérience d'un païen qu'il entreprend de suivre et de commenter pour l'édification des chrétiens. On ne saurait mieux démontrer à quel point la relation de l'homme à Dieu, qui passe obligatoirement par une conversion, se trouve au cœur de sa pensée. Et finalement, en méditant la vie d'un païen de l'Ancien Testament, Grégoire ne songeait-il pas aux païens de son époque, et ne fait-il pas voir dans ce choix le souci missionnaire qui ne cessa d'animer son action pastorale ?

---

1. *Mor.*, *praef.*, 2, 4 (*PL*, 75, 518 B-C = *SC*, 32 bis, p. 140-142) : « Omnis homo eo ipso quo homo est, suum intelligere debet auctorem ; cuius uoluntati tanto magis seruiat, quanto se quia de se ipso nihil sit pensat ; ecce autem conditi Deum considerare negliximus. Adhibita sunt praecepta : praeceptis quoque obtemperare noluimus. Adiuguntur exempla : ipsa quoque imitari exempla declinamus, quae edidisse nobis positos sub lege conspicimus. Quia enim Deus aperte quibusdam sub lege positis locutus est : quasi alienos nos ab eisdem praeceptis aspicimus, quibus haec specialiter locutus non est. Vnde ad confutandam impudentiam nostram, gentilis homo ad exemplum deducitur. »

CHAPITRE IV

La doctrine grégorienne de la conversion

« *Conuersionis gratia* »   Comme toujours dès qu'on parle de la doctrine
grégorienne, il faut s'entendre sur le sens de cette
expression : qu'on ne s'attende pas à trouver un ensemble d'analyses
coordonnées sur les rapports de la nature et de la grâce, l'*initium fidei*
et la persévérance finale. Grégoire traite de la conversion de façon éparse
et selon son génie propre, en mêlant des considérations psychologiques
à des références théologiques évidemment prises dans l'œuvre de son
maître Augustin. Mais si l'on met en rapport ces diverses indications,
on constatera qu'elles comportent une vue d'ensemble sur le problème
de la conversion et donnent une sorte de cadre théologique à l'expérience
chrétienne de la conversion.

Grégoire use fréquemment de l'expression *conuersionis gratia*. Qu'il
s'agisse de lui-même, qui confesse avoir longtemps tardé à répondre à
l'appel de Dieu[2], du jeune Benoît retiré à Subiaco[3], du pécheur que
l'orgueil rend inconscient de son état[4], ou du converti qui s'étonne d'être
encore tenté[5], cette expression exprime une vérité fondamentale :
l'homme ne peut s'engager sur la voie du progrès moral et de la sainteté
qu'à partir d'une intervention de Dieu. L'événement de la conversion

---

2. Cf. *Ep.* 5, 53 a, 1 (*SC*, 32 bis, p. 114) : « ... diu longeque *conuersionis
gratiam* distuli... »

3. *Dial.* 2, 1 (éd. Moricca, p. 75) : « Benedictus puer *conuersionis gratia*
a quanta perfectione coepisset... »

4. *Mor.* 24, 22, 49 (*PL*, 76, 315 A-B) : « In peccato enim quisque positus
mortalitatis suae obliuiscitur, et terram se esse non meminit, dum adhuc
per superbiam inflatur. Post *conuersionis uero suae gratiam*, cum humilitatis spiritu tangitur, quid esse se aliud quam cinerem recordatur ? »

5. *Mor.* 24, 11, 30 (*PL*, 76, 303 C) : « Plerumque autem conuersus quisque talibus tentationum stimulis agitatur, qualibus ante *conuersionis
gratiam* numquam pulsatum se esse reminiscitur... »

correspond toujours à une grâce. Cela semble avoir été pour Grégoire une certitude élémentaire, indépendante des débats théologiques liés au pélagianisme et au semi-pélagianisme. Il ne discute guère des rapports de la grâce et de la nature, ni de la grâce du Christ et de la grâce d'Adam. Il a simplement un sentiment si aigu de la faiblesse et du péché de l'homme qu'il affirme la nécessité absolue de la grâce pour qui se tourne vers Dieu[6].

Mais cette *conuersionis gratia* se distingue de ces dons extraordinaires que sont les dons du Saint-Esprit, distribués en vue du bien commun, pour construire l'Église et entretenir la foi des croyants[7]. La grâce de conversion, elle, est un don personnel, éminemment intérieur, qui fait passer l'homme du péché à la sainteté, ou du moins d'une vie imparfaite à une vie plus parfaite. Cette conception ne se comprend pleinement qu'en fonction de l'anthropologie grégorienne : pour échapper à l'emprise du péché, l'homme a besoin de l'aide divine, qui lui est accordée sous la forme de cette *interna gratia* qui vient l'éclairer, le libérer, faire de lui un fils adoptif du Père. Mais cela n'est possible qu'à cause de l'Incarnation du Christ, qui a assumé notre humanité, et non pas notre péché. « Bien que nous devenions saints, nous ne naissons pourtant pas saints, car nous sommes enfermés dans la condition de notre nature corruptible et nous pouvons dire avec le prophète : ' Voici qu'en effet j'ai été conçu dans l'iniquité et ma mère m'a enfanté dans le péché ' (*Ps.* 50, 7). Celui-là seul est vraiment né dans la sainteté, qui, pour vaincre la condition de notre nature corruptible, n'a pas été conçu à partir d'une union charnelle[8]. » La grâce personnelle de Jésus-Christ, qui fait de lui le médiateur entre Dieu et les hommes, est fondamentalement différente de la grâce qui fait de nous des fils adoptifs de Dieu, dans le Christ[9]. Cette grâce, que le baptême confère ordinairement aux chrétiens, efface en eux la

---

6. Cf. L. WEBER (*op. cit.*, p. 140) : « Eine wissenschaftliche scharfe Abgrenzung zwischen dem, was Natur, und dem, was Gnade ist, liegt ausserhalb der Linie Gregors, und zwar trotz der vorausgegangenen pelagianischen und semi-pelagianischen Streitigkeiten und der bereits bemerkbaren Einflüsse der zweiten Synode von Orange (529)... Gregors Betrachtungsweise ist konkret. Für ihn folgt die Notwendigkeit der Gnade unmittelbar aus dem trostlosen Zustand, in dem sich die Menscheit seit der Sünde Adams befindet. »

7. Cf. F. WESTHOFF, *Die Lehre Gregors des Grossen über die Gaben des heiligen Geistes*, Thèse de l'Université grégorienne, Münster, 1940, notamment le chapitre IV (p. 30-49) sur la nature de ces sept dons du Saint Esprit.

8. *Mor.* 18, 52, 84 (*PL*, 76, 89 B-C) : « Nos quippe etsi sancti efficimur, non tamen sancti nascimur, quia ipsa natura corruptibilis conditione constringimur, ut cum propheta dicamus : « Ecce enim in iniquitatibus conceptus sum, et in delictis peperit me mater mea » (*Ps.* 50, 7). Ille autem solus ueraciter sanctus natus est, qui ut ipsam conditionem naturae corruptibilis uinceret, ex commistione carnalis copulae conceptus non est. »

9. Cf. *ibid.* 85 (89 D) : « Aliud est enim natos homines gratiam adoptionis accipere, aliud unum singulariter per diuinitatis potentiam Deum ex ipso conceptu prodiisse. »

noirceur du péché. « Notre descente même dans l'eau est appelée baptême, c'est-à-dire bain. Nous sommes baignés en vérité, et nous qui auparavant étions sans beauté à cause de la laideur de nos vices, ayant reçu la foi, nous sommes embellis par la grâce et l'ornement des vertus[10]. »

Cet effet purificateur de la grâce n'est nullement proportionné à nos mérites. La grâce est un don gratuit de Dieu et c'est ce qui explique la conversion des pécheurs. « La grâce d'en haut ne découvre pas le mérite de l'homme pour venir à lui, mais elle le produit, après être venue ; et même quand Dieu vient dans une âme indigne, il la rend digne de lui par sa venue ; et il produit en elle le mérite qu'il veut récompenser alors qu'il n'y avait trouvé que de quoi la punir[11]. » Tel est le principe, incontestablement conforme à l'orthodoxie augustinienne, qu'illustre la conversion du bon larron. « Je ramènerai volontiers le regard de mon âme vers ce brigand, qui, sortant du gouffre du diable, est monté sur la croix, mais, en quittant la croix, est monté au paradis. Regardons ce qu'il était en venant au gibet, et ce qu'il fut quand il le quitta. Il y vint accusé d'avoir versé le sang de son frère, il y vint couvert de sang, mais, par une grâce intérieure, il a été transformé sur la croix, et lui qui avait provoqué la mort d'un frère, annonça par avance la vie qui attendait le Seigneur mourant, en lui disant : « Souviens-toi de moi, Seigneur, quand tu seras entré dans ton royaume » (*Luc.* 23, 42)[12]. Cet épisode exceptionnel met en relief à la fois la grâce intérieure qui transforme le cœur des hommes et la place centrale du Christ dans le salut des pécheurs. La conversion ainsi conçue est le point de départ obligatoire de tout progrès moral et de toute vie spirituelle : on comprendrait mal l'ascèse grégorienne si l'on faisait abstraction de ce point de vue[13], car elle est étroitement liée à ces grandes perspectives théologiques, qui viennent d'Augustin, à cette vision de la rédemption et de la vie nouvelle que le Christ a apportée à l'humanité par son incarnation et sa mort. A travers la

---

10. *Ibid.* 87 (91 B-C) : « Vnde etiam baptisma, id est tinctio, dicitur ipsa nostra in aquam descensio. Tingimur quippe, et qui prius indecori eramus deformitate uitiorum, accepta fide reddimur pulchri gratia et ornamento uirtutum. »

11. *Mor.* 18, 40, 63 (*PL*, 76, 74 A) : « Hominis quippe meritum superna gratia non ut ueniat inuenit, sed postquam uenerit facit ; atque et ad indignam mentem ueniens Deus, dignam sibi exhibet ueniendo ; et facit in ea meritum quod remuneret, qui hoc solum inuenerat quod puniret. »

12. *Ibid.* 64 (74 B-C) : « Libet inter haec mentis oculos ad illum latronem reducere, qui de fauce diaboli ascendit crucem, de cruce paradisum. Intueamur qualis ad patibulum uenerit, et a patibulo qualis abscessit. Venit reus fraterno sanguine, uenit cruentus, sed *interna gratia* est mutatus in cruce ; et ille qui mortem fratri intulit, morientis Domini uitam praedicauit, dicens : « Memento mei, Domine, dum ueneris in regnum tuum » (*Luc,* 23, 42).

13. C'est le reproche que l'on peut faire à la manière dont R. GILLET (art. *Grégoire*, dans *DSp*, VI, col. 881-882) présente la doctrine spirituelle de Grégoire, en commençant par l'ascèse, sans la rattacher à cette conception d'ensemble du péché et du salut.

conuersionis gratia, le Christ est l'auteur de la transformation intérieure
des hommes ; c'est lui qui renouvelle l'âme et rend possibles les changements extérieurs du converti.

Cette souveraine liberté de l'action divine aboutit à une sorte de
prédestination : « Il faut songer que, dans ses desseins caché, le Dieu
tout-puissant garde certains hommes dans l'innocence dès leur enfance,
et les élève jusqu'au sommet des vertus, de sorte qu'avec l'âge, on voit
grandir en eux à la fois le nombre des années et la hauteur de leurs
mérites. Quant aux autres, il les abandonne dès leurs débuts et permet
que leurs vices se multipliant, ils tombent dans l'abîme. Très souvent,
pourtant, il jette les yeux même sur ceux-là, et il les incite à le suivre,
en les embrasant du feu de son saint amour[14]. » Grégoire complète ce
point de vue, en laissant entrevoir la patience de Dieu, qui ne se lasse
pas d'attendre l'heure de notre conversion, car nous sommes pareils
à ces serviteurs dont parle Luc (12, 35-40) et qui doivent se tenir prêts
pour le retour de leur maître, à toute heure de la nuit. « La première
veille, c'est le temps des premières années, c'est-à-dire l'enfance. La
seconde, c'est l'adolescence ou la jeunesse... La troisième signifie la
vieillesse. Il faut que celui qui n'a pas voulu rester éveillé pour la première
veille, soit prêt du moins pour la seconde : cela veut dire que celui qui
a négligé durant son enfance de se convertir en renonçant à ses fautes,
doit veiller au temps de sa jeunesse à s'engager sur les chemins de la vie.
Et il faut que celui qui n'a pas voulu rester éveillé pour la deuxième
veille, ne laisse pas échapper les remèdes de la troisième veille : cela
veut dire que celui qui, durant sa jeunesse, n'est pas prêt à s'engager
sur les chemins de la vie, doit se ressaisir du moins pendant sa vieillesse.
Songez, frères très chers, que la bonté de Dieu est venue à bout de notre
dureté. L'homme n'a plus aucune excuse à trouver. Dieu est méprisé,
et il attend ; il se voit dédaigné et il nous rappelle ; il supporte l'injustice
due à notre mépris pour lui, et cependant il va jusqu'à promettre des
récompenses à ceux qui reviennent à lui[15]. » Certes, il est exact que

---

14. *Mor.* 18, 26, 43 (*PL*, 76, 60 A-B) : « Pensandum praeterea est quod
occulto consilio omnipotens Deus quosdam ab ipsis exordiis suis innocentes
custodiens, usque ad uirtutum prouehit summa, ut aetate crescente,
simul in eis proficiat et annorum numerositas et celsitudo meritorum.
Alios uero in exordiis suis deserens, scaturientibus uitiis ire per abrupta
permittit. Plerumque tamen etiam eos respicit et ad sequendum se sancti
amoris igne succendit. »

15. *HEv* 1, 13, 5 (*PL*, 76, 1125 B-C) : « Prima quippe uigilia primaeuum
tempus est, id est pueritia. Secunda, adolescentia uel iuuentus... Tertia
autem senectus accipitur. Qui ergo uigilare in prima uigilia noluit custodiat
uel secundam, ut qui conuerti a prauitatibus suis in pueritia neglexit
ad uias uitae saltem in tempore iuuentutis euigilet. Et qui euigilare in
secunda uigilia noluit tertiae uigiliae remedia non amittat, ut qui in
iuuentute ad uias uitae non euigilat saltem in senectute resipiscat. Pensate, fratres carissimi, quia conclusit Dei pietas duritiam nostram. Non
est iam quid homo excusationis inueniat. Deus despicitur, et exspectat ;
contemni se uidet, et reuocat ; iniuriam de contemptu suo suscipit,
et tamen quandoque reuertentibus etiam praemia promittit. »

Grégoire, à cause de sa sensibilité pastorale, avait une perception très vive du péché et qu'il a insisté, encore plus qu'Augustin, sur les résistances que l'homme oppose à la grâce divine[16]. Mais ces textes montrent bien qu'il met tout autant en relief la prévenance de Dieu pour les pécheurs : si nombreux que soient nos péchés, si profond que soit notre endurcissement, Dieu est prêt à pardonner et notre conversion répond à son amour infiniment patient.

Vraies et fausses conversions
Grégoire ne se représente donc pas la conversion comme un épisode isolé, un retournement instantané. Elle est un acte de l'homme, que rend possible la patience de Dieu. Même si elle est consécutive à une grâce intérieure et si elle se marque par un brusque changement de vie, elle s'insère dans toute une expérience spirituelle et l'auteur des *Moralia*, avec son sens des personnes, son attention aux réalités humaines les plus concrètes, excelle à décrire ce phénomène, non pas seulement dans ce qu'il peut avoir d'exceptionnel ou de miraculeux, mais dans ses manifestations ordinaires. Son originalité consiste à faire une sorte de psychologie de la conversion ou des « convertis », à analyser avec beaucoup de nuances le cheminement des âmes que Dieu a touchées par la *conuersionis gratia*.

En fait, le terme de *conuersio* évoque des expériences très variées, parce que les formes de la conversion le sont aussi. En cette fin du VIᵉ siècle, qui est une époque bouleversée, se convertir équivaut souvent à quitter ce monde pour se retirer dans un monastère et la conversion est synonyme d'entrée dans la vie religieuse, comme l'attestent plusieurs épisodes des *Dialogues* ou des *Homélies sur l'Évangile*[17]. D'autres textes indiquent aussi que la conversion religieuse, le choix de la vie monastique, est liée à la conversion morale, au changement de conduite personnelle. La première, en effet, est souvent le moyen de la seconde : c'est ce qu'illustre l'histoire d'un homme qui était entré au monastère du *Clivus Scauri* pour y suivre son frère, mais tout en détestant la vie et l'habit religieux (*conuersionis uitam et habitum*). Il tomba malade et eut une vision terrifiante qui l'amena à se repentir. Il retrouva la santé, mais comprit qu'il devait se convertir intérieurement. « Qui pourrait croire que cet homme fût destiné à se convertir un jour ? (*seruari ad conuersionem*). Qui serait capable de mesurer la grandeur de la miséricorde divine[18] ? » On voit qu'à quelques lignes d'intervalle, le même mot prend

---

16. Cf. L. WEBER, *op. cit.*, p. 187 : « Voll priesterlichem Schmerz klagt Gregor in allen seinen Werken, dass so viele Menschen der Gnade Gottes widerstehen und sie stetsfort zurückweisen, obwohl ihnen Gott immer wieder seine Gnade verleihe. »

17. Cf. *Dial.* 2, 6 (p. 89) ; 2, 8 (p. 90-91) ; 2, 18 (p. 108) ; 4, 9 (p. 240) ; *HEv* 2, 38, 15 (*PL*, 76, 1290 D - 1291 A).

18. *HEv* 1, 19, 7 (*PL*, 76, 1158 B - 1159 A) : « Praesenti anno in monasterio meo... frater quidam ad *conuersionem* uenit... Hunc ad monasterium frater suus corpore, non corde secutus est. Nam ualde *conuersionis* uitam

deux sens assez différents : il désigne d'abord une forme de vie déterminée, et la rupture extérieure avec le monde qu'elle comporte ; il évoque ensuite la transformation intérieure, le repentir dont le mauvais moine comprend la nécessité après avoir été éprouvé par Dieu.

L'idéal est évidemment dans la coïncidence de ces deux « conversions », et Grégoire stigmatise ceux qui s'arrêtent à la première, qui quittent le monde pour mener la vie monastique, mais demeurent dans le péché. Voici en quels termes il décrit l'imposture de ces « tartufes » avant la lettre : « Nous voyons souvent certains hommes qui, en entendant un prédicateur, ont été pour ainsi dire frappés par la conversion, et qui ont changé d'habit, mais non d'âme, de sorte qu'ils prenaient le vêtement religieux, mais ne foulaient pas au pied leurs vices passés. Les aiguillons de la colère les agitaient terriblement, le venin de la malice les faisait brûler de l'envie de nuire au prochain, devant les yeux des hommes ils s'enorgueillissaient de certaines qualités apparentes, ils recherchaient âprement les avantages du monde présent et devaient au seul habit extérieur qu'ils avaient pris le crédit fait à leur sainteté[19]. » Cette comédie de la conversion rejoint l'impiété des Juifs qui se prévalaient de la Loi pour être sauvés : aux yeux de Dieu, conclut Grégoire, ce sont les intentions qui comptent, et non la matérialité des actes. En fait, cette diatribe de Grégoire rappelle celles de Cassien contre les mauvais moines, qui étaient la plaie des monastère. « Je rougis de le dire, nous voyons la plupart des moines renoncer en telle manière au monde qu'ils semblent n'avoir rien changé de leurs vices ni de leur vie passée, que la condition et l'habit séculiers[20]. »

Grégoire, comme tous les grands réformateurs religieux, se montre d'autant plus sévère pour ces faux convertis qu'ils devaient être assez nombreux à son époque. Le climat de guerre et de désolation, dans lequel l'Italie était plongée depuis plusieurs décennies, avait fait grandir le désir de calme et de sécurité. Après s'être retirés des affaires du monde, certains tentaient de mener chez eux une sorte de vie religieuse, sans aucune règle extérieure, ni aucun contrôle de l'Église. Ils n'étaient ni cénobites, ni ermites : on les appelait *conuersi* ; c'étaient des chrétiens

---

et habitum detestans, in monasterio ut hospes habitabat... Quis illum umquam seruari ad *conuersionem* crederet ? Quis tantam Dei misericordiam considerare sufficiat ? »

19. *HEz* 1, 10, 8 (*PL*, 76, 889 A-B) : « Saepe autem quosdam uidemus ad uocem praedicationis, quasi ex conuersione compunctos, habitum, non animum mutasse, ita ut religiosam uestem sumerent, sed anteacta uitia non calcarent ; irae stimulis immaniter agitari, malitiae dolore in proximi laesionem feruescere, de ostensis quibusdam bonis ante humanos oculos superbire, praesentis mundi lucra inhianter quaerere, et de solo exterius habitu quem sumpserunt, sanctitatis fiduciam habere. »

20. Cassien, *Conf.* 4, 20 (*SC*, 42, p. 185) : « Denique, quod pudet dicere, ita plerosque abrenuntiasse conspicimus, ut nihil amplius immutasse de anterioribus uitiis ac moribus conprobentur nisi ordinem tantummodo atque habitum saecularem. »

pieux que la nostalgie de la paix autant que la foi poussait à se tourner vers Dieu. Tout en pratiquant la pauvreté et en s'abstenant du mariage, ils continuaient à remplir dans le monde toutes leurs obligations sociales[21]. Sans être ni clercs, ni moines, ils ne menaient pas non plus une vie de simples laïcs, ressemblant ainsi quelque peu à ces fidèles qui, de nos jours, se rattachent à des instituts séculiers. Il est probable que quelques-uns faisaient parler d'eux, surtout lorsqu'on découvrait que leur retraite n'avait guère eu de conséquences sur leur façon de se comporter ou sur leur caractère.

L'histoire des trois tantes de Grégoire, Aemiliana, Tharsilla et Gordiana, est à cet égard très instructive et, dans une de ses homélies, leur neveu évoque leur exemple pour bien montrer ce que sont les vraies et les fausses conversions. Toutes trois avaient décidé de mener chez elles une vie pieuse sans devenir pour cela des moniales. « Converties toutes trois dans une même ardeur, s'étant consacrées à Dieu exactement en même temps, soumettant leur existence à une règle stricte, elles menaient une vie commune dans leur demeure personnelle[22]. » Ces expressions définissent parfaitement le style de vie des *conuersi* : sans changer de résidence, ces trois femmes prennent ensemble les moyens de réaliser en ce monde l'idéal chrétien. Mais si Aemiliana et Tharsilla furent fidèles à cet idéal de perfection et moururent saintement, Gordiana, elle, ne parvint jamais à se convertir vraiment ; elle devait même finir par retourner dans le monde et par épouser son régisseur. Grégoire médite sur son cas, en faisant ressortir le mystère de la prédestination person-nelle à la sainteté. « Voici que toutes trois avaient commencé par se convertir dans une même ardeur, mais ne persévérèrent pas dans la même ferveur, car, selon la parole du Seigneur, « beaucoup sont appelés, mais peu sont élus. » J'ai donc raconté cela, pour que personne, ayant déjà accompli de bonnes actions, ne s'attribue à lui-même la force de les accomplir, pour que personne ne mette sa confiance dans ses propres actions, car bien que l'on sache déjà aujourd'hui ce que l'on est, on ignore encore ce que l'on sera demain. Que personne, par conséquent ne soit sûr de ses propres œuvres et n'aille s'en réjour, puisqu'il ignore encore dans l'incertitude de cette vie quelle fin l'attend[23]. » La persévé-rance finale, autant que la décision de changer de vie, appartient à Dieu seul. Il est clair que Grégoire tient pour assurées les affirmations augusti-

---

21. Cf. art. *Conuersi*, dans *DSp*, II B, col. 2218-2224.

22. *HEv* 2, 39, 15 (*PL*, 76, 1291 A) : « Vno omnes ardore conuersae, uno eodemque tempore sacratae, sub districtione regulari degentes, in domo propria socialem uitam ducebant. »

23. *Ibid.* (1292 A-B) : « Ecce omnes tres uno prius ardore conuersae sunt, sed non in uno eodemque studio permanserunt, quia iuxta domini-cam uocati, « multi sunt uocati, pauci uero electi ». Haec ergo dixi, ne quis in bono iam opere positus sibi uires boni operis tribuat, ne quis de propria actione confidat, quia etsi iam nouit hodie qualis sit, adhuc cras quid futurus sit nescit. Nemo ergo de suis iam operibus securus gaudeat, quando adhuc in huius uitae incertitudine qui finis sequatur ignorat. »

niennes concernant l'élection divine et la toute puissance de la grâce. Néanmoins, il n'a pas en face de lui des gens qui professeraient l'hérésie de Pélage et exalteraient orgueilleusement les mérites de l'homme. Il s'adresse simplement à des fidèles, à qui il est indispensable d'inculquer le sens de l'humilité. C'est donc le pasteur d'âmes qui s'exprime ici et la conclusion qu'il tire de l'exemple de ses trois tantes, bien qu'elle se rattache à la théologie augustinienne de la grâce, est surtout une invitation pratique à l'examen de conscience et à la pénitence. Nul ne peut s'attribuer le mérite de sa propre conversion et l'on ne vit durablement en converti qu'en demeurant fidèle à la grâce reçue de Dieu.

Conversion et péché   Les appels au repentir abondent dans toute l'œuvre grégorienne[24]. Dans ses homélies, le pape ne cesse de rappeler que la conversion chrétienne exige la renonciation au péché. « Frères très chers, ramenez vers vous-mêmes les yeux de votre âme et représentez-vous la pécheresse repentante comme un exemple à imiter ; pleurez toutes les fautes que vous vous souvenez d'avoir commises durant votre adolescence, durant votre jeunesse. Effacez avec vos larmes les taches qui sont sur votre vie et sur vos actions[25]. » On aurait tort de traiter Grégoire de pessimiste, en affirmant que l'ascèse qu'il prêche repose exclusivement sur le sentiment du péché et la peur du jugement divin[26]. Certes, il est très conscient de la faiblesse humaine et des conséquences durables de la faute originelle. Mais, comme d'ordinaire, il se préoccupe moins de définir formellement le péché que d'apprendre aux chrétiens à le combattre. Les diverses façons dont il le présente (séparation de Dieu, orientation vers le monde, désobéissance à la loi divine, orgueil de l'esprit, offense faite à Dieu[27]) correspondent à une même conviction : le péché amène l'homme à choisir le monde

---

24. Cf. P. GALTIER, *L'Église et la rémission des péchés aux premiers siècles*, Paris, 1932, p. 100-101 : « Incontestablement, la pénitence du pécheur lui-même est au premier plan de son enseignement. Aux prêtres il rappelle la nécessité et il enseigne le moyen de la provoquer. Aux fidèles, moines, clercs ou séculiers, qui écoutent ses homélies, lui-même la prêche à tout propos et il ne se lasse pas d'en rappeler les motifs, d'en indiquer la qualité, d'en suggérer la manière et d'en citer des exemples. A ce monde qui lui semble toucher à sa fin, le grand pape ne s'est jamais lassé de prêcher la pénitence. »

25. *HEv* 2, 33, 8 (*PL*, 76, 1245 C) : « Ad uos ergo, fratres carissimi, ad uos oculos mentis reducite et poenitentem peccatricem mulierem in exemplum uobis imitationis anteferte ; quaeque uos in adolescentia, quaeque in iuuentute deliquisse meministis, deflete ; morum operumque maculas lacrimis tergite. »

26. Certaines présentations assez anciennes de Grégoire déformaient ainsi sa doctrine dans un sens très pessimiste. Cf. F. H. DUDDEN, *op. cit.*, II, p. 419 : « The underlying principle of Gregory's doctrine of penance is that no sin can be left unpunished. God is represented preeminently as the Requiter and Avenger of sin... »

27. Cf. F. GASTALDELLI, *Prospettive sul peccato in San Gregorio Magno*, dans *Salesianum* 28, 1966, p. 65-94.

contre Dieu, il provoque une rupture entre Dieu et nous, rupture dont nous sommes responsables dès que nous nous refusons à la grâce et à la loi divines. La conversion consistera donc pour nous à nous laisser réorienter vers Dieu, qui ne demande qu'à nous accueillir dès que nous revenons à lui, et, pour Dieu, il s'agira de rétablir un mouvement interrompu par la faute des hommes.

C'est pourquoi Grégoire traite presque toujours du péché et de la pénitence par rapport au salut qu'apporte le Christ, non seulement aux individus, par le pardon qui suit leur repentir, mais d'abord à l'ensemble de l'humanité, pareille à la brebis perdue. « Quatre-vingt-dix-neuf brebis étaient restées dans le désert, tandis que sur la terre, le Seigneur en recherchait une seule : le nombre des créatures spirituelles, à savoir des anges et des hommes, créées pour voir Dieu, avait été diminué par la perte de l'homme et, pour que le nombre total des brebis fût pleinement retrouvé dans le ciel, Dieu était sur la terre à la recherche de l'homme qui s'était perdu. Car l'évangéliste dit ici ' dans le désert ', un autre dit ' sur les montagnes ', pour signifier ' dans les hauteurs ' (Matt. 18, 12), car les brebis qui n'avaient pas péri se trouvaient dans les régions élevées. ' Et quand il a trouvé la brebis, il l'a mise sur ses épaules avec joie. ' Il a mis la brebis sur ses épaules, puisqu'en assumant la nature humaine, il a porté lui-même nos péchés[28]. » Sauver l'homme du mal, c'est, pour Dieu, recomposer l'univers spirituel dans son unité primordiale. L'Incarnation du Fils apparaît ainsi comme une nouvelle création.

D'autre part, Grégoire considère que l'expérience du péché comporte une valeur pédagogique. Il est donc moins préoccupé par un effort ascétique conçu comme la part négative de la vie spirituelle que par la conversion, qui, selon lui, a des chances d'être d'autant plus véridique qu'elle succède à une plus longue familiarité avec le mal. Le pécheur est mieux placé que le juste, en effet, pour apprécier l'amour de Dieu. Certes, Grégoire n'est pas un converti au même titre qu'Augustin : et pourtant sa connaissance des hommes lui fait comprendre que la rencontre de Dieu transforme plus nettement ceux qui ont vécu d'abord dans le péché. En commentant la parabole de la brebis perdue et retrouvée, il souligne ce caractère providentiel du péché humain : « Il nous faut considérer, mes frères, pourquoi le Seigneur avoue qu'il y a plus de joie au ciel pour des pécheurs convertis que pour des justes qui le demeurent, à moins que nous ne sachions déjà nous-mêmes par l'expérience de

---

28. *HEv* 2, 34, 3 (*PL*, 76, 1247 C-D) : « In deserto autem nonaginta nouem oues remanserant, quando in terra Dominus unam quaerebat, quia rationalis creaturae numerus, angelorum uidelicet et hominum, quae ad uidendum Deum condita fuerat, pereunte homine erat imminutus, et ut perfecta summa ouium integraretur in coelo, homo perditus quaerebatur in terra. Nam quod hic euangelista dicit in deserto, alius dicit in montibus, ut significet in excelsis (*Matt.* 18, 12), quia nimirum oues quae non perierant in sublimibus stabant. ' Et cum inuenerit ouem, imponit in humeros suos gaudens. ' Ouem in humeris suis imposuit, quia humanam naturam suscipiens peccata nostra ipse portauit. »

ce que nous voyons chaque jour, que, généralement, ceux qui ne se
sentent nullement écrasés par une masse de péchés, demeurent sur le
chemin de la justice, ne commettent aucune action illicite, mais n'aspirent
cependant pas anxieusement à la patrie céleste, et ils usent d'autant
plus des biens licites qu'ils se souviennent de n'avoir accompli rien
d'illicite. Et très souvent, ils restent paresseux pour exercer les principales
des vertus, car ils sont personnellement très sûrs de n'avoir commis
aucun mal particulièrement grave. En revanche, ceux qui se souviennent
d'avoir exécuté quelques actes illicites, frappés de remords par ce souvenir, sont embrasés d'amour pour Dieu et s'entraînent à pratiquer les
grandes vertus, désirent connaître toutes les difficultés du saint combat,
abandonnent tous les biens de ce monde, fuient les honneurs, se réjouissent
des injures subies, brûlent de désir, aspirent à la patrie céleste... Il y a
donc une plus grande joie dans le ciel pour un pécheur converti que pour
un juste qui le demeure, car, dans une bataille, le général préfère le
soldat qui revient après s'être enfui et attaque courageusement l'ennemi,
à celui qui n'a jamais tourné le dos, mais n'a jamais accompli aucun
exploit courageux. De même le paysan préfère la terre qui, après avoir
produit des épines, produit des fruits abondants à celle qui n'a jamais eu
d'épines, mais ne donne jamais une riche moisson[29]. »

En faisant ce tableau de la véritable conversion, celle qui succède
à une vie de péché, Grégoire est moins proche d'Augustin que de la
littérature monastique, à laquelle il emprunte l'image du combat et les
métaphores qui l'expriment. Pour Cassien, la conscience du péché est
le point de départ d'une lutte spirituelle durable, dont elle fait mieux
sentir l'utilité : « L'homme charnel, c'est-à-dire le séculier ou le gentil,
viendra plus facilement à la vraie conversion, pour s'élever ensuite aux
cimes de la perfection, que celui qui, après avoir fait profession de vie
monastique, n'est pas entré pour cela résolument dans les voies de la

---

29. *Ibid.* 4 (1248 A-C) : « Considerandum nobis est, fratres mei, cur
Dominus plus de conuersis peccatoribus quam de stantibus iustis in
caelo gaudium esse fateatur, nisi hoc quod ipsi per quotidianum uisionis
experimentum nouimus, quia plerumque hi qui nullis se oppressos peccatorum molibus sciunt, stant quidem in uia iustitiae, nulla illicita perpetrant, sed tamen ad coelestem patriam anxie non anhelant, tantoque
sibi in rebus licitis usum praebent, quanto se perpetrasse nulla illicita
meminerunt. Et plerumque pigri remanent ad exercenda bona praecipua,
quia ualde sibi securi sunt quod nulla commiserint mala grauiora. At
contra nonnumquam hi qui se aliqua illicita egisse meminerunt, ex ipso
suo dolore compuncti, inardescunt in amorem Dei, seseque in magnis
uirtutibus exercent, cuncta difficilia sancti certaminis appetunt, omnia
mundi derelinquunt, honores fugiunt, acceptis contumeliis laetantur,
flagrant desiderio, ad coelestem patriam anhelant... Maius ergo de pecca-
tore conuerso quam de stante iusto gaudium fit in coelo, quia et dux in
proelio plus eum militem diligit qui, post fugam reuersus, hostem
fortiter premit, quam illum qui numquam terga praebuit, et numquam
aliquid fortiter gessit. Sic agricola illam amplius terram amat, quae post
spinas uberes fruges profert, quam eam quae numquam spinas habuit et
numquam fertilem messem producit. »

perfection, en se conformant aux lois de la discipline monastique et a laissé s'éteindre en lui le feu de sa première ferveur. Au moins le premier reçoit-il de l'humiliation de ses vices grossiers ; et, se sentant impur, il accourra, touché quelque jour de repentir, à la fontaine de la vraie purification, il montera vers les sommets de la vie parfaite ; l'horreur même qu'il éprouvera de son infidélité et de l'état de froideur où il se trouve le remplira d'une sainte ardeur et lui donnera des ailes pour voler plus aisément à la perfection[30]. » Cassien dénonce ensuite la tiédeur des mauvais moines et achève sa diatribe en recourant à l'image de la terre et des épines, car on ne doit pas jeter « la semence du verbe de vie sur cette terre stérile et infructueuse, toute couverte de ronces et d'épines[31]. » On voit en même temps comment Grégoire a vulgarisé et adapté à un vaste public ce qui, chez Cassien, se rattachait à la vie monastique. C'est toute la vie chrétienne qui, grâce à l'expérience du péché, peut et doit devenir une conversion : le pasteur appelle tous ses fidèles au repentir et à la confiance en Dieu qui pardonne. On remarquera enfin que Grégoire, pour évoquer ce chemin de la conversion, emploie volontiers un langage mystique : c'est le désir de Dieu, l'aspiration à la patrie céleste, l'ardeur intérieure qui stimuleront les âmes en quête de perfection. C'est que la conversion n'est qu'un début : elle permet d'accéder au stade supérieur de la contemplation.

Conversion   En effet, la conversion, avec le changement
et contemplation   de vie qu'elle inaugure, n'est pas un but en soi.
                   Elle prépare seulement l'homme à aborder une autre étape. S'il est nécessaire de lutter contre le péché, c'est parce que l'âme ainsi libérée devient capable de s'élever vers Dieu. La vie ascétique débouche normalement sur la vie mystique. La contemplation est la finalité ultime de tout effort moral. « Ceux-là mêmes qui, renonçant à leurs péchés, se convertissent au Seigneur, non seulement effacent avec leurs larmes les actions perverses qu'ils ont accomplies, mais encore progressent vers les hauteurs par des œuvres admirables, de sorte qu'ils... s'envolent vers les hauteurs avec des signes et des prodiges, qu'ils abandonnent complètement la terre, et qu'ayant reçu ces dons, ils se soulèvent par le moyen du désir vers les biens célestes[32]. » Dans cette ascension vers Dieu, qui est identique au cheminement vers la sainteté, la purification morale et l'expérience contemplative sont donc deux étapes distinctes, mais non séparables. C'est pourquoi la conversion constitue une structure fondamentale de l'existence chrétienne : dès que l'homme

---

30. CASSIEN, *Conf.* 4, 19 (*SC*, 42, p. 183).
31. *Ibid.* (p. 184).
32. *HEz* 1, 10, 29 (*PL*, 76, 897 D - 898 A = *CCh*, 142, p. 158) : « Ipsi autem qui a peccatis suis ad Dominum conuertuntur, non solum delent lacrimis peruersa quae fecerunt, sed etiam miris operibus ad alta proficiunt, ut... signis et uirtutibus ad alta euolent, ut terram funditus deserant, et acceptis donis sese ad coelestia per desiderium suspendant. »

cesse d'être prisonnier du péché et qu'il se tourne vers Dieu, tout lui
devient possible et il entre dans une vie vraiment nouvelle. Une vie
dans laquelle il est appelé à un progrès incessant, pour demeurer fidèle
à sa vocation[33]. « Les saints, qui laissent sommeiller en eux les œuvres
du monde, non par la torpeur, mais avec énergie, ont plus de peine à
dormir qu'à rester éveillés ; en effet, pour obtenir la victoire en abandonnant les actions de ce siècle, ils combattent chaque jour contre eux-mêmes
en une lutte vigoureuse, pour éviter que leur âme ne s'engourdisse par
négligence, que, sous l'effet du repos, elle ne se refroidisse et ne soit la
proie de désirs immondes, qu'elle ne s'enflamme plus qu'il ne convient
dans ses bons désirs eux-mêmes et qu'elle ne se fatigue de la perfection,
en s'épargnant elle-même sous prétexte de discrétion[34]. » Il faut en
quelque sorte que les énergies humaines qui se dépenseraient inutilement
dans des activités extérieures soient employées à la contemplation. Le
renoncement au monde devient alors la condition d'une efficacité supé-
ricure.

L'homme découvre ainsi une autre échelle de valeurs, car la vision
de Dieu le renvoie à lui-même et il est obligé de constater son imperfection,
lorsqu'il pressent la sainteté infinie de celui qui le juge. « Les hommes
estiment souvent que leurs actes ont une certaine valeur, parce qu'ils
ignorent combien est rigoureux le jugement de la sévérité intérieure.
Mais lorsque, ravis par la contemplation, ils découvrent les réalités
supérieures, ils voient fondre en quelque sorte la sécurité qui venait
de leur présomption ; et, à la vue de Dieu, ils tremblent d'autant plus
qu'ils pensent que même leurs bonnes actions ne sont pas dignes du
jugement de celui qu'ils regardent. C'est bien pourquoi celui qui avait
progressé en accomplissant des exploits, soulevé par l'esprit, s'écriait :
« Tous mes os diront : ' Seigneur, qui est semblable à toi ? ' (*Ps.* 34, 10)[35] ».
La contemplation de Dieu opère ainsi une conversion en profondeur :
en face de son créateur et de son juge, l'homme doit reconnaître non
seulement son péché, mais sa finitude radicale. Il ne peut que se repentir,

---

33. Cf. F. Lieblang, *op. cit.*, p. 107-125 : « Der Aufstieg auf den Berg
der Beschauung ».

34. *Mor.* 5, 31, 55 (*PL*, 75, 709 D) : « Sancti autem uiri, qui a mundi
operibus non torpore, sed uirtute sopiuntur, laboriosius dormiunt quam
uigilare potuerunt, quia in eo quod actiones huius saeculi deserentes
superant, robusto conflictu quotidie contra semetipsos pugnant, ne mens
per negligentiam torpeat, ne subacta otio ad desideria immunda frigescat,
ne in ipsis bonis desideriis plus iusto inferuat, ne sub discretionis specie
sibimet parcendo, a perfectione languescat. »

35. *Ibid.* 56 (710 B-C) : « Et saepe ea quae agunt homines, esse alicuius
momenti aestimant, quia districtionis intimae quam sit subtile iudicium
ignorant. Sed eum per contemplationem rapti superna conspiciunt, ab
ipsa aliquo modo praesumptionis suae securitate liquefiunt ; et tanto
magis in diuino conspectu trepidant, quanto nec bona sua digna eius
examine quem conspiciunt, pensant. Hinc est etenim quod is fortia
operando profecerat, per spiritum subleuatus clamabat : « Omnia ossa
mea dicent : Domine, quis similis tibi ? »

et, plus encore, attendre tout de celui qui est à l'origine de ses bonnes actions. Si l'ascèse morale est une condition préalable à la vie mystique, la vie mystique, à son tour, stimule et réoriente tout progrès moral. Il y a entre l'une et l'autre une dépendance réciproque ; ce ne sont pas deux chapitres distincts de la spiritualité, mais deux composantes de l'unique découverte de Dieu par l'homme, qui contribuent, sous deux modes différents et complémentaires, au développement de l'expérience chrétienne.

On méconnaîtrait l'originalité de Grégoire si l'on faisait de lui un docteur de la vie mystique, doublé, par ailleurs, d'un moraliste. En réalité, ce qui caractérise toute son œuvre et qui explique son influence ultérieure, c'est qu'il cherche toujours à mettre en relief le mouvement qui anime du dedans la vie spirituelle. Si la vision de Dieu demeure le but ultime de l'âme, cet appel intérieur commence par une grâce de conversion et exige des conversions successives. Pour Grégoire, la contemplation n'a rien d'une grâce extraordinaire ; elle apparaît comme le couronnement normal de l'existence chrétienne[36]. En revanche, la conversion, qui marque le début d'un lent cheminement vers la patrie céleste, constitue un événement décisif : c'est Dieu qui intervient alors pour engager l'homme sur des voies nouvelles et le conduire vers lui, en le conviant à se dépasser sans cesse. Celui qui s'est converti ne peut plus s'arrêter, ni reculer : il lui faut avancer et monter vers Dieu qui l'appelle. « Personne, en effet, en quittant les bas-fonds, n'atteint immédiatement le sommet, car, pour obtenir le mérite de la perfection, l'âme est chaque jour entraînée vers les hauteurs, mais elle y parvient sans aucun doute comme en franchissant les degrés d'une ascension[37]. » Le mouvement de conversion qui anime la vie chrétienne et qui vient de Dieu est donc permanent. Il comporte une exigence incessante de progrès et de dépassement.

Les étapes   Grégoire distingue cependant des étapes dans
de la conversion   la conversion. Chacune de ces étapes, qui jalonnent
                  le progrès de l'âme vers Dieu, correspond à un
don renouvelé de l'*occulta gratia* par laquelle Dieu nous attire à lui. « Parce qu'une grâce cachée nous fait progresser vers l'amour de Dieu, dans une mesure réglée d'en haut, notre esprit diminue d'autant plus que s'accroît en nous chaque jour l'énergie qui vient de l'Esprit de Dieu... Peu à peu, dans chaque âme, pour ainsi dire, la sève de la grâce intérieure devient féconde pour que la plante grandisse jusqu'à donner du fruit... La parole divine (*Dan.* 10, 9) ajoute : ' Ne crains pas ', car, lorsque nous connaissons davantage par nous-mêmes ce que nous avons

---

36. Cf. F. Lieblang, *op. cit.*, p. 105-106.

37. *Mor.* 22, 19, 45 (*PL*, 76, 240 C) : « Nemo autem infima deserens, repente fit summus, quia ad obtinendum perfectionis meritum, dum quotidie mens in altum ducitur, ad hoc procul dubio uelut ascensionis quibusdam gradibus peruenitur. »

à craindre, Dieu répand davantage en nous, par une grâce intérieure, ce que nous avons à aimer[38]. » Et ce chapitre, où Grégoire suit toutes les étapes du progrès spirituel, s'achève par un commentaire d'une vision d'Ézéchiel (*Ez.* 47, 3-4) qui lui fournit l'occasion d'insister une fois de plus sur le caractère primordial de l'initiative divine dans toute vie chrétienne : « L'homme qui lui est apparu mesure mille coudées et il conduit le prophète qui a de l'eau jusqu'aux talons : c'est que notre Rédempteur, après nous avoir accordé la plénitude d'un bon départ, quand nous nous sommes convertis à lui, nous inspire les premiers pas de notre action en nous donnant la sagesse spirituelle[39]. » Bref, la grâce de Dieu est absolument première, dans tous les sens du mot : elle précède et sollicite notre réponse, elle crée le dynamisme de la vie spirituelle, elle soutient et aimante tous les progrès que l'homme doit accomplir pour aller à Dieu.

Mais Grégoire ne se borne pas à affirmer la primauté de l'aide divine dans l'effort moral et le caractère continu de cet effort soutenu par la grâce. Il aime décrire avec précision les divers degrés de cette ascension, les divers états que doivent traverser les convertis. Il indique alors les repères qui aident à apprécier le chemin parcouru. On trouve ainsi dans ses œuvres toute une psychologie de la conversion. « Il y a trois phases dans la vie des convertis : le commencement, le milieu et la perfection (*inchoatio, medietas, perfectio*). Au commencement, les convertis rencontrent les séductions de la douceur, au milieu, des combats contre la tentation, et à la fin, la perfection de la plénitude. C'est d'abord la douceur qui les attend pour les réconforter ; ensuite, l'amertume, pour les exercer, et enfin, la suavité sublime, pour les affermir[40]. » Cette graduation de la vie de l'âme en marche vers la perfection est tout à fait traditionnelle depuis Irénée[41]. La littérature monastique s'est plue à détailler chacune de ces trois phases et, comme d'habitude, Grégoire

---

38. *Mor.* 22, 20, 46 et 48 (*PL*, 76, 241 A, 241 C, 242 D) : « Et quia per occultam gratiam ad amorem Dei temperata desuper mensura proficimus, quanto in nobis quotidie de Dei spiritu uirtus crescit, tanto noster spiritus deficit... Paulisper quippe in unaquaque anima, ut ita dicam, internae gratiae humor exuberat, ut herba in frugem crescat... Vbi apte diuina uoce subiungitur : « Noli metuere », quia cum plus ipsi quod timeamus agnoscimus, plus nobis de Deo per internam gratiam infunditur quod amemus. »

39. *Ibid.* 50 (243 D) : « Vir itaque qui apparuit mille cubitos metitur, et propheta per aquas usque ad talos ducitur, quia Redemptor noster cum nobis ad se conuersis boni exordii plenitudinem tribuit, dono spiritalis sapientiae prima nostri operis uestigia infundit. »

40. *Mor.* 24, 11, 28 (*PL*, 76, 302 A) : « Tres quippe modi sunt conuersorum, inchoatio, medietas atque perfectio. In inchoatione autem inueniunt blandimenta dulcedinis, in medio quoque tempore certamina tentationis, ad extremum uero perfectionem plenitudinis. Prius ergo illos dulcia suscipiunt, quae consolentur ; postmodum amara,quae exerceant ; et tunc demum suauia atque sublimia, quae confirment. »

41. Cf. art. *Commençants,* dans *DSp*, II, col. 1143-1144.

joue ici un rôle de vulgarisateur. Dans ce même chapitre, il s'attarde à analyser l'espèce de dialectique qui se développe dans l'âme du converti. Celui-ci, explique-t-il, va se trouver partagé entre la joie et la tristesse et, pour illustrer ce thème général, qui sert de fil conducteur à l'ensemble du chapitre, il étudie trois expériences où se manifeste avec une acuité particulière cette alternance de sentiments antagonistes : l'expérience de la conversion, celle de la tentation et celle de la mort, qui correspondent à peu près aux trois étapes dont il vient d'être question.

A vrai dire, il insiste surtout sur la première de ces trois expériences et il reprend en quelque sorte du côté de l'homme, à travers l'analyse psychologique, ce qu'il affirme ailleurs comme un principe théologique, selon lequel l'intervention de Dieu est déterminante dans les débuts de la conversion. « Dans la première phase de la conversion, on éprouve un lourd chagrin, lorsque chacun, en considérant ses péchés, veut rompre les entraves des soucis terrestres, cheminer dans la voie de Dieu à travers la carrière d'une existence tranquille, rejeter le lourd fardeau des désirs temporels et porter, par une libre servitude, le joug léger du Seigneur. Car, tandis qu'il pense à cela, il songe à ces plaisirs charnels qui lui sont familiers et qui lui étant devenus invétérés depuis longtemps, le tiennent d'autant plus étroitement lié et lui permettent d'autant moins de s'en dégager qu'il y a plus longtemps qu'ils le possèdent. Et quelle tristesse, quelle anxiété dans son cœur lorsque son esprit l'appelle ici et sa chair là-bas, que l'amour d'une vie nouvelle l'invite d'un côté, tandis que, de l'autre, sa longue habitude de la perversité le retient... Mais comme la grâce divine ne permet pas que ces difficultés nous affectent longtemps, elle rompt promptement les chaînes de nos péchés et, pour nous consoler, nous ramène très vite à la liberté d'une vie nouvelle et nous réconforte en faisant succéder la joie à la tristesse antérieure, de sorte que l'esprit de chaque converti, en parvenant à ce qu'il souhaitait, se réjouit d'autant plus qu'il se souvient d'avoir peiné et souffert davantage pour y arriver[42]. »

Cette évocation du déchirement de l'âme du converti a indéniablement

---

42. *Mor.* 24, 11, 26 (*PL*, 76, 300 C - 301 A) : « In prima quippe quam diximus conuersionis uice grauis moeror est, cum sua unusquisque peccata considerans, curarum saecularium uult compedes rumpere, et uiam Dei per spatium securae conuersationis ambulare ; desideriorum temporalium onus graue abiicere et leue iugum Domini libera seruitute portare. Cogitanti enim ista occurrit illa familiaris sua delectatio carnalis, quae inueterata dudum, quanto eum diutius tenuit, tanto arctius astringit atque a se tardius abire permittit. Et quis ibi moeror, quae anxietas cordis, quando hinc spiritus uocat, hinc caro reuocat ; hinc amor nouae conuersationis inuitat, hinc usus uetustae peruersitatis impugnat... Sed quia diuina gratia diu nos istis difficultatibus affici non permittit, ruptis peccatorum nostrorum uinculis citius nos ad libertatem nouae conuersationis consolando perducit, et praecedentem tristitiam subsequens laetitia refouet ; ita ut conuersi uniuscuiusque animus eo magis ad uotum suum perueniendo gaudeat, quo magis se pro illo meminit laborando doluisse. »

une saveur augustinienne, comme l'a souligné P. Courcelle[43]. Ce passage
des *Moralia* contient bien des parallèles dans les huitième et neuvième
livres des *Confessions*[44], lorsque Augustin rappelle les combats intérieurs
qu'il a connus et qu'il décrit, en des termes que reprendra Grégoire,
la servitude due à l'habitude, le conflit entre la chair et l'esprit et la joie
de la délivrance finale. Mais il convient d'apporter ici une précision :
même s'il use de catégories empruntées à Augustin, Grégoire ne traite
pas de la même expérience. La conversion, dont il analyse les débuts
difficiles, n'est pas une adhésion au christianisme ; elle se situe à un
niveau différent et se confond presque avec le combat inhérent à toute
vie chrétienne. Les convertis dont il parle ne sont pas des païens qui
découvriraient Dieu, mais des pécheurs, qui renoncent au mal et décident
de mener une vie sainte. On aurait donc tort de mettre sur le même
plan l'auteur des *Confessions* et celui des *Moralia* : le premier, à partir
de son expérience personnelle, nous a laissé toute une théologie de la
conversion ; le second s'appuie davantage sur une analyse psychologique,
retenant du premier les notions et les antithèses qui peuvent caractériser
la division intérieure du converti. Mais la conversion, qu'il définit ainsi,
n'est guère différente de la vie chrétienne, envisagée dans son déroulement concret, comme la recherche de la perfection. En outre, Grégoire
esquisse cette psychologie des nouveaux convertis à la façon d'un moine :
ses premiers auditeurs furent sans doute ses compagnons du Cœlius
ou de Constantinople, des hommes qui avaient, comme lui, renoncé aux
soucis du monde après les avoir connus et qui recherchaient effectivement
le silence et la solitude. Par ces conférences que furent d'abord les *Moralia*,
Grégoire entend jouer à leur égard le rôle d'un père spirituel. C'est pourquoi il insiste beaucoup sur les difficultés que l'on rencontre après s'être
engagé sur le chemin de la perfection. Il rassure les nouveaux venus
dans la vie monastique, en leur expliquant que Dieu permet les tentations
qui les assaillent. « Pour éviter que chacun, après s'être converti, n'aille
se croire déjà saint, et ne se laisse abattre par l'absence de tout souci,
alors que les attaques de la tristesse n'avaient pu avoir raison de lui,
Dieu, dans ses desseins, permet qu'après sa conversion, il soit harcelé
par l'aiguillon des tentations[45]. » De même, après avoir franchi la mer
Rouge, les Hébreux ne sont pas au bout de leurs peines : aux Égyptiens
succèdent des ennemis nouveaux. D'où cette mise en garde : « La conversion engendre assurément la tranquillité, mais d'ordinaire, la tranquillité

---

43. Cf. P. Courcelle, *Les Confessions de saint Augustin dans la tradition
littéraire*, Paris, 1963, p. 229-231.

44. *Conf.* 8, 1, 1 (éd. de Labriolle, p. 175) ; 8, 5, 10 (p. 184) ; 9, 1, 1
(p. 208) ; 9, 4, 10 (p. 217).

45. *Mor.* 24, 11, 27 (*PL*, 76, 301 B) : « At ne conuersus quisque iam
sanctum se esse credat, et quem moeroris pugna superare non ualuit,
ipsa postmodum securitas sternat, dispensante Deo permittitur ut
post conuersionem suam tentationum stimulis fatigetur. »

est mère de la négligence[46]. » Il est clair que ces termes de *conuersio*
et de *securitas* s'appliquent ici à la vie monastique, et désignent précisément l'entrée au monastère et la vie paisible que l'on espère y trouver.

Après avoir souligné que le Christ a été tenté non avant son baptême,
mais après celui-ci, Grégoire insiste encore : « Après la première phase
de tristesse et de joie, que chacun connaît quand il désire se convertir,
survient cette seconde phase, car l'on est atteint par les assauts de la
tentation pour ne pas être brisé par la négligence due à la tranquillité[47]. »
Dans une *homélie sur Ézéchiel*, Grégoire reprend cette analyse dans un
contexte moins spécifiquement monastique, en expliquant que ce redoublement des tentations est provoqué par le démon : « Dès que l'âme commence
à aimer les biens célestes, dès qu'elle se recueille de toutes ses forces
pour parvenir à la vision de la paix intérieure, l'antique adversaire,
qui est tombé du ciel, l'envie et entreprend de lui tendre des pièges
plus nombreux ; il lui présente des tentations plus dures qu'à l'ordinaire,
à tel point qu'il tente très souvent l'âme qui résiste, comme il ne l'avait
jamais tentée auparavant, quand il en était le maître[48]. »

Grégoire essaie enfin de saisir la pédagogie de Dieu à l'égard des
nouveaux convertis. Il se réfère alors à des précédents bibliques, mais
toujours à partir de ses propres catégories de psychologue. « Au sortir
d'Égypte, Dieu soustrait les Hébreux à la guerre prochaine avec les
Philistins : à ceux qui abandonnent le monde, il commence par offrir
une certaine tranquillité, pour éviter que, troublés dans leur fraîcheur
de débutants, ils ne s'effraient et ne retournent à ce dont ils avaient
échappé... C'est pourquoi Pierre lui aussi est d'abord conduit sur la
montagne, il contemple d'abord l'éclat du Seigneur transfiguré, et c'est
seulement alors que Dieu permet qu'il soit tenté par les questions de
la servante... Et souvent les attaques des tentations durent d'autant
plus que le charme des débuts s'était prolongé davantage[49]. » Dernière

---

46. *Ibid.* (301 C) : « Conuersio uidelicet securitatem parit, mater autem
negligentiae solet esse securitas. »

47. *Ibid.* (301 D) : « Post primam igitur uicem moeroris atque laetitiae,
quam unusquisque per studium conuersionis agnoscit, haec secunda
suboritur, quia ne securitatis negligentia dissoluatur, impulsu tentationis
afficitur. »

48. *HEz* 1, 12, 24 (*PL*, 76, 929 D = *CCh*, 142, p. 197) : « Sed mox
ut animus amare coelestia coeperit, mox ut ad uisionem pacis intimae
tota se intentione collegerit, antiquus ille aduersarius qui de coelo lapsus
est inuidet insidiari amplius incipit. Acriores quam consueuerat tentationes
admouet, ita ut plerumque sic resistentem animam tentet, sicut ante
numquam tentauerat quando possidebat. »

49. *Mor.* 24, 11, 29 (*PL*, 76, 302 D - 303 A) : « Ex Aegypto itaque
exeuntibus e uicino bello subtrahuntur, quia derelinquentibus saeculum
quaedam prius tranquillitas ostenditur, ne in ipsa sua teneritudine atque
inchoatione turbati, ad hoc territi redeant quod euaserunt... Vnde et
Petrus prius in montem ducitur, prius claritatem transfigurationis
dominicae contemplatur et tunc demum tentari ancilla interrogante
permittitur... Saepe autem tam diutina sunt tentationum certamina,
quam longa inchoationum fuerant blandimenta. »

explication qui, elle, est purement psychologique : c'est l'ascèse de
la conversion qui fait apparaître les tentations ; d'inconscientes, elles
deviennent conscientes, à partir du moment où l'âme n'est plus détournée
d'elle-même par les occupations extérieures. « Généralement, tout converti
est harcelé par l'aiguillon de tentations qu'il ne se souvient pas d'avoir
jamais connues avant la grâce de sa conversion, non parce qu'à ce moment-
là cette même racine de la tentation n'existait pas, mais parce qu'elle
n'apparaissait pas. L'âme humaine, occupée de pensées multiples,
demeure souvent une inconnue pour elle-même, en quelque sorte, si
bien qu'elle ignore totalement ce qu'elle supporte, parce qu'en se laissant
disperser en de multiples affaires, elle s'écarte de la connaissance intime
d'elle-même. Mais si elle a le désir de se consacrer à Dieu, et coupe les
branches des pensées multiformes, alors elle aperçoit librement ce qui
procède de la racine intime de la chair[50]. » La tentation est donc doublement inévitable : Dieu la permet pour entretenir notre ferveur et notre
humilité, par le combat spirituel, et, par ailleurs, elle est liée à la connaissance plus approfondie de soi-même, que rend possible le repos monastique.

Psychologie   Le mystique qu'est Grégoire fait toujours
et pédagogie   preuve d'un très grand réalisme. S'il admire
de la conversion   l'action de la grâce dans le cœur des convertis,
                         il n'oublie pas l'humaine faiblesse et montre
que des débuts prometteurs dans la vie chrétienne ne préludent pas
toujours à des progrès durables. « Il est certains hommes qui désirent
les biens célestes et abandonnent les actions coupables de ce monde,
mais qui, après ces débuts, défaillent chaque jour à cause de la pusillani-
mité due à leur inconstance... Ces hommes, en venant à la conversion,
ne demeurent pas tels qu'ils avaient commencé par être ; un peu à la
façon des arbres, ils sont larges à la base, mais s'amenuisent en grandissant, car progressivement, avec le temps, leurs vertus se détériorent...[51] »
Quant il évoque ces lendemains décevants de la conversion, Grégoire
se révèle dès l'époque des *Moralia* un bon connaisseur de l'âme humaine,
avec la fragilité qui la caractérise. Toute cette psychologie est appuyée

---

50. *Ibid.* 30 (303 C) : « Plerumque autem conuersus quisque talibus
tentationum stimulis agitatur, qualibus ante conuersionis gratiam
numquam pulsatum se esse reminiscitur, non quia tunc haec eadem
radix tentationis deerat, sed quia non apparebat. Humanus quippe
animus multis cogitationibus occupatus, saepe sibimetipsi aliquo modo
manet incognitus, ut omnino quod tolerat nesciat, quia dum per multa
spargitur, ab interna sui cognitione remouetur. Si autem Deo uacare
appetat, et ramos multimodae cogitationis abscidat, tunc libere conspicit
quod de intima radice carnis procedit. »
51. *Mor.* 19, 27, 50 (*PL*, 76, 130 B-C) : « Sunt uero nonnulli qui cum coelestia appetunt atque huius mundi noxia facta derelinquunt, ab inchoatione sua quotidie inconstantiae pusillanimitate deficiunt. Hi quippe
ad conuersionem uenientes non tales quales coeperunt perseuerant, et
quasi more arborum inchoatione uasti sunt, sed tenues crescunt, quia
paulisper per augmenta temporum patiuntur detrimenta uirtutum. »

sur l'expérience, comme l'indiquent la formule initiale (*sunt namque nonnulli*) et les termes employés pour concrétiser les reculs spirituels, qui suivent parfois la conversion. Il fait allusion à des cas précis, quand il évoque ces retours en arrière qui jalonnent souvent la vie des chrétiens. « Il est certains hommes qui, après une vie de perdition, reviennent à eux-mêmes, et, devant les accusations de leur propre conscience, ils abandonnent leurs chemins tortueux, transforment leur conduite, disent non à leur ancienne dépravation, fuient les activités terrestres et s'attachent aux désirs du ciel ; mais avant d'être affermis dans ces désirs de sainteté, l'engourdissement de leur esprit les fait retourner à ce qu'ils avaient commencé à critiquer, et ils reviennent en courant vers le mal qu'ils avaient résolu de fuir[52]. »

Grégoire s'adresse ici à des moines et sans doute songe-t-il à ceux qui ne sont pas restés fidèles à la grâce de Dieu. Mais ces évocations ont une portée plus générale : elles constituent de véritables avertissements, destinés à tous ceux qui se tournent vers Dieu, mais doivent savoir à l'avance que le chemin à suivre sera semé de difficultés. C'est pourquoi dans ses homélies, Grégoire recourt à des exemples précis. Pour frapper l'imagination de ses auditeurs, il commente la parole du Christ « beaucoup sont appelés, mais peu sont élus », en présentant l'expérience malheureuse de sa tante Gordiana comme une sorte de conversion à rebours, qui illustre le thème théologique de la prédestination. Pour cela, il met en relief, de façon très pédagogique, tout ce qui différencie Gordiana de ses deux sœurs, du début à la fin. « Tharsilla et Aemiliana commencèrent à grandir dans l'amour de leur créateur, par des progrès quotidiens ; elles n'étaient ici-bas qu'avec leur corps, et chaque jour, atteignaient l'éternité avec leur esprit. En revanche, l'esprit de Gordiana commença à s'attiédir, perdant chaque jour la chaleur de l'amour intérieur, et progressivement, elle retournait à l'amour de ce monde[53]. » Cette antithèse est encore plus marquée à la fin, lorsque Gordiana reste seule, après la mort de ses deux sœurs : « Ses vices s'accrurent et ce qui avait été d'abord caché dans les désirs de sa pensée, elle le mit en œuvre ensuite de façon effective, par ses actions perverses. Car oubliant la crainte

---

52. *Mor.* 12, 52, 59 (*PL*, 75, 1014 A-B = *SC*, 212, p. 230) : « Sunt namque nonnulli qui post uitam perditam ad semetipsos redeunt, et, accusante se conscientia, peruersa itinera relinquunt, commutant opera, antiquae suae prauitati contradicunt, terrenas actiones fugiunt, desideria superna sectantur ; sed priusquam in eisdem sanctis desideriis solidentur, per torporem mentis ad ea quae diiudicare coeperant redeunt, atque ad mala quae fugere disposuerant recurrunt. »

53. *HEv* 2, 38, 15 (*PL*, 76, 1291 A) : « ... Coeperunt quotidianis incrementis in amorem conditoris sui Tarsilla et Aemiliana succrescere, et cum solo hic essent corpore, quotidie animo ad aeterna transire. At contra Gordianae animus coepit a calore amoris intimi per quotidiana detrimenta tepescere, et paulisper ad huius saeculi amorem redire. »

du Seigneur, oubliant la pudeur et le respect, oubliant sa consécration, elle prit ensuite pour mari un régisseur de ses terres[54]. »

Tout au long de cette histoire, la rhétorique est au service de la théologie et de la morale[55]. D'abord, grâce à l'antithèse, qui sous-tend l'ensemble de ce récit : tandis que Gordiana retombe dans le péché, ses deux sœurs progressent vers la sainteté ; l'opposition de la chaleur et du froid, de l'esprit et de la chair, de la pensée et de l'action rendent sensible cette évolution inexorable. D'autre part, Grégoire se révèle ici un excellent peintre de caractères. Le portrait qu'il fait de sa tante, tout en restant très concret, prend une portée générale ; trois phases jalonnent sa vie : sa « conversion » extérieure, ses défaillances intérieures tandis qu'elle partage l'existence de ses sœurs, et, pour finir, la victoire du péché. C'est une sorte de triptyque où la « convertie » apparaît d'abord comme une femme décidée à quitter le monde, puis comme une combattante en butte aux tentations, enfin comme une vaincue dont le monde a eu raison. Il est certain que ces procédés littéraires sont pour Grégoire le moyen de faire saisir à ses auditeurs les grandes lois qui président à la psychologie, et même à la théologie de la conversion : l'appel de Dieu entre toujours en conflit avec l'attrait du monde dans l'âme des convertis. Cette alliance de rhétorique et de morale répond par conséquent à une intention pédagogique et pastorale : il s'agit de montrer l'importance du combat spirituel et de bien faire comprendre aux chrétiens qu'il n'est jamais gagné d'avance.

En développant cette psychologie et cette pédagogie très concrète de la conversion, en décrivant par le détail l'évolution intérieure qui suit la rupture avec le monde et le péché, en cherchant à guider les chrétiens vers Dieu, vers la sainteté, en leur proposant pour cela des règles de discernement, des repères qui les aideront à voir plus clair en eux-mêmes et à aller de l'avant, Grégoire prolonge et vulgarise indéniablement la littérature monastique. On a montré combien il utilise notamment les classifications et les maximes de Cassien[56]. Il est certain que la façon dont il exerce sa responsabilité de pasteur est comparable à celle d'un père spirituel vis-à-vis des hommes dont il doit guider l'effort ascétique.

Mais Grégoire se rattache aussi plus largement à la grande tradition des moralistes latins, et notamment de Sénèque. Les *Lettres à Lucilius* esquissent à plusieurs reprises toute une doctrine du progrès moral : Sénèque donne des conseils aux débutants (*inchoatus et ad summa proce-*

---

54. *Ibid.* (1292 A) : « ... Eius prauitas excreuit, et quod prius latuit in desiderio cogitationis, hoc post effectu prauae actionis exercuit. Nam oblita dominici timoris, oblita pudoris et reuerentiae, oblita consecrationis, conductorem agrorum suorum postmodum maritum duxit. »

55. Cf. F. GASTALDELLI, *Teologia e retorica in San Gregorio Magno. Il ritratto nei « Moralia in Iob »*, dans *Salesianum*, 29, 1967, p. 269-299.

56. Cf. R. GILLET, dans *SC*, 32 bis, introduction, p. 89-102.

dens)[57] et établit une hiérarchie entre les *proficientes*[58]. On ne peut pas prouver que les *Moralia* s'inspirent directement de ces textes, mais il existe pourtant une sorte de parenté « spirituelle » entre leurs auteurs. Tous entendent guider scrupuleusement les hommes qui aspirent à la perfection, même si les moyens, les buts et le contenu de cette perfection ne sont pas les mêmes dans les deux cas : alors que Sénèque abandonne l'homme à ses seules forces dans la recherche du souverain bien, Grégoire ne perd jamais de vue le terme de toute quête spirituelle, la vision de Dieu. Mais leur souci pédagogique, leur volonté d'entraîner les âmes au dépassement les rapproche l'un de l'autre, ainsi que leur visée fondamentale : « atteindre l'homme concret, déterminer sa conduite pratique, régir l'activité intérieure et extérieure, et pas seulement ordonner ses concepts[59]. » Ces phrases, employées pour caractériser la « sagesse » de Sénèque, ne pourraient-elles caractériser tout autant la spiritualité grégorienne, surtout quand elle s'applique à l'expérience de la conversion ?

Grégoire et saint Paul   Grégoire possède en fait sa propre thématique de la conversion : elle lui vient de son expérience de moine et de pasteur, ainsi que de la spiritualité monastique, sans parler de la tradition diffuse des moralistes latins. Mais il ne recourt pas très souvent à la thématique évangélique et, quand il y recourt, c'est plutôt pour la rattacher à ses propres catégories. Il commente par exemple l'antithèse paulinienne du vieil homme et de l'homme nouveau selon un schéma qui lui est familier : « Mépriser le monde présent, ne pas aimer les biens passagers, prosterner profondément son âme en esprit d'humilité devant Dieu et le prochain, prendre patience face aux injures subies et, ayant gardé la patience, écarter loin de son cœur le ressentiment malfaisant, distribuer de ses biens aux nécessiteux, ne désirer en aucun cas les biens d'autrui, avoir de l'affection en Dieu pour ses amis, aimer aussi ses ennemis à cause de Dieu, pleurer les malheurs du prochain, ne pas être dans la joie à la mort de son ennemi, voilà la nouvelle créature, que le maître des nations réclame d'un œil vigilant auprès des autres disciples, en disant : « Si quelqu'un est dans le Christ une créature nouvelle, les choses anciennes sont passées, voici que tout est devenu nouveau » (2 *Cor.* 5, 17). C'est le fait du vieil homme de rechercher le monde présent, d'aimer les biens passagers en raison de la concupiscence, d'élever son esprit par orgueil, de penser à faire du tort au prochain par ressentiment malfaisant, de ne pas donner de ses biens aux indigents, et de rechercher le bien d'autrui pour s'enrichir,

---

57. *Ep. ad Luc.* VIII, 71, 28 (éd. Préchac-Noblot, Paris, 1957, III, p. 26) : « Itaque inchoatus et ad summa procedens cultorque uirtutis, etiam si adpropinquat perfecto bono, sed ei nondum summam manum imposuit, ibit interim cessim et remittet aliquid ex intentione mentis. »

58. *Ibid.* IX, 75, 8-15 (*ibid.*, p. 52-54) : « Inter ipsos quoque proficientes sunt magna discrimina : in tres classes, ut quibusdam placet, diuiduntur... »

59. A. de Bovis, *La Sagesse de Sénèque*, Paris, 1948, p. 24.

de n'aimer personne pour le pur amour de Dieu, de rendre inimitié
pour inimitié, de se réjouir de la détresse du prochain. Ce sont là tous
les caractères du vieil homme que nous tirons assurément de la racine de
la corruption[60]. » Ce tableau si fortement contrasté est destiné à rendre
plus frappante l'exhortation à la pénitence qui le suit : Grégoire oppose
ici non deux catégories d'hommes, mais deux attitudes spirituelles
et morales. Son but est de susciter le repentir dans l'âme de ses auditeurs :
d'où cette espèce d'« antithèse filée », termes à termes, dont le parallélisme
continu met en relief l'antinomie entre les qualités de l'homme nouveau
et les vices du vieil homme. Il y a d'ailleurs là plus qu'un procédé rhétorique[61] : le recours au parallélisme et à l'antithèse permet d'évoquer
avec précision le mode de vie qui doit permettre de devenir effectivement
une créature nouvelle.

Il serait exagéré d'en conclure que Grégoire ne songe ici qu'à la conversion religieuse, à l'entrée au monastère. Il reste certain, cependant,
que sa pédagogie du renouvellement moral fait appel à des valeurs
proprement monastiques : la lecture de l'Écriture Sainte et la rupture
avec le monde extérieur, comme l'indique la suite de l'homélie. « Dans
nos âmes vient le renouveau, lorsque les vices du vieil homme nous
quittent et les vices du vieil homme nous quittent lorsque notre ventre
assimile les préceptes de l'Écriture Sainte et que nos entrailles en sont
profondément remplies. Souvent, en effet, nous avons vu certains
hommes se consacrer de toute leur âme à l'étude des Saintes Écritures et,
comprenant la gravité de leurs péchés en entendant les paroles du Seigneur,
s'immoler eux-mêmes en pleurant, s'affliger d'un chagrin continuel,
ne trouver aucun plaisir dans les avantages de ce monde, à tel point
que la vie présente leur devenait un fardeau et la lumière elle-même un
objet de dégoût[62]. »

---

60. *HEz* 1, 10, 9-10 (*PL*, 76, 889 B-D = *CCh*, 142, p. 148-149) : « Nam
praesentem mundum despicere, transitoria non amare, mentem medullis
in humilitate Deo et proximo sternere, contra illatas contumelias patientiam seruare, et, custodita patientia, dolorem malitiae a corde repel-
lere, egenis propria tribuere, aliena minime ambire, amicum in Deo
diligere, propter Deum et eos qui inimici sunt amare, de afflictione
proximi lugere, de morte eius qui inimicus est non exsultare, haec est
noua creatura, quam idem magister gentium apud alios discipulos uigi-
lanti oculo requirit, dicens : « Si qua igitur in Christo noua creatura,
uetera transierunt, ecce facta sunt omnia noua. » Ad ueterem quippe
hominem pertinet praesentem mundum quaerere, transitoria ex concupiscentia amare, mentem in superbiam erigere, patientiam non habere, ex
dolore malitiae de proximi laesione cogitare, sua indigentibus non dare,
atque ad multiplicandum aliena quaerere, nullum pure propter Deum
diligere, inimicitias inimicitiis reddere, de afflictione proximi gaudere.
Cuncta haec uetusti sunt hominis, quae uidelicet de radice trahimus
corruptionis. »

61. Dans l'article cité plus haut, F. Gastaldelli étudie la composition
stylistique et rythmique de portraits analogues dans les *Moralia* (cf.
p. 271-274).

62. *HEz* 1, 10, 11 (890 A = p. 149) : « Tunc ergo in nostris mentibus noua
fiunt, cum a nobis uetusti hominis uitia transeunt, et tunc uitia uetusti

Dans les *Moralia*, Grégoire rattache encore plus explicitement à l'expérience religieuse le thème du renouvellement intérieur. C'est par la connaissance de soi, la prière, la *lectio diuina*, le repentir et les bonnes œuvres que l'on échappe au vieillissement. « Perdant la ferveur de l'âme, soit au milieu des ennemis spirituels, soit au milieu de tous les hommes charnels, dont nous sommes proches, nous vieillissons par la façon même dont nous employons notre vie, en quelque sorte, et nous ternissons la beauté de cet être nouveau que nous avions assumé. Cependant, délaissant ce vieillissement, si notre discipline de circonspection est vigilante, nous nous renouvelons chaque jour en priant, en lisant, en vivant vertueusement, car notre vie, lavée par les larmes, exercée par les bonnes œuvres, attentive aux méditations religieuses, retrouve sans relâche sa nouveauté[63]. »

Il est indéniable que Grégoire interprète à sa manière la mystique paulinienne de l'homme nouveau. On peut trouver sa conception trop volontariste ou trop moralisante. Il convient aussi d'en souligner le caractère pratique : le moine qui compose les *Moralia*, aussi bien que le pape qui prêche sur Ézéchiel, entend faire œuvre de direction spirituelle. S'il traite de la conversion, c'est pour indiquer à chacun les moyens de la réaliser. C'est pourquoi il recommande à tous la prière, la méditation de l'Écriture, l'ascèse. Encore faut-il insister sur le caractère spirituel de cette ascèse, car Grégoire parle rarement des pratiques corporelles comme les veilles, le jeûne ou l'abstinence[64]. Au contraire, il ne cesse de mettre en évidence le caractère personnel et intérieur de la conversion. Voici comment, dans une *homélie sur l'Évangile*, il présente le devoir de renoncement. « Peut-être n'est-il pas pénible à l'homme de quitter ses biens, mais il lui est très pénible de se quitter lui-même. Cela compte assez peu de renoncer à ce que l'on a, mais cela compte beaucoup de renoncer à ce que l'on est... Mais que veut dire « nous quitter » ? Si nous quittons notre propre personne, où irons-nous en dehors de nousmêmes ? Ou quel est l'être qui part, s'il s'est abandonné lui-même ?

---

hominis transeunt, quando sacri uerbi praeceptum uenter comedit, et uiscera medullitus replentur. Saepe enim quosdam uidimus tota se mente ad sanctae lectionis studium contulisse, atque inter uerba Dominica recognoscentes in quantis deliquerint, semetipsos in lacrimis mactare, moerore continuo affici, in nullis huius mundi prosperitatibus delectari, ita ut eis uita praesens oneri et lux ipsa fastidio fieret... »

63. *Mor.* 19, 30, 53 (*PL*, 76, 132 D - 133 A) : « A feruore etenim mentis uel inter spiritales inimicos, uel inter carnales quosque proximos, ipso aliquo modo uiuendi usu ueterascimus, et assumptae nouitatis speciem fuscamus. A qua tamen uetustate quotidie, si studia circumspectionis inuigilent, orando, legendo, bene uiuendo renouamur, quia uita nostra dum lacrimis lauatur, bonis operibus exercetur, sanctis meditationibus tenditur, ad nouitatem suam sine cessatione reparatur. »

64. Cf. R. GILLET, *DSp*, VI, col. 882 : « Grégoire mise moins sur les pratiques corporelles de libération et d'accueil des forces spirituelles que sur les efforts moraux. »

Mais autre est en nous l'être déchu par le péché, autre la créature naturelle ; l'un est notre œuvre, l'autre l'œuvre de Dieu. Quittons-nous
nous-mêmes, dans l'état où nous a mis notre péché et demeurons nous-
mêmes dans l'état où nous avons été établis par la grâce. Voici qu'en
effet celui qui était orgueilleux, s'il est devenu humble après s'être
converti au Christ, se quitte lui-même. Si un débauché a changé de vie
en devenant chaste, il a complètement renoncé à ce qu'il était... Aussi
est-il écrit : « Retourne les impies et ils cesseront d'exister » (*Pr.* 12, 7).
De fait, une fois convertis, ce ne seront plus des impies, non parce qu'ils
n'auront plus du tout leur nature humaine, mais justement parce qu'ils
ne seront plus dans l'état coupable dû à leur impiété. Et nous, par
conséquent, le moment où nous nous quittons nous-mêmes, celui où
nous nous renions nous-mêmes, c'est lorsque nous évitons ce qui avait
fait de nous le vieil homme pour tendre à la vie nouvelle à laquelle nous
sommes appelés. Songeons à la façon dont Paul s'était renoncé lui-même.
lui qui disait : « Je vis et désormais ce n'est plus moi qui vis » (*Gal.* 2, 20),
En lui le cruel persécuteur avait été anéanti et le saint prédicateur
s'était mis à vivre. Immédiatement, il ajoute : « C'est le Christ qui vit
en moi. » Ce qui signifie : en ce qui me concerne, je suis mort à moi-même,
car je ne vis pas selon la chair ; mais pourtant du point de vue de la
nature je ne suis pas mort, car je vis dans le Christ selon l'esprit. Laissons
donc celui qui est la vérité nous redire : « Si quelqu'un veut me suivre,
qu'il se renie lui-même... » Car, à moins de se séparer de soi-même, on
n'approche pas de celui qui est au-dessus de nous ; et l'on ne parvient
pas à atteindre ce qui nous dépasse, si l'on ne sait pas sacrifier ce que
l'on est[65]. » On ne saurait mieux distinguer l'ordre de la nature et l'ordre

---

65. *HEv* 2, 32, 1-2 (*PL*, 76, 1232 A - 1234 A) : « Fortasse laboriosum
non est homini relinquere sua, sed ualde laboriosum est relinquere semetipsum. Minus quippe est abnegare quod habet, ualde autem multum est
abnegare quod est... Quid est quod dicimus « relinquamus et nos » ?
Si enim nosmetipsos relinquimus, quo ibimus extra nos ? Vel quis est qui
uadit, si se deserit ? Sed aliud sumus per peccatum lapsi, aliud per naturam
conditi ; aliud quod fecimus, aliud quod facti sumus. Relinquamus nosmetipsos quales peccando nos fecimus, et maneamus nosmetipsi quales
per gratiam facti sumus. Ecce etenim qui superbus fuit, si conuersus ad
Christum humilis factus est, semetipsum relinquit. Si luxuriosus quisque
ad continentiam uitam mutauit, abnegauit utique quod fuit... Hinc
enim scriptum est : « Verte impios et non erunt. » Conuersi namque
impii non erunt, non quia non erunt omnino in essentia, sed scilicet non
erunt in impietatis culpa. Tunc ergo nosmetipsos relinquimus, tunc nos
ipsos abnegamus, cum uitamus quod per uetustatem fuimus, et ad hoc niti-
mur quod per nouitatem uocamur. Pensemus quomodo se Paulus abne-
gauerat qui dicebat : « Viuo autem iam non ego. » Exstinctus quippe
fuerat saeuus ille persecutor, et uiuere coeperat pius praedicator... Protinus subdit : « Viuit uero in me Christus. » Ac si aperte dicat : Ego quidem a memetipso exstinctus sum, quia carnaliter non uiuo ; sed tamen
essentialiter mortuus non sum, quia in Christo spiritaliter uiuo. Dicat
ergo Veritas, dicat : « Si quis uult post me uenire, abnegat semetipsum. »
Quia nisi quis a semetipso deficiat, ad eum qui super ipsum est non appro-
pinquat ; nec ualet apprehendere quod ultra ipsum est, si nescierit mactare
quod est. »

de la grâce, ni mieux montrer comment la conformité à l'ordre de la grâce permet à l'homme de manifester son être le plus authentique. Car la plénitude de la conversion permet à l'homme d'être lui-même devant Dieu, parce que devenu lui-même selon Dieu, au prix d'un certain nombre de sacrifices.

Grégoire   Ce long passage, qui traite de la conversion
et saint Augustin   au Christ autant que de l'effort moral, montre
                  bien que Grégoire maîtrise parfaitement le langage
théologique de la conversion. Mais cette façon de présenter l'expérience personnelle de Paul et sa doctrine relative à la conversion ne se comprend qu'en fonction d'Augustin, qui a très souvent commenté le même verset de l'*Épître aux Galates* et invoqué la déclaration de l'apôtre, pour étayer sa théologie de l'homme pécheur et racheté par le sacrifice du Christ. Livré à lui-même, l'homme demeurerait dans le péché ; c'est par le Christ que nous sommes sauvés, c'est à cause de lui que la conversion est possible et, s'il nous est interdit de nous glorifier de nous-mêmes, nous devons nous glorifier de ce qu'opère en nous la grâce du Christ[66]. Grégoire reproduit presque littéralement les termes employés par Augustin pour évoquer la conversion de Paul[67].

On aurait tort, cependant, de considérer Grégoire comme un plagiaire. Car le maître et son disciple ne traitent pas de la conversion selon la même perspective. Ce qui, chez Augustin, constitue une affirmation théologique sur la primauté absolue de la grâce du Christ dans l'action humaine, est transposé dans le domaine de la morale, par Grégoire, qui n'a pas l'ambition d'approfondir la pensée de son maître, mais la met en œuvre en l'appliquant au déroulement concret de la vie chrétienne. Certains seront alors tentés de conclure à son infériorité, mais ne vaudrait-il pas mieux faire observer que cette inspiration augustinienne confère une autorité plus grande à la morale grégorienne ? Certes, Grégoire s'appuie sur l'expérience, mais cela ne signifie pas que sa pensée est seulement empirique. Au contraire, la théologie de son maître lui fournit un cadre conceptuel, des références sûres pour suivre et exprimer le cheminement de l'âme vers Dieu. Là où Augustin procédait par affirmations et déductions, Grégoire, conformément à son talent personnel ou au genre littéraire qu'il emploie, peut se permettre d'être plus diffus, usant d'images ou citant des exemples, pour mettre en évidence la

---

66. Cf. *In Ioh. eu.* 124, 14, 6 (*CCh*, 36, 144-5) ; *ibid.*, 124, 22, 9 (*ibid.*, 228) ; *En. in ps.* 39, 27 (*CCh*, 38, 444) ; *ibid.*, 49, 31 (*ibid.*, 598-99) ; *ibid.*, 70, 1, 19 (*CCh*, 39, 958) ; *ibid.*, 142, 3 (*CCh*, 40, 2061).

67. La formule de Grégoire (« Exstinctus quippe fuerat saeuus ille persecutor et iuuere coeperat pius praedicator ») rappelle en effet le passage suivant des *En. in ps.* (149, 13 = *CCh*, 40, 2187) : « Vnde ipse Saulus occisus est persecutor, et Paulus erectus est praedicator ? »Cf. également *Serm.* 278, 1 (*PL*, 38, 1268) ; 295, 6 (*ibid.*, 1351) ; 315, 5 (*ibid.*, 1429).

même vérité fondamentale : c'est la grâce du Christ qui seule opère en l'homme tout renouvellement spirituel.

On a souvent débattu de l'orthodoxie augustinienne de Grégoire, en ce qui concerne ce problème de la grâce. On lui a reproché d'être infidèle à son maître et d'avoir en réalité tenté un compromis entre Pélage et Augustin. Les partis-pris ne manquaient pas dans de tels jugements : Loofs estimait qu'il fallait attendre Luther et Calvin pour retrouver un augustinisme intégral[68] ; pour Harnack, l'histoire de l'augustinisme serait celle d'une lente dégradation, dont Grégoire constitue la première étape importante avant l'époque carolingienne[69]. Écartons ces partis-pris. Il reste que Grégoire s'inspire indéniablement de Cassien, en insistant comme lui sur la nécessité de l'effort personnel dans la vie spirituelle, qu'il n'est pas non plus étranger à la spiritualité stoïcienne, qui vient de Sénèque et a influencé la morale chrétienne, du moins en Italie. Faudrait-il donc donner raison, et pour ces raisons-là, à ceux qui ont soupçonné Grégoire de verser quelque peu dans le semi-pélagianisme ? Je ne le pense pas et je crois qu'un tel reproche est dû seulement à une erreur de perspective, qu'il faut sans cesse dénoncer.

Grégoire aborde en directeur d'âmes, en psychologue ou en moraliste, les questions qu'Augustin avait traitées en philosophe et en théologien. Alors qu'Augustin avait à combattre des adversaires bien réels, Grégoire doit simplement confirmer la foi des chrétiens de son temps en l'action prévenante de la grâce divine à leur égard. Il est ainsi amené à humaniser la doctrine de son maître, et à laisser tomber ce qu'elle pouvait avoir de polémique ou d'excessif. Il est en possession de formules claires, qu'il énonce avec une tranquille assurance : « Il faut savoir que nos mauvaises actions seules nous appartiennent : nos bonnes actions, au contraire, appartiennent au Dieu tout-puissant et à nous, car c'est lui qui, par ses aspirations, nous prévient afin de nous faire vouloir, qui par son aide nous accompagne pour que nous ne veuillons pas en vain, mais que nous puissions accomplir ce que nous voulons. La grâce nous prévenant et la bonne volonté suivant, ce qui est un don du Dieu tout-puissant devient notre mérite à nous[70]. » Enfin, comme l'a noté très justement le P. Rondet[71], lorsque Grégoire traite de la grâce, il est rigoureusement fidèle à l'enseignement de son maître, mais à la grâce efficace des traités

---

68. F. Loofs, *Leitfaden zum Studium der Dogmengeschichte*, Halle, 1906⁴, p. 446.

69. A. Harnack, *Lehrbuch der Dogmengeschichte*, Tübingen, 1920, III, p. 266-269.

70. *HEz* 1, 9, 2 (*PL*, 76, 870 D = *CCh*, 142, p. 123-124) : « Sciendum est quia mala nostra solummodo nostra sunt ; bona autem nostra, et omnipotentis Dei sunt, et nostra, quia ipse aspirando nos praeuenit ut uelimus, qui adiuuando subsequitur ne inaniter uelimus, sed possimus implere quae uolumus. Praeueniendo ergo gratia et bona uoluntate subsequente, hoc quod omnipotentis Dei donum est fit meritum nostrum. »

71. H. Rondet, *Gratia Christi. Essai d'histoire du dogme et de théologie dogmatique*, Paris, 1948, p. 166.

anti-pélagiens, il préfère de beaucoup l'appel intérieur des premiers écrits augustiniens. Et c'est pourquoi il accorde une importance prépondérante à la *gratia conuersionis* : par expérience personnelle autant que par souci pastoral, il montre la grâce de Dieu agissant au-dedans des âmes et les entraînant sur le chemin d'une vie nouvelle. Là encore, il se conforme au principe d'intériorité, et, de ce point de vue, il se montre encore plus augustinien qu'Augustin, en décrivant et en recherchant les effets intérieurs de la grâce. C'est l'homme d'Église qui apparaît alors, acharné à déceler et à favoriser l'essor de la grâce divine en ce monde.

CHAPITRE V

Les *exempla* de conversion

Conformément à sa méthode constante, Grégoire n'envisage pas la conversion de façon abstraite. Nous venons de voir à quel point ses analyses psychologiques, ses conseils moraux ou ses exhortations pastorales s'appuient sur des expériences précises. C'est pourquoi il est particulièrement à l'aise quand il entreprend d'illustrer par des exemples individuels le thème de la conversion. Cet emploi de l'*exemplum* n'est certes pas une nouveauté : il s'inspire de certains procédés de la rhétorique antique aussi bien que de ces récits édifiants qui abondent dans la littérature ascétique et monastique[1]. Grégoire a seulement le mérite d'exploiter avec bonheur cette méthode qui convient tout à fait à la mentalité de son époque. De surcroît, le thème de la conversion a le mérite de se prêter à plusieurs genres d'*exempla* : bibliques aussi bien qu'historiques, hagiographiques autant que personnels. En examinant chacun de ces types d'*exempla*, on pourra vérifier dans quelle mesure Grégoire est fidèle aux idées principales de sa « théologie » et comment il use, dans des contextes différents, d'un même procédé littéraire pour montrer comment l'homme peut répondre ou se refuser aux appels de Dieu. Et, par-delà le procédé littéraire, la multiplicité de ces cas particuliers de conversion fera apparaître que la conversion elle-même est une structure constante de la vie chrétienne, des origines à l'époque contemporaine,

---

1. Cf. E. R. Curtius, *La littérature européenne et le Moyen Age latin*, trad. par J. Brejoux, Paris, 1956, p. 73-75 ; J. Th. Welter, *L'exemplum dans la littérature du Moyen Age*, Paris, 1927 ; art. *Exemplum* dans *DSp.*, IV, col. 1892-1893 : « L'exemplum se présente au Moyen Age sous la forme d'un récit autonome, localisé ou non dans le temps et l'espace, dont la longueur peut varier de trois à quarante lignes, mais se place en général entre dix et vingt. Aisément compris et retenu, agréable à entendre, il a pour but d'élucider, d'expliquer ou de compléter en l'illustrant un enseignement chrétien. »

et qu'elle relie ainsi des événements individuels à une histoire plus globale qui est celle de l'Église.

I — « EXEMPLA » DE L'ÂGE APOSTOLIQUE

Des apôtres à l'Église primitive   Les *exempla* de conversion que Grégoire tire de la Bible valent surtout pour la fondation et les premiers temps de l'Église. Le mouvement de conversion qui s'est peu à peu étendu au monde entier n'a-t-il pas eu pour origine la prédication des apôtres ? Mais ceux-là mêmes qui ont annoncé le Christ ont dû commencer par se laisser saisir par lui. Il est donc normal que les premiers *exempla* de conversion soient fournis à Grégoire par la vocation et la vie des apôtres. Au premier rang d'entre eux figure Paul, qu'il cite presque autant que les évangiles dans ses *Moralia*[2] et auquel il donne toujours des titres prestigieux, comme *doctor gentium* ou *praedicator egregius*. Après avoir affirmé que la grâce du Saint-Esprit peut venir transformer les cœurs des pécheurs les plus endurcis et modifier totalement leur conduite, il fait appel à un cas privilégié, celui de Paul : « Parmi tant d'exemples d'un tel prodige, il ne me déplaît pas de faire appel à celui de Paul. Alors qu'il se rendait à Damas, muni des lettres qu'il avait demandées pour aller contre le Christ, il reçut en chemin l'effusion de la grâce du Saint-Esprit et renonçant aussitôt à sa cruauté, changea de conduite. Par la suite, il accepta de subir pour le Christ les souffrances qu'il venait infliger aux chrétiens ; et lui qui auparavant vivait selon la chair et cherchait à livrer à la mort les saints du Seigneur, il se réjouit ensuite, pour sauver la vie des saints, d'immoler la vie de sa propre chair. Les froids projets de sa cruauté se transformèrent en une piété ardente, et lui qui avait été précédemment un blasphémateur et un persécuteur, devint dès lors un prédicateur humble et pieux. Lui qui avait pensé qu'il était très avantageux de tuer le Christ dans ses disciples, estime désormais que sa vie, c'est le Christ et que mourir est un avantage. Quand les eaux sont lâchées, la terre est donc retournée puisque l'âme de Paul, dès qu'elle eût reçu la grâce du Saint-Esprit, abandonna l'état d'immobilité et de cruauté qui était le sien[3]. » Cet

---

2. R. GILLET (*SC*, 32 bis, p. 82) indique les pourcentages suivants : sur l'ensemble des citations de l'Écriture, les évangiles représentent 19 % et les épîtres pauliniennes 17 %.

3. *Mor.* 11, 10, 16 (*PL*, 75, 961 A-B = *SC*, 212, p. 64) : « Libet in huius rei exemplo unum e multis ad medium Paulum uocare, qui cum, acceptis contra Christum epistolis, Damascum pergeret, Sancti Spiritus gratia in itinere infusus, ab illa sua protinus crudelitate mutatus est ; et post modum plagas pro Christo accepit, quas ueniebat inferre Christianis ; et qui prius carnaliter uiuens, in mortem conabatur sanctos Domini tradere, gaudet postmodum pro uita sanctorum uitam suae carnis immolare. Illae crudelitatis eius frigidae cogitationes uersae sunt in ardorem pietatis ; et qui prius fuit blasphemus et persecutor, humilis post factus est piusque praedicator. Qui lucrum maximum putauit,

exemple, unique entre tous, comme il le souligne lui-même, permet à Grégoire de faire apparaître avec une très grande netteté deux traits qui caractérisent toute conversion : le rôle premier de la grâce et le changement radical de conduite qu'elle entraîne, et il lui suffit de citer les propres déclarations de Paul pour en donner la preuve.

L'Évangile fournit également des exemples de résistance à la grâce. C'est à l'orgueil que le Christ se heurte bien des fois. « Nous entendons par montagnes les hommes qui ont en ce monde une position élevée et dont le cœur s'est enorgueilli à cause de cette élévation terrestre. Mais puisque le Seigneur convertit ces hommes dans l'état où ils sont pour les attacher au corps de son Église et les transformer en ses propres membres, en les faisant renoncer à leur orgueil passé, ces hommes-là sont les hauteurs de son pâturage, puisqu'il est certain que la conversion de ceux qui étaient dans l'erreur et l'humilité des orgueilleux sont sa nourriture, comme il le dit lui-même : « Ma nourriture, c'est de faire la volonté de celui qui m'a envoyé » (*Jn* 4, 34)[4]. Suivent trois exemples qui illustrent la conduite du Christ à l'égard des hommes trop sûrs d'eux-mêmes. Pierre, tout d'abord, perdit toute son assurance après avoir renié son maître, mais un regard de celui-ci le convertit (*Luc*, 22, 61). Les chefs des peuples païens, ensuite : le Christ s'est incarné au milieu d'eux pour les appeler à la conversion et les rassembler autour de lui, dans la foi. Le publicain Matthieu, enfin, trop fier de ses fonctions, mais qui fut heureux de recevoir Jésus chez lui et de lui offrir un banquet[5]. On voit comment Grégoire, à partir de l'image biblique des hauteurs du pâturage, s'ingénie à aligner des exemples tirés du Nouveau Testament, pour montrer que le Christ est au principe de toute conversion et que des pécheurs et des païens sont appelés à le suivre et à entrer dans son Église.

La prédication des apôtres a suscité la foi : grâce à elle, le christianisme s'est peu à peu étendu au monde entier. Cette diffusion de l'Évangile

---

se in discipulis Christum occidere, iam uitam suam Christum aestimat et mori lucrum. Emissa ergo aqua terra subuersa est, quia Pauli mens, mox ut sancti Spiritus gratiam accepit, statum suae immobilitatis atque crudelitatis immutauit. »

4. *Mor.* 30, 26, 78 (*PL*, 76, 568 B-C) : « Montes accipimus omnes elatos huius saeculi, qui in corde suo altitudine terrena tumuerunt. Sed qui etiam tales Dominus Ecclesiae suae corpori conuersos inuiscerat, eosque a priori elatione commutans, in sua membra transformat, isti montes pascuae eius sunt, quia nimirum de conuersione errantium et de superborum humilitate satiatur, sicut ipse ait : « Meus cibus est, ut faciam uoluntatem eius qui me misit » (*Jn*, 4, 34). La même symbolique se trouvait déjà chez Augustin. Cf. *En. in Ps.* 143, 12 (*CCh*, 40, p. 2082-2083) : « Tange montes, et fumigabunt » : montes superbos, elationes terrenas, tumidas granditates. « Tange », inquit, « tange istos montes » ; de gratia tua da istis montibus : « et fumigabunt », quia fatebantur peccata sua. Fumus confitentium peccatorum extorquebit et lacrimas humiliatorum superborum. »

5. Cf. *ibid.* 78-79 (568 C - 569 A).

et cette croissance de l'Église sont jalonnées par une multiplication ininterrompue des conversions. Grégoire évoque avec enthousiasme ces lendemains de l'âge apostolique : « Au moment de l'incarnation, de la passion et de la résurrection du Seigneur, peu nombreux furent les animaux ailés, car bien rares furent les hommes capables de désirer les biens célestes et de s'élever dans les hauteurs grâce aux plumes des vertus. Mais depuis que la prédication de sa divinité s'est diffusée à travers le monde, dès lors combien de gens très humbles et de personnages importants, combien de jeunes gens robustes ou fragiles, combien de pécheresses converties, combien de vieilles femmes restées vierges s'envolent vers les réalités célestes par la foi, l'espérance et l'amour, qui pourrait le dire, qui pourrait en donner le nombre[6] ? » Une telle énumération sous-entend des exemples précis : les *Dialogues* visent juste-ment à illustrer cet accroissement du nombre des convertis, en montrant que l'époque contemporaine n'a rien à envier à l'âge apostolique.

II — LES CONVERTIS CONTEMPORAINS

Les récits hagiographiques de conversion ne manquent pas dans les *Dialogues*. Mais comment les aborder et les interpréter ? N'ont-ils pas d'abord pour but d'édifier et peut-on sérieusement y recourir pour analyser la spiritualité grégorienne de la conversion ? En fait, ces histo-riettes sont plus riches d'enseignements qu'il ne le semblerait. D'abord, Grégoire prend soin de nous fournir lui-même une règle d'interprétation : il distingue les réalités visibles et les réalités invisibles ; si le fait de ressusciter un mort représente un grand miracle par rapport aux premières, la conversion d'un pécheur est un miracle plus grand par rapport aux secondes. « Si nous apprécions les choses invisibles, il est évident que c'est un plus grand miracle de convertir un pécheur par la parole de la prédication et la consolation de la prière que de ressusciter un mort... C'est donc une moindre chose de voir ressusciter quelqu'un dans sa chair, excepté peut-être lorsqu'en donnant vie à la chair on rend aussi la vie à l'âme, de sorte qu'on bénéficie du miracle extérieur pour être vivifié intérieurement par la conversion[7]. » De l'avis même de Grégoire, la

---

6. *HEz* 1, 8, 1 (*PL*, 76, 854 A-B = *CCh*, 142, 101) : « Incarnato enim, passo ac resurgente Domino, pauca pennata animalia fuerunt, quia rari ualde exstiterunt, qui caelestia desiderarent, et uirtutum pennis se in alta supenderent. Sed postquam diuinitatis eius praedicatio in mundo diffusa est, quanti iam paruuli, quanti grauiores, quanti fortes iuuenes, quanti imbecilles, quantae conuersae peccatrices, quantae anus uirgines per fidem, per spem, per amorem ad caelestia euolant, quis dicere, quis aestimare sufficiat ? »

7. *Dial.* 3, 17 (éd. MORICCA, p. 182) : « Si uero inuisibilia pensamus, nimirum constat, quia maius est miraculum praedicationis uerbo atque orationis solatio peccatorem conuertere, quam carne mortuum ressusci-tare... Minus est ergo quempiam in carne suscitari, nisi forte per uiui-ficationem carnis ad uitam reducatur mentis, ut ei hoc agatur per exterius miraculum, quatenus conuersus interius uiuificetur. »

conversion, sans être un miracle aussi éclatant que d'autres, n'en est pas moins un miracle authentique, parce qu'elle manifeste l'action vivificatrice de la grâce. Les récits de conversion des *Dialogues* sont à lire dans cette perspective : ils concernent des phénomènes invisibles, des réalités intérieures. Nous allons voir également que Grégoire y reste fidèle aux principes généraux qu'il a établis dans les *Moralia*. Il n'y a donc pas lieu d'étudier à part ces textes : ils révèlent à leur manière les traits caractéristiques de toute conversion chrétienne ; leur originalité consiste à faire ressortir davantage les effets extérieurs qu'entraîne le travail intérieur de la grâce divine.

Le changement de vie Il arrive que la conversion soit consécutive à un miracle, à une intervention exceptionnelle de Dieu. Ce fut le cas d'Equitius, abbé de la province de Valérie, que Grégoire vénère d'autant plus qu'il semble avoir indirectement subi son influence et l'avoir considéré comme un moine exceptionnel[8]. Cet Equitius, durant sa jeunesse, subissait de violentes tentations charnelles. Il en fut délivré surnaturellement : ayant redoublé d'ardeur dans ses prières, il eut un jour la vision d'un ange qui le rendait eunuque pour la vie, et « à partir de ce moment, il fut étranger à la tentation comme s'il n'avait pas eu de sexe dans son corps[9]. » Le prestige dont jouissait probablement Equitius dans les cercles monastiques de Rome confère encore plus de relief à cette anecdote. C'est Dieu lui-même, par l'entremise de l'ange, qui a répondu aux prières de cet homme et l'a rendu physiquement apte à mener la vie religieuse. Mais Grégoire s'empresse aussitôt de prévenir une illusion : une telle grâce ne peut qu'être exceptionnelle et Equitius lui-même recommandait à ses disciples de se méfier des tentations, s'ils n'avaient pas reçu le même charisme que lui[10]. Ce qui prouve bien que, par ce récit, Grégoire entend montrer, non pas qu'il faudrait attendre un miracle divin, avant de mener une vie sainte, mais que Dieu accorde librement ses dons, en réponse aux prières des hommes. L'*exemplum* de type hagiographique demeure un cas particulier destiné à illustrer clairement une loi générale de l'expérience spirituelle.

---

8. On a souvent insisté sur ces relations entre le monachisme romain et celui de la Valérie. Pour BARONIUS, Grégoire ne se rattache pas à Benoît, mais à Equitius, qui serait mort vers 570. L. LÉVEQUE (*Saint Grégoire le Grand et l'ordre bénédictin*, Paris, 1910, p. 18-19) pense que plusieurs compagnons de Grégoire au Coelius étaient originaires de Valérie et fils spirituels d'Equitius. Pour K. HALLINGER, enfin (*Papst Gregor der Grosse und der heilige Benedikt, Studia Anselmiana*, 42, 1957, p. 235-240), Grégoire a reçu sa formation monastique de Valentio, le premier abbé de son monastère, qui aurait lui-même subi l'influence directe d'Equitius.

9. *Dial.* 1, 4 (éd. MORICCA, p. 28) : « ... atque ex eo tempore ita alienus exstitit a tentatione, ac si sexum non haberet in corpore. »

10. Cf. *ibid.* : « Nec tamen discipulos suos admonere cessabat, ne se eius exemplo in hac re facile crederent, et casuri tentarent donum quod non accepissent. » De même dans *Dial.* 1, 1 (*ibid.*, p. 19) à propos d'Honorat de Fondi qui bénéficiait constamment de l'assistance intérieure du Saint Esprit, Grégoire invite à ne pas généraliser ce cas exceptionnel.

Plus banale est l'histoire de Musa. La Vierge Marie apparut à cette jeune fille, qui aimait rire et s'amuser. Elle l'engagea à changer de caractère ; la jeune fille obéit et, renonçant à sa légèreté naturelle, elle fit preuve désormais de beaucoup de gravité[11]. Comme Equitius, Musa doit sa « conversion » à une intervention surnaturelle, qui se manifeste par une apparition, d'un ange pour le moine, de la Vierge Marie pour la jeune fille. Remarquons également que la gravité est aux yeux de Grégoire, et sans doute de ses contemporains, un signe de sainteté. Benoît se signale dès son enfance par sa maturité exceptionnelle : « depuis l'époque de son enfance, il portait en lui le cœur d'un homme âgé[12] », écrit son biographe. A n'importe quel âge, les qualités naturelles doivent donc être considérées comme un don de Dieu.

Ces deux récits de conversion ont, sans aucun doute, bien des aspects miraculeux, voire merveilleux. Mais, si l'on ne perd pas de vue la règle d'interprétation indiquée plus haut, on admettra qu'ils mettent en relief deux éléments essentiels à toute conversion. D'une part, c'est Dieu qui prend l'initiative d'orienter un homme ou une femme sur le chemin de la sainteté et les apparitions ne font qu'illustrer ce fait. D'autre part, l'initiative de Dieu détermine la transformation du converti, qui rompt définitivement avec le péché et change sa façon de vivre. Le propre des *exempla* de type hagiographique est d'insister davantage sur l'aspect instantané, ou du moins assez rapide, de ces retournements spirituels.

Vocations
à la vie monastique
Dans les *Dialogues*, plusieurs récits de conversion évoquent non seulement une transformation morale, mais aussi le passage du monde au monastère, de la vie laïque à la vie religieuse. Dans ces récits, le terme *conuersus* désigne parfois directement l'entrée au monastère, qui est le moyen pratique de changer de vie. C'est le cas pour Exhilaratus, qui, encore enfant, devait apporter deux flacons de vin au monastère de Benoît et au sujet duquel Grégoire précise, à l'intention de son interlocuteur, le diacre Pierre : « Exhilaratus, notre compagnon, que tu as connu toi-même quand il s'est converti » (*conuersum*)[13]. Ce qui veut sans doute dire que cet homme, qui avait eu le privilège d'approcher l'illustre patriarche, au cours de ses jeunes années, était entré plus tard dans le monastère romain, où vivait Grégoire. On entrevoit, à travers ce cas exceptionnel, tout le mouvement de vocations monastiques qui ne fit que s'amplifier au cours du VIᵉ siècle, à Rome et dans les provinces voisines.

---

11. *Dial.* 4, 18 (p. 258) : « In cunctis suis moribus puella mutata est, omnemque a se leuitatem puellaris uitae magna grauitatis detersit manu. »

12. *Dial.* 2, prol. (p. 71) : « ab ipso suae pueritiae tempore cor gerens senile. »

13. *Dial.* 2, 18 (p. 108) : « Exhilaratus noster, quem ipse conuersum nosti... »

Il est question une autre fois d'un noble, du nom de Theoprobe, qui, sur les conseils du même Benoît, s'est converti (*conuersus*)[14] : cela signifie qu'il est entré dans un monastère, qui devait être celui du mont Cassin, puisque selon Grégoire, Benoît lui confia le soin d'aller à Capoue s'informer sur la mort de l'évêque Germain[15]. C'est dire qu'au VIᵉ siècle, le terme de *conuersio*, même s'il continue à être employé dans son acception la plus large et à indiquer le passage de l'incroyance ou du péché à la foi et au repentir[16] se prête aussi à des applications spécifiques : il désigne fréquemment cette modalité très précise de la conversion que constitue la profession religieuse, l'entrée dans un monastère.

Il y a une part de propagande et une volonté d'édification dans ces récits de conversion. Mais, en même temps, Grégoire ne perd pas de vue cette grande vérité théologique, selon laquelle c'est Dieu qui, de façon gratuite, appelle des hommes à la sainteté et les oriente vers la vie religieuse. Peut-être faudrait-il distinguer entre la *conuersio* et la *conuersatio* : bien que ces deux termes aient souvent des sens assez voisins[17], il semble que le premier s'applique davantage aux premières démarches que comporte la conversion, à l'entrée au monastère en même temps qu'à la transformation intérieure du converti, tandis que la *conuersatio* désignerait plutôt la vie proprement monastique[18]. C'est ce qui apparaît dans l'un des trois récits relatifs à Théodore et à son frère[19] : Grégoire y rappelle l'histoire d'un de ses compagnons du *Cliuus Scauri*, qui s'était fait moine parce qu'il avait vraiment une vocation religieuse (*gratia conuersationis uenit*) et qui fut rejoint par son frère, le jeune Théodore[20], qui, lui, était poussé par une affection charnelle et non par le goût de la vie religieuse (*non conuersationis studio*). Mais ce mauvais religieux reçut un avertisse-

---

14. *Ibid.*, 17 (p. 106) : « Vir quidam nobilis Theoprobus nomine, eiusdem Benedicti Patris fuerat admonitione conuersus... »

15. *Ibid.*, 35 (p. 130) : « Statimque in Cassinum castrum religioso uiro Theoprobo mandauit ut ad Capuanam urbem sub eadem nocte transmitteret et quid de Germano episcopo ageretur agnosceret et indicaret. »

16. Les exemples ne manquent pas dans les œuvres de Grégoire : cf. *Mor.* 24, 11, 25-32 (*PL*, 76, 300 C - 305 D) ; *HEz* 1, 10, 8-11 (*PL*, 76, 889 B - 890 A = *CCh,* 142, 148-149).

17. Cf. *Dial.* 2, 6, p. 89 ; 2, 8, p. 90-91 ; 2, 18, p. 108 ; 3, 21, p. 188 ; 4, 9, p. 240. Sur ce problème de terminologie, cf. *Bulletin d'ancienne littérature et d'archéologie chrétienne*, 3, 1913, p. 218 sq. L'équivalence grégorienne confirme l'usage populaire.

18. Cf. le sens de *conuersatio morum* dans la Règle de saint Benoît (chap. 58) : art. *conuersatio morum* dans *DSp*, II B, 2206-2208 ; H. Hoppenbrouwers, « *Conuersatio* », dans *Graecitas et Latinitas Christianorum primaeua. Supplementa*, Fas. I, Nimègue, 1964, p. 91-95 ; A. de Vogüe, *Commentaire de la RB*, Paris, 1971, *SC*, 186, p. 1324-26.

19. Les trois versions de cette même histoire se trouvent dans *HEv* 1, 19, 7 (*PL*, 76, 1158 B - 1159 A) ; *HEv* 2, 38, 16 (1292 B - 1293 C) ; *Dial.* 4, 38 (p. 284). C'est la seconde de ces versions que j'utilise ici.

20. Le nom de ce frère se trouve dans la version des *Dialogues*.

ment de Dieu, sous la forme d'un dragon menaçant. Pris de peur, il décida de se convertir (*conuerti*), c'est-à-dire de changer de vie en profondeur et pas seulement en apparence. Une fois le danger écarté, il se convertit à Dieu de tout son cœur (*toto ad Deum corde conuersus est*). Il mourut quelque temps plus tard, après être devenu un bon religieux grâce aux souffrances qu'il eut à endurer et après avoir réussi une complète transformation spirituelle[21]. Cette histoire édifiante n'a qu'un but : montrer que la sainteté doit répondre à un appel surnaturel, et que c'est l'intervention de Dieu, de quelque manière qu'elle se manifeste, qui permet le passage de la *conuersio* à la *conuersatio*. Cet *exemplum* typiquement monastique, tout comme la triste histoire de Gordiana qui le précède, est donc pleinement conforme à la théologie grégorienne de la conversion : si l'entrée au monastère suppose un renouvellement moral, l'une et l'autre constituent une vocation et doivent correspondre à une initiative de Dieu.

Le désir de se consacrer à Dieu, le mépris du monde, le choix d'un nouveau mode de vie sont les composantes habituelles de ces *exempla* monastiques. C'est ainsi que s'explique, par exemple, la vocation d'Anastase, qui avait été notaire de l'Église romaine[22]. Peut-être le moine que reste Grégoire veut-il suggérer ainsi que la vie contemplative attend les transfuges de l'administration ecclésiastique autant que les fonctionnaires civils. En tout cas, cet Anastase « désirant se consacrer à Dieu seul, abandonna ses archives, choisit la vie monastique et dans ce même lieu que j'ai dit plus haut et qui s'appelle Suppentonia, il mena durant de nombreuses années une vie de sainteté, et présida à ce monastère avec un soin vigilant[23]. » Le cas d'une jeune fille de Spolète, qui se heurtait à l'opposition de son père, est cité en des termes analogues : « Elle brûla du désir d'une vie céleste et son père essaya de lui barrer la route de cette vie ; mais elle méprisa son père et reçut l'habit monastique[24]. »

---

21. *HEv* 2, 38, 16 (*PL*, 76, 1292 B - 1293 C) : « Ante biennium frater quidam... gratia *conuersationis* uenit... Quem frater suus ad monasterium non *conuersationis* studio, sed carnali amore secutus est. Is autem qui ad *conuersationem* uenerat ualde fratribus placebat. At contra frater illius longe a uita eius ac moribus discrepabat... Ferre uero non poterat si sanctae *conuersationis* habitum uenire, iurando, irascendo, deridendo, testabatur... (Après l'apparition du dragon, le mauvais moine supplie ses frères :) « Pro peccatis meis modo intercedite, quia *conuerti* paratus sum »... Homo ergo... reseruatus ad uitam, toto ad Deum corde *conuersus* est... »

22. A ce titre, il appartenait à l'administration centrale de la papauté : les notaires étaient responsables de la chancellerie, des archives et de la bibliothèque du Latran (cf. O. BERTOLINI, *Roma di fronte a Bisanzio e ai Longobardi*, Rome, 1941, p. 268).

23. *Dial.* 1, 8 (p. 47) : « Qui soli Deo uacare desiderans, scrinium deseruit, monasterium elegit, atque in eo loco quem praefatus sum, qui Suppentonia uocatur, per annos multos in sanctis actibus uitam duxit, eique monasterio solerti custodia praefuit. »

24. *Ibid.*, 3, 21 (p. 188) : « Coelestis uitae desiderio exarsit, eique pater ad uiam uitae resistere conatus est ; sed contempto patre, conuersationis sanctae habitum suscepit. »

Ces deux brèves histoires soulignent d'abord le désir de Dieu dans l'âme des convertis, puis l'abandon de ce qui aurait pu les retenir dans le monde, enfin leur choix de la vie monastique.

Un autre trait est à noter : ces hommes et ces femmes que Grégoire présente comme des modèles, appartiennent souvent à l'aristocratie. L'exemple de la jeune fille de Spolète fut contagieux : beaucoup de ses compatriotes se consacrèrent comme elle au service de Dieu, et Grégoire d'ajouter que toutes ces jeunes « converties » étaient de familles nobles[25]. Plus loin, il parle de deux frères, Speciosus et Grégoire, qui vivaient dans un monastère que Benoît avait fait construire près de Terracine[26]. Ces deux hommes avaient distribué tous leurs biens aux pauvres avant d'embrasser la vie religieuse. Ce geste était d'autant plus remarquable qu'ils avaient bien des raisons d'être attachés au monde : leur origine aristocratique (*duo nobiles uiri*), leur culture (*exterioribus studiis eruditi*) et leurs richesses (*multas quidem pecunias in hoc mundo possederant*). Autre exemple de conservion retentissante : celui de Galla, la fille du consul Symmaque. Elle, qui avait connu le bonheur, renonça à se remarier après la mort de son mari. Rejetant l'habit séculier, elle se retira dans un monastère de Rome, proche de l'église Saint Pierre et y vécut saintement, en pratiquant l'aumône[27]. Au début de ce récit se trouvent soulignés le rang social et l'origine familiale de cette religieuse : *nobilissima puella Symmachi consulis ac patricii filia*[28]. Dans ce cas, comme dans ceux qui précèdent, que veut faire ressortir Grégoire ? Son intention n'est pas de faire l'éloge des vertus chrétiennes de l'aristocratie. Il cherche surtout à mettre en lumière la force de la grâce : plus ces « convertis » ont eu l'expérience des grandeurs de ce monde, plus éclatant est leur renoncement. S'ils quittent le monde, alors qu'ils avaient les moyens d'en jouir, c'est que Dieu les y appelle. Observons enfin que les guerres qui ont déchiré l'Italie depuis le début du siècle, avec les calamités qui les ont accompagnées, et que les *Dialogues* évoquent maintes fois, ont dû accélérer ce mouvement de conversions. C'est un phénomène que l'on a souvent observé : les vocations religieuses se multiplient lors des périodes de crise, notamment dans les milieux les plus sensibles aux bouleversements sociaux et politiques. A cet égard, Grégoire est un bon témoin de son temps et ces *exempla*, qui sont tout à la fois hagio-

---

25. *Ibid.*, (p. 188-189) : « Eius uero exemplo prouocatae, coeperunt apud eam multae nobilioris generis puellae conuerti atque omnipotenti Domino, dicata uirginitate seruire. »

26. *Dial.* 4, 9 (p. 240) : « Eisdem quoque discipulis illius narrantibus didici, quia duo nobiles uiri, atque exterioribus studiis eruditi germani fratres, quorum unus Speciosus, alter uero Gregorius dicebatur, eius se regulae in sancta conuersatione tradiderunt. »

27. *Dial.* 4, 14 (p. 248) : « Vt eius maritus defunctus est, abiecto saeculari habitu, ad omnipotentis Dei seruitium sese apud beati Petri apostoli ecclesiam monasterio tradidit, ibique multis annis simplicitati cordis atque orationi dedita, larga indigentibus eleemosynarum opera impendit. »

28. *Ibid.* p. 247.

graphiques et monastiques, puisqu'ils laissent entendre que la vie religieuse est le meilleur moyen d'atteindre à la sainteté, ne sont pas dénués de valeur historique.

Mais on ne peut parler des vocations monastiques de cette époque, sans penser à deux exemples fameux : celui de Benoît, le père des moines d'Occident, et surtout celui de son biographe, Grégoire lui-même. Nous avons à étudier maintenant leurs deux « conversions ». On peut s'attendre à y retrouver les éléments essentiels que nous venons d'analyser.

III — LA « CONVERSION » DE GRÉGOIRE

Grégoire ne représente-t-il pas le cas typique de l'aristocrate romain qui décide un jour de quitter le monde pour entrer dans un monastère ? Vers 573, alors qu'il avait plus de trente ans[29] et occupait à Rome les hautes fonctions de *praefectus Vrbis*, il s'est retiré dans sa demeure familiale du Coelius pour y mener la vie d'un moine, entouré de quelques compagnons. Cette expérience personnelle est d'une grande importance : non seulement elle a marqué dans son existence un tournant capital, à tel point qu'il gardera pour toujours la nostalgie de la vie paisible qu'il a pu mener durant quelques années, mais plus encore elle est à l'arrière-plan de bien des *exempla* de conversion, qu'il relate dans les *Dialogues*. Comment ne se souviendrait-il pas de la façon dont il a lui-même quitté le monde, en parlant de ses contemporains qui ont suivi une voie identique ? La doctrine grégorienne de la conversion et les récits qui l'illustrent doivent être mis en relation avec l'expérience personnelle de Grégoire : cela est particulièrement nécessaire chez un auteur qui, comme lui, ne raisonne pas de manière abstraite, mais se réfère le plus souvent à des faits ou à des cas individuels. Cependant, il ne faut pas oublier que l'entrée de Grégoire au monastère n'est pas un phénomène isolé : elle se rattache à la thématique de la conversion, que j'ai tenté d'analyser dans le chapitre précédent en insistant sur son inspiration augustinienne ; elle s'inscrit aussi dans un contexte historique et culturel, qui se révèle à travers le récit qu'en fait Grégoire lui-même. Ce récit tient en quelques lignes qui font partie de la lettre-dédicace qu'il envoie en 595 à son ami Léandre, l'évêque de Séville, pour lui annoncer l'envoi de ses *Moralia in Iob*. « Naguère, mon bienheureux frère, faisant votre connaissance à Constantinople, à l'époque où j'étais tenu de représenter le siège apostolique dans cette ville où vous avait amené la mission qui vous avait été confiée pour défendre la foi des Wisigoths, je vous exposai en confidence tout ce qui me rendait mécontent de moi-même, à savoir que longtemps et indéfiniment, je différai la grâce de ma conversion et qu'après avoir été inspiré d'un désir céleste,

---

29. Les biographes de Grégoire estiment généralement que son entrée au monastère eut lieu entre 573 et 575. Cf., en dernier lieu, R. GILLET, art. *Grégoire le Grand*, DSp, VI, p. 872.

je crus préférable de revêtir un habit séculier. Déjà, en effet, se révélait à moi ce que je devais rechercher dans l'amour de l'éternité, mais des habitudes invétérées m'avaient enchaîné, au point que je ne voulais pas changer ma manière extérieure de vivre. Et, alors que mon esprit me poussait encore à ne servir le monde présent qu'en apparence, mes occupations dans ce monde en vinrent à faire surgir en moi bien des obstacles, de sorte que j'étais retenu dans ce monde non plus par l'apparence, mais, ce qui est plus grave, par l'âme. Finalement, fuyant dans le trouble tous ces obstacles, je gagnai le havre d'un monastère, et, ayant abandonné ce qui est du monde — comme je l'ai cru alors par erreur — je m'échappai nu du naufrage de cette vie[30]. »

Un fragment   Remarquons tout d'abord que ces lignes sont
d'autobiographie   postérieures de plus de vingt ans aux évènements
                  qu'elles relatent, puisque la lettre dont elles
constituent le début date de juillet 595[31]. Jamais auparavant Grégoire n'a pris soin de nous informer sur son cheminement spirituel, sinon pour exprimer à maintes reprises sa nostalgie de la paix du monastère, que sa charge de pape lui a fait perdre définitivement. Certes, il n'avait pas matière à composer des *Confessions*, à l'imitation de son maître Augustin, puisque sa « conversion » n'est nullement un passage du paganisme et du péché au christianisme, mais, plus modestement, le changement de vie d'un pieux laïc qui se décide à devenir moine. Il est cependant permis de trouver excessive une telle discrétion et de regretter que Grégoire ne nous ait pas plus clairement expliqué les motifs de sa

---

30. *Ep.* 5, 53 a, 1 (*SC*, 32 bis, p. 114) : « Dudum te, frater beatissime, in Constantinopolitana urbe cognoscens, cum me illic sedis apostolicae responsa constringerent et te illuc iniuncta pro causis fidei Wisigothorum legatio perduxisset, omne in tuis auribus, quod mihi de me displicebat, exposui, quoniam diu longeque conuersionis gratiam distuli et postquam coelesti sum desiderio afflatus, saeculari habitu contegi melius putaui. Aperiebatur enim mihi iam de aeternitatis amore quid quaererem, sed inolita me consuetudo deuinxerat, ne exteriorem cultum mutarem. Cumque adhuc me cogeret animus praesenti mundo quasi specie tenus deseruire, coeperunt multa contra me ex eiusdem mundi cura succrescere, ut in eo iam non specie, sed, quod est grauius, mente retinerer. Quae tandem cuncta sollicite fugiens portum monasterii petii et relictis quae mundi sunt, ut frustra tunc credidi, ex huius uitae naufragio nudus euasi. » Tout en utilisant les traductions de P. BATTIFOL (*Saint Grégoire le Grand*, Paris, 1928, p. 20) et d'A. de GAUDEMARIS (*SC*, 32 bis, p. 114), j'ai essayé de leur apporter un certain nombre de nuances ou de modifications notables.

31. Cf. *Ep.* 5, 53 a (*MGH*, I, p. 353-358). Cette lettre d'envoi d'une édition complète des *Moralia* fait suite à une autre lettre, également adressée à Léandre, et également datée de juillet 595 (*Ep.* 5, 53, *ibid.* p. 352-353) dans laquelle Grégoire annonçait l'envoi à son ami de la *Regula pastoralis* et d'une édition incomplète des *Moralia*, ne comprenant pas les *codices* correspondant à la 3e et à la 4e parties de l'œuvre.

décision[32]. Peut-être les chrétiens de Rome n'avaient-ils rien à apprendre sur ce qui avait poussé le préfet de leur ville à rompre avec le monde : Grégoire de Tours, sur la foi de son diacre Agiulf, rapporte qu'ils admiraient beaucoup la manière dont ce haut fonctionnaire avait brusquement renoncé à tout l'apparat vestimentaire attaché à ses fonctions, pour adopter l'humble costume des moines[33]. En tout cas, force nous est de constater que, pour étudier la « conversion » de Grégoire, nous ne disposons que d'un texte bref et de caractère souvent allusif, comme si son auteur pouvait se dispenser de plus larges explications et renvoyer son ami Léandre aux confidences plus précises qu'il lui avait faites, lorsqu'ils séjournaient ensemble à Constantinople vers 580. *Dudum... omne in tuis auribus exposui...* : cette formule n'indique-t-elle pas assez qu'il ne faut s'attendre à trouver, dans ce début de la lettre-dédicace des *Moralia*, qu'un rapide résumé et comme un rappel très condensé des longues conversations d'autrefois ?

En outre, ce fragment d'autobiographie spirituelle ne représente qu'une partie de la lettre à Léandre, que Grégoire consacre principalement à expliquer ses intentions et ses méthodes d'exégète. C'est en évoquant les circonstances qui l'ont appelé à s'occuper du *Livre de Job*, qu'il est amené, dans un rapide retour en arrière, à parler de son séjour à Constantinople. Ce rappel du passé avive encore sa nostalgie et ses regrets, car il s'attriste de constater que ses fonctions dans l'Église, d'abord comme apocrisiaire auprès de l'Empereur, puis à Rome comme pape, le détournent de sa vocation, qui le portait à la contemplation et à la solitude du monastère. Ainsi s'explique une déception, qu'il laisse discrètement percer dans sa lettre : *ut frustra tunc credidi*. En 573, il s'imaginait que son entrée au monastère serait la première étape d'une libération intérieure, et son illusion était sans doute d'autant plus grande qu'il avait davantage tardé à quitter le monde. Plus de vingt ans après, en 595, il reconnaît à quel point il se trompait, puisqu'il a retrouvé le monde et tous ses soucis. Cette tension entre le désir de Dieu et les charges temporelles, qu'il éprouve de plus en plus intensément depuis qu'il est devenu pape, est donc sous-jacente au récit qu'il fait de sa profession religieuse et l'on peut se demander s'il ne projette pas dans ce récit cette obsession du repos monastique qui ne fait que croître avec les années, s'il ne condamne pas les hésitations antérieures à sa conversion et son attache-

---

32. Les biographes de Grégoire ne sont pas plus explicites et se bornent à reproduire les termes mêmes de la lettre à Léandre : Cf. Paul Diacre, *Vita*, 3, *PL*, 75, 43 et Jean Diacre, *Vita*, 1, 4, *ibid.* 64 B - 65 B. Ils insistent seulement sur le fait que Grégoire, en entrant au monastère, a distribué tous ses biens aux pauvres et a fondé six monastères en Sicile dans ses propriétés familiales.

33. Grégoire de Tours, *Historia Francorum*, 10, 1, éd. R. Buchner, Darmstadt, 1964, p. 322 : « Qui ante syrico contextu ac gemmis micantibus solitus erat per urbem procedere trabeatus, nunc uili contectus uestitu, ad altaris dominici ministerium consecratur septimusque leuita ad adiutorium papae adsciscitur. »

ment excessif au « monde présent » avec d'autant plus de virulence qu'il souffre davantage, lorsqu'il écrit ces phrases, d'être de nouveau enchaîné au monde. Bref, quand il évoque en 595, avec le recul du temps, sa rupture avec le monde, c'est en fonction de toute l'expérience accumulée depuis sa « conversion ». Dès lors, comment pourrait-il revivre sans une certaine tristesse son entrée au monastère ? Les inquiétudes du présent colorent le rappel du passé et ce n'est pas l'action de grâces qui l'anime, comme Augustin entreprenant d'écrire ses *Confessions*, mais bien plutôt une grande nostalgie, qui le pousse à dramatiser quelque peu ses confidences et à insister sur le conflit intérieur qui l'agitait alors qu'il n'était qu'un jeune et pieux laïc, en des termes analogues à ceux qu'il emploie pour faire ressortir le déchirement qu'il ressent depuis qu'il est devenu pape. Dans les deux cas, il oppose le désir de Dieu, l'attrait intérieur pour le calme de la vie monastique à l'agitation et aux soucis qu'apporte le monde : *caeleste desiderium - mundi cura*[34]. Ce contexte biographique et psychologique montre qu'en écrivant sa lettre à Léandre, Grégoire s'est spontanément livré à une sorte de rétrospective : en 573, en renonçant aux vanités du monde, il avait cru se rendre totalement libre pour Dieu ; en 595, il ne relate cette « conversion » que pour faire mieux ressortir à quel point la vie s'est chargée de le détromper, en l'accablant à nouveau de préoccupations temporelles. Ainsi s'explique l'amertume dont sont constamment empreintes ces quelques lignes d'autobiographie.

Mais, en s'adressant à Léandre de Séville, Grégoire ne peut pas seulement s'abandonner au souvenir nostalgique de sa vie passée. C'est aussi le ton de la confidence amicale qui caractérise ce récit de conversion. Que Grégoire envoie ses *Moralia* à Léandre, avec une lettre spéciale de dédicace, cela n'a rien d'étonnant, puisque c'est sur ses instances qu'il a entrepris de commenter le *Livre de Job* sous la forme de conférences monastiques[35]. Mais comment a pu naître entre ces deux hommes une telle amitié, si intime que Grégoire n'avait pas hésité à faire de Léandre son confident et à lui retracer toute son évolution spirituelle (*omne in tuis auribus... exposui*) et si célèbre que les fresques qui, dès le début du viiᵉ siècle, décoraient à Séville la bibliothèque d'Isidore, rapprochaient

---

34. Dans la suite de la lettre-dédicace des *Moralia* (*SC*, 32 bis, p. 116), Grégoire oppose avec insistance le repos du monastère (*quietem monasterii*) à la lourdeur des tâches pastorales (*causarum saecularium pelago, pondus curae pastoralis, curis exterioribus*). C'est le thème qu'il aborde sans relâche dans les lettres qu'il rédige peu après son élévation au pontificat (cf. *Ep.* 1, 5, *MGH*, I, p. 5-6 ; 1, 6, *ibid.*, p. 7-8 : cf. P. BATTIFOL, *op. cit.*, p. 54-55) ou bien dans la préface des *Dialogues* (*Prol.*, p. 14). Constamment, il développe l'antithèse entre la *cura pastoralis* et le *quies monasterii*.

35. Cf. *Ep.* 5, 53 a, 1 (*SC*, 32 bis, p. 118) : « Tunc eisdem fratribus etiam cogente te placuit, sicut ipse meministi, ut librum beati Iob ,exponere importuna me petitione compellerent et, prout ueritas uires infunderet, eis mysteria tantae profunditatis aperirem. »

les effigies de Léandre et de Grégoire[36] ? Leurs missions respectives,
que Grégoire évoque au début de sa lettre en deux propositions parallèles
(*cum me illic sedis apostolicae responsa constringerent et te illuc iniuncta
pro causis fidei Wisigothorum legatio perduxisset*) ont dû rapprocher
immédiatement l'évêque de Séville et l'apocrisiaire de Rome[37]. Tous
deux sont des moines qui ont à s'occuper d'affaires temporelles, qui
sont venus à Constantinople pour obtenir l'appui de l'empereur, le premier
en faveur du prince catholique Herménégild en conflit avec son père
le roi arien Luivigild, le second afin de résister aux menaces lombardes
contre Rome. L'un et l'autre, dans des contextes différents, remplissent
donc des fonctions diplomatiques comparables au service de l'Église.
Outre qu'ils avaient à peu près le même âge, Grégoire et Léandre se
ressemblaient aussi par leurs origines et leur formation. Tous deux
appartenaient probablement à des familles de rang élevé et avaient reçu
une éducation aussi complète que possible. Dernière et importante
ressemblance : les vocations religieuses n'ont pas manqué dans leur
entourage immédiat, puisque la mère de Léandre, Turtura, acheva sa
vie dans un monastère et que sa sœur Florentine se consacra à Dieu
en restant vierge, tandis que les tantes maternelles de Grégoire, Tarsilla
et Aemiliana, se retirèrent dans leur demeure pour y pratiquer la prière
et l'ascèse. Léandre et Grégoire, qui avaient pour eux-mêmes choisi
l'état monastique, devaient en faire souvent le sujet de leurs entretiens,
et il n'est pas étonnant que l'évêque de Séville se soit joint régulièrement
aux moines du monastère de Saint-André, qui étaient les compagnons
et les auditeurs de Grégoire à Constantinople. Bref, les deux hommes
avaient trop de traits communs pour ne pas s'entendre et s'apprécier.

Encore faudrait-il préciser que c'est Léandre qui a dû influencer
Grégoire, et non l'inverse, parce que le premier était riche de diverses
expériences que n'avait pas encore faites son ami romain. Avant d'être
envoyé à Constantinople par le pape Pélage II, Grégoire n'a pas exercé
d'importantes responsabilités dans l'Église ; après ses années de préfecture urbaine, il goûtait surtout la tranquillité de son monastère du
Coelius[38]. Léandre, en revanche, outre qu'il est moine depuis plusieurs

---

36. Cf. J. Fontaine, *Isidore de Séville et la culture classique dans
l'Espagne wisigothique*, Paris, 1959, p. 740-741.

37. Sur Léandre, on trouve une bonne notice biographique dans
Vie des Saints et des Bienheureux, Paris, 1936, à la date du 13 mars. Au
sujet de la rencontre à Constantinople du romain et du sévillan, l'auteur
note (p. 570) : « Là le moine évêque, envoyé d'un prince martyr de l'orthodoxie, fit la rencontre d'un autre moine réservé aux plus hautes destinées :
c'était le futur pape Grégoire le Grand. Entre Grégoire et Léandre se
forma une de ces tendres et fortes amitiés dont on aime à trouver des
exemples dans la vie des Saints. »

38. Certains de ses biographes admettent cependant qu'il a exercé
quelque temps les fonctions de diacre régionnaire : cf. C. Wolfsgruber
*Die vorpäpstliche Lebensperiode Gregors des Grossen nach seinen Briefen
dargestellt*, Vienne, 1886, p. 28 sq.

années, a déjà eu une activité pastorale comme évêque de Séville, et s'est trouvé mêlé au drame qui a déchiré le royaume wisigoth, au conflit, à la fois religieux et politique, qui oppose Herménégild à son père le roi Liuvigild. Et lorsqu'il raconte dans ses *Dialogues* la conversion du jeune prince, Grégoire fait remarquer avec quelque fierté qu'elle eut pour auteur son ami et son confident Léandre de Séville[39]. Moine, pasteur, conseiller d'un prince catholique, Léandre méritait l'estime du futur pape, qui pourra, par la suite, profiter des leçons et de l'expérience acquises auprès de lui, lors de leur séjour commun à Constantinople. Lorsque, quinze ans plus tard, Grégoire envoie ses *Moralia* à l'évêque de Séville, il convient, pour mieux comprendre sa lettre-dédicace, de tenir compte de tout cet arrière-plan d'amitié et d'échanges. Cette lettre n'a aucun caractère officiel, elle évoque les souvenirs communs sur le ton très libre de la confidence et l'on voit s'y dessiner en filigrane les thèmes spirituels qui devaient être naguère au centre des entretiens qu'avaient ensemble les deux moines : le désir de Dieu, le goût de la solitude et de la prière[40], la complexité de leurs missions diplomatiques.

Lorsque Grégoire parle de sa « conversion » de 573, il fait appel à la mémoire et au cœur de Léandre, et peut se permettre d'être allusif, car il est sûr que l'amitié suppléera sans peine à l'insuffisance des mots. Il ne faut donc pas se méprendre sur le caractère de cette lettre : elle n'est pas un document pleinement objectif, qui s'offrirait à une investigation scientifique, mais une occasion pour son auteur d'évoquer une fois de plus son itinéraire spirituel, tout en livrant à son correspondant ses soucis les plus actuels. En dépit de la séparation, Léandre demeure pour Grégoire un de ses meilleurs confidents.

Un haut fonctionnaire A vrai dire, ce récit de « conversion » insiste
qui devient moine surtout sur les hésitations et le combat intérieur
qui précédèrent et finalement précipitèrent cette « conversion ». Grégoire se souvient moins de son entrée au monastère que des résistances qu'il eut d'abord à surmonter pour satisfaire son aspiration précoce à la vie contemplative. Il est d'ailleurs une petite

---

39. *Dial.* 3, 31, p. 205 : « Sicut multorum, qui ab Hispaniarum partibus ueniunt, relatione cognouimus, nuper Hermenegildus rex, Leuuigildi regis Wisigotharum filius, ab arriana herese ad catholicam fidem, uiro reuerentissimo Leandro, Hispalitano episcopo, dudum mihi in amicitiis familiariter iuncto, praedicante, conuersus est. »

40. Un des écrits qu'a laissés saint Léandre de Séville est le *Liber de institutione uirginum et contemptu mundi ad Florentinam sororem* (*PL*, 72, 873-894), appelé aussi « Règle de Saint Léandre », où il développe à l'intention de sa sœur sa conception de la vie religieuse. Constatant que, dans cette règle, on ne décèle aucune influence de celle de saint Benoît, K. Hallinger (*Papst Gregor der Grosse und der heilige Benedikt, Studia Anselmiana*, 42, 1957, p. 252 sq.) en déduit que Grégoire ignorait la règle de Benoît, car si, à Constantinople, il l'avait vantée à Léandre, on en trouverait des échos plus nets dans l'œuvre de celui-ci.

phrase des *Dialogues* qui confirme cette impression. Évoquant l'époque où il n'était encore qu'un pieux laïc, Grégoire insiste sur l'attrait qu'il ressentait pour l'état monastique : « A l'époque où je commençais à aspirer ardemment à une vie retirée...[41] », note-t-il, avant de rappeler l'amitié qui le liait alors à un saint vieillard du nom de Deusdedit, fort connu des nobles familles romaines. Assez tôt, par conséquent, comme le laisse entendre le *quo primum*, Grégoire a entendu l'appel à une vie plus parfaite, mais il a longtemps attendu avant d'y répondre. Si bien que les biographes et les commentateurs de Grégoire ont à expliquer non seulement pourquoi et comment il ressentit un tel attrait pour la vie contemplative, mais surtout ce qui provoqua ses interminables hésitations.

Comment se fait-il que Grégoire ait songé à devenir moine ? La réponse à cette question-là n'est pas difficile. N'avait-il pas autour de lui des exemples familiaux ? Ses tantes Tarsilla et Aemiliana, imitées au début par leur sœur Gordiana, s'étaient consacrées à Dieu en gardant la virginité et avaient pratiqué la vie de communauté dans leur propre demeure[42]. Leur jeune neveu a certainement admiré et retenu cette « conversion ». Paul-Diacre précisera bien plus tard que Grégoire fut un adolescent exceptionnellement pieux[43]. Une autre influence extérieure aurait pu s'exercer sur lui : celle de saint Benoît et de ses disciples qui étaient connus de certaines familles de l'aristocratie romaine[44]. Jean Diacre parle de « saints vieillards » dont le jeune Grégoire aurait suivi l'enseignement [45]. Il n'est pas possible de préciser davantage. Ceux qui voudraient que Grégoire ait entendu parler de Benoît au sein de la famille de Tertullus, le père de Placide, qui aurait été apparentée à la *gens* Valeria et aurait habité un palais du Coelius transformé plus tard en monastère[46], formulent ainsi des hypothèses invérifiables. Se retirer dans sa propre maison pour y mener une vie consacrée à Dieu n'était pas rare au VIe siècle : l'exemple de ses tantes ne suffisait-il pas à Grégoire, sans qu'il soit nécessaire d'imaginer une influence proprement bénédictine ?

En fait, il est malaisé d'apprécier les motifs intérieurs qui l'ont fait hésiter si longtemps. Lui-même se reproche d'avoir été trop attaché

---

41. *Dial.* 4, 32, p. 275 : « Eo quoque tempore, quo primum remotae uitae desideriis anhelabam... »

42. Cf. *HEv* 2, 38, 15 (*PL*, 76, 1290 D - 1291 D).

43. PAUL DIACRE, *Vita*, 2 (*PL*, 75, 42-43) : « Hic in annis adolescentiae (in quibus solet ea aetas uias saeculi ingredi) Deo coepit deuotus existere et ad supernae uitae patriam totis desideriis anhelare. »

44. Quant saint Benoît s'est établi à Subiaco, des patriciens de Rome lui amènent leurs enfants. Cf. *Dial.* 2, 3, p. 85-86 : « Coepere etiam tunc ad eum Romanae urbis nobiles et religiosi concurrere, suosque ei filios omnipotenti Domino nutriendos dare. »

45. *Vita*, 3 (*PL*, 75, 64 A-B) : « Siquidem inerant ei, cum acerba aetate, matura iam studia ; et auditurus incognita, religiosis senibus indagator sollertissimus adhaerebat. »

46. Cf. L. LÉVEQUE, *Saint Grégoire le Grand*, Paris, 1910, p. 9.

au monde et il n'y a pas de raison de mettre en doute cette affirmation.
La fortune de sa famille, les fonctions qu'il occupait à Rome rendaient
difficile la rupture à laquelle il se sentait appelé. Dans tous ces domaines,
Grégoire devait se résoudre à des renoncements décisifs.

Par sa naissance, il appartenait à la classe sénatoriale, sans doute à la
gens Anicia, et sa famille possédait des terres à Rome, à Tivoli, dans
les Pouilles, en Sicile[47]. Il a dû lui en coûter de s'engager sur la voie
de la pauvreté. Mais il finit par s'y décider, fonda des monastères dans
ses propriétés de Sicile, vendit une partie de ses biens familiaux pour
les entretenir, et donna le reste à des pauvres[48]. En outre, il adopta
l'humble costume des moines pour bien marquer qu'il s'engageait désormais à mener une vie nouvelle[49].

D'autre part, Grégoire était préfet de Rome. Il détenait ainsi, en
principe, une autorité étendue, s'occupant de la sécurité intérieure,
de la police, de la défense de sa ville et de certaines causes criminelles.
A la façon dont, une fois devenu pape, il s'adresse aux fonctionnaires
impériaux, on devine avec quelle conscience il avait dû exercer cette
charge de préfet[50]. Ce n'est pas un hasard si son épitaphe le qualifiera
plus tard de « *consul Dei* » : sa conversion lui fit mettre en quelque sorte
au service de l'Église les qualités dont il avait fait preuve au service
de Rome et de l'administration impériale[51]. Mais il eut du mal à abandonner ces fonctions, où il pouvait déployer ses talents de juriste et de
diplomate et qui faisaient de lui un personnage respecté aussi bien de
l'aristocratie que du peuple. Quand il se reproche de s'être laissé retenir
« non plus par l'apparence, mais par l'âme », faut-il comprendre qu'il
se sentait peu à peu gagné par le goût du pouvoir ? Il est difficile de
préciser avec certitude ce qui retardait son entrée au monastère.

Selon les uns[52], s'il a tant attendu avant de renoncer au monde, c'est
qu'en sa qualité de préfet de Rome, il était l'auxiliaire de la papauté
et préférait rester laïc pour mettre au service de l'Église l'influence

---

47. Cf. O. Bertolini, *Roma di fronte a Bisanzio e ai Longobardi*,
Rome, 1941, p. 232.

48. Ces précisions se trouvent chez Jean Diacre et Paul Diacre.

49. Cette indication est due à Grégoire de Tours : cf. n. 33.

50. Cf., par exemple, les conseils qu'il donne en 590 au préteur de
Sicile, Justin (*Ep.* 1, 2, *MGH*, I, p. 3) : « Nulla uos lucra ad iniustitiam
pertrahant, nullius uel minae uel amicitiae ab itinere rectitudinis deflectant. »

51. Cf. le commentaire de C. Diehl, *Études sur l'administration byzantine dans l'exarchat de Ravenne*, Paris, 1888, p. 331 : « Grégoire avait,
comme préfet de la Ville, servi dans l'administration impériale ; maintenant qu'il était monté sur le trône de saint Pierre, il servait un autre
maître : il agissait comme un magistrat, mais comme le magistrat d'une
puissance supérieure. »

52. Cf. E. Clausier, *Saint Grégoire le Grand*, Paris, s.d. (1877), p. 18 ;
B. Lebbe, *L'élévation de saint Grégoire au souverain pontificat. Une
leçon d'humilité*, dans *Revue liturgique et monastique*, 15, 1930, p. 124.

dont il disposait dans la société. Selon d'autres[53], c'est seulement son sentiment du devoir à l'égard de l'État qui inspira ses hésitations : pouvait-il déserter le service public dont il avait la charge, au moment où les Lombards menaçaient Rome ? D'autres[54] cherchent à être plus précis : c'est par patriotisme que Grégoire a préféré se consacrer à l'Italie et à Rome, car ce brillant fonctionnaire aurait pu envisager de poursuivre sa carrière à Constantinople. En continuant à exercer ses fonctions de préfet, Grégoire obéissait en tout cas à des motifs élevés, sinon purement spirituels, et l'on peut comprendre qu'il se soit attaché à ce monde qu'il avait conscience de bien servir et que, dans son âme, l'attrait pour la vie contemplative ait été combattu par le sentiment d'être fidèle à son rôle de haut fonctionnaire romain. Le conflit intérieur devait être d'autant plus profond qu'il ne cédait pas à des raisons médiocres en différant le moment de devenir moine. C'est là ce qui ressort nettement de sa lettre à Léandre, qui ne nous renseigne guère sur ce qui le poussait à rester encore dans le monde, mais bien sur le déchirement qu'il sentait grandir en lui[55].

On peut croire Grégoire quand il confesse l'attachement excessif qu'il avait pour le monde : sa situation explique qu'il ait longtemps hésité à renoncer à sa carrière et à sa fortune. Sans méconnaître la réalité de ce combat qu'il a ressenti en lui, il n'est pourtant pas interdit de se demander si les conditions de vie à Rome, en cette fin du VIᵉ siècle, n'ont pas influé sur sa décision de choisir la vie monastique. Autrement dit, n'aurait-il pas été déçu par ce monde, auquel il était par ailleurs si attaché ? N'avait-il pas autant de raisons de le fuir, sinon de le mépriser, que de l'aimer en risquant de s'y perdre ? Ses plaintes innombrables sur les malheurs des temps sont déjà une réponse. Lorsqu'il interpelle ses auditeurs en s'écriant : « Partout la mort, partout le deuil, partout la désolation, de partout, on nous frappe... et cependant... nous suivons ce monde qui nous fuit, nous nous accrochons à ce monde qui s'écroule. Et puisque nous ne pouvons le retenir dans son écroulement, nous nous écroulons avec lui, que nous tenons dans sa chute[56] », ne veut-il pas faire partager sa propre découverte aux chrétiens de Rome ? Comment ne préférerait-on pas la vie de prière et de contemplation aux soucis quotidiens d'un monde en pleine décadence ? L'attrait pour la vie religieuse n'était-il pas puissamment renforcé par cette crise générale que traversaient alors l'Italie, et Rome très spécialement ? Quand Grégoire parle du « havre d'un monastère » et « du naufrage de cette

---

53. Cf. P. Battifol, *op. cit.*, p. 20 ; L. Bréhier et R. Aigrain, coll. Fliche et Martin, 5, Paris, 1938, p. 20-21.

54. F. H. Dudden, *Gregory the Great*, Londres, 1905, I, p. 105-106.

55. Cf. C. Wolfsgruber, *op. cit.*, p. 17 sq.

56. *HEv* 2, 38, 3 (*PL*, 76, 1212 D - 1213 A) : « Vbique mors, ubique luctus, ubique desolatio, undique percutimur... et tamen... fugientem sequimur, labenti inhaeremus. Et quia labentem retinere non possumus, cum ipso labimur, quem cadentem tenemus. «

vie », il n'exagère pas, et sa « conversion » reflète les difficultés énormes auxquelles tous ses contemporains étaient affrontés. Difficultés économiques : puisqu'elle possédait des terres, la famille de Grégoire a dû connaître le contre-coup des guerres, qui avaient interrompu les récoltes et le commerce, sans parler des impôts exigés par les Byzantins[57]. L'appauvrissement général, l'afflux des réfugiés à Rome rendaient plus urgente la charité des chrétiens et le préfet qu'était Grégoire n'ignorait rien de ces problèmes. Difficultés politiques : l'autonomie municipale de Rome était de plus en plus réduite et le préfet était loin de jouir d'une entière liberté dans l'exercice de sa magistrature. Soumis par les Byzantins à un contrôle très strict de sa gestion financière, il voyait ses responsabilités limitées d'un côté par les fonctionnaires militaires, qui s'occupaient des troupes en garnison à Rome, et de l'autre par l'évêque de Rome, qui avait des attributions étendues pour l'approvisionnement et la défense de la ville[58]. Grégoire a certainement connu les tensions inhérentes à sa charge ; sa fierté de romain a dû en souffrir ; son entrée au monastère, à la fin, aura été pour lui un grand soulagement[59].

Ces évolutions historiques n'ont pas pu ne pas influencer ce haut fonctionnaire, quand il décide d'être moine. Mais il serait absolument faux de penser qu'il a quitté ce monde décadent, parce que l'administration impériale ne lui offrait aucun avenir, alors que l'Église aurait représenté pour lui un champ d'action beaucoup plus ouvert. Il n'a pas davantage eu conscience du fait que le centre de gravité des services publics à Rome, passait insensiblement du préfet au pape.

L'insistance avec laquelle, une fois devenu pape, il maudit les soucis temporels qui l'accablent et regrette la paix qu'il a connue au monastère, suffirait à écarter ces hypothèses. Mais il y a plus : en se convertissant, Grégoire n'est pas entré dans le clergé séculier ; il a délibérément choisi la vie monastique et il ne cessera pas de faire une distinction très nette entre ces deux états. Lorsqu'en 593 l'empereur Maurice prétend interdire aux fonctionnaires de devenir moines, Grégoire proteste avec véhémence et défend ainsi la vocation religieuse : « Il y en a beaucoup qui peuvent mener une vie religieuse même avec un habit séculier. Et il y en a énormément qui ne pourraient absolument pas être sauvés devant Dieu, s'ils n'abandonnaient tout[60]. » En revanche, il ne croit pas du tout à la sincérité des fonctionnaires qui passeraient d'une carrière administrative à un office ecclésiastique, et il approuve chaleureusement l'empe-

---

57. Cf. O. BERTOLINI, *op. cit.*, p. 194.

58. *Ibid.* p. 200.

59. Peut-on aller jusqu'à supposer que « seul le sentiment du devoir pouvait attacher le préfet à cette magistrature ennuyeuse » ? (FLICHE et MARTIN, t. 5, p. 20). C'est faire peu de cas de l'attachement excessif au monde que Grégoire se reproche.

60. *Ep.* 3, 61 (*MGH*, I, p. 221) : « Multi enim sunt, qui possunt religiosam uitam etiam cum saeculari habitu ducere. Et plerique sunt, qui nisi omnia reliquerint, saluari apud Deum nullatenus possint. »

reur d'avoir interdit cela : « Cette mesure, je l'ai fort louée, sachant de
façon très certaine, que celui qui abandonne l'habit séculier pour se
hâter de venir à des emplois ecclésiastiques veut changer de vie séculière,
non la quitter[61]. » Or Grégoire, pour sa part, a refusé la première solution,
pour adopter délibérément la seconde. Il est bien résolu à fuir le monde,
et non pas simplement à y vivre d'une autre manière. Certes, d'un point
de vue extérieur, sa conversion apparaît comme un changement d'orientation ; en mettant fin à sa carrière de magistrat, elle va lui apporter
la paix et le calme. Mais comme beaucoup de saints, comme Dominique,
François ou Ignace, Grégoire rêve de servir. Déçu par le service de l'Empire,
de cette *respublica Romana* à laquelle il est si attaché qu'il s'en fera le
défenseur constant[62], lorsqu'il détiendra le pouvoir pontifical, il a opté
pour le service de Dieu. Mais, plus profondément, cette entrée au monastère représente pour lui une grâce (*conuersionis gratia*) et un événement
spirituel. Devenir moine, c'était pour lui répondre enfin à l'appel de
Dieu, pouvoir se livrer sans entraves à la prière et à la contemplation,
entrer dans une vie nouvelle.

Une conversion   Cependant, ces diverses tentatives pour reconsti-
augustinienne   tuer l'histoire spirituelle de Grégoire ne sauraient
                         remplacer une analyse détaillée des quelques
phrases où lui-même raconte sa « conversion » et elles apparaîtront
toujours comme des hypothèses plus ou moins aventureuses, dans la
mesure où elles s'écartent de ce passage trop bref, mais qui mérite un
examen d'autant plus attentif. Notre but est de rechercher maintenant
le contexte littéraire de ce fragment d'autobiographie, afin d'en percer
le sens et d'en mesurer mieux la portée exacte.

Ce récit de conversion présente, dans sa brièveté, une composition
assez rigoureuse. Il est formé des quatre phrases qui retracent les étapes
de la conversion de Grégoire. Ce qui en ressort, c'est que l'entrée au
monastère du futur pape n'a pas été un coup de tête, une décision subite,
mais l'aboutissement d'un long cheminement, car, dans l'âme du jeune
préfet de la ville, l'appel à la vie parfaite rencontrait des résistances
grandissantes. Tandis que la quatrième phrase marque la libération
finale, les trois premières mettent en relief l'intensité croissante du
combat intérieur, la multiplication des obstacles à la grâce divine.
D'autre part, chacune de ces trois phrases, dont la succession correspond

---

61. *Ibid.* (p. 220) : « Quod ualde laudaui, euidentissime sciens, quia qui
saecularem habitum deserens ad ecclesiastica officia uenire festinat,
mutare uult saeculum, non relinquere. »

62. Voici, par exemple, en quels termes Grégoire explique à l'exarque
d'Afrique, Gennade, comment la défense de l'Empire est liée à la propagation du christianisme : « Quae et bella uos frequenter appetere, non
desiderio fundendi sanguinis, sed dilatandae causa rei publicae, in qua
Deum coli conspicimus, loquitur, quatenus Christi nomen per subditas
gentes fidei praedicatione circumquaque discurrat. » (*Ep.* 1, 73, *MGH*,
I, p. 93).

presque à l'itinéraire spirituel parcouru par Grégoire, est bâtie selon le même schéma très simple, qui marque l'antithèse entre, d'un côté, le désir de Dieu et, de l'autre, les résistances à la grâce. Dans la première (*diu longeque...*), après avoir rappelé à Léandre les circonstances de leur rencontre à Constantinople, Grégoire confesse une fois de plus ses hésitations de naguère : il songeait déjà à se consacrer à Dieu, mais préférait rester dans le monde en continuant à exercer ses fonctions de préfet de la ville. La seconde (*aperiebatur...*) ne fait que développer en des termes différents le thème du combat spirituel : intérieurement, Grégoire aspire à la paix du monastère, persuadé qu'il est de la supériorité de la vie contemplative, mais cette conviction ne s'accompagne pas d'un changement extérieur. Il ne renonce pas à ses prérogatives et à son activité de haut fonctionnaire. La troisième phrase (*Cumque adhuc...*) montre qu'une telle attitude non seulement était intenable, car elle reposait sur un pur sophisme, mais plus encore qu'elle entraînait une sorte de régression spirituelle : à force de vouloir servir le monde en apparence, Grégoire finissait par s'attacher définitivement à lui. Seule sa décision d'entrer au monastère pouvait lever ces contradictions : c'est le sens de la quatrième phrase. S'il renonce complètement à ses fonctions et à ses biens, c'est pour mettre fin à un processus de dégradation intérieure, dont il est lui-même responsable. Il y a de fortes chances pour que ces quatre phrases, dans leur concision voulue, nous disent l'essentiel sur ce qui a conduit le jeune préfet de la ville à se retirer dans sa demeure du *Clivus Scauri* : chez lui, nul débat intellectuel, nulle difficulté d'ordre proprement moral, mais les hésitations d'un haut fonctionnaire chrétien, qui ne parvenait pas à abandonner un poste où il avait l'impression de bien servir le monde et l'Église.

Il est indéniable qu'en rédigeant ces phrases, Grégoire a rendu compte d'une expérience qui lui était propre et dont on ne peut mettre en doute le caractère unique, original, rigoureusement personnel. Néanmoins, il est permis de se demander si l'expression littéraire de cette expérience lui est aussi rigoureusement personnelle et dans quelle mesure le récit de sa « conversion » correspond à la mentalité et au langage de son époque.

Nous avons déjà vu qu'en cette fin du vi^e siècle, le terme de conversion recouvre des expériences assez diverses : non seulement le passage de l'incroyance ou du péché à la foi et au repentir, mais aussi le passage de l'état laïc à l'état monastique, ou encore une vie ascétique prolongée dans le monde. Par rapport à ces divers types de conversion, il y a lieu de se demander dans lequel il convient de ranger celle de Grégoire. Quand il s'applique à lui-même l'expression « grâce de conversion[63] », Grégoire est fidèle à sa propre théologie : c'est l'appel de Dieu qui est à l'origine de sa décision. En relisant les phrases suivantes, on a l'impression qu'en retraçant les étapes de cette décision, Grégoire a pensé à ces *conuersi*

---

63. On sait que cette expression se retrouve ailleurs : cf. *Mor.* 24, 11, 30 (*PL*, 76, 303 C) ; *Mor.* 24, 22, 49 (*PL*, 76, 315 B) ; *Dial.* 2, 1 (p. 74).

qui, tout en restant dans le monde, y menaient une vie qui les distinguait des autres chrétiens. Mais ce n'est pas exactement cette solution qu'il a choisie, puisqu'il a finalement renoncé à l'existence un peu hybride dont il faisait l'expérience. On peut expliquer ainsi la netteté avec laquelle, dans une lettre déjà citée, il approuve l'empereur Maurice d'avoir interdit aux fonctionnaires impériaux de briguer des postes dans l'Église. On se souvient de sa condamnation sans appel de ceux qui voudraient ainsi *mutare saeculum, non relinquere*[64]. Passer d'une carrière à une autre n'est pas une véritable conversion, aux yeux du moine que demeure Grégoire. Peut-être faut-il voir également dans ses confidences une pointe de polémique contre les fidèles qui s'imaginaient pouvoir servir à la fois Dieu et le monde. D'ailleurs, en s'expliquant sur son cas particulier, Grégoire fait écho aux critiques déjà maintes fois formulées avant lui à l'encontre de cette catégorie de chrétiens : Salvien écrit qu'ils s'abstiennent du mariage, mais manifestent une extrême cupidité. Pomère leur reproche d'avoir changé de vêtements, non de mentalité[65]. Quant à l'antithèse entre l'extérieur et l'intérieur, l'apparence et la réalité, le costume et l'état d'âme, nous avons déjà vu que Grégoire y recourt très souvent pour dénoncer les dangers qui menacent toute vie spirituelle, et nous avons noté que ce thème appliqué spécialement aux mauvais moines, se trouve chez Cassien et dans la littérature monastique.

Mais, ce qui est à remarquer, c'est que, tout en employant ces expressions et ces antithèses qui lui sont familières, Grégoire les applique à son cas personnel, pour mieux faire ressortir à quel point il diffère de celui des mauvais *conuersi* ou des mauvais moines. Un vocabulaire identique recouvre, en effet, des expériences exactement inverses. Les moines dont Cassien dénonce l'hypocrisie sont ceux qui ont changé d'habits, mais non de mœurs : ils adoptent un changement purement apparent auquel ne correspond aucune transformation spirituelle. Grégoire se fait à lui-même un reproche qui est tout le contraire de celui-là : il a ressenti intérieurement le désir d'une vie plus parfaite, mais il a remis à plus tard les changements extérieurs, en particulier le changement de costume, si bien que ses dispositions d'âme se sont peu à peu dégradées. Ce qu'il regrette lorsqu'il se tourne vers son passé, ce n'est pas d'avoir été hypocrite, mais d'avoir hésité à opérer la « conversion » totale à laquelle aurait dû le conduire l'appel de Dieu. S'il recourt par conséquent, à un vocabulaire qui ne lui est pas propre, c'est afin d'analyser plus précisément la complexité de son expérience et pour

---

64. Cf. *supra*, n. 61.
65. Cf. Salvien, *De gubernatione Dei* 5, 10 (*CSEL*, VIII, p. 119) : « Nouum prorsus conuersionis genus. Licita non facient et inlicita committunt : temperant a concubitu et non temperant a rapina... Non est hoc conuersio, sed auersio... » ; Pomère, *De uita contemplatiua*, 2, 4, 1 (*PL*, 59, 448 A) : « Illos dico, qui uelut conuersi, ex pristinis moribus nihil abiiciunt, non mente mutati, sed ueste ; nec actu, sed habitu. »

bien montrer qu'elle a un contenu original, nullement stéréotypé, qui la distingue nettement des fausses conversions démasquées par d'autres auteurs spirituels.

Néanmoins, il n'est pas interdit de rechercher de qui Grégoire s'est inspiré en racontant l'histoire de sa « conversion », depuis le moment où il entendit l'appel de Dieu jusqu'au jour où il entra au monastère. Pour définir sa vocation, il emploie les expressions de *caeleste desiderium* et d'*aeternitatis amor*, qui renvoient une fois de plus à Cassien : lorsque celui-ci, en effet, dans ses *Conférences*, cherche à définir les trois espèces de vocations, il parle de *desiderium aeternae uitae ac salutis* ou simplement de *desiderium salutis*[66]. On peut supposer que Grégoire connaissait ce chapitre, où l'auteur des *Conférences* explique les divers processus spirituels, qui sont à l'origine des vocations. Mais, là encore, il utilise très librement son modèle, puisqu'il ne précise nullement ce qui a influencé sa propre vocation. Dieu, des intermédiaires humains ou la nécessité, selon les subtiles distinctions que fait Cassien dans ce même chapitre.

Il nous reste à nous demander dans quelle mesure l'influence augustinienne, partout reconnaissable dans ses œuvres, peut se discerner dans le récit fait par Grégoire de sa propre vocation[67]. D'abord, constatons que la « conversion » de l'auteur des *Confessions* et celle du pape ne se ressemblent guère. Certes, comme Augustin, Grégoire a beaucoup hésité avant de faire le pas décisif, mais pour des motifs tout différents : chez lui, il ne s'agissait apparemment pas de difficultés intellectuelles, ni d'attachement à une femme, car il s'efforçait déjà de mener comme laïc une vie sainte ; c'était sa charge de préfet, l'espoir qu'il conservait de pouvoir servir Dieu en restant dans le monde, qui l'empêchaient de se décider. En outre, au terme de sa « conversion », Grégoire devient moine, alors qu'Augustin était devenu chrétien. Mais, en dépit de ces différences fondamentales, on ne peut nier qu'en racontant à Léandre comment il répondit à l'appel de Dieu, Grégoire s'est souvenu des *Confessions* et a eu recours, peut-être instinctivement, à plusieurs expressions typiquement augustiniennes. Le *quod mihi de me displicebat* du début de sa lettre se retrouve au premier chapitre du huitième livre des *Confessions*, lorsqu'Augustin constate qu'« il avait pris en déplaisance la vie qu'il menait dans le siècle » et que « son appétit d'honneurs et d'argent ne l'excitait plus à supporter une si lourde servitude[68] ». Les précisions

---

66. CASSIEN, *Coll.* 3, 4 (*SC*, 42, p. 141-142).

67. P. COURCELLE (*Les Confessions de Saint Augustin dans la tradition littéraire*, Paris, 1963, p. 229-230) fait remarquer combien la psychologie grégorienne de la conversion chrétienne en général s'inspire des *Confessions* d'Augustin et R. GILLET (*art. cit.*, col. 883) a étendu cette remarque à la « conversion » de Grégoire lui-même. Je ne fais ici que confirmer et étayer ces observations.

68. *Conf.* 8, 1, 2 (éd. de LABRIOLLE, I, p. 176) : « Mihi autem displicebat quod agebam in saeculo et oneri mihi erat ualde non iam inflammantibus cupiditatibus, ut solebant, spe honoris et pecuniae ad tolerandam illam seruitutem tam grauem. »

d'Augustin n'éclairent-elles pas les sous-entendus de Grégoire, qui, au temps de sa préfecture urbaine, devait éprouver lui aussi cet appétit d'honneurs, sinon d'argent ? Le processus de sa propre « conversion », tel qu'il est analysé par Grégoire, rappelle également ce passage du huitième livre des *Confessions*, où Augustin décrit le conflit, en lui-même, de deux volontés : « C'est après un loisir semblable que je soupirais dans les fers dont m'enchaînait, non la volonté d'autrui, mais ma propre volonté, de fer elle aussi. L'ennemi tenait en main mon vouloir, car il en avait forgé une chaîne qui lui servait à me lier. Car c'est la volonté perverse qui crée la passion, c'est l'assujettissement à la passion qui crée l'habitude et c'est la non-résistance à l'habitude qui crée la nécessité[69]. » Les verbes qui expriment le désir de Dieu chez Grégoire et Augustin sont très voisins : l'*anhelabam* du passage déjà cité des *Dialogues*, l'*afflatus* de la lettre à Léandre répondent au *suspirabam* augustinien. Et Grégoire pressent l'aboutissement de sa quête spirituelle, alors même qu'il en reste éloigné (*aperiebatur mihi iam de aeternitatis amore quid quaererem*), tout comme Augustin entendant l'appel de la continence, sans pouvoir y répondre[70]. En outre, l'image de la chaîne d'habitudes, qui étouffent dans l'âme ce désir de Dieu, se trouve chez les deux auteurs ; en écrivant *inolita consuetudo deuinxerat*, Grégoire n'a-t-il pas songé au *constrinxerat* d'Augustin, que suit de peu le mot répété de *consuetudo* ? Quant à l'adjectif *inolita*, il a aussi des résonances augustiniennes, puisqu'il apparaît un peu plus loin dans ce même huitième livre des *Confessions*[71].

Mais, une fois de plus, l'analyse du vocabulaire ne doit pas masquer la réelle différence des expériences spirituelles, qui furent celles de Grégoire et d'Augustin. Le ton même de leurs confessions respectives n'est pas le même : autant le récit d'Augustin est ample et détaillé, nourri de développements qui dépassent largement sa seule personne, notamment quand il analyse le conflit en lui-même de deux volontés antagonistes, autant les confidences de Grégoire sont sobres, réservées, pleines de sous-entendus, comme si l'emploi de certaines formules, manifestement inspirées d'Augustin, lui permettaient de se placer sous l'égide de son modèle, non sans laisser entendre qu'il ne connut pas les mêmes débats internes. En se reprochant d'être resté soumis à des habitudes invétérées qui l'enchaînaient, Grégoire ne fait probablement pas allusion à des

---

69. *Ibid.* 8, 5, 10, p. 184 : « Cui rei ego suspirabam ligatus non ferro alieno, sed mea ferrea uoluntate. Velle meum tenebat inimicus et inde mihi catenam fecerat et constrinxerat me. Quippe ex uoluntate peruersa facta est libido, et dum seruitur libidini, facta est consuetudo, et dum consuetudini non resistitur, facta est necessitas. » C'est la suite de ce passage que P. Courcelle (*op. cit.*, p. 229) rapproche de l'analyse grégorienne de la conversion chrétienne dans les *Moralia* (24, 11, 26 ; *PL*, 76, 300 C).

70. *Conf.* 8, 11, 27, p. 198 : « Aperiebatur enim ab ea parte, qua intenderam faciem et quo transire trepidabam, casta dignitas continentiae...»

71. *Ibid.* 8, 11, 25, p. 197 : « Plusque in me ualebat deterius inolitum quam melius insolitum. »

désirs charnels : autrement dit, il emploie une image augustinienne, dont le contenu n'est pas augustinien. Cette *inolita consuetudo,* comme l'explique la suite du texte, doit s'entendre de l'attachement trop fort que Grégoire ressentait pour sa fonction, et, par suite, pour un prestige trop temporel. La différence d'accent est notable. Néanmoins, en se reprochant d'être resté trop longtemps fidèle à ses engagements officiels (*praesenti mundo deseruire*), Grégoire peut se placer sous le patronage d'Augustin qui considère que « la servitude des affaires temporelles » a retardé sa conversion autant que « les liens du désir sensuel[72]. » On voit que constamment, en faisant le rapide historique de sa vocation, Grégoire apparaît comme un lecteur assidu d'Augustin, dont maintes expressions viennent spontanément sous sa plume et sans doute est-ce l'exemple même d'Augustin, et pas seulement les mots dont il s'est servi, qui a dû influencer Grégoire. Aucun texte, aucun document ne permet d'affirmer que le désir de la vie monastique a été suscité dans l'âme de Grégoire par ses relations avec les disciples de saint Benoît, mais tout porte à croire que le souvenir prestigieux de la conversion d'Augustin a frappé ce jeune Romain, nourri des *Confessions.* Cela explique que, plus de vingt ans après avoir renoncé aux vanités du monde, il ait tout naturellement trouvé des accents augustiniens opur retracer les étapes de sa propre « conversion ».

IV — LA « CONVERSION » DE BENOÎT SELON GRÉGOIRE

Mais cela ne l'a pas empêché d'être un admirateur fervent de saint Benoît[73], à tel point qu'il lui a consacré la totalité du second livre des *Dialogues.* Ce livre, sur lequel s'appuiera désormais toute l'hagiographie bénédictine, commence par un prologue, qui contient le récit de la « conversion » du jeune Benoît. Celui-ci décide de renoncer au monde, alors qu'il se trouvait à Rome pour y étudier les belles-lettres : « Voyant

---

72. *Ibid.* 8, 6, 13, p. 196 : « Et de uinculo quidem desiderii concubitus quo artissimo tenebat, et saecularium negotiorum seruitute quemadmodum exemeris, narrabo... » Dans la suite de la lettre à Léandre, d'autres expressions grégoriennes (cf. p. 118 : *causarum saecularium, pondus curae pastoralis*) ont un accent indéniablement augustinien (cf. *Conf. ibid.* p. 185 : *sarcina saeculi* ; p. 186 : ... *ab eis negotiis, sub quorum pondere gemebam* »).

73. Sur la question si controversée des relations entre Grégoire et Benoît, cf. la polémique qui oppose O. M. PORCEL, *La doctrina monastica de san Gregorio Magno y la Regula monachorum,* Madrid, 1951, et *San Gregorio Magno y el Monacato,* dans *Monastica,* 1, Montserrat, 1960, p. 1-95 (qui soutient l'inspiration foncièrement bénédictine de Grégoire) à K. HALLINGER, *Papst Gregor der Grosse und der heilige Benedikt,* dans *Studia Anselmiana,* 42, 1957, p. 231-319 (qui pense que la formation monastique de Grégoire ne vient pas de Benoît). Les nécessités de la polémique font que ces deux auteurs n'attribuent qu'un intérêt mineur au second livre des *Dialogues,* qu'ils négligent par ailleurs de mettre en rapport avec le reste de l'œuvre de Grégoire.

qu'au cours de ces études, beaucoup tombaient dans l'abîme des vices, il retira le pied qu'il avait pour ainsi dire posé sur le seuil du monde, de peur qu'au simple contact de sa culture, il ne roulât lui aussi tout entier, par la suite, dans ce terrible précipice. C'est pourquoi, méprisant l'étude des belles-lettres, abandonnant la demeure et les biens paternels, désireux de plaire à Dieu seul, il se mit en quête de l'habit propre à la vie religieuse. Il se retira donc savamment ignorant et sagement inculte[74]. »

Un étudiant   Pour le jeune étudiant romain qu'était Benoît,
qui fuit le monde   se convertir a signifié rompre complètement avec
                          le monde, se détourner définitivement de ses
vanités. Pour cela, il a renoncé à tout ce qui aurait risqué de le retenir ou de l'attirer : d'abord à la science profane, puis à la fortune familiale. Il est clair que ce double renoncement à la culture et aux richesses n'a constitué que le signe et l'effet de sa « conversion ». Sur les motifs intérieurs de celle-ci, le récit de Grégoire donne aussi quelques indications. Le désir de plaire à Dieu seul, qui laisse entrevoir le goût inné qu'éprouvait le jeune homme pour l'expérience mystique, avec l'ascèse et la solitude qu'elle exige, a été plus fort que tout et a facilité les ruptures nécessaires. Un second motif fut déterminant dans l'évolution du futur moine : le spectacle que lui offrait la vie de ses condisciples romains. Cet abîme des vices (*abrupta uitiorum*), ce terrible précipice (*immane praecipitium*) qu'évoque Grégoire avec insistance, sont peut-être des allusions aux tentations de la chair. Mais il s'agit de dénoncer aussi ce que l'enseignement avait alors de mondain et de décadent. Qu'il s'agisse du Gallo-romain Césaire ou de l'Italien Benoît, tous les grands spirituels, de ce début du VIᵉ siècle ont estimé que les études étaient nuisibles à leur foi. La culture artificielle ou immorale dans laquelle ils baignaient ne pouvait pas répondre à leurs exigences intérieures et finissait souvent par les dégoûter. « Celui qui, comme le moine, refusait la sagesse du monde et abandonnait le siècle, devait, en même temps qu'il renonçait à sa famille, à ses richesses, à son métier et jusqu'à la fréquentation des thermes, dire également adieu à la science profane[75]. » Un troisième motif dut faciliter encore la décision de Benoît : sa maturité précoce, que Grégoire a soulignée au début du prologue, en indiquant que, dès son plus jeune âge, le futur ascète était naturellement rempli de sagesse

---

74. *Dial.* 2, *Prol.*, éd. Moricca, p. 71-72 : « Dum in eis multos ire per abrupta uitiorum cerneret, eum, quem quasi in ingressum mundi posuerat retraxit pedem, ne si quid de scientia eius attigerit, ipse quoque postmodum in immane praecipitium totus iret. Despectis itaque litterarum studiis, relictis domo rebusque patris, soli Deo placare desiderans, sanctae conuersionis habitum quaesiuit. Recessit igitur scienter nescius et sapienter indoctus. » Notre traduction s'inspire très librement de celle qui est contenue dans *Vie et miracles du bienheureux Père saint Benoît*, Paris, 1952, p. 25-26.

75. P. Riché, *op. cit.*, p. 135.

et de vertu, qu'il ne céda jamais à l'attrait du monde[76]. Cette innocence originelle n'a pu qu'aviver par la suite son dégoût du péché et son désir de Dieu. Tels sont les motifs intérieurs qui poussèrent le jeune homme à quitter le monde et à rechercher « l'habit qu'exige la vie religieuse. »

Expressions et thèmes grégoriens   Cette expression très ramassée *sanctae conuersionis habitum*, où se marque la nouvelle orientation du jeune converti, est à expliquer. La formule « une forme de vie sainte » qu'emploie la traduction que nous avons signalée, ne suffit pas à en rendre la valeur exacte. En utilisant ces mots, Grégoire laisse entendre que Benoît ne se contente pas d'abandonner ses études et de renoncer à la fortune familiale, mais qu'il va aussitôt se mettre en quête d'un vêtement qui corresponde à ses aspirations les plus intimes et à la forme de vie qu'il désire adopter. Ayant décidé de se convertir, c'est-à-dire de se soustraire aux dangers du monde et de choisir une existence nouvelle (*sanctae conuersionis*), le futur père des moines recherche des conditions extérieures, et notamment un vêtement (*habitum*) qui expriment ses dispositions intérieures. On comprend dès lors pourquoi la traduction « forme de vie sainte » trahit les intentions de Grégoire qui, pour suggérer cette correspondance entre l'intérieur et l'extérieur, a conçu la formule *sanctae conuersionis habitum*, dont la densité résulte de ce qu'un mot abstrait (*conuersio*) y complète un mot concret (*habitus*).

Car, dans ses œuvres, Grégoire confère toujours à *habitus* une signification très concrète, désignant par ce terme l'aspect extérieur qui, au moyen des vêtements, peut aussi bien trahir que traduire les sentiments profonds d'une âme. On se souvient qu'en évoquant les longues hésitations qui précédèrent son entrée au monastère, il se reproche d'avoir gardé un habit séculier (*saeculari habitu*), celui de préfet de Rome, qui l'empêchait de répondre à l'appel de Dieu, à la grâce de la conversion (*conuersionis gratiam*)[77]. Ailleurs, il affirme que l'habit du moine (*habitus monachi*) exprime son mépris du monde (*despectus mundi*)[78] ou bien s'en prend vigoureusement à ces faux convertis qui « ont changé d'habit, et non d'âme[79]. » Comment l'emploi du terme d'*habitus* à propos de Benoît ne s'inscrirait-il pas dans une telle perspective et ne ferait-il pas appel à cette idée grégorienne que la tenue extérieure peut masquer ou manifester les dispositions intérieures ?

Sanctae conuersionis habitum : cette expression doit s'entendre non pas exactement de l'entrée dans un monastère puisque Benoît ne sait

---

76. *Dial.* 2, prol., p. 72 : « Aetatem quippe moribus transiens, nulli animum uoluptati dedit : sed, dum in hac terra adhuc esset, quo temporaliter libere uti potuisset, despexit iam quasi aridum mundum cum flore. »

77. Cf. *supra*, n. 30.

78. *Ep.* 12, 6 (*MGH*, II, p. 352) : « Quid est autem habitus monachi nisi despectus mundi ? »

79. Cf. *HEz* 1, 10, 8 (*PL*, 76, 889 A-B).

pas encore avec précision quelle forme de vie il adoptera, mais de l'habit religieux, des modifications vestimentaires qu'entraîne la rupture avec le monde. Grégoire emploie ailleurs l'expression *sanctae conuersationis habitum* pour désigner également le changement de tenue qui marque les débuts dans la vie monastique, qu'il s'agisse de Benoît, recevant à Subiaco cet habit religieux des mains de son confident, le moine Romanus[80] ou de Théodore, frère d'un de ses compagnons du *clivus Scauri*, qui portait cet habit sans avoir la vocation[81]. *Conuersio* et *conuersatio* ont des sens assez complémentaires pour qu'il n'y ait aucun doute possible sur l'interprétation qu'il convient de donner à l'expression *sanctae conuersionis habitum* employée dans le prologue à propos de Benoît. Celui-ci a recherché une nouvelle manière de vivre et spécialement un nouveau vêtement qui pût manifester au dehors sa vocation, c'est-à-dire tout à la fois son désir de plaire à Dieu seul, son aversion pour le péché et son mépris pour les biens de ce monde. On voit donc que Grégoire, pour retracer le cheminement spirituel de celui qui devait devenir le « père des moines d'Occident », ne craint pas d'employer une terminologie assez commune. Sans faire de Benoît un bénédictin avant la lettre, il montre en lui un jeune homme qui, ayant écarté les séductions de la vie romaine, désire mener une existence de type monastique et revêtir l'habit qui y correspond.

Quant aux autres aspects de la « conversion » de Benoît, ils ne sont pas sans rappeler d'autres récits des *Dialogues*. Le désir de se consacrer à Dieu seul, l'abandon de ce qui les retenait dans le monde, enfin leur choix de la vie monastique expliquent les vocations d'Anastase, qui deviendra abbé du monastère de Suppentonia, ou de Galla, la fille de Symmaque, que nous avons évoquée plus haut[82]. La seule différence est qu'en parlant de Benoît, Grégoire s'est abstenu d'écrire que l'entrée dans un monastère fut l'aboutissement de sa « conversion », se bornant à suggérer simplement que, sitôt « converti », il sentit la nécessité d'adopter une nouvelle façon de vivre.

Quant au thème de l'aversion pour le péché, il est aussi familier à Grégoire. Dans un passage des *Moralia*, que nous avons déjà cité[83], il parle des pécheurs que Dieu laisse tomber dans l'abîme (*ire per abrupta*), ce qui rappelle l'expression *per abrupta uitiorum* employée à propos des condisciples de Benoît. De même, la métaphore du pied posé sur le seuil du monde et promptement retiré pour éviter la chute apparaît en un long fragment des *Moralia*, où Grégoire décrit la situation du pécheur, empêtré dans les pièges du monde : « Celui qui met les pieds

---

80. *Dial.* 2, 1, p. 76 : « Cuius cum desiderium cognouisset, et secretum tenuit, et adiutorium impendit, eique sanctae conuersationis habitum tradidit. »

81. *Dial.* 4, 38, p. 289 : « Numquam se ad sanctae conuersationis habitum uenire, iurando, irascendo, deridendo testabatur. »

82. Cf. *supra*, p. 283.

83. Cf. *supra*, p. 250, n. 14 : *Mor.* 18, 26, 43 (*PL*, 76, 60 A-B).

dans un filet ne les en retire pas quand il veut, de même celui qui se
jette dans le péché ne se redresse pas ensuite dès qu'il le veut[84]. » C'est
dire que les notations relatives à l'aversion de Benoît pour le mal sont
bien dans la ligne des fines analyses morales où Grégoire dénonce les
dangers qui guettent les pécheurs.

Mais surtout la façon dont Benoît renonce à poursuivre ses études
romaines ne se comprend pas indépendamment de l'attitude fondamentale de Grégoire à l'égard de la culture. Car la formule « il se retira donc
savamment ignorant et sagement inculte » renvoie explicitement à la
doctrine grégorienne de la « docte ignorance », telle que nous l'avons
déjà rencontrée[85]. A l'intériorité qu'exige la formation religieuse s'oppose
l'extériorité des études profanes, dont font évidemment partie ces *studia
litterarum*, cet enseignement littéraire qui a déçu Benoît. A une culture
trop mondaine, à une rhétorique creuse, celui-ci préférera la sagesse
spirituelle, qu'il va illustrer si brillamment. Mais, au-delà de toute science,
il tend d'emblée à la « docte ignorance », qu'exprime la supériorité de
l'amour sur toute forme de connaissance. Comme son compatriote de
Nursie, le prêtre Sanctulus, dont Grégoire loue précisément la « docte
ignorance[86] », mais de façon peut-être plus méritoire, du fait qu'il avait
expérimenté les études profanes, Benoît vise les sommets de la sainteté
et du détachement. La culture n'est pas reniée, mais dépassée en vue
du Royaume de Dieu[87]. La tradition bénédictine n'oubliera pas cette
leçon, qu'elle doit, dans une large mesure, à Grégoire lui-même.

Deux conversions   Le récit de la « conversion » de Benoît contient
parallèles   indéniablement bien des expressions et des thèmes
                      qui font partie de la morale et de la spiritualité
grégoriennes. Il faut aller plus loin et montrer en dernier lieu qu'en
racontant la « conversion » de Benoît, Grégoire a beaucoup pensé à la
sienne et qu'il est intéressant de tenter un parallèle entre ces deux récits[88].
Si Grégoire s'est spécialement intéressé à Benoît, c'est qu'il avait quelques
raisons de se reconnaître en lui : tous deux n'appartenaient-ils pas à des
familles de l'aristocratie de Rome et de Nursie, qui avaient dû assurer
à leurs fils une bonne éducation chrétienne ? Tous deux n'avaient-ils
pas eu à Rome l'expérience des tentations mondaines, l'un comme
étudiant et l'autre comme préfet de la ville ? Tous deux, enfin, n'ont-ils
pas décidé de se rendre libres pour le service de Dieu ? Là s'arrêtent les
ressemblances, car Grégoire semble avoir voulu se mettre sous le patro-

---

84. *Mor.* 14, 11, 13 (*PL*, 75, 1046 B = *SC*, 212, p. 336) : « Qui pedes in
rete mittit, non cum uoluerit eiicit, sic qui in peccata se deiicit non mox
ut uoluerit surgit. »
85. Cf. *supra*, p. 47-50.
86. Cf. *Dial.* 3, 37, p. 224.
87. Cf. J. Leclercq, *L'amour des lettres et le désir de Dieu*, p. 18-19.
88. Ce parallèle est suggéré par R. Gillet dans son article *Grégoire le
Grand* du *DSp.*, VI, 883-884.

nage d'Augustin plutôt que de Benoît. Nous avons déjà vu que le passage de la lettre où Grégoire retrace son propre cheminement spirituel rappelle le drame intérieur évoqué dans les *Confessions*.

En revanche, on a l'impression que, dans ce même passage, Grégoire a voulu marquer tout ce qui distingue sa vocation de celle de Benoît. La lettre à Léandre et le texte des *Dialogues* sont en effet remplis de formules qui semblent les exactes répliques les unes des autres. Tandis que Grégoire se reproche d'avoir trop longtemps conservé un « habit séculier » (*saeculari habitu*), d'avoir tardé à changer sa « manière extérieure de vivre » (*exteriorem cultum*), il note que Benoît, sitôt converti, s'est préoccupé de modifier le plus vite possible sa tenue extérieure (*sanctae conuersionis habitum quaesiuit*) afin de la rendre conforme à son évolution spirituelle. Alors que Benoît, dès la plus tendre enfance, s'était engagé sur le chemin de la perfection, par la « grâce de sa conversion » (*conuersionis gratia*)[89], Grégoire confesse que, pour sa part, il a différé fort longtemps sa réponse à cette grâce (*conuersionis gratiam*) et que, bien loin d'imiter la décision courageuse du jeune étudiant qui « retira son pied » (*retraxit pedem*) du monde pour échapper à l'abîme du péché, il se laissa retenir (*retinere*) dans ce monde par ses fonctions officielles. Bref, Grégoire présente sa conversion comme l'exacte antithèse de celle de Benoît.

Les termes de ces deux récits se correspondent[90] et le plus souvent s'opposent, comme le négatif au positif. Grégoire insiste sur ses hésitations, sa lenteur à briser les liens qui l'attachaient à la terre, pour mieux faire ressortir, dans le cas de Benoît, le caractère radical de sa décision, la netteté et la plénitude de sa rupture avec le monde. On dirait qu'il regrette de n'avoir pas imité Benoît, qu'il admire d'autant plus. La parenté des vocabulaires, l'emploi des mêmes images, le retour des mêmes thèmes spirituels montrent que le pape, en racontant la conversion de Benoît, se référait à la sienne, moins comme à un terme de comparaison que comme à un repoussoir, et c'est pourquoi, au moyen de multiples correspondances, il s'efforçait de mettre en valeur le courage de Benoît, la promptitude de sa décision, bref tout ce qui pouvait montrer en lui un vivant critère de perfection, et, pour ainsi dire, le modèle des convertis. Il a pris soin, en outre, de ne pas l'enfermer dans des catégories trop spécifiquement monastiques, de façon à préserver le caractère exemplaire de sa vocation. Ainsi, les contemporains du pape, à Rome et dans toute

---

89. *Dial.* 2, 1, p. 74 : Le crible miraculeusement réparé par Benoît reste suspendu à l'entrée de l'église d'Enfide « quatenus et praesentes et secuturi omnes cognoscerint Benedictus puer conuersionis gratia a quanta perfectione coepisset. »

90. Notons encore l'emploi des mêmes verbes dans les deux textes : « de aeternitatis amore quid *quaererem* » (Grégoire), « sanctae conversionis habitum *quaesiuit* » (Benoît) ; « *relictis* quae mundi sunt » (Grégoire), « *relicta* domo rebusque patris » (Benoît).

l'Italie, pouvaient-ils voir en Benoît un nouveau type de saint, l'équivalent de ce qu'Antoine avait représenté aux IVe et Ve siècles[91].

V — EXEMPLA A PORTÉE MISSIONNAIRE

Benoît et la religion   Les *exempla* de conversion, que relatent les
païenne   *Dialogues*, ne concernent pas seulement des cas
                             individuels. Il arrive souvent qu'il s'agisse de
phénomènes de conversion collective. C'est ainsi que la vie de Benoît contient certains épisodes, où l'on voit la prédication chrétienne faire reculer le paganisme demeuré vivace dans les campagnes de l'Italie.

L'installation de Benoît à Subiaco eut par exemple un retentissement considérable parmi la population des environs. « Déjà, de tous côtés, cette contrée s'embrasait de l'amour de notre Dieu et Seigneur Jésus-Christ, beaucoup abandonnaient la vie du siècle et soumettaient la nuque de leur cœur au joug léger du Rédempteur[92] » explique Grégoire. Sans doute faut-il entendre par là que la sainteté de Benoît a stimulé la foi des chrétiens du village voisin et éveillé parmi eux des vocations monastiques. Elle devait susciter aussi la jalousie du prêtre de l'endroit : « Comme il est naturel aux méchants de jalouser chez les autres le bien de la vertu qu'ils ne désirent pas pour eux-mêmes, un prêtre d'une église voisine, nommé Florentius, l'aïeul de notre sous-diacre Florentius, poussé par la malice de l'antique ennemi, rageant de dépit devant le zèle du saint homme, se mit à dénigrer sa vie de religieux (*conuersationi*) et même à empêcher tous ceux qu'il pouvait d'aller le visiter[93]. » Ce prêtre jaloux va chercher à se débarrasser de Benoît par tous les moyens : il lui fait d'abord porter un pain empoisonné, mais un corbeau s'en saisit ; pour compenser cet échec, il envoie sept jeunes filles nues exécuter une danse devant le jardin des moines. Excédé, Benoît finira par s'en aller. On peut voir dans cet épisode curieux un signe de la rivalité qui opposait les moines au clergé séculier, d'autant plus qu'à Subiaco, Benoît menait de pair la vie monastique et le ministère auprès du peuple. On comprend que le curé du lieu ait vu d'un mauvais œil une telle concur-

---

91. Cf. B. STEIDLE, *Homo Dei Antonius. Zum Bild des « Mannes Gottes » in alten Mönchtum*, dans *Antonius Magnus eremita* (356-1956), *Studia Anselmiana*, 38, 1956, p. 148-200.

92. *Dial.* 2, 8, p. 90 : « Cum iam loca eadem in amorem Domini Dei nostri Iesu Christi longe lateque feruescerent, saecularem uitam multi relinquerent, et sub leni Redemptoris iugo ceruicem cordis edomarent »...

93. *Ibid.* p. 90-91 : « ... Sicut mos prauorum est inuidere aliis uirtutis bonum quod ipsi habere non appetunt, uicinae ecclesiae presbyter, Florentii nomine, huius nostri subdiaconi Florentii auus, antiqui hostis malitia percussus, sancti uiri studiis coepit aemulari, eiusque conuersationi derogare : quosque etiam posset, ab illius uisitatione compescere. » Le Florentius contemporain de Grégoire, sous-diacre en 592, refusa d'occuper le siège épiscopal de Naples : cf. *Ep.* 3, 15 (*MGH*, I, p. 174) et D. CHAPMAN, *St Benedict an the VI*[th] *Century*, Londres, 1929, p. 140.

rence. Mais une autre interprétation est possible : cette danse des sept jeunes filles nues semble bien avoir fait partie des rites magiques de fécondité agraire[94]. Il n'est pas étonnant que les gens de Subiaco aient été imprégnés de superstitions païennes et peut-être même ce Florentius, qui présida à l'opération magique, était-il un héritier de la famille sacerdotale païenne du lieu. Bref, cette historiette édifiante est aussi un document d'histoire des religions. L'expérience religieuse tentée par Benoît, cette nouvelle façon de vivre en chrétien (*conuersatio*) réveille le christianisme de ces paysans, qui restaient influencés par des croyances et des pratiques héritées de l'Antiquité. Ainsi, le monachisme bénédictin contribue, dès sa fondation, à l'évangélisation des campagnes.

Grégoire nous a laissé quelques autres récits dans lesquels Benoît apparaît encore comme le champion de la lutte contre le paganisme. Le Mont Cassin, où l'abbé va s'installer après avoir dû quitter Subiaco, était consacré au culte d'Apollon, et Grégoire dénonce avec une certaine véhémence ces survivances païennes. « Il y avait là un très vieux sanctuaire, dans lequel la population paysanne, dans sa sottise, adorait Apollon, en vertu d'une antique tradition. Alentour s'étaient multipliés aussi des bois sacrés consacrés au culte des démons, où encore à cette même époque une multitude folle d'infidèles se dépensait en cérémonies sacrilèges[95]. » Sans doute ces démons étaient-ils des divinités chtoniennes. En tout cas, Benoît n'hésite pas à leur faire la guerre : il se mit à transformer le temple d'Apollon en oratoire dédié à saint Martin et à organiser le monastère à l'entour. Dans les chapitres suivants, on voit se produire une série de phénomènes extraordinaires (un incendie imaginaire, l'écroulement d'un mur, l'apparition d'un dragon) qui semblent bien avoir une coloration dionysiaque[96]. Ces récits mettent en lumière l'acharnement incessant de Benoît contre les cultes païens. Il ne s'agit pas ici de définir une pastorale adaptée à des populations païennes, comme lorsque Grégoire recommande aux missionnaires d'Angleterre de ne pas détruire, mais de transformer les temples et les usages qu'ils trouveraient sur place. Il s'agit d'illustrer les vertus de Benoît. Et justement, au milieu de ce même chapitre qui relate les affrontements dramatiques entre Benoît et le paganisme, à Subiaco, puis au Cassin, Grégoire compare son héros aux héros de l'Ancien Testament : Moïse, Élisée, Élie et David. En défendant la foi, Benoît apparaît comme le prophète des temps nouveaux, et le paganisme contemporain qu'il combat est à l'image des obstacles rencontrés jadis par ses illustres prédécesseurs.

---

94. Je reprends ici l'hypothèse de Dom J. LAPORTE dans *Saint Benoît et le paganisme* (pro manuscripto), St Wandrille, 1963, p. 1-19.

95. *Dial.* 2, 8, p. 95 : « ... Vbi uetustissimum fanum fuit, in quo ex antiquorum more gentilium a stulto rusticorum populo Apollo colebatur. Circumquaque etiam in cultu daemonum luci succreuerant, in quibus adhuc eodem tempore infidelium insana multitudo sacrificiis sacrilegis insudabat. »

96. *Ibid.* 2, 10-11 ; cf. J. LAPORTE, *op. cit.*, p. 19-24.

Si bien que Benoît n'est plus seulement présenté comme un ascète exceptionnel ou comme le père des moines, mais comme le patron des missionnaires. Du moins pour l'Italie : car la geste apostolique de Benoît prolonge celle de Martin face au paganisme des campagnes gallo-romaines et sans doute l'auteur des *Dialogues* connaissait-il le récit que Sulpice-Sévère avait donné des exploits thaumaturgiques de l'évêque de Tours[97]. Comme ceux de Martin, les miracles de Benoît impressionnent tellement les païens que les plus endurcis d'entre eux se convertissent au christianisme. Sa présence au Cassin eut notamment des résultats extraordinaires. « Non loin du monastère se trouvait un village, dont la plupart des habitants, gagnés par la prédication de Benoît, s'étaient convertis à la foi en Dieu en se détournant du culte des idoles[98]. » Ce cas ne devait pas être isolé et il est sûr que Grégoire a tenu à démontrer ainsi que les moines n'avaient aucune raison d'être tenus à l'écart de l'apostolat missionnaire, puisque le plus exceptionnel d'entre eux, à une époque récente, s'était fait le propagandiste de la foi, en s'attaquant aux survivances de la religion païenne[99].

Conversions de Goths En dépit de leur aspect merveilleux ou naïf,
et de Lombards les récits de conversion des *Dialogues* font égale-
ment allusion à des réalités historiques du vie siècle : la présence des barbares en Italie, et spécialement des Goths et des Lombards.

Il semble que, devant la cruauté des Goths, Benoît se borne à exercer sa puissance de prophète ou de thaumaturge, sans chercher à les gagner au christianisme : au roi Totila, il reproche ses crimes passés et présents[100], et il délivre miraculeusement un paysan qu'un goth perfide et redoutable du nom de Zalla avait enchaîné[101]. Il y a cependant une exception : un Goth, qualifié de *pauper spiritu*, ce qui rappelle sans doute la béatitude évangélique, s'est converti et est devenu moine. Benoît, nous dit Grégoire, le reçut volontiers[102]. Il aura d'ailleurs à réparer une de ses maladresses,

---

97. Cf. Sulpice Sévère, *Vie de saint Martin*, 12-15 (cf. les commentaires de J. Fontaine, *SC*, 134, p. 712-807 : *Conuersio paganorum*. Le duel thaumaturgique avec le paganisme des campagnes gallo-romaines).

98. *Dial.* 2, 19, p. 109 : « Non longe autem a monasterio uicus erat in quo non minima multitudo hominum ad fidem Dei ab idolorum cultu Benedicti fuerat exhortatione conuersa. »

99. Cf. R. Rudmann, *Mönchtum und kirchlicher Dienst in den Schriften Gregors des Grossen*, dissertation St Anselme, 1956, p. 59.

100. *Dial.* 2, 15, p. 103 : « De suis actibus increpauit... dicens : Multa mala facis, multa mala fecisti, iam aliquando ab iniquitatibus compescere. »

101. Cf. *Dial.* 2, 31, p. 122-124.

102. *Dial.* 2, 6, p. 89 : « Alio quoque tempore Gothus quidam pauper spiritu ad conuersationem uenit, quem uir Domini Benedictus libentissime suscepit. »

en faisant revenir du fond d'un lac le fer de sa faux qu'il y avait laissé tomber.

Des évêques thaumaturges eurent plus de succès que Benoît avec les Goths. Ce fut le cas de l'évêque de Populonia, Cerbonius. Totila avait décidé de le livrer à un ours, mais un miracle se produisit. « Oubliant tout à coup sa férocité et baissant humblement la tête, l'ours se mit à ramper et à lécher les pieds du saint, donnant ainsi à entendre à tous les assistants, que, si les hommes avaient pour cet homme de Dieu des cœurs de bêtes féroces, les bêtes avaient pour lui des cœurs d'hommes[103]. » Certes, ce prodige est dans la ligne de bien des légendes hagiographiques, qui remontent au temps où s'est développé le culte des martyrs. Mais Grégoire s'intéresse davantage à la portée missionnaire de cette histoire et il retient surtout le changement d'attitude du peuple, d'abord, et aussi du roi. « Alors le peuple, qui était venu assister au spectacle de la mort de l'évêque, fut retourné et avec de grands cris marqua son admiration pleine de respect[104]. » Quant au roi Totila, « qui n'avait pas voulu suivre Dieu en respectant la vie d'un évêque, il suivit du moins l'exemple de la douceur d'une bête[105]. » Dans ce même troisième livre des *Dialogues*, on rencontre d'autres récits conçus selon un schéma analogue. Le roi Totila, réputé pour sa férocité, n'est pas converti, mais impressionné par sa rencontre avec des évêques thaumaturges. En face de ces saints personnages, sa barbarie s'apaise brusquement. C'est le cas avec l'évêque de Narni, Cassius, que sa rougeur de peau faisait soupçonner d'ivrognerie : à partir du jour où il le vit, « le roi barbare respecta à cause de son cœur celui qu'il jugeait fort méprisable à cause de son visage[106]. » Pareille aventure lui arrive avec Herculanus, l'évêque de Pérouse, qu'il condamne à être enfermé dans un cercle dont il ne pourra s'écarter ; un orage éclate et pas une goutte d'eau ne tomba dans ce cercle. « Quand on raconta cela à ce roi très cruel, son esprit féroce en fut retourné (*uersa est*) au point d'avoir une grande vénération pour cet homme, qu'il aspirait auparavant à punir dans sa fureur insatiable[107]. »

Ces récits de confrontation entre un prince hostile aux chrétiens et un évêque thaumaturge étaient devenus classiques dans la littérature

---

103. *Dial.* 3, 11, p. 157 : « Subito suae feritatis oblitus, deflexa ceruice, submissoque humiliter capite, lambere episcopi pedes coepit, ut patenter omnibus daretur intelligi quia erga illum uirum Dei et ferina corda essent hominum, et quasi humana bestiarum. »

104. *Ibid.* : « Tunc populus qui ad spectaculum uenerat mortis, magno clamore uersus est in admirationem uenerationis. »

105. *Ibid.* : « ... qui Deum sequi prius in custodienda uita episcopi noluit, saltem ad mansuetudinem bestiam sequeretur. »

106. *Dial.* 3, 6, p. 147 : « ... ut rex barbarus seruum Dei ab illo iam die ueneraretur ex corde, quem despecto ualde iudicabat ex facie. »

107. *Ibid.* 12, p. 160 : « Quod dum regi crudelissimo nuntiatum esset, illa mens effera ad magnam eius reuerentiam uersa est, cuius poenam prius insatiabili furore sitiebat. »

hagiographique, depuis la *Vita Martini* de Sulpice Sévère[108]. Ils revêtent ici une signification relativement nouvelle. Non seulement Grégoire veut montrer la supériorité permanente de la foi sur la force brutale, mais encore il cherche à redonner confiance à ses contemporains : si Totila lui-même a reculé face à de telles interventions permises par Dieu, pourquoi redouter les Lombards ? Certes, ces nouveaux envahisseurs ne sont pas moins dangereux que les Goths, mais des miracles se produiront encore, qui les feront reculer. Un de ces miracles est raconté à propos du prêtre Sanctulus de Nursie. Un Lombard allait lui trancher la tête, il pria, et son bourreau ne put abaisser son bras. « Alors toute la foule des Lombards, qui était venue assister au spectacle de sa mort, fut retournée en sa faveur au point de le louer (*in laudis fauorem conuersa*) ; elle se mit à admirer l'homme de Dieu avec une vénération mêlée de crainte[109]. » Tous ces récits de miracles ont donc plus ou moins une intention de propagande. Aux chrétiens, ils redonnent confiance, en leur prouvant par des faits que Dieu vient toujours au secours de ses fidèles et suscite des hommes capables de faire plier la fureur des barbares. Quant aux Lombards, ils les invitent discrètement à la prudence et à la réflexion : même s'ils ne se convertissent pas au christianisme, pourquoi ne suivraient-ils pas l'exemple fourni par ces chefs barbares, qui ont du moins respecté des évêques ou des prêtres que Dieu protégeait ?

Herménégild   La conversion du prince arien Herménégild, qui se trouve dans la dernière partie du troisième livre des *Dialogues*[110], ne peut pas être considérée purement et simplement comme une légende hagiographique, car elle eut une influence déterminante sur le destin de l'Espagne wisigothique[111]. Mais, comme les précédents, ce récit porte la griffe grégorienne. Le jeune prince méprise la royauté terrestre pour rechercher ardemment celle du ciel[112]. A ce mépris du monde s'ajoute un autre élément caractéristique : la sérénité avec laquelle Herménégild résiste aux pressions de son père, le roi Liuvigild, qui le fait jeter en prison, lui délègue un évêque arien et finit par le faire assassiner. Pour finir, Grégoire exalte la fécondité d'une telle conduite, puisqu'à la mort de son père, son autre fils, Reccared, embrasse la foi catholique et tout le peuple wisigoth suivra son prince. « En effet, dans la nation des wisigoths, un seul est mort pour que beaucoup trouvent

---

108. Cf. *Vita Martini* 20 (*SC*, 135, p. 913-946 : Le festin chez Maxime ou le prophète chez le roi).

109. *Dial.* 3, 37, p. 222 : « Tunc omnis Langobardorum turba quae ad illud mortis spectaculum aderat, in laudis fauorem conuersa, mirari coepit, uirumque Dei cum timore uenerari. »

110. *Dial.* 3, 21, p. 204-206.

111. Cf. J. Fontaine, *Conversion et culture chez les Wisigoths d'Espagne*, dans *La conversione al christianesimo nell'Europa dell'alto Medioevo*, dans *Settimane di Studio sull'alto medioevo*, Spolète, 1967, p. 87-147.

112. *Dial.* 3, 31, p. 205 : « ... terrenum regnum despiciens, et forti desiderio caeleste quaerens. »

la vie, et, tandis qu'un grain unique est tombé fidèlement pour obtenir la vie des âmes, une abondante moisson s'est levée[113]. » C'est dire la portée exemplaire d'un tel sacrifice, implicitement rapproché de la passion du Christ, et aussi son efficacité missionnaire puisque le « martyre » d'Herménégild a permis qu'un peuple entier passât de l'hérésie à la vraie foi. Il faut d'ailleurs noter que Grégoire insiste sur l'aspect doctrinal de cet événement, ce qui n'est pas fréquent dans les *Dialogues*. Dès le début, il ouvre ce chapitre en faisant savoir clairement qu'Herménégild est passé « de l'hérésie arienne à la foi catholique », et, tout au long du récit, il recourt constamment à cette antithèse, non entre la cruauté des barbares et la vertu des saints, mais entre la vraie foi et l'hérésie. C'est le mot de perfidie qui lui sert à stigmatiser la conduite de Liuvigild et il résume ainsi l'aboutissement du drame : « Après sa mort, le roi Reccared, suivant l'exemple non de son perfide père, mais de son frère martyr, abandonna la détestable hérésie arienne, se convertit et conduisit à la vraie foi le peuple entier des Wisigoths, à tel point qu'il interdit de servir dans l'armée de son royaume à quiconque ne craignait pas de se montrer ennemi du royaume de Dieu, en embrassant l'hérésie perfide[114]. » Il est possible que Grégoire ait songé aux Lombards et au roi Agilulf en racontant la conversion d'Herménégild, de Reccared et des Wisigoths, car tous ces événements étaient très récents[115]. Ne prouvaient-ils pas que l'action de Dieu ne connaissait pas de limites et ne permettaient-ils pas d'espérer pour un jour peut-être proche la conversion des autres peuples barbares de l'Europe ?

---

113. *Ibid.* p. 207 : « In Visigothorum etenim gente unus mortuus est, ut multi uiuerent ; et dum unum granum fideliter cecidit ab obtinendam uitam animarum, seges multa surrexit. »

114. *Ibid.* p. 206 : « Post cuius mortem Recharedus rex non patrem perfidum, sed fratrem martyrem sequens, ab Arianae haereseos prauitate conuersus est, totamque Visigothorum gentem ita ad ueram perduxit fidem, ut nullum in suo regno militare permitteret, qui regno Dei hostis existere per haereticam perfidiam non timeret. »

115. Reccared se convertit vers 587 et proclama la conversion officielle du peuple wisigoth devant l'assemblée du IIIe Concile de Tolède, en 589.

CHAPITRE VI

Le ministère de la conversion

La conversion et le ministère pastoral sont étroitement liés dans toute l'œuvre grégorienne, la première apparaissant plus ou moins comme la finalité du second. C'est aux pasteurs qu'il revient en effet de conduire à la foi, de combattre le péché, de former les consciences des fidèles, de faciliter la rupture avec le monde et le choix d'une vie religieuse, de conquérir au christianisme des peuples encore païens. Il est donc intéressant de voir comment Grégoire établit concrètement ce lien entre sa doctrine de la conversion et sa conception du ministère pastoral.

Certes, Grégoire est considéré par les historiens comme le premier pape véritablement missionnaire, parce qu'il a été le premier qui ait songé à organiser l'évangélisation de l'Europe barbare, et spécialement de l'Angleterre[1]. Mais il ne suffit pas de lui reconnaître ce mérite ; il faut aussi se demander si cette action missionnaire est distincte de sa spiritualité, ou si elle se rattache à sa vision d'ensemble de la vie chrétienne et de l'Église. On aurait tort d'analyser les lettres à Augustin de Cantorbéry ou aux princes des royaumes barbares en faisant abstraction des *Moralia*. C'est bien le même homme qui médite sur le mystère de la conversion et qui entreprend de l'organiser à l'échelle des peuples.

---

1. Cf. A. SEUMOIS, *La papauté et les missions au cours des six premiers siècles*, Paris-Louvain, 1953, p. 75 ; O. BERTOLINI, *I papi e le missioni fino alla meta del secolo VIII*, dans *La conversione al cristianesimo*, Spolète, 1967, p. 327-363 ; R. A. MARKUS, *Gregory the Great and a papal missionary strategy*, dans *Studies in Church History*, vol. 6 (*The Mission of the Church and Propagation of the Faith*), Cambridge, 1970, p. 29-38.

« *Ordo*   Une expression, dont il semble bien être le
praedicatorum »   créateur[2], revient constamment dans les écrits de
Grégoire : celle d'*ordo praedicatorum* ou d'*ordo
doctorum*[3]. Elle désigne l'ensemble de ceux qui sont appelés à enseigner
et à diffuser la foi. Le terme d'*ordo* indique que les prédicateurs constituent
une catégorie particulière de chrétiens, qui se distingue des deux autres,
celle des laïcs mariés, les *coniugati* et celle des religieux, les *continentes*,
par leur mission et leur style de vie[4].

Leur mission spécifique fait d'eux les messagers de l'Évangile. Succédant
aux patriarches, aux docteurs de la loi, aux prophètes et aux apôtres,
ils sont les envoyés de Dieu pour le temps qui sépare l'incarnation du
Christ de son retour[5]. A ce titre, ils ont dans l'Église une fonction dirigeante : « La sainte Église, pour l'instruction des peuples fidèles, a reçu
quatre ordres pour la diriger ; Paul les énumère suivant le don qu'en
fait le Dieu tout-puissant, en disant : « C'est lui-même qui a donné à
certains d'être apôtres, à d'autres prophètes, à d'autres évangélistes,
à d'autres pasteurs et docteurs (1 *Cor.* 12, 28 ; *Eph.* 4, 11)[6] ». Et Grégoire
poursuit en introduisant une différence entre les évangélistes et les
docteurs : les premiers se consacrent à l'évangélisation des infidèles,
tandis que les seconds s'occupent de former moralement les fidèles.
« Puisque l'Évangile signifie bonne nouvelle, nous appelons évangélistes
ceux qui annoncent aux peuples barbares les biens de la patrie céleste.
Il est certain que les évangélistes et les docteurs ont existé par le passé,
mais demeurent encore aujourd'hui, avec la grâce du Seigneur, car
nous savons qu'encore à présent, chaque jour, des peuples infidèles sont
conduits à la foi et que tous les fidèles sont éduqués aux bonnes mœurs
par les docteurs[7]. » Mais cette spécialisation n'apparaît guère ailleurs,
bien que Grégoire regroupe généralement sous les vocables de *praedicatores*

---

2. Cf. R. LADNER, *L'ordo praedicatorum avant l'ordre des prêcheurs*,
dans P. MANDONNET, *Saint Dominique. L'idée, l'homme et l'œuvre*, Paris,
1937, p. 51-55.

3. Dans le *commentaire sur le premier livre des Rois*, on trouve quatre
fois *ordo doctorum* (1, 43, *CCh*, 144, p. 77 ; 3, 16, 211 ; 3, 21, 214 ; 3, 49, 227)
et neuf fois *ordo praedicatorum* (1, 43, 77 ; 1, 52, 82 ; 3, 10, 208 ; 3, 14, 209 ;
3, 15, 210 ; 3, 27, 216 ; 3, 20, 217 ; 3, 31, 218 ; 4, 131, 363).

4. Cf. R. GILLET, *art. cit.*, *DSp.*, VI, col. 886.

5. Cf. *HEv* 1, 19, 1 (*PL*, 76, 1154 B) et *Mor.* 17, 26, 36 (*PL*, 76, 27 A-C).

6. *HEz* 2, 9, 6 (*PL*, 76, 1046 A = *CCh*, 142, p. 361) : « Sancta ecclesia
ad eruditionem fidelium populorum quatuor regentium ordines accipit,
quos Paulus ex dono omnipotentis Domini enumerat, dicens : « Ipse dedit
quosdam quidem apostolos, quosdam autem prophetas, alios uero euangelistas, alios autem pastores et doctores. »

7. *Ibid.* (1046 B-C = p. 361-2) : « Quia uero Euangelium bonum nuntium
dicitur, euangelistas utique appellamus qui rudibus populis bona patriae
caelestis annuntiant. Qui uidelicet euangelistae atque doctores et priori
quidem tempore fuerunt, sed nunc usque, Domino largiente, permanent,
quia adhuc quotidie et infideles populos ad fidem trahi, et fideles quosque
in bonos mores per doctores erudiri cognoscimus. »

et d'*ordo pradicatorum* tous ceux qui ont dans l'Église la responsabilité
de la foi, soit en annonçant l'Évangile aux païens, soit en instruisant les
chrétiens par la parole et l'exemple. Grégoire insiste sur ce fait que Dieu
confère souvent cette responsabilité à des convertis, qui sont ainsi appelés
à exercer à leur tour le ministère de la conversion et de la charité. « Les
pôles de la terre sont les extrémités de la terre. Dieu a voulu désigner
du nom de pôles les prédicateurs choisis parmi les païens. Ils sont appelés
extrémités de la terre parce qu'ils sont tirés en quelque sorte de la
médiocrité et de l'abjection du monde païen... Puisqu'ils sont des maîtres,
ils doivent comprendre que le cercle de la terre est posé sur eux, non
sous eux. Que désigne en effet le nom de cercle sinon la foule des fidèles
soumise à la Sainte Église ? Or c'est sur les pôles que Dieu a posé le
cercle de la terre : car les prédicateurs sont à la tête des troupeaux de
la Sainte Église pour soutenir leur faiblesse et porter jusqu'à la patrie
céleste tous ceux qui défaillent, comme un fardeau mis sur leurs
épaules[8]. » L'autorité pastorale qu'ils détiennent leur permet de s'adresser
à toutes les catégories de chrétiens. Commentant l'épisode du jeune
Samuel que sa mère emmène au sanctuaire de Silo « en même temps
qu'un taureau, trois mesures de farine et une outre de vin » (1 *Sam.* 1, 24),
Grégoire montre que les *praedicatores* doivent adapter leur enseignement
au degré d'avancement spirituel de leurs auditeurs : « La mesure de
farine signifie la préparation de la sainte prédication. Mais l'enfant
est emmené avec trois mesures de farine : car lorsque nous nous proposons
de prêcher, nous préparons une parole de science à l'intention des pécheurs
pour leur conversion, à l'intention des justes pour qu'ils demeurent
persévérants et à notre intention en vue de la contemplation des choses
d'en haut. Et assurément il y a une mesure à appliquer à la conversion
des pécheurs, une autre à l'éducation des gens mariés, une troisième
à la pureté éminente des ascètes[9]. »

Il est clair que les *praedicatores* exercent dans l'Église une fonction
dirigeante et qu'ils méritent le titre de *rectores*, puisqu'ils sont des guides
mis par Dieu à la tête de son peuple. Ils reçoivent pour cela une investiture

---

8. *In I Reg.* 1, 105 (*CCh*, 144, p. 116-117) : « Cardines terrae sunt extrema terrae. Nomine autem cardinum ipsos praedicatores electos de gentibus
uoluit designari. Extrema quidem terrae dicuntur, quia de uili quodam-
modo et abiecta gentilitate producuntur... Qui uero domini sunt, uideant
quia super eos orbis ponitur, non sub eis. Quid enim orbis nomine nisi
sanctae ecclesiae subiecta designatur plenitudo fidelium ? Super cardines
quidem terrae deus orbem posuit : quia praedicatores ad hoc sanctae
ecclesiae gregibus praeminent, ut eorum infirmitatem releuent et debiles
quosque ad caelestem patriam uelut superimpositum onus portent. »

9. *In I Reg.* 1, 51 (p. 82) : « Modius ergo farinae sanctae praedicationis
praeparationem significat. Sed in tribus modiis farinae infans adducitur :
quia, dum praedicare proponimus, uerbum scientiae praeparamus peccatoribus ad conuersionem, iustis ad statum perseuerantiae et nobis ad
supernam contemplationem. Vel certe unus modius est, ut diximus,
pro conuersione peccatoris, alius pro disciplina coniugati, tertius uero
pro excellenti puritate continentis. »

officielle que Grégoire compare à celle de Saül par le prophète Samuel :
comme l'onction royale, l'ordination sacerdotale fait d'eux des *reges
ecclesiarum*[10] qui devront mériter par leurs vertus la confiance de leurs
sujets[11]. Mais ce caractère sacramentel ne suffit pas à expliquer la supériorité de leur ministère, qui est due également à la vie qu'ils mènent,
cette vie mixte qui représente le type le plus parfait de vie chrétienne
parce que la contemplation s'y mêle à l'action, dans une alternance
constante permettant d'aller de Dieu aux hommes et des hommes à
Dieu. « Le prédicateur parfait n'est pas celui qui, ou bien néglige ce
qu'il doit faire par goût de la contemplation, ou bien met la contemplation
au second plan en raison de l'urgence de l'action... C'est pourquoi le
rédempteur du genre humain accomplit ses miracles le jour dans les
villes et passe la nuit sur la montagne pour vaquer à la prière, incitant
ainsi les prédicateurs vraiment parfaits à la fois à ne pas abandonner
complètement la vie active par amour de la contemplation et à ne pas
mépriser les joies de la contemplation en abusant trop de l'action, car
ils doivent puiser dans le repos de la contemplation ce qu'ils feront
rejaillir sur le prochain en lui adressant la parole[12]. » Grégoire fait donc
des prédicateurs les imitateurs par excellence du Christ et il évoque
souvent ce perpétuel va-et-vient de Dieu au monde et de soi au monde,
qui garantit l'efficacité de leur ministère[13].

Avec le Christ, les prédicateurs, à la suite des apôtres, constituent
donc les fondements de cette construction qu'est l'Église. « Dans l'Écriture
sainte, que comprendre par le terme de fondements, sinon les prédicateurs ? Le Seigneur les ayant établis les premiers dans la sainte Église,
toute la structure de la construction qui suit s'est élevée sur eux. C'est
pourquoi le prêtre, en entrant dans le tabernacle (*Ex.* 28, 17) reçoit
l'ordre de porter douze pierres sur sa poitrine, parce que notre grand
prêtre s'offrant lui-même pour nous en sacrifice, en choisissant dès
l'origine des prédicateurs courageux, a porté douze pierres au-dessous
de sa tête dans la première partie de son corps. Les saints apôtres sont
à la fois des pierres qui apparaissent comme la parure principale sur

---

10. *Ibid.* 4, 211 (p. 412) : « Nos autem reges ecclesiarum esse sanctos
praedicatores diximus, quibus aperte omnia conuenire ostendimus,
quae in iure regio continentur. »

11. *Ibid.* 209 (p. 411) : « Rectus quidem ordo electi praedicatoris est,
ut ante sublimitatem ecclesiastici culminis culmen conscendat uirtutis... ».

12. *Mor.* 6, 37, 56 (*PL*, 75, 760 C - 761 A) : « Neque enim perfectus
praedicator est, qui uel propter contemplationis studium operanda
negligit, uel propter operationis instantiam contemplanda postponit...
Hinc est quod humani generis Redemptor per diem miracula in urbibus
exhibet, et ad orationis studium in monte pernoctat, ut perfectis uidelicet
praedicatoribus innuat quatenus nec actiuam uitam amore speculationis
funditus deserant, nec contemplationis gaudia penitus operationis nimie-
tate contemnant, sed quieti contemplantes sorbeant, quod occupati
erga proximos loquentes refundant. »

13. Cf. *HEz* 1, 3, 9 (*PL*, 76, 809 B = *CCh*, 142, p. 37-38) et 1, 5, 16
(828 C = p. 66).

la poitrine et des fondements qui assurent la solidité principale de l'édifice
sur le sol[14]. » Un peu plus loin, Grégoire développe encore cette métaphore
architecturale : « Que comprenons-nous par les bases de cette terre,
sinon les docteurs de la sainte Église ? Sur les bases s'élèvent des colonnes,
sur les colonnes s'érige le poids de toute la construction[15]. » Commentant
un passage de l'*Exode* (26, 32) sur la construction du temple, il explique
que les quatre colonnes du tabernacle représentent les évangélistes, les
prophètes, les apôtres et les prédicateurs, qui tous annoncent le Christ[16].
Ailleurs, en s'appuyant sur d'autres passages de l'*Exode* (28, 33 et, 38,
33-35), il montre que les fonctions doctrinales des prêtres chrétiens
sont symbolisées par les vêtements du grand-prêtre de l'Ancien Testament[17]. Il est clair qu'il s'inspire d'Origène, qui voyait également dans
les colonnes du sanctuaire le symbole des prédicateurs, sur lesquels
s'appuie l'Église, et dans les ornements sacerdotaux celui de la parole
évangélique[18].

---

14. *Mor.* 28, 5, 14 (*PL*, 76, 455 C-D) : « In scriptura sacra quid aliud
fundamenta quam praedicatores accipimus ? Quos dum primos Dominus in
sancta Ecclesia posuit, tota in eis sequentis fabricae structura surrexit.
Vnde et sacerdos cum tabernaculum ingreditur (*Ex.* 28, 17) duodecim
lapides portare in pectore iubetur, quia uidelicet semetipsum pro nobis
sacrificium offerens pontifex noster, dum fortes in ipso exordio praedicatores exhibuit, duodecim lapides sub capite in prima sui corporis parte
portauit. Sancti itaque apostoli et pro prima ostensione ornamenti
lapides sunt in pectore, et pro prima soliditate aedificii in solo fundamenta. »
15. *Ibid.* 28, 7, 17 (457 C-D) : « Quid aliud huius terrae bases quam
sanctae Ecclesiae doctores accipimus ? In basibus quippe columnae,
in columnis autem totius fabricae pondus erigitur. »
16. *Ibid.* 18 (458 A-D). L'application aux apôtres de cette symbolique
architecturale est inspirée d'Augustin. Cf. *En. in Ps. LXXIV*, 6 (*CCh*,
39, p. 1028-1029) : « Columnas apostolos dicit ; sic apostolus Paulus
de coapostolis suis : « Qui uidebantur », inquit, « columnae esse. » Et
quid essent illae columnae, nisi ab illo firmarentur ? Quia quodam terrae
motu etiam ipsae columnae nutauerunt ; in passione Domini omnes
apostoli desperauerunt. Ergo columnae illae quae passione Domini nutauerunt, resurrectione firmatae sunt. Clamauit initium aedificii per
columnas suas, et in eis omnibus columnis architectus ipse clamauit.»
17. Cf. *Past.* 2, 4 (*PL*, 77, 30 D - 31 B) ainsi qu'*Ep.* 1, 24 (*MGH*, I,
p. 32) et 10, 14 (*MGH*, II, p. 249).
18. Dans la neuvième *homélie sur l'Exode*, Origène interprète ainsi la
construction du sanctuaire : « Le sanctuaire que nous bâtissons tous
ensemble, c'est l'Église sainte, « sans tache ni ride » (*Eph.* 5, 27) pourvu
qu'elle ait ses colonnes, à savoir ses docteurs et ses ministres... Les
colonnes sont recouvertes d'argent, parce qu'elles annoncent la parole
de Dieu... » (*Hom. in Ex.* 9, 3 : *SC*, 16, p. 211). Son exégèse des vêtements
du grand-prêtre va dans le même sens : « Par les objets placés sur sa
poitrine sont symbolisées, je crois, les paroles évangéliques, qui nous
présentent la vérité de la foi et la manifestation de la Trinité en une
quadruple série, rapportant tout à la tête, c'est-à-dire à la nature du
Dieu unique » (*Ibid.* 9, 4 : p. 217). Tout ceci confirme l'hypothèse d'Y. Con-
GAR (*L'ecclésiologie du Haut Moyen Age*, Paris, 1968, p. 72, n. 57) selon
laquelle l'insistance de Grégoire sur la prédication viendrait d'une
influence d'Origène.

Ce ministère de la prédication a un caractère éminemment prophétique. Grégoire ne se lasse pas de reprendre et de développer cette idée, soit en s'appuyant sur l'exemple d'Isaïe et de Jérémie, qui, chacun à sa manière, répondirent à l'appel de Dieu[19], soit en comparant constamment les prêtres chrétiens aux prophètes de l'Ancien Testament, car les ministres de la nouvelle alliance sont en relation intime avec ceux de l'ancienne, comme Samuel avec Eli. « Samuel désigne les prédicateurs de la sainte Église et Éli les pères de l'Ancien Testament, choisis par Dieu. L'enfant Samuel était au service du Seigneur, quand l'ordre nouveau des docteurs prêchait la foi au rédempteur. C'est bien de ce ministère que Paul parle en ces termes : ' Je suis bien l'apôtre des païens et j'honore mon ministère ' (*Rom.* 11, 13) ; et de nouveau : ' Ils sont Hébreux ? Moi aussi. Israélites ? Moi aussi. Postérité d'Abraham ? Moi aussi. Ministres du Christ ? Moi aussi ' (2 *Cor.* 11, 22-23). Servir le Seigneur, c'est aller se consacrer à la prédication. Il est écrit que Samuel remplissait ce ministère devant son maître Éli : car tout ce que l'ordre nouveau des prédicateurs a affirmé au sujet de la profession de la foi nouvelle, il l'a affermi par l'autorité des anciens pères[20]. »

Ce ministère de la prédication est aussi charismatique. C'est l'Esprit de Dieu qui anime les pasteurs : non seulement leurs paroles, mais toutes leurs activités sont incompréhensibles en dehors de cette inspiration qui les dépasse. « Les prédicateurs choisis par Dieu font l'expérience de l'Esprit qui parle en eux, dans la révélation soudaine de la vérité, tout comme dans l'ardeur subite de la charité, tout comme dans la plénitude de la science, tout comme dans la prédication très éloquente de la parole de Dieu : car ils sont brusquement instruits, s'enflamment tout d'un coup, en un instant se trouvent remplis et doués d'une faculté merveilleuse d'élocution. Au sujet de cette expérience soudaine, le Seigneur dit : ' Ce que vous aurez à dire vous sera donné sur le moment ' (*Matth.* 10, 19). Au sujet de cette ferveur instantanée de charité, Cleophas dit : ' Notre cœur n'était-il pas brûlant au-dedans de nous, lorsqu'il nous parlait en chemin et nous expliquait les Écritures ? ' (*Luc.* 24, 32). Et Luc se souvient de cette expérience du don d'éloquence qui les a remplis,

---

19. Cf. *Past.* 1, 7 (*PL*, 77, 20 B-C) : « ... quod liquido cognoscimus, si duorum prophetantium facta pensamus, quorum unus ut ad praedicandum mitti debuisset sponte se praebuit, quo tamen alter pergere cum pauore recusauit... »

20. *In I Reg.* 3, 1 (*CCh*, 144, p. 204) : « Per Samuhelem praedicatores sanctae Ecclesiae, in Heli etiam electi patres testamenti ueteris designantur. Puer ergo Samuhel ministrabat Domino, cum nouus doctorum ordo redemptoris fidem praedicabat. De quo nimirum ministerio Paulus loquitur dicens : « Quamdiu sum gentium apostolus, ministerium meum honorificabo. » Hinc iterum dicit : « Hebraei sunt, et ego ; Israhelitae sunt, et ego ; ministri Christi sunt, et ego. » Ministrare ergo domino in laborem praedicationis pergere est. Quod profecto ministerium Samuhel coram Heli domino impendisse dicitur : quia, quidquid de religione nouae fidei nouus praedicatorum ordo asseruit, hoc patrum ueterum auctoritate roborauit. »

quand il dit : ' Il y eut tout à coup un bruit venant du ciel comme d'un
souffle violent qui remplit toute la maison, où ils étaient assis ' (*Act.* 2, 2).
Dans ce même souffle, ils furent à la fois remplis et prêts à parler, ce
qui nous aide à comprendre ce que nous expliquons : car, en vérité,
ils nourrissent les autres en parlant, ceux qui sont nourris en entendant
ce qu'ils disent[21]. » Le terme d'expérience revient à plusieurs reprises
dans ce passage. Ce n'est pas un hasard, car ces affirmations sur l'intervention du Saint Esprit dans la parole humaine rejoignent les confidences
faites par Grégoire sur sa propre activité de prédicateur. « Je sais que très
souvent, en présence de mes frères, j'ai compris dans l'Écriture Sainte
bien des choses que je n'aurais pu comprendre seul. L'ayant compris,
j'ai cherché aussi à comprendre aux mérites de qui je devais que cette
compréhension me fût donnée. Car il est évident que ce don m'est fait
pour le bénéfice de ceux en présence desquels je le reçois. C'est pourquoi,
grâce à Dieu, il importe que ma compréhension grandisse et que mon
orgueil diminue, puisque j'apprends à cause de vous ce que j'enseigne
parmi vous, car, je dis vrai, j'entends le plus souvent ce que je dis en
même temps que vous[22]. » Ce témoignage personnel rejoint et prolonge
un principe maintes fois affirmé par Augustin : le prédicateur est d'abord
un auditeur de la Parole de Dieu. Grégoire a retenu les leçons de son
maître qui, dans ses propres sermons, explique à ses auditeurs qu'il
dit ce qu'il entend, qu'il apprend au moment où il enseigne et qu'avec
eux, il se met à l'école du Christ[23]. Le même système de correspondances

---

21. *Ibid.* 4, 122 (*CCh*, 144, p. 358-359) : « Habent ergo electi praedicatores experientiam spiritus in se loquentis in repentina reuelatione ueritatis, habent in subito ardore caritatis, habent in plenitudine scientiae,
habent in facundissima uerbi praedicatione : nam et subito instruuntur et
repente feruescunt et in momento replentur et mirabili eloquii potestate
ditantur. De illa namque repentina experientia dominus dicit : « Dabitur
uobis in illa hora quid loquamini. » De illo autem subitaneo feruore caritatis
Cleopas dicit : « Nonne cor nostrum ardens erat in nobis, cum loqueretur
in uia et aperiret nobis scripturas ? » De repletionis quoque et facundiae
experientia Lucas meminit dicens : « Factus est repente de caelo sonus
tamquam aduenientis spiritus uehementis et repleuit totam domum,
ubi erant sedentes. » In eodem quippe spiritu et repleti et locuti sunt,
ut hoc, quod asserimus, designarent : quia uidelicet loquendo alios
pascunt, qui de eo, quod dicunt, audiendo pascuntur. » Cf. *HEv* 2, 29, 5
(*PL*, 76, 1223 B-C) : « Linguas igneas doctores habent, quia, dum Deum
amandum praedicant, corda audientium inflammant... »

22. *HEz* 2, 2, 1 (*PL*, 76, 948 D - 949 A = *CCh*, 142, p. 225) : « Scio enim
quia plerumque multa in sacro eloquio, quae solus intelligere non potui,
coram fratribus meis positus intellexi. Ex quo intellectu et hoc quoque
intelligere studui, ut scirem ex quorum mihi merito intellectus daretur.
Patet enim quia hoc mihi pro illis datur quibus mihi praesentibus datur.
Ex qua re, largiente Deo, agitur ut et sensus crescat et elatio decrescat,
dum propter uos disco quod inter uos doceo, qui — uerum fateor —
plerumque uobiscum audio quod dico. »

23. Les formules de l'*homélie sur Ezéchiel* (« Propter uos disco quod
-nter uos doceo, quia, uerum fateor, plerumque uobiscum audio quod
dico ») rappellent le texte suivant d'Augustin (*Serm.* 261, 2 ; *PL*, 38,
1203) : « Quaeris qualis Deus Christus ? Audi me, imo audi mecum :

entre les verbes *audire* et *dicere*, *discere* et *docere* sert aux deux prédicateurs
à exprimer une même expérience spirituelle.

Pour ce qui est de Grégoire, ses confidences sont sans doute à l'origine
d'une légende rapportée par Paul Diacre, vers la fin de la biographie
qu'il consacra au saint pape au début du ixe siècle. Le diacre Pierre,
l'ami de Grégoire et son interlocuteur des *Dialogues*, fut le témoin d'un
fait miraculeux : il vit un jour à travers une tenture une colombe s'approcher de la bouche de son maître, qui se mettait à dicter aussitôt que l'oiseau
mystérieux avait retiré son bec de ses lèvres[24]. Du Haut Moyen Age à nos
jours, l'iconographie grégorienne ne s'est pas lassée d'illustrer cette
anecdote, à tel point que la colombe est devenue une sorte d'attribut
de Grégoire, comme le lion est l'attribut de Jérôme et le corbeau celui
de Benoît. Mais pourquoi les auteurs d'enluminures, les sculpteurs, les
peintres représentent-ils Grégoire assis et en train d'écrire ? S'ils s'étaient
souvenus de ses propres déclarations, et non de la légende due à Paul
Diacre[25], ils l'auraient montré en train de prêcher, sinon debout, du
moins face à un auditoire dont la présence suscitait en lui l'inspiration
de l'Esprit Saint.

En tout cas, on ne saurait reprocher à Grégoire d'avoir une vision
étroite du ministère pastoral[26]. Pour lui, le prêtre chrétien n'est pas
un personnage sacré prisonnier du ritualisme : il est avant tout le messager
de la Parole de Dieu, celui qui portera l'Évangile jusqu'aux extrémités
de la terre, s'il y est appelé par Dieu. Dans l'histoire du salut, les prédicateurs exercent une mission à la fois prophétique et charismatique qui est
essentielle au développement de l'Église. Par leur parole, ils ont à susciter
et à entretenir la foi. Ils apparaissent ainsi comme les ministres de la
conversion du monde entier, des païens et des chrétiens. Si Grégoire
insiste tant sur les responsabilités pratiques et les devoirs spirituels

---

simul audiamus, simul discamus. Non enim quia loquor et uos auditis,
ideo uobiscum non audio. Quaeris ergo, cum audis, Deus est Christus,
qualis Deus Christus ? Audi mecum : non, inquam, me audi, sed mecum.
In hac enim schola omnes sumus condiscipuli. Coelum est cathedra magistri nostri. »

24. *Vita Gregorii*, 28 (*PL*, 75, 57 C - 58 B). Dans son édition critique,
H. Grisar (*Zeitschrift für katholische Theologie*, 11, 1887, p. 158-173)
considère ces derniers chapitres comme une interpolation.

25. J. Croquison (*Les origines de l'iconographie grégorienne*, dans
Cahiers archéologiques, 12, 1962, p. 260) montre bien que c'est à partir des *homélies sur Ezéchiel* que la légende de la colombe a fait son apparition dans l'iconographie grégorienne.

26. Le point de vue du P. Moingt (*Caractère et ministère pastoral*,
dans *RSR*, 56, 1968, p. 572), selon lequel un certain nombre de facteurs,
dès le cinquième siècle, auraient accentué l'aspect ritualiste du ministère
sacerdotal et rejeté dans l'ombre le ministère de la parole, est démenti
par l'étude de la doctrine grégorienne, qui témoigne au contraire d'une
conception du sacerdoce où le ministère de la prédication, l'enseignement
de la foi en vue de la conversion, gardent la prépondérance, en fait et en
droit.

de l'*ordo praedicatorum*, c'est qu'il a cherché à en faire un corps de missionnaires, spécialement formés en vue d'animer au-dedans et au-dehors l'apostolat de l'Église.

Prédication   Mais Grégoire ne s'est pas contenté de tracer
et conversion   les grandes lignes, sinon d'une théologie, du
des pécheurs   moins d'une spiritualité de l'*officium praedicationis*.
Il montre aussi comment l'on parvient pratiquement à convertir les autres par la parole. A cet égard, les simples fidèles peuvent exercer une fonction proprement sacerdotale les uns par rapport aux autres, en se corrigeant mutuellement. Les prêtres ne sont-ils pas des messagers pareils aux anges ? Mais « ce titre élevé, explique Grégoire aux chrétiens de Rome, même vous, si vous le voulez, vous pouvez le mériter. Car chacun de vous, dans la mesure où il en est capable, dans la mesure où il a reçu la grâce d'aspirer aux biens d'en haut, s'il détourne son prochain de sa méchanceté, s'il l'exhorte avec zèle à bien se conduire, s'il fait entrevoir aux égarés le royaume ou le supplice éternels, assurément il se comporte alors comme un ange, en prodiguant ses paroles pour de saints avertissements[27]. » Cette espèce de prédication quotidienne est donc un des aspects du sacerdoce commun des fidèles. Elle fait d'eux des messagers de Dieu, des porteurs de sa Parole, comme les anges.

Cependant, cette responsabilité morale, qui consiste à réprimander les pécheurs en les incitant à changer de conduite, appartient principalement aux pasteurs. « Il faut que les pasteurs commencent par s'adresser à ceux qui sont en état de péché, et quand ceux-ci se seront mis à abandonner leurs péchés et à se hâter de retrouver l'innocence, il est indispensable qu'à leur égard, dans la bouche du pasteur, la prédication devienne plus fournie et qu'il se fasse insistant, dans son enseignement, avec une énergie d'autant plus vive qu'il considère que leur chute a été plus grave, en sachant bien que lui-même reçoit un salaire d'autant plus important que, par ses paroles, il délivre les autres de péchés plus profonds[28]. »

---

27. *HEv* 1, 6, 6 (*PL*, 76, 1098 A) : « Sed huius altitudinem nominis, etiam uos, si uultis, potestis mereri. Nam unusquisque uestrum in quantum sufficit, in quantum gratiam supernae aspirationis accepit, si a prauitate proximum reuocat, si exhortari ad bene operandum curat, si aeternum regnum uel supplicium erranti denuntiat, cum sanctae annuntiationis uerba impendit, profecto angelus existit. »

28. *HEz* 2, 9, 21 (*PL*, 76, 1056 C - 1057 A = *CCh*, 142, p. 375) : « Oportet ut eisdem prius in peccato positis praedicent, et cum iam coeperint peccata relinquere atque ad innocentiam festinare, necesse est ut erga eos in ore doctoris incrementa praedicationis excrescant, et quibusdam doctrinae suae uerbo tanto uehementius insistat, quanto eos grauius cecidisse considerat, uidelicet sciens quod ipse tanto mercedem magnae remunerationis accipiat, quanto uerbis suis alios de profundioribus peccatis leuat. »

Une telle exigence explique la minutie avec laquelle Grégoire a esquissé, dans la 3ᵉ partie de son *Liber regulae pastoralis*, une sorte de rhétorique à l'usage des pasteurs, allant jusqu'à leur indiquer selon quels principes ils doivent discerner et combattre par leur prédication les péchés des diverses catégories de fidèles. A ses yeux, toute prédication a une portée morale, et c'est pourquoi les prédicateurs ont besoin de savoir les difficultés qui les attendent, les résistances auxquelles ils vont se heurter, les moyens dont ils disposent pour permettre la conversion des cœurs et le progrès moral. « Le prédicateur met le siège devant l'âme qu'il a à former, quand il lui indique, pour la prémunir, de quelles façons les vices s'opposent aux vertus, comment la luxure frappe la chasteté, quelles perturbations la colère provoque dans une âme tranquille, dans quelle mesure une joie désordonnée relâche la vigueur d'esprit, quelles destructions le bavardage inflige aux défenses du cœur, comment la jalousie tue la charité, comment l'orgueil sape la citadelle de l'humilité, quelle corruption la tromperie introduit aussi dans la pensée après avoir corrompu la vérité dans les paroles, à tel point que celui qui n'a pas voulu dire la vérité qu'il a comprise ne peut même plus comprendre ce qu'il serait capable de dire. Le siège est donc mis par le prédicateur lorsqu'il montre à chacun, par les paroles de ses saints conseils, quelles sont les vertus que guette tel ou tel vice, de telle et telle façon[29]. » A travers cette espèce de poliorcétique spirituelle, on voit tout ce que la conception grégorienne du ministère pastoral doit à la littérature ascétique, qui, surtout depuis Cassien, ne cesse d'évoquer ce thème du combat de l'âme et du progrès dans la vertu[30]. Mais le mérite de Grégoire est de vulgariser cette doctrine, en appliquant à l'action pastorale les principes qui, jusque là, valaient surtout pour la vie monastique.

Cependant, le ministère de la conversion ne se limite pas à l'exhortation individuelle, à l'homilétique ou aux différents genres de parénèse. Il a également une portée universelle, sur laquelle Grégoire insiste beaucoup plus qu'on ne pourrait s'y attendre de la part d'un psychologue et d'un

---

29. *HEz* 1, 12, 25 (*PL*, 76, 930 B-C = *CCh*, 142, p. 198) : « Praedicator quippe contra erudiendam animam obsidionem ordinat cum praemuniendo indicat quibus se modis uitia uirtutibus opponant, quomodo luxuria castitatem feriat, qualiter ira tranquillitatem animi perturbet, quantum inepta laetitia uigorem mentis resoluat, qualiter multiloquium munitionem cordis destruat, quomodo inuidia caritatem interficiat, quemadmodum superbia arcem humilitatis effodiat, qualiter fallacia cum ueritatem in sermone corruperit, hanc etiam in cognitione corrumpat, ut qui uerum dicere noluit quod intellexit iam nec intellegat quod dicere ualeat. Ordinatur ergo a praedicatore obsidio cum per sanctae admonitionis uerba singulis quibusque uirtutibus quae uel quibus modis uitia insidientur ostenditur. »

30. Cf. J.-Cl. Guy, *Jean CASSIEN. Vie et doctrine spirituelle*, Paris, 1961, p. 41-43 ; cf. Cassien, *Institutions cénobitiques* (*SC*, 109) : les livres V à XII indiquent successivement la façon de lutter contre la gourmandise, la fornication, l'avarice, la colère, la tristesse, l'acédie, la vaine gloire et l'orgueil.

moraliste attentif au cheminement personnel des âmes. Il lui arrive même d'évoquer cette expansion de la foi à travers le monde, en usant des expressions qu'il applique habituellement à l'expérience mystique. « La lumière de la prédication, qui, par la voix des apôtres, n'était plus resserrée et emprisonnée, mais qui brillait largement, a resplendi. Car, lorsqu'on a reçu la lumière de la conversion, l'amour s'enflamme avec force au-dedans des cœurs, de sorte que l'on déplore anxieusement le mal déjà accompli et que l'on recherche avec une ardeur extrême les biens à venir[31]. » La prédication des apôtres opère ainsi pour les païens ce à quoi les chrétiens peuvent accéder par la contemplation. Illumination progressive, ardeur intérieure de l'amour, repentir et désir de Dieu, tels sont bien les signes de la conversion, non plus individuelle, mais collective. Ailleurs, Grégoire décrit l'évangélisation du monde comme un ensemencement, puisque la parole des prédicateurs fait germer la vérité, non chez les juifs qui l'ont refusée, mais chez les hommes disposés à l'accueillir[32]. La conversion des païens réalise cette prophétie d'Isaïe : « Je transformerai le désert en étang et la terre aride en fontaines » (*Is.* 41, 18) car « le Seigneur a donné les sources de la sainte prédication aux peuples païens, qui, auparavant, à cause de l'aridité de leur âme, ne produisaient aucun fruit de bonnes œuvres, et il a fait jaillir les ruisseaux de la doctrine chrétienne, là où, auparavant, la voie n'était pas ouverte aux prédicateurs à cause de l'intensité de la sécheresse[33]. » Qu'il s'agisse d'ensemencement ou de fécondation, c'est toujours la parole des prédicateurs chrétiens qui est porteuse d'efficacité. Ce miracle de la conversion a des effets si profonds que des païens peuvent devenir à leur tour ministres de cette prédication. « Qu'est-ce que le troupeau de la sainte Église, sinon la multitude des fidèles ? Et qui appelle-t-on les chiens de ce troupeau, sinon les saints docteurs, qui sont devenus les gardiens de ces mêmes fidèles ? Lorsque, protégeant leur maître en montant la garde avec vigilance de jour et de nuit, il leur est arrivé de crier, ils ont été, pour ainsi dire, les grands aboiements de la prédication. Or le psalmiste dit : ' Que la langue de tes chiens ait sa part d'ennemis ' (*Ps.* 67, 24).

---

31. *Mor.* 29, 21, 40 (*PL*, 76, 499 B) : « Per apostolorum uoces non angustata atque coarctata, sed late fulgens lux praedicationis emicuit. Quia uero, accepta luce conuersionis, inardescit intrinsecus uis amoris, ut uel transacta mala anxie lugeantur, uel uentura bona flagrantissime requirantur... ».

32. *HEv* 2, 29, 2 (*PL*, 76, 1214 C) : « Nunc autem dicitur : ' Praedicate omni creaturae », ut scilicet prius a Iudaea apostolorum repulsa praedicatio tunc nobis in adiutorium fieret, cum hanc illa ad damnationis suae testimonium superba repulisset. Sed cum discipulos ad praedicandum Veritas mittit, quid aliud in mundo facit, nisi grana seminis spargit ? »

33. *HEv* 1, 20, 13 (*PL*, 76, 1166 C) : « Desertum quippe Dominis in stagna aquarum posuit, et terram inuiam in riuos aquarum, quia gentilitati, quae prius per ariditatem mentis nullos bonorum operum fructus ferebat, fluenta sanctae praedicationis dedit, et ipsa, ad quam prius pro asperitate suae siccitatis uia praedicatoribus non patebat, doctrinae postmodum riuos emanauit. »

Certains, en effet, rappelés du culte des idoles, sont devenus prédicateurs de Dieu. La langue des chiens de l'Église vient donc de ses ennemis, puisque le Seigneur change même en prédicateurs des païens convertis[34]. »

L'expansion du christianisme dans le monde coïncide avec les progrès de la prédication et Grégoire va jusqu'à évoquer une sorte de liturgie céleste, qui célébrerait ce mystère de la foi transmise par la parole des apôtres, puis des pasteurs, jusqu'à la fin des temps. « Ce que les saints ont d'abord prêché, c'est cela qu'ont cru et observé par la suite les peuples convertis à la foi, qui, jusqu'au dernier moment, rendront gloire au libérateur de tous les hommes, une fois qu'ils auront été élevés dans les cieux[35]. » Cette allusion eschatologique montre bien l'ampleur de la conversion des païens et l'importance du ministère au moyen duquel elle s'opère. C'est par le mystère du salut universel que s'explique la relation intime qui unit la parole des prédicateurs à l'évangélisation du monde.

Il arrive enfin que Grégoire joigne, dans un même texte, la perspective morale et la perspective missionnaire. Ainsi dans ce passage du *Commentaire sur le premier livre des Rois*, où le prédicateur chrétien est comparé au roi Saül combattant contre ses ennemis. « En prêchant, il fait mourir parfois la concupiscence dans le cœur de quelqu'un, parfois l'habitude d'une mauvaise action. Il entraîne tantôt ceux qui avaient pris l'habitude du péché, tantôt ceux dont les vertus s'étaient consumées et avaient été réduites à rien, et qui, pleins d'un zèle ardent pour leur roi, le diable, étaient devenus ses esclaves... C'est à juste titre qu'il est dit : ' Partout où Saül s'était tourné, il avait le dessus. ' (1 *Sam.* 14, 47), car entraîner vers la vie les pécheurs de toute espèce, c'est évidemment pour les prédicateurs un triomphe général. Le Seigneur ordonnait à ses généraux de remporter ces triomphes, lorsqu'il leur disait ' Allez dans le monde entier, prêchez l'Évangile à toute créature ' (*Mc* 16, 15). Il a recommandé de prêcher l'Évangile à toute créature lui qui a voulu que les hommes de toute race soient conduits à la foi, afin qu'en faisant voir les triomphes prestigieux de ses rois, il montrât partout leur supériorité. C'est pourquoi il est écrit aussi : ' Lui qui veut que tous les hommes soient sauvés et

---

34. *Mor.* 20, 6, 15 (*PL*, 76, 145 C - 146 A) : « Quis est grex sanctae Ecclesiae, nisi multitudo fidelium ? Vel qui alii huius gregis canes uocantur, nisi doctores sancti, qui eorumdem fidelium custodes existiterunt ? Qui dum, pro Domino suo diurnis nocturnisque uigiliis intenti clamauerunt, magnos, ut ita dixerim, latratus praedicationis dederunt. De quibus eidem Ecclesiae per Psalmistam dicitur : « Lingua canum tuorum ex inimicis ab ipso » (*Ps.* 67, 24). Nonnulli quippe ab idolorum cultibus reuocati, facti sunt praedicatores Dei. Lingua ergo canum Ecclesiae ex inimicis prodit, quia conuersos gentiles Dominus etiam praedicatores facit. » Cf. *In I Reg.* 1, 43 (*CCh*, 144, p. 77-78) : Samuel est considéré comme le symbole des prédicateurs venant du paganisme.

35. *HEz* 1, 8, 4 (*PL*, 76, 855 C-D = *CCh*, 142, p. 103) : « Quod enim prius praedicauerunt sancti, hoc postmodum crediderunt atque tenuerunt conuersi ad fidem populi, qui ad extremum quoque liberatori omnium reddent laudem in caelestia subleuati. »

parviennent à la connaissance de la vérité ' (1 *Tim.* 2, 4). Il veut en effet que tous les hommes soient sauvés : car, c'est parmi les hommes de toute race qu'il choisit ceux qu'il entraîne vers la joie du salut éternel[36]. » La métaphore militaire de la guerre et du triomphe, si fréquente chez les auteurs spirituels et notamment chez Cassien pour décrire l'ascèse chrétienne, sert ici à réunir les deux aspects du combat mené par les prédicateurs : leur ministère, en effet, vise non seulement à faire reculer le péché dans les âmes, mais surtout à conquérir le monde au Christ en lui apportant le salut. Les pasteurs ont dans l'Église la responsabilité de la foi à ce double titre : ils sont ceux qui exhortent les fidèles à l'effort moral et spirituel, mais ils ont aussi la charge d'annoncer l'Évangile aux païens. C'est ainsi qu'ils exercent par leur prédication l'unique ministère de la conversion, à la fois moral et missionnaire.

La maternité   Grégoire confère en outre à la prédication une
spirituelle de l'Église   dimension historique, qui se comprend en fonction
et des prédicateurs   de ses conceptions ecclésiologiques[37]. En effet,
à chacun des âges du monde (d'Adam à Noé, de Noé à Abraham, d'Abraham à Moïse, de Moïse à la venue du Christ, du Christ à la fin du monde) correspond une catégorie spéciale de messagers de Dieu : c'est ainsi que se sont succédés les patriarches, les docteurs de la loi, les prophètes et les apôtres, qui sont pareils aux ouvriers de la vigne : « Le père de famille emmène des ouvriers pour vendanger sa vigne, le matin, à la troisième heure, à la sixième, à la neuvième et à la onzième, car, depuis le début du monde jusqu'à la fin, il n'a pas cessé de rassembler des prédicateurs pour instruire le peuple des fidèles[38]. »

---

36. *In I Reg.* 5, 171 (*CCh*, 144, p. 524) : « Praedicando enim aliquando concupiscentiam in alicuius corde interficit, aliquando usum prauae operationis. Modo illos trahit, qui in usum peccandi transierant ; modo illos qui combustis et ad nihilum redactis uirtutibus regi suo diabolo quasi incensi seruiebant... Bene ergo dicitur : « Quocumque se uerterat, superabat » : quia, dum de omni genere peccatores ad uitam trahit, triumphare ubique cognoscuntur. Hos nimirum triumphos agere suos principes imperabat dominus, cum dicebat : « Ite in orbem uniuersum, praedicate euangelium omni creaturae. » Omni creaturae euangelium praedicare praecepit, qui omnia genera hominum duci ad fidem uoluit ; ut, dum nobiles regum suorum triumphos ostenderet eos superare ubique monstraret. Vnde etiam scriptum est : « Qui etiam omnes homines uult saluos fieri et in agnitionem ueritatis uenire. » Omnes quippe homines uult saluos fieri : quia de omni hominum genere eligit, quos ad gaudium aeternae salutis trahit. »

37. Cf. Y. CONGAR, *L'ecclésiologie du Haut Moyen Age*, p. 72 ; P. BONOMO, *Chiesa : Corpo di Christo secondo S. Gregorio Magno*, thèse dactylographiée, 1961 (Pontificia Universitas Urbaniana), p. 323-325.

38. *HEv* 1, 19, 1 (*PL*, 76, 1154 C) : « ... Paterfamilias ad excolendam uineam suam mane, hora, tertia, sexta, nona, et undecima operarios conducit, quia a mundi huius initio usque in finem ad erudiendam plebem fidelium praedicatores congregare non destitit. » Cf. *Mor.* 17, 26, 36 (*PL*, 76, 27 A-C) : Grégoire ne distingue ici que les prophètes et les apôtres.

Nous vivons actuellement la dernière époque de l'économie du salut, le dernier temps de l'Église, dont la caractéristique principale n'est autre que la conversion du monde grâce à l'activité des prédicateurs. Au temps du Christ, l'Église était encore dans l'enfance et n'exerçait pas encore sa fonction maternelle : « Elle était alors toute petite, lorsqu'à peine naissante, elle ne pouvait pas prêcher la parole de vie... car, évidemment, avant de progresser grâce à l'essor de ses vertus, la sainte Église n'a pas pu présenter à des auditeurs encore faibles les mamelles de sa prédication[39]. » Mais, après avoir reçu l'Esprit Saint, elle est devenue une mère féconde et c'est alors que le salut s'est propagé dans le monde, grâce au ministère des prédicateurs : « L'Église est dite adulte, lorsqu'unie au Verbe de Dieu, remplie du Saint Esprit, elle s'enrichit, grâce au ministère de la prédication, des fils qu'elle conçoit, qu'elle engendre en les exhortant, qu'elle met au monde en les convertissant[40]. » La fécondité spirituelle de l'Église est donc intimement liée à la prédication : c'est par la parole de ses pasteurs qu'elle devient la mère des croyants. « Il nous faut savoir que celui qui est appelé frère et sœur du Christ, parce qu'il croit, devient mère, quand il prêche. Car il engendre pour ainsi dire le Seigneur, en l'infusant dans le cœur de ses auditeurs et il devient sa mère si, grâce à sa parole, l'amour du Seigneur naît dans l'âme du prochain[41]. »

Augustin avait déjà magnifiquement évoqué ce mystère de la *Mater Ecclesia*[42]. Suivant son talent personnel, Grégoire aime plutôt décrire la façon dont s'opère cet enfantement spirituel suscité par la parole des pasteurs, à partir de cette question du livre de Job : « Avez-vous observé les biches en travail ? » (*Job*, 39, 1). « Rien n'empêche que Dieu, voulant parler des docteurs chrétiens, les désigne dans la figure non des cerfs, mais des biches, car il est évident que ceux qui enseignent la

---

39. *Mor.* 19, 12, 19 (*PL*, 76, 108 A) : « Paruula quippe tunc erat, cum a natiuitate recens uerbum uitae praedicare non poterat... quia nimirum sancta Ecclesia priusquam proficeret per incrementa uirtutis, infirmis quibusque auditoribus praebere non potuit ubera praedicationis. »

40. *Ibid.* (108 A-B) : « Adulta uero Ecclesia dicitur, quando Dei uerbo copulata, sancto repleta spiritu, per praedicationis ministerium in filiorum conceptione fetatur, quos exhortando parturit, conuertendo parit. »

41. *HEv* 1, 3, 2 (*PL*, 76, 1086 D) : « Sciendum nobis est quia qui Christi frater et soror est credendo, mater efficitur praedicando. Quasi enim parit Dominum, quem cordis audientis infuderit. Et mater eius efficitur, si per eius uocem amor Domini in proximi mente generatur. »

42. *Ep.* 243, 8 (*PL*, 33, 1057) : « Mater Ecclesia, mater est etiam matris tuae. Haec uos de Christo concepit... parturiuit... in sempiternam lucem peperit... lacte nutriuit et nutrit... ». Cf. *En. in Ps.* 68, 2, 3 (*CCh*, 39, p. 918) : l'amour de l'Église pour ses enfants est comparé à celui de la mère des Macchabées pour ses fils ; *ibid.* 88, 2, 14 (p. 1244) : l'amour de l'Église est inséparable de l'amour de Dieu : « Amemus Dominum Deum nostrum, amemus ecclesiam eius : illum sicut patrem, istam sicut matrem ; illum sicut dominum, hanc sicut ancillam eius, quia filii ancillae ipsius sumus. »

vérité, s'ils sont des pères par la rigueur de la discipline, savent être
des mères par leurs entrailles de miséricorde. Ils supportent les fatigues
de la conception spirituelle et dans le sein de leur charité, ils portent les
fils qu'ils doivent présenter à Dieu. Car pour mettre au monde cette
progéniture, les mères peinent davantage, elles qui durant de longs mois
laissent grandir dans leur sein l'enfant qu'elles ont conçu et qui ne le
mettent pas au monde sans de grandes douleurs, lorsqu'il sort de leur
sein[43]. » Grégoire prolonge cette métaphore, en montrant pourquoi
et comment la direction des âmes constitue un véritable accouchement
spirituel. Il se montre ainsi foncièrement original : alors qu'Origène usait
de ce même texte de Job pour montrer qu'il faut toujours s'élever du
charnel au spirituel[44], et qu'Augustin appliquait la même image à
l'Église-épouse du Christ, grâce à laquelle s'opère la génération mystique[45], Grégoire, après avoir dans un passage précédent expliqué comment la parole de Dieu peut germer et porter du fruit dans les esprits
tendus vers la perfection[46], se place surtout du point de vue des prédicateurs, pour montrer comment ils peuvent et doivent exercer effectivement
leur fonction maternelle.

Ils ont d'abord à concevoir dans leurs cœurs les paroles qu'ils adresse-
ront aux hommes pour les convertir : ces paroles mûrissent par la réflexion
intérieure et ne se manifestent au-dehors de façon utile que lorsque
le temps est venu de les prononcer[47]. Cette préparation en profondeur,
qui est un gage de fécondité, doit s'accompagner d'un régime de vie
spécial, d'une ascèse très exigeante. « Les saints, quand ils se préparent
à prêcher se renouvellent d'abord intérieurement par la pratique des
vertus, pour que leur vie s'accorde à ce qu'ils enseignent par leurs

---

43. *Mor.* 30, 10, 43 (*PL*, 76, 548 B) : « Nihil uero obstat quod uerba Deus
de doctoribus faciens, non ceruorum, sed ceruarum eos specie designat,
quia nimirum illi ueri doctores sunt, qui cum per uigorem disciplinae
patres sunt, per pietatis uiscera esse matres nouerunt. Qui labores sanctae
conceptionis tolerant, et proferendos Deo filios intra uterum caritatis
portant. In edenda enim prole amplius matres laborant, quae crescentem
intra uterum conceptionem, longo mensium tempore sustinent, et quae
ex utero procedentem non sine magnis doloribus deponunt. »
44. *In Cant. Cant.* III (*GCS*, 33, éd. BAEHRENS, t. 8, p. 206-208) :
Origène essaie de préciser le symbolisme religieux attaché au cerf et
conclut : « Ideo inuocemus Deum patrem Verbi, quo nobis Verbi sui
manifestet arcana sensumque nostrum remoueat a doctrina humanae
sapientiae et exaltet atque eleuet ad doctrinam spiritus... »
45. Sur ce thème avant Augustin, notamment chez Tertullien et
Cyprien, cf. J.-C. PLUMPE, *Mater Ecclesia. An inquiry into the conception
of the Church as mother in early christianity*, Washington, 1943.
46. Cf. *Mor.* 30, 10, 40-41 (*PL*, 76, 547 A-D).
47. Cf. *ibid.* 11, 44 (548 C - 549 A) : « Sancti enim uiri cum de profectu
auditorum cogitant, quasi iam in utero conceptionem portant. Sed cum
nonnulla quae dicenda sunt differunt, et aptum suis exhortationibus
tempus quaerunt, uelut a partu quem fieri appetunt in mensium proli-
xitate dilatantur... »

paroles[48]. » Ce temps consacré à l'effort est comparable aux mois qui précèdent la naissance : car le ministre de la conversion doit devenir une créature nouvelle, pour permettre à son tour la régénération des autres. Il faut qu'en lui se forme un être nouveau, suscité par Dieu.

Après cette période laborieuse peut venir l'heure de la mise au monde, qui, par un même mouvement spirituel, est à la fois enfantement de la parole et enfantement par la parole. Car le prédicateur engendre des créatures nouvelles dans la mesure où lui-même s'est prêté à cette lente parturition que Dieu a opérée en lui. Et Grégoire rapproche ici l'image des biches en travail d'une déclaration de Paul sur son ministère d'apôtre : « Les saints prédicateurs sèment pour l'instant dans les larmes, pour recueillir par la suite une moisson de joies. Ils sont pour l'instant comme les biches dans les douleurs de l'enfantement, pour qu'une progéniture spirituelle naisse par suite de leur fécondité. Car pour n'en citer qu'un parmi beaucoup, je constate que Paul, presque pareil à une biche, laisse échapper lors de l'enfantement les cris d'une grande douleur. Il dit en effet : « Mes petits enfants, vous que j'enfante à nouveau jusqu'à ce que le Christ soit formé en vous, que ne suis-je près de vous en cet instant pour changer mon langage, car je ne sais comment m'y prendre avec vous » (*Gal.* 4, 19-20)[49]. Grégoire commente ce texte en des termes à travers lesquels transparaît l'expérience du conseiller spirituel, qui sait ce qu'il en coûte d'aider les âmes à entrer dans une vie nouvelle. « Voici qu'il veut changer son langage au moment où il enfante, pour que ses paroles de prédicateur se transforment en cris de douleur. Il veut changer son langage, parce que ceux qu'il avait déjà engendrés en prêchant, il les enfantait à nouveau en les réformant, au milieu des gémissements[50]. »

Cette extraordinaire procréation exige enfin une grande humilité, qu'évoque la position des biches qui s'accroupissent pour mettre bas (*Job*, 31, 3). « En effet, si les saints prédicateurs, quittant l'immensité de la contemplation intérieure qu'ils pratiquent, ne s'abaissaient pas jusqu'à notre faiblesse, par une prédication très humble, en s'accroupissant en quelque sorte, ils n'engendreraient absolument jamais des fils dans

---

48. *Ibid.* 45 (549 A) : « Sancti igitur uiri, cum se ad praedicandum parant, prius se interius uirtutibus innouant, ut ad hoc quod loquendo docent, uiuendo concordent. »

49. *Ibid.* 13, 47 (549 C-D) : « Praedicatores enim sancti nunc in lacrimis seminant, ut segetem postmodum gaudiorum metant. Nunc quasi ceruae in dolore partus sunt, ut spiritali prole postmodum sint fecundi. Vt enim unum de multis loquar, uideo Paulum quasi quamdam ceruam in partu suo magni doloris rugitus emittentem. Ait enim : « Filioli mei, quos iterum parturio, donec formetur Christus in uobis, uellem esse apud uos modo, et mutare uocem meam, quoniam confundor in uobis. »

50. *Ibid.* 48 (549 D) : « Ecce mutare uult uocem in partu suo, ut praedicationis sermo in rugitum uertatur doloris. Vult mutare uocem suam, quia quos iam praedicando pepererat, reformando gemens iterum parturiebat. »

la foi[51]. » Le ministère de la parole, pour devenir le ministère de la conversion, suppose que les pasteurs s'adaptent aux capacités de leurs auditeurs. « Si les saints voulaient nous prêcher ce qu'ils comprennent, lorsqu'ils sont enivrés par la contemplation des réalités célestes, et ne tempéraient pas davantage leur science par une certaine modération et sobriété, qui pourrait encore retenir dans l'étroit réservoir de son intelligence ces flots de la source céleste[52] ? » Là encore, Grégoire parle par expérience et cette allégorie lui permet d'insister sur ce va-et-vient entre la mystique et l'apostolat, qui caractérise la vie des pasteurs. La postérité a d'ailleurs retenu ce conseil et l'évêque de Saragosse, Tayon, que les pères du VIIe Concile de Tolède, en 646, déléguèrent à Rome pour y rechercher les *Moralia* devenus introuvables en Espagne[53], reproduit presque littéralement cette formule de Grégoire, selon laquelle les prédicateurs sont les intermédiaires privilégiés entre Dieu et les hommes[54].

Prédication   En fait, Grégoire n'a cessé de prolonger cette
et réforme de l'Église intuition et la situation de l'Église l'y a certaine-
                    ment aidé, en l'obligeant à élargir sans cesse sa
vision de l'*officium praedicationis*. Car, à la fin du VIe siècle, au milieu
des désordres provoqués en Occident, et surtout en Italie, par la guerre,
les invasions, les calamités publiques, les évêques se trouvent peu à peu
investis d'une autorité politique et ces nouvelles responsabilités les
détournent souvent du ministère pastoral. Des rappels à l'ordre sont
donc indispensables pour qu'ils ne perdent jamais de vue leur tâche
principale qui consiste à prêcher l'Évangile à tout le peuple chrétien.
Leur manque de culture, leur médiocrité spirituelle expliquent aussi
qu'ils aient souvent négligé l'enseignement de la foi. D'où les recomman-

---

51. *Ibid.* 48 (550 B) : « Nisi enim praedicatores sancti ab illa immensitate contemplationis internae quam capiunt, ad infirmitatem nostram humillima praedicatione quasi quadam incuruatione descenderent, nusquam utique in fide filios procrearent. »

52. *Ibid.* (550 C) : « Si enim sancti uiri ea quae nobis praedicare uellent quae capiunt, cum in superna contemplatione debriantur, et non magis scientiam suam quodam moderamine et sobrietate temperarent, adhuc angusto intelligentiae sinu illa superni fontis fluenta quis caperet ? »

53. Cf. R. WASSELYNCK, *Les compilations des Moralia in Job du VIIe au XIIe siècle*, dans *RTA*, 29, 1962, p. 10.

54. *Liber sententiarum*, II, 17 (*PL*, 77, 800 B-C) : « Qui ergo coelorum nomine nisi praedicatorum ordo signatur ? Nisi ergo praedicatores sancti ab illa summitate contemplationis internae quam capiunt, ad infirmitatem nostram humillima praedicatione, quasi quadam inclinatione descenderent, numquam utique in fide filios gignerent. Nobis quippe prodesse non possent, si in suae altitudinis erectione persisterent. » On trouve d'abord chez Augustin cette idée que les prédicateurs s'abaissent comme les cieux pour accomplir leur ministère. Cf. *En. in Ps. CXLIII*, 12 (*CCh*, 40, p. 2082) : « Qui sunt caeli inclinati ? Apostoli humiliati... Et coeperunt sub his uerbis commendare excellentiam Domini nostri Iesu Christi, humiliantes se ut commendaretur Deus, quia inclinati erant caeli, ut descenderet Deus. »

dations du pape qui a composé à leur intention son *Liber regulae pastoralis*, pour leur rappeler avec insistance leur devoir primordial d'être les messagers de la parole de Dieu et pour leur apprendre à remplir ce devoir avec compétence. D'où, également, cette homélie énergique que Grégoire adresse à une assemblée d'évêques convoquée au Latran[55] et qui est un véritable examen de conscience pastoral. C'est le Christ lui-même qui envoie les pasteurs en mission devant lui, selon les termes mêmes de l'Évangile de Luc (10, 1-9). Ils doivent donc préparer les chemins du Seigneur[56]. Malheureusement, que d'infidélités et de silences, volontaires ou forcés, sont à déplorer du côté des prédicateurs : « Voici que le monde est rempli de prêtres, mais cependant dans la moisson de Dieu, on trouve fort peu d'ouvriers, car nous avons assumé une fonction sacerdotale, mais nous n'accomplissons pas le travail de notre fonction...[57] ». Tantôt ce sont les prédicateurs qui ne sont pas dignes d'être écoutés à cause de leurs péchés, tantôt ce sont les fidèles qui ne méritent pas d'entendre la parole de vérité[58]. Pire encore : « il en est beaucoup qui, dès qu'ils assument le pouvoir de régir, brûlent du désir de déchirer leurs sujets, d'inspirer la terreur de leur autorité, de nuire à ceux à qui ils devraient être utiles. Et parce qu'ils n'ont pas de charité dans les entrailles, ils veulent faire figure de seigneurs et oublient totalement qu'ils sont des pères[59]. » Et après avoir dénoncé avec éclat des évêques tyranniques, Grégoire dénonce les évêques simoniaques, qui trafiquent avec la grâce spirituelle[60], puis les évêques politiques, qui se laissent totalement accaparer par les affaires temporelles et finissent par s'attacher à la gloire humaine[61]. Que devient alors le ministère pastoral ? Mesure-t-on la misère spirituelle à laquelle ces trahisons réduisent le peuple chrétien ? « Voici que les villes dévastées, les bourgs saccagés, les églises et les monastères détruits transforment la terre en désert. Mais, face à ce peuple agonisant, nous qui aurions dû le conduire à la vie, nous devenons les responsables de sa

---

55. Cf. P. Batiffol, *op. cit.*, p. 83.

56. Cf. *HEv* 1, 17, 2 (*PL*, 76, 1139 B-C) : « Praedicatores enim suos Dominus sequitur... »

57. *Ibid.* 3 (1139 C-D) : « Ecce mundus sacerdotibus plenus est, sed tamen in messe Dei rarus ualde inuenitur operator, quia officium quidem sacerdotale suscepimus, sed opus officii non implemus. »

58. *Ibid.* (1139 D - 1140 A) : « Saepe enim pro sua nequitia praedicantium lingua restringitur : saepe uero ex subiectorum culpa agitur ut eis qui praesunt, praedicationis sermo subtrahatur. »

59. *Ibid.* 4 (1140 B) : « Multi autem cum regiminis iura suscipiunt, ad lacerandos subditos inardescunt, terrorem potestatis exhibent, et quibus prodesse debuerant, nocent. Et quia caritatis uiscera non habent, domini uideri appetunt, patres se esse minime recognoscunt. »

60. *Ibid.* 8 (1142 B - 1143 A) : « Pensemus ergo cuius sit apud Deum criminis peccatorum pretium manducare, et nihil contra peccata praedicando agere... ».

61. *Ibid.* 14 (1146 A - 1147 A) : « Ad exteriora enim negotia delapsi sumus... »

mort... Il est dit aux prédicateurs envoyés en mission : ' Vous êtes le sel de la terre ' (*Matt.* 5, 13). Si donc le peuple est la nourriture de Dieu, les prêtres auraient dû être le condiment de cette nourriture[62]. » Hélas, le sel a perdu sa saveur ; mais Grégoire ne renonce pas pour autant à réveiller le zèle missionnaire des pasteurs. « Réfléchissons-y, quels sont ceux qu'un jour nos paroles ont convertis, que nos réprimandes ont fait renoncer à leurs mauvaises actions et qui ont fait pénitence, quel est celui qui a abandonné la débauche grâce à nos instructions, quel est celui qui a quitté le chemin de l'avarice, de l'orgueil[63] ? » Ce sont là les accents d'un pape qui entend bien réformer l'Église et pour qui cette réforme passe par le renouveau de la prédication. En écartant tout ce qui les empêche d'exercer ce ministère de la conversion, les pasteurs s'opposeront à la dégradation morale et spirituelle, qui est la conséquence d'une époque de désordres et de désarroi. Ils redeviendront alors le sel de la terre, les véritables guides de leur troupeau. Grégoire ne se lasse pas de le leur répéter.

Mais à qui revient dans l'Église cet *officium praedicationis* ? On pourrait penser qu'il était réservé aux seuls évêques[64], qui, étant les plus touchés par la crise qui secouait alors l'Italie, avaient le plus d'efforts à faire pour y remédier, en se corrigeant eux-mêmes. Il est certain que Grégoire adresse aux évêques les sévères remontrances que nous venons d'entendre. C'est à eux encore, indéniablement, qu'il destine son *Liber regulae pastoralis* où il a défini avec précision son programme de réforme ecclésiastique et qui deviendra pour l'Occident du Haut Moyen Age « la norme de l'épiscopat[65]. » En fait, Grégoire n'entend pas proposer une réglementation stricte : le terme de *praedicator* ou de *doctor* peut s'appliquer chez lui à tout pasteur, quel que soit son rang, et son souci primordial est de stimuler le zèle de tous les pasteurs, évêques ou simples clercs, en présentant la prédication comme la première de leurs activités.

De plus, le clergé séculier était loin d'être le mieux préparé à assumer une telle responsabilité. Grégoire admet sans peine que les moines ont eux aussi le droit, et, s'il le faut, le devoir de prêcher, ce qui prouve bien que les nécessités pastorales sont à ses yeux aussi déterminantes

---

62. *Ibid.* 16 (1147 C-D) : « Ecce depopulatae urbes, euersa castra, ecclesiae ac monasteria destructa, in solitudinem agri redacta sunt. Sed nos pereunti populo auctores mortis existimus, qui esse debuimus duces ad uitam... Missis praedicatoribus dicitur : « Vos estis sal terrae ». Si igitur cibus Dei est populus, condimentum cibi sacerdotes esse debuerunt. »

63. *Ibid.* (1148 A) : « Pensemus ergo qui unquam per linguam nostram conuersi, qui de peruerso opere nostra increpatione correpti, poenitentiam egerunt, quis luxuriam ex nostra eruditione deseruit, quis auaritiam, quis superbiam declinauit ? »

64. C'est l'hypothèse du P. LADNER (*op. cit.*, p. 54-55), qui estime que, pour Grégoire, *praedicator* = *pastor* = *episcopus.*

65. La formule est de P. BATIFFOL, *op. cit.*, p. 84.

que les distinctions juridiques[66]. Les *Dialogues* contiennent de brèves allusions à des moines qui quittent leur monastère ou leur retraite pour proclamer la parole de Dieu : l'abbé Équitius de Valérie abandonne fréquemment sa cellule pour pratiquer une sorte de prédication itinérante[67] ; le moine Euthicius de Nursie avait une telle réputation qu'on l'appelait hors du monastère et qu'« il cherchait par ses exhortations à conduire beaucoup d'âmes vers Dieu[68] » ; quant à Benoît, c'est sa prédication à Subiaco qui provoque la jalousie du prêtre Florentius[69].

Mais Grégoire ne se contente pas de refléter la pratique courante à son époque. Dans un des premiers chapitres du *Liber regulae pastoralis*, il s'en prend avec vivacité à ceux qui voudraient garder à tout prix le repos monastique et qui tombent ainsi dans l'égoïsme, car la prédication est un service que l'on ne doit pas refuser. « Il en est certains qui, doués de grands talents, brûlent du désir de la seule contemplation et refusent de servir leurs frères par la prédication. Ils aiment se retirer dans le calme et recherchent la solitude pour méditer. Si on les juge sur ce point avec sévérité, c'est qu'ils portent sans doute la responsabilité de tant de gens auxquels ils auraient pu rendre service, en venant dans le monde. Car au nom de quel principe peut-on préférer sa retraite à l'intérêt des autres, quand on pourrait rendre service à ses frères en les éclairant, alors que le Fils unique du Père souverain est sorti lui-même du sein de son Père pour venir dans notre monde, afin d'être au service de tous[70] ? » Au plan personnel, c'est le principe de la charité et de la responsabilité devant l'appel de Dieu qui peut décider des contemplatifs à accepter des charges pastorales[71]. Grégoire est intransigeant sur ce point : le ministère de la conversion est un impératif catégorique pour

---

66. Cf. R. RUDMANN, *Mönchtum und kirchlicher Dienst in den Schriften Gregors des Grossen*, Dissertation de l'Université de Saint Anselme, 1956, p. 57-58.

67. *Dial.* 1, 4 (éd. MORICCA, p. 32-33) : « Tantus quippe illum ad colligendas Deo animas feruor accenderat, ut sic monasteriis praeesset, quatenus per ecclesias, per castra, per uicos, per singulorum quoque fidelium domos circumquaque discurreret et corda audientium ad amorem patriae caelestis excitaret. »

68. *Dial.* 3, 15 (p. 170) : « Eutychius in spirituali zelo atque in feruore uirtutis excreuerat, multorumque animas ad Deum perducere exhortando satagebat. »

69. Cf. *Dial.* 2, 8 (p. 90-96).

70. *Past.* I, 5 (*PL*, 77, 19 C) : « Sunt itaque nonnulli qui magnis, ut diximus, muneribus ditati, dum solius contemplationis studiis inardescunt, parere utilitati proximorum in praedicatione refugiunt, secretum quietis diligunt, secessum speculationis appetunt. De quo si districte iudicentur, ex tantis procul dubio rei sunt, quantis uenientes ad publicum prodesse potuerunt. Qua enim mente is qui proximis profuturos enitesceret, utilitati caeterorum secretum praeponit suum, quando ipse summi Patris unigenitus, ut multis prodesset, de sinu Patris egressus est ad publicum nostrum ? »

71. Cf. R. RUDMANN, *op. cit.*, p. 118-121.

toute l'Église, et par conséquent pour les religieux autant que pour le clergé séculier. Il ne se borne d'ailleurs pas à affirmer des principes ; comme son ami Marinien, un de ses anciens compagnons de monastère, négligeait sa charge d'évêque de Ravenne, il demande au moine Secundus de le rappeler à l'ordre : « Qu'il ne croie pas que la lecture et la prière lui suffisent ; comme s'il pouvait se préoccuper de vivre tranquillement à l'écart, sans porter dans ses actes aucun fruit[72]. » Pour un pasteur digne de ce nom, seule la prédication est source de fécondité spirituelle. Le docteur de la contemplation qu'est l'auteur des *Moralia* l'avait bien compris. Il serait faux de lui attribuer le projet de fonder un « ordre des prêcheurs » avant la lettre, mais il est sûr qu'il a été de plus en plus préoccupé par la réforme de l'Église et la conversion des peuples païens et qu'il a cherché à animer personnellement l'*ordo praedicatorum*, en lui assignant une responsabilité missionnaire.

La conversion des païens   Certes, les prédicateurs apparaissent le plus souvent comme des messagers de l'Évangile, dont l'action s'exerce surtout à l'intérieur de l'Église, soit qu'ils interprètent l'Écriture pour le compte des fidèles, soit qu'ils s'occupent de la formation morale et spirituelle des diverses catégories de chrétiens. Mais il ne suffit pas d'expliquer l'Écriture à ceux qui croient déjà, il faut aussi annoncer la *uera fides* aux païens et dès lors, les prédicateurs ne sont plus seulement des pasteurs, mais de véritables missionnaires, qui iront s'adresser à ceux qui ignorent tout du Christ.

Avant même d'évoquer l'enfantement spirituel opéré par leurs paroles, Grégoire insiste longuement sur l'immense travail d'évangélisation qui appartient aux prédicateurs chrétiens. « Qui prépare au corbeau sa nourriture, lorsque ses petits crient vers Dieu et qu'ils errent sans avoir de quoi manger ? » (*Iob*, 38, 41). Qui est désigné sous le nom du corbeau et de ses petits, sinon le monde païen, qui est noir à cause de ses péchés ? C'est à son sujet que le prophète dit : « Lui qui donne au bétail sa pâture, aux petits du corbeau qui crient vers lui » (*Ps.* 146, 9). Le bétail reçoit sa nourriture quand les esprits encore mal dégrossis sont rassasiés par l'aliment de la sainte Écriture. On donne leur nourriture aux petits des corbeaux, c'est-à-dire aux fils des nations païennes, lorsque, par notre conduite, nous répondons à leur attente. Ces animaux que sont les corbeaux ont été d'abord une nourriture, lorsque la sainte Église allait à leur recherche. Mais à présent, ils reçoivent une nourriture, car eux-mêmes vont à la recherche des autres pour les convertir[73]. Grégoire a

---

72. *Ep.* 6, 63 (*MGH*, I, p. 440) : « Non sibi credat solam lectionem et orationem sufficere, ut remotus studeat sedere et de manu minime fructificare. »

73. *Mor.* 30, 9, 28 (*PL*, 76, 539 C) : « Quid enim corui pullorumque eius nomine nisi peccatis nigra gentilitas designatur ? De qua per Prophetam dicitur : « Qui dat iumentis escam ipsorum, et pullis coruorum nuocantibus eum ». Iumenta quippe escam accipiunt, dum Sacrae

l'habitude de vanter cet apostolat du semblable par le semblable : les
païens convertis deviennent à leur tour les apôtres des païens. Ils brûlent
alors de gagner au Christ tous leurs compatriotes ; leur expérience
chrétienne est contagieuse et déclenche un intense mouvement de propagation de la foi. « Ayant l'ambition de faire entrer les peuples païens
dans le sein de l'Église, enflammés d'une grande ardeur, ils désirent
aller tantôt vers ceux-ci, tantôt vers ceux-là, pour les amener à la foi.
Car cette agitation d'esprit est une espèce d'errance : et ils se transportent
pour ainsi dire en des endroits variés, par des mouvements sans cesse
renouvelés, courant en tous sens, avec un esprit affamé, pour réunir
des âmes de manières innombrables et en des régions lointaines[74]. »

Ici, Grégoire illustre cette errance (uagatio) missionnaire par l'exemple
de Paul. Poussé par la charité, l'apôtre des gentils se rend partout où
il peut anoncer l'Évangile, à Rome, à Corinthe, à Éphèse, à Colosses[75]
et partout, ses paroles suscitent la foi en l'amour du Christ. « Méditons,
je vous en prie, sur la nature de cette errance. Voici que pour un temps,
il reste en un endroit, qu'il assure qu'il va se rendre en un autre, et qu'il
promet de faire encore un autre détour... En prêchant, Paul veut tout
dire à la fois, en aimant, il veut voir tous les peuples à la fois, puisqu'en
même temps il veut vivre pour tous en demeurant dans la chair et être
utile à tous en quittant cette chair par le sacrifice de la foi. Que les
petits des corbeaux errent donc, c'est-à-dire que les fils des nations
païennes imitent leur maître...[76] » L'apostolat de Paul apparaît ainsi
comme le modèle achevé de toute entreprise missionnaire : il s'agit toujours pour les pasteurs de ne pas rester en repos et de se laisser conduire
par Dieu, s'il le veut, jusqu'au bout du monde.

Pour le pape Grégoire, cette histoire de la mission a commencé avec
Paul et les autres apôtres. Elle a été marquée à ses origines par l'infidélité
d'Israël qui a refusé de croire, et par le retournement imprévu dû à la

---

Scripturae pabulo mentes dudum brutae satiantur. Pullis uero coruorum,
filiis scilicet gentium esca datur, cum eorum desiderium nostra conuersatione reficitur. Iste coruus esca fuit dum ipsum sancta Ecclesia quaereret.
Sed nunc escam accipit, quia ipse ad conuersionem alios exquirit. »

74. *Ibid.* 30 (540 A) : « Qui dum in Ecclesiae sinum recipere populos
ambiunt, magno ardore succensi, nunc ad hos, nunc ad illos colligendos
desiderium mittunt. Quasi quaedam quippe uagatio est ipsa cogitationis
aestuatio ; et uelut ad loca uaria mutatis nutibus transeunt, dum pro
adunandis animabus in modos innumeros ac in partes diuersas esurienti
mente discurrunt. »

75. *Ibid.* 31 (540 A-C) : « Hanc uagationem pulli coruorum, id est filii
gentilium, ab ipso gentium magistro didicerunt... ».

76. *Ibid.* (540 D - 541 A) : « Perpendamus, quaeso, quae sit ista uagatio.
Ecce alio interim manet, alio se iterum perhibet, atque alio deflexurum
promittit... Praedicando igitur Paulus uult simul omnia dicere, amando
uult simul omnes uidere, quia et in carne permanendo uult omnibus
uiuere, et de carne transeundo per sacrificium fidei uult omnibus prodesse. Vagentur itaque pulli coruorum, id est magistrum suum imitentur
filii gentium... »

conversion des païens. « Quand ses petits se mettent à crier, la nourriture est préparée pour le corbeau : les Juifs entendant la parole de Dieu grâce à la prédication des apôtres, ont été rassasiés de l'intelligence spirituelle, tantôt au nombre de trois mille, tantôt au nombre de cinq mille. Mais comme ils exerçaient leur cruauté contre les prédicateurs en raison de la multitude des réprouvés, et qu'ils tuaient pour ainsi dire la vie de leurs petits, ces petits se sont dispersés dans toutes les régions du monde. D'où cette parole des apôtres, adressée à leurs pères, qui, restés charnels, résistaient à leur prédication spirituelle : ' C'était à vous d'abord qu'il fallait annoncer la parole de Dieu. Mais puisque vous la repoussez et que vous ne vous jugez pas dignes de la vie éternelle, eh bien, nous nous tournons vers les païens ' (*Act.* 13, 46)[77]. *Ecce conuertimur ad gentes* : et les païens, eux, ont entendu la parole de Dieu, si bien que Grégoire peut faire l'éloge de la *gentilitas conuersa ad Deum*[78] et célébrer ainsi la réalisation des prophéties divines. « Dans les cœurs endurcis des païens, il a ouvert les ruisseaux de la prédication, selon ce que dit le prophète de l'aridité des païens qu'il faut irriguer : ' Il changea le désert en nappe d'eau, une terre sèche en source d'eau ' (*Ps.* 106, 35)... Ce dont nous avons alors entendu la promesse, nous le voyons aussi réalisé maintenant. Voici en effet que grâce aux saints prédicateurs, qui ne sont d'ailleurs pas originaires de Judée, à travers toute l'Église répandue dans le monde entier, les flots des préceptes célestes ruissellent en abondance de la bouche des païens[79]. » Ailleurs, Grégoire fait remarquer que l'Asie a cru au Christ dès le début, grâce à l'action directe de l'Esprit Saint[80] et que, désormais, l'Église de son temps est réellement universelle, grâce au zèle infatigable des prédicateurs,

---

77. *Ibid.* 32 (541 C) : « Clamantibus namque pullis coruo esca praeparata est, cum praedicantibus apostolis uerbum Dei Iudaea audiens, modo in tribus millibus, modo in quinque millibus, spirituali est intelligentia satiata. Sed cum per reproborum multitudinem crudelitatem suam contra praedicantes exerceret, et quasi pullorum uitam necaret, iidem pulli in universa mundi spatia dispersi sunt. Vnde et eisdem carnalibus patribus spiritali praedicationi resistentibus dicunt : « Vobis oportebat primum loqui uerbum Dei ; sed quia repellitis illud, et indignos uos iudicatis aeternae uitae, ecce conuertimur ad gentes. » Sur ce thème de l'incrédulité des Juifs et du passage aux païens, cf. *HEv* 1, 4, 1 (*PL*, 76, 1089 C).

78. *Ibid.* (541 D - 542 A) : « Quia igitur summopere sancti apostoli et studuerunt prius audientibus praedicare, et postmodum resistentibus exempla conuersae gentilitatis ostendere... Quia dum per laborem praedicantium conuersam ad Deum gentilitatem Iudaicus populus respicit... »

79. *Mor.* 18, 37, 58 (*PL*, 76, 70 A-B) : « In duris gentilium cordibus fluuios praedicationis aperuit, sicut per prophetam quoque de irriganda dicitur ariditate gentilium : « Posuit desertum in stagnum aquarum et terram sine aqua in exitus aquarum »... Quod promissum tunc audiuimus, etiam nunc completum uidemus. Ecce enim in sanctis praedicatoribus, et non ex Iudaea progenitis, per cunctam Ecclesiam toto orbe diffusam, fluenta caelestium mandatorum ubertim manant ore gentilium. »

80. *HEv* 1, 4, 1 (*PL*, 76, 1089 D) : « Nam diu est quod Asia cuncta iam credidit. »

c'est-à-dire des missionnaires qui ont suivi l'exemple de Paul. « Le Seigneur tout puissant... par l'éclat des miracles accomplis par les prédicateurs a conduit à la foi même les extrémités du monde. Voici en effet qu'il a pénétré le cœur de presque toutes les nations ; voici qu'il a réuni dans une même foi le *limes* de l'Orient et celui de l'Occident ; voici que la langue de la Bretagne qui ne savait que marmonner des choses barbares, initiée désormais à la louange de Dieu, commence de chanter l'Alleluia hébreu. Voici que l'Océan, naguère gonflé de vagues, se met docilement au service des saints, étendu à leurs pieds et les colères barbares que les princes de la terre n'avaient pu dompter par le fer, les bouches des prêtres, par de simples paroles, les jugulent en inspirant la crainte de Dieu[81]. » Cet hymne à la conversion du monde est aussi un acte de foi dans la mission de l'Église, qui, en prêchant l'Évangile jusqu'aux confins du monde, fait reculer la barbarie et unifie l'univers sur des bases nouvelles. Sans le savoir, Grégoire exalte déjà l'idéal qui sera celui de la civilisation chrétienne des siècles futurs.

Je n'ai pas à analyser ici l'attitude politique de Grégoire à l'égard du monde barbare. Je voudrais seulement remarquer à quel point toute sa correspondance témoigne constamment de son souci missionnaire. Sans cesse, il se préoccupe des peuples païens qui n'ont pas été évangélisés. A plusieurs reprises, il écrit à Januarius, l'évêque de Cagliari[82], ou à de riches propriétaires de Sardaigne[83] pour qu'ils essaient de convertir les paysans de leur territoire qui pratiquent encore l'idolâtrie. Il s'inquiète de même de la persistance de cultes païens dans les campagnes de Sicile[84].

---

81. *Mor.* 27, 11, 21 (*PL*, 76, 411 A) : « Omnipotens enim Deus... ad fidem etiam terminos mundi perduxit. Ecce enim pene cunctarum iam gentium corda penetrauit ; ecce in una fide orientis limitem Occidentisque coniunxit ; ecce lingua Britanniae, quae nil aliud nouerat, quam barbarum frendere, iam dudum in diuinis laudibus Hebraeum coepit Alleluia resonare. Ecce quondam tumidus, iam substratus sanctorum pedibus seruit Oceanus, eiusque barbaros motus, quos terreni principes edomare ferro nequiuerant, nos pro diuina formidine sacerdotum ora simplicibus uerbis ligant. »

82. *Ep.* 4, 26 (*MGH*, I, p. 261) : « Accidit autem aliud ualde lugendum, quia ipsos rusticos quos habet ecclesia nuncusque in infidelitate remanere neglegentia fraternitatis uestrae permisit. Et quid uos ammoneo, ut ad Deum extraneos adducatis, qui uestros corrigere ab infidelitate neglegitis ? Vnde necesse est uos per omnia in eorum conuersione uigilare. » *Ep.* 4, 29 (p. 263) : « Quia autem nunc sacerdotum indigentia quosdam illic paganos remanere cognouimus... ».

83. *Ep.* 4, 23 (p. 257-258) : « ... Cognoui pene omnes uos rusticos in uestris possessionibus idololatriae deditos habere... Ad hoc quippe illi uobis commissi sunt, quatenus et ipsi uestrae utilitati ualeant ad terrena seruire, et uos per uestram prouidentiam eorum animabus ea quae sunt aeterna prospicere. »

84. *Ep.* 3, 59 (p. 218-219) : « Scripsisti siquidem nobis quosdam idolorum cultores atque Angelliorum dogmatis in his in quibus constitutus es partibus inueniri, de quibus plures asseruisti esse conuersos, aliquos autem potentum nomine atque locorum se qualitate defendere. »

Il félicite Domitien, métropolite d'Arménie, d'avoir cherché à convertir l'empereur des Perses, bien que sans succès. « Si attristé que je sois de savoir qu'il ne s'est pas converti, je me réjouis de toute façon que vous ayez prêché la foi chrétienne à l'Empereur des Perses. Car bien qu'il n'ait pas mérité de venir à la lumière, votre sainteté recevra cependant le prix de sa prédication[85]. » Écrivant à Augustin de Cantorbéry, en 601, il le compare aux apôtres, lui et ses compagnons, car « le Christ, pour montrer que ce n'est pas la sagesse des hommes, mais sa propre force qui convertit le monde, a choisi des hommes sans instruction comme prédicateurs pour les envoyer dans le monde[86]. » Enfin, Grégoire répète souvent que la prédication est un moyen de conversion qui exclut l'emploi de la force. C'est de façon pacifique qu'elle agit sur les hommes. Il se montre d'autant plus ferme sur ce point que certains évêques devaient parfois employer des procédés violents pour contraindre les récalcitrants. « Lorsque quelqu'un, écrit-il à Virgile et à Théodore, évêques d'Arles et de Marseille, est venu à la fontaine baptismale non par la douceur de la prédication, mais sous la contrainte, quand il revient à son ancienne superstition, il meurt dans un état pire que celui où il semblait être en renaissant. Que votre fraternité exhorte les hommes de ce genre (il s'agit des Juifs) par une prédication fréquente, afin qu'ils aient le désir de changer leur ancienne façon de vivre grâce à la douceur de l'enseignement : il faut user à leur égard de la parole qui doit brûler en eux les épines de l'erreur et illuminer par la prédication ce qui est obscurci dans leur esprit[87]. » Quant à Jean, l'évêque de Constantinople, qui avait usé de la manière forte à l'égard d'un prêtre et d'un moine, il reçoit une admonestation sévère : « Ce que disent les canons au sujet des évêques qui veulent être craints avec des coups, votre fraternité le sait bien. Car nous sommes devenus pasteurs, et non persécuteurs. » Et Paul, le prédicateur par excellence, dit : « Démontre, exhorte, reprends, en toute patience et sagesse (2 *Tim.* 4, 2). » « Elle est bien nouvelle et inouïe cette prédication qui exige la foi au moyen des coups[88]. » En

---

85. *Ep.* 3, 62 (p. 223) : « Imperatorem uero Persarum etsi non fuisse conuersum doleo, uos tamen ei christianam fidem praedicasse omnimodo exulto. Quia etsi ille ad lucem uenire non meruit, uestra tamen sanctitas praedicationis praemium habebit. »

86. *Ep.* 11, 36 (*MGH*, II, p. 305) : « Vt mundum ostenderet non sapientia hominum, sed sua se uirtute conuertere, praedicatores suos, quos in mundum misit, sine litteris elegit. »

87. *Ep.* 1, 45 (*MGH*, I, p. 72) : « Dum enim quispiam ad baptismatis fontem non praedicationis suauitate, sed necessitate peruenerit, ad pristinam superstitionem remeans inde deterius moritur, unde renatus esse uideatur. Fraternitas ergo uestra huiuscemodi homines frequenti praedicatione prouocet, quatenus mutare ueterem magis uitam de doctoris suauitate desiderent... Adhibendus ergo illis est sermo, qui et errorum in ipsis spinas urere debeat, et praedicando quod in his tenebrascit illuminet. »

88. *Ep.* 3, 52 (p. 209-210) : « Quid autem de episcopis qui uerberibus timeri uolunt canones dicant, bene fraternitas uestra nouit. Pastores

somme, Grégoire ne se contente pas de définir abstraitement les fonctions des pasteurs. Il leur assigne une tâche précise et primordiale : la prédication missionnaire. C'est en fonction de cette tâche qu'il corrige leurs défauts et leur montre leur rôle dans l'extension de la foi. Dans son esprit, l'*ordo praedicatorum* doit devenir en quelque sorte l'avant-garde de l'Église, le corps de ceux à qui il reviendra, non seulement de stimuler le renouveau intérieur des chrétiens, mais surtout d'entreprendre la conversion des nations païennes.

Prédication et liturgie   On pourrait s'étonner d'une telle insistance. Grégoire n'est-il pas un des papes qui, après Léon et Gélase, a le plus marqué de son empreinte la liturgie romaine, au point de donner son nom à un sacramentaire[89] ? Or, certains théologiens ont tendance de nos jours à distinguer nettement les actes cultuels de l'activité apostolique, les sacrements de l'évangélisation, et à décrire l'histoire du ministère sacerdotal en fonction de la prédominance reconnue d'abord à la prédication, mais qui aurait été supplantée peu à peu par le culte eucharistique et la célébration des sacrements, surtout à partir du Concile de Trente[90]. Comment expliquer, par conséquent, que Grégoire ait pu jouer personnellement un si grand rôle dans le développement du culte chrétien, tout en accordant une telle importance au ministère de la parole et à sa portée missionnaire ?

Cette contradiction n'est qu'apparente. Pour Grégoire et les chrétiens de son époque, il n'y a aucune incompatibilité entre la liturgie et l'apostolat, comme si la première était tournée vers l'intérieur et le second vers l'extérieur. Bien au contraire, c'est la prédication qui assure l'unité de l'unique ministère pastoral, qu'il soit tourné vers les fidèles à instruire ou vers les païens à évangéliser, et ce principe se reflète d'ailleurs dans la terminologie. Dans une étude sur l'évolution sémantique du verbe *praedicare*, Christine Mohrmann indique qu'un seuil aurait été franchi au ive siècle : après s'être appliqué à l'annonce de la révélation divine, en un sens spirituel, *praedicare* aurait pris alors une valeur plus technique, pour désigner surtout la prédication ordinaire des évêques et des prêtres[91]. L'étude des textes grégoriens ne confirme pas cette analyse. Grégoire n'attribue pas aux mots de *praedicatio*, *praedicator*, *praedicare* une

---

etenim facti sumus, non persecutores. Et egregius praedicator dicit : « Argue, obsecra, increpa cum omni patientia et doctrina ». Noua uero atque inaudita est ista praedicatio quae uerberibus exigit fidem. »

89. Sur le rôle liturgique de Grégoire, cf. A. G. Martimort, *Introduction à la liturgie*, Paris, 1965³, p. 37 ; C. Vogel, *Introduction aux sources de l'histoire du culte chrétien au Moyen Age*, Spolète, 1966, p. 67-87 ; J. Deshusses, *Le Sacramentaire grégorien. Ses principales formes d'après les plus anciens manuscrits*, Fribourg, 1970.

90. Cf. J. Moingt, *art. cit.*, passim.

91. Ch. Mohrmann, *Praedicare, tractare, sermo*, dans *Études sur le latin des chrétiens*, II, Rome, 1961, p. 67.

valeur seulement technique. Il leur donne plutôt une portée mystique, par exemple quand il évoque l'onction du roi Saül par le prophète Samuel : « La corne d'huile est la vie spirituelle du docteur. La corne verse l'huile, lorsque les vérités les plus hautes sont proclamées par celui qui les manifeste par l'élévation de sa vie. Remplir la corne d'huile, c'est assurer la prédication des grands mystères par une vie élevée[92]. » Ailleurs, il s'inspire d'Origène pour comparer la prédication pastorale à la démarche du grand-prêtre entrant dans le Saint des Saints[93]. On aurait tort de penser que ces rapprochements avec les liturgies royales ou sacerdotales de l'Ancien Testament donnent une coloration ritualiste au ministère de la prédication. Ils lui permettent au contraire d'apparaître, non pas comme une activité strictement spécialisée, une fonction ecclésiastique parmi d'autres, mais comme une responsabilité hautement spirituelle, qui exige beaucoup moins des qualités techniques qu'un véritable charisme. Bref, la charge de prédicateur dans l'Église, ainsi éclairée à la lumière des traditions prophétiques, royale et sacerdotale d'Israël, se présente comme une mission supérieure qui consiste à entrer en relation avec Dieu, pour aider les autres à y entrer. Le prêtre chrétien est ainsi l'intermédiaire privilégié entre Dieu et les hommes grâce à sa parole, qui constitue dès lors un moment essentiel du culte chrétien.

Le sacramentaire dit grégorien confirme cette interprétation. Le terme *praedicare* y est employé assez rarement[94], mais toujours avec une valeur mystique, pour évoquer la gloire du Christ et des saints que le célébrant proclame dans la liturgie. Même si le culte chrétien a connu tout au long des Ve et VIe siècles un développement considérable, Grégoire demeure fidèle à la conception traditionnelle qui fait du prêtre chrétien, non un fonctionnaire du sacré, mais le continuateur des prophètes, des rois et des prêtres de l'Ancien Testament, des apôtres du Nouveau Testament, et avant tout le messager de Dieu, qui, par la parole, appelle à la foi.

D'où la place capitale qu'occupe la prédication à l'intérieur de la liturgie, comme en témoigne Grégoire lui-même par ses *homélies sur l'Évangile* prononcées entre 590 et 592, en suivant le cycle liturgique[95], et ses *homélies sur Ézéchiel*, qui coïncident avec le siège de Rome par

---

92. *In I Reg.* 6, 66 (*CCh*, 144, p. 589) : « Cornu ergo spiritalis conuersatio doctoris est. Cornu uero oleum effundit, cum ille alta praedicat, qui haec alta conuersatione demonstrat. Cornu ergo oleo implere est praedicationem magnarum uirtutum in alta conuersatione suscipere. »

93. Cf. *supra*, n. 18 : *Past.* 2, 4 (*PL*, 77, 30 D - 31 B) ; *Ep.* 1, 24 (*MGH*, I, p. 32 ; *Ep.* 10, 14 (*MGH*, II, p. 249).

94. Cf. ed. K. Mohlberg - A. Baumstark, *Die älteste erreichbare Gestalt des Liber sacramentorum anni circuli der römischen Kirche*, Münster, 1927, p. 33 (le Christ est « prêché » à travers ses saints) ; p. 50 (*praedicare* est associé à *laudare* et *benedicere*) ; p. 56-57 (il s'agit de « prêcher » sur terre la gloire céleste de saint Michel).

95. Cf. G. Pfeilschifter, *Die authentische Ausgabe der 40 Evangelienhomilien Gregors des Grossen*, Munich, 1900, p. 7-60.

Agilulf en 593[96]. A cette époque troublée, « comme le pape était de plus en plus l'unique soutien de la cité menacée et se voyait chargé des soucis de son administration, les cérémonies qu'il présidait devinrent la première expression de la vie de la communauté romaine[97]. » La popularité de Grégoire à Rome dut accroître encore l'intérêt habituel que les fidèles de la ville accordaient aux paroles de leur évêque, car on attendait de ces homélies, non seulement qu'elles fussent riches en doctrine, mais plus encore qu'elles soutinssent le moral du peuple, en l'aidant à surmonter dans la foi les épreuves qu'il traversait alors.

Prédication et doctrine   On pourrait cependant s'étonner de la place très réduite que Grégoire réserve à l'élément proprement doctrinal dans le ministère de la parole. Lui-même se lance rarement dans des discussions dogmatiques, et dans les consignes qu'il donne aux pasteurs et aux missionnaires, il n'insiste guère ni sur l'aspect intellectuel de la conversion, ni sur la présentation des grandes vérités de la foi à l'intention des païens. En fait, comme il ne cesse de le répéter, la conversion se marque dans la vie autant que dans la pensée et il importe d'agir plus que de savoir. Que vaudraient des paroles ou des connaissances qui ne s'exprimeraient jamais d'une façon pratique ? Dès lors, la prédication telle qu'il la conçoit se définit par ses buts plus que par son contenu.

Sur ce dernier point, il se borne à formuler quelques recommandations assez simples. Tout d'abord, l'Écriture doit demeurer la source et la norme de la *uera praedicatio*, de la parole conforme à la vérité révélée. « Il est indispensable que celui qui se prépare à prononcer les paroles de la vraie prédication tire des livres saints les principes de ses développements, qu'il ramène tout ce qu'il dit au fondement de l'autorité divine et qu'il appuie sur lui l'édifice de ses paroles... Souvent les hérétiques quand ils s'appliquent à armer leurs dogmes pervers, affirment des choses qui ne se trouvent certainement pas dans les pages de la sainte Écriture...[98] » Ce souci de l'orthodoxie doctrinale, avec cette nuance polémique, apparaît quelquefois dans la correspondance de Grégoire. Il s'agit en général de lettres adressées à des évêques, auxquels le pape rappelle le devoir qu'ils ont d'enseigner avec exactitude et, s'il le faut, avec courage, la foi de l'Église. Présentant au peuple de Ravenne son

---

96. Sur ces deux séries d'homélies, cf. A. Taricco, *Le Omelie sui Vangeli e su Ezechiele di san Gregorio Magno. Struttura e forma letteraria*, Tesi di laurea, dactyl., Turin, 1969.

97. Cf. J. Jungmann, *Missarum sollemnia*, Paris, 1951, I, p. 89.

98. *Mor.* 18, 26, 39 (*PL*, 76, 58 B) : « Qui ad uerae praedicationis uerba se praeparat, necesse est ut causarum origines a sacris paginis sumat, ut omne quod loquitur ad diuinae auctoritatis fundamentum reuocet, atque in eo aedificium locutionis suae firmet... Saepe haeretici dum sua student peruersa astruere, ea proferunt quae profecto in sacrorum librorum paginis non tenentur. »

ami Marinien, qu'il vient de nommer au siège de l'exarchat, Grégoire
fait son éloge en soulignant brièvement que sa vie est en accord avec
son enseignement et que sa prédication respecte les définitions des
conciles œcuméniques[99]. Il félicite Euloge, le patriarche d'Alexandrie,
d'être fidèle à la foi des apôtres Pierre et Marc, fondateur et premier
évêque de son siège : une telle fidélité garantit l'orthodoxie de ses paroles[100].

La rectitude de l'enseignement chrétien doit constamment s'appuyer
sur la tradition, qui remonte non seulement aux apôtres, mais à toux ceux
qui ont obéi à Dieu, avant ou après le Christ. C'est pourquoi Grégoire
conseille aux prédicateurs chrétiens de recourir à des exemples tirés
de l'Écriture. Les biches dont Yahvé parle à Job (39, 1) désignent les
prédicateurs, et les bouquetins leurs auditeurs. « Or c'est sur des pierres
que les bouquetins mettent bas, car pour accomplir les œuvres de la
sainteté, les exemples des « pères » d'autrefois servent à les féconder,
de sorte qu'entendant peut-être des préceptes sublimes et doutant de
pouvoir les suivre, parce qu'ils sont conscients de leur propre faiblesse,
ils considèrent la vie de leurs ancêtres, et qu'à la vue de leur courage,
ils produisent de bonnes œuvres[101]. » Chacun des « Saints » de l'Ancien
Testament représente le type accompli d'une vertu : David de l'humilité
et de la patience, Joseph du combat contre les tentations charnelles,
Daniel de l'ascèse qui permet de s'élever jusqu'à Dieu[102]. L'exemple
de ces personnages aidera à susciter chacune des vertus qu'ils ont illustrées.
La notion grégorienne de tradition a donc une portée beaucoup plus
morale que doctrinale. Il s'agit de connaître et d'imiter tous ces justes
qui ont fait la volonté de Dieu et qui, depuis Abel jusqu'au dernier
homme, forment l'ensemble des élus[103].

99. *Ep.* 6, 2 (*MGH*, I, p. 381-382) : « Ipse praesens de integritate suae
fidei satisfacit et nos per omnia testamur eum a cunabulis in sanctae
uniuersalis ecclesiae gremio nutritum rectam praedicationem fidei cum
uitae suae attestatione tenuisse. »

100. *Ep.* 10, 14 (*MGH*, II, p. 249) : « Sit ergo illi laus, sit in excelsis
gloria, cuius dono adhuc in sede Petri clamat uox Marci... Recta itaque
et ualde laudabilis est uestra praedicatio. » ; *ibid.* 21 (p. 257) : « Ita autem
doctrina uestra per omnia latinis patribus concordauit, ut mirum mihi
non esset, quod in diuersis linguis spiritus non fuerit diuersus. »

101. *Mor.* 30, 10, 37 (*PL*, 76, 545 A) : « In petris uero ibices pariunt,
quia ad exercenda sancta opera per exempla patrum praecedentium
fecundantur, ut cum fortasse praecepta sublimia audiunt et, infirmitatis
propriae conscii, ea se implere posse diffidunt, maiorum uitam conspi-
ciant atque in eorum considerata fortitudine bonorum operum fetus
ponant. »

102. Cf. *ibid.* 37-38 (545 B - 546 D).

103. Cette conception de la tradition recoupe la notion grégorienne
d'*ecclesia electorum*, où « l'accent semble être mis moins sur l'élection et la
prédestination que sur la fidélité, sur l'exercice effectif de la vie selon
l'Esprit » : cf. Y. CONGAR, *op. cit.*, p. 67 et les références qu'il indique
(*Mor.* 1, 26, 37 : *PL*, 75, 544 ; 5, 11, 19 : 689 ; 13, 41, 46 : 1037 ; 20, 30, 60 :
76, 173 ; 26, 39, 73 : 392 ; 29, 2, 4 : 479 ; 30, 16, 53 : 553 D - 554 A ; *HEz*
2, 3, 16 : 76, 966 = *CCh*, 142, p. 247-8 ; *HEv* 2, 24, 3 : 76, 1185 ; *HEv* 2, 25,
2 : 1190).

Dans sa correspondance, Grégoire aime évoquer ces modèles de foi que sont les héros de l'Ancien Testament ou les grands serviteurs de l'Église. En juin 601, il écrit à la reine Berthe, princesse catholique et épouse du roi de Kent Éthelred, qui, grâce à elle et à Augustin, venait d'adhérer au christianisme. Pour lui exprimer sa reconnaissance, il trouve tout naturel de la comparer à Hélène, la mère du premier empereur chrétien. « Nous avons béni le Dieu tout puissant qui a daigné vous accorder en récompense la conversion de la nation des Angles. Car de même qu'il a par Hélène d'inoubliable mémoire, la mère du très pieux empereur Constantin, allumé dans le cœur des Romains la flamme de la foi chrétienne, de même il a grâce au zèle de votre gloire dans la nation des Angles opéré l'œuvre de sa miséricorde... Le bruit de vos mérites est parvenu non seulement chez les Romains, qui ont prié plus ardemment pour votre vie, mais aussi en divers pays et jusqu'à Constantinople, auprès du sérénissime empereur...[104] » La conversion de l'Angleterre est ainsi rattachée, dans le temps et dans l'espace, à cette immense épopée du salut, dont Berthe et Éthelred sont les héros historiques, à l'égal d'Hélène et de Constantin. C'est cette transmission de la foi qui intéresse Grégoire, comme s'il allait de soi que l'adhésion au Christ entraîne la rectitude de la foi, de la part des individus ou des peuples. La tradition lui apparaît avant tout comme ce mouvement ininterrompu qui traverse l'histoire et conduit à Dieu tous les hommes appelés à la foi grâce au ministère des prédicateurs.

La conversion des hérétiques   Pourtant, il ne peut nier l'existence, çà et là, de certaines hérésies[105] ; celle des Juifs, à l'égard desquels il recommande la douceur[106], celle des évêques d'Istrie et d'Aquilée, hostiles à la condamnation des trois chapitres par le concile de 553 et dont il cherche vainement à obtenir le ralliement[107], celle des nestoriens en Espagne[108], celle des manichéens ou des monophysites en Sicile[109], et surtout celle des Lombards qui professent l'arianisme[110].

---

104. *Ep.* 11, 35 (*MGH*, II, p. 304) : « Et omnipotentem Deum benediximus, qui conuersionem gentis Anglorum mercedi uestrae dignatus est propitius reseruare. Nam sicut per recordandae memoriae Helenam matrem piissimi Constantini imperatoris ad christianam fidem corda Romanorum accenderat, ita et per gloriae uestrae studium in Anglorum gentem eius misericordiam confidimus operari... Bona uestra non solum iam apud Romanos, qui pro uita uestra fortius orauerunt, sed etiam per diuersa loca et usque Constantinopolim ad serenissimum principem peruenerunt. »

105. Cf. A. Boros, *Doctrina de haereticis ad mentem S. Gregorii Magni*, Thèse de l'Université grégorienne, Rome, 1935.

106. Cf. *Ep.* 5, 7 (*MGH*, I, p. 288) ; 8, 23 (II, p. 24).

107. Cf. *Ep.* 6, 45 (I, p. 420) ; 12, 13 (II, p. 360). Sur ce schisme, cf. L. Duchesne, *L'Église du VIe siècle*, Paris, 1925, p. 245-248.

108. Cf. *Ep.* 11, 52 (*MGH*, II, p. 325).

109. Cf. 5, 7 (I, p. 288) ; 12, 16 (II, p. 362).

110. Cf. G.-P. Bognetti, *Théodelinde et la fonction du schisme des trois chapitres dans la conversion des Lombards au catholicisme*, dans *L'età longobarda*, Milan, 1966, II, p. 129-223.

Mais ces hérésies sont pour la plupart des survivances de querelles déjà anciennes qui mettent plus ou moins de temps à se résorber, quand elles ne se confondent pas avec un fonds de croyances ancestrales et de pratiques idolâtriques, notamment en Sardaigne et dans les zones soumises à l'influence lombarde. Malgré tout, il convient de s'opposer aux hérétiques, quand ils cherchent à faire de la propagande parmi les chrétiens. C'est ainsi que Grégoire recommande à Columbus, évêque de Numidie, de résister fermement aux manœuvres des Donatistes, en s'appuyant sur l'Écriture. « Veillons à ce que rien ne se perde et si, par hasard, quelque chose avait été pris, ramenons-le au troupeau du Seigneur en usant des paroles de l'Écriture Sainte[111]. » Il rassure de même Théoctiste, la sœur de l'empereur Maurice, troublée par des opinions théologiques aventureuses qui circulaient à Constantinople : ces opinions ne peuvent se recommander ni de l'Écriture, ni de l'enseignement de la vraie foi, elles sont donc indéfendables[112]. En définitive, c'est l'obéissance au Christ qui distingue le vrai pasteur du mercenaire et garantit la vérité de sa prédication, comme le rappelle Grégoire au patriarche de Jérusalem, Isacius[113].

Grégoire par tempérament ne s'intéresse guère aux controverses intellectuelles et l'époque où il vit, à la différence des siècles précédents, n'est pas marquée par de grands débats théologiques. Il n'est donc pas étonnant qu'il n'accorde qu'une importance mineure à l'activité proprement doctrinale des prédicateurs. A ses yeux, la conversion au christianisme implique un changement de vie bien plus qu'un effort de la pensée. On pourrait objecter à cela les innombrables allusions aux *haeretici* que contiennent les *Moralia*[114]. Mais que l'on examine de près tous ces textes et l'on s'apercevra qu'ils ne visent presque jamais des hérésies caractérisées[115]. Les hérétiques, ce sont les mauvais chrétiens et les ennemis de Dieu, ceux qui trahissent la vraie foi par leurs pensées,

---

111. *Ep.* 2, 46 (*M GH*, I, p. 148) : « Vigilemus ergo, ne quid pereat, et si captum forte quid fuerit, uocibus diuinorum eloquiorum ad gregem dominicum reducamus. »

112. Cf. *Ep.* 11, 27 (II, p. 295-296).

113. *Ep.* 11, 28 (p. 298) : « Ipse autem per Christum ingreditur, qui de eodem creatore ac redemptore humani generis uera sentit et praedicat, praedicata custodit, culmen regiminis ad officium portandi oneris suscipit, non ad appetitum gloriae transitorii honoris, curae quoque suscepti ouilis sollerter inuigilat, ne oues Dei aut peruersi homines praua loquentes dilanient aut maligni spiritus oblectamentum uitiorum persuadentes deuastent. »

114. Dans l'index de la patrologie, les références à ce mot recouvrent près de quatre colonnes (*PL*, 76, 1404-1407) !

115. Grégoire dénonce parfois les erreurs d'Arius (*Mor.* 32, 24, 51 : *PL*, 76, 667 C), de Nestorius (*Mor.* 18, 52, 85 : 76, 89 C), d'Eutychès (*Mor.* 14, 56, 72 : 75, 1077 D - 1079 C = *SC*, 212, p. 434), ou, pêle-mêle, d'Arius, de Sabellius, de Mani et de Jovinien (*Mor.* 19, 18, 27 : 76, 115 B-C), mais sans entrer dans les détails théologiques, comme si ces brefs rappels étaient suffisants !

leurs paroles et leurs actions. Grégoire exprime clairement ce qu'il entend par « hérétiques » en commentant les noms des trois amis de Job. « Éliphaz signifie en latin ' le mépris de Dieu '. En adhérant à des croyances erronées sur Dieu, les hérétiques ne font pas autre chose que de le mépriser par orgueil. Baldad signifie ' rien que la vieillesse '. C'est avec raison que les hérétiques sont surnommés ' rien que la vieillesse ', puisqu'en parlant de Dieu, ils cherchent à se faire passer pour des prédicateurs, non par une intention sainte, mais par désir d'une gloire mondaine. Ce n'est pas le zèle pour la vie nouvelle, mais la corruption du vieil homme qui les fait discourir. Sophar signifie en latin ' destruction de la hauteur d'où l'on voit ' ou ' détruisant l'observatoire ', car les âmes des fidèles s'élèvent pour contempler les choses d'en haut ; mais les propos des hérétiques, en cherchant à pervertir ceux qui contemplent ces vérités, s'efforcent de détruire la hauteur d'où ils voient. Ainsi dans ces trois noms des amis de Job, on trouve l'expression des trois degrés de perversité des hérétiques : s'ils n'avaient méprisé Dieu, les notions qu'ils en ont ne seraient pas faussées ; s'ils n'avaient traîné avec eux le cœur du vieil homme, leur intelligence de la vie nouvelle ne se serait pas égarée ; s'ils n'avaient détruit dans les fidèles la hauteur d'où ils pouvaient voir, leurs paroles coupables n'auraient pas été condamnées avec une telle rigueur au jugement de Dieu[116]. » Sont donc hérétiques tous ceux qui, refusant la grâce de la conversion, empêchent les autres hommes de parvenir à Dieu, si bien que le comportement des hérétiques se définit presque exactement comme l'inverse de celui des prédicateurs. On dirait que, pour Grégoire, il existe une sorte d'*ordo haereticorum* qui serait l'antithèse de l'*ordo praedicatorum*. Leur vice dominant est l'orgueil : ils feignent de savoir ce qu'ils ignorent, ils cherchent à connaître plus qu'ils ne sont capables, ils ne songent qu'à recueillir les louanges des hommes[117]. Bref, ils parlent mal de Dieu et, au lieu de convertir, leurs paroles égarent.

---

116. *Mor.* préface, 7, 16 (*PL*, 75, 525 D - 526 C = *SC*, 32 bis, p. 166) : « Eliphaz latina lingua dicitur Domini contemptus. Et quid aliud haeretici faciunt, nisi quod dum falsa de Deo sentiunt, eum superbiendo contemnunt ? Baldad interpretatur uetustas sola. Bene autem omnes haeretici in his, quae de Deo loquuntur, dum non intentione recta, sed appetitione temporalis gloriae uideri praedicatores appetunt, uetustas sola nominantur. Ad loquendum quippe non zelo noui hominis, sed uitae ueteris prauitate concitantur. Sophar quoque latino sermone dicitur dissipatio speculae, uel speculationem dissipans. Mentes namque fidelium ad contemplanda superna se erigunt : sed dum haereticorum uerba peruertere recta contemplantes appetunt, speculam dissipare conantur. In tribus itaque amicorum Iob hominibus, tres haereticarum mentium perditionis casus exprimuntur. Nisi enim Deum contemnerent, nequaquam de illo peruersa sentirent : et nisi uetustatem cor traherent, in nouae uitae intelligentia non errarent : et nisi speculationem bonorum destruerent, nequaquam eos superna iudicia tam districto examine pro uerborum suorum culpa reprobarent. »

117. Grégoire dénonce bien des fois l'orgueil ou l'hypocrisie des hérétiques : *Mor.* 3, 22-28, 42-56 (*PL*, 75, 621 B - 627 B) ; *Mor.* 5, 24-27,

L'Église   A la fin du livre de Job, Yahvé dit aux trois
et la conversion   amis : « Vous offrirez pour vous un holocauste,
du monde   tandis que mon serviteur Job priera pour vous.
J'aurai égard à lui et ne vous infligerai pas ma
disgrâce, pour n'avoir pas, comme mon serviteur Job, bien parlé de moi. »
(*Job*, 42, 8). Grégoire commente ainsi ce passage : « Il faut faire très
attention à ceci : ces hommes reçoivent l'ordre d'offrir un sacrifice de
conversion, non à cause d'eux-mêmes, mais à cause de Job. En vérité,
quand les hérétiques se détournent de leurs erreurs, ils ne peuvent aucunement apaiser la colère du Seigneur contre eux en offrant un sacrifice
par eux-mêmes, s'ils ne se convertissent pas à l'Église catholique, que
symbolise le bienheureux Job ; ils obtiendront alors leur salut grâce
aux prières de l'Église, dont ils combattaient la foi par leurs déclarations
perverses[118]. » Car l'Église seule est le lieu de la vérité : c'est en elle
et par elle que l'on reçoit les sept dons du Saint-Esprit[119] et que l'on
devient capable d'annoncer au monde la vraie sagesse. Tel est donc
l'appel que Dieu adresse aux hérétiques convertis : « Joignez-vous à
l'Église universelle en faisant humblement pénitence, et le pardon que
vous ne méritez pas par vous-mêmes, obtenez-le grâce aux prières qu'elle
m'adresse ; en apprenant par son entremise à être vraiment sages, vous
pouvez être les premiers à abolir la stupidité de votre sagesse à vous[120]. »
De même que Job fait figure d'intercesseur pour ses amis, de même
l'Église tout entière est l'instrument choisi par Dieu pour la conversion
des hérétiques, de tous ceux qui ne connaissent pas vraiment Dieu. C'est
grâce à elle que les pécheurs sont pardonnés ou que les païens parviennent
à la foi. Elle exerce le ministère de la conversion à l'égard de l'univers,
et les *Moralia*, tout comme le livre de Job, s'achèvent sur une vision
d'espérance qui est propre à Grégoire, car ce docteur de la mission
propose en même temps une conception eschatologique de l'Église[121].
« Après son épreuve, Job vécut encore jusqu'à l'âge de cent quarante ans,
et il vit ses fils et les fils de ses fils jusqu'à la quatrième génération. »
(*Job*, 42, 16). « Il est juste de dire qu'après ses épreuves, le bienheureux

---

46-49 (75, 704 A - 705 C) ; *Mor.* 10, 24-26, 42-45 (75, 944 B - 945 D) ;
Mor. 12, 35-36, 40-41 (75, 1005 A-D = *SC*, 212, p. 204-206) ; *Mor.* 14, 28,
32 (75, 1056 B-D = *SC*, 212, p. 364-366).

118. *Mor.* 25, 8, 12 (*PL*, 76, 756 B) : « Notandum uero magnopere est
quod conuersionis suae sacrificium Domino non per se, sed per Iob
iubentur offerre. Nimirum haeretici cum ab errore redeunt, erga se iram
Domini suo per se oblato sacrificio placare nequaquam possunt, nisi
ad catholicam Ecclesiam, quam beatus Iob significat, conuertantur,
ut salutem suam eius precibus obtineant, cuius fidem peruersis assertio-
nibus impugnabant. »

119. *Ibid.* 15-17 (757 D - 759 C).

120. *Ibid.* 18 (760 A-B) : « Vniuersali uos Ecclesiae per humilitatem
poenitentiae iungite, atque eam qua per uosmetipsos digni non estis
ueniam eius a me precibus obtinere, qui cum per hanc ueraciter sapere
discitis, priores, apud me uestrae sapientiae stultitiam deletis. »

121. Cf. Y. CONGAR, *op. cit.*, p. 66-72.

Job est vivant, car la sainte Église est d'abord frappée par le fouet de la discipline, et affermie ensuite par la perfection de sa vie. Elle voit aussi ses fils et les fils de ses fils jusqu'à la quatrième génération, puisque, dans ce temps que rythment les quatre saisons de l'année, elle contemple jusqu'à la fin du monde la progéniture que lui enfante chaque jour la voix de ses prédicateurs[122]. » Le temps de l'Église est le temps de la conversion du monde, parce que c'est aussi le temps de la prédication et que la prédication prépare les hommes au retour du Christ.

---

122. *Mor.* 35, 20, 48 (*PL*, 76, 778 D - 779 A) : « Bene autem beatus Iob post flagella uiuere dicitur, quia et sancta Ecclesia prius disciplinae flagello percutitur, et postmodum uitae perfectione roboratur. Quae etiam filios suos et filios filiorum suorum usque ad quartam generationem conspicit, quia in hac aetate quae annuis quatuor temporibus uoluitur, usque ad finem mundi per ora praedicantium nascentes sibi quotidie soboles contemplatur. »

TROISIÈME SECTION

Eschatologie

D'après certains auteurs, le sens eschatologique se serait affaibli dans le christianisme occidental à partir du ive siècle. Trop installée sur la terre, l'Église aurait perdu de vue la transcendance du Royaume de Dieu. Ambroise et Augustin exprimeraient cette évolution, chacun à sa manière, le premier en traduisant en termes de morale individuelle le thème du Royaume[1] et le second en pensant que l'eschatologie se réalise déjà dans l'histoire et dans l'Église[2]. On ne saurait adresser ces reproches à Grégoire, car la perspective eschatologique n'est jamais absente de sa pensée : la fin des temps est comme l'horizon sur lequel se déploient la vie intérieure des chrétiens aussi bien que l'activité missionnaire de l'Église.

De sorte que l'élément eschatologique constitue, dans la spiritualité grégorienne, une troisième structure de l'expérience chrétienne. La vie spirituelle consiste d'abord à rentrer en soi-même ; elle comporte aussi un dépassement incessant, puisque chaque croyant et l'humanité entière sont appelés par Dieu à la foi et à la sainteté. Mais c'est la tension eschatologique qui donnent toute leur valeur à la mystique d'intériorité comme à l'exigence de conversion : les chrétiens doivent vivre dans ce monde en se préparant à l'autre monde qui s'annonce déjà. On verra que cette vision des choses s'impose à Grégoire en raison de la situation propre à son époque, si bien que l'eschatologie caractérise surtout sa façon de comprendre et d'interpréter l'histoire de son temps. Mais cette perspective historique s'accorde pleinement avec sa pédagogie de la vie spirituelle, qui consiste à orienter les âmes vers l'attente de Dieu et de l'au-delà. La structure eschatologique correspond donc en premier

---

1. Cf. H. Scholz, *Glaube und Unglaube in der Weltgeschichte. Ein Kommentar zu Augustins De Civitate Dei*, Leipzig, 1911, p. 109-116.
2. *Ibid.* p. 117 sq.

lieu à la vie concrète de l'Église, surtout à Rome et en Italie, en cette fin du vi^e siècle. Mais elle s'applique tout autant au mouvement que Grégoire cherche à imprimer à la vie spirituelle des fidèles, dans la ligne de son maître Augustin, en leur montrant le caractère transitoire des biens de ce monde et en intensifiant leur désir du Royaume des Cieux. Cette orientation eschatologique, qui porte l'homme au-delà de la terre et de l'histoire présente, s'achève par une représentation de l'au-delà, conçu non seulement comme l'objet du désir et de l'espérance humaines, mais comme le prolongement et l'achèvement en Dieu de nos destinées et de notre monde. Bref, la référence eschatologique fait partie du langage de Grégoire, quand il partage le désarroi du monde de son temps aussi bien que quand il évoque le monde de l'au-delà et incite ses fidèles à s'y préparer activement.

CHAPITRE VII

L'Église et la fin des temps

Ecclésiologie   « Quand on lit saint Grégoire le Grand, on se
et vision mystique   trouve à la fois dans un climat d'eschatologie
                       réalisée et d'intense désir du ciel. Nous sommes
déjà, dans l'Église, concitoyens des anges, c'est déjà le règne de Dieu,
et cependant, nous ne voyons que l'aurore du vrai jour, nous peinons
encore dans l'attente du règne glorieux[3]. » S'agit-il là d'un retour à la
position traditionnelle de tension eschatologique entre la fuite du monde
et le triomphe terrestre de l'Église[4], ou d'une reprise de la vision augustinienne du conflit spirituel entre les deux cités ? Comme toujours, l'attitude
de Grégoire n'a rien de théorique : il ne faut pas chercher chez lui une
philosophie de l'histoire, une théologie des fins dernières ou une réflexion
méthodique sur l'eschatologie, mais simplement l'expression de ses
convictions par rapport à la fin des temps et aux responsabilités de
l'Église en attendant le retour du Christ et l'avènement de son Royaume.

Tout d'abord, Grégoire est intimement persuadé que son époque
représente l'ultime période de l'histoire du salut. A l'âge des apôtres
et des martyrs a succédé l'âge des prédicateurs et cette ère de la mission,
qui se caractérise par la diffusion universelle de la foi, précède et annonce,
comme nous l'avons déjà vu, la fin du monde. Grégoire ne cesse pas
d'interpréter l'histoire de l'Église selon cette perspective nettement
eschatologique. « Les martyrs ayant disparu, les docteurs sont venus
désormais à la connaissance du monde à cette époque où la foi brille
avec plus d'éclat et où, l'hiver de l'incroyance étant réprimé, le soleil
de la vérité brille plus profondément dans le cœur des fidèles... Tandis
que, grâce aux prédicateurs, la science céleste se manifeste chaque jour
davantage, le printemps d'une lumière intérieure s'ouvre en quelque

3. Y. CONGAR, *L'ecclésiologie du Haut Moyen Age*, p. 126.
4. Cf. *DSp*, art. *Eschatologie*. IV, 1042-43.

sorte pour nous, si bien qu'un soleil nouveau brille sur nos âmes et resplendit chaque jour avec plus d'éclat, grâce à leurs paroles qui nous
le font connaître. Car la fin du monde approchant, la science céleste
fait des progrès et croît plus largement avec le temps[5]. »

Le progrès de la connaissance de Dieu, dû au ministère des prédicateurs,
le rayonnement de la foi et de la culture chrétienne à travers le monde
prouvent donc, aux yeux de Grégoire, que l'économie du salut tend vers
son achèvement. Cette vision lumineuse des derniers temps de l'Église
prolonge évidemment la mystique grégorienne et il semble parfois que
la transition entre l'Église de la terre et l'Église du ciel doive s'accomplir
sans rupture, par une espèce de continuité naturelle. A l'illumination
de la foi succédera simplement la vision définitive de Dieu. Qu'attendre
d'autre après la conversion du monde « sinon que la sainte Église, recueil-
lant le fruit de ses peines, parvienne à voir les réalités intimes de la
patrie céleste ?... La lumière de la contemplation intérieure y est perçue
sans que s'interpose l'ombre du changement ; là est la chaleur de la
lumière suprême sans aucune obscurité corporelle ; là sont les chœurs
invisibles d'anges qui resplendissent dans le secret comme des astres[6]. »
Si l'ecclésiologie grégorienne débouche sur l'eschatologie, c'est que
pour les hommes de cette époque, il n'existe pas de séparation tranchée
entre le monde visible et le monde invisible, pas plus qu'entre l'Église
de la terre et l'Église du ciel[7]. L'Église est sur la terre la forme visible
des réalités invisibles et célestes. Il est donc normal qu'elle s'achève
dans la Cité de Dieu, faite des anges, des saints déjà glorifiés et des
hommes. A cet égard, la conception de Grégoire prolonge celle d'Augustin,
pour lequel « la cité des saints est au ciel, bien qu'elle enfante ici-bas
des citoyens en qui elle habite comme à l'étranger jusqu'à ce qu'arrive
le temps de son règne[8]. »

Cette vision mystique de l'Église n'exclut pourtant pas une perspective
plus dramatique, qui donne son vrai sens à l'eschatologie. L'histoire
présente est le théâtre d'un combat entre la lumière de la foi et les ténèbres

---

5. *Mor.* 9, 11, 15 (*PL*, 75, 867 A-C) : « Qui, subductis martyribus, eo
iam tempore ad mundi notitiam uenerunt quo fides clarius elucet, et,
repressa infidelitatis hieme, altius per corda fidelium sol ueritatis calet...
Dumque per eos diebus singulis magis magisque scientia coelestis ostenditur, quasi interni nobis luminis uernum tempus aperitur, ut nouus sol
nostris mentibus rutilet et eorum uerbis nobis cognitus, se ipso quotidie
clarior micet. Vrgente etenim mundi fine, superna scientia proficit et
largius cum tempore crescit. »

6. *Ibid.* 17 (868 B - 869 A) : « ... nisi ut sancta Ecclesia, laboris sui
fructum recipiens, ad uidenda supernae patriae intima perueniat ?...
Ibi lumen intimae contemplationis sine interueniente cernitur umbra
mutabilitatis ; ibi calor summi luminis sine ulla obscuritate corporis ;
ibi inuisibiles angelorum chori quasi astra in abditis emicant. »

7. Cf. Y. CONGAR, *op. cit.*, p. 104-125.

8. *De Ciu. Dei*, 15, 1, 2 (*Bibl. aug.*, 36, p. 39) : « Superna est enim
sanctorum ciuitas, quamuis hic pariat ciues, in quibus peregrinatur, donec
regni eius tempus adueniat. »

du mal ; elle met aux prises les élus et les réprouvés et le jugement final opérera le tri définitif, en permettant aux premiers d'accéder au royaume de la lumière, et aux seconds à celui des ténèbres éternelles. Grégoire évoque cet aboutissement en commentant les malédictions proférées par Job contre la nuit qui suivit sa naissance : « Que les étoiles se voilent de son obscurité, qu'elle attende en vain la lumière et ne voie point se lever l'aurore naissante ! » (Job, 3, 9). L'Église est appelée aurore, parce qu'elle passe des ténèbres de ses propres péchés à la lumière de la justice. C'est pourquoi dans le Cantique des Cantiques, l'époux dit d'elle avec admiration : « Quelle est celle-ci qui s'avance comme l'aurore à son lever ? » (Cant. 6, 10). C'est bien comme l'aurore que se lève l'Église des élus qui quitte les ténèbres de l'antique dépravation et se convertit pour resplendir d'une lumière nouvelle. Dans cette lumière, donc, qui se montre lors de l'avènement du juge sévère, le corps de l'ennemi condamné ne voit pas se lever l'aurore naissante, car lorsque le juge sévère viendra pour la rétribution, tous les méchants, accablés par la noirceur de leurs péchés, ignoreront avec quel éclat la sainte Église se lèvera dans la lumière intérieure des cœurs... Alors la sainte Église tout entière devient comme une aurore, quittant complètement les ténèbres de la mortalité et de l'ignorance. Lors du jugement, ce n'est encore qu'une aurore, mais, dans le royaume, ce sera le jour ; car, bien qu'avec la restauration des corps, elle commence à voir la lumière lors du jugement, cependant c'est dans le royaume qu'elle parvient à la plénitude de la contemplation. Le lever de l'aurore est le début d'une Église resplendissante, que les réprouvés ne peuvent voir, car le poids de leurs mauvaises actions les entraîne dans les ténèbres loin de la vue du juge sévère[9]. »

A la fin des temps, Dieu séparera donc les bons des méchants. C'est ce jugement dernier qui éclaire la vie actuelle de l'Église. Car, pour Grégoire comme pour Augustin[10], l'Église de la terre est un mélange,

---

9. Mor. 4, 11, 19 (PL, 75, 648 A-C) : « Aurora quippe Ecclesia dicitur, quae a peccatorum suorum tenebris ad lucem iustitiae permutatur. Vnde et hanc sponsus in Canticorum cantico miratur, dicens : « Quae est ista, quae progreditur quasi aurora consurgens ? » Quasi aurora quippe electorum surgit Ecclesia, quae prauitatis pristinae tenebras deserit, et sese in noui luminis fulgorem conuertit. In illa igitur luce, quae in districti iudicis aduentu monstratur, corpus damnati hostis ortum surgentis aurorae non uidet ; quia cum districtus iudex ad retributionem uenerit, iniquus quisque suorum caligine meritorum pressus, quanta claritate sancta Ecclesia in internum cordis lumen surgat, ignorat... Tunc sancta Ecclesia plena aurora fit cum mortalitatis atque ignorantiae suae tenebras funditus amittit. In iudicio ergo adhuc aurora est, sed in regno dies ; quia etsi iam cum restauratione corporum uidere lumen in iudicio inchoat, eius tamen uisum plenius in regno consummat. Ortus itaque aurorae est exordium clarescentis Ecclesiae, quem uidere reprobi nequeunt, quia a conspectu districti iudicis malorum suorum pondere ad tenebras pressi pertrahuntur. »

10. Cf. la quatrième partie de la thèse de P. Borgomeo (L'église de ce temps dans la prédication de Saint-Augustin, Paris,

une *permixtio* : elle se compose de justes et de pécheurs, d'élus et de réprouvés. « Parce que cette vie est effectivement menée de la même façon par les bons et les méchants, l'Église est à présent formée par la réunion visible du groupe des uns et des autres, mais c'est Dieu, le juge invisible, qui fait le discernement et qui séparera l'Église, à son terme, de la communauté des réprouvés. Mais pour le moment il ne peut y avoir en elle exclusivement, ni des bons sans qu'il y ait des méchants, ni des méchants sans qu'il y ait des bons. Les deux parties, mêlées dans le temps présent, se complètent en effet nécessairement, afin que les méchants soient transformés par l'exemple des bons et les bons purifiés par les tentations venant des méchants[11]. » C'est pourquoi Grégoire se plaît à commenter les paraboles du Royaume des cieux qui se réfèrent à ce mystère[12] : celle du filet qui ramène des poissons très variés[13], celle des vierges sages et des vierges folles[14], celle du festin nuptial, où viennent des invités de toute espèce[15]. Chaque fois, il invite ses auditeurs à être vigilants, à faire pénitence ; il les aide surtout à accepter cette Église qui rassemble des gens si divers, en recourant à l'argument eschatologique : « Tant que nous vivons ici-bas, il est inévitable que nous parcourions maintenant la route du siècle présent mêlés les uns aux autres. Le discernement a lieu quand nous arrivons au terme. Les bons seuls ne sont en effet nulle part ailleurs qu'au ciel, et les méchants seuls nulle part ailleurs qu'en enfer. La vie présente, qui est située entre le ciel et l'enfer, de même qu'elle se trouve comme au milieu, comprend ensemble des citoyens de l'un et l'autre camp[16]. » Il arrive même à Grégoire de distinguer l'Église présente et l'Église des élus[17], pour mieux montrer que la pro-

---

1972, p. 279-298) intitulée « L'Église, mystère de patience : le mélange » (notamment le chapitre xiv : L'Église comme *permixtio*).

11. *Mor.* 31, 14, 28 (*PL*, 76, 589 B-C) : « Quia enim a bonis malisque haec uita communiter ducitur, nunc Ecclesia ex utrorumque numero uisibiliter congregatur, sed Deo inuisibiliter iudicante discernitur, atque in exitu suo a reproborum societate separatur. Modo uero esse in ea nec boni sine malis, nec mali sine bonis possunt. Hoc enim tempore coniuncta utraque pars sibi necessario congruit, ut et mali mutentur per exempla bonorum, et boni purgentur per tentamenta malorum. »

12. Là encore, la prédication de Grégoire prolonge celle d'Augustin, qui applique à l'Église ces mêmes paraboles ou d'autres analogues : Cf. P. Borgomeo (*op. cit.*, chap. xv : Les deux cités et les paraboles du Royaume) qui mentionne spécialement les paraboles de la pêche, de l'ivraie et de l'aire (p. 299-324).

13. Cf. *HEv* 1, 11, 4 (*PL*, 76, 1116 A - 1117 A) et *HEv* 2, 24, 3 (1185 B-D).

14. Cf. *HEv* 1, 12 (*PL*, 76, 1118 A - 1123 B).

15. Cf. *HEv* 2, 38 (*PL*, 76, 1281 D - 1293 C).

16. *Ibid.* 2, 38, 7 (*PL*, 76, 1285 D) : « Quousque namque hic uiuimus, necesse est ut iam praesentis saeculi permixti pergamus. Tunc autem discernimur, cum peruenimus. Boni enim soli nusquam sunt, nisi in coelo ; et mali soli nusquam sunt, nisi in inferno. Haec autem uita, quae inter coelum et infernum sita est, sicut in medio subsistit, ita utrarumque partium ciues communiter recipit. »

17. Cf. *HEv* 1, 19, 5 (*PL*, 76, 1157 B) et 2, 24, 3 (1185 B-D).

miscuité actuelle ne s'oppose absolument pas au salut qui s'accomplira finalement.

La métaphore de l'aurore est appliquée également à ces temps qui précèdent la fin du monde et qui sont pareils au clair-obscur qui annonce le lever du soleil. Le siècle présent est par rapport à l'éternité comme la nuit par rapport au jour ; mais il nous reste à pressentir et à espérer cette lumière qui rayonne déjà. Grégoire formule cette appréciation dans les *Dialogues*, pour expliquer la multiplication des phénomènes surnaturels qui sont une révélation anticipée de l'autre monde : « Les réalités de cet autre monde, nous ne les connaissons pas encore parfaitement, car nous les voyons pour ainsi dire dans une sorte de crépuscule de l'âme comme avant le lever du soleil[18]. » La même image revient souvent dans les *Moralia* : « L'aurore ou le petit jour annonce certes que la nuit est passée, sans montrer cependant la pleine clarté du jour... Que sommes-nous d'autre en cette vie, nous qui suivons la vérité, sinon l'aurore ou le petit jour ? Car, en même temps que nous accomplissons déjà des actions de lumière, les traces des ténèbres ne manquent pourtant pas dans certaines des choses que nous faisons encore[19]. » Cette image de la lumière permet d'étendre à l'Église entière l'expérience spirituelle que connaissent les chrétiens qui se livrent à l'ascèse et à la contemplation, car l'Église est le lieu du combat entre la lumière et les ténèbres, en même temps que celle qui expérimente et prépare en ce monde l'illumination définitive : « Puisque le petit jour ou l'aurore marque le passage des ténèbres à la lumière, c'est à bien juste titre que l'on désigne par le terme de petit jour ou d'aurore toute l'Église des élus. C'est elle en effet qui, en se laissant conduire de la nuit de l'incroyance à la lumière de la foi, s'ouvre au jour, à la façon d'une aurore après les ténèbres, grâce à l'éclat qui lui vient de la clarté d'en haut. C'est pourquoi il y a dans le *Cantique des Cantiques* cette belle formule : ' Quelle est celle-ci qui s'avance comme l'aurore à son lever ? ' (*Cant.* 6, 9). La sainte Église, en effet, aspirant aux récompenses de la vie céleste, est appelée aurore, parce qu'en abandonnant les ténèbres des péchés, elle se met à resplendir de la lumière de justice[20]. » Ces perspectives mystiques sont présentes

---

18. *Dial.* 4, 41 (éd. Moricca, p. 300) : « Et quae illius mundi sunt... necdum perfecte cognoscimus, quia quasi in quodam mentis crepusculo haec uelut ante solem uidemus. »

19. *Mor.* 29, 2, 3 (*PL*, 76, 478 C-D) : « Aurora namque uel diluculum noctem quidem praeteriisse nuntiant, nec tamen diei claritatem integram ostentant... Quid itaque in hac uita omnes qui ueritatem sequimur, nisi aurora uel diluculum sumus ? Quia et quaedam iam quae lucis sunt agimus, et tamen in quibusdam adhuc tenebrarum reliquiis non caremus. »

20. *Ibid.* 2, 2 (478 B-C) : « Quia enim diluculum uel aurora a tenebris in lucem uertitur, non immerito diluculi uel aurorae nomine omnis electorum Ecclesia designatur. Ipsa namque dum ab infidelitatis nocte ad lucem fidei ducitur, uelut aurorae more in diem post tenebras splendore supernae claritatis aperitur. Vnde et bene in Canticis canticorum dicitur : « Quae est ista quae progreditur quasi aurora consurgens ? » Sancta enim Ecclesia coelestis uitae praemia appetens, aurora uocata est, quia dum peccatorum tenebras deserit, iustitiae luce fulgescit. »

à toute l'ecclésiologie grégorienne, et notamment à la façon dont y sont décrits les derniers temps de l'Église : qu'il s'agisse de l'expansion du christianisme sur la terre, du jugement décisif qui fera le discernement entre les bons et les méchants ou du triomphe final de la lumière divine, c'est un même processus d'illumination et de transfiguration qui est en train de s'accomplir et doit bientôt s'achever.

Les signes précurseurs   Grégoire parle de la proximité du jugement
de la fin   dernier à la manière d'un exégète autant que
d'un mystique. Il s'appuie fréquemment sur l'Écriture pour montrer à ses contemporains que le Christ ne tardera pas à revenir. A deux reprises, dans ses *Homélies sur l'Évangile* il commente le discours eschatologique rapporté par saint Luc[21], invitant chaque fois ses auditeurs à mesurer l'actualité des avertissements du Christ. « Notre Seigneur et Rédempteur, frères très chers, désirant nous trouver prêts, nous fait voir de quels malheurs s'accompagne la vieillesse du monde[22]. » Tel est l'exorde de la première homélie ; l'autre lui est très semblable : « Notre Seigneur et Rédempteur nous fait voir les malheurs précurseurs de la ruine du monde, pour que nous soyons d'autant moins bouleversés par ces événements à venir que nous les aurons connus d'avance[23]. »

Plusieurs fois, il insiste sur deux signes particuliers mentionnés par le Nouveau Testament : la conversion des Juifs et la venue de l'Antéchrist. Quand la mission chrétienne sera parvenue à son terme, et que tous les païens se seront convertis, alors les Juifs entreront dans l'Église : cette prédiction faite par saint Paul (*Rom.* 11, 25) est souvent reprise par Grégoire[24]. C'est l'action de Satan qui a empêché les Juifs de croire en la divinité du Christ. « Lors de la venue du Christ, Satan s'est tenu à sa droite. Le Seigneur semblait en effet faire beaucoup de cas du peuple Juif et aucun cas des païens. Mais après qu'il eut apparu dans la chair, les païens qui s'étaient tenus à sa gauche ont cru, alors que le peuple juif est tombé dans l'incroyance. Satan s'est donc tenu à la droite de Dieu, puisqu'il lui a arraché ce peuple qui avait été longtemps son préféré. Mais comme le peuple juif lui-même, un moment perdu, doit

---

21. La première homélie sur l'Évangile (*HEv* 1, 1 : *PL*, 76, 1077 B - 1081 C) porte sur la fin du discours (*Luc* 21, 25-32). L'homélie XXXV en commente le début (*Luc* 21, 9-19) : *HEv* 2, 35 (*PL*, 76, 1259 A - 1265 C).

22. *HEv* 1, 1, 1 (1077 C) : « Dominus ac Redemptor noster, fratres carissimi, paratos nos inuenire desiderans, senescentem mundum quae mala sequantur denuntiat. »

23. *HEv* 2, 35, 1 (1259 B-C) : « Dominus ac Redemptor noster perituri mundi praecurrentia mala denuntiat, ut eo minus perturbent uenientia, quo fuerint praescita. »

24. Cf. *Mor.* 4, préf., 4 (*PL*, 75, 636 C) ; 19, 12, 19 (76, 108 C) ; 20, 22, 48 (166 C) ; 35, 14, 26 (763 A-D) ; 35, 16, 41 (772 A-C).

retrouver la foi à la fin... le Seigneur écarte Satan de sa droite[25]. » C'est sous la forme de l'Antéchrist que Satan doit livrer son dernier combat, qui provoquera beaucoup de ravages dans le monde et dans l'Église : Grégoire évoque souvent cette figure et cette action de l'Antéchrist, en s'inspirant surtout du prophète Daniel, de Paul (II *Thess.*) et de l'*Apocalypse*[26]. Dieu a enchaîné Satan dans l'abîme, mais il le relâchera juste avant la fin du monde, à l'expiration du *millenarium* annoncé par saint Jean : « Les 1000 ans écoulés, Satan relâché de sa prison, sortira et séduira les nations » (*Apoc.* 20, 7). Le nombre de mille ans, par sa perfection, exprime toute la durée de la sainte Église, quelle qu'elle soit. Cette durée achevée, l'antique ennemi livré à ses propres forces, est relâché, bien que pour peu de temps, mais en dépensant beaucoup d'énergie contre nous[27] ».

Grégoire ne manque pas de faire le lien entre ces perspectives eschatologiques, telles qu'elles ressortent de la Bible, et les événements de son temps. A vrai dire, il ne constate pas la conversion massive des Juifs : dans quelques-unes de ses lettres, il recommande seulement la modération et la douceur aux évêques qui auraient sur leur territoire des juifs désireux de se rapprocher de l'Église[28]. Quant à l'Antéchrist, il n'est pas encore là, mais il a déjà des précurseurs, notamment Jean le Jeûneur, l'évêque de Constantinople, qui, en prenant le titre d'œcuménique, fait preuve

---

25. *Mor.* 20, 22, 48 (*PL*, 76, 166 B-C) : « Cui uenienti Satan a dextris stetit. Pro magno namque Dominus Iudaïcum populum, et pro nihilo gentes habere uidebatur. Sed postquam incarnatus apparuit, gentilitas quae pro sinistro habita fuerat credidit ; Iudaïcus uero populus ad perfidiam declinauit. Satan ergo illi a dextris stetit, quia illum ei populum rapuit, qui dudum dilectus fuit. Sed quia ipse Iudaïcus populus, modo perditus, in fine est quandoque crediturus... Satan a dextris suis Dominus remouet. »

26. Cf. *Mor.* 14, 21-24, 25-28 (*PL*, 75, 1052 C - 1054 D = *SC*, 212, p. 354-360) ; 15, 58-61, 69-72 (1117 A - 1121 A = *SC*, 221, p. 120-132) ; 32, 15, 22-27 (*PL*, 76, 648 D - 653 B).

27. *Mor.* 32, 15, 22 (*PL*, 76, 649 C-D) : « Et postquam consummati fuerint mille anni, soluetur Satan de carcere suo, et exibit, et seducet gentes. » Millenario namque numero uniuersum, pro perfectione sua hoc quantumlibet sit Ecclesiae sanctae tempus exprimitur. Quo peracto, antiquus hostis suis uiribus traditus, pauco quidem in tempore, sed in multa contra nos uirtute, laxatur » : cf. Augustin, *De Ciu. Dei* 20, 7, 2 (*Bibl. aug.* 37, p. 215) : « Mille autem anni duobus modis possunt... intellegi : aut quia in ultimis annis mille ista res agitur, id est sexto annorum miliario tamquam sexto die, cuius nunc spatia posteriora uoluuntur, secuturo deinde sabbato, quod non habet uesperam, requie scilicet sanctorum, quae non habet finem, ut huius miliarii tamquam dici nouissimam partem, quae remanebat usque ad terminum saeculi, mille annos appellauerit eo loquendi modo, quo pars significatur a toto ; aut certe mille annos pro annis omnibus huius saeculi posuit, ut perfecto numero notaretur ipsa temporis plenitudo. »

28. Cf. *Ep.* 5, 7 (*MGH*, I, p. 288) : oct. 594 (à Cyprien, recteur du patrimoine de Sicile) ; 9, 38 (II, p. 67) : oct. 598 (à Fantinus, moine de Palerme) ; 9, 195 (II, p. 183) : à Janvier, évêque de Cagliari.

d'un orgueil proprement diabolique : « Pour moi, j'affirme sans hésiter que quiconque se proclame universel ou désire être appelé ainsi, est le précurseur de l'Antéchrist par ses prétentions, car, en s'enorgueillissant de la sorte, il se met en avant de tous les autres, et cet orgueil sans égal le conduit à l'erreur, car, de même que cet ange perverti veut apparaître comme Dieu au-dessus de tous les hommes, de même cet homme, quel qu'il soit, qui désire être appelé seul prêtre, désire être au-dessus du reste des prêtres[29]. »

Puisque le peuple juif n'est pas encore devenu chrétien, et que l'Antéchrist ne s'est pas personnellement manifesté, Grégoire ne peut pas prétendre que la fin du monde est arrivée et l'on déforme sa pensée en affirmant qu'il s'attendait à assister personnellement au retour du Christ et au jugement dernier[30]. Mais ce qui est certain, c'est qu'il a sans relâche cherché à déchiffrer les signes des temps, qu'il a lu les prédictions eschatologiques des prophètes, des évangélistes et du Christ à la lumière des événements qui ébranlaient alors l'Italie et l'Europe et qu'il a finalement estimé que ces prédictions étaient en train de connaître un début de réalisation.

Son œuvre, surtout ses homélies et ses lettres, contiennent une interprétation nettement eschatologique de l'histoire de son temps. Avant d'inclure les sentiments qui doivent animer les chrétiens désireux de se préparer au jugement dernier, son eschatologie est fondée sur une certaine conscience historique, toute polarisée par l'attente des derniers temps[31]. Parlant des signes annoncés par le Christ pour prédire son retour (*Luc*, 21, 25), il n'hésite pas à déclarer : « De tous ces signes, les uns nous les voyons déjà accomplis, les autres, nous redoutons de les voir venir prochainement. Car c'est à notre époque que nous voyons les nations se dresser les unes contre les autres, et leur angoisse peser sur la terre, plus que nous ne le lisons dans les livres... Nous supportons sans arrêt des épidémies. Des signes dans le soleil, la lune et les étoiles, nous en voyons encore clairement fort peu, mais le changement même de l'atmosphère nous permet de conclure qu'ils ne sont pas loin[32]. »

---

29. *Ep.* 7, 30 (*MGH*, I, p. 478, juin 597) : « Ego autem fidenter dico, quia, quisquis se uniuersalem sacerdotem uocat uel uocari desiderat, in elatione sua Antichristum praecurrit, quia superbiendo se caeteris praeponit, nec dispari superbia ad errorem ducitur, quia, sicut peruersus ille Deus uideri uult super omnes homines ita, quisquis iste est, qui solus sacerdos appellari appetit, super reliquos sacerdotes. »

30. Cf. R. Manselli, *L'escatologismo di Gregorio Magno*, dans *Atti del primo congresso internazionale di Studi longobardi*, Spolète, 1952, p. 383-387 ; *La lettura super Apocalypsim di Pietro di Giovanni Olivi*, dans *Ricerche sull'escatologismo medioevale*, Studi Storici, 19-21, Rome, 1955, p. 1-16.

31. En distinguant le sentiment et la conscience, je m'inspire ici de Y. Congar (*op. cit.*, p. 125-127).

32. *HEv* 1, 1, 1 (*PL*, 76, 1078 B-C) : « Ex quibus profecto omnibus alia iam facta cernimus, alia e proximo uentura formidamus. Nam gentem super gentem exsurgere, earumque pressuram terris insistere, plus

Aucun doute n'est permis : si Augustin ne discernait pas dans les événements de son époque les signes annonciateurs de la fin du monde[33], Grégoire croit pouvoir les reconnaître. La poussée des barbares, Goths, puis Lombards, l'abandon progressif de l'Italie par les Byzantins, l'irrémédiable décadence de Rome, tout lui semble indiquer que l'histoire approche de son terme et que le jour du jugement dernier n'est plus très lointain. En 593, le roi des Lombards, Agilulf, est aux portes de Rome ; dans une de ses homélies sur Ézéchiel, Grégoire ne cache pas son désarroi devant le déchaînement de cette guerre qu'il a vainement cherché à conjurer : « Partout nous ne voyons que deuils, de toutes parts, nous n'entendons que lamentations. Villes détruites, bourgs saccagés, campagnes dépeuplées, la terre réduite en désert. Pas un homme n'est demeuré dans les champs, presque plus un habitant dans les villes, et cependant le peu qui reste du genre humain est encore frappé, quotidiennement et sans répit... Nous voyons les uns emmenés en captivité, les autres décapités, d'autres massacrés[34]. » L'état politique de l'Italie et de Rome, livrées sans défense aux Lombards, toute la série des calamités qui accompagnaient ces guerres devenues endémiques justifiaient ces accents apocalyptiques, qui reviennent assez souvent dans l'œuvre de Grégoire[35]. Obsédé par l'accumulation des désastres qui frappaient sans arrêt le monde sous ses yeux, il a pensé que le retour prochain du Christ était la seule issue de l'histoire.

Mais cette façon de présenter la fin de l'histoire humaine correspond aussi aux principes de son exégèse. Car le sens eschatologique de l'Écriture prolonge le sens moral : les épreuves qui atteignent Job sont la figure de celles qui doivent atteindre l'Église, et, tout comme celle du juste persécuté, l'histoire du monde entier ressemble à un combat. Une telle interprétation corrige ce que certaines tirades apocalyptiques peuvent avoir d'excessif, car personne ne sait quand s'arrêtera ce combat. « C'est à dessein que les souffrances du bienheureux Job nous sont montrées, mais que la durée de son affliction ne nous est pas dévoilée. Et cela, parce qu'en cette vie on voit bien les tribulations de l'Église, mais on

---

iam in nostris temporibus cernimus quam in Codicibus legimus... Pestilentias sine cessatione patimur. Signa uero in sole, et luna, et stellis, adhuc aperte minime uidemus, sed quia et haec non longe sint, ex ipsa iam aeris immutatione colligimus. »

33. Cf. *Serm.* 93, 7 (*PL*, 38, 576) : « Malgré guerre sur guerre, tribulation sur tribulation, tremblement de terre sur tremblement de terre, famine sur famine, invasion sur invasion, l'Époux n'est toujours pas venu. »

34. *HEz* 2, 6, 22 (*PL*, 76, 1009 D - 1010 A = *CCh*, 142, p. 310-311) : « Vbique luctus aspicimus, undique gemitus audimus. Destructae urbes, euersa sunt castra, depopulati agri, in solitudinem terra redacta est. Nullus in agris incola, pene nullus in urbibus habitator remansit ; et tamen ipsae paruae generis humani reliquiae adhuc quotidie et sine cessatione feriuntur... Alios in captiuitatem duci, alios detruncari, alios interfici uidemus. »

35. Cf. *Ep.* 3, 29 (*MGH*, I, p. 187) ; *HEz* 1, 9, 9 (*PL*, 76, 874 A = *CCh*, 142, p. 128) ; *HEv* 2, 35, 1 (*PL*, 76, 1259 C - 1260 C).

ne sait combien de temps elle doit être broyée et déchirée. Ainsi est-il également dit par la bouche de la vérité : « Ce n'est pas à vous de savoir les temps et les moments que le Père a réservés dans sa puissance » (*Act.* 1, 7). Par conséquent, ce que l'on appelle la souffrance du bienheureux Job nous enseigne ce qu'en fait, nous savons par expérience. Mais le silence qui plane sur la durée de ses souffrances nous enseigne ce qu'il nous faut ignorer[36]. » On retrouve ici plusieurs éléments essentiels à la pensée de Grégoire et qui aident à mieux apprécier la portée de ses conceptions relatives à la fin du monde. L'expérience eschatologique, si l'on peut dire, ne peut être séparée de l'ensemble de l'expérience spirituelle : comme cette dernière, elle est foncièrement dramatique et les catastrophes qui la caractérisent marquent seulement un redoublement des *flagella Dei*. En elle se manifeste aussi une autre dialectique familière à Grégoire : celle du connu et de l'inconnu, en vertu de laquelle l'Église apprend à être vigilante, parce que ses épreuves sont des signes certains envoyés par Dieu, mais des signes qui la laissent pourtant dans l'ignorance sur la date de la fin.

Le monde et l'Église   Pour apprécier correctement le sens des déclarations de Grégoire relatives aux derniers temps de l'histoire, il faut relever une ambiguïté qui se trouve souvent à l'arrière-plan de sa pensée. Quand il évoque ces malheurs qui préludent au jugement dernier, entend-il parler de l'Église ou du monde ?

La situation du monde, autour de lui, est dramatique, et jusqu'à sa mort il ne se lassera pas de le rappeler, sans cesser de lutter contre les conséquences de la guerre ou la mauvaise volonté des fonctionnaires de Byzance. Il sait pourtant qu'il n'assistera pas à la fin et que des temps plus troublés viendront après sa mort, comme il l'écrit à son ancien adversaire, l'évêque de Salone, Maximus : « Le peuple des Slaves vous menace terriblement : j'en suis vivement affligé et troublé. Je suis affligé de ce que je souffre en vous ; je suis troublé de ce que, par l'accès de l'Istrie, ils ont déjà commencé à entrer en Italie. Du *scribo*[37] Julianus que dirai-je, lorsque je vois partout que nos péchés nous répon-

---

36. *Mor.* préf. 10, 21 (*PL*, 75, 528 B-C = *SC*, 32 bis, p. 172) : « Recte autem afflictio quidem beati Iob dicitur, sed quantitas temporis in eius afflictione reticetur ; quia sanctae Ecclesiae in hac uita tribulatio cernitur, sed quanto hic tempore conterenda atque differenda sit, ignoratur. Vnde et ore Veritatis dicitur : « Non est uestrum nosse tempora uel momenta quae Pater posuit in sua potestate » (*Act.* I, 7). Per hoc ergo, quod beati Iob passio dicitur, docemur quod experiendo nouimus. Per hoc uero quod quantitas temporis in passione reticetur, docemur quid nescire debeamus. »

37. Les *scribones* étaient des officiers de la garde, hommes de confiance de l'Empereur, souvent chargés de missions délicates, par exemple celle d'arrêter le patriarche de Constantinople : cf. E. STEIN, *Histoire du Bas Empire*, t. 2, p. 445 ; A. H. M. JONES, *The Later Roman Empire*, t. 2, p. 658-659.

dent, et nous valent d'être troublés au-dehors par les Barbares, au-dedans par les fonctionnaires ? Mais ne vous attristez nullement de tels malheurs, car ceux qui vivront après nous verront des temps pires encore, si bien qu'en comparaison de leur époque ils estimeront que nous avons connu des jours heureux[38]. » Une métaphore marine permet là encore de bien marquer à quel point la tempête finale ne s'annonce pour l'instant que de façon légère : « Car les guerres et les désastres actuels sont pour ainsi dire des flots qui montrent qu'elle se lève, et plus nous nous rapprochons chaque jour de la fin, plus nous voyons grossir le volume des tribulations qui fondent sur nous. Mais aux derniers jours, dans le bouleversement de tous les éléments, le juge d'en haut, en venant, apporte la fin de tout, car il est certain qu'alors la tempête emporte les flots vers le ciel[39]. » Cette image prophétique, empruntée aux phénomènes de la nature, complète les autres métaphores maritimes appliquées aux remous qui secouent l'Église : elle prouve que Grégoire est convaincu de vivre, non pas les derniers temps, mais l'époque qui les précède immédiatement et où se manifestent les préambules de la fin.

En fait, Grégoire évoque plus souvent la situation de l'Église que celle du monde. Ses perspectives eschatologiques sont moins politiques que religieuses, mais ce qui peut créer la confusion, c'est que dans ce dernier domaine, ses jugements semblent sujets à variations. Tantôt il insiste sur les remous qui agitent l'Église et menacent presque de la détruire, tantôt il se réjouit de son expansion missionnaire et du succès de sa prédication. Moins d'un an après être devenu pape, il confie ainsi ses inquiétudes à son ami Léandre, l'évêque de Séville : « Je suis à mon poste secoué par les flots de ce monde qui sont si violents que je suis absolument incapable de conduire au port ce navire vétuste et vermoulu, que le dessein caché de Dieu m'a donné à gouverner... Au milieu de tout cela, troublé moi-même, je suis contraint tantôt de faire front et de tenir le gouvernail, tantôt le navire penché sur le côté, d'esquiver en virant les menaces des flots. Je gémis parce que je sens que, par ma négligence, la sentine des vices va croissant et que, dans la tempête terrible que nous traversons, les planches pourries ont des craquements

---

38. *Ep.* 10, 15 (*MGH*, II, p. 249-250 : juillet 600) : « Et quidem de Sclauorum gente, quae uobis ualde imminet, et affligor uehementer et conturbor. Affligor in his quae iam in uobis patior : conturbor, quia per Histriae aditum iam ad Italiam intrare coeperunt. De Iuliano autem scribone quid dicam, quando ubique uideo quia nobis peccata nostra respondeant, ut et foris a gentibus et intus a iudicibus conturbemur ? Sed nolite de talibus omnino contristari, quia qui post nos uixerint deteriora tempora uidebunt, ita ut in comparatione sui temporis felices nos aestiment dies habuisse. »

39. *Mor.* 21, 22, 35 (*PL*, 76, 210 D) : « Nunc enim bellis et cladibus quasi quibusdam undis sua nobis exordia ostendit, et quanto ad finem quotidie propinquiores efficimur, tanto grauiora irruere tribulationum uolumina uidemus. Ad extremum uero commotis omnibus elementis, supernus iudex ueniens finem omnium apportat, quia uidelicet tunc tempestas fluctus in coelum leuat. »

de naufrage[40]. » Cette métaphore maritime, qui était courante dans la littérature latine, surtout depuis Cicéron[41], pour décrire les difficultés du gouvernement, est fréquemment employée par Grégoire pour montrer l'ampleur des difficultés qu'il rencontre pour diriger l'Église au milieu d'un monde terriblement agité[42].

Mais, à côté de ces plaintes et de cette vision angoissée, on trouve des passages des *Moralia*, ou même des lettres, qui ont un accent différent. L'Église y apparaît sûre d'elle-même : elle s'étend au monde entier et ses prédicateurs parcourent la terre pour y propager la foi, si bien que Grégoire peut écrire à son ami Euloge, l'évêque d'Alexandrie : « A la satisfaction que me cause votre bonne santé s'est ajoutée pour moi l'immense joie d'apprendre de votre bouche que les ennemis de l'Église diminuent et que les troupeaux du Seigneur se multiplient. Chaque jour, en effet, sous la charrue de votre éloquence croissent les semailles célestes qui s'accumulent dans les greniers d'en haut[43]. »

Puisque ces deux textes appartiennent au même genre littéraire et constituent l'un et l'autre des confidences adressées à un ami, il est certain que ces deux visions de l'Église coexistent dans l'esprit de Grégoire. On pourrait expliquer ce fait par des variations de sa psychologie : il serait sensible tantôt aux mauvaises nouvelles, tantôt aux bonnes. En réalité, cette diversité de ton correspond à une différence plus profonde qu'il ne perd jamais de vue. Il distingue en effet, non pas exactement, le spirituel et le temporel, mais la paix civile et la paix religieuse qui, pour ce qui concerne l'Église, ne se confondent pas. Certes, l'Église de cette fin du VIe siècle subit le contrecoup des ébranlements politiques et sociaux qui affectent surtout Rome et l'Italie, et dans sa tâche de gouvernement, Grégoire en fait la douloureuse expérience, mais il doit

---

40. *Ep.* 1, 41 (*MGH*, I, p. 56-57 : avril 591) : « Tantis quippe in hoc loco huius mundi fluctibus quatior, ut uetustam ac putrescentem nauem, quam regendam occulta Dei dispensatione suscepi, ad portum dirigere nullatenus possim... Inter haec omnia turbatus cogor modo in ipsa clauum aduersitate dirigere, modo, curuato nauis latere, minas fluctuum ex obliquo declinare. Ingemisco quia sentio, quod neglegente me crescit sentina uitiorum, et tempestate fortiter obuiante iamiamque putridae naufragium tabulae sonant. »

41. Cf. *De Or.* 1, 46 ; 3, 131 ; *Cat.* 3, 18 ; *Amer.* 51, 131 ; *Fin.* 4, 39. Dans son étude relative à cette métaphore, E. R. Curtius (*La littérature européenne et le moyen âge latin*, trad. J. Bréjoux, Paris, 1956, p. 157-161) a omis d'en noter l'emploi dans la terminologie du gouvernement de l'État ou de l'Église.

42. Cf. L. Weber (*op. cit.*, p. 65, n. 4) qui cite plusieurs lettres adressées à Léandre (*Ep.* 5, 53 a : *MGH*, I, p. 354 ; 9, 227 : II, p. 219-220) ou à d'autres correspondants (7, 5 : I, p. 446 ; 7, 26 : I, p. 471-472 ; 8, 24 : II, p. 25 ; 11, 2 : II, p. 261 ; 13, 28 : II, p. 393 ; 13, 45 : II, p. 408).

43. *Ep.* 13, 45 (*MGH*, II, p. 408 : juillet 603) : « In salutis autem uestrae gaudio haec quoque mihi est exultatio addita, quia et imminutos ore uestro hostes ecclesiae et multiplicatos greges dominicos agnoui. Crescunt enim quotidie per linguae uestrae uomerem grana caelestia atque in supernis horreis multiplicantur. »

bien constater que la paix religieuse, elle, n'est guère troublée. L'Église n'est plus persécutée comme elle le fut à ses origines ; aucune hérésie grave ne la menace, à l'exception des séquelles de l'affaire des Trois Chapitres et des ralliements difficiles des évêques d'Istrie et d'Aquilée[44]. Les Lombards professent l'arianisme, mais ils ne menacent pas directement l'orthodoxie.

Cette situation amène Grégoire à distinguer deux sortes de persécutions : les persécutions qui emploient la violence armée (*gladiis*) et celles qui se contentent de recourir aux paroles (*uerbis*). Si les Lombards peuvent à la rigueur être considérés comme des persécuteurs de l'Église dans le second sens, il faut admettre que, dans l'ensemble, la foi catholique n'est pas sérieusement compromise et qu'on peut craindre la venue de menaces beaucoup plus graves. Il exprime cette conviction dans les *Moralia*, en utilisant la métaphore de la moisson, qui lui servait dans sa lettre à Euloge à louer le travail des missionnaires : « Les persécutions armées accompagneront la fin du monde, pour que les grains à entasser dans les greniers célestes soient débarrassés d'autant plus efficacement de la paille de leurs péchés qu'ils seront plus durement battus. Alors, tous les élus, qui se trouveront pris dans cette tribulation, se souviendront des temps actuels, où l'Église maintient la paix de la foi et rabaisse les têtes orgueilleuses des hérétiques, non sous la force d'un pouvoir, mais sous le joug de la raison. Ils se souviendront de nous, qui vivons une époque paisible pour la foi ; bien qu'éprouvés par les guerres entre peuples, nous ne sommes cependant pas menacés pour ce qui concerne les affirmations des Pères[45]. » Dans ce texte, Grégoire manifeste comme d'habitude ses préoccupations pastorales : les signes avant-coureurs de la fin sont d'abord des avertissements salutaires, mais, d'autre part, il considère la vie actuelle de l'Église d'un point de vue temporel et d'un point de vue spirituel. Ce ne sont pas exactement deux domaines distincts, mais plutôt deux perspectives, qui aident à mieux accepter les épreuves présentes, tout en se préparant à celles qui restent encore à venir.

Car au temporel, l'Église de cette fin du vi[e] siècle est dans une situation inquiétante : elle est tellement mêlée aux guerres qui ravagent l'Italie que ses pasteurs sont pour la plupart obligés d'assumer des responsabilités sociales et se laissent parfois dévorer par ces activités. Grégoire le déplore souvent pour lui-même, car il aimerait mieux vaquer à la contemplation

---

44. Cf. Fliche et Martin, *Histoire de l'Église*, 5, p. 43-44.

45. *Mor.* 19, 9, 16 (*PL*, 76, 106 B) : « Persecutiones uero gladiorum iuxta finem mundi securae sunt, ut grana coelestibus horreis recondenda tanto uerius a peccatorum paleis exuantur, quanto arctius affliguntur. Tunc electi omnes qui in illa fuerint tribulatione comprehensi reminiscuntur horum temporum in quibus nunc Ecclesia fidei pacem tenet, et superba haereticorum colla comprimit, non potentatu culminis, sed iugo rationis. Reminiscuntur nostri, qui quieta fidei tempora ducimus ; qui etsi in bellis coarctamur gentium, non tamen in dictis expugnamur patrum. »

qu'avoir à s'occuper de l'approvisionnement des Romains ou à négocier
avec les Lombards et l'exarque de Ravenne[46], et il rappelle maintes fois
aux évêques qu'ils doivent d'abord se consacrer à la prédication, à la
direction des âmes, et combien leurs occupations temporelles menacent
leur équilibre spirituel[47]. Mais cette infidélité des pasteurs s'explique
par des circonstances exceptionnelles et reste avant tout d'ordre moral.
De l'extérieur, l'Église, et surtout ses évêques, subit les conséquences
des événements politiques qui ébranlent l'Italie et l'Occident. Mais,
à l'intérieur d'elle-même, du point de vue de sa foi, fondée sur ces *dicta
Patrum* dont parle Grégoire, elle n'est pas sérieusement menacée.

Cette paix religieuse lui permet de maintenir sa cohérence intime,
tout en travaillant à l'expansion de la foi. Elle remplit son rôle maternel
à l'égard de ses fidèles auxquels elle offre un abri accueillant. «Qu'entend-
on en ce passage par le terme de nid, sinon le tranquille repos de la foi
(tranquilla quies fidei), qui alimente tous ceux qui sont faibles ? La
sainte Église construit le repos si paisible de la foi, dans lequel elle choye
ses fils qui grandissent, en les réchauffant sur le sein de sa charité, tels
des poussins qui se couvrent de plumes, jusqu'à ce qu'ils s'envolent vers
les hauteurs[48] ? » Mais cette fonction maternelle de l'Église n'implique
pas du tout qu'elle se replie sur elle-même. Au contraire, la solidité de
sa foi lui permet de s'ouvrir à des peuples nombreux. « Au prix de bien
des difficultés, la sainte Église est parvenue à la stabilité de la foi et
désire demeurer assez longtemps dans la gloire de la même foi pour
rassembler des peuples nombreux[49]. » La perspective eschatologique ne
diminue donc pas du tout la nécessité de l'effort missionnaire dans la
pensée de Grégoire. La crise de l'Empire et ses répercussions sur les
institutions ecclésiastiques et leurs responsables n'empêchaient pas la
vie chrétienne de se développer, la foi de se propager et l'Église de veiller
à l'évangélisation des peuples barbares, en attendant ou, plus exactement
pour préparer la fin des temps.

Cette distinction et ce contraste entre, d'une part, la paix religieuse
et la solidité de la foi, qui demeurent assurées, et, d'autre part, les bouleversements du monde, qui émeuvent tant les chrétiens, valent aussi
pour les derniers temps. Grégoire estime en effet que la fin du monde
sera caractérisée par une aggravation générale, et, pour l'évoquer, il

---

46. Cf. *Ep.* 1, 6 (*MGH*, I, p. 7-8) ; 5, 53 a (*ibid.*, p. 354 = *SC*, 32 bis,
p. 116) ; 9, 227 (*MGH*, II, p. 219) ; *Dial.*, *prol.* (éd. Moricca, p. 14).
47. Cf. *Mor.* 2, 48, 75 (*PL*, 75, 590 D - 592 A = *SC*, 32 bis, p. 364-368) ;
HEv 1, 17, 14 (*PL*, 76, 1146 A-C).
48. *Mor.* 19, 27, 48 (*PL*, 76, 128 C - 129 A) : « Quid hoc loco per nidi
nomen exprimitur, nisi tranquilla quies fidei, qua unusquisque infirmus
nutritur ? ... Sancta Ecclesia... pacatissimam quietem construit, in
qua crescentes filios quasi plumescentes pullos, quousque ad superiora
euolent, caritatis gremio calefactos fouet. »
49. *Ibid.* (129 A) : « Cum multis autem difficultatibus sancta Ecclesia
ad fidei statum uenit, et pro collectione plurimorum in eiusdem fidei
gloria diutius stare concupiscit. »

lui suffit de recourir aux deux critères précédents envisagés dans une perspective chronologique. Pour l'instant, l'Église connaît des épreuves extérieures, mais ses épreuves intérieures restent limitées. A la fin, les secondes s'ajouteront aux premières et toutes se multiplieront. « Il arrivera en effet que de si grandes tribulations accableront l'Église, qu'elle regrettera avec de grands soupirs ces temps que, nous, nous supportons avec de grandes douleurs[50]. » Déjà, elle souffre de l'infidélité de ceux qui l'abandonnent, mais cette épreuve ne fait que présager les trahisons futures. « La sainte Église des élus sait en effet que lors de la dernière persécution, elle souffrira bien des maux, mais ses jours d'affliction la précèdent, parce qu'elle supporte avec peine la vie des méchants en son sein, même en temps de paix[51]. » Il s'agit évidemment de cette paix religieuse qui, dans les derniers temps, sera à son tour compromise. Ce redoublement des persécutions entraînera l'abandon de la foi par les faibles, eux « que l'Église réchauffe présentement au sein de sa paix, comme une mère ses petits enfants et qu'elle garde dans le berceau tranquille de la foi[52]. » Les malheurs de la fin n'épargneront donc rien. Cette conviction oblige aussi Grégoire à relativiser les difficultés dont il est le témoin. L'important est d'avoir conscience de cet ébranlement universel qui affectera le monde, la foi, et les croyants, afin de mieux s'y préparer. Mais en même temps qu'il esquisse ses sombres perspectives, Grégoire ne se lasse pas de vanter ce repos de la foi (*quies fidei*), cette paix (*pax*), qui ne signifie pas l'absence de guerres, mais la solidité de la foi catholique, la cohérence interne de l'Église au cœur d'un monde en plein bouleversement.

Grégoire le Grand Mais ce pasteur, qui ne se lasse pas d'obéir
pape et romain à la logique de la mission chrétienne, n'est-il pas aussi un Romain qui mesure la décadence continue de la ville dont il a été le préfet ? Comment ne se serait-il pas senti partagé entre l'espérance et le découragement, lui qui assistait avec anxiété à l'effondrement d'un monde dont il se savait profondément solidaire par ses origines familiales, sa formation et ses relations ? Comment sa vision eschatologique n'aurait-elle pas été influencée par le déclin irrémédiable de Rome, auquel il assiste et qu'il tentera vainement d'arrêter ?

Pasteur des chrétiens de Rome, lui-même Romain, il souffre de vivre au milieu des Barbares et cinq mois après être devenu pape, en février 591,

---

50. *Mor.* 19, 10, 17 (*PL*, 76, 106 C) : « Tantis quippe illam futurum est tribulationibus angustari, ut haec tempora cum magno suspirio desideret quae nos cum magno dolore toleramus. »

51. *Mor.* 20, 37, 72 (*PL*, 76, 181 C) : « Scit namque sancta electorum Ecclesia quod persecutione ultima, mala multa passura sit ; sed hanc afflictionis suae dies praeueniunt, quia malorum uitam intra se grauiter etiam tempore pacis portat. »

52. *Mor.* 19, 11, 18 (*PL*, 76, 107 A) : « ... quos nunc ut mater intra pacis sinum paruulos fouet, et intra tranquillas fidei cunas continet... »

il laisse échapper cet aveu : « Je suis devenu l'évêque non des Romains, mais des Lombards[53]. » Le voilà aux prises avec les difficultés dues à la guerre. Il fait face, cherchant par tous les moyens à protéger ses concitoyens en les prenant comme confidents de son désarroi, face aux malheurs qu'ils subissent ensemble. « Chaque jour, des maux nouveaux et croissants accablent le monde. De ce peuple innombrable, vous voyez combien vous restez, et cependant, encore quotidiennement, des fléaux nous écrasent, des catastrophes soudaines s'abattent sur nous, des désastres nouveaux et imprévus nous affligent[54]. » Il faut surtout se souvenir des plaintes dramatiques que lui inspire en 593 le spectacle de Rome assiégée par les troupes lombardes : « Celle-là même qui jadis paraissait la maîtresse du genre humain, Rome, nous voyons ce qu'elle est devenue. Des douleurs immenses l'ont broyée, ses citoyens l'abandonnent, ses ennemis l'attaquent, ses ruines s'accumulent...[55] » Et à ces plaintes succède le regret lancinant de la gloire d'autrefois : « Où est donc le Sénat, où est maintenant le peuple ?... Tout le faste des dignités séculières y est anéanti... Le Sénat est absent, le peuple a péri... Rome déjà vide est en flammes... Où sont ceux qui jadis se réjouissaient de sa gloire ? Où est leur pompe ? Où est leur orgueil ? Où est leur joie qui s'étalait sans mesure[56] ? » A travers le rythme haletant de ces questions s'exprime l'angoisse d'un patriote, conscient de vivre l'agonie d'une civilisation séculaire et qui saura, en cas de besoin, prendre en main la défense de sa ville contre le basileus[57], mais aussi la conviction d'un pasteur qui trouve sans peine des accents prophétiques pour laisser entendre que la décadence de Rome est peut-être le châtiment d'une ambition démesurée.

Pour Rome s'accomplit ce que le prophète Nahum (2, 12) déclarait devant Ninive en ruine : « Où est la tanière des lions et la pâture des lionceaux ? » Cette question introduit l'analyse grégorienne de la gran-

---

53. *Ep.* 1, 30 (*MGH*, I, p. 43 : février 591. Cette lettre est adressée à un ami, haut fonctionnaire à Constantinople) : « Non Romanorum, sed Langobardorum episcopus factus sum. »

54. *HEv* 1, 1, 5 (*PL*, 76, 1080 B-C) : « Nouis quotidie et crebrescentibus malis mundus urgetur. Ex illa plebe innumera quanti remanseritis aspicitis ; et tamen adhuc quotidie flagella urgent, repentini casus opprimunt, nouae nos et improuisae clades affligunt. »

55. *HEz* 2, 6, 22 (*PL*, 76, 1010 A = *CCh*, 142, p. 311) : « Ipsa autem quae aliquando mundi domina esse uidebatur qualis remanserit Roma conspicimus. Immensibus doloribus multipliciter attrita, desolatione ciuium, impressione hostium, frequentia ruinarum... »

56. *Ibid.* (1010 C - 1011 A = p. 312) : « Vbi enim senatus ? Vbi iam populus ?... Omnis in ea saecularium dignitatum fastus exstinctus est... Senatus deest, populus interiit... iam uacua ardet Roma... Vbi autem sunt qui in eius aliquando gloria laetabantur ? Vbi eorum pompa ? Vbi superbia ? Vbi frequens et immoderatum gaudium ? »

57. Cf. *Ep.* 5, 36 (*MGH*, I, p. 317-320) : cette lettre répond à des critiques de l'empereur qui avaient ulcéré Grégoire, lequel en profite pour affirmer son patriotisme et défendre vigoureusement sa politique en faveur de Rome et de l'Italie. Cf. P. Battifol, *op. cit.*, p. 198-200.

deur et de la décadence des Romains, envisagée dans deux domaines, celui des conquêtes militaires et celui du rayonnement culturel, qui faisaient de Rome le centre du monde. « N'étaient-ils pas des lions ces chefs et ces princes qui, se répandant à travers diverses provinces du monde, y prenaient leur butin, en se déchaînant et en tuant ? C'est ici que les lionceaux trouvaient leur pâture, parce que les enfants, les adolescents, les jeunes gens de ce monde y accouraient de toutes parts, lorsqu'ils voulaient faire carrière en ce monde... Mais la voilà à présent dépeuplée, la voilà réduite en poussière, la voilà accablée de gémissements. Personne n'accourt plus chez elle pour faire carrière en ce monde, il ne subsiste nul homme puissant et violent pour aller chercher son butin par des conquêtes[58]. » Cette vigoureuse antithèse entre la Rome d'autrefois, maîtresse et centre de l'univers, et la Rome de la fin du vie siècle, dépouillée de toute puissance et de tout prestige, s'achève par l'image de l'aigle vieillissant qui a perdu toutes ses plumes. « Il arrive à Rome ce que le prophète Michée a dit, nous le savons, de la Judée : « Agrandis ta calvitie comme l'aigle » (*Mich.* 1, 16). La calvitie de l'homme se tient habituellement sur sa seule tête, alors que la calvitie de l'aigle s'étend à tout son corps et quand il est devenu très vieux, ses plumes qui lui servent à voler tombent de tous ses membres. Rome dilate donc sa calvitie comme l'aigle, parce qu'elle a perdu ses plumes, elle qui n'a plus de peuple. Elle a même vu tomber les plumes de ses ailes qui lui servaient d'ordinaire à s'envoler vers son butin, car tous ses chefs sont disparus, par l'intermédiaire desquels elle pillait les pays étrangers[59]. »

« Shakespearienne image » commentait Mgr Battifol[60], image éloquente en tout cas, où perce le désarroi d'un vieux Romain qui voyait disparaître le monde de ses ancêtres et se sentait impuissant à empêcher cet écrasement. Les accents désabusés de cette homélie grégorienne sont bien différents de l'invitation à l'espérance que formulait Augustin dans

---

58. *HEz* 2, 6, 23 (*PL*, 76, 1011 A-B = *CCh*, 142, p. 312) : « Impletum est in ea quod contra destructam Niniuen per prophetam dicitur : « Ubi est habitaculum leonum, et pascua catulorum leonum » (*Nahum*, 2, 12) ? An eius duces ac principes leones non erant, qui, per diuersas mundi prouincias discurrentes, praedam saeuiendo et interficiendo rapiebant ? Hic leonum catuli inueniebant pascua, quia pueri, adolescentes, iuuenes saeculares, et saecularium filii huc undique concurrebant, cum proficere in hoc mundo uoluissent. Sed iam ecce desolata, ecce contrita, ecce gemitibus oppressa est. Iam nemo ad eam currit, ut in hoc mundo proficiat ; iam nullus potens et uiolentus remansit, qui opprimendo praedam diripiat. »

59. *Ibid.* (1011 B = p. 312-313) : « Contigit ei quod de Iudaea nouimus per prophetam dictum : « Dilata caluitium tuum sicut Aquila » (*Mich.* I, 16). Caluitium quippe hominis in solo capite fieri solet, caluitium uero Aquilae in toto fit corpore, quia cum ualde senuerit, plumae eius ac pennae ex omnibus membris illius cadunt. Caluitium ergo suum sicut Aquila dilatat, quia plumas perdidit, quae populum amisit. Alarum quoque pennae ceciderunt, cum quibus uolare ad praedam consueuerat, quia omnes potentes eius exstincti sunt, per quos aliena rapiebat. »

60. P. Battifol, *op. cit.*, p. 79.

un sermon relatif à la fin du monde, où il évoquait la prise de Rome par Alaric[61] : il y opposait en effet avec vigueur le vieillissement du monde et le rajeunissement que procure la foi au Christ. « Ne cherchez pas à vous attacher à un monde sénile, et ne refusez pas de rajeunir dans le Christ qui vous dit : Le monde périt, le monde vieillit, le monde défaille, il peine, haletant de vieillesse. Ne craignez pas, ' ta jeunesse renouvelée aura la vigueur de l'aigle[62]. ' « On dirait que Grégoire n'a retenu que le premier terme de l'antithèse et choisi l'image prophétique de l'aigle vieillissant, pour prendre le contre-pied de celle d'Augustin. On voit combien l'expérience personnelle du Romain qu'est Grégoire colore son eschatologie. Augustin se voulait rassurant : « Il se peut que Rome ne soit pas perdue, il se peut qu'elle ait été frappée, non anéantie, châtiée, non détruite. Il se peut que Rome ne soit pas perdue, si les Romains ne le sont pas[63]. » Grégoire, en revanche, estime que l'affaiblissement de Rome est irrémédiable et qu'il est le châtiment de l'orgueil des chefs païens. Mais n'est-ce pas un chef chrétien qui s'exprime ainsi, même inconsciemment, ce *consul Dei*, qui représente désormais à Rome l'autorité suprême et qui doit, par la force des choses, défendre une capitale ruinée ?

Ce chef chrétien, en tout cas, ne ressemble guère à son prédécesseur Léon le Grand, dans les sermons duquel apparaissait une extraordinaire confiance en la force grandissante de l'Église chrétienne, de l'Église de Rome surtout, considérée comme l'héritière de l'Empire. Ce sont « ces apôtres qui t'ont élevée à une gloire telle que... devenue la tête du monde grâce au siège sacré du bienheureux Pierre, tu domines plus largement par la religion divine que par la puissance terrestre. Quelle qu'ait été en effet l'importance que t'a donnée jadis par de multiples victoires le droit de ta domination sur terre et sur mer, tout ce que le labeur guerrier t'a assujetti est moindre que ce que la paix chrétienne t'a soumis[64]. » Ces accents de triomphe sont totalement étrangers à

---

61. *Serm.* 81 (*PL*, 38, 499-506). Cf. le commentaire de P. Courcelle, *Histoire littéraire des grandes invasions germaniques*, Paris, 1964³, p. 76.

62. *Serm.* 81, 8 (*PL*, 38, 505) : « Perit mundus, senescit mundus, deficit mundus, laborat anhelitu senectutis. Noli timere, renouabitur iuuentus tua sicut aquilae (*Ps.* 102, 5). »

63. *Ibid.* 9 (505) : « Forte Roma non perit : forte flagellata est, non interempta : forte castigata est, non deleta. Forte Roma non perit, si Romani non pereant. »

64. *Serm.* 82, 1 (*PL*, 54, 422 D - 423 A) : « Isti sunt qui te ad hanc gloriam prouexerunt ut... per sacram beati Petri sedem caput orbis effecta, latius praesideres religione diuina quam dominatione terrena. Quamuis enim multis aucta uictoriis ius imperii tui terra marique protuleris, minus tamen est quod tibi bellicus labor subdidit quam quod pax christiana subiecit. » Ce texte est commenté par Cl. Lepelley, *Léon le Grand et la cité romaine*, dans *Rev. Sc. rel.* 35, 1961, p. 148. Sur l'évolution du patriotisme romain chez les écrivains chrétiens, jusqu'au Vᵉ siècle, on pourra consulter l'ouvrage de F. Paschoud, *Roma aeterna. Études sur le patriotisme romain dans l'Occident latin à l'époque des grandes*

Grégoire[65], pour des raisons qui tiennent à la fois à sa conception de l'autorité pastorale et à la profondeur de ses convictions eschatologiques.

Pour Grégoire, le chef chrétien, l'évêque ne doit pas gouverner selon les lois du monde, mais se comporter en serviteur, imitant le Christ et préparant ses frères à son retour imminent. C'est pourquoi les prétentions de l'évêque de Constantinople, qui revendiquait le titre d'œcuménique (*uniuersalis*), le scandalisent tellement. Il ne comprend pas qu'au milieu du déchaînement de la guerre, des pasteurs puissent avoir de telles préoccupations. Il confie ainsi son étonnement à l'empereur Maurice : « Voici que dans diverses régions d'Europe, tout est livré à la juridiction des Barbares, des villes sont détruites, des places fortes abattues, des provinces dévastées... Chaque jour, les adorateurs des idoles se déchaînent et exercent leur tyrannie en massacrant les fidèles, et cependant, des prêtres, qui devraient se jeter en pleurant sur le dallage et dans la cendre, désirent pour eux-mêmes des titres prétentieux et mettent leur gloire dans des appellations nouvelles et profanes[66]. » S'il réaffirme la primauté de Pierre, c'est pour ajouter que Pierre ne prit jamais le titre d'apôtre universel (*uniuersalis apostolus*). « Quant à moi, poursuit-il je suis le serviteur de tous les prêtres, dans la mesure où ils vivent eux-mêmes en prêtres[67]. » A l'orgueil des conquérants de la Rome païenne succède l'humilité du *seruus seruorum Dei*. On voit à quel point sa mentalité eschatologique préservait Grégoire d'un style autocratique de gouvernement : non seulement le siège de Pierre se trouve dans une ville en plein déclin, mais cette situation historique stimule la mission spirituelle de l'Église et de ses chefs, qui doivent avant tout exhorter les fidèles, à Rome et ailleurs, à se tourner vers le Royaume de Dieu, à attendre le retour du Christ.

Grégoire avait incontestablement une très vive conscience de la crise qui ébranlait dans ses fondations l'Empire romain et il est certain que sa vision eschatologique dépend dans une certaine mesure de ses réactions devant la décadence historique de Rome. Mais on commettrait une erreur, si l'on estimait qu'à cause de cela il a posé les bases d'une autre civilisation, pour remplacer celle qui s'achevait, si l'on faisait de lui le fondateur

---

invasions, Rome, 1967 (notamment le chapitre consacré à Léon le Grand, p. 311-322 et la dernière partie de la conclusion — p. 328-335 — sur le triomphe de l'idéologie patriotique chrétienne).

65. H. KÜNG (*L'Église*, Paris, 1968, II, p. 642-643) fait l'éloge de l'esprit évangélique de Grégoire, qu'il oppose à l'esprit autoritaire de Léon et compare à celui de Jean XXIII.

66. *Ep.* 5, 37 (*MGH*, I, p. 322 : juin 595) : « Ecce cuncta in Europae partibus barbarorum iuri sunt tradita, destructae urbes, euersa castra, depopulatae prouinciae... Saeuiunt et dominantur quotidie in nece fidelium cultores idolorum et tamen sacerdotes, qui in pauimento et cinere flentes iacere debuerunt, uanitatis sibi nomina expetunt et nouis ac profanis uocabulis gloriantur. »

67. *Ibid.* (p. 323) : « Ego enim cunctorum sacerdotum seruus sum, in quantum ipsi sacerdotaliter uiuunt. »

conscient de l'Occident chrétien, c'est-à-dire d'un nouvel Empire dont Rome serait le centre et le pape le chef. Ce serait une erreur analogue de prétendre qu'il a entrepris de convertir les Lombards ou qu'il a envoyé des missionnaires en Angleterre, parce qu'il cherchait d'autres débouchés pour l'évangélisation et les entrevoyait du côté des Barbares[68]. Le mystique qu'il était avant tout n'a pas pratiqué une telle politique de compensation. Il croyait sincèrement qu'après Rome, le monde entier allait vers son terme, parce qu'il identifiait l'agonie du monde romain avec l'agonie du monde lui-même[69]. Comment, dans ces conditions, aurait-il pu calculer et organiser l'avenir de l'Église ?

Ici, la question rebondit, car si l'on admet que l'eschatologisme de Grégoire n'est ni feint, ni valable uniquement pour Rome, comment expliquer son zèle missionnaire ? Comment lui était-il possible en même temps de prédire le retour du Christ et de travailler à l'essor du christianisme ? En réalité, une telle antinomie lui était totalement étrangère et chez lui, comme chez saint Paul et chez les chrétiens de l'Église primitive, la conviction que la fin du monde approchait, stimulait l'ardeur apostolique. « La fin du temps présent étant imminente, le Seigneur console la sainte Église de ses douleurs en multipliant les âmes qu'elle rassemble[70]. » L'accroissement du nombre des croyants apparaît donc comme un des signes eschatologiques. De même la domination qu'exerce maintenant l'Église sur les hérétiques : « A présent, les chefs des peuples hérétiques, reconnaissant l'autorité de la sainte Église, cessent donc de parler et mettent en quelque sorte un doigt sur leur bouche, signifiant ainsi que leurs fausses querelles sont réprimées non par des arguments verbaux, mais par des gestes de vertu[71]. » Dieu a opéré en faveur de l'Église un véritable retournement de situation : « Le Seigneur, après avoir humilié les princes de la terre, s'est servi d'eux pour élever l'Église plus haut que le faîte du monde et il a maîtrisé les assauts de la mer déchaînée en exaltant la puissance de cette même Église[72]. » Et le pape

---

68. Un certain nombre d'historiens commettent une telle erreur, dans la mesure où ils ne tiennent pas compte de l'eschatologisme de Grégoire. Ils voient dès lors en lui le pape qui aurait compris le premier que « l'évêque de Rome, pour échapper au césaropapisme byzantin, devait devenir le pasteur de l'Occident barbare. » (Cf. *Histoire générale des civilisations, Le Moyen Age*, Paris, 1955, p. 26).

69. Cf. J. Doizé, *Le rôle politique et social de saint Grégoire pendant les guerres lombardes, Études*, 99, 1904, p. 206-207.

70. *Mor.* 35, 15, 35 (*PL*, 76, 769 B-C) : « Vrgente fine praesentis saeculi, dolorem sanctae Ecclesiae Dominus animarum multiplici collectione consolatur. »

71. *Mor.* 19, 18, 27 (*PL*, 76, 115 C) : « Nunc ergo haereticarum plebium principes auctoritatem sanctae Ecclesiae perpendentes, cessant loqui, et quasi ori suo digitum superponunt, dum falsis querelis non ratione uocis se reprimi, sed uirtutis manu significant. »

72. *Mor.* 28, 15, 36 (*PL*, 76, 469 B) : « Humilitatis quippe Dominus terrenis principibus, per eos sanctam Ecclesiam supra mundi culmen euexit, et saeuientis maris impetus, erecta eiusdem Ecclesiae potestate, coercuit ».

Grégoire compte sur ces princes de la terre, convertis comme Éthelred, le roi de Kent, ou Reccared, le roi des Wisigoths d'Espagne, ou encore ariens, comme Agilulf, le roi des Lombards, sans parler de l'Empereur de Constantinople, pour faciliter la mission spirituelle de l'Église ou du moins pour ne pas l'entraver. Toute la correspondance de Grégoire atteste cette assurance fondamentale : qu'il s'adresse à des évêques, à des abbés de monastères, à des patriciennes ou à de hauts fonctionnaires, il manifeste toujours son souci de propager la foi, en attendant le retour du Christ. Il préside au gouvernement de l'Église dans une perspective eschatologique.

Il n'est pas interdit, avec le recul du temps, d'apprécier les effets d'une telle attitude. En se détachant du monde romain, aussi bien que de Constantinople, en travaillant à convertir les nouveaux peuples de l'Europe, Grégoire fait figure de précurseur. Certes, il a commis une erreur d'appréciation, puisque ce qui mourait, c'était la Rome antique, et non l'humanité. Mais cette erreur prouve aussi que la souveraineté pontificale n'est pas dans son esprit une survivance de l'ordre impérial[73], car à ses yeux cet ordre fait partie d'un passé définitivement révolu. Comment pourrait-il songer à le ressusciter et à fonder son pouvoir spirituel sur des souvenirs historiques en voie de disparition ? Il ne pense qu'à actualiser la prédication eschatologique confiée par le Christ à ses disciples quand il leur ordonne : « Chemin faisant, proclamez que le Royaume des cieux est proche » (*Matt.* 10, 7). C'est pourquoi il n'hésite pas à commenter cette phrase en établissant un lien entre l'annonce du Royaume et la décadence du monde romain. « Cela, frères très chers, quand l'Évangile le tairait, ce monde le proclame. Car ses ruines lui servent de voix. Meurtri par tant de coups, il est déchu de sa gloire, et il nous montre pour ainsi dire un autre royaume qui est tout proche et qui vient[74]. » Tel est le paradoxe qui se trouve au cœur de l'eschatologie de Grégoire : il croyait le monde parvenu à son terme et il a contribué, par cette croyance elle-même, à la naissance d'un monde nouveau, celui de l'Occident médiéval, qui succède à la civilisation antique, dont Rome avait assuré le rayonnement.

La représentation de la fin du monde et de l'Église

L'eschatologie de Grégoire est naturellement liée à sa romanité ; à ses yeux, la fin du monde ne pouvait pas ne pas se confondre en partie avec la fin du monde romain. Mais ce vieux Romain est avant tout un pasteur, conscient d'exercer un ministère qui comporte une fonction prophétique. Le prédicateur doit être un veilleur (*speculator*) qui, à l'image d'Ézéchiel, prend de la hauteur, pour mieux dire au peuple

---

73. Cf. J. Doizé, *art. cit.*, p. 208.
74. *HEv* 1, 4, 2 (*PL*, 76, 1090 B) : « Hoc iam, fratres carissimi, etiam si Euangelium taceat, mundus clamat. Ruinae namque illius uoces eius sunt. Qui enim tot attritus percussionibus a gloria sua cecidit, quasi iam nobis e proximo regnum aliud quod sequitur ostendit. »

de Dieu ce qu'il lui faut faire et comment se présente son avenir : « Le veilleur occupe toujours une situation élevée, pour apercevoir de loin tout ce qui va arriver[75]. » Le pape Grégoire a personnellement rempli cette mission par rapport à la communauté chrétienne de Rome, à la fin du VIe siècle, ne cessant de l'avertir de l'approche du Royaume de Dieu, en l'exhortant à s'y préparer.

Cette prédication s'exprime presque naturellement au moyen d'images et de termes empruntés à l'Écriture. Dès qu'il évoque les malheurs qui accablent ses compatriotes, Grégoire les décrit à travers sa culture biblique, comme les signes précurseurs de ce *dies domini*, prédit dans l'Ancien Testament par les prophètes et dans le Nouveau par le Christ et les apôtres. La première des *Homélies sur l'Évangile* s'achève par la mention d'un événement tout récent, une tornade qui avait causé de graves dommages et que Grégoire compare à l'événement ultime, au jugement dernier : « Avant-hier, mes frères, vous avez appris qu'une tornade soudaine avait déraciné des arbres séculaires, détruit des maisons, renversé des églises de fond en comble. Combien de gens, le soir encore sains et saufs, pensaient à ce qu'ils feraient le lendemain et cependant ont été emportés par une mort soudaine la même nuit, pris au piège d'un écroulement ? Mais il nous faut penser, frères très chers, que pour faire cela, le juge invisible a mis en mouvement un souffle de vent très léger, n'a suscité la bourrasque que d'un seul nuage... Que fera donc ce juge lorsqu'il viendra en personne et s'enflammera de colère pour tirer vengeance des péchés[76] ? »

Toute la fin de l'homélie n'est que l'orchestration biblique de ce thème : faisant appel à Paul, aux psaumes, mais surtout aux prophètes Sophonie et Aggée, Grégoire invite ses auditeurs à méditer sur la sévérité du jugement qui les attend. « Considérant cette sévérité du juge qui viendra, Paul dit : « Chose effroyable que de tomber aux mains du Dieu vivant » (*Heb.* 10, 31). Le psalmiste l'exprime en disant : « Qu'il vienne notre Dieu, et ne se taise plus. Devant lui, un feu dévore, autour de lui, tempête violente » (*Ps.* 49, 3). La tempête et le feu accompagnent la sévérité d'une si grande justice, car la tempête éprouve ceux que le feu brûle. Mettez donc ce grand jour sous vos yeux, frères très chers, et tout ce que vous trouvez accablant pour le moment s'allégera par comparaison avec lui. Car c'est de ce grand jour qu'il est dit par le prophète : « Il

---

75. *HEz* 1, 11, 4 (*PL*, 76, 907 B-C = *CCh*, 142, 171) : « Speculator quippe semper in altitudine stat, ut quidquid uenturum est longe prospiciat. »

76. *HEv* 1, 1, 5-6 (*PL*, 76, 1080 D - 1081 A) : « Nudius tertius, fratres, agnouistis quod subito turbine annosa arbusta eruta, destructae domus, atque Ecclesiae a fundamentis euersae sunt. Quanti ad uesperum sani atque incolumes acturos se in crastinum aliquid putabant, et tamen nocte eadem repentina morte defuncti sunt, in laqueo ruinae deprehensi ? Sed considerandum nobis est, dilectissimi, quod ad haec agenda inuisibilis iudex uenti tenuissimi spiritum mouit, unius procellam nubis excitauit... Quid ergo iudex iste facturus est, cum per semetipsum uenerit, et in ultionem peccatorum ira eius exarserit ? »

est proche le jour de Yahvé, formidable ! Il est proche, il vient en toute hâte ! O clameur atroce du jour du Seigneur, le brave sera alors dans la tribulation. Jour de colère, ce jour-là, jour d'angoisse et de tribulation, jour de désolation et de misère, jour de ténèbres et d'obscurité, jour de nuées et de tempête, jour de sonneries de trompettes et de cris de guerre » (*Soph.* 1, 14-16). C'est en parlant de ce jour que le Seigneur dit par l'intermédiaire du prophète : « Encore un peu de temps, et je vais ébranler non seulement la terre, mais aussi le ciel » (*Aggée*, 2, 7)[77].

Cette orchestration biblique fait partie de la pédagogie pastorale : il faut donc la comprendre selon les règles de l'exégèse non pas littérale, mais morale et spirituelle, comme Grégoire s'empresse de l'ajouter pour éviter toute équivoque et non sans quelque lourdeur. « Que dire des phénomènes terrifiants auxquels nous assistons, sinon qu'ils sont les messagers de la colère à venir ? Par conséquent, nous devons absolument considérer qu'il y a autant de différence entre cette ultime tribulation et les tribulations actuelles qu'il y a de distance entre la puissance d'un juge et la fonction d'un messager[78]. » C'est dire que ces textes bibliques relatifs au *dies domini* et au jugement dernier ont avant tout une portée morale. Grégoire les utilise non pas pour leur contenu historique, même s'il établit des rapports entre les prophéties et les événements contemporains, mais parce qu'ils donnent plus d'autorité à ses propres enseignements et illustrent une attitude permanente de crainte de Dieu et d'attente de son Royaume.

Dans d'autres homélies, Grégoire aborde le thème eschatologique en recourant à peu près toujours aux mêmes textes, à la même orchestration scripturaire. Dans la douzième *homélie sur l'Évangile*, où il commente la parabole des vierges sages et des vierges folles, il cite successivement Aggée (2, 7) et Sophonie (1, 15), auxquels il ajoute deux textes plus réconfortants : l'un de Paul (2 *Cor.* 6, 2 : « Le voici maintenant le temps favorable, le voici maintenant le jour du salut ») et l'autre d'Isaïe (55, 6 :

---

77. *Ibid.* 6 (1081 A-C) : « Hanc districtionem uenturi iudicis Paulus considerans, ait : « Horrendum est incidere in manus Dei uiuentis ». Hanc Psalmista exprimit, dicens : « Deus manifeste ueniet, Deus noster, et non silebit. Ignis in conspectu eius ardebit, et in circuitu eius tempestas ualida ». Districtionem quippe tantae iustitiae tempestas ignisque comitantur, quia tempestas examinat, quos ignis exurat. Illum ergo diem, fratres carissimi, ante oculos ponite et quidquid modo graue creditur, in eius comparatione leuigatur. De illo etenim die per prophetam dicitur : « Iuxta est dies Domini magnus, iuxta et uelox nimis. Vox diei Domini amara, tribulabitur ibi fortis. Dies irae, dies illa, dies tribulationis et angustiae, dies calamitatis et miseriae, dies tenebrarum et caliginis, dies nebulae et turbinis, dies tubae et clangoris. » De hac die Dominus iterum per prophetam dicit : « Adhuc semel et ego mouebo non solum terram, sed etiam coelum. »

78. *Ibid.* 6 (1081 C) : « Quid autem terrores quos cernimus, nisi sequentis irae praecones dixerimus ? Vnde et considerare necesse est quia ab illa tribulatione ultima tantum sunt, istae tribulationes dissimiles quantum a potentia iudicis persona praeconis distat. »

« Cherchez Yahvé tant qu'il se laisse trouver, invoquez-le tant qu'il est proche »)[79]. L'appel à la conversion prolonge ainsi la crainte du jugement. Dans la seconde *homélie sur Ézéchiel*, comme dans la première *homélie sur l'Évangile*, Grégoire souligne la présence du feu qui accompagnera le juge suprême : il cite encore le psaume 49 (« Devant lui un feu dévore ») qu'il encadre de deux textes concordants : l'un de Paul (1 *Cor.* 3, 13 : « Le Jour du Seigneur fera connaître (l'œuvre de chacun), car il doit se révéler dans le feu ») et l'autre de Pierre (2 *Pet.* 3, 10 : « Il viendra le Jour du Seigneur, comme un voleur ; en ce jour, les cieux se dissiperont avec fracas, les éléments embrasés se dissoudront[80]. »)

La façon dont l'Écriture évoque la fin du monde et la venue du *dies domini* fournit donc au prédicateur les moyens d'inculquer à ses auditeurs une spiritualité eschatologique, que j'analyserai dans le chapitre suivant. Sa culture biblique lui permet aussi de décrire la ruine de Rome à la manière d'un prophète de l'Ancien Testament. C'était vrai dans le passage que j'ai cité plus haut, où Rome était comparée à la Ninive de Nahum, avant de l'être à la Judée de Michée, déplumée comme un aigle. C'est encore plus vrai dans la prophétie que Grégoire met dans la bouche de saint Benoît. Le patriarche du mont Cassin a annoncé au roi des Goths, Totila, qu'il allait prendre Rome : ce qui fut fait en 546, et l'on peut supposer que Grégoire enfant assista à ce désastre. Puis dans le même chapitre des *Dialogues*, interrogé par l'évêque de Canuse, Benoît précise sa prophétie sur Rome : « Rome ne sera pas anéantie par les Barbares, mais épuisée par les tempêtes, la foudre, les ouragans et les tremblements de terre, elle s'affaissera sur elle-même. » Et pour certifier l'exactitude de cette prophétie, Grégoire souligne à son tour qu'elle est en train de se réaliser : « Les mystères de cette prophétie nous sont maintenant devenus plus clairs que le jour, pour nous qui apercevons dans cette ville des remparts écroulés, des maisons renversées, des églises détruites par l'ouragan et qui voyons des édifices usés par une longue vieillesse, car ils s'effondrent sur leurs ruines accumulées[81]. » Selon Grégoire, les faits donnent donc raison à Benoît : Rome a résisté aux Goths et résiste aux Lombards, elle ne cédera qu'aux forces de la nature. N'est-ce pas là une manière de lier la fin particulière de Rome à la fin générale du monde et aux cataclysmes qui doivent la précéder, en se réclamant du patronage prophétique de Benoît ? C'est une nouvelle preuve de ce que la vision eschatologique de Grégoire dépend de ses réactions devant la décadence historique de Rome, en même temps qu'elle s'inspire du langage des prophètes de l'Ancien Testament.

---

79. Cf. *HEv* 1, 12, 4 (*PL*, 76, 1120 C - 1121 B).

80. Cf. *HEz* 1, 2, 17 (*PL*, 76, 803 A = *CCh*, 142, 27).

81. *Dial.* 2, 15 (éd. Moricca, p. 103) : « Roma a gentibus non exterminabitur, sed tempestatibus coruscis, et turbinibus, ac terrae motu fatigata, in semetipsa marcescet. Cuius prophetiae mysteria nobis iam facta sunt luce clariora, qui in hac urbe dissoluta moenia, euersas domos, destructas ecclesias turbine cernimus, eiusque aedificia longo senio lassata, quia ruinis crebrescentibus prosternantur, uidemus. »

Pourtant, Grégoire évoque aussi la fin du monde d'une autre manière : comme l'aboutissement naturel d'un processus irréversible de vieillissement. Des images organiques viennent alors compléter les images bibliques. Déjà dans son sermon sur la chute de Rome, Augustin avait utilisé de telles images : « Vous vous étonnez que le monde périsse ; c'est comme si vous vous étonniez que le monde vieillisse. Le monde est comme l'homme : il naît, il grandit, il vieillit. Que de plaintes au temps de la vieillesse ! La toux, la pituite, la chassie des yeux, l'oppression, la lassitude restent son partage. C'est donc que l'homme vieillit puisqu'il ne cesse de se plaindre ; le monde vieillit aussi et ce ne sont partout que gémissements d'opprimés[82]. » Dans la première *homélie sur l'Évangile*, Grégoire reprend en les accentuant ces analogies physiques entre la décrépitude du corps humain et la lente agonie du monde : « Chaque jour des maux nouveaux et croissants accablent le monde... Chaque jour des fléaux nous accablent, des catastrophes soudaines s'abattent sur nous, des désastres nouveaux et imprévus nous affligent. En effet, le corps, durant la jeunesse, est vigoureux, la poitrine reste ferme et intacte, la nuque musclée, les poumons remplis ; mais dans les années de la vieillesse, la taille se courbe, la nuque desséchée s'incline, la poitrine est accablée de soupirs répétés, la force manque, un halètement interrompt les paroles que l'on prononce ; car, bien qu'ils ne soient pas gâteux, généralement les vieillards n'ont plus qu'une santé elle-même maladive. De la même manière, le monde, dans ses premières années, a été fort comme au temps de la jeunesse, il était robuste pour propager le genre humain, plein de sève à cause de la santé des corps, gras à cause de l'abondance de ses biens ; mais à présent il est affaibli par sa propre vieillesse et des misères croissantes l'accablent, l'entraînant à une mort prochaine[83]. »

Cette métaphore de la vieillesse et des maux qui l'accompagnent, Grégoire l'applique aussi à l'Église, mais non sans quelques nuances. De même que Rome succombe moins à l'assaut des Barbares qu'à la

---

82. *Serm.* 81, 8 (*PL*, 38, 504) : « Miraris quia deficit mundus ? mirare quia senuit mundus. Homo est, nascitur, crescit, senescit. Querelae multae in senecta : tussis, pituita, lippitudo, anxietudo, lassitudo inest. Ergo senuit homo ; querelis plenus est : senuit mundus ; pressuris plenus est. »

83. *HEv* 1, 1, 5 (*PL*, 76, 1080 C-D) : « Nouis quotidie et crebrescentibus malis mundus urgetur... Quotidie flagella urgent, repentini casus opprimunt, nouae nos et improuisae clades affligunt. Sicut enim in iuuentute uiget corpus, forte et incolume manet pectus, torosa ceruix, plena sunt bronchia ; in annis autem senilibus statura curuatur, ceruix exsiccata deponitur, frequentibus suspiriis pectus urgetur, uirtus deficit, loquentis uerba anhelitus intercidit ; nam etsi languor desit, plerumque senibus ipsa sua salus aegritudo est : ita mundus in annis prioribus uelut in iuuentute uiguit, ad propagandam humani generis prolem robustus fuit, salute corporum uiridis, opulentia rerum pinguis ; at nunc ipsa sua senectute deprimitur, et quasi ad uicinam mortem molestiis crescentibus urgetur. »

ruine matérielle[84], de même l'Église est moins affaiblie par ses adversaires qu'atteinte par l'âge, car elle est pareille à un corps, qui a connu une croissance, qui est maintenant parvenu à la vieillesse[85], mais qui conserve toutefois une mystérieuse vitalité : « Lorsque l'Église, affaiblie par la vieillesse, ne peut plus engendrer de fils par sa prédication, elle se souvient de sa fécondité d'autrefois... Cependant, après ces jours de faiblesse, elle est fortement affermie par la puissance de la prédication. En effet, après avoir accueilli en totalité des païens, elle attire tout le peuple d'Israël dans le sein de la foi... Mais avant ces temps-là, il y aura des jours où elle semblera quelque peu accablée par ses ennemis[86]. » Ce passage assez composite mêle plusieurs points de vue qui se retrouvent dans le reste de l'œuvre de Grégoire : le vieillissement naturel, l'essor final de la prédication, l'ultime déchaînement des persécutions. Ces trois points de vue, qui convergent ici dans la représentation des derniers temps de l'Église, prévalent séparément dans d'autres passages. Nous venons de voir que le thème de la décrépitude due à la vieillesse est traditionnel et que Grégoire l'emprunte sans doute à son maître Augustin. Pour ce qui est du progrès de la prédication, c'est une conviction fondamentale de Grégoire : à l'ère des apôtres et des martyrs a succédé selon lui celle des docteurs, des prédicateurs, qui propagent la connaissance de Dieu à travers le monde entier. « La fin du monde étant imminente, la science des choses d'en haut fait des progrès et croît plus largement avec le temps...[87] » Enfin, Grégoire semble souvent considérer que les derniers temps seront marqués par un redoublement des persécutions. Tous les ennemis du Christ se ligueront pour abattre ceux qui croiront en lui et ce gigantesque affrontement, qui n'est pas encore commencé, constituera la fin du monde : « Job désigne les derniers temps de l'Église, lorsque ses adversaires, c'est-à-dire tous les hommes charnels, hérétiques

----

84. Cf. *Dial.* 2, 15. Dans *HEz* 2, 6, 22 (*PL*, 76, 1010 D = *CCh*, 142, 311-312), Grégoire, commentant la prophétie d'Ezéchiel sur le siège de Jérusalem (*Ez.* 24, 10 : « Amoncelle les os pour que je les brûle dans le feu ; que ses chairs se consument, que tout son corps soit apprêté, et que ses os s'effritent »), mêle l'image physique de la destruction à l'image guerrière de la défaite infligée par un ennemi irrésistible.

85. Il ne s'agit plus du tout de la vision du *Pasteur* d'Hermas où l'Église apparaissait sous les traits d'une vieille femme qui rajeunit progressivement : cf. *Vis.* 3, 19-21 (*SC*, 53, p. 129-133). Sur la survie de cette allégorie, cf. E. R. Curtius, *La littérature européenne et le Moyen Age Latin*, Paris, 1956, p. 127-129.

86. *Mor.* 19, 12, 19 (*PL*, 76, 108 B-C) : « Tunc ergo, cum in diebus illis Ecclesia, quasi quodam senio debilitata, per praedicationem filios parere non ualet, reminiscitur foecunditatis antiquae... Quamuis post eosdem dies quibus deprimitur, iam tamen circa ipsum finem temporum grandi praedicationis uirtute roboretur. Nam susceptis ad plenum gentibus, omnem Israeliticum populum, qui tunc inuentus fuerit, in fidei sinum trahit... Sed ante illa tempora erunt dies in quibus ab aduersariis paululum uidebitur oppressa... »

87. *Mor.* 9, 11, 15 (*PL*, 75, 867 C) : « Vrgente etenim mundi fine, superna scientia proficit, et largius cum tempore excrescit. »

et païens, qu'elle s'efforce actuellement de maîtriser par l'autorité de sa sagesse... la contraindront à tolérer leurs moqueries avec une jactance effrénée... Le temps viendra à coup sûr où les pervers et les charnels proclameront à voix haute contre elle ce qu'ils trament à présent dans des projets secrets[88]. »

Enfin, par-delà cette perspective de la fin, évoquée à travers des images bibliques ou physiques qui en soulignent toutes le caractère dramatique, l'Église entière est tendue vers la gloire à venir et la Résurrection du Seigneur constitue le gage de son espérance : « La sainte Église supporte les adversités de la vie présente, pour que la grâce d'en haut la conduise jusqu'aux récompenses éternelles. Elle méprise la mort de sa chair, parce qu'elle est tendue vers la gloire de sa résurrection. Or transitoire est ce qu'elle souffre, perpétuel ce qu'elle attend. Et ces biens perpétuels ne lui inspirent aucun doute, car elle en détient déjà un témoignage fidèle dans la gloire de son Rédempteur. Elle considère en esprit la résurrection de sa chair, et se dresse de toutes ses forces vers l'espérance, parce qu'elle espère que ce qu'elle voit déjà accompli en sa tête, s'accomplira un jour aussi dans le corps de son Rédempteur, c'est-à-dire en elle-même, sans aucun doute[89]. » La condition de l'Église, avec les souffrances et les progrès qu'elle implique, est donc une condition pérégrinante, transitoire, une marche vers la patrie céleste : la fin du monde sera cette entrée collective dans le Royaume de Dieu. Tantôt sereine et très spiritualisée, tantôt angoissée et influencée par les tribulations du moment, la vision eschatologique de Grégoire comporte toujours cette dimension mystique. Telle qu'elle est, avec ces éléments très divers, mais non pas contradictoires, elle pénètre toute son œuvre et a profondément marqué la piété médiévale. C'est cette spiritualité eschatologique qu'il nous faut étudier à présent.

---

88. *Mor.* 19, 9, 15 (*PL*, 76, 105 B - 106 A) : « In hac uero ultima sui parte sermonis ultimum tempus designat Ecclesiae, quando aduersarios suos, id est carnales quosque, uel haereticos atque gentiles, quos nunc studet sapientiae auctoritate comprimere, effrenata iactantia elatos cogitur irrisa tolerare... Veniet profecto tempus, quando contra hanc peruersi atque carnales aperta uoce praedicent quod nunc occulta cogitatione moliuntur. »

89. *Mor.* 13, 24, 27 (*PL*, 75, 1030 A-B = *SC*, 212, p. 282) : « Sancta namque Ecclesia idcirco aduersa uitae praesentis tolerat, ut hanc superna gratia ad praemia aeterna perducat. Carnis suae mortem despicit, quia resurrectionis intendit gloriae. Et transitoria sunt quae patitur, perpetua quae praestolatur. De quibus nimirum bonis perpetuis dubietatem non habet, quia fidele iam testimonium Redemptoris sui gloriam tenet. Carnis quippe eius resurrectionem mente conspicit, atque ad spem fortiter conualescit quia, quod in suo uidet iam factum capite, sperat in eius quoque corpore, quod uidelicet ipsa est absque dubietate secuturum. »

CHAPITRE VIII

Eschatologie et vie spirituelle

Une spiritualité   Il faut bien reconnaître que les textes grégoriens
eschatologique   qui évoquent l'état de l'Église à la fin des temps
     contiennent deux perspectives eschatologiques
assez différentes. Tantôt, la vision est rassurante : le Christ, en revenant,
trouvera une Église en pleine expansion, unifiée, et même puissante.
Tantôt, la vision est dramatique : des remous terribles ébranlent les
croyants et les pasteurs ont du mal à les éviter. En fait, il ne faut pas
chercher dans l'œuvre de Grégoire une théologie des derniers temps :
l'auteur des *Moralia* se borne à exprimer ses convictions profondes
au sujet du retour du Christ, en s'inspirant de la Bible, autant qu'en
analysant les événements historiques de son époque. Son eschatologie
provient de son expérience personnelle : expérience de Romain, qui
assiste au déclin de la ville dont il a été le préfet et dont il se fait le défenseur face aux Lombards et aux Byzantins ; expérience de pasteur,
soucieux de prêcher à ses fidèles de Rome et aux autres pasteurs la
pénitence qui les préparera au jugement dernier ; expérience de moine,
qui a médité l'Écriture, en particulier les prophètes de l'Ancien Testament
et qui discerne comme eux dans les malheurs de son pays des avertissements salutaires de Dieu.

Il serait donc inutile de vouloir synthétiser les divers développements
qu'il consacre au thème eschatologique ; il vaut mieux se borner à voir
comment il ordonne lui-même les éléments qui composent sa « spiritualité
eschatologique ». Cette expression me semble convenir pour souligner
avec quelle insistance Grégoire rappelle « l'orientation eschatologique
de la vie chrétienne[1] » : la vie présente n'est qu'un passage, il nous faut,

---

1. Cf. R. WASSELYNCK, *La voix d'un Père de l'Église. L'orientation
eschatologique de la vie chrétienne d'après saint Grégoire le Grand*, dans
Assemblées du Seigneur, Bruges, 1962, p. 66-80.

par la pénitence, rectifier notre conduite et nous préparer au retour du Christ, car la fin du monde, ou notre mort, n'est que le commencement des joies de l'éternité. Il est vrai que cette conception ignore certains aspects de l'eschatologie et que l'espérance chrétienne n'y est guère mise en relation avec les espoirs collectifs de l'humanité, ni avec la préparation du Royaume de Dieu. Mais Grégoire s'intéresse moins à l'avenir terrestre de ses contemporains qu'à la destination ultime de toute l'humanité, et cette perspective dominante mesure la véritable portée de toutes ses réflexions sur la fin des temps. Qu'il s'agisse du jugement dernier ou du jugement particulier, il insiste toujours sur le fait que nous aurons à comparaître devant Dieu, à lui rendre des comptes et que nous devons nous y préparer. Dieu n'est pas seulement le *iudex internus*, le témoin invisible de nos pensées et de nos actions que l'homme peut découvrir au fond de sa conscience[2] ; il est aussi et surtout celui qui, au terme de notre vie ou à la fin du monde, prononcera à notre égard un jugement, dont Grégoire souligne la sévérité.

Pour en convaincre ses auditeurs, il use d'une gamme d'arguments très variés. Il compare souvent les deux venues du Christ, la première qui s'est faite dans l'humilité, la seconde qui sera éclatante, et il applique cette gradation au comportement du Christ face à ses ennemis : « Jésus fit cette demande à ses persécuteurs : ' Qui cherchez-vous ? ' (*Jn*, 18, 4). Ils lui répondirent aussitôt : ' Jésus de Nazareth '. En leur disant sur-le-champ ' C'est moi ', il s'est contenté de formuler une réponse très pacifique, qui a aussitôt fait tomber ses persécuteurs armés. Que fera-t-il donc quand il viendra pour juger, lui qui, par une seule parole, a bousculé ses ennemis, alors même qu'il était venu pour être jugé ? Quel est ce jugement qu'il rend maintenant qu'il est immortel, lui dont une seule parole a été insupportable, au moment où il allait mourir ? Qui pourra tolérer sa colère, lui dont la douceur même a été intolérable[3] ? »

Cette argumentation a fortiori revient sous d'autres formes dans les *Moralia*, mais toujours dans le même but : mettre en évidence la sévérité incomparable de Dieu à l'égard des pécheurs et stimuler ainsi leur repentir. Si Job redoute le jugement de Dieu, combien plus les chrétiens médiocres devraient-ils être dans la crainte ? « A quel point les jugements de Dieu accableront-ils ceux qui s'élèvent, s'ils accablent

---

2. M. FRICKEL, dans son analyse de la théodicée grégorienne (*op. cit.*, p. 113-126) ne traite que de cet aspect et omet la perspective du jugement dernier.

3. *Mor.* 17, 33, 54 (*PL*, 76, 38 B-C) : « (Iesus) persecutores suos requisiuit, dicens : « Quem quaeritis ? » Cui illico responderunt : « Iesum Nazarenum ». Qui bis cum repente diceret « Ego sum », uocem solummodo mitissimae responsionis edidit, et armatos persecutores suos protinus in terram strauit. Quid ergo facturus est, cum iudicaturus uenerit, qui una uoce hostes suos perculit, etiam cum iudicandus uenit ? Quod est illud iudicium quod immortalis exerit, qui in una uoce non potuit ferri moriturus ? Quis eius iram toleret, cuius et ipsa non potuit mansuetudo tolerari ? »

pour un temps ceux qui les redoutent toujours avec humilité ? Comment celui qui méprise la majesté divine pourra-t-il la supporter, si elle frappe également celui qui la prévoit avec crainte ? Nous devons par conséquent redouter vivement un jugement d'une si grande rigueur. Il est évident que lorsque Dieu nous éprouve en cette vie, si l'amendement suit l'épreuve, c'est un père qui nous instruit, non un juge qui se fâche ; il a pour nous l'amour de quelqu'un qui nous corrige, non la rigueur de quelqu'un qui nous punit. C'est donc à partir des épreuves présentes elles-mêmes qu'il nous faut réfléchir aux jugements éternels[4]. » Il est à remarquer que ce passage, tout comme le précédent, est placé à la fin d'un livre des *Moralia*, comme si Grégoire voulait montrer par la structure même de son commentaire que le sens eschatologique est le couronnement de tous les autres et que la réflexion sur la vie présente doit obligatoirement conduire à une méditation sur les fins dernières. Ce dernier texte renvoie d'autre part à la doctrine grégorienne des *flagella Dei* : les épreuves que nous rencontrons en ce monde sont une invitation à la conversion et constituent ainsi une préparation pratique au jugement qui nous attend. On notera enfin qu'en opposant l'amour du Père à la sévérité du Juge, Grégoire reprend et prolonge une antithèse qui est au cœur de la théodicée latine, depuis Tertullien[5]. Mais il faut reconnaître qu'il rompt quelque peu l'équilibre entre ces deux attributs divins, puisqu'il semble bien penser que le Juge de la fin des temps ne se comportera pas comme un Père.

Dernier élément de cette spiritualité eschatologique : la rétribution finale et la possibilité de la damnation. Si l'homme s'endurcit et s'obstine à méconnaître les avertissements répétés que Dieu lui envoie, soit à travers l'Écriture, soit à travers les signes des temps, soit à travers les souffrances qu'il endure, alors le châtiment sera inévitable. Les *homélies sur l'Évangile* et les *Dialogues* contiennent bien des récits qui illustrent ce principe et que j'étudierai plus loin. Mais le principe lui-même est clairement posé dans les *Moralia* : les méchants qui ne renoncent pas à leur méchanceté subiront la vengeance divine et tomberont pour toujours sous l'emprise des esprits mauvais. Commentant la malédiction divine évoquée dans le livre de Job : « Riche, il se couche, mais c'est la dernière fois ; quand il ouvre les yeux, plus rien. Les terreurs l'assaille-

---

4. *Mor.* 21, 22, 36 (*PL*, 76, 212 A) : « Quomodo depressura sunt Dei iudicia eos qui se eleuant, si et illos ad tempus deprimunt qui haec semper in humilitate formidant ? Quomodo pondus Dei poterit ferre qui despicit, si hoc et ille in uerbere pertulit qui per timorem praeuidit ? Vnde summopere formidandum nobis est illud tantae districtionis examen. Constat autem quia in hac uita cum percutit, si percussionem correctio sequitur, disciplina patris est, non ira iudicis ; amor corrigentis est, non districtio punientis. Ex ipso ergo praesenti uerbere iudicia aeterna pensanda sunt. »

5. Cf. R. BRAUN, « *Deus christianorum* ». *Recherches sur le vocabulaire doctrinal de Tertullien*, Paris, 1976², p. 116-123 : la Justice divine ; p. 123-128 : la bonté et la miséricorde divines.

ront en plein jour, la nuit, une tempête l'enlèvera » (*Job*, 27, 19-20),
Grégoire écrit : « Qu'appelle-t-il ici nuit, sinon le moment caché de sa
mort soudaine ? Par le nom de tempête, il désigne le tourbillon du jugement[6]. » Et après avoir cité plusieurs textes prophétiques ou évangéliques
qui orchestrent habituellement le thème eschatologique[7], il explique
ainsi le châtiment du méchant impénitent : « Puisqu'il ne veut pas
faire le bien qu'il voit, il est surpris par la tempête de sa mort, qu'il ne
voit pas[8]. » Mais Grégoire va plus loin, en discernant une action diabolique
dans ce genre de mort. S'appuyant sur le verset suivant du livre de
Job (27, 21) : « Un vent brûlant le soulèvera et l'emportera », il prolonge
ainsi la métaphore du feu : « Quel est ce vent brûlant qui est désigné ici,
sinon l'esprit malin, qui excite dans le cœur les flammes des désirs,
pour entraîner l'homme dans des supplices éternels ? Il est écrit qu'un
vent brûlant soulève tous les pervers, car insidieusement, l'esprit malin,
qui allume le feu des vices durant la vie, entraîne dans les tortures au
moment de la mort[9]. » La damnation finale apparaît ainsi comme la
conséquence normale des péchés commis avant la mort, à l'instigation
de l'esprit du mal ; l'eschatologie est donc étroitement liée à la morale,
puisque le destin des méchants dans l'au-delà correspond à ce qu'a été
leur vie terrestre. « Le séjour des pervers, ce sont les plaisirs de la vie
temporelle et les voluptés de la chair. Chacun d'eux est arraché à son
séjour par une espèce de tourbillon, lorsqu'il est séparé de tous ses plaisirs
dans la terreur du dernier jour[10]. » A cause de cette conjonction de
l'eschatologie et de la morale, il faut toujours situer les représentations
grégoriennes de l'au-delà par rapport à cette perspective du combat
actuel contre le mal et l'esprit du mal. Bien des pages des *Moralia* montrent
que l'action de Dieu ou de l'esprit malin n'est pas différente après la
mort de ce qu'elle a été durant la vie. Mais la méthode de Grégoire
consiste à orienter la vie présente en fonction de ces perspectives finales,
qui ne sont pas évoquées pour elles-mêmes, mais comme une espèce
de repoussoir, en vue de hâter la conversion des pécheurs.

---

6. *Mor.* 18, 19, 31 (*PL*, 76, 53 D) : « Quid hoc loco noctem, nisi absconditum tempus repentini exitus appellat ? Tempestatis uero nomine,
iudicii turbinem designat. »

7. *Ps.* 49, 3 ; *Prov.* 1, 26 ; *Matt.* 24, 43, 48 ; 1 *Thes.* 5, 4 ; *Luc*, 12, 20.

8. *Mor.* 18, 19, 31 (54 C) : « Quia enim non uult agere bona quae uidet,
deprehenditur interitus sui tempestate quam non uidet. »

9. *Mor.* 18, 20, 32 (54 C) : « Quis hoc loco uentus urens, nisi malignus
spiritus uocatur, qui desideriorum flammas in corde excitat, ut ad aeternitatem suppliciorum trahat ? Peruersum ergo quemlibet ventus urens
tollere dicitur, quia insidiator malignus spiritus, qui uiuentem quemque
accendit ad uitia, morientem trahit ad tormenta. »

10. *Mor.* 18, 21, 34 (55 C) : « Locus peruersorum est temporalis uitae
delectatio et carnis uoluptas. Quasi turbine igitur unusquisque de loco suo
rapitur, cum a cunctis suis delectationibus extremo territus die separatur. »

L'argument eschatologique et la morale grégorienne On pourrait penser cependant que de tels avertissements procèdent parfois d'une amplification rhétorique. Il n'en est rien. L'orientation eschatologique de la pensée commande chez ce pape aussi bien son activité pastorale que sa manière de prêcher. Il lui arrive très souvent de recourir à l'argument eschatologique dans sa correspondance pour appuyer ses conseils ou obtenir ce qu'il demande. Quelques exemples montreront que ce procédé n'a rien d'une habileté diplomatique ou d'un vulgaire moyen de pression, mais qu'il exprime une conviction sincère.

En septembre 590, à peine devenu pape, Grégoire envoie une de ses premières lettres à Justin, le préteur de Sicile, un de ces hauts fonctionnaires qu'il peut traiter d'égal à égal. Il lui demande son aide pour accélérer l'envoi du blé sicilien à Rome, car la disette menace. Mais il s'adresse d'abord à sa conscience de haut fonctionnaire chrétien : ce qui pourra justifier le service demandé, c'est bien plus que le sens du devoir, c'est la pensée de Dieu, qui sera notre juge et devant lequel nous aurons à rendre des comptes. « Je vous en prie par le Seigneur tout puissant, lui, le juge redoutable devant lequel nous aurons à rendre compte de nos actes, pour que votre Gloire ait toujours cette perspective devant les yeux et n'accepte jamais quelque chose qui puisse provoquer entre nous un désaccord même léger. Qu'aucun intérêt ne vous pousse à l'injustice, que les menaces ou l'amitié de personne ne vous détournent du droit chemin. Considérez combien la vie est courte, songez devant quel juge et dans quelles circonstances vous comparaîtrez, vous qui exercez le pouvoir judiciaire. Il faut donc considérer avec soin que nous laissons ici-bas tout ce que nous aurons gagné, et n'emportons avec nous pour le jugement que nos motifs de gains malhonnêtes. Il nous faut donc rechercher les avantages que la mort ne saurait aucunement abolir, mais dont la fin de la vie présente puisse montrer la permanence éternelle[11]. »

Grégoire devait bien connaître Justin et savoir qu'il n'était pas insensible à l'argent ; ses craintes n'étaient pas sans fondement, puisque, trois ans plus tard, Justin se laissera corrompre par un Juif qui achetait des esclaves chrétiens et que Grégoire déplorera cette défaillance dans

---

11. *Ep.* 1, 2 (*MGH*, I, p. 3 : sept. 590) : « Vnde per omnipotentem Dominum rogo, in cuius tremendo iudicio nostrorum actuum posituri rationes sumus, ut eius respectum semper gloria uestra ante oculos habeat et numquam quodlibet, ex quo inter nos uel parua dissensio proueniat, admittat. Nulla uos lucra ad iniustitiam pertrahant, nullius uel minae uel amicitiae ab itinere rectitudinis deflectant. Quam sit uita breuis aspicite, ad quem quandoque ituri estis iudicem, qui iudiciariam potestatem geritis, cogitate. Sollerter ergo intuendum lucrorum causas nobiscum ad iudicium deportamus. Illa ergo nobis sunt commoda quaerenda, quae nequaquam mors adimat, sed mansura in perpetuum praesentis uitae finis ostendat. »

une lettre à Libertinus, le successeur de Justin.[12] Mais il est clair que, dans cette lettre de 590, Grégoire pressentait le danger. Or comment cherche-t-il à avertir son ancien collègue ? Non pas simplement en le mettant en face de sa conscience et de ses responsabilités, au nom d'une morale des devoirs qui pouvait s'inspirer de Cicéron et de Sénèque, mais en le soumettant d'emblée au jugement de Dieu, en lui fixant une sorte de règle eschatologique. Certes, les termes qu'il emploie restent assez vagues et peuvent se rapporter à la mort aussi bien qu'au jugement dernier, mais, en tout cas, il estime que la perspective de la fin doit commander le comportement actuel de l'homme, si haute que soit sa fonction. Il ne craint donc pas de faire intervenir l'argumentation eschatologique dans la direction de conscience.

En avril 593, écrivant au clergé de Milan pour l'inciter à choisir un nouvel évêque, il termine sa lettre en insistant plus nettement sur la proximité de la fin des temps : « Soyez certains que vous aurez un pasteur qui plaira à Dieu, si vous-mêmes vous plaisez à Dieu par vos actions. Voici que déjà nous assistons à la perte de toutes les choses de ce monde, alors que nous lisions dans les saintes Écritures que cette perte était pour l'avenir. Villes anéanties, places fortes abattues, églises détruites... Considérez d'une âme inquiète le jour prochain du juge éternel et préparez-vous à ce jour terrible en faisant pénitence[13]. » Ici se mêlent deux façons de manier l'argument eschatologique : l'une fait plutôt appel à la morale, à la crainte du jugement qui doit inciter à l'examen de conscience et à la conversion individuelle ; l'autre fait plutôt appel à l'histoire, en montrant la caducité du monde, qui doit stimuler l'attente générale de l'éternité.

Ces deux perspectives sont presque confondues dans une lettre où Grégoire, en août 593, demande à l'empereur Maurice d'abroger une loi interdisant la vie monastique aux fonctionnaires impériaux. La perspective historique vaut surtout pour ces hommes, qui voudraient quitter le monde finissant, alors que la perspective morale vaut plutôt pour Maurice qui semble oublier que ses décisions sont soumises au jugement de Dieu. « Il te faut surtout considérer que l'on interdit à tous ces hommes d'abandonner le siècle à un moment où la fin des siècles elle-même approche. Voici qu'en effet, sans délai, dans l'embrasement du ciel, l'embrasement de la terre, l'incendie des éléments, avec les anges et les archanges, les trônes et les dominations, les principautés et les

---

12. *Ep.* 3, 37 (*MGH*, I, p. 195 : mai 593) : « Dum igitur seuerissime in eum pro tantis facinoribus debuisset ulcisci, gloriosus Iustinus, medicamento auaritiae ut nobis scriptum est delinitus, Dei distulit iniuriam uindicare. »

13. *Ep.* 3, 29 (*MGH*, I, p. 187 : avril 593) : « Certissimum tenete, quia placentem Deo pastorem habebitis, si uos in uestris actibus Domino placetis. Ecce iam mundi huius omnia perdita conspicimus, quae in sacris paginis audiebamus peritura : euersae urbes, castra eruta, ecclesiae destructae... Adpropinquantem itaque aeterni iudicio diem sollicita mente conspicite et terrorem illius paenitendo praeuenite. »

puissances le juge terrible va apparaître. S'il te remet tous tes péchés, mais qu'il te dise que tu as édicté cette seule loi contre lui, comment, je te le demande, te justifieras-tu[14] ? »

On pourra trouver que ce tableau apocalyptique est un peu forcé, mais ce qui conduit Grégoire à s'exprimer avec une telle insistance, c'est le souci qu'il a d'accomplir sa mission spirituelle dans une perspective eschatologique, c'est-à-dire en préparant les hommes, à commencer par les plus hauts dignitaires de l'État, au jugement de Dieu. A temps et à contre-temps, il prêche la conversion en invoquant la proximité de la fin du monde. C'est ce même zèle pastoral qui se manifeste encore dans une lettre officielle, adressée en juin 601 à Éthelred, le roi de Kent, qui s'était converti au christianisme et avait été baptisé quatre ans auparavant. Grégoire y compare le roi à un nouveau Constantin, qu'il invite à défendre la foi chrétienne en luttant contre le culte des idoles. Ces orientations missionnaires sont suivies d'un avertissement relatif aux signes précurseurs de la fin et à la façon de les comprendre : « En outre, nous voulons que votre Gloire sache que, comme nous l'avons appris dans la sainte Écriture par les paroles du Seigneur tout-puissant, le terme du monde présent n'est plus éloigné et le royaume des Saints va venir, qui, lui, n'aura jamais de terme. Mais puisque le terme de ce monde approche, beaucoup d'événements sont imminents qui n'ont pas existé auparavant, à savoir des variations d'atmosphère, des signes terrifiants venant du ciel, des tempêtes qui bouleversent l'ordre des saisons, des guerres, des famines, des épidémies, des tremblements de terre par endroits. Ces événements n'adviendront cependant pas tous à notre époque, mais tous suivront notre époque[15]. »

R. Manselli tire argument de ce texte pour affirmer que Grégoire est réellement convaincu de l'imminence de la fin des temps : il lui semble en effet que de telles déclarations, dans une lettre qui traite par ailleurs des relations entre la papauté et le royaume des Angles, vont bien au-delà

---

14. *Ep.* 3, 61 (*MGH*, I, p. 221 : août 593) : « Considerandum ualde est, quia eo iam tempore prohibentur quique relinquere saeculum, quo adpropinquauit finis ipse saeculorum. Ecce enim mora non erit, et ardente caelo, ardente terra, coruscantibus elementis, cum angelis et archangelis, cum thronis et dominationibus, cum principatibus et potestatibus tremendus iudex apparebit. Si omnia peccata dimiserit, et solam hanc legem contra se dixerit prolatam, quae rogo erit excusatio ? »

15. *Ep.* 11, 37 (*MGH*, II, p. 309 : juin 601) : « Praeterea scire uestram gloriam uolumus, quia, sicut in scriptura sacra ex uerbis Domini omnipotentis agnoscimus, praesentis mundi iam terminus iuxta est et sanctorum regnum uenturum est, quod nullo umquam poterit fine terminari. Adpropinquante autem eodem mundi termino multa imminent quae antea non fuerunt, uidelicet immutationes aeris terroresque de caelo et contra ordinationem temporum tempestates, bella, fames, pestilentiae terrae motus per loca. Quae tamen non omnia nostris diebus uentura sunt, sed post nostros dies omnia subsequentur. »

de la politique et que l'eschatologie y apparaît comme un élément central[16]. Je nuancerai une telle appréciation, car c'est l'intention de Grégoire qui compte d'abord : or elle ne consiste pas ici à porter un jugement historique, en prédisant la date de la fin, mais à faire œuvre de pasteur. C'est en vue de la conversion des Angles et de leur roi que Grégoire fait intervenir la perspective du jugement dernier. La suite de la lettre en est la preuve : « Quant à vous, dit-il à Éthelred, en adoptant à son égard le ton d'un conseiller spirituel, si vous voyez certains de ces signes se produire dans votre pays, que votre esprit ne se trouble en aucune façon, car ces signes concernant la fin du monde nous sont envoyés par avance pour nous indiquer le devoir qui est le nôtre de nous préoccuper de nos âmes, d'attendre l'heure de la mort, de nous trouver prêts au jugement à venir grâce à nos bonnes actions. Je vous ai dit brièvement cela à présent, glorieux fils, afin qu'avec le développement de la foi chrétienne dans votre royaume, se développe aussi plus largement notre dialogue avec vous et que nous ayons d'autant plus plaisir à dialoguer que se multiplient dans notre âme les joies dues à la conversion de votre peuple qui est en voie d'achèvement[17]. » Ces dernières phrases montrent bien quel est en définitive le motif permanent qui pousse Grégoire à user de l'argument eschatologique : préparer tous les chrétiens au retour du Christ en leur prêchant, à temps et à contre-temps, la conversion et la vigilance. Même quand ses fonctions de pape le conduisent à aborder les problèmes de politique ecclésiastique ou à entretenir des relations épistolaires avec des chefs politiques, il ne perd jamais de vue ce qui est l'essentiel de sa mission : la *cura animarum*. Son eschatologie a toujours une finalité spirituelle ou pastorale.

Cela est vrai lorsqu'il s'adresse aux simples fidèles de Rome qui sont les auditeurs de plusieurs de ses homélies. Cela est aussi vrai lorsqu'il écrit aux grands de ce monde, chefs religieux ou politiques, qui sont souvent ses correspondants. A l'égard de ces derniers, il estime que l'argument eschatologique peut être d'un grand poids, car ceux qui

---

16. R. MANSELLI, *art. cit.*, p. 386-387 : « Che in una lettera di alta politica, modulata su temi che dovevano complimentare il re Anglo e ad un tempo sollecitando a dare, anzi ad accrescere il proprio appogio ai missionari cristiani, compaia ed acquisti tono di richiesta precisa l'avvertenza di badare ad eventuali prodigi, perché questi sono segni dell' imminente ritorno del Christo, questo fatto ci sembra proprio caratterizzare sentimenti che vanno al di là della politica e persino della stessa vita della Chiesa, per raggiungere la sfera degli interessi supremi. »

17. *Ep.* 11, 37 (p. 309-310) : « Vos itaque si qua ex his euenire in terra uestra cognoscitis, nullo modo uestrum animum perturbetis, quia idcirco haec signa de fine saeculi praemittuntur, ut de animabus nostris debeamus esse solliciti, de mortis hora suspecti et uenturo iudici in bonis actibus inueniamur esse praeparati. Haec nunc, gloriose fili, paucis locutus sum, ut, cum christiana fides in regno uestro excreuerit, nostra quoque apud uos locutio latior excrescat et tanto plus loqui libeat, quanto se in mente nostra gaudia de gentis uestrae perfecta conuersione multiplicant. »

détiennent une autorité sur la terre ont intérêt à se rappeler qu'eux-mêmes sont soumis à Dieu. Un passage des *Moralia* précise cette exigence : Grégoire y traite de l'exercice de l'autorité et souligne qu'aucun pouvoir humain n'est absolu, mais subordonné à Dieu. Penser à lui comme à un juge suprême sera donc le meilleur moyen d'éviter les abus : « Celui qui pense au retour de ce juge, cherche sans relâche à améliorer chaque jour les affaires dont il rendra compte ; celui qui considère d'un cœur tremblant le Seigneur éternel, est contraint de modérer les prérogatives de l'autorité temporelle qu'il a sur ses subordonnés. Il comprend en effet que cette supériorité temporelle sur tous les autres hommes est sans valeur, puisqu'il est soumis pour rendre ses comptes à celui dont la domination est sans fin... Il considère en effet ceux qui lui sont soumis, mais il doit penser à qui il est lui-même soumis, pour qu'à la pensée de celui qui est le souverain véritable, l'enflure de sa fausse souveraineté décroisse en lui[18]. » On a parfois reproché à Grégoire d'être l'ancêtre de la théocratie médiévale. Des textes comme celui-ci devraient aider à corriger une telle erreur : car il ne s'agit pas de subordonner l'autorité des princes à celle de l'Église, ni d'établir une distinction entre les royaumes terrestres et la Royauté de Dieu. Grégoire s'exprime uniquement en maître spirituel, soucieux de prévenir les méfaits de l'ambition et de l'absolutisme, car il sait par expérience que l'exercice du pouvoir peut être corrupteur. La *Regula pastoralis* multiplie de tels conseils à l'intention des chefs religieux, des pasteurs, qui doivent briser en eux tout orgueil personnel pour se soumettre avant tout au jugement de Dieu dont ils sont les serviteurs[19]. Faut-il ajouter que saint Bernard s'est souvenu de ces recommandations en s'adressant au pape Eugène III, puisqu'il a intitulé son traité le *De consideratione* et qu'il y recourt lui aussi à l'argument eschatologique[20] ?

On comprend ainsi que l'eschatologie ne constitue pas dans la morale grégorienne un domaine séparé, mais qu'elle l'imprègne tout entière, qu'elle y occupe une place centrale, car elle est comme une dimension de l'existence chrétienne. Qu'il s'agisse de rappeler de façon générale la proximité de la fin des temps ou d'adresser des avertissements à des

---

18. *Mor.* 21, 14, 21 (*PL*, 76, 202 D - 203 A) : « Qui uenturum iudicem cogitat, indesinenter quotidie rationum suarum in melius causas parat ; qui aeternum Dominum tremore cordis intuetur, iura temporalis dominii super subiectos moderari compellitur. Perpendit enim nil esse quod temporaliter praeest ceteris, quando illi ad reddendam rationem subest qui sine fine dominatur... Intuetur enim qui sub ipso sint, sed consideret sub quo ipse sit, ut ex consideratione ueri domini decrescat tumor falsae dominationis. »

19. Cf. *Past.* 1, 1 (*PL*, 77, 14 B - 15 A) ; 1, 6 (19 D - 20 A) ; 2, 6 (34 D - 35 A) ; 3, 5 (56 C-D).

20. Cf. *De consideratione*, 1, 6 et 7 (*PL*, 182, 735 C - 737 B). Précisons toutefois que l'autorité réelle d'Eugène III était beaucoup plus étendue que celle de Grégoire et que les admonestations de Bernard sur l'humilité du pape et de ses collaborateurs avaient une portée plus immédiate.

hommes trop sensibles aux biens de ce monde ou à l'attrait du pouvoir, un élément constant apparaît : la référence à Dieu qui représente l'Absolu par rapport aux valeurs caduques de ce monde et qui sera le juge de nos actes. Toute l'activité humaine devrait donc, aux yeux de Grégoire, s'exercer dans cette perspective, l'eschatologie ne concernant pas seulement les derniers moments du monde et de l'existence individuelle, mais servant en quelque sorte de toile de fond à toute la vie présente en relativisant ses divers aspects.

La vie présente   Cela revient à dire que Grégoire use de l'argu-
et la vie éternelle   ment eschatologique à la façon d'un mystique :
                        il considère et apprend aux autres à considérer la
vie présente *sub specie aeternitatis*. D'où l'antithèse permanente qu'il établit entre la vie présente et la vie éternelle, qui est surtout une façon pédagogique de stimuler le désir de l'éternité, comme dans cet exorde d'une *homélie sur l'Évangile*, où il commente le texte de Luc (14, 25-33) relatif au détachement évangélique. « Si nous considérons, frères très chers, la nature et l'importance de ce qui nous est promis dans les cieux, tout ce que nous possédons sur terre perd son prix à nos yeux. Car les biens de la terre comparés au bonheur d'en haut sont un fardeau, non un secours. La vie temporelle comparée à la vie éternelle doit être dite mort plutôt que vie[21]. » Un tel radicalisme serait bien négatif si Grégoire ne révélait aussitôt après le fond de sa pensée, en exaltant les joies de l'éternité. « Quelle langue est capable de dire, ou quelle pensée de comprendre l'importance des joies qui nous attendent dans la cité d'en haut : être mêlés aux chœurs des anges, être admis en compagnie des esprits bienheureux devant la gloire du créateur, contempler devant nous le visage de Dieu, voir la lumière incirconscrite, n'être troublé par aucune crainte de la mort, nous réjouir du bienfait d'une incorruptibilité perpétuelle[22] ? » C'est bien le langage d'un contemplatif, qui songe avant tout aux joies de la vision face à face.

Après de telles déclarations, on pourrait croire que Grégoire n'attache d'importance en cette vie qu'à l'ascèse qui donnera à l'âme humaine un avant-goût de cette illumination céleste. Or la suite du texte n'aborde pas cette question, mais souligne que pour parvenir à cette plénitude de la vie éternelle, l'homme doit avant tout affronter les épreuves de la vie terrestre. C'est bien là ce qui caractérise le talent propre à Grégoire :

---

21. *HEv* 2, 37, 1 (*PL*, 76, 1275 A-B) : « Si consideremus, fratres carissimi, quae et quanta sunt quae nobis promittuntur in coelis, uilescunt animo omnia quae habentur in terris. Terrena namque substantia supernae felicitati comparata pondus est, non subsidium. Temporalis uita aeternae uitae comparata mors est potius dicenda quam uita. »

22. *Ibid.* (1275 B) : « Quae autem lingua dicere, uel quis intellectus capere sufficit illa supernae ciuitatis quanta sint gaudia, angelorum choris interesse, cum beatissimis spiritibus gloriae conditoris assistere, praesentem Dei uultum cernere, incircumscriptum lumen uidere, nullo mortis metu affici, incorruptionis perpetuae munere laetari ? »

ce docteur de l'expérience mystique n'oublie jamais, surtout dans sa prédication pastorale, que l'expérience chrétienne commence ici-bas par un combat. « L'esprit ne peut parvenir à ces grandes récompenses qu'à travers de grandes épreuves. C'est pourquoi l'éminent prédicateur qu'est Paul dit ceci : « On ne recevra la couronne que si l'on a lutté selon les règles » (2 *Tim.* 2, 5). Notre âme doit donc se réjouir de la grandeur des récompenses, mais ne peut pas être effrayée par les épreuves à affronter[23]. »

Dès lors, on comprend que l'intention de Grégoire n'est pas de déprécier absolument la vie terrestre, mais d'en comprendre la valeur et le sens, en fonction de cette tension intérieure qui caractérise la condition de l'homme pécheur[24]. Le temps de notre vie terrestre est d'abord un temps disponible pour la conversion, que Dieu favorise lui-même en nous envoyant des *flagella*. « Les élus veillent toujours à revenir à la justice avant que la colère du juge ne s'enflamme de manière inextinguible, de peur que surpris par une dernière épreuve, leur vie ne soit aussi le terme de leurs fautes. Car l'épreuve effacera la faute, en faisant changer la vie : elle n'expie point les actions de celui dont elle ne change pas les mœurs. Tous les coups dont Dieu nous frappe sont donc ou bien la purification en nous de la vie présente, ou bien le début du châtiment à venir[25]. » Il s'ensuit que la rétribution éternelle varie avec la façon dont les hommes réagissent aux *flagella Dei* : ceux qui refusent de s'amender dès maintenant s'exposent à subir leur châtiment dans l'au-delà. La vie présente apparaît donc de toute manière comme une préparation à la vie éternelle et l'attitude morale face aux épreuves présentes a une portée eschatologique : car ces épreuves sont susceptibles de nous disposer soit à une récompense, soit à une condamnation.

Il faut reconnaître que Grégoire considère, ailleurs, que bien des aspects de la vie présente sont en contraste avec la vie éternelle. Il oppose assez souvent les joies de l'éternité aux souffrances actuelles. « L'âme

---

23. *Ibid.* (1275 B-C) : « Sed (animus) ad magna praemia perueniri non potest, nisi per magnos labores. Vnde et Paulus egregius praedicator dicit : « Non coronabitur nisi qui legitime certauerit. » Delectet ergo mentem magnitudo praemiorum, sed non deterreat certamen laborum. »

24. Il me semble qu'Augustin est parfois beaucoup plus pessimiste, lorsqu'il insiste sur la déchéance de la nature humaine plus que sur le combat à mener contre le mal, notamment dans ce passage de la *Cité de Dieu* (22, 22, 1 : *Bibl. aug.* 37, p. 642-644), où le commentateur (ibid., n. 7) voit la source du passage de Grégoire que nous venons de citer : « Déjà en ce qui concerne sa première origine, cette vie même, s'il faut l'appeler vie, atteste, par les maux si nombreux et si grands dont elle est remplie, que toute la race des mortels a été condamnée. »

25. *Mor.* 18, 22, 35 (*PL*, 76, 56 B) : « Vnde hoc semper electi prouident, ut ante ad iustitiam redeant, quam sese ira iudicis inexstinguibiliter accendat, ne ultimo flagello deprehensi simul eis finiatur uita cum culpa. Flagellum namque tunc diluet culpam, cum mutauerit uitam. Nam cuius mores non mutat, non expiat actiones. Omnis ergo diuina percussio, aut purgatio in nobis uitae praesentis est, aut initium poenae sequentis. »

des élus est présentement en proie à la langueur, car elle s'épanouira par la suite dans l'exultation éternelle. Des jours d'affliction la retiennent pour l'instant, car des jours d'allégresse viendront après... Car c'est un séjour d'affliction que la vie présente. Les justes sont donc humiliés ici-bas, parce que dans la vie éternelle, c'est-à-dire au séjour de joie, ils seront exaltés[26]. » C'est là une autre perspective, moins pédagogique, mais plus mystique que la précédente : les souffrances de la terre incitent l'âme à chercher en Dieu son vrai bonheur et la voie du salut consiste moins à accueillir les épreuves comme des avertissements salutaires qu'à bénéficier dès maintenant des grâces de la contemplation : « En disant que son âme était en proie à la langueur, Job a aussi justement précisé ' En moi-même ', car en nous-mêmes, assurément, notre esprit trouve l'épreuve, mais en Dieu il trouve le réconfort ; et il s'éloigne d'autant plus des joies de l'épanouissement qu'il se replie encore en lui-même, loin de la lumière de son créateur qu'il repousse. Mais il parvient à l'épanouissement de la véritable allégresse au moment où, soulevé par la grâce de la contemplation éternelle il se dépasse aussi lui-même[27]. » Ces expressions ont pour effet de présenter la contemplation comme un dépassement de l'expérience intérieure, une élévation de l'âme que Dieu attire à lui, loin des tristesses de ce monde : par la grâce de la contemplation, l'homme accède au domaine de la transcendance[28]. Il est certain que cette perspective mystique ne recouvre pas exactement la perspective eschatologique, puisque la vision de Dieu n'est pas rejetée au terme de l'existence, mais qu'elle peut être donnée dès maintenant. Il faut reconnaître cette dualité et constater aussi que l'accentuation du point de vue mystique aboutit cependant au même résultat que l'eschatologie, en relativisant la vie présente, qui paraît triste et obscure dès qu'on la compare aux joies et aux lumières de la contemplation. Grégoire ne songe pas à harmoniser ces deux perspectives, car toutes deux lui servent à exprimer la tension intérieure qui caractérise l'expérience spirituelle, la souffrance et le combat de l'âme, déchirée entre l'attrait du monde et le désir de Dieu. L'eschatologie et la mystique attestent ensemble que l'homme a une vocation qui dépasse ce monde et que pour réaliser cette vocation, il

---

26. *Mor.* 20, 27, 56 (*PL*, 76, 171 A-B) : « Electorum quippe anima nunc marcescit, quia in illa postmodum aeterna exultatione uiridescit. Modo eos dies afflictionis possident, quia dies laetitiae post sequuntur... Locus namque afflictionis est uita praesens. Iusti ergo hic, id est in loco afflictionis, humiliati sunt, quia in aeterna uita, id est in loco gaudii sublimantur. »

27. *Ibid.* (171 B) : « Cum uero marcescere animam diceret, recte etiam praemisit « in memetipso », quia in nobismetipsis quidem afficitur, sed in Deo mens nostra refouetur ; tantoque a uiriditate gaudii longe fit, quanto adhuc ab auctoris repulsa lumine ad se recedit. Tunc uero ad uerae laetitiae uiriditatem peruenit, quando per aeternae contemplationis gratiam subleuata etiam semetipsam transit. »

28. Cf. F. LIEBLANG, *op. cit.*, p. 131-137 : *Die « anima super semetipsam rapta ».*

doit sans cesse lutter contre le péché qui le détourne de Dieu et de la vie éternelle[29].

Le désir de Dieu   A juste titre, on a appelé Grégoire « le docteur
ou l'homme pélerin   du désir[30] », en montrant que l'expérience spirituelle est liée pour lui au dynamisme intérieur qui porte l'homme vers Dieu, qui l'incite au dépassement de soi-même dans une progression ininterrompue. C'est par là que Grégoire est un des premiers et des principaux représentants, à l'intérieur de la culture monastique, de la tendance eschatologique. « Il ne propose pas, comme Cassien, l'idéal d'une *apatheia* accessible seulement à des moines pourvus, pour ainsi dire, d'une technique spirituelle spécialisée[31]. » Sa doctrine est plus largement humaine : elle décrit les diverses étapes du cheminement que l'âme doit suivre pour chercher Dieu, elle analyse les différents obstacles qu'elle rencontre sur cette route, elle lui apprend à ne pas se décourager et l'incite au contraire à ne jamais renoncer à cette course vers l'au-delà.

Dans ses homélies, Grégoire recourt fréquemment au langage du désir spirituel, qu'il cherche à stimuler chez ses auditeurs, moines, pasteurs ou simples fidèles[32]. Il use de termes très variés qui, chacun à sa manière, évoquent un mouvement de l'âme, comparé tantôt à une respiration (*anhelare, suspirare, inhiare*), tantôt à un embrasement (*aestuare, inardescere, incalescere, flagrare desiderio*), tantôt à une élévation (*ad caelestia subleuari, ad superna euolare*), tantôt à un voyage (*ad aeternam patriam transire, ad patriam tendere*). Grégoire s'affirme ainsi comme un des grands créateurs de ce vocabulaire pastoral et spirituel de la quête de Dieu, qui marquera profondément toute la théologie médiévale. Avec lui, l'eschatologie, même si elle demeure liée à l'histoire et dominée par l'attente du *dies domini*, s'intériorise de plus en plus[33]. A la façon d'un mystique,

---

29. Sur cet aspect fondamental de l'anthropologie grégorienne, cf. F. LIEBLANG, *op. cit.*, p. 34-43 (« *Der neue Mensch. Die Rückkehr zur paradiesischen Erkenntnis in der mystischen Erhebung* ») ; L. WEBER, *op. cit.*, p. 128-139 (« *Der Himmel als Ziel des Menschen* ») ; F. GASTALDELLI *Prospettive sul peccato in S. Gregorio Magno*, dans *Salesianum*, 28, 1966 : le péché est d'abord défini comme la tendance en vertu de laquelle « l'homme se détache de Dieu et préfère de façon exclusive la réalité changeante » (p. 66-75).

30. J. LECLERCQ, *L'amour des lettres et le désir de Dieu*, Paris, 1957, intitule le second chapitre de son ouvrage « S. Grégoire, docteur du désir » (p. 30-39).

31. *Ibid.* p. 33.

32. Cf. ID., *Termes de saint Grégoire exprimant le désir céleste*, dans *Studia Anselmiana*, XX, 1948, *Analecta monastica*, I, p. 90 : 22 termes ou expressions y sont dénombrés, uniquement dans les homélies.

33. Cf. F. C. GARDINER, *The pilgrimage of desire. A study of theme and genre in medieval literature*, Leiden, 1971, p. 11-35, montre que Grégoire est le véritable créateur du thème du pèlerinage intérieur. Il serait juste de reconnaître que ce thème était déjà familier à Augustin :

Grégoire s'attarde à analyser la dialectique interne du désir spirituel.

Cette dialectique est d'abord liée à la vision de Dieu, qui, du point de vue de l'homme, demeure toujours inachevée, parce que le créateur échappe aux prises de la créature[34]. D'où la persistance du désir, qui exclut à la fois le dégoût, puisque la transcendance divine nous entraîne toujours au-delà, et la satiété, puisque l'âme aspire sans celle à élargir ou à approfondir sa vision. Grégoire analyse le mécanisme de ce mouvement spirituel, en confrontant deux affirmations qui semblent incompatibles, celle de Pierre, selon laquelle « les anges désirent contempler Dieu » (1 *Pet.* 1, 12) et celle de Jésus, « Leurs anges aux cieux voient toujours la face de mon père qui est dans les cieux » (*Mat.* 18, 10). « De fait, les anges voient Dieu et désirent le voir ; ils ont soif de le contempler en même temps qu'ils le contemplent. Car s'ils ont un désir de le voir tel qu'ils ne jouissent pas du tout des effets de ce désir, ce désir sans fruit implique l'anxiété, et l'anxiété un châtiment. Or les anges bienheureux sont bien loin de tout châtiment d'anxiété, car le châtiment et la béatitude ne sont jamais compatibles. En revanche, quand nous disons que la vision de Dieu les rassasie, puisque le psalmiste déclare ' Je serai rassasié lorsque ta gloire se manifestera ' (*Ps.* 16, 15), nous devons songer que le dégoût suit habituellement la satiété. Pour bien montrer que les deux sont compatibles, la vérité peut déclarer ' qu'ils *voient* toujours ', et le prédicateur éminent ' qu'ils *désirent* toujours voir '. En effet, pour qu'il n'y ait pas d'anxiété dans le désir, ils sont rassasiés tout en désirant ; et pour qu'il n'y ait pas de dégoût dans la satiété, ils désirent après avoir été rassasiés. Leur désir est donc exempt de souffrance, car la satiété accompagne le désir ; et leur satiété est exempte de dégoût, car la satiété elle-même se nourrit toujours au feu du désir. Nous aussi nous serons pareils à eux quand nous parviendrons à la source même de la vie. Nous sentirons avec délices s'approfondir en nous la soif en même temps que la satiété[35]. » La vision angélique ainsi décrite est le

---

cf. *Conf.* 12, 15, 21 (éd. de Labriolle, II, p. 343), *de Ciu. Dei*, 19, 17 (*Bibl. aug.*, 37, p. 131-132), mais il est exact que Grégoire a davantage rattaché ce thème au désir de Dieu, au cheminement de l'âme vers l'éternité.

34. Sur ce problème, cf. F. Lieblang, *op. cit.*, p. 137-144 ; M. Frickel, *op. cit.*, p. 44-49, qui montrent tous deux que, pour Grégoire, l'âme humaine n'atteint jamais l'essence divine.

35. *Mor.* 18, 54, 91 (*PL*, 76, 94 B-C) : « Deum quippe angeli et uident, et uidere desiderant ; et sitiunt intueri et intuentur. Si enim sic uidere desiderant ut effectu sui desiderii minime perfruantur, desiderium sine fructu anxietatem habet, et anxietas poenam. Beati uero angeli ab omni poena anxietatis longe sunt, quia numquam simul poena et beatitudo conueniunt. Rursum cum eos dicimus Dei uisione satiari, quia et Psalmista ait : « Satiabor dum manifestabitur gloria tua », considerandum nobis est quoniam satietatem solet fastidium subsequi. Vt ergo recte sibi utraque conueniant, dicat ueritas : « quia semper uident » ; dicat praedicator egregius : « quia semper uidere desiderant ». Ne enim sit in desiderio anxietas, desiderantes satiantur ; ne autem sit in satietate fastidium, satiati desiderant. Et desiderant igitur sine labore, quia

modèle de la vision béatifique réservée à tous les élus. En cela, Grégoire reprend une affirmation augustinienne : nous verrons Dieu un jour comme les anges le voient déjà[36]. Mais il développe cette affirmation de façon originale : ce qui l'intéresse, c'est moins Dieu, en tant qu'il est l'objet du désir, que la logique propre à ce désir qui consiste à voir Dieu.

Il ne suffit donc pas de se demander si et dans quelle mesure l'homme est capable de voir Dieu lui-même[37], ni de comparer la mystique grégorienne à la mystique augustinienne[38] ; il faut aussi montrer positivement où réside l'originalité de Grégoire quand il traite du désir de voir Dieu. Elle ne consiste pas à rapprocher la vision béatifique de la vision angélique, mais à mettre en évidence le processus dialectique en vertu duquel Dieu comble à l'infini le désir de l'homme, l'antithèse traditionnelle de la satiété et du dégoût (*satiestas — fastidium*) servant à mesurer la force incoercible de ce processus : « Cette soif de Dieu est bien au-delà de la nécessité, cette satiété est bien au-delà du dégoût, puisqu'en buvant nous serons rassasiés et qu'après avoir bu, nous aurons soif[39]. » Et Grégoire conclut ce développement en revenant au problème de la vision après la mort qui était son point de départ : « Nous verrons donc Dieu et lui-même sera la récompense de notre peine, de sorte qu'après les ténèbres de notre condition mortelle, nous nous réjouirons d'accéder à sa lumière[40]. »

Aussitôt après, Grégoire évoque cette logique interne du désir sur un autre registre. Il commence par affirmer que Dieu demeure inaccessible et que nous ne le verrons pas tel qu'il se voit lui-même ; mais, comme d'habitude, il ne se contente pas de poser cette affirmation qui lui vient d'Augustin. Il la traduit immédiatement en termes de mouvement et de repos et décrit ainsi cette nouvelle dialectique : «Nous ne contemplons pas Dieu comme il se contemple lui-même, de même que nous ne reposons pas en Dieu comme il se repose en lui-même. Car notre vision ou notre repos seront de quelque manière semblables à sa vision ou

---

desiderium satietas comitatur ; et satiantur sine fastidio, quia ipsa satietas ex desiderio semper accenditur. Sic quoque et nos erimus quando ad ipsum fontem uitae uenerimus. Erit nobis delectabiliter impressa sitis simul atque satietas ».

36. Cf. *De ciuit. Dei*, 22, 29, 1 (*Bibl. aug.* 37, p. 690-692) : « Sic iam uident sancti angeli, qui etiam nostri angeli dicti sunt, quia eruti de potestate tenebrarum et accepto spiritus pignore translati ad regnum Christi ad eos angelos iam coepimus pertinere, cum quibus nobis erit sancta atque dulcissima... Dei ciuitas ipsa communis. » Augustin s'appuie sur le texte de Matthieu (18, 10) que cite également Grégoire.

37. Cf. F. LIEBLANG, *op. cit.*, p. 137 : « Kann Gott vom Menschen geschaut werden ? »

38. Cf. C. BUTLER, *Western mysticism*, Londres, 1927², p. 130-132.

39. *Mor.* 18, 54, 91 (94 C) : « Sed longe abest ab ista siti necessitas, longe a satietate fastidium, quia et sitientes satiabimur, et satiati sitiemus. »

40. *Ibid.* : « Videbimus igitur Deum, ipsumque erit praemium laboris nostri, ut post mortalitatis huius tenebras, accessa eius luce gaudeamus. »

à son repos, mais non identiques. Car pour nous empêcher de rester immobiles en nous-mêmes, pour ainsi dire, l'aile de la contemplation nous soulève, et nous arrachant à nous-mêmes nous entraîne vers sa vision ; emportés par l'élan de notre cœur et la douceur de la contemplation, nous allons en quelque sorte de nous à lui, et ce mouvement même qui nous fait aller vers lui nous soustrait au repos et cependant un tel mouvement est le repos parfait. Et il est donc le repos parfait, parce que l'on voit Dieu, et cependant, il ne se confond pas avec son repos à lui, qui ne passe pas de lui-même dans un autre pour se reposer. C'est donc, pour ainsi dire, un repos semblable et différent, car notre repos n'est qu'une imitation de ce qu'est le repos pour lui[41]. » Cette analyse très conceptuelle se rattache évidemment à la théodicée de Grégoire[42], qui présente Dieu comme la transcendance absolue. Mais, une fois de plus, son insistance porte moins sur Dieu lui-même que sur la façon dont l'homme participe à l'être divin. D'où la dialectique du mouvement et du repos, qui sert à marquer à la fois la distance et l'analogie entre le fini et l'infini, en même temps que la durée indéfinie de ce mouvement sans repos et de ce repos sans mouvement qui caractérisent le progrès du désir spirituel. Il est à remarquer enfin que ce passage conclut le dix-huitième livre des *Moralia* : c'est dire son caractère eschatologique ; puisque le commentaire exégétique cherche à coïncider avec le désir de l'être humain en quête de Dieu. La vision béatifique apparaît comme un espace sans limites et le désir de l'homme s'ouvre ainsi sur l'infini de Dieu.

On pourrait croire cependant que Grégoire se contente de décrire des sommets difficiles à atteindre et c'est précisément le tort des études qui l'envisagent exclusivement comme un auteur mystique que d'évoquer seulement cet aspect de son œuvre. En fait, comme j'ai déjà eu l'occasion de le souligner, Grégoire s'intéresse autant au cheminement qu'au terme de la route, et moins à l'objet du désir qu'à sa dialectique interne. Il ne se limite pas non plus à des expériences exceptionnelles, mais il lui arrive aussi de lier le thème du désir de Dieu à celui du pèlerinage terrestre. Il applique le verset de Job (21, 29), « Interrogez n'importe quel voyageur... », à la traversée qu'accomplit le chrétien en ce monde : « On

---

41. *Mor.* 18, 54, 93 (95 B-96 B) : «Non ita conspicimus Deum sicut ipse conspicit se, sicut non ita requiescimus in Deo quemadmodum ipse requiescit in se. Nam uisio nostra uel requies erit utcumque similis uisioni uel requiei illius, sed aequalis non erit. Ne enim iaceamus in nobis, ut ita dicam, contemplationis penna nos subleuat, atque a nobis ad illum erigimur intuendum, raptique intentione cordis, et dulcedine contemplationis, aliquo modo a nobis imus in ipsum, et iam hoc ipsum ire nostrum minus est requiescere, et tamen sic ire perfecte requiescere est. Et perfecta ergo requies est, quia Deus cernitur ; et tamen adaequanda non est requiei illius, qui non a se in alium transit ut quiescat. Est itaque requies, ut ita dicam, similis atque dissimilis, quia quod illius requies est, hoc nostra imitatur. »

42. D'ailleurs, M. Frickel cite ce passage dans son étude de la notion grégorienne du *spiritus incircumscriptus* (*op. cit.*, p. 47, 52).

appelle voyageur celui qui considère que la vie présente est pour lui un voyage, et non une patrie, qui ne se préoccupe guère de fixer son cœur dans l'amour du siècle qui passe, qui désire non pas demeurer au milieu des choses transitoires, mais parvenir aux biens éternels. Car celui qui ne souhaite pas être un voyageur en cette vie, ne dédaigne pas du tout les avantages de cette vie, et il est dans l'admiration, dès qu'il voit les autres posséder en abondance ce que lui-même désire[43] ».

Mais ce voyage terrestre ne vaut pas seulement pour des individus, car les chrétiens forment ici-bas le peuple des hommes en marche vers la patrie éternelle. « Quel est le peuple qui fait un pèlerinage en ce monde, sinon celui qui, dans sa course pour partager le sort des élus, sait qu'il a une patrie dans les cieux et qui espère d'autant plus y trouver ce qui lui appartient, qu'il considère que tous les biens qui passent ici-bas lui sont étrangers ? Le peuple pèlerin est donc composé de tous les élus, qui, considérant cette vie comme une sorte d'exil, aspirent à la patrie d'en haut de tout l'élan de leur cœur[44]. » Il est clair que ce thème du pèlerinage illustre la dimension collective du désir de Dieu[45] et c'est pourquoi Grégoire achève cette évocation sur une note nettement eschatologique, car si les bons et les méchants accomplissent ensemble ce pèlerinage terrestre, leur façon de l'accomplir déterminera le jugement qui les attend au terme de la route. « Ce désir de Dieu est ignoré de ceux qui fixent leur cœur dans les voluptés terrestres. N'aimant en effet que les réalités visibles, ils n'aiment évidemment pas les réalités invisibles, même s'ils croient à leur existence... En cette vie, ces deux peuples courent ensemble, mais ne parviennent pas ensemble à la vie éternelle, car « un torrent a séparé la pierre obscure et l'ombre de la mort du peuple en pèlerinage » (*Job.* 28, 4). C'est-à-dire : Ceux qui d'aventure se laissent aveugler par l'incrédulité ou endurcir par la cruauté, un fleuve de flammes qui jaillit de la face du juge éternel les sépare ce jour-là du peuple des élus de façon à ce que ce jour-là le feu de ses rigoureuses sentences éloigne des bons ceux qui, actuellement, au milieu de leurs concupiscences, sont aveuglés par les ténèbres des vices[46]. »

---

43. *Mor.* 15, 57, 68 (*PL*, 75, 1116 B = *SC*, 221, p. 118) : « Viator quippe dicitur qui praesentem uitam uiam sibi esse et non patriam attendit, qui in dilectione praetereuntis saeculi cor figere despicit, qui non remanere in transeuntibus, sed ad aeterna peruenire concupiscit. Qui enim in hac uita uiator esse non appetit, huius uitae prospera minime contemnit, et ea quae ipse desiderat, cum abundare aliis uiderit, miratur. »

44. *Mor.* 18, 30, 48 (*PL*, 76, 63 A) : « Quis autem in hoc mundo peregrinatur populus, nisi qui ad sortem electorum currens, habere se patriam nouit in caelestibus ; et tanto magis se illic sperat inuenire propria, quanto hic cuncta quae praetereunt esse a se deputat aliena ? Peregrinus est itaque populus, omnium numerus electorum, qui hanc uitam quoddam sibi exsilium deputantes, ad supernam patriam tota cordis intentione suspirant. »

45. Cf. F. C. GARDINER, *op. cit.*, p. 14.

46. *Mor.* 18, 30, 48 (*PL*, 76, 63 C-D) : « Sed hoc desiderium nesciunt qui cor in terrenis uoluptatibus defigunt. Dum enim sola quae sunt uisibilia

Le jugement dernier est le terme du pèlerinage : il opère la séparation entre les bons et les méchants qui sont présentement mêlés au sein de l'Église terrestre. Une fois de plus, Grégoire reprend à son compte un thème qui fait partie de l'ecclésiologie augustinienne, celui de la *permixtio*, mais il l'insère dans sa propre perspective, qui consiste à expliquer ce mélange des bons et des méchants par les orientations opposées du désir humain. Tandis que les élus traversent ce monde en aspirant aux biens de l'éternité, certains hommes ne sont mus que par l'attrait des plaisirs terrestres. Les uns et les autres participent au même pèlerinage, mais Dieu se réserve d'opérer à la fin le tri qui s'impose. Tandis que les bons seront admis dans la patrie céleste qui était leur but, les méchants seront rejetés loin de Dieu, car l'eschatologie manifeste et prolonge à la fois les désirs de l'homme en ce monde.

La fuite du monde   Le désir humain peut en effet se tourner soit vers Dieu, soit vers le monde. Grégoire ne se contente pas de constater ce fait ; il prêche énergiquement et constamment la fuite du monde, qui est une condition nécessaire pour que le désir de Dieu se développe pleinement et aboutisse à son terme. Remarquons tout d'abord que Grégoire parle plutôt de fuite du monde[47] que de mépris du monde[48]. A ses yeux, toute conversion véritable se marque par un renoncement aux biens de ce monde, richesses, honneurs ou plaisirs. La plupart des convertis qu'il donne en exemple, comme nous l'avons déjà vu, commencent à peu près tous par abandonner leur famille et leur patrimoine. Grégoire se rattache à cet égard à tout un courant de la spiritualité occidentale, qui comprend Augustin, Sulpice Sévère ou Césaire d'Arles et selon lequel il faut tout quitter pour suivre librement le Christ[49]. Il dépend aussi de la tradition monastique, qui impose la fuite du monde comme une condition indispensable à la recherche de

---

diligunt, profecto inuisibilia, uel si credunt esse, non diligunt, quia dum nimis se exterius sequuntur, etiam mente carnales fiunt. Simul enim in hac uita uterque populus currit, sed non simul ad perpetuam peruenit, quia « Lapidem caliginis et umbram mortis diuidit torrens a populo peregrinante. » Ac si aperte dicat : Eos quos modo uel infidelitas excaecat, uel crudelitas obdurat, flammarum fluuius a conspectu aeterni iudicis exiens, ab electorum tunc populo separat, ut tunc a bonis ignis districti examinis diuidat quos nunc in suis concupiscentiis tenebrae uitiorum excaecant. »

47. C'est en ces termes qu'il évoque notamment sa propre conversion (*Ep.* 5, 53, a, 1, *SC*, 32 bis, p. 116 : *ex huius uitae naufragio nudus euasi*) ou celle de Benoît (*Dial.* 2, éd. MORICCA, p. 71-72 : *retraxit pedem... recessit*).

48. Ce n'est pas un hasard si l'on ne mentionne pas le nom de Grégoire dans une série d'études sur « *La notion du mépris du monde dans la tradition spirituelle occidentale* », dans *RAM*, 41, 1965, 3, notamment dans l'article de J.-Cl. GUY, *La place du « contemptus mundi » dans le monachisme ancien* (*Ibid.*, p. 237-249).

49. Cf. Z. ALSZEGHY, *DSp*, V, 1599, art. *Fuite du monde* (dans l'Église occidentale).

Dieu et il se montre très exigeant dans l'application de ce principe fondamental.

Dans une lettre où il recommande à un sous-diacre de Ravenne de prendre des mesures d'exclusion contre des moines trop cupides, il a même cette formule intransigeante : « Que signifie l'habit du moine, sinon le mépris du monde ? Comment donc méprisent-ils le monde ceux qui, tout en vivant dans un monastère, cherchent à gagner de l'or[50] ? » Mais c'est le pape réformateur qui s'exprime ici, en rappelant des moines négligents au respect de leur règle. En fait, comme on l'a noté avec raison[51] son expérience de pasteur a fait peu à peu comprendre à Grégoire qu'un refus total du monde risquerait d'entraver la mission de l'Église, car le corps mystique comprend des vocations qui exigent d'accomplir une tâche dans le monde : à chacun de discerner alors celle qui lui revient, en mesurant ses propres limites[52].

D'autre part, Grégoire est loin d'être prisonnier d'une spiritualité trop strictement monastique, qu'il cherche plutôt à adapter à tous les chrétiens[53]. C'est pourquoi il invite les fidèles à pratiquer avant tout un renoncement intérieur : « Lorsque vous ne pouvez pas abandonner tous les biens de ce monde, tâchez de bien accomplir extérieurement les actes extérieurs, mais intérieurement, cherchez avec empressement les biens éternels. Qu'il n'y ait rien qui puisse retarder le désir de votre esprit, et qu'aucun plaisir ne vous retienne en ce monde[54]. » C'est le désir de l'éternité qui justifie la fuite du monde, et cette fuite sera d'autant plus résolue que le désir spirituel sera plus intense et plus libre. Commentant le précepte évangélique du détachement (*Mat.* 19, 29 : « Quiconque aura quitté maisons, frères, sœurs, père, mère, enfants ou champs à cause de mon nom, recevra le centuple et possédera la vie éternelle »), Grégoire s'efforce de dissiper toute illusion : « Aucun saint ne renonce aux biens terrestres, dans le but de pouvoir en ce monde les posséder

---

50. *Ep.* 12, 6 (*MGH*, II, p. 352 : janvier 602) : « Quid est autem habitus monachi, nisi despectus mundi ? Quomodo igitur mundum despiciunt qui monasterio positi aurum quaerunt ? »

51. Cf. L. WEBER, *op. cit.*, p. 127-128, remarque que Grégoire vante bien des fois la vie mixte et qu'il ne prêche la fuite du monde qu'au nom du désir de Dieu (p. 128, n. 2 : « Allerdings hat Gregor nie die Weltflucht und Weltverneinung um ihrer selbst willen gepredigt, sondern um der ewigen Heimat willen »).

52. Cf. *Mor.* 28, 10, 23 (*PL*, 76, 462 D) : « In praecipitio enim pedem porrigit qui mensurarum suarum limitem non attendit. Et plerumque amittit et quod poterat qui audacter ea ad quae pertingere non ualet arripere festinat. Nam et membrorum nostrorum tunc bene ministeriis utimur cum sua eis officia distincte seruamus. »

53. Cf. R. GILLET, *Spiritualité et place du moine dans l'Église*, dans *Théologie de la vie monastique*, Paris, 1961, p. 328.

54. *HEv* 2, 36, 13 (*PL*, 76, 1274 C) : « Cum relinquere cuncta quae mundi sunt non potestis, exteriora bene exterius agite, sed ardenter interius ad aeterna festinate. Nihil sit quod desiderium uestrae mentis retardet, nullius uos rei in hoc mundo delectatio implicet. »

en plus grand nombre, car quiconque abandonne la terre par attachement terrestre, n'abandonne pas la terre, mais la convoite. Et celui qui renonce à une seule épouse, n'en recevra pas cent ; mais le nombre cent exprime la perfection, consécutive à la vie éternelle qui nous est aussi promise, car quiconque, à cause du nom de Dieu, fait peu de cas des biens temporels et terrestres, reçoit dès ici-bas la perfection spirituelle, si bien qu'il ne convoite plus ce dont il fait peu de cas et dans le siècle à venir il parvient à la gloire de la vie éternelle[55]. » La véritable pauvreté dépend donc du détachement intérieur, qui est une grâce : « Il reçoit au centuple ce qu'il a donné celui qui accueillant en lui l'esprit de perfection, n'éprouve pas le besoin des biens terrestres, même s'il ne les a pas. Car celui-là est pauvre qui a besoin de ce qu'il n'a pas. Celui qui, n'ayant rien, ne désire pas avoir, est riche. La pauvreté réside en vérité dans le dépouillement spirituel, non dans la quantité des biens que l'on possède[56]. » Cette attitude de détachement, qui peut aboutir à la fuite du monde, a donc pour motif essentiel le désir de Dieu, l'obéissance aux commandements du Christ : c'est la pratique de la *uita euangelica*, mise à la portée de tous les fidèles, profondément intériorisée, rendue accessible à chacun, en fonction de ses conditions d'existence et du degré de sa générosité.

Mais ses convictions eschatologiques font que ce détachement n'est pas seulement chez Grégoire une attitude spirituelle. Il correspond à la certitude quasiment métaphysique qu'il a de la contingence radicale de ce monde et du caractère éphémère de la vie. Pour exprimer cette certitude, il use de nombreuses métaphores[57], dont beaucoup étaient déjà contenues dans la poésie biblique ou destinées à devenir traditionnelles dans la poésie médiévale : la vie humaine est une fleur des champs si tôt fanée qu'éclose[58], une ombre qui s'enfuit sous le soleil de Dieu[59], un

---

55. *HEz* 2, 6, 16 (*PL*, 76, 1007 C = *CCh*, 142, p. 307) : « Neque etenim sanctus quisque ideo terrena deserit, ut haec possidere in hoc mundo multiplicius possit, quia quisquis terreno studio terram relinquit, terram non relinquit, sed appetit. Nec qui unam uxorem deserit centum recepturus est ; sed per centenarium numerum perfectio designatur, postquam etiam uita aeterna promittitur, quia quisquis pro Dei nomine temporalia atque terrena contemnit, et hic perfectionem mentis recipit, ut iam ea non appetat quae contemnit, et in sequenti saeculo ad aeternae uitae gloriam peruenit. »

56. *Ibid.* (1007 C-D = p. 307) : « Centies itaque recipit quod dedit, qui perfectionis spiritum accipiens, terrenis non indiget, etiamsi haec non habet. Ille enim pauper est, qui eget eo quod non habet. Nam qui et non habens habere non appetit, diues est. Paupertas quippe in inopia mentis est, non in quantitate possessionis. »

57. Toutes ces métaphores sont mentionnées dans le livre de L. WEBER (*op. cit.*, p. 120-125) et dans l'article de R. WASSELYNCK (*art. cit.*, p. 68).

58. Cf. *Mor.* 11, 50, 67 (*PL*, 75, 984 A = *SC*, 212, p. 136) : « Homo etenim more floris procedit ex occulto, et subito apparet in publico, qui statim ex publico per mortem retrahitur ad occultum. »

59. Cf. *Mor.* 11, 50, 68 (*PL*, 75, 984 B = *SC*, 212, p. 138) : « Cur cursus uitae hominis umbrae potius quam soli comparatur nisi quia, amisso amore conditoris, calorem cordis perdidit et in solo iniquitatis suae frigore remansit ? »

point dans l'infini de la durée[60], un galet emporté par le fleuve et qui n'offre aucune stabilité[61], une moisson exposée au soleil, à la pluie et au vent et que l'on emporte un jour dans le grenier[62]. Grégoire s'efforce ainsi de faire ressortir le caractère essentiellement passager des choses humaines, qui dérive de la *mutabilitas* de ce monde, opposé à la *stabilitas* du monde de Dieu. Il évoque donc la brièveté de l'homme pour tourner les esprits vers l'éternité. C'est une autre façon de manier l'argument eschatologique, qu'il emploie par exemple dans cette lettre de 593 adressée à Priscus, haut fonctionnaire de la cour impériale : « Si nous faisons vraiment attention au cours de cette vie, nous n'y trouvons rien de solide, rien de stable. Mais de même qu'un voyageur chemine tantôt à travers des plaines, tantôt à travers des escarpements, de même, tant que nous demeurons dans cette vie, un jour survient le bonheur, un autre jour l'adversité, à la fin les deux se succèdent alternativement et se confondent à tour de rôle. Puisqu'en ce monde, par conséquent, la règle du changement (*ordo mutabilitatis*) corrompt toutes choses, nous ne devons pas laisser le bonheur nous élever, ni le malheur nous briser. Il faut donc que de tout notre esprit nous aspirions à ce monde où tout ce qui est solide demeure, où le bonheur n'est pas aboli par l'adversité[63]. » Ces conseils correspondent d'ailleurs aux avertissements plus généraux que contenaient déjà les *Moralia* : les méchants dont le sort est prospère auraient tort de se réjouir et d'oublier que leur bonheur ne peut qu'être momentané, en raison de la précarité radicale des biens terrestres[64].

---

60. *Mor.* 15, 43, 49 (*PL*, 75, 1105 C-D = *SC*, 221, p. 84) : « Quomodo nunc asseris quod in puncto ad inferna descendant, nisi quod omnis longitudo temporis uitae praesentis punctus esse cognoscitur, cum fine terminatur ? »

61. *Mor.* 20, 14, 36 (*PL*, 76, 158 A-B) : « Glarea namque est uita praesens, quae indesinenter ad terminum suum ipso defectu mutabilitatis, quasi impulsu fluminis ducitur. Super glaream itaque habitare et fluxui uitae praesentis inhaerere, et ibi intentionem ponere, ubi gressum nequeat fixe stando solidare. »

62. *Mor.* 6, 37, 62 (*PL*, 75, 765 B) : « Frumentum quippe in segete sole tangitur... pluuias accipit... uentis concutitur... paleas portat... ad aream deductum triturationis pendere premitur... et relictis paleis ad horreum ducitur. »

63. *Ep.* 3, 51 (*MGH*, I, p. 207 : juillet 593) : « Si uitae istius cursum ueraciter adtendamus, nihil in eo firmum, nihil inuenimus stabile. Sed quemadmodum uiator modo per plana, modo per aspera graditur, sic nobis utique in hac uita manentibus nunc prosperitas, nunc occurrit aduersitas, denique alternis sibi succedunt temporibus et mutua se uice confundunt. Dum igitur omnia in hoc mundo mutabilitatis corrumpat, nec eleuari prosperis nec frangi debemus aduersis. Tota ergo mente ad illum nos conuenit anhelare, ubi quicquid est firmum permanet, ubi non mutatur aduersitate prosperitas. »

64. *Mor.* 7, 25, 31 (*PL*, 75, 782 D) : « Stulta etenim mens cum malum repente inuenerit, quod nequaquam praeterit, aeternitatem eius tolerando intelligit, quia quod praeterire potuit uanum fuit. »

Bref, la situation de l'homme en ce monde est marquée par son caractère fragile et éphémère. L'homme et la vie humaine sont totalement dépourvus de permanence, affectés d'un mouvement incessant pareil au flux et au reflux de l'eau[65]. Cette instabilité fondamentale provient de notre condition de créature : l'homme est un être qui passe, alors que Dieu est l'Etre qui demeure. D'où la distance qui sépare l'homme de Dieu, car le premier est enfermé dans les limites du temps, alors que le second est le maître de l'éternité. Grégoire tient beaucoup à cette vérité fondamentale et il use de termes philosophiques pour l'exprimer plus nettement : « Quant à nous, nous évoluons à l'intérieur du temps, du fait que nous appartenons à la création. Mais Dieu, qui est le créateur de tout, saisit notre temps dans son éternité[66]. » On a démontré que cette façon de concevoir les rapports mutuels de l'éternité et du temps se rattache bien plus à Hilaire qu'à Augustin[67]. Il est vrai que Grégoire ne cherche pas à élaborer une théologie de l'histoire, qui éclairerait le destin des hommes et des Empires, mais, plus simplement, à montrer la caducité du monde, par rapport à la transcendance du Créateur, afin de stimuler dans les esprits le désir de l'éternité. C'est bien en moraliste et en spirituel qu'il prêche la fuite du monde ; mais ses exhortations s'appuient sur une certaine conception du monde, considéré comme le lieu d'un passage qui précède et prepare obligatoirement l'entrée dans l'éternité. Il ne se lasse pas de le répéter : « Il nous est impossible d'avoir un état fixe ici-bas, où nous venons pour passer : et cette vie elle-même que nous menons n'est qu'un passage quotidien hors de cette vie[68]. » Il faut donc nous préparer à ce terme inévitable qu'est la mort : « Puisque nous sommes destinés à mourir, cette vie elle-même est comme une marche vers la mort[69]. » Cette métaphysique de la contingence aboutit donc à l'eschatologie : comment l'homme pourrait-il s'appuyer sur des biens qui passent, alors que Dieu constitue un appui solide et durable ?

Cependant, on doit admettre que cette vision du monde, ce sentiment constant de la fragilité des choses humaines ne découle pas seulement chez Grégoire de présupposés philosophiques : il est également le fruit des circonstances historiques, qui ne pouvaient que renforcer les convic-

---

65. Cf. *Mor.* 12, 7, 10 (*PL*, 75, 991 C = *SC*, 212. p. 162) : « Qua in re uigilanter intuendum est quia uita praesens, uidelicet quousque anima moratur in corpore, mari comparatur et fluuio. »

66. *Mor.* 16, 43, 54 (*PL*, 75, 1147 A = *SC*, 221, p. 218) : « Nos itaque intra tempora voluimur, per hoc quod creatura sumus. Deus autem qui creator est omnium aeternitate sua tempora nostra comprehendit. »

67. Cf. M. Frickel (*op. cit.*, p. 78-84) montre que Grégoire s'appuie sur les mêmes versets bibliques qu'Hilaire pour affirmer la transcendance de Dieu.

68. *Mor.* 11, 50, 68 (*PL*, 75, 984 C = *SC*, 212, p. 138) : « Fixum etenim statum hic habere non possumus, ubi transituri uenimus, atque hoc ipsum nostrum uiuere quotidie a uita transire est. »

69. *Mor.* 25, 3, 4 (*PL*, 76, 321 C) : « Hoc ipsum enim morituros uiuere quasi ad mortem ire est. »

tions de cet esprit si peu spéculatif. Or Grégoire se trouve en présence d'un monde en plein bouleversement, dont la décadence lui semble irrémédiable. Il multiplie dans ses homélies les déclarations pessimistes, parlant de ce « monde vieillissant[70] », et évoquant en des termes à la fois prophétiques et apocalyptiques la ruine de Rome et l'approche de la fin du monde[71]. Si bien que la fuite du monde devrait être l'attitude normale des chrétiens sensibles aux avertissements que Dieu leur donne. C'est là un thème fréquent des homélies grégoriennes, orchestré sur des registres variés qui vont de la simple exhortation à la colère et à l'indignation. « Il est facile de nos jours alors que nous assistons à la destruction de tout, de détacher notre esprit de l'amour du monde. Cela était beaucoup plus difficile au temps où les apôtres étaient envoyés prêcher l'invisible royaume des cieux, où l'on voyait prospérer de tous les côtés tous les royaumes de la terre[72]. » Mais à présent il serait inconcevable que les malheurs du monde n'incitent pas les chrétiens au repentir : c'est pourquoi Grégoire fustige énergiquement ceux qui resteraient insensibles à ces *flagella Dei*. « Ce sont des villes ravagées, des places fortes saccagées, des campagnes dévastées, des églises rasées que nous avons sous les yeux, et pourtant nous suivons encore nos pères dans leurs iniquités, nous ne renonçons pas à leur orgueil dont nous avons été témoins. Et eux du moins commettaient le péché au milieu des joies, mais pour nous, c'est au milieu des épreuves, ce qui est plus grave. Mais voici que le Dieu tout-puissant, venant juger nos iniquités, a déjà fait disparaître nos ancêtres, nous a déjà appelés devant son tribunal. C'est de nous désormais qu'il attend la pénitence, c'est nous qu'il supporte pour que nous revenions à lui[73]. » Grégoire emploie ici le langage d'un prophète : la décadence de Rome lui semble un jugement historique de Dieu qui prélude au jugement dernier et peut constituer une occasion providentielle de conversion.

En devenant plus humbles, ses compatriotes expieront les fautes que l'orgueil a fait commettre à leurs ancêtres. Une telle appréciation du passé explique l'antithèse qu'il établit entre la lâcheté de ses contem-

70. *HEv* 1, 1, 1 (*PL*, 76, 1077 C) : « ... senescentem mundum quae mala sequantur... »

71. Cf. *HEz* 2, 6, 22-24 (*PL*, 76, 1009 D - 1012 A = *CCh*, 142, p. 310-313).

72. *HEv* 1, 4, 2 (*PL*, 76, 1090 C) : « Facile est ergo nunc iam cum destructa omnia cernimus nostrum ab eius dilectione disiungere. Sed hoc illo in tempore difficillimum fuit, quo tunc praedicare coelorum regnum inuisibile mittebantur, cum longe lateque omnia cernerent florere regna terrarum. »

73. *HEz* 1, 9, 9 (*PL*, 76, 874 A-B = *CCh*, 142, p. 128) : « Vrbes erutas, euersa castra, depopulatos agros, suffossas ecclesias uidemus ; et tamen adhuc parentes nostros ad iniquitates sequimur, ab eorum elatione quam uidimus non mutamur. Et illi quidem inter gaudia, nos uero, quod est grauius, et inter flagella peccamus. Sed ecce omnipotens Deus iniquitates iudicans, iam priores nostros abstulit, iam ad iudicem uocauit. Nos adhuc ad poenitentiam exspectat, nos ad reuertendum sustinet. »

porains et le courage des martyrs Nérée et Achillée : « Ces saints, près du tombeau desquels nous nous trouvons, ont piétiné un monde florissant que leur âme dédaignait. On y avait une vie longue, une sécurité continuelle, l'abondance matérielle, la fécondité familiale, la tranquillité dans une paix durable ; et cependant, alors qu'en lui-même il était florissant, ce monde s'était déjà desséché dans leurs cœurs. Et voici qu'à présent, notre monde s'est desséché en lui-même et qu'il est encore florissant dans nos cœurs. Partout la mort, partout le deuil, partout la désolation, partout on nous frappe, partout nous sommes remplis d'amertumes ; et cependant parce que notre esprit est aveuglé par la concupiscence charnelle, nous aimons les amertumes mêmes de ce monde, nous l'escortons alors qu'il s'enfuit, nous nous y attachons alors qu'il s'effondre. Et puisqu'il nous est impossible d'empêcher son effondrement, nous nous effondrons avec lui, et nous le retenons dans sa chute. Jadis le monde nous avait retenus avec lui par ses plaisirs ; à présent il est rempli de si grands fléaux que c'est lui qui désormais nous oriente vers Dieu[74]. »

Ces deux derniers textes s'inspirent de deux perspectives que j'ai déjà distinguées : dans le premier, Grégoire se souvenant sans doute de la *Cité de Dieu*, présente les malheurs de Rome comme un châtiment envoyé par Dieu pour punir l'orgueil des chefs païens ; dans le second, il les rattache plutôt au processus naturel de vieillissement du monde, et il s'exprime alors en chef chrétien qui cherche à raviver la foi du temps des persécutions : c'est une autre solidarité qu'il y affirme, non plus celle qui fait payer aux descendants les fautes de leurs ancêtres, mais celle qui devrait rendre les fidèles du vi[e] siècle dignes de leurs prédécesseurs dans le combat de la foi. Peut-être faut-il penser que ces deux solidarités, la païenne et la chrétienne, se partageaient encore le cœur de Grégoire. Il est certain, en toute hypothèse, que l'état lamentable de Rome et de l'Italie était à ses yeux une raison nécessaire et suffisante de fuir le monde, quelle que soit la façon dont on pouvait interpréter cet état : s'il s'agissait d'une punition divine, il fallait en tirer profit pour faire pénitence ; s'il s'agissait d'un déclin naturel, mieux valait rechercher le bonheur stable de l'éternité. Dans les deux cas, il était aisé de dénoncer l'absurdité des chrétiens encore attachés à ce monde.

---

74. *HEv* 2, 28, 3 (*PL*, 76, 1212 C- 1213 A) : « Sancti isti, ad quorum tumbam consistimus, florentem mundum mentis despectu calcauerunt. Erat uita longa, salus continua, opulentia in rebus, fecunditas in propagine, tranquillitas in diuturna pace ; et tamen cum in seipso floreret, iam in eorum cordibus mundus aruerat. Ecce iam mundus in seipso aruit, et adhuc in cordibus nostris floret. Vbique mors, ubique luctus, ubique desolatio, undique percutimur, undique amaritudinibus replemur ; et tamen caeca mente carnalis concupiscentiae ipsas eius amaritudines amamus, fugientem sequimur, labenti inhaeremus. Et quia labentem retinere non possumus, cum ipso labimur, quem cadentem tenemus. Aliquando nos mundus delectatione sibi tenuit ; nunc tantis plagis plenus est, ut ipse nos iam mundus mittat ad Deum. »

Cependant, même quand il recourt à l'argument eschatologique, Grégoire n'oublie pas les nuances de la psychologie humaine. Il sait par expérience qu'il est parfois très dur de se détacher du monde pour se consacrer à Dieu. Voici comment il reconstitue les drames de conscience de ceux qui ont du mal à abandonner leurs fonctions et que Dieu décide peu à peu à accomplir la rupture définitive qui seule les délivrera : « Il est certains hommes qui comprennent le bien qu'ils devraient faire, mais qui renoncent à le faire ; ils voient ce qu'ils devraient accomplir, mais leur désir n'a pas de suite. Très souvent, il arrive que ces hommes, au sein même de leurs désirs charnels, se heurtent aux contrariétés de ce monde, qu'ils s'efforcent d'atteindre la gloire temporelle sans y parvenir, et qu'en se proposant de voguer vers les plus lourdes responsabilités de ce siècle, comme à travers la haute mer, ils soient toujours repoussés par des vents contraires vers le rivage de leur humiliation. Et, se voyant brisés dans leurs ambitions par l'opposition du monde, ils se souviennent de ce qu'ils doivent personnellement à leur créateur, si bien qu'ils retournent vers lui pleins de honte, eux qui, dans leur orgueil, étaient en train de l'abandonner pour l'amour du monde. Souvent, en effet, certains qui veulent poursuivre la gloire temporelle, ou bien dépérissent d'une longue maladie, ou bien s'écroulent sous le coup des injures, ou bien supportent le contre-coup des graves dommages qu'ils ont subis, et, au milieu des souffrances de ce monde, ils voient qu'ils n'auraient dû avoir aucune confiance en ses jouissances, et, faisant eux-mêmes la critique de leurs propres ambitions, ils tournent leurs cœurs vers Dieu[75]. » Ce passage ne traite pas directement de l'eschatologie et se rattache apparemment à la doctrine grégorienne des *flagella Dei*[76] : des événements malheureux peuvent favoriser la conversion des cœurs, qu'ils blessent pour mieux les guérir. Pourtant, ces allusions à l'*aduersitas mundi* se comprennent aussi dans le contexte général de la spiritualité eschatologique de Grégoire. Le terme *desiderium* y désigne aussi bien l'attachement coupable aux prestiges du monde, le désir de la gloire ou des plaisirs, que l'exigence du dépassement spirituel, le désir de

---

75. *HEv* 2, 36, 9 (*PL*, 76, 1271 A-B) : « Nam sunt nonnulli qui bona facienda intelligunt, sed haec facere desistunt ; uident quae agere debeant, sed haec ex desiderio non sequuntur. His plerumque, ut superius diximus, contigit ut eos in carnalibus desideriis suis mundi huius aduersitas feriat ; apprehendere temporalem gloriam conentur, et nequeant ; et dum per alta pelagi quasi ad grandiores curas huius saeculi nauigare proponunt, semper aduersis flatibus ad deiectionis suae littora repellantur. Cumque se frangi in desideriis suis, aduersante mundo, conspiciunt, quid de se auctori suo debeant commemorantur, ita ut ad eum erubescentes redeant, qui eum superbientes pro mundi amore deserebant. Saepe namque nonnulli ad temporalem gloriam proficere uolentes, aut longa aegritudine tabescunt, aut afflicti iniuriis concidunt, aut percussi grauibus damnis affliguntur, et in mundi dolore uident quia nihil confidere de eius uoluptate debuerunt, seque ipsos in suis desideriis reprehendentes, ad Deum corda conuertunt. »
76. Cf. *Mor.* 6, 25, 42 (*PL*, 75, 752 B-C) ; sur cette doctrine, on pourra consulter les commentaires de R. GILLET (art. *Grégoire, DSp.*, VI, 889).

Dieu. Et surtout, ces développements sur les réflexions salutaires que provoque parfois l'échec reflètent dans le domaine de l'expérience les convictions affirmées ailleurs de façon générale sur la contingence du monde ou l'approche du jugement dernier. Consciemment ou non, Grégoire est fidèle à sa méthode : il sait et il montre que la vie se charge elle-même d'apprendre aux hommes leur finitude et les oblige ainsi à comprendre que Dieu seul ne déçoit pas. L'insatisfaction qui naît de l'*aduersitas mundi* suscite en eux des dispositions qui les préparent à connaître les joies du monde à venir ; leur âme « est tourmentée par le désir de Dieu, tout ce qui leur plaisait dans le monde perd sa valeur ; il n'est plus rien qui leur agrée, hormis le Créateur, et ce qui naguère charmait leur esprit devient dès lors terriblement insupportable[77]. »

---

77. *HEv* 2, 25, 2 (*PL*, 76, 1191 A) : « Fit desiderio anxia, uilescunt in saeculo cuncta quae placebant, nihil est quod extra conditorem libeat, et quae prius delectabant animum, fiunt postmodum uehementer onerosa. »

CHAPITRE IX

La représentation grégorienne de l'au-delà

Intentions générales   Cette « spiritualité eschatologique », qui met
et genres littéraires   l'accent sur la quête de Dieu et la fuite du monde,
comporte évidemment une méditation sur l'au-delà.
Pour Grégoire, la vie spirituelle est toute polarisée par l'attente du ciel ;
elle implique une tension constante qui oriente les hommes vers les
biens du monde à venir. Il n'est donc pas étonnant que l'auteur des
Moralia et des *Dialogues* évoque à maintes reprises le terme du pèlerinage
terrestre, le passage du monde à l'éternité, allant même jusqu'à décrire
la présence anticipée de l'au-delà dans le temps et les divers lieux réservés
par Dieu aux élus et aux réprouvés. Mais ce qui demeure assez étonnant
à première vue, c'est la façon dont Grégoire exécute ces descriptions.
On pense immédiatement au quatrième livre des *Dialogues*, où s'accumulent des visions sur la vie d'outre-tombe, qui sont parfois d'un réalisme
outrancier. Quel contraste entre ces représentations du paradis ou de
l'enfer, ces récits de l'envol des âmes vers le ciel, et la spiritualisation
de l'au-delà que l'on trouve dans les *Moralia*, où le séjour céleste des
âmes apparaît comme le prolongement des bons ou des mauvais désirs
qu'elles eurent durant leur vie terrestre ! Faut-il se borner à constater
un pareil contraste, en arguant de la différence des genres littéraires et
en considérant ce quatrième livre des *Dialogues* comme la source de
ce merveilleux chrétien relatif à l'au-delà, qui alimentera la piété médiévale ? C'est en grande partie le jugement de la postérité, qui a cru pouvoir
tirer de ces récits des indications précises sur le feu de l'enfer[1], les peines
du purgatoire[2], l'usage de trente messes pour la délivrance des âmes[3].

---

1. Cf. art. *Enfer*, dans *DSp.*, IV, 735-736.
2. Cf. art. *Purgatoire*, dans *DTC*, 13, 1225-26 : « Avec lui (Grégoire),
l'évolution de la théologie du purgatoire est terminée. Ses œuvres fournissent sur le sujet une abondante littérature ».
3. Cf. art. *Trentain*, dans *DTC*, 15, 1408-1414.

C'est aussi la raison pour laquelle les détracteurs de Grégoire ne lui pardonnent pas d'avoir été à l'origine de ce catholicisme populaire qui mêle si facilement la fiction à la réalité et traite de l'invisible avec une facilité déconcertante.

Mais ne faudrait-il pas aussi critiquer ces appréciations historiques qui risquent de fausser l'examen des textes grégoriens sur l'au-delà ? Car ceux qui se sont inspirés de Grégoire pour prouver la réalité quasi-matérielle de l'invisible ou qui lui reprochent d'avoir abâtardi la foi chrétienne en y introduisant des croyances superstitieuses commettent tous une même erreur. Ils oublient d'abord que Grégoire n'est pas un créateur totalement original, mais l'héritier d'une tradition, qui le rend plus proche d'Augustin que de Jacques de Voragine. En méditant sur le sort des âmes après la mort, en illustrant ce thème par des exemples précis, Grégoire reste fidèle à son intention permanente : utiliser, en les rendant accessibles au plus grand nombre, les grandes intuitions d'Augustin sur le destin éternel des hommes, telles qu'elles s'expriment surtout dans la *Cité de Dieu*. C'est ainsi qu'il reprend le principe affirmé par Augustin : les âmes seront les premières à bénéficier de la béatitude céleste, aussitôt après la mort, mais, après la résurrection, elles seront de nouveau unies à des corps spirituels également associés à cette béatitude[4]. Grégoire, à la fin de la préface des *Moralia*, commente la phrase de l'*Apocalypse* (6, 11) sur les justes qui reçoivent une robe blanche : « Avant la résurrection, chacun, est-il dit, ne recevra qu'une robe parce que seules encore les âmes jouissent de la béatitude ; et c'est donc comme une deuxième robe qu'ils recevront, quand, par-delà cette joie parfaite des âmes, leurs corps seront revêtus d'incorruptibilité[5]. » Au quatrième livre des *Dialogues*, il pose le même problème en des termes à peine différents. Pierre lui demande : « Si donc les âmes des justes sont maintenant au ciel, que doivent-ils recevoir au jour du jugement pour la récompense de leur justice ? » et il répond ceci : « Cette récompense s'accroît assurément pour eux lors du jugement, car ils ne jouissent maintenant que de la béatitude des âmes, mais, par la suite, ils jouiront aussi de la béatitude des corps, de manière à goûter aussi la joie dans la chair même, où ils ont enduré pour le Seigneur des douleurs et des tourments... » Et, après avoir cité le même verset de l'*Apocalypse* que dans les *Moralia*, il conclut : « Ceux qui ont maintenant reçu chacun une robe, en recevront deux lors du jugement, car s'ils ne jouissent pour l'instant que de la gloire des âmes, ils jouiront alors à la fois de la gloire des âmes et de

---

4. Cf. *De civ. Dei*, 13, 20 (*Bibl. aug.*, 35, p. 307-311) ; 20, 10 (37, p. 243-245) ; et toute la première partie du livre 22 (37, p. 537-641).

5. *Mor. préf.*, 10, 20 (*PL*, 75, 528 B = *SC*, 32 bis, p. 172) : « Ante resurrectionem quippe stolas singulas accepisse dicti sunt, quia sola adhuc mentis beatitudine perfruuntur. Binas ergo accepturi sunt, quando cum animarum perfecto gaudio, etiam corporum incorruptione uestientur. »

celle des corps[6]. » On constate donc ici une ressemblance presque totale entre le texte des *Moralia* et celui des *Dialogues* : cela ne prouve-t-il pas que l'unité d'inspiration est première et précède la différence qui existe entre les genres littéraires ? Grégoire, quand il médite sur l'au-delà entend se situer très explicitement dans le sillage de la tradition augustinienne : après la mort, les âmes vivent auprès de Dieu, en attendant la résurrection finale, qui les réunira à leurs corps. Cette certitude d'une vie par delà la mort aura pour conséquences soit les exhortations à l'espérance, qui soutiennent le juste en butte aux épreuves de la vie présente, comme Job dans les *Moralia*, soit les preuves de la survie, données par les visions ou les miracles que contiennent les *Dialogues*.

Mais on peut aller plus loin, en se demandant si, par delà la diversité des genres littéraires et le contraste indéniable qui existe entre le moraliste qui cherche à stimuler le désir de l'éternité et le conteur populaire qui semble ajouter foi à des légendes naïves, il n'y aurait pas, pour l'ensemble de l'œuvre grégorienne, un point de vue dominant sur la réalité de l'au-delà. Quelle est la perspective de Grégoire, lorsqu'il aborde, en moraliste aussi bien qu'en conteur populaire, ce mystère de la destinée éternelle des hommes ? En quoi cette perspective est-elle originale et comment s'harmonisent les divers éléments qui la composent ?

Tout d'abord, il est possible de répondre à ces questions de manière négative. Grégoire n'est en aucune façon un imitateur de Virgile ou un précurseur de Dante[7] : il n'a pas composé une épopée, pour retracer un voyage outre-tombe, ni pour raconter l'ascension des âmes vers le ciel ou leur descente aux enfers. S'il traite de l'au-delà, ce n'est pas du tout en poète, si bien que ses descriptions du monde invisible paraissent plutôt grossières, par exemple quand il évoque le paysage infernal (un pont noir au-dessus d'un fleuve sombre recouvert d'un brouillard très épais)[8], qu'il localise le feu de l'enfer et du purgatoire au voisinage des stations thermales[9] ou qu'il montre Benoît apercevant l'âme de Germain

---

6. *Dial.* 4, 26 (éd. Moricca, p. 264) : « Si igitur nunc sunt in caelo animae iustorum, quid est quod in die iudicii pro iustitiae suae retributione recipiant ? — Hoc eis nimirum crescit in iudicio, quod nunc animarum sola, postmodum uero etiam corporum beatitudine perfruuntur, ut in ipsa quoque carne gaudeant, in qua dolores pro Domino cruciatusque pertulerunt... Qui itaque nunc singulas acceperunt, binas in iudicio stolas habituri sunt, quia modo animarum tantummodo, tunc autem animarum simul et corporum gloria laetabuntur. »

7. Sur la dépendance de Dante par rapport à Virgile, cf. E. R. Curtius, *La littérature européenne et le Moyen Age latin*, trad. de J. Bréjoux, Paris, 1956, p. 439-442.

8. *Dial.* 4, 37 (p. 287) : « ... pons erat, sub quo niger atque caliginosus foetoris intolerabilis nebulam exhalans fluuius decurrebat. »

9. *Dial.* 4, 42 (p. 299) : « ... Germano Capuano episcopo... medici pro corporis salute dictauerant, ut in Angulanis thermis lauari debuisset. Qui ingressus easdem thermas, praedictum Paschasium diaconum stantem et obsequentem in caloribus inuenit. »

de Capoue emportée au ciel par les anges dans une sphère de feu[10]. Certes, il est légitime de penser que tout ce qu'il y a de fantastique ou de merveilleux dans ces représentations provient de la tradition antique. Grégoire connaissait sans doute le sixième livre de l'*Énéide*, au moins à travers Augustin[11], ou le commentaire de Macrobe sur le *Songe de Scipion*[12]. Mais il n'entend pas se livrer à une exploration du monde infra- ou supra-terrestre. Son but ne consiste pas à retracer le voyage qu'entreprendraient dans l'au-delà des héros chrétiens, mais demeure celui d'un moraliste qui veut inspirer l'horreur des supplices infernaux ou d'un hagiographe qui désire exalter la puissance de la contemplation chez les saints. Il utilise donc certaines représentations héritées de l'Antiquité païenne pour mieux toucher ses auditeurs.

Pas plus qu'il ne faut chercher dans les écrits de Grégoire une poésie de l'au-delà, il ne faut y chercher une réflexion sur les fins dernières. Ni le quatrième livre des *Dialogues*, ni les développements eschatologiques par lesquels s'achèvent certains livres des *Moralia* ne sont comparables aux quatre derniers livres de la *Cité de Dieu*. Même quand il traite du bonheur des justes au paradis ou du châtiment des damnés en enfer, Grégoire obéit à un dessein qui est plus pédagogique que proprement théologique. Ainsi s'expliquent ses efforts pour écarter des idées trop « matérialistes » au sujet du feu et de l'enfer. « Le feu de la géhenne, écrit-il dans les *Moralia*, bien qu'il soit physique et qu'il brûle physiquement les réprouvés qui y sont envoyés, n'est pas allumé par les soins des hommes, ni entretenu avec du bois, mais créé une fois pour toutes, il dure sans jamais s'éteindre, n'a pas besoin d'être allumé et ne manque pas d'ardeur[13]. » Il prolonge cette affirmation dans les *Dialogues* en répondant à une objection fondée sur le caractère incorporel de l'âme : bien qu'immatérielle, celle-ci subit réellement les effets du feu matériel, parce que ces effets sont invisibles[14]. C'est tout le problème des rapports

---

10. *Dial.* 2, 35 (p. 129) : « Qui uenerabilis pater, dum intentam oculorum aciem in hoc splendore coruscae lucis infigerit, uidit Germani Capuani episcopi animam in sphera ignea ab angelis in caelum ferri. »

11. Plusieurs passages de ce livre sont cités par Augustin quand il aborde la question de la purification par le feu. Cf. *De civ. Dei*, 21, 13 (*Bibl. aug.*, 37, p. 436) : « (Les âmes) sont donc tourmentées de peines, et pour leurs crimes passés, elles expient dans les supplices ; les unes se balancent inertes, suspendues aux vents ; pour les autres, la souillure du crime est lavée au fond du vaste abîme ou bien brûlée au feu » (*En.* 6, 739-742). Ceux qui pensent ainsi n'admettent après la mort que des peines purifiantes... »

12. Cf. P. Courcelle, *La vision cosmique de saint Benoît*, dans *REAug.* 13, 1967, p. 110-114.

13. *Mor.* 15, 29, 35 (*PL*, 75, 1098 D = *SC*, 221, p. 62) : « ... Gehennae ignis, cum sit corporeus, et in se missos reprobos corporaliter exurat, nec studio humano succenditur, nec lignis nutritur, sed creatus semel durat inextinguibilis et succensione non indiget, et ardore non caret. »

14. *Dial.* 4, 30 (p. 272) : « Sicque fit ut res corporea incorpoream exurat, dum ex igne uisibili ardor ac dolor inuisibilis trahitur, ut per ignem corporeum mens incorporea etiam incorporea flamma crucietur. »

entre l'invisible et le visible, appliqué ici aux rapports entre l'âme et le feu de l'enfer. Ces derniers développements, conformes à l'anthropologie grégorienne et à sa théorie de la connaissance, ne s'opposent pas aux représentations plus grossières que nous avons signalées un peu plus haut. Dans les deux cas, ce qui préoccupe Grégoire, c'est la possibilité d'une expérience spirituelle des réalités invisibles qui constituent l'au-delà.

La mort et les preuves d'un au-delà de la mort   Nous sommes maintenant mieux à même de préciser de façon positive sa perspective dominante, lorsqu'il aborde de telles questions, aussi bien dans les *Moralia* que dans les *Dialogues*. Comme il a coutume de le faire dans d'autres domaines, Grégoire se réfère avant tout à l'expérience humaine et spécialement à l'expérience de la mort. Sa réflexion sur l'au-delà tourne presque toujours autour de ce moment crucial, à travers lequel va s'accomplir l'entrée dans le monde invisible. La peur de la mort s'explique par l'attente du jugement. Voici comment Grégoire fait dans les *Moralia* le portrait des hommes qui voient approcher avec crainte l'heure décisive. On notera au passage la finesse du psychologue, habitué à scruter les moindres mouvements de l'âme et à noter leurs manifestations physiques[15] : « Souvent les élus, même malgré eux, voient s'insinuer dans leur conscience ce qu'ils examinent avec soin dans leur for intérieur et ils songent à leur culpabilité sous le regard de Dieu ; et bien qu'ils redoutent toujours les jugements sévères qu'il porte sur tout cela, une vive crainte les saisit pourtant au moment où, sur le point de payer la dette de l'humaine condition, ils s'aperçoivent qu'ils sont proches du juge sévère. Et leur crainte se fait d'autant plus aiguë, que la rétribution éternelle est plus proche. Devant les yeux de leurs cœurs ne vole plus aucun vain phantasme né de leur imagination, car, tout s'étant écarté de devant eux, ils ne voient plus qu'eux-mêmes et celui dont ils s'approchent. L'épouvante grandit devant l'approche de la rétribution et la menace d'une dissolution de la chair, et la frayeur est d'autant plus vive que désormais l'on touche pour ainsi dire de plus près au jugement sévère[16]. » Ces réflexions sur

---

15. Ce portrait des mourants confirme les observations faites à partir d'exemples différents par F. GASTALDELLI dans son article *Teologia e retorica in S. Gregorio Magno. Il ritratto nei Moralia in Job*, dans *Salesianum*, 29, 1967, p. 269-299.

16. *Mor.* 24, 11, 32 (*PL*, 76, 305 C) : « Saepe ergo electis etiam nolentibus in cogitatione subrepitur quod in se quidem solerter inspiciunt, et ante Dei oculos quanti sit reatus attendunt ; et cum de his omnibus semper iudicia districta pertimescant, tunc tamen haec uehementer metuunt, cum ad soluendum humanae conditionis debitum uenientes, districto iudici appropinquare se cernunt. Et fit tanto timor acrior, quanto et retributio aeternae uicinior. Ante oculos autem cordis nihil inane tunc transuolat de phantasmate cogitationis, quia subductis e medio omnibus, se et illum tantummodo considerant, cui appropinquant. Crescit pauor uicina retributione iustitiae, et urgente solutione carnis, quanto magis districtum iudicium iamiamque quasi tangitur, tanto uehementius formidatur. »

l'entrée dans l'éternité expliquent que le dernier livre des *Dialogues* renferme de très nombreux récits de morts, terrifiantes ou sereines : morts de réprouvés, comme cet enfant de cinq ans qui se voit emporté par les démons et appelle au secours son père qui lui avait appris à blasphémer[17] ; ou, tout à l'opposé, morts de saints et de saintes, comme la jeune Musa, que la Vierge Marie vient chercher pour l'entraîner au ciel, trente jours après lui avoir recommandé de mener une vie parfaite[18]. Ces interventions surnaturelles remplissent la même fonction que les réflexions naturelles que provoque l'approche de la mort d'après les *Moralia* : rendre les chrétiens attentifs au sort qu'ils connaîtront après leur mort, susciter en eux la certitude qu'une autre vie commence alors, dont il dépend d'eux qu'elle soit éternellement heureuse ou malheureuse. Sans aller jusqu'à dire que « la mort est le sujet préféré de Grégoire[19] », il faut reconnaître qu'elle occupe une grande place dans son œuvre. Sa spiritualité eschatologique est inséparable d'une méditation sur les derniers instants de l'existence humaine.

La crainte de la mort fait partie de cette componction du cœur, si finement analysée par Grégoire[20], et qui prépare l'homme à rencontrer Dieu dans l'éternité. Car la componction provient à la fois du sentiment de repentir et d'humilité, qui envahit la créature lorsqu'elle se souvient de ses fautes et se prépare à paraître devant le Juge suprême, et de l'aspiration ardente à la vie éternelle qui élève l'âme jusqu'à Dieu. Grégoire distingue une componction de crainte et une componction d'amour, une componction de tristesse et une componction de joie[21]. Il décrit surtout les quatre degrés de componction, par lesquels l'âme passe insensiblement de la peur à la jubilation : après s'être rappelé ses infidélités (*ubi fuit*) et avoir songé au châtiment qui lui sera réservé au jour du jugement (*ubi erit*), elle prend conscience de sa misérable condition d'ici-bas (*ubi est*) et en vient à désirer le séjour de bonheur d'où elle est encore absente (*ubi non est*)[22]. C'est l'attitude qu'ils adoptent devant la brièveté de la vie qui départage les justes et les méchants, car les premiers profitent de l'avertissement contenu dans le livre de Job :

---

17. Cf. *Dial.* 4, 19 (p. 257).

18. Cf. *Dial.* 4, 18 (p. 256).

19. P. Battifol, *op. cit.*, p. 150.

20. Cf. les commentaires de P. Régamey, *La componction du cœur*, dans *Supplément à la VS*, sept. 1935, 44, p. 65-83 et R. Gillet, *Crainte et componction*, dans *DSp.*, VI, 893-894.

21. Cf. *Mor.* 24, 6, 10 (*PL*, 76, 291 D - 292 A) ; *HEz* 2, 10, 20-21 (*PL*, 76, 1070 A - 1071 A = *CCh*, 144, 395-396).

22. *Mor.* 23, 21, 41 (*PL*, 76, 276 A) : « Quatuor quippe sunt qualitates quibus iusti uiri anima in compunctione uehementer afficitur, cum aut malorum suorum reminiscitur, considerans ubi fuit ; aut iudiciorum Dei sententiam metuens, et secum quaerens, cogitat ubi erit ; aut cum mala uitae praesentis solerter attendens, moerens considerat ubi est, aut cum bona supernae patriae contemplatur, quae quia necdum adipiscitur, lugens conspicit ubi non est. »

« Mon souffle est sur le point de s'épuiser » (17, 1) : « Le souffle s'épuise dans la crainte du jugement, car plus les âmes des élus sentent qu'elles se rapprochent du dernier jugement, plus redoutable est leur crainte d'avoir à s'examiner elles-mêmes... Si bien qu'elles imaginent toujours que leur fin est proche... Quiconque en effet considère ce qu'il sera au moment de sa mort, est toujours plein de crainte dans ses actions ; et ne vivant presque plus sous ses propres yeux, il vit dès lors véritablement sous les yeux de son créateur. Il ne désire rien de ce qui passe, s'oppose à tous les désirs de la vie présente ; et il se considère comme presque mort, parce qu'il n'ignore pas du tout qu'il est destiné à mourir. La vie parfaite, en effet, est une imitation de la mort ; les justes, en employant tout leur zèle à la pratiquer, échappent aux lacets de leurs fautes[23]. »

La pensée de la mort est donc hautement nécessaire et salutaire : non seulement elle intensifie le regret des fautes passées et la peur du jugement à venir, qui constituent les degrés inférieurs de la componction, mais elle aide à comprendre le caractère transitoire des biens de ce monde et réveille finalement le désir du ciel, provoquant ainsi la componction parfaite, faite d'attente amoureuse plus que de crainte : « Car si l'âme se dirige vers Dieu dans un élan vigoureux, elle trouve de la douceur dans tout ce que cette vie lui réserve d'amertume, et considère comme un repos tout ce qui l'afflige ; elle aspire à passer même par la mort, pour pouvoir obtenir plus pleinement la vie ; elle désire se perdre complètement dans les bas-fonds, pour s'élever plus véritablement vers les hauteurs[24] » Bref, la méditation de la mort est au cœur des paradoxes de l'expérience chrétienne ; elle constitue pour Grégoire un tremplin dont l'âme est libre de se servir pour s'élancer dès maintenant vers l'au-delà. Les anticipations de la mort racontées dans les *Dialogues* jouent exactement le même rôle : elles préparent les âmes à entrer sans crainte dans l'éternité, qu'il s'agisse d'inviter des pécheurs à se convertir, en leur montrant les supplices infernaux qui les attendent s'ils ne changent pas leur conduite[25], ou de réconforter ceux qui redoutent la mort, en

---

23. *Mor.* 13, 28-29, 32-33 (*PL*, 75, 1031 D - 1032 B = *SC*, 212, p. 288-290) : « Attenuatur spiritus timore iudicii, quia electorum mentes quo amplius extremo iudicio propinquare se sentiunt, eo ad discutiendas semetipsas terribilius contremiscunt... Vnde fit ut propinquum sibi semper exitum suspicentur... Qui enim considerat qualis erit in morte, semper fit timidus in operatione ; atque unde in oculis suis iam quasi non uiuit, unde ueraciter in oculis suis conditoris uiuit. Nil quod transeat appetit, cunctis praesentis uitae desideriis contradicit ; et pene mortuum se considerat, quia moriturum minime ignorat. Perfecta enim uita est mortis imitatio, quam dum iusti sollicite peragunt, culparum laqueos euadunt. »

24. *Mor.* 7, 15, 18 (*PL*, 75, 775 D) : « Si enim mens in Deum forti intentione dirigitur, quidquid sibi in hac uita amarum fit, dulce aestimat, omne quod affligit requiem putat ; transire et per mortem appetit, ut obtinere uitam plenius possit ; funditus in infimis exstingui desiderat quo uerius summa conscendat. »

25. Cf. *Dial.* 4, 40 (p. 292-293) : ce chapitre raconte trois visions prémonitoires, dont les deux premières sont reprises dans les *homélies*

leur apprenant que leurs péchés sont pardonnés et qu'ils peuvent donc mourir en paix[26].

Il est évident que la manière dont Grégoire considère l'épreuve de la mort est celle d'un mystique Sa doctrine de la componction est en étroite relation avec ses définitions relatives à l'expérience contemplative[27], puisque la crainte est pareille à une machine qui élève l'âme vers Dieu et fortifie en elle le désir de l'éternité. Mais Grégoire ne se limite pas à cette perspective : il est constamment soucieux, surtout dans les *Dialogues*, de démontrer que l'au-delà n'est pas un monde imaginaire, que la connaissance du monde invisible est possible, par la foi, grâce à l'expérience spirituelle guidée par l'Esprit Saint[28] ; bref, il veut inculquer à ses contemporains, quel que soit le degré de leur foi ou la qualité de leur vie intérieure, la certitude que la mort n'est pas un achèvement absolu, mais l'accès à un autre monde. Quelles preuves avons-nous de l'existence de ce monde ? Voilà en somme la question à laquelle il cherche à répondre en accumulant les exemples. Après avoir expliqué au diacre Pierre que les corps visibles doivent leur vie et leurs mouvements au Dieu invisible, qui remplit toute la création, Grégoire essaie de lui démontrer que la vie de l'âme, après la mort corporelle, est prouvée par les saints. Leur mépris de la mort a déjà attesté leur certitude d'une autre vie et les miracles qui ont lieu après leur mort, près de leurs sépultures, manifestent la puissance de vie qui est désormais en eux. « Est-ce qu'en vérité les saints apôtres et les martyrs du Christ mépriseraient la vie présente, et livreraient leurs âmes à la mort de la chair, s'ils ne savaient pas avec certitude que les âmes sont vivantes après la mort ? Tu dis toi-même que tu reconnais la vie de l'âme demeurant dans le corps à partir des mouvements corporels ; et voici que ces hommes qui ont livré leurs âmes à la mort et ont cru que leurs âmes vivraient après la mort de la chair, manifestent leur rayonnement par des miracles quotidiens. En effet, auprès de leurs corps sans vie viennent des malades, encore vivants, et les voilà guéris ; des parjures, et les voilà tourmentés par le démon ; des démoniaques, et les voilà délivrés ; des lépreux, et les voilà purifiés ; on apporte des morts, et les voilà qui ressuscitent. Songe donc à la vie qu'ont les âmes de ces hommes dans l'au-delà où elles vivent, puisqu'ici-bas leurs corps ont une vie manifestée par tant de miracles[29]. »

---

sur *l'Évangile,* celle du frère du moine Théodore (cf. *HEv* 1, 19, 7 : *PL*, 76, 1158 A - 1159 C et *HEv* 2, 38, 16 : *PL*, 76, 1292 C - 1293 B) et celle du riche Chrysaorius (*HEv* 1, 12, 7 : *PL*, 76, 1122 B - 1123 A).

26. Cf. *Dial.* 4, 49 (p. 307-309) : ce chapitre contient le récit de trois visions nocturnes destinées à deux moines, Antonius et Merolus, et à un vieillard, Jean.

27. Cf. R. GILLET, *art. cit.,* 894.

28. Cf. *Dial.* 4, 1 (p. 230). Cf. 1ʳᵉ partie, chap. III, p. 104-106.

29. *Dial.* 4, 6 (p. 238-239) : « Numquidnam sancti apostoli et martyres Christi praesentem uitam despicerent, et in mortem carnis animas ponerent, nisi certiorem animarum uitam subsequi scirent ? Tu uero ipse

Ailleurs, le même Pierre, commentant certains récits de visions prémonitoires, demande à Grégoire comment il se fait que le mystère des
âmes semble se révéler davantage à l'époque où ils vivent. Le pape
recourt alors à un argument nettement lié à ses sentiments eschatologiques, puisqu'il explique cette multiplication des phénomènes surnaturels
par l'approche de la fin du monde : « Dans la mesure où le monde présent
approche de sa fin, le monde futur est déjà atteint en raison même
de cette espèce de proximité et il se manifeste par des signes d'autant
plus évidents. Puisqu'en ce monde-ci, nous ne voyons pas du tout les
pensées les uns des autres, alors que dans le monde à venir nous pouvons
regarder mutuellement dans nos cœurs, comment ne pas appeler ce
monde-ci la nuit et le monde à venir le jour ? Mais de même que, quand la
nuit va finir et le jour se lever, avant le lever du soleil, il y a en même
temps une sorte de mélange des ténèbres avec la lumière, jusqu'à ce
que les restes de la nuit qui s'éloigne s'évanouissent parfaitement dans
la lumière du jour qui vient, de même la fin de ce monde-ci se confond
actuellement avec le début du siècle futur et l'on voit les ténèbres mêmes
qui demeurent devenir transparentes aux réalités spirituelles qui se
mêlent déjà à elles[30]. »

En fait, cette explication fait intervenir en même temps la perspective
mystique et la perspective eschatologique : Grégoire envisage toute
perception de l'au-delà, toute saisie des réalités invisibles, en fonction
de l'expérience contemplative, mais il applique ici cette expérience
à l'ensemble des visions relatées au quatrième livre des *Dialogues*. L'image

---

inquies quia uitam animae in corpore manentis ex motibus corporis
agnoscis ; et ecce hi qui animas in mortem posuerunt, atque animarum
uitam post mortem carnis esse crediderunt, quotidianis miraculis coruscant. Ad exstincta namque eorum corpora uiuentes aegri ueniunt, et
sanantur ; periuri ueniunt, et daemonio uexantur ; daemoniaci ueniunt,
et liberantur ; leprosi ueniunt, et mundantur ; deferuntur mortui, et
suscitantur. Pensa itaque eorum animae qualiter uiuunt illic ubi uiuunt,
quorum hic mortua corpora in tot miraculis uiuunt. »

30. *Dial.* 4, 43 (p. 300) : « Nam quantum praesens saeculum propinquat
ad finem, tantum futurum saeculum ipsa iam quasi propinquitate tangitur,
et signis manifestioribus aperitur. Quia enim in hoc saeculo cogitationes
nostras uicissim minime uidemus, in illo autem nostra in alterutrum
corda conspicimus, quid hoc saeculum nisi noctem, et quid uenturum
nisi diem dixerim ? Sed quemadmodum cum nox finiri et dies incipit
oriri, ante solis ortum, simul aliquo modo tenebrae cum luce commixtae
sunt, quousque discedentis noctis reliquiae in lucem diei subsequentis
perfecte uertantur, ita huius mundi finis iam cum futuri saeculi exordio
permiscetur, atque ipsae reliquiarum eius tenebrae quadam iam rerum
spiritalium permistione translucent. » On peut noter que cette perspective
est différente de celle d'Augustin qui, au chapitre 8 du dernier livre de
la *Cité de Dieu*, quand il présente des récits de miracles, commence par
reconnaître que, de son temps, les miracles « ne brillent pas du même
éclat que ceux du passé et ils n'étendent pas aussi loin qu'eux la gloire de
leur renommée. » (*De ciuitate Dei*, 22, 8, 1 : *Bibl. august.*, 37, p. 559).
Ce qui montre encore que les convictions eschatologiques de Grégoire
sont beaucoup plus fortes que celles d'Augustin.

du mélange entre les ténèbres et la lumière exprime alors non plus le combat entre l'incroyance et la foi, ou le péché et la sainteté, ni même l'obscurité qui caractérise la condition humaine et que traveisent de temps en temps des clartés envoyées par Dieu[31], mais l'invasion du surnaturel dans le monde, l'approche temporelle de l'éternité. Les miracles des Pères d'Italie sont interprétés non seulement comme une preuve de la réalité du monde invisible, mais surtout comme des signes proprement eschatologiques, les premières manifestations de la révélation finale. Ce n'est pas de la destinée individuelle après la mort qu'il s'agit, mais de la venue dans l'histoire d'un monde nouveau, déjà attesté par ces miracles et ces visions.

Béatitude et damnation   On sait que Grégoire a largement traité du sort qui attend les hommes après leur mort, et qu'il évoque à maintes reprises l'état des élus et l'état des réprouvés, les joies du ciel ou les supplices de l'enfer[32], sans parler du purgatoire, dont il est le premier à affirmer aussi nettement l'existence comme celle d'un lieu distinct des deux autres[33]. C'est une des raisons pour lesquelles Grégoire a souvent été considéré comme le principal responsable de cet abâtardissement du message chrétien qui caractériserait la foi du Moyen Age[34].

Je n'ai pas à discuter ici de telles appréciations. Je voudrais seulement montrer en quoi ces conceptions grégoriennes relatives au destin des hommes dans l'au-delà ne sont pas séparables du reste de sa doctrine et dans quelle mesure elles prolongent les idées et les notions qui lui servent à analyser généralement l'expérience des chrétiens durant leur vie terrestre. Certes, Grégoire n'a pas consacré un exposé systématique au problème des fins dernières, comme Augustin l'a fait dans les trois derniers livres de la *Cité de Dieu*. Mais on ne saurait le lui reprocher, car cela est conforme à sa méthode constante, qui consiste à suivre la vie spirituelle dans son cheminement concret.

Or, si Grégoire aborde de façon dispersée ce problème de la rétribution éternelle des hommes, c'est parce qu'il la rattache toujours aux divers

---

31. Sur tous ces thèmes si familiers à Grégoire, cf. F. LIEBLANG, *op. cit.* : p. 29-43, 137-150. Mais cet auteur a tort d'écarter les phénomènes surnaturels, extases ou visions, en déclarant de façon péremptoire (*ibid.* p. 175) : « Ekstasen sowohl als auch Visionen gehören eben nicht wesentlich zum mystischen Leben ». C. BUTLER (*Western mysticism*, 1927², p. 118-123) souligne au contraire que Grégoire décrit de tels phénomènes avec son talent de psychologue, en les interprétant selon une ligne augustinienne, c'est-à-dire dans le cadre d'une mystique de la lumière.

32. Cf. F. DUDDEN, *op. cit.*, II, p. 433-437.

33. *Ibid.* p. 426-430. Cf. *Dial.* 4, 39 (p. 291).

34. A. HARNACK (*Lehrbuch der Dogmengeschichte*, Freiburg im B., 1890, III, p. 239-240) rattache ces conceptions à la sotériologie grégorienne, qui serait dominée par l'obsession du péché et déformée par le rôle excessif accordé aux intercesseurs.

comportements qu'il entreprend de décrire et aussi parce qu'il la considère comme l'aboutissement logique de ces comportements. Ceux qui ont fait le bien et supporté les épreuves de cette vie méritent le bonheur de l'éternité. Ce principe fondamental explique le renversement de situation, auquel Dieu préside : « Quand donc les justes verront-ils la fin des méchants et s'en réjouiront-ils, si ce n'est lorsqu'ils seront unis au juge sévère dans la sécurité parfaite de leur allégresse et qu'au jour du jugement dernier, ils considéreront la damnation des méchants sans avoir plus rien à craindre pour eux-mêmes[35] ? » Le jugement de Dieu intervient pour rétablir une justice qui n'existe pas en ce monde, car ici-bas, les méchants « pèchent et sont florissants, accumulent les péchés et multiplient les biens terrestres. Mais leur élévation est brisée le jour où ils sont entraînés aussi bien de la vie présente à la mort que de la vue du juge éternel au feu éternel de la géhenne. » Et Grégoire souligne fortement que le châtiment éternel correspond aux fautes commises durant la vie : « De même en effet qu'ils ont péché avec l'âme et le corps, de même ils recevront un châtiment dans l'âme et dans le corps[36]. » Il s'agit ici de ce qui se passera une fois qu'aura eu lieu la résurrection des corps. Mais, dès l'instant de la mort, l'âme peut comprendre qu'elle est jugée et condamnée en fonction de ses actes. « Puisque l'homme se compose d'une âme et d'un corps, quand il est question du sommeil de l'un des éléments, c'est pour bien montrer que l'autre reste éveillé, car lorsque le corps s'endort dans la mort, l'âme s'éveille alors dans la connaissance véritable[37]. » Tel sera le destin du riche dont parle le *livre de Job* : « S'étant endormi, il n'emportera rien avec lui ; il ouvrira les yeux et ne trouvera rien » (*Job*, 27, 19). « Le riche dort et il ouvre les yeux, car lorsqu'il meurt dans sa chair, son âme est obligée de voir ce qu'il a dédaigné de prévoir. Alors, à coup sûr, il s'éveille dans la véritable connaissance, alors il se rend compte que ce qu'il possédait ne valait rien. Alors il se trouve vide, lui qui était heureux de regorger de biens devant les autres hommes. Il dort, et il n'emporte rien avec lui, rien, à coup sûr, des biens qu'il a possédés... « Il ouvrira les yeux et ne trouvera rien », car devant les supplices de l'au-delà, il ouvre les

---

35. *Mor.* 16, 13, 18 (*PL*, 75, 1129 C-D = *SC*, 221, p. 164) : « Quando ergo uidebunt iusti iniquorum interitum, et laetabuntur, nisi cum districto iudici perfecta iam securitate exsultatione inhaeserint, cum in illo extremo examine illorum damnationem conspicient, et de se iam quod metuant non habebunt ? »

36. *Ibid.* 14, 19 (1130 A = p. 164-166) : « ... Peccant et florent, peccata augent et terrena bona multiplicant. Sed eorum erectio tunc succiditur, cum uel a praesenti uita ad interitum, uel a conspectu aeterni iudicis ad aeternum gehennae incendium pertrahuntur... Sicut enim eorum culpa in mente fuit et corpore, ita eorum poena in anima erit pariter et carne. »

37. *Mor.* 18, 18, 29 (*PL*, 76, 52 B) : « Quia homo ex anima constat et corpore, cum unius rei somnus dicitur, alterius uigiliae demonstrantur, quia cum corpus obdormiscit in morte, tunc anima euigilat in uera cognitione. »

yeux, qu'ici-bas, il gardait fermés à la miséricorde... Le riche a ouvert
les yeux tardivement lorsqu'il a vu dans son repos éternel Lazare, qu'il
avait dédaigné de voir quand il gisait devant sa porte. Il a compris
dans l'au-delà ce qu'il n'avait pas voulu faire ici-bas ; dans sa condition
de damné, il a été forcé de comprendre de quoi il s'est privé, en ne reconnaissant pas son prochain dans l'indigence[38]. »

Dans la dernière de ses *Homélies sur l'Évangile*, Grégoire commente
à nouveau cette parabole du pauvre Lazare et du mauvais riche (*Luc*, 16,
19-31). Il médite sur la demande de Lazare, qui voudrait passer en enfer
pour délivrer le riche, qu'il voit souffrir atrocement : « Il n'est pas
douteux que ceux qui sont en enfer désirent rejoindre les bienheureux.
Mais ceux qui ont déjà accédé à la condition des bienheureux, comment
peut-on dire qu'ils veulent rejoindre ceux qui sont livrés aux tourments
de l'enfer ? De même que les réprouvés désirent rejoindre les élus,
c'est-à-dire s'évader de leurs douloureux supplices, de même c'est le
propre des justes, en exerçant la miséricorde, d'aller en esprit auprès
de ceux qui souffrent et sont dans les tourments et de vouloir les en
délivrer. Mais ceux qui veulent quitter le séjour des bienheureux pour
rejoindre ceux qui souffrent et sont dans les tourments, ne le peuvent pas,
car les âmes des justes, malgré la miséricorde que leur inspire leur bonne
nature, sont déjà unies à la sainteté de leur créateur et astreintes à une
si grande rectitude qu'elles sont exemptes de tout mouvement de compassion pour les réprouvés. Elles sont en plein accord avec le juge même
auquel elles adhèrent et même la miséricorde ne leur permet aucune
condescendance envers ceux qu'elles ne peuvent arracher à l'enfer, car
elles verront alors entre elles et eux la même distance que celle qui les
sépare sous leurs yeux de leur créateur qu'elles aiment tant. Les injustes
non plus ne rejoignent donc pas la condition des bienheureux, car ils
sont astreints à la damnation perpétuelle, pas plus que les justes ne
peuvent rejoindre les réprouvés, car, déjà élevés par la justice du jugement, aucune espèce de compassion ne les fait céder à la pitié[39]. » Le

---

38. *Mor.* 18, 18, 29 (*PL*, 76, 52 C- 53 B) : « Dormit ergo diues, et oculos
aperit, quia cum carne moritur, eius anima uidere cogitur, quod prouidere
contempsit. Tunc profecto in uera cognitione euigilat, tunc nihil esse
conspicit quod tenebat. Tunc se uacuam inuenit, quae plenam rebus
prae caeteris se hominibus esse laetabatur. Dormit, et nihil secum aufert,
nihil nimirum de rebus quas tenuit... « Aperiet oculos suos et nihil inue-
niet », quia illic aperit ad supplicia quos hic ad misericordiam clausos
tenebat... Sero diues aperuit oculos, quando Lazarum requiescentem
uidit, quem iacentem ante ianuam uidere contempsit. Intellexit ibi
quod hic facere noluit ; in damnatione sua cognoscere compulsus est
quid fuit quod perdidit, quando indigentem proximum non agnouit. »

39. *HEv* 2, 40, 7 (*PL*, 76, 1308 A-C) : « Quia enim hi qui in inferno sunt
ad beatorum sortem transire cupiant dubium non est. Qui uero iam
in beatitudinis sorte suscepti sunt, quo pacto dicitur quia transire ad
eos qui in inferno cruciantur uolunt ? Sed sicut transire reprobi ad electos
cupiunt, id est a suppliciorum suorum afflictione migrare ; ita ad afflictos
atque in tormentis positos transire iustorum est mente ire per miseri-

sort attribué dans l'au-delà aux damnés aussi bien qu'aux justes est absolument définitif ; il est fixé pour l'éternité : aux uns, la joie éternelle, aux autres, des supplices éternels. Commentant une fois de plus le même épisode évangélique au quatrième livre des *Dialogues*, Grégoire insiste sur cette communauté dans la joie ou la souffrance. « Cette connaissance mutuelle de l'une et de l'autre part met le comble à la rétribution, de sorte que les bons se réjouissent davantage en voyant que ceux qu'ils ont aimés sont avec eux dans le bonheur et que les méchants, torturés avec ceux qu'ils ont aimés en ce monde, en méprisant Dieu, ressentent la brûlure due non seulement à leur propre châtiment, mais à celui de leurs compagnons[40]. »

On aurait tort de voir dans de telles affirmations des relents de pré-destinatianisme. Certes, on range habituellement Grégoire parmi les disciples les plus fidèles d'Augustin pour tout ce qui touche aux problèmes du salut et de la grâce[41], et il est vrai qu'il souligne l'impuissance de l'homme à se sauver seul, la faiblesse et l'aveuglement de la nature humaine blessée par le péché originel, et qu'il oppose fortement les *reprobi* aux *electi*. Malgré cela, on ne trouve pas dans l'œuvre de Grégoire les déclarations si tranchées que multiplie Augustin dans ses traités antipélagiens. C'est que la perspective de Grégoire n'est pas exactement la même que celle de son maître lorsqu'il aborde ces difficiles questions : il ne prétend pas répondre à des objections et élaborer une théologie de la grâce, mais, plus modestement, montrer à ses contemporains comment ils peuvent s'engager et se maintenir sur le chemin du salut[42]. Grégoire

---

cordiam, eosque uelle liberare. Sed qui uolunt de beatorum sese ad afflictos atque in tormentis positos transire, non possunt, quia iustorum animae quamuis in suae naturae bonitate misericordiam habeant, iam tunc auctoris sui iustitiae coniunctae, tanta rectitudine constringuntur, ut nulla ad reprobos compassione moueantur. Ipsi quippe iudici concordant cui inhaerent, et eis quos eripere non possunt nec ex misericordia condescendunt, quia tantum illos tunc a se uidebunt extraneos, quantum ab eo quem diligunt auctore suo conspiciunt esse repulsos. Nec iniusti ergo ad beatorum sortem transeunt, quia damnatione perpetua constringuntur ; nec iusti transire ad reprobos possunt, quia, erecti iam per iustitiam iudicii, eis nullo modo ex aliqua compassione miserentur. »

40. *Dial.* 4, 34 (p. 280) : « In qua uidelicet cognitione utriusque partis cumulus retributionis excrescit : ut et boni amplius gaudeant, qui secum eos laetari conspiciunt quos amauerunt, et mali, dum cum eis torquentur quos in hoc mundo, despecto Deo, dilexerunt, eos non solum sua, sed etiam eorum poena consumat. »

41. Cf. R. Garrigou-Lagrange, art. *Prédestination*, *DTC*, 12, 2901 : « Saint Grégoire le Grand est aussi nettement augustinien, il enseigne la nécessité d'une grâce prévenante pour le commencement de la foi et des bonnes œuvres et la prédestination absolument gratuite à la grâce et au salut, tel le cas du bon larron. »

42. F. H. Dudden (*op. cit.*, II, p. 400-402) regrette le caractère obscur et incertain de la doctrine grégorienne de la grâce. L. Weber (*op. cit.*, p. 180-181) lui rétorque que Grégoire est un moraliste, non un dogmaticien : « Beachtet man aber, dass Gregor die Lehre von der Prädestination nicht in erster Linie dogmatisch darstellen und begründen, sondern

se sert finalement de ces deux registres : il souligne toujours l'initiative de Dieu, mais il sait aussi que l'action de l'homme n'est pas moins nécessaire au salut. D'une part, il répète que nous sommes exclusivement sauvés par la grâce de Dieu : « C'est par la grâce que nous sommes rachetés. Car, par notre mauvaise vie, nous ne produisons que des actions qui, si elles étaient justement rétribuées, devraient avoir pour salaire non le Christ, mais des supplices. Mais si l'homme a mérité une chose selon la justice, il en a reçu une autre selon la grâce[43]. » Les exemples de Paul, persécuteur devenu apôtre, du bon larron, qui se repent sur la croix, servent à illustrer cette toute-puissance de la grâce et du pardon de Dieu[44]. Il s'ensuit que nos bonnes actions résultent d'une collaboration entre notre volonté et la grâce prévenante de Dieu : Grégoire le souligne en des formules dont l'orthodoxie augustinienne est indéniable. « Il faut savoir que nos mauvaises actions seulement sont nôtres, quant à nos bonnes actions, elles sont à la fois celles du Dieu tout-puissant et les nôtres, car lui-même nous a prévenus en nous inspirant de vouloir, lui qui vient après nous en nous soutenant pour que notre volonté ne s'exerce pas inutilement, mais que nous puissions accomplir ce que nous voulons. Par conséquent, puisque sa grâce nous prévient et que notre bonne volonté la suit, ce qui est un don du Dieu tout-puissant devient notre mérite[45]. »

Il faut ajouter immédiatement que Grégoire se contente de rappeler ces principes généraux et qu'il en donne aussitôt une traduction pratique à l'intention de ses auditeurs, en s'appuyant de nouveau sur l'exemple de l'apôtre Paul et surtout sur celui du prophète Ézéchiel, invité à se redresser pour porter à Israël et aux nations la Parole de Dieu (Ez. 2, 3). « Le prophète debout a eu une vision spirituelle, et il est tombé ; mais en tombant, il a reçu une parole d'avertissement qui l'invitait à se redresser, en se redressant il a entendu une recommandation qui l'invitait à

---

für das Heil der Gläubigen moralisch auswerten wollte, dann kann man in etwa begreifen, warum er sowohl den Lehren Augustins vom *certus numerus electorum* und vom *decretum absolutum* huldigt... » Cependant, WEBER construit son étude selon un plan qui suit encore beaucoup trop celui des traités de dogmatique : justification, grâce actuelle, grâce et liberté, moyens de grâce, etc... (p. 140-222), alors qu'il faut expliquer Grégoire par Grégoire.

43. *Mor.* 18, 39, 62 (*PL*, 76, 73 A-B) : « Gratia quippe redempti sumus. Illa namque sola opera male uiuendo dedimus, quibus si iusta retributio seruaretur, non Christus, sed supplicia redderentur. Sed aliud homo per iustitiam meruit, aliud per gratiam accepit. »

44. Cf. *ibid.* 62, 64 (73 B, 74 B-D).

45. *HEz* 1, 9, 2 (*PL*, 76, 870 C-D = *CCh*, 142, p. 123-124) : « Sciendum est quia mala nostra solummodo nostra sunt ; bona autem nostra et omnipotentis Dei sunt, et nostra, quia ipse aspirando nos praeuenit ut uelimus, qui adiuuando subsequitur ne inaniter uelimus, sed possimus implere quae uolumus. Praeueniente ergo gratia, et bona uoluntate subsequente, hoc quod omnipotentis Dei donum est fit meritum nostrum. »

prêcher. Car nous qui nous tenons encore debout sur la cime de notre orgueil, dès que nous aurons commencé à éprouver une certaine crainte de l'éternité, il convient que nous tombions dans la pénitence. Et lorsque, ayant une conscience affinée de notre faiblesse, nous gisons dans l'humilité, à travers les consolations de la parole divine, nous recevons l'ordre de nous redresser pour agir avec courage[46]. »

On voit ici comment s'effectue le passage du plan théologique au plan de la morale et de la pastorale : ce que Grégoire entend souligner, c'est le devoir de l'humilité, la reconnaissance indispensable de notre faiblesse, tout autant que la prévenance de Dieu par sa grâce. Finalement, il s'intéresse moins à la nature de la grâce divine qu'à l'état de l'homme soutenu par la grâce, et moins à son état qu'à son action. Dans tous les textes que nous venons de lire, le terme *opera* revient constamment : toutes nos bonnes actions dépendent de Dieu et Dieu stimule notre agir, dès que nous acceptons de nous humilier devant lui. C'est ici que Grégoire, comme moraliste, se distingue d'Augustin, tout en s'inspirant de lui : car s'il maintient le principe de l'efficacité absolue de la grâce[47], il cherche avant tout à éclairer et à stimuler les chrétiens de son temps, moines, clercs ou laïcs, en leur répétant sans cesse qu'ils doivent conformer leur vie à leur foi et persévérer à tout prix dans le bien. Les mœurs chrétiennes sont aussi importantes que les paroles : « Lorsque la chair s'abstient des vices, que l'âme s'exerce à la pratique des vertus, il reste à chacun à enseigner par ses paroles la vie qu'il observe par ses mœurs. Car celui-là recueille des fruits abondants de sa prédication qui répand d'abord les semences de ses bonnes actions[48]. » Ce témoignage des actes doit être persévérant ; les élus sont justement ceux qui pratiquent le bien jusqu'au bout, sans se décourager. « Il est inutile d'agir bien, si l'on abandonne le bien avant le terme de sa vie, car c'est en vain que l'on court avec rapidité, si l'on défaille avant d'arriver au but. C'est pourquoi il est dit des réprouvés : « Malheur à ceux qui ont perdu la constance » (*Eccl.* 2, 16). C'est pourquoi la Vérité dit à ses élus : « Vous êtes ceux qui êtes demeurés avec moi dans mes épreuves ' (*Luc*, 22, 28)... Il faut donc accomplir tous les jours les bonnes actions que l'on a com-

---

46. *Ibid.* 4 (871 C-D = p. 124-125) : « Stans ergo propheta uisionem spiritalem uidit, et cecidit ; cadens uero iam monitionis uerbum suscepit ut surgeret, surgens autem praeceptum audiuit ut praedicaret. Nam qui adhuc ex superbiae uertice stamus, cum iam de aeternitatis timore aliquid sentire coeperimus, dignum est ut ad poenitentiam cadamus. Et cum infirmitatem nostram subtiliter cognoscentes humiliter iacemus, per diuini uerbi consolationem surgere ad fortia opera iubemur. »

47. Cf. L. WEBER, p. 182-183, qui cite à ce sujet des textes innombrables et très clairs : *Mor.* 24, 10, 24 (*PL*, 76, 299 C-D) ; *Mor.* 33, 21, 40 (*PL*, 76, 699 D - 700 A).

48. *Mor.* 6, 35, 54 (*PL*, 75, 759 C) : « Cum uero a uitiis caro restringitur, cum mens uirtutibus exercetur, restat ut loquendo quisque doceat uitam quam moribus seruat. Ille namque uberes fructus praedicationis colligit, qui semina bonae operationis praemittit. »

mencées, afin qu'en repoussant le mal que l'on combat, on tienne la victoire même du bien des mains de la constance[49]. »

Si l'on fait abstraction de la perspective du jugement, il faut admettre que cette pédagogie de la persévérance dérive moins de la théologie augustinienne de la grâce que de l'ascèse monastique. En disciple de Cassien, Grégoire ne pouvait pas souligner unilatéralement la prévenance de la grâce divine. Il cherchait comme lui à concilier concrètement l'effort ascétique et l'abandon à Dieu. Il n'est donc pas étonnant de retrouver chez Grégoire les incertitudes que l'on a reprochées à Cassien, notamment dans sa treizième *Conférence*, qui traite de la protection de Dieu[50] et qui essaie de définir une voie moyenne que l'on appellera par la suite le semi-pélagianisme : « La grâce et la liberté se mêlent pour ainsi dire et se confondent d'une si étrange sorte que c'est entre beaucoup un grand débat, de savoir laquelle de ces deux choses est vraie : si c'est parce que nous montrons un commencement de bonne volonté que Dieu a pitié de nous, ou si c'est parce qu'il a pitié de nous que nous arrivons à un commencement de bonne volonté. Bon nombre s'attachent à l'une ou à l'autre alternative ; et, dépassant dans leurs affirmations la juste mesure, se prennent en des erreurs différentes et contraires l'une à l'autre[51]. » Jamais Grégoire n'a précisé aussi nettement sa position, mais tout indique que, par sa tournure d'esprit, sa méthode sans cesse appuyée sur l'expérience, son souci d'éclairer le comportement quotidien des chrétiens, il se sentait plus proche de Cassien que d'Augustin. On peut d'ailleurs remarquer que, dans cette même *Conférence*, Cassien recourt à l'exemple de Paul[52] et à la métaphore de la chute et du redressement[53], qui sont familiers à Grégoire quand il traite de la grâce. Au fond, Grégoire ne dépend-il pas à la fois d'Augustin et de Cassien, ayant reçu du premier le cadre conceptuel dans lequel il aborde sans la renouveler la question de la grâce divine et de la liberté humaine, mais plutôt orienté, comme le second, vers les conséquences pratiques d'une telle théologie ?

On retrouve chez Grégoire, en ce qui concerne le sort des défunts

---

49. *Mor.* 1, 37, 55 (*PL*, 75, 554 B-C = *SC*, 32 bis, p. 250) : « Incassum quippe bonum agitur, si ante terminum uitae deseratur ; quia et frustra uelociter currit, qui prius quam ad metas ueniat deficit. Hinc est enim quod de reprobis dicitur : ' Vae his qui perdiderunt sustinentiam '. Hinc electis suis Veritas dicit : ' Vos estis qui permansistis mecum in tentationibus meis. '... Bene igitur coepta cunctis diebus agenda sunt ; ut cum malum pugnando repellitur, ipsa boni uictoria constantiae manu teneatur. »

50. Cf. *Conf.* XIII (*SC*, 54, p. 147-181).

51. *Ibid.* 11 (p. 162).

52. *Ibid.* 13 (p. 169-170).

53. *Ibid.* 14 (p. 172) : « Par ces paroles : ' que celui qui pense être ferme, prenne garde de tomber ' (I *Cor.* 10, 12), il rend leur liberté vigilante ; car il sait bien que, la grâce une fois reçue, il dépend d'elle, ou de rester debout par son zèle, ou de tomber par sa négligence. »

et la rétribution éternelle, les contradictions qui caractérisaient déjà la pensée de Cassien. En effet, en même temps qu'il déclare avec insistance que nous serons récompensés ou punis selon nos actes, Grégoire laisse entendre, à travers certains récits des *Dialogues,* que la mort ne constitue pas toujours un événement irréversible. Au chapitre trente-six, il explique à l'aide d'exemples que certains pécheurs reviennent à la vie après avoir entrevu les peines terribles qui les attendent en enfer : « Car la pitié d'en haut, en raison de la grande largesse de sa miséricorde, permet que certains, même après leurs décès, reviennent brusquement dans leur corps, et que les supplices de l'enfer, auxquels ils n'avaient pas cru lorsqu'ils en entendaient parler, les remplissent d'effroi, maintenant du moins qu'ils les ont vus[54]. » Ce principe est illustré par le récit de trois voyages outre-tombe : le premier servira d'avertissement à un moine d'Ibérie ; le second ne profitera pas au noble Stéphane et le troisième servira de prétexte à une longue évocation de l'univers infernal, où l'on voit les anges et les démons s'arracher les défunts, comme dans la fameuse fresque de Michel Ange qui décore la Chapelle Sixtine. Grégoire en conclut que « lorsque les supplices de l'enfer sont révélés, cela est pour les uns un secours, pour d'autres seulement un témoignage ; de sorte que les premiers voient les maux dont ils ont à se méfier, tandis que les seconds reçoivent un plus grand châtiment, pour n'avoir pas voulu éviter les supplices de l'enfer, pas même après en avoir pris connaissance par la vue[55]. » Cela revient à affirmer concrètement la liberté de l'homme quant à sa destinée éternelle : ces visions de l'enfer peuvent en effet provoquer des conversions et permettre à des pécheurs d'échapper, en faisant pénitence, aux supplices de l'au-delà ; mais, en même temps, Grégoire admet que leur efficacité est loin d'être totale et que certains ne tirent aucun profit des avertissements surnaturels. Dans tous les cas, le sort des défunts dans l'au-delà est déterminé selon deux principes : la miséricorde de Dieu et le libre choix de l'homme, soulignés respective- ment par les formules générales qui introduisent et concluent ces trois récits.

Les cinq derniers chapitres du quatrième livre des *Dialogues* abordent ce problème de notre destinée éternelle par un autre biais : celui de la prière pour les morts et, spécialement, de l'efficacité de l'Eucharistie pour la rémission des péchés, même après la mort. On n'en retient géné- ralement que l'histoire du moine Justus, délivré de la damnation éternelle grâce aux trente messes célébrées à son intention. En réalité, ces cinq

---

54. *Dial.* 4, 37 (p. 285) : « Superna enim pietas ex magna misericordiae suae largitate disponit, ut nonnulli etiam post exitum repente ad corpus redeant, et tormenta inferni, quae audita non crediderant, saltem uisa pertimescant. »

55. *Ibid.* (p. 289) : « Ipsa quoque inferni supplicia cum demonstrantur, aliis hoc ad adiutorium, aliis uero ad testimonium fiat : ut isti uideant mala quae caueant, illi uero eo amplius puniantur, quod inferni supplicia nec uisa et cognita uitare noluerunt. »

chapitres forment un tout très cohérent et il est utile de bien saisir
ce qui fait leur unité. Il s'agit moins pour Grégoire de raconter des histoires
édifiantes que de stimuler la foi commune dans la valeur des sacrements.
Car ces chapitres sont comme un abrégé de théologie sacramentaire
à l'intention du peuple chrétien, qui doit savoir que nos péchés ne sont
pas effacés seulement quand nous faisons pénitence, mais quand nous
offrons le sacrifice eucharistique et participons à l'acte d'offrande accompli
par le Christ de façon unique. D'où l'importance des grands principes
énoncés dans les chapitres qui suivent les récits de visions ; Grégoire
souligne d'abord la valeur rédemptrice infinie du sacrifice du Christ :
« C'est cette victime qui, de façon unique, sauve notre âme de la mort
éternelle, en actualisant de façon mystérieuse la mort du Fils unique ;
bien qu'en ressuscitant des morts, il ne meure plus et que la mort ne
doive plus avoir d'emprise sur lui, cependant vivant en lui-même de
façon immortelle et incorruptible, il s'immole pour nous à nouveau
dans ce mystère de la sainte oblation. C'est là que son corps est reçu,
que sa chair est partagée pour le salut du peuple, que son sang est versé
non plus sur les mains des infidèles, mais dans la bouche des fidèles.
Songeons par conséquent à l'efficacité qu'a pour nous ce sacrifice qui,
en vue de notre pardon, imite pour toujours la passion du Fils unique[56]. »
Mais, fidèle au principe d'intériorité, Grégoire insiste sur les dispositions
requises en vue de la participation à l'Eucharistie : « Il est indispensable
que lorsque nous faisons cela, nous nous immolions nous-mêmes à Dieu
dans la contrition de notre cœur, car, en célébrant les mystères de la
passion du Seigneur, nous devons imiter ce que nous faisons. Une victime
sera vraiment offerte pour nous à Dieu quand nous deviendrons nous-
mêmes des victimes[57]. » Enfin, pour pouvoir nous offrir dignement à
Dieu et recevoir son pardon, il faut que nous pardonnions les fautes

---

56. *Dial.* 4, 60 (p. 323) : « Haec namque singulariter uictima ab aeterno
interitu animam saluat, quae illam nobis mortem Vnigeniti per mysterium
reparat, qui licet resurgens a mortuis iam non moritur, et mors ei ultra non
dominabitur, tamen in semetipso immortaliter atque incorruptibiliter
uiuens, pro nobis iterum in hoc mysterio sacrae oblationis immolatur.
Eius quippe ibi corpus sumitur, eius caro in populi salutem partitur,
eius sanguis non iam in manus infidelium, sed in ora fidelium funditur.
Hinc ergo pensemus quale sit pro nobis hoc sacrificium, quod pro abso-
lutione nostra passionem unigeniti Filii semper imitatur. » Sur cette
présentation du sacrifice eucharistique, cf. *HEv* 2, 37, 7 (*PL*, 76, 1279 A) :
« Singulariter namque ab absolutionem nostram oblata cum lacrymis et
benignitate mentis sacri altaris hostia suffragatur, quia is qui in se resurgens a mortuis iam non moritur, adhuc per hanc in suo mysterio pro
nobis iterum patitur. Nam quoties ei hostiam suae passionis offerimus,
toties nobis ad absolutionem nostram passionem illius reparamus. »

57. *Dial.* 4, 61 (p. 323-324) : « Sed necesse est ut cum haec agimus,
nosmetipsos Deo in cordis contritione mactemus, quia qui passionis
dominicae mysteria celebramus, debemus imitari quod agimus. Tunc
ergo uere pro nobis hostia erit Deo, cum nos ipsos hostiam fecerimus. »
Cf. *Mor.* 13, 23, 26 (*PL*, 75, 1029 B = *SC*, 212, p. 280) : « Vt ergo in
nobis sacramentum dominicae passionis non sit otiosum, debemus imitari
quod suminus et praedicare ceteris quod ueneramus. »

des autres : « il faut savoir que celui-là demande à bon droit le pardon de ses fautes, qui remet d'abord les fautes commises à son égard[58]. »

C'est à la lumière de cette conjonction étroite qui s'établit ainsi entre la liturgie et la vie chrétienne, comme entre l'Eucharistie et la pénitence, qu'il faut comprendre le récit de la délivrance du moine Justus. On n'a guère remarqué que l'offrande des trente messes, qui l'a délivré du feu de l'enfer, ne correspond pas seulement à la pénitence dont il avait besoin pour être pardonné de sa faute ; elle représente aussi une espèce de conversion de la part de Grégoire. Car c'est lui qui, au début, a demandé au prieur de son monastère, Pretiosus, de frapper le mauvais moine d'excommunication et l'a condamné à mourir dans son péché ; mais c'est lui aussi qui, à la fin, pour répondre aux suppliques de ses compagnons, effrayés par le sort qui attend le pécheur mort sans être pardonné, ordonne au même prieur « d'offrir l'hostie salutaire pour l'absolution » de Justus. Grégoire fait tout ce récit à la première personne, relatant en particulier ses propres dialogues avec le prieur. Comment n'aurait-il pas pensé à cette histoire, en faisant allusion, quelques pages plus loin, à la parabole du débiteur impitoyable (*Matt.* 18, 27), puisque le crime de Justus consistait justement à avoir dérobé en les cachant trois pièces d'or ? Il est probable que Grégoire s'est reproché d'avoir imité d'abord la dureté du débiteur de l'Évangile, et qu'il a compris par la suite qu'il avait manqué à la miséricorde et devait se racheter en faisant offrir pour le coupable le sacrifice eucharistique : « Nous devons donc aller en esprit vers le prochain, si loin qu'il soit, si séparé de nous, et lui soumettre notre âme, l'apaiser par l'humilité et la bienveillance, pour qu'en vérité notre Créateur, quand il apercevra ces dispositions de notre âme, nous absolve de nos péchés, lui qui reçoit ce présent en échange de notre culpabilité[59]. » On voit que le recours à l'expérience personnelle tempère ce que certaines déclarations pouvaient avoir de catégorique, voire d'implacable. Grégoire pense et montre que l'homme peut éviter le châtiment de la damnation éternelle, soit par ces moyens surnaturels, que sont les sacrements, et, exceptionnellement, les visions prémonitoires, soit, plus encore, par sa façon de vivre, en pratiquant la pénitence, et surtout en pardonnant les offenses.

Ciel, enfer, purgatoire et résurrection finale   L'eschatologie grégorienne est inséparable de l'expérience mystique. Cela se vérifie surtout lorsque Grégoire entreprend de décrire le séjour dans l'au-delà[60]. Il reprend et développe alors le thème de la lumière.

---

58. *Dial.* 4, 62 (p. 324) : « Sciendum est quia ille recte sui delicti ueniam postulat, qui prius hoc quod in ipso delinquitur relaxat. »

59. *Dial.* 4, 62 (p. 324) : « Debemus itaque ad proximum quamuis longe positum, longeque disiunctum, mente ire, eique animum subdere, humilitate illum ac beneuolentia placare, ut scilicet Conditor noster dum tale placitum nostrae mentis aspexerit, a peccato nos soluat, qui munus pro culpa sumit. »

60. Cf. F. Lieblang, *op. cit.*, p. 42, p. 137-156.

La contemplation ne constitue qu'une brève illumination, une vision fugitive de Celui qui est la lumière incirconscrite[61]. Mais la vie des âmes dans l'au-delà consiste justement à entrer dans la plénitude de la vision, et, quand il veut évoquer la béatitude du ciel, Grégoire ne peut que multiplier les images lumineuses. « Les espaces intérieurs du Sud (*interiora Austri*) sont les hiérarchies cachées des anges et les replis très secrets de la patrie céleste, que remplit la chaleur de l'Esprit Saint. C'est là que parviennent les âmes des saints, qui sont maintenant dépouillées de leurs corps comme elles seront par la suite rendues à leur corps ; elles y sont cachées comme les astres dans les profondeurs. Là pendant le jour, comme en plein midi, le feu du soleil brûle plus ardemment, car l'éclat du Créateur, triomphant désormais des ténèbres de notre condition mortelle, s'offre plus clairement à la vision ; et, comme le rayon d'une sphère, il s'élève vers des espaces plus élevés, car la vérité, par elle-même, nous illumine de façon plus pénétrante[62]. »

Dans un langage forcément analogique et à l'aide de nombreux comparatifs (*ardentius, manifestius, spatia altiora, subtilius*), Grégoire cherche à faire comprendre que le ciel n'est en définitive que le degré supérieur de l'expérience mystique, de l'illumination contemplative : il est à la fois le terme de l'ascension par laquelle l'homme s'élève jusqu'à Dieu et l'entrée dans la lumière sans limites. Les phrases qui suivent sont là pour rappeler quel dépassement de la condition humaine implique une telle élévation. « Là (c'est-à-dire dans le ciel) on aperçoit la lumière de la contemplation intime, sans que s'interpose l'ombre de notre nature muable ; là, règne la chaleur de la lumière des sommets sans aucune obscurité corporelle ; là, les chœurs invisibles des anges étincellent comme des astres dans les profondeurs. Toutes ces réalités, du fait que la flamme de la véritable lumière les pénètre plus profondément, les hommes ne peuvent les voir pour l'instant[63]. » Ainsi se trouvent affirmées à la fois la distance qui sépare le monde des hommes du monde de Dieu et la continuité, en vertu de laquelle les hommes ont, dès cette vie terrestre, un avant-goût de la vision plénière qui les attend dans l'au-delà. C'est l'attente de cette vision plénière qui donne sa signification au combat

---

61. Sur ce thème, cf. R. GILLET, *art. cit.*, 899-905.

62. *Mor.* 9, 11, 17 (*PL*, 75, 868 C - 869 A) : « Interiora ergo Austri sunt occulti illi angelorum ordines, et secretissimae patriae coelestis sinus, quos implet calor Spiritus Sancti. Illuc quippe sanctorum animae et nunc corporibus exutae et post corporibus restitutae perueniunt, et quasi astra in abditis occultantur. Ibi per diem, quasi in meridiano tempore, ardentius solis ignis accenditur, quia conditoris claritas, mortalitatis nostrae iam pressa caligine, manifestius uidetur, et uelut spherae radius ad spatia altiora se eleuat, quia de semetipsa nos ueritas subtilius illustrat. »

63. *Ibid.* (869 A) : « Ibi lumen intimae contemplationis sine interueniente cernitur umbra mutabilitatis ; ibi calor summi luminis sine ulla obscuritate corporis ; ibi inuisibiles angelorum chori quasi astra in abditis emicant ; quae eo nunc ab hominibus uideri nequeunt, quo flamma ueri luminis altius perfundutur. »

actuel entre la lumière et les ténèbres, les ténèbres, dans ce langage mystique et eschatologique, désignant seulement ce qui, en l'homme, l'empêche de voir Dieu face à face[64]. L'accès au ciel sera donc au sens propre une révélation, un dévoilement de Dieu dans la clarté, et la récompense de ce désir de voir qui est, selon Grégoire, comme selon Augustin, au fond de l'âme humaine, mais qui demeure insatisfait ici-bas.

Cette vision de Dieu fait qu'une parfaite égalité existera dans le ciel. Malgré la diversité des mérites, la récompense y sera la même pour tous les élus. Les trois portes du temple de la vision d'Ézéchiel ont la même dimension, « parce que, lors de la rétribution ultime, bien que tous n'aient pas la même dignité, tous auront cependant une même vie de béatitude... Bien que les mérites de chacun soient inégaux, il n'y aura pas diversité de joies, car bien que l'un éprouve moins d'allégresse et l'autre davantage, tous cependant trouvent une même joie dans la vision de leur Créateur[65]. » Les hiérarchies de la terre, et même celles du ciel, disparaissent devant ce bien commun que sera Dieu pour tous les citoyens de l'au-delà[66]. Cette béatitude du ciel, qui couronne le pèlerinage terrestre, Grégoire ne se lasse pas de l'évoquer, soit dans le langage traditionnel de la spiritualité chrétienne, qui la présente comme le comble de la paix[67], du repos[68], sans ombre de péché, de souci ni de fatigue[69], soit au moyen de métaphores empruntées à la liturgie :

---

64. C. Butler (*op. cit.*, p. 127) se demande si Grégoire ne serait pas le créateur de cette idée, selon laquelle Dieu serait vu comme le soleil à travers un nuage ou un brouillard (cf. *Mor.* 17, 27, 39 : *PL*, 76, 29 B). On sait que les écrivains mystiques postérieurs à Grégoire parlent volontiers du « nuage de l'inconnaissance ».

65. *HEz* 2, 4, 6 (*PL*, 76, 977 A-B = *CCh*, 142, p. 263) : « Vel certe trium una mensura est, quia in retributione ultima quamuis eadem dignitas omnibus non sit, una tamen erit omnibus uita beatitudinis... Nam etsi dispar erit meritum singulorum, non erit diuersitas gaudiorum, quia etsi alter minus atque alius amplius exsultat, omnes tamen unum gaudium de Conditoris sui uisione laetificat. »

66. Cf. *HEv* 2, 34, 14 (*PL*, 76, 1255 C) : « Sic quippe in illa summa ciuitate specialia quaedam singulorum sunt, ut tamen sint communia omnium ; et quod in se ex parte quisque habet, hoc in alio ordine totum possidet. »

67. Cf. *HEv* 2, 30, 10 (1227 C) : « ... ibi pax uera, quae nobis iam non relinquitur, sed datur... » ; *HEv* 1, 12, 1 (1118 D) : « ... in illo regno beatitudinis, in quo pax summa est... ».

68. Cf. *HEv* 1, 13, 4 (1125 A) : « ... in aeterna quiete refoueri » ; *Ep.* 5, 46 (*MGH*, I, p. 346) : « Tanto enim tunc maior ei erit requies, quanto modo ab amore conditoris sui requies nulla fuerit. »

69. Cf. *Mor.* 8, 33, 56 (*PL*, 75, 836 B) : « ... ab humano genere tunc peccatum plene tollitur, cum per incorruptionis gloriam nostra corruptio permutatur. » ; *Mor.* 18, 54, 91 (*PL*, 76, 94 B) : « ... numquam simul poena et beatitudo conueniunt. » ; *HEz* 2, 5, 15 (*PL*, 76, 994 C = *CCh*, 142, p. 288) : « ... quisquis ad omnipotentis Dei gaudia aeterna peruenerit, laborem et gemitum alterius non habebit. » ; *Ep.* 9, 230 (*MGH*, II, p. 226) : « ... quando iam quidquam de nocte peccati in mente nostra non erit. »

le rassemblement des élus dans la cité céleste apparaît alors comme le prolongement des réunions de l'Église terrestre et, dans ses homélies, Grégoire aime tourner l'esprit de ses auditeurs vers cette fête qui les attend auprès de Dieu, dans la compagnie des anges et des saints. Il use tout naturellement d'un langage lyrique, plein de répétitions et de redondances, pour dépeindre cette plénitude de joie : « Dans ces pâturages (du ciel), le rassasiement de l'éternité remplit de joie ceux qui ont déjà échappé aux pièges des plaisirs de notre condition temporelle. Là sont les chœurs des anges, qui chantent des hymnes, là est la société des citoyens d'en haut. Là est la douce fête de ceux qui reviennent des tristes épreuves de notre pèlerinage, là sont les chœurs des prophètes, qui prédisaient l'avenir, le groupe des apôtres, devenus nos juges, l'armée victorieuse des martyrs innombrables, d'autant plus joyeuse dans l'au-delà qu'elle fut ici-bas plus durement éprouvée ; c'est là que sont les confesseurs pleins de constance, consolés par la récompense qu'ils ont reçue ; là, les croyants que les plaisirs du monde n'ont pu amollir, en ayant raison de la force de leur virilité ; là, les saintes femmes, qui ont dominé leur sexe, en même temps que le monde ; là, les enfants qui ont devancé ici-bas leur âge par leur caractère, et les vieillards que l'âge a ici-bas rendus débiles, mais qui n'ont pas perdu le courage dans l'action[70]. » Cet immense rassemblement, cette fête de l'Église dans l'éternité réunit tous les justes, qui, du début à la fin du monde, ont servi Dieu. Cette ecclésiologie de la *superna sanctorum ciuitas*, qui vient surtout d'Augustin, se retrouve chez Bède et chez tous les théologiens du Haut Moyen Age : dans cette Église à la fois céleste et terrestre, une même liturgie se célèbre[71]. Ainsi se justifie l'exhortation de Grégoire : « Recherchons donc, frères très chers, ces pâturages, où nous devons trouver la joie dans une fête qui réunit tant de citoyens[72]. » La béatitude du ciel est la joie d'une communion fraternelle dans la lumière de Dieu.

---

70. *HEv* 1, 14, 5 (*PL*, 76, 1130 A-B) : « In istis pascuis de aeternitatis satietate laetati sunt qui iam laqueos uoluptuosae temporalitatis euaserunt. Ibi hymnidici angelorum chori, ibi societas supernorum ciuium. Ibi dulcis solemnitas a peregrinationis huius tristi labore redeuntium. Ibi prouidi prophetarum chori, ibi iudex apostolorum numerus, ibi innumerabilium martyrum uictor exercitus, tanto illic laetior, quanto hic durius afflictus ; ibi confessorum constantia, praemii sui perceptione consolata ; ibi fideles uiri quos a uirilitatis suae robore uoluptas saeculi emollire non potuit ; ibi sanctae mulieres quae cum saeculo et sexum uicerunt ; ibi pueri qui hic annos suos moribus transcenderunt ; ibi senes quos hic et aetas debiles reddidit, et uirtus operis non reliquit. »

71. Cf. Y. Congar, *op. cit.*, p. 108, qui cite un passage des *Dial.* 4, 60, où Grégoire fait de l'Eucharistie le cœur de cette liturgie unique : « Quis enim fidelium habere dubium possit, ipsa immolationis hora ad sacerdotis uocem coelos aperiri, in illo Jesu Christi mysterio angelorum choros adesse, summis ima sociari, terrena coelestibus iungi, unum quid ex uisibilibus atque inuisibilibus fieri ? »

72. *HEv* 1, 14, 6 (1130 B) : « Quaeramus ergo, fratres carissimi, haec pascua, in quibus cum tantorum ciuium solemnitate gaudeamus. » Cf. *HEv* 2, 30, 10 (1227 C) : « Ad istum finem toto amore tendamus, in

Au contraire, l'enfer est le lieu de la division et de l'obscurité, l'antithèse exacte du ciel. C'est la même terminologie, mais comme inversée, qu'utilise Grégoire pour parler des supplices qui attendent les damnés. « De même que la mort extérieure est la division de la chair et de l'âme, de même la mort intérieure sépare l'homme de Dieu. L'ombre de la mort est donc l'obscurité de la division, car tous les damnés, en même temps qu'ils sont brûlés dans le feu éternel, sont plongés dans les ténèbres, loin de la lumière intérieure... Si le feu qui tourmente les réprouvés avait pu comporter quelque lumière, on ne dirait en aucune façon que celui qui y est rejeté est envoyé dans les ténèbres. C'est pourquoi aussi le psalmiste dit : « Sur eux le feu est tombé et ils n'ont pas vu le soleil » (*Ps.* 57, 9). Le feu tombe en effet sur les impies et, malgré cette chute d'un feu, ils ne voient pas le soleil, parce que, du fait que la flamme de la géhenne les dévore, ils deviennent aveugles à la vision de la lumière véritable ; de sorte qu'au-dehors, la douleur de la brûlure les tourmente et qu'au-dedans, le châtiment de l'aveuglement les remplit d'obscurité[73]. » On reconnaît ici, appliqués à l'enfer, un certain nombre des thèmes habituels de l'anthropologie grégorienne : l'aveuglement spirituel est une conséquence du péché originel ; c'est pourquoi les damnés sont frappés d'un aveuglement encore plus grand, parce qu'ils ont refusé pendant leur vie d'accéder à la lumière que Dieu leur proposait. « Au sujet des gens qu'au-dedans de l'Église la vengeance divine trouve endurcis dans leurs iniquités, on peut dire, comme pour ceux dont l'apôtre Paul dénonce la façon de vivre « Ils font profession de connaître Dieu, mais ils le renient par leur conduite » (*Tit.* 1, 16) : « Comme des impies, il les a frappés à la place de ceux qui voient » (*Job*, 34, 26). Ils se tenaient debout là où ils semblaient voir Dieu. Ils ont aimé les ténèbres là où l'on contemple la lumière de la vérité[74]. »

Il faut bien reconnaître que la présentation grégorienne du purgatoire n'est pas du même ordre que celles du ciel et de l'enfer. Dans les deux

---

quo sine fine laetabimur. Ibi supernorum ciuium societas sancta ; ibi solemnitas certa... »

73. *Mor.* 9, 65, 97 (*PL*, 75, 912 C-D) : « Sicut mors exterior ab anima diuidit carnem, ita mors interior a Deo separat animam. Vmbra ergo mortis est obscuritas diuisionis, quia damnatus quisque cum aeterno igne succenditur, ab interno lumine tenebratur... Si itaque ignis qui reprobos cruciat lumen habere potuisset, is qui repellitur nequaquam mitti in tenebras diceretur. Hinc etiam psalmista ait : « Super eos cecidit ignis et non uiderunt solem. » Ignis enim super impios cadit, sed sol igne cadente non cernitur, quia quo illos gehennae flamma decorat, a uisione ueri luminis caecat ; ut et foris eos dolor combustionis cruciet, et intus poena caecitatis obscuret. »

74. *Mor.* 25, 10, 25 (*PL*, 76, 337 A-B) : « Dicatur ergo de his, quos intra sanctam Ecclesiam diuina ultio inuenit in iniquitatibus perdurantes, dicatur de his quorum uitam Paulus apostolus notat : « Qui confitentur se nosse Deum, factis autem negant » : Quasi impios percussit eos in loco uidentium. Ibi quippe stabant, ubi Deum uidere uidebantur. Ibi tenebras dilexerunt, ubi lumen ueritatis aspicitur. »

textes où il en parle explicitement[75], Grégoire n'emploie pas du tout
la terminologie de la lumière et des ténèbres : il affirme seulement la
possibilité d'une expiation des fautes légères après la mort, grâce à
l'existence d'un feu purificateur, et dans le texte des *Dialogues*, il fournit
à l'appui de sa thèse plusieurs citations bibliques, dont la première
(*Jn*, 12, 35 : « Marchez tant que vous avez la lumière ») lui fournissait
une allusion à la lumière, qu'il n'a pas retenue. Il est donc clair que
Grégoire n'entend pas traiter du purgatoire en mystique, mais en moraliste. Cependant, l'incertitude s'accroît lorsqu'on rapproche ces deux
textes, qui usent du terme *purgatorius*, d'un passage des *Moralia* dans
lequel se trouve traité ce même problème de l'expiation des fautes
légères, mais de telle façon que le mot de purgatoire n'y apparaît pas,
que l'expiation intervient avant la mort et surtout que la terminologie
mystique y est largement utilisée : « Puisque les âmes des justes sont
souvent purifiées de toutes les fautes légères par la peur même de la
mort et perçoivent les joies de la rétribution éternelle dès la dissolution
de leur chair, et puisqu'il arrive fréquemment qu'avant même d'être
dépouillées de leur chair, elles ont la joie de contempler presque leur
récompense intérieure et que tout en payant la dette de leur ancienne
condition, elles jouissent déjà du plaisir de leur nouveau destin, il est
écrit à bon droit : ' Il verra le face de Dieu dans l'allégresse ' (*Job*, 33,
26)[76]. » Le verset suivant du livre de *Job* permet à Grégoire de joindre
le thème de la lumière à celui du pécheur pardonné : « Dieu a libéré
son âme, pour qu'elle ne tombât pas dans la mort, mais que, vivante,
elle vît la lumière » (*ibid.* 28). L'âme du juste voit donc la lumière, durant
cette vie, car elle fixe son œil spirituel sur les rayons du soleil éternel.
Elle voit la lumière, durant cette vie, car, bien qu'accablée par toutes
les vicissitudes et les obscurités de sa condition muable, elle adhère à la
vérité éternelle[77]. » Et Grégoire achève son développement en le rattachant
au thème de tout le chapitre : cette dialectique de la vision fait partie
du chemin que parcourt le chrétien de la conversion à l'épreuve et de
l'épreuve à la mort. Si la vision terrestre est une anticipation de l'au-delà,
il n'est nullement dit que les épreuves d'ici-bas pouvaient être complétées

---

75. *Dial.* 4, 41 (p. 296-297) et *In I Reg.* 2, 107 (*CCh*, 144, 177-178) :
« ... qui perfectionem bonae uoluntatis habuerunt in confessione peccati,
post mortem purgatoria poena peccati ad uitam transeunt... ».

76. *Mor.* 24, 11, 34 (*PL*, 76, 306 C) : « Quia iustorum animae a leuibus
quibusque contagiis ipso saepe mortis pauore purgantur, et aeternae
retributionis gaudia iam ab ipsa carnis solutione percipiunt, plerumque
uero contemplatione quadam retributionis internae etiam priusquam carne
exspolientur hilarescunt, et dum uetustatis debitum soluunt, noui iam
muneris laetitia perfruuntur, recte dicitur : « Videbit faciem eius in
iubilo. »

77. *Ibid.* (306 C-D) : « ' Liberauit animam suam, ne pergeret in interitum, sed uiuens lucem uideret '. Iusti itaque anima... lucem uiuens
uidet, quia spiritalem oculum in radios aeterni solis infigit. Ibi lucem
uiuens uidet, quia omni iam mutabilitatis uicissitudine atque obumbra-
tione calcata, ueritati aeternitatis inhaeret. »

dans un lieu où iraient après la mort les âmes imparfaitement purifiées. C'est dire que la représentation grégorienne du purgatoire, si l'on la rapproche de ce passage, n'est pas aussi claire que l'on veut bien le dire.

En tout cas, Grégoire ne met pas le purgatoire sur le même plan que le ciel ou que l'enfer ; il en parle non pas du tout comme d'un séjour distinct des deux autres dans l'au-delà, ni comme d'un lieu intermédiaire entre le lumière et les ténèbres éternelles, mais plutôt par rapport aux conditions du salut, en montrant que la miséricorde de Dieu peut s'exercer après la mort : « Pour ce qui est de certaines fautes légères, il faut croire qu'il existe avant le jugement un feu purificateur, selon ce qu'affirme Celui qui est la vérité, en disant que si quelqu'un a prononcé un blasphème contre l'Esprit Saint, cela ne lui sera pardonné ni dans ce siècle-ci, ni dans le siècle futur (*Matt.* 12, 31). Dans cette sentence, nous pouvons comprendre que certaines fautes peuvent être remises dans ce siècle-ci, mais certaines autres dans le siècle futur[78]. »

En revanche, Grégoire retrouve des accents mystiques pour parler du terme de l'histoire humaine, de la résurrection finale. Certes, il est loin d'égaler le dernier livre de la *Cité de Dieu* : seuls, quelques passages épars dans son œuvre brossent le tableau de ce bonheur éternel qui attend pour toujours les élus dans la cité céleste. Mais il peut se dispenser de répondre à des objections ; on sent qu'il affirme cette certitude de la résurrection à des chrétiens qui n'en doutent pas et qui sont sûrs d'avancer vers cette gloire ultime qu'ils attendent dans la foi. Ce sera pour tous le terme du pèlerinage, comme une nouvelle aurore, le triomphe total, définitif de la lumière. « Si grand que soit l'élan avec lequel l'âme, encore en pèlerinage, s'efforce de voir la lumière telle qu'elle est, elle n'en est pas capable, car l'aveuglement auquel elle a été condamnée la lui cache[79]. » On voit se rejoindre ici le thème du pèlerinage et celui de la lumière et des ténèbres : la résurrection va pouvoir apparaître comme une sorte de retour au paradis, une nouvelle naissance, puisque les hommes échapperont pour toujours à l'obscurité, qui avait été à l'origine le châtiment de leur péché et qui est aussi la punition des damnés. « Le lever de l'aurore est cette nouvelle naissance de la résurrection, par laquelle la sainte Église ressuscitée également dans sa chair, se dresse pour contempler la lumière de l'éternité. Car si la résurrection même de notre chair n'était pas comme une sorte de naissance, celui qui est la Vérité n'en aurait pas dit : « Dans la régénération, quand le Fils de l'homme siégera sur son trône de gloire » (*Matt.* 19, 28). Il a donc vu le

---

78. *Dial.* 4, 41 (p. 296) : « Sed tamen de quibusdam leuibus culpis esse ante iudicium purgatorius ignis credendus est, pro eo quod Veritas dicit, quia si quis in Sancto Spiritu blasphemiam dixerit, neque in hoc saeculo remittetur ei, neque in futuro. In qua sententia datur intellegi quasdam culpas in hoc saeculo, quasdam uero in futuro posse laxari. »

79. *Mor.* 4, 25, 46 (*PL*, 75, 660 A) : « Quantalibet namque intentione adhuc peregrina mens satagat uidere lucem sicut est, non ualet, quia hanc ei damnationis suae caecitas abscondit. »

lever de cette aurore, qu'il a appelée régénération[80]. » Augustin lui aussi pensait que les mots *in regeneratione* devaient s'entendre de la résurrection des morts[81]. Mais il n'associait pas, comme le fait Grégoire, cette résurrection au thème de la lumière de gloire, qui doit marquer l'avènement d'un monde nouveau. Non seulement cette aurore de l'éternité répond à l'attente des contemplatifs, mais elle vaut pour l'Église entière : une fois de plus, la perspective mystique fait l'unité entre la doctrine spirituelle et l'ecclésiologie, puisque c'est l'Église entière qui est appelée à ressusciter dans la chair et à rayonner de la gloire de la résurrection.

C'est ainsi que se rejoignent l'eschatologie individuelle et l'eschatologie collective, que la métaphore de l'aurore et du jour naissant sert à évoquer en même temps. L'Église est encore dans la nuit, mais déjà s'annonce l'heure où elle sera entièrement lumineuse. « Voici que la sainte Église des élus sera en pleine lumière du jour, quand elle n'aura plus en elle l'ombre du péché qui lui est mêlée. Voici qu'elle sera en pleine lumière du jour, lorsqu'elle resplendira de l'éclat parfait de la lumière intérieure. Voici qu'elle sera en pleine lumière du jour, lorsqu'elle ne supportera aucun souvenir éprouvant de ses malheurs, mais pourra totalement écarter d'elle jusqu'aux restes de ses ténèbres[82]. » On reconnaît là toute la doctrine mystique de Grégoire : la béatitude se confond avec la vision de Dieu, qui demeure ici-bas inchoative et imparfaite. Si bien que le pèlerinage humain qu'effectue chaque chrétien aussi bien que l'Église entière, au milieu des épreuves et des consolations d'ici-bas, n'a qu'un unique but et une unique signification : l'attente de l'aurore, qui inaugurera la naissance d'un monde nouveau. « Quel est en effet le séjour de l'aurore, sinon la parfaite clarté de la vision éternelle ? Quand l'Église y sera parvenue, après sa traversée du monde, elle ne garde plus rien des ténèbres de la nuit, qui est passée. Pour l'instant, puisque l'Église, supportant encore des épreuves qui l'affectent, se hâte vers un autre lieu de tout l'élan de son cœur, c'est que l'aurore tend vers son séjour. Si l'Église n'apercevait pas ce séjour en esprit, elle demeurerait dans la nuit de

---

80. *Ibid.* (660 B-C) : « Ortus uero aurorae est illa noua natiuitas resurrectionis, qua sancta Ecclesia etiam carne suscitata oritur ad contemplandum lumen aeternitatis. Si enim ipsa carnis nostrae resurrectio quasi quaedam natiuitas non esset, de ea Veritas non dixisset : « In regeneratione, cum sederit Filius hominis in sede maiestatis suae. » Esse ergo hanc ortum uidit, quam regenerationem uocauit. »

81. Cf. *De civ. Dei*, 20, 5, 3 (*Bibl. aug.*, 37, p. 196-198) : « In regeneratione, procul dubio mortuorum resurrectionem nomine uoluit regenerationis intelligi » ; *En. in Ps. 144*, 6 (*CCh*, 40, 2092 : « Sumus enim in ista generatione filii Dei ; erimus in alia generatione filii resurrectionis. »)

82. *Mor.* 29, 2, 4 (*PL*, 76, 479 B) : « Tunc autem plene sancta electorum Ecclesia dies erit, cum ei admista peccati umbra iam non erit. Tunc plene dies erit, quando interni luminis perfecto feruore claruerit. Tunc plene dies erit, quando nullam malorum suorum tentantem memoriam tolerans, omnes a se tenebrarum etiam reliquias abscondet. »

cette vie. Mais puisqu'elle marche chaque jour vers son achèvement, et chaque jour, vers un accroissement de lumière, elle contemple déjà son séjour et désire être éclairée pleinement par le soleil[83]. »

Ce passage s'achève par quelques citations du Nouveau Testament[84] où notre résurrection est rattachée à celle du Christ. Car c'est là une conviction de foi qui est déjà au cœur de la christologie paulinienne et de l'eschatologie augustinienne, et que Grégoire reprend volontiers, surtout dans ses homélies. En triomphant de la mort, le Christ « nous a donné un exemple, pour que nous croyions qu'il adviendra au dernier jour de notre chair ce que nous savons qu'il est advenu de la sienne au jour de la résurrection[85]. » Le terme d'*exemplum* a un sens très fort : il ne s'agit pas d'un exemple à imiter, mais d'un prototype, du premier élément d'une série. La résurrection du Christ est l'argument fondamental qui prouve et annonce la nôtre. Grégoire développe cette affirmation dans la suite de l'homélie, à grand renfort de citations bibliques et en résumant la démonstration d'Augustin dans la première partie du dernier livre de la *Cité de Dieu*. Il va jusqu'à répondre à des objections tout à fait semblables à celles que mentionnait déjà Augustin : comment la chair peut-elle revivre à partir de la poussière ? Comment un homme dévoré par un loup, à son tour dévoré par un lion, ressuscitera-t-il[86] ? Le principe fondamental demeure inchangé : le miracle n'est pas absent de la nature et surtout, la résurrection du Christ dans sa chair est le signe efficace de la nôtre.

Dans plusieurs de ses *homélies sur l'Évangile*, prononcées avant et après Pâques, Grégoire revient sur ce thème : la résurrection du Christ constitue les prémices du monde nouveau auquel nous sommes destinés, car, à partir de la tête, les effets de cette résurrection doivent s'étendre aux membres que nous sommes : « Si donc, à nous qui ne connaissons qu'une vie mortelle, Jésus-Christ promettait la résurrection de la chair sans toutefois la montrer visiblement, qui croirait à ses promesses ? C'est pourquoi, s'étant fait homme, il est apparu dans la chair, a jugé bon de mourir volontairement, est ressuscité en vertu de sa puissance, et a manifesté par cet exemple ce qu'il nous a promis en récompense. Mais peut-être que l'on va dire : il est normal que lui soit ressuscité, puisqu'étant

---

83. *Ibid.* (479 B-C) : « Quid est enim locus aurorae, nisi perfecta claritas uisionis internae ? Ad quem cum perducta uenerit, iam de transactae noctis tenebris nihil habet. Nunc autem adhuc tentationum molestias sustinens, quia per intentionem cordis ad aliud festinat Ecclesia, ad locum suum tendit aurora. Quem locum si mente non cerneret, in huius uitae nocte remaneret. Sed cum quotidie contendit perfici, et in lucem quotidie augeri, locum suum iam conspicit, et plene sibi clarescere solem quaerit. »

84. *Jn* 17, 24 ; *Matt.* 24, 28 ; *Phil.* 1, 21.

85. *HEz* 2, 8, 5 (*PL*, 76, 1030 D = *CCh*, 142, p. 339) : « Nobisque exemplum dedit, ut ea fieri in die ultimo de nostra carne credamus quae facta de carne illius in die resurrectionis agnouimus. »

86. Cf. *ibid.* 7-8 (1032 A - 1033 B = 341-342).

Dieu, il ne pouvait pas être retenu par la mort. C'est donc pour instruire notre ignorance, pour fortifier notre faiblesse, qu'il n'a pas voulu que nous nous contentions d'avoir l'exemple de sa résurrection. Il est mort seul à ce moment-là, et cependant il n'a pas été du tout seul à ressusciter. Car il est écrit : « Beaucoup de corps des saints qui s'étaient endormis ressuscitèrent » (*Matt.* 27, 52). Tous les arguments des mécréants sont donc anéantis. Pour que l'on n'aille pas dire : « L'homme ne doit pas espérer pour lui-même ce que le Dieu fait homme a montré dans sa propre chair », voici qu'avec Dieu, des hommes ont ressuscité et nous ne doutons pas qu'ils aient bien été des hommes. Si donc nous sommes les membres de notre Rédempteur, nous pouvons présumer que s'accomplira en nous ce qui s'est accompli à l'évidence dans celui qui est notre tête[87]. »

L'eschatologie rejoint ainsi la christologie, puisque Grégoire reprend à sa manière le principe augustinien selon lequel la résurrection du Christ est le modèle de la nôtre : « Comme le Christ s'est conformé à nous dans la mortalité, de même nous serons rendus conformes à lui dans l'immortalité[88]. » Grégoire insiste fortement aussi sur le fait que la vie éternelle était inconnue de l'homme et qu'elle lui a été révélée par le Christ : c'est dire que la contemplation du Ressuscité est au cœur de l'expérience mystique. Celui qui sera le Juge du dernier jour est dès maintenant le Sauveur des hommes, et l'on ne peut célébrer le Christ entré dans l'éternité qu'en se détournant de ce monde pour participer déjà à la liturgie céleste, telle que Grégoire l'évoque à la fin de la même homélie : « Cette glorieuse résurrection du Christ, frères très chers, qui s'était d'abord révélée par un signe et s'est manifestée ensuite effectivement, aimons-la de toute notre âme, et mourons par amour pour elle. Voici que, dans la résurrection de notre créateur, ses serviteurs les anges deviennent nos concitoyens, nous le savons... Puisque nous ne pouvons pas encore le faire par la vision, joignons-nous à eux par le désir et en esprit. Passons des vices

---

87. *HEv* 2, 21, 6 (*PL*, 76, 1172 C-D) : « Si ergo nobis mortalem uitam scientibus resurrectionem promitteret carnis, et tamen hanc uisibiliter non exhiberet, quis eius promissionibus crederet ? Factus itaque homo apparuit in carne, mori dignatus est ex uoluntate, resurrexit ex potestate, et ostendit exemplum quod nobis promisit in praemio. Sed fortasse aliquis dicat : Jure ille surrexit qui, cum Deus esset, teneri a morte non potuit. Ad instruendam ergo ignorantiam nostram, ad roborandam infirmitatem nostram, suae resurrectionis exemplum nobis sufficere noluit. Solus in illo tempore mortuus est, et tamen solus minime resurrexit. Nam scriptum est : « Multa corpora sanctorum qui dormierant surrexerunt. » Ablata ergo sunt omnia argumenta perfidiae. Ne quis enim dicat : Sperare de se non debet homo quod in carne sua exhibuit Deus homo, ecce cum Deo homines resurrexisse cognoscimus, et quos puros homines fuisse non dubitamus. Si ergo membra nostri Redemptoris sumus, praesumamus in nobis quod gestum constat in capite. »

88. *De ciuit. Dei* 22, 16 (*Bibl. aug.*, 37, p. 620) : « Potest et sic accipi ut, quem ad modum nobis ille mortalitate, ita nos illi efficiamur immortalitate conformes. »

aux vertus, pour mériter de voir notre Rédempteur en Galilée. Que le Dieu tout-puissant soutienne le désir qui nous porte vers la vie[89]. » La célébration liturgique est donc à la fois le souvenir de la Résurrection du Christ et l'anticipation de la vie éternelle auprès de Dieu et des hommes ; la Pâque du Christ inaugure le passage que l'homme doit accomplir pour entrer dans l'éternité.

C'est pourquoi Grégoire considère Pâques comme la fête des fêtes : la résurrection du Christ est le gage de notre entrée future dans la patrie céleste, l'anticipation du Royaume à venir : « De même que dans la sainte Écriture on parle en raison de leur importance du Saint des Saints, ou du Cantique des Cantiques, de même cette fête (de Pâques) mérite à bon droit le titre de solennité des solennités. C'est que, par cette solennité, le modèle de la résurrection nous est donné, l'espérance de la patrie céleste nous est accessible, et la gloire du royaume d'en-haut peut déjà être saisie par anticipation[90]. » On peut comprendre que ce pape ait donné une telle impulsion au chant d'église et qu'on lui attribue la paternité d'un sacramentaire : pour lui, la célébration du Christ ressuscité permet aux chrétiens d'avoir un avant-goût de ce qui les attend dans l'au-delà. La liturgie réalise ainsi la jonction entre ce monde-ci et le monde à venir : grâce à elle, l'eschatologie est déjà présente dans le prolongement de la foi du peuple chrétien rassemblé pour fêter son Seigneur.

---

89. *HEv* 2, 21, 7 (*PL*, 76, 1173 D - 1174 A) : « Hanc ergo resurrectionis eius gloriam, fratres carissimi, quae et prius demonstrabatur ex signo, et post patuit ex facto, tota mente diligamus, pro eius amore moriamur. Ecce in resurrectione auctoris nostri ministros eius angelos conciues nostros agnouimus... His, cum necdum uisione possumus, desiderio et mente iungamur. Transmigremus a uitiis ad uirtutes, ut in Galilaea Redemptorem nostrum uidere mereamur. Adiuuet omnipotens Deus ad uitam desiderium nostrum... »

90. *HEv* 2, 22, 6 (1177 B) : « Sicut enim in sacro eloquio sancta sanctorum, uel Cantica canticorum, pro sui magnitude dicuntur, ita haec festiuitas recte dici potest solemnitas solemnitatum. Ex hac quippe solemnitate exemplum nobis resurrectionis datum est, spes coelestis patriae aperta, et facta superni regni iam praesumptibilis gloria. »

CONCLUSION

Grégoire en son temps et par-delà son temps

Au terme de cette étude, je pense qu'il est possible de porter un jugement d'ensemble sur l'œuvre de Grégoire. Que vaut cette doctrine
spirituelle, dont j'ai tenté de saisir l'intention primordiale et comme
le mouvement intérieur qui l'anime ? Mérite-t-elle à Grégoire d'être
considéré comme l'un des principaux fondateurs de cette nouvelle culture
chrétienne, que le monde médiéval saura reconnaître et développer ?

L'unité de l'œuvre   Il est paradoxal de parler d'unité à propos de
grégorienne   l'œuvre grégorienne. Non pas que les homélies,
                   les *Moralia*, la *Regula Pastoralis*, les *Dialogues*
ou même la correspondance ne nous présentent les mêmes thèmes,
indéfiniment repris, avec des harmoniques plus ou moins variées, mais
pour cette raison majeure que ces ouvrages, et spécialement les *Moralia*,
ont une apparence désordonnée, foisonnante, parfois confuse, voire
incohérente. C'est la diversité qui frappe le plus lorsqu'on aborde Grégoire
et l'on craint de se perdre au milieu de ses exégèses compliquées et de
ses commentaires déconcertants. Où est le fil conducteur de cette espèce
d'encyclopédie morale et spirituelle dont il est l'auteur ? Quelles intentions
ont servi de règles à la composition de cette « somme », qui n'obéit
évidemment pas à un dessein systématique ? Ne vaudrait-il pas mieux
renoncer à chercher une « structure » organique dans une œuvre apparemment aussi hétéroclite ?

Cependant, pour peu que l'on accepte d'aller au-delà des apparences,
on reconnaîtra vite que cette œuvre est profondément une, parce qu'elle
est inséparable de l'homme qui l'a composée. Certes, Grégoire ne s'est
jamais proposé de grands desseins théologiques. Tout au contraire :
chacun de ses ouvrages est, à sa manière, un ouvrage de circonstances.
Le commentaire sur Job lui a été demandé par ses compagnons de
Constantinople. Le *Pastoral* a été rédigé comme une défense et illustration

de sa propre charge pastorale. Les *Homélies sur Ézéchiel* devaient servir à relever le moral des chrétiens de Rome, menacés par les troupes lombardes. Et, chaque fois, Grégoire doit s'excuser d'avoir manqué de temps pour approfondir sa pensée ou perfectionner son style. Toute son œuvre se trouve ainsi placée sous le signe du provisoire : on y perçoit l'écho d'une inquiétude permanente, qui est celle d'un monde conscient de son déclin.

Qu'est-ce qui a donc permis à cette œuvre de survivre à des circonstances qui en ont tellement conditionné la composition ? Sans aucun doute, la personnalité exceptionnelle de Grégoire qui s'engageait totalement dans ce qu'il disait ou écrivait. Au fond, tout son effort consiste à appuyer ses propres paroles sur la Parole de Dieu et à construire ainsi un discours chrétien qui puisse être utile à ses auditeurs ou à ses lecteurs. Enracinée dans l'Écriture et toujours orientée vers la pratique, l'œuvre grégorienne porte ainsi, d'un bout à l'autre, y compris dans les lettres les plus politiques, la marque d'une exigence spirituelle : celle d'un écrivain qui craint par-dessus tout les divertissements purement rhétoriques et qui n'entend se servir des mots humains que pour avancer dans l'exploration de la Parole de Dieu ; celle d'un maître spirituel, qui connaît les pièges de l'extériorité et qui désire, en bon élève d'Augustin, découvrir les voies et les moyens de l'expérience intérieure ; celle d'un homme qui a eu bien des occasions d'expérimenter les pesanteurs humaines, et qui n'oublie pas que le progrès de toute existence chrétienne implique une dialectique de conversion et de grâce ; celle, enfin, d'un Romain, qui participe à une immense crise de civilisation, plus sensible à Rome que partout ailleurs, mais qui ne se lasse pas de veiller, en attendant le Royaume de Dieu. Chacun de ces éléments, pourtant conditionnés par l'histoire d'une personnalité et d'une époque, fait que le langage grégorien de l'expérience spirituelle coïncide dans une large mesure avec le langage permanent de la foi chrétienne, qui comporte une norme scripturaire, une dimension d'engagement et une référence eschatologique[1]. Bref, je me risquerai à affirmer qu'une unité proprement théologique caractérise la pensée de Grégoire, aussi bien du point de vue de son contenu que du point de vue de sa méthode.

On peut déceler tout d'abord à travers tant d'écrits différents un centre de perspective. Ce n'est pas l'intention spéculative : Grégoire n'a aucun goût pour les abstractions et il lui faut plutôt éclairer la foi des simples. Ce n'est pas davantage la polémique doctrinale : il n'a pas à combattre d'hérésies caractérisées et il se méfie des joutes oratoires. Dès lors, certains seront tentés de voir dans la contemplation le centre de la doctrine grégorienne : et il est vrai que ce haut fonctionnaire devenu moine met la recherche de Dieu au-dessus de tout et considère l'expérience

---

1. Je m'inspire ici des analyses de J. Ladrière, *L'articulation du sens. Discours scientifique et parole de foi*, Paris, 1970, notamment p. 186-190, et p. 227-241.

mystique comme le sommet de la vie spirituelle ; devenu pasteur, il ne cessera pas de rappeler aux moines quel est l'essentiel de leur vocation et de guider son peuple entier vers la lumière de l'éternité, à travers les obscurités de ce monde. Mais, si marquée qu'elle soit par son expérience monastique, la pensée de Grégoire n'est pas seulement celle d'un contemplatif : elle est beaucoup plus large.

Justement parce que ce mystique a eu l'occasion, avant et après sa conversion, de mesurer le poids du monde et la diversité des hommes, il s'intéresse moins au mystère de Dieu pris en lui-même qu'à la condition humaine dans sa relation à Dieu. Les leçons augustiniennes élargissent ce que l'inspiration monastique aurait pu avoir de trop étroit. Si bien que le centre des perspectives grégoriennes, c'est l'homme en quête de Dieu, l'homme croyant, certes, car ce monde romain de la fin du vie siècle est dominé par la foi sereine de l'Église, mais l'homme ébranlé par une crise historique, dont le dénouement est encore lointain et qui attend le retour du Christ plutôt que la chrétienté médiévale. C'est à cette humanité-là que s'adresse le pape Grégoire, pour lui proposer une sorte de pédagogie de la recherche de Dieu.

On peut reprocher à cette pédagogie d'être moralisante à l'excès ou peu fondée philosophiquement. Mais l'on ne saurait dénier à Grégoire d'avoir été un pédagogue infatigable, d'avoir mis à la portée de tous les grandes intuitions de la pensée chrétienne, de l'expérience commune de l'Église. Il a admirablement réalisé l'idéal du « prédicateur » qu'il a esquissé dans ses principales œuvres : l'homme qui va sans relâche de la contemplation à l'action, de l'expérience de Dieu à la rencontre du monde, afin de tracer un itinéraire qui puisse mener de la vie présente à la vie éternelle. Et un itinéraire accessible aux diverses catégories de chrétiens, moines, pasteurs et laïcs ; un itinéraire qui devienne, à travers la liturgie, celui de l'ensemble du peuple de Dieu. Plus encore : la situation politique de l'Europe a permis à Grégoire de songer aussi aux païens et d'envisager les chemins de l'évangélisation des Barbares. Ce mystique, qui semble parfois prisonnier d'une vision trop exclusivement monastique, est le premier pape missionnaire. Le paradoxe est que cette œuvre, qui aurait pu être intemporelle puisque Grégoire encourage ses contemporains à fuir ce monde décadent, a marqué son époque et qu'en Occident, le vie siècle n'offre aucune synthèse théologique comparable à cette ample méditation sur l'expérience spirituelle d'une humanité en train de devenir chrétienne.

Cette perspective centrale commandait en partie la méthode adoptée par Grégoire. En partie seulement, parce qu'il faut faire la part des conditions dans lesquelles pouvait s'effectuer le travail intellectuel à la fin du vie siècle : on ne peut nier l'appauvrissement des moyens de formation, ni le ralentissement de la recherche théologique[2]. Mais,

---

2. Cf. H.-I. MARROU, *Nouvelle histoire de l'Église*, I, *Des origines à Grégoire le Grand*, Paris, 1963, p. 493.

malgré tout, Grégoire, sans trop se soucier de ces conditions, et, d'ailleurs, sans se faire d'illusions, s'est mis à l'œuvre. Puisqu'il avait à guider l'expérience chrétienne la plus commune, et pas seulement celle de l'élite monastique, il s'est efforcé de procéder presque toujours non de façon déductive ou à partir de principes généraux, mais par observations et descriptions inspirées le plus souvent par la Bible, et parfois par la vie courante ou les événements contemporains. Sa doctrine garde toujours un caractère éminemment concret : on trouve chez lui toute une psychologie de l'homme chrétien, une analyse presque ininterrompue du développement propre à la vie spirituelle, considérée non seulement dans sa phase la plus haute, mais aussi et le plus souvent dans son déroulement quotidien, au milieu des tentations et des épreuves[3]. Cette psychologie s'accompagne d'une morale : Grégoire emploie tout son art du discernement à démasquer les pièges du mal sous toutes ses formes et à indiquer les buts et les moyens de l'ascèse, qui est comme une première étape sur le chemin de Dieu. Cette morale peut sembler parfois étroite et terre à terre : mais le mystique intervient à temps pour laisser entrevoir le terme de la lutte. C'est la découverte de Dieu qui justifie les efforts de l'homme et par bonheur, l'influence d'Augustin empêche Grégoire de verser dans le pélagianisme.

Concrète, cette doctrine est aussi fondamentalement dynamique : l'auteur des *Moralia* sait bien que l'itinéraire qui mène l'homme vers Dieu est semé d'embûches, et que l'homme lui-même est en perpétuel mouvement. De plus, son esprit d'occidental est porté à mettre en relief moins la permanence de Dieu que l'instabilité des choses d'ici-bas, et le contexte historique ne pouvait que le confirmer dans ces vues. Certes, c'est peut-être la limite de ce type de pensée, que de subordonner le Dieu sauveur à l'instabilité de l'homme pécheur et de prêter plus d'attention aux incertitudes de l'agir humain qu'au rayonnement de la gloire du Créateur. Mais c'est un fait que Grégoire, en fidèle disciple d'Augustin, est surtout sensible au caractère dramatique de la condition humaine et c'est pourquoi il n'a pas cessé de faire ressortir les tensions permanentes qui caractérisent l'expérience chrétienne dans son déroulement le plus ordinaire : tension entre l'intériorité et l'extériorité, entre la grâce et le péché, entre la vie présente et la vie éternelle. Ces tensions affectent chaque individu, mais aussi toute l'Église, tendue vers la vision de Dieu mais en proie à toutes sortes de contradictions, de divisions et d'épreuves. Les « structures » de l'expérience apparaissent justement comme le moyen de rendre compte de ces diverses dialectiques. Grégoire ne manie pas l'antithèse par plaisir, mais pour aider à comprendre les tensions inhérentes à la vie du chrétien, et de l'Église en pèlerinage dans le monde. A comprendre, et aussi à dominer, car cette doctrine se veut pratique : il s'agit de savoir comment seront déjoués les pièges de l'extériorité, aussi bien dans la vie des pasteurs que dans la connaissance

---

3. Cf. P. CATRY, *Épreuves du juste et mystère de Dieu. Le commentaire littéral du livre de Job par saint Grégoire*, dans *REAug.* 18, 1972, p. 124-144.

de Dieu, comment la Parole de Dieu pourra atteindre les pécheurs et
les peuples païens, comment le monde doit se préparer à cette transfiguration finale qu'anticipe le mystère pascal. L'unité de l'œuvre grégorienne
n'est rien d'autre que cet effort méthodique pour décrire le cheminement
difficile de l'humanité en quête de Dieu et qui se découvre d'autant plus
éloignée de Celui qu'elle désire qu'elle le désire plus ardemment.

Il s'agit donc d'un discours qui porte sur l'homme autant que sur
Dieu. Ce n'est pas la spéculation d'un métaphysicien qui partirait de la
contingence de l'homme et du monde pour démontrer que Dieu est
l'Etre Absolu. Ce n'est pas non plus un traité didactique qui chercherait
à cerner le concept d'homme et le concept de Dieu. Mais comment nier
que ce discours est proprement théologique ? Car il s'agit pour Grégoire,
à l'instar de tous les auteurs chrétiens de l'époque patristique, de développer une réflexion à vocation universelle, qui s'appuie sur l'Écriture,
qui soit suscitée et orientée par la foi et qui soit étroitement reliée à la
vie spirituelle[4]. A l'exemple, sinon à l'égal d'Origène, Grégoire scrute le
sens spirituel de la Bible, en vue de parvenir à une connaissance d'ensemble
du mystère chrétien. A l'exemple, sinon à l'égal d'Augustin, il tente
de saisir l'unité vivante qui unit l'homme et le monde à Dieu et il se
heurte à tout ce qui les éloigne et dont il doit aussi rendre compte. Il
ne sépare donc pas la théologie biblique de la théologie spirituelle. Bien
au contraire : il sépare même les genres littéraires beaucoup moins que
ses grands devanciers, qui distinguaient nettement les traités philosophiques des commentaires exégétiques, la métaphysique de la morale,
et la théologie de la pastorale. La preuve en est que les *Dialogues* contiennent des aperçus sur la philosophie de la connaissance surnaturelle,
que les lettres adressées à des évêques, à des moines ou même à de hauts
fonctionnaires semblent une application directe des conseils rassemblés
dans la *Regula pastoralis*, que les *Moralia* contiennent une multitude
de réflexions sur la vie pastorale et que les homélies mêlent les explications les plus littérales à de profondes considérations sur l'expérience
mystique. C'est dire l'unité de tous ces écrits, unité dont l'allure encyclopédique n'est pas faite pour satisfaire des esprits systématiques, mais
unité qui prouve tout de même qu'à la suite de saint Jean, Grégoire
méritait l'épithète sacrée de *theologus*, de *lucidissimus theologus*, que
n'hésitèrent pas à lui décerner certains de ses admirateurs du Moyen Age[5].

Grégoire, précurseur   Il reste maintenant à juger de la valeur histo-
d'une culture   rique de ce travail d'unification. Ce jugement
nouvelle ?   implique une confrontation entre les intentions
                            de Grégoire et les résultats auxquels il est parvenu.
Quels sont les éléments principaux de cette doctrine, qui sont susceptibles

---

4. Cf. Y. CONGAR, art. *Théologie*, dans *DTC*, 15, 1, col. 345-357.
  5. Anselme d'Havelberg et Theofroy d'Epternach, cités par H. de
LUBAC, dans *Exégèse médiévale*, I, 2, p. 539, n. 10 et 11.

de manifester l'avènement d'une culture vraiment nouvelle, d'une culture chrétienne ? Et, puisqu'on ne peut parler de culture que lorsque la sensibilité commune d'une époque adhère à un ensemble de valeurs intellectuelles et morales[6], quelles sont les valeurs nouvelles que consacre la théologie grégorienne ?

1 — Il est clair que Grégoire est *détaché de l'univers de la culture antique.* Ses *Moralia in Job,* qui sont pourtant une méditation sur les souffrances d'un juste, ne ressemblent en rien, ni par le fond, ni par la forme, au *De consolatione philosophiae* de Boèce. C'est la Parole de Dieu, et non la philosophie païenne, qui peut éclairer l'homme en proie à l'infortune. Mais on aurait tort de soupçonner Grégoire d'une hostilité calculée à l'égard de la tradition classique. Ce haut fonctionnaire est au contraire un aristocrate lettré, qui a appris la grammaire, la rhétorique et le droit[7]. Mais ce Romain réaliste n'ignore pas que l'impérialisme culturel de Rome est irrémédiablement terminé : il lui arrive de se lamenter en termes poignants sur cette décadence, mais l'on ne décèle chez lui aucune véritable nostalgie du passé. On ne trouve dans son œuvre rien de comparable ni à l'assurance de Léon le Grand, pour qui le prestige religieux de l'Église va pouvoir relayer le prestige culturel de l'Empire[8], ni à l'attachement sincère que manifeste Isidore de Séville à l'égard des valeurs du monde antique[9]. Grégoire semble plutôt résigné à cette situation : à la vérité, ce *consul Dei* est déjà convaincu que la tâche de l'Église consiste d'abord à façonner les mœurs des chrétiens, à affirmer la foi des humbles et à diffuser l'Évangile, afin d'acheminer l'humanité vers le Royaume de Dieu. Pour ce mystique, si l'Église a une mission culturelle à accomplir en ce monde, c'est une mission qui lui est propre et qui s'applique au rapport religieux entre Dieu et l'homme. On peut discuter du bien-fondé d'une telle conception : à longue échéance, une telle perspective n'aboutit-elle pas à régenter toute la société au nom de la foi ? Mais il est certain que, pour Grégoire, le paganisme est mort, ou destiné à mourir bientôt et qu'une culture à dominante spirituelle, une sagesse chrétienne, se prépare à le remplacer.

On peut ici ajouter un regret : ce Romain qui a passé plusieurs années à Constantinople est rempli de réserves à l'égard du monde oriental. Pour des raisons politiques, certes, et parce que Grégoire est un fervent nationaliste, comme le prouve son désir de laisser à la postérité un recueil des miracles attribués aux saints de l'Italie. Mais aussi pour des raisons linguistiques : Grégoire ne savait pas le grec et n'a pas cherché à l'apprendre, tout comme Isidore[10]. Pire encore : il avoue ses réticences à l'égard

6. Cf. J. Fontaine, *Isidore de Séville et la culture classique dans l'Espagne wisigothique*, II, p. 824-826.

7. Cf. P. Riché, *Education et culture dans l'Occident barbare*, p. 187-194.

8. Cf. F. Paschoud, *Roma aeterna*, Rome, 1967, p. 311-322.

9. Cf. J. Fontaine, *op. cit.*, p. 815.

10. *Ibid.* p. 851.

des Orientaux. Dans une lettre de septembre 595, à Narsès, un de ses correspondants favoris, il accuse l'Église de Constantinople d'avoir falsifié certains textes conciliaires d'Éphèse et de Chalcédoine et conclut par cette pointe : « Les textes des Romains sont bien plus véridiques que ceux des Grecs, car si nous n'avons pas votre acuité d'esprit, nous n'avons pas non plus votre art de l'imposture[11]. » On se prend à rêver en songeant à ce qu'aurait pu donner la rencontre entre l'apocrisiaire Grégoire et les moines de Constantinople, qui, quelques années plus tard, seront les maîtres de Maxime le Confesseur. Hélas ! Le Romain était sans doute un diplomate trop méfiant pour pouvoir s'ouvrir à la théologie des moines de Chrysopolis. Le fossé ne cessera plus de se creuser entre la culture de l'Occident et celle de l'Orient, et l'on sait les conséquences de cette tragique séparation, à laquelle Grégoire fut malheureusement insensible.

2 — Second caractère de cette culture chrétienne qui s'annonce chez Grégoire : *son inspiration augustinienne.* Bien des fois, j'ai eu l'occasion de montrer que Grégoire a retenu, médité et transposé les leçons de celui sous le patronage duquel il se place explicitement. Sans doute n'a-t-il pas assimilé toute la pensée d'Augustin : c'est aux *Confessions* et à la *Cité de Dieu,* plus qu'aux traités dogmatiques, qu'il se réfère généralement. Mais les grandes lignes de sa théologie prolongent les intuitions de son maître : c'est de lui qu'il s'inspire pour affirmer le primat de l'intériorité dans la vie spirituelle et dans la connaissance religieuse, pour esquisser une pédagogie de la conversion des hommes pécheurs ou des peuples infidèles, ou pour donner une interprétation eschatologique de l'histoire. La conception même qu'a Grégoire de la doctrine chrétienne dérive directement d'Augustin : la théologie doit s'appuyer avant tout sur l'Écriture Sainte, si bien que le dogme et la morale sont inséparables de l'exégèse[12]. A cet égard, Grégoire jalonne une évolution qui ne fera que s'accentuer par la suite : alors qu'Augustin faisait une place à part aux développements dogmatiques et à la polémique théologique, Grégoire n'a composé aucun traité doctrinal séparé. Certains sont tentés de voir là le signe d'une dégradation. Je n'en suis pas sûr. C'est d'abord la conséquence d'une situation de fait ; il n'y a plus d'hérésies graves à dénoncer. Grégoire peut donc se consacrer à d'autres tâches : l'application de la foi à la conduite quotidienne des fidèles et l'évangélisation de l'Europe barbare. N'est-ce pas là ce qui va permettre à cette culture d'imprégner toute une civilisation ? Le prestige durable de Grégoire ne vient-il pas de ce qu'il est apparu comme le fondateur d'une morale chrétienne qui, beaucoup plus nettement que chez Ambroise, s'avérera capable de remplacer la morale antique ?

---

11. *Ep.* 6, 14 (*MGH*, I, p. 393) : « Romani autem codices multo ueriores sunt Graecis, quia nos uestra sicut non acumina, ita nec imposturas habemus. »

12. Cf. H.-I. Marrou, *Saint Augustin et la fin de la culture antique,* Paris, 1958, p. 377-380.

N'est-ce pas un grand mérite que d'avoir su tirer de la théologie d'Augustin une éthique nouvelle, que d'avoir su traduire en termes simples les grandes vérités de l'anthropologie religieuse du docteur de la Grâce ? Peut-être doit-on pourtant signaler une légère dérive, qui ne fera que s'accentuer par la suite, mais qui est déjà perceptible chez Grégoire : les tensions inhérentes à l'expérience chrétienne semblent plus importantes que la communion de l'homme avec Dieu, et la question du salut, envisagée dans une perspective dramatique et séparée de l'« économie », devient obsédante. L'homme pécheur, divisé intérieurement, ne tend-il pas à apparaître comme le point de départ trop exclusif de la réflexion théologique ? Telles sont les limites de l'augustinisme de Grégoire, et peut-être les limites de l'augustinisme de toujours[13].

3 — Un troisième trait caractérise cette culture chrétienne, dont les orientations générales se dessinent à travers l'œuvre grégorienne : *son enracinement dans la spiritualité monastique*. Grégoire appartient incontestablement à la lignée de ces moines devenus évêques, qui, comme Martin de Tours ou Léandre de Séville, sans parler d'Augustin d'Hippone, gardent, au sein même de leurs occupations pastorales, la nostalgie de la vie contemplative. Plus encore : Grégoire a choisi des moines comme collaborateurs et il n'a pas cessé d'affirmer et de défendre l'originalité de la vie religieuse dans l'Église. Mais c'est sa spiritualité elle-même qui s'inspire directement de la tradition monastique. Il lui doit certainement sa méfiance à l'égard de tout enseignement trop général, son goût pour les exemples personnels, cette façon nuancée d'évoquer les avancées et les reculs de la vie spirituelle. Sa pédagogie pastorale, à bien des égards, est une transposition des conseils employés pour la formation spirituelle des moines[14].

Mais faudrait-il dès lors considérer la spiritualité grégorienne comme une simple vulgarisation de l'ascèse monastique ? Je ne le pense pas. Grégoire, pour ce qui le concernait, avait trop conscience de la différence entre les exigences de la vie monastique et les obligations d'une vie dans le monde, pour se contenter d'appliquer à tous les chrétiens, indifféremment, des conseils propres à une catégorie particulière d'entre eux. Et surtout, son sens des responsabilités pastorales l'amenait à élargir ses perspectives : c'est le témoignage de l'Église entière, en un temps d'incertitude et de bouleversements, qu'il avait en vue, en invitant ses compatriotes à se repentir et à espérer. Au centre de sa spiritualité, comme je l'ai déjà noté, se trouvent non pas des moines en quête de progrès spirituel, mais des hommes pareils à Job, affrontés aux malheurs du monde et allant à la recherche de Dieu, à travers l'histoire. Cette culture chrétienne, qui doit beaucoup à la tradition monastique, quant à

---

13. Cf. H. de Lubac, *Augustinisme et théologie moderne*, Paris, 1965, p. 12-13 ; M.-J. Le Guillou, *Le mystère du Père*, Paris, 1973, p. 73-81.

14. Cf. J. Leclercq, *Pédagogie et formation spirituelle du VIᵉ au IXᵉ siècle*, dans *La scuola nell' Occidente latino dell' alto medioevo*, Spolète, 1972, p. 255-290.

son intention et à sa pédagogie, présente ainsi une portée bien plus universelle.

Faut-il cependant aller plus loin et voir dans l'œuvre grégorienne l'origine lointaine d'un courant particulier de la théologie, promis à un bel avenir chez Guillaume de St-Thierry, chez les Victorins et St-Bernard ? Grégoire est-il le véritable fondateur de cette « théologie monastique » que dom Lottin, suivi par dom Jean Leclercq[15], oppose à la « théologie scolastique », la première étant fondée sur l'Écriture en vue de la formation morale et mystique des moines et des fidèles, et la seconde étant aussi fondée sur l'Écriture, mais enrichie de *quaestiones* en vue de l'instruction professionnelle des clercs et des prédicateurs ? Il est vrai que la théologie grégorienne semble correspondre aux critères de cette théologie monastique. Par ses sources, d'abord, puisque, par delà les lettres séculières dont elle se méfie, elle tente de reprendre contact avec la source même de toute vie chrétienne : la foi de l'Église, telle qu'elle s'exprime dans l'Écriture Sainte, chez les Pères, surtout Augustin, et dans la liturgie. Par son objet, ensuite, puisqu'elle n'a pas d'autre but que de guider l'homme vers Dieu, que de l'engager sur la voie d'une contemplation amoureuse des mystères chrétiens en lui faisant découvrir que la pratique des vertus et principalement de la charité facilite grandement cette connaissance spirituelle et en s'appuyant sur l'exemple des Saints. Par sa méthode, enfin, puisqu'elle fait appel à l'expérience concrète plus qu'aux déductions générales, et à la méditation plus qu'à la spéculation, car elle cherche à éclairer l'agir humain par la foi. Son ambition est d'être « une doctrine pour la vie, une théologie qui doit être vécue[16]. » Cette théologie biblique, expérimentale et pratique, n'est-elle pas exactement la théologie de Grégoire ?

En fait, ces divers critères rendent compte de la façon dont les œuvres du saint pape ont été comprises et utilisées par les auteurs du Moyen Age, mais non pas des conditions dans lesquelles elles ont été composées. Grégoire illustre plutôt les mérites et les limites d'une époque, où commence à naître laborieusement une civilisation nouvelle. Dans une large mesure, il dépend encore de l'âge patristique et sa spiritualité, qui s'épanouira durablement dans la « théologie monastique », se trouve au confluent d'une tradition philosophique et théologique, issue d'Augustin, et de cette tradition ascétique, qu'avait surtout illustrée Cassien. Mais, en même temps, Grégoire pense, parle et écrit à la façon d'un pédagogue : il procède souvent par distinctions, classifications, hiérarchies ; il se soucie de la formation des prédicateurs, auxquels il entend fournir des conseils détaillés ; il cherche à s'adapter aux différents publics de ses auditeurs. Bref, il entend bien faire œuvre de vulgarisateur plus

---

15. O. Lottin (*Bulletin de théologie ancienne et médiévale*, 6, 1950, p. 53, n. 162) et J. Leclercq (*Saint Bernard et la théologie monastique du XIIe siècle*, dans *Analecta sacri ordinis Cisterciensis*, 9, 1953, p. 7-23).

16. Cf. J. Leclercq, *art. cit.*, p. 15.

que de créateur. A cet égard, sa pensée s'apparente déjà à la « théologie scolastique » : elle se présente comme un savoir global qui tend à s'organiser et à se diffuser, plus qu'à se renouveler. C'est dire qu'on ne saurait enfermer la spiritualité grégorienne dans la catégorie trop étroite de « théologie monastique ».

4 — Il faut souligner en dernier lieu que cette culture se prêtait à devenir une *culture populaire*. Parce qu'elle s'appuie sur la Bible, indéfiniment commentée, interprétée, approfondie, mise à la portée des simples autant que des savants ou des spirituels. Parce qu'elle est pratique. Parce qu'elle éclaire vraiment l'existence chrétienne, fournit des points de repère, prévient des illusions ou dénonce des dangers. La tradition spirituelle dont il hérite a appris à Grégoire à être un maître spirituel. Aux moines, aux clercs ou aux laïcs, il ne se lasse pas d'enseigner les chemins de Dieu. Et ce qui est vrai pour les individus est vrai également pour les peuples. « Les esprits attachés à la pratique d'une vie charnelle ne pourraient être arrachés aux bas-fonds, s'ils ne progressaient pas grâce à une prédication conduite par degrés... Du fait qu'on est plein de condescendance pour la fragilité d'un peuple inculte, c'est en usant du clair-obscur des allégories qu'on lui annonce la force supérieure de l'esprit[17]. »

N'est-ce pas la définition que l'on pourrait donner au « Vulgärkatholizismus » ? Non pas un ensemble d'explications grossières concernant les mystères de l'au-delà, mais, tout au contraire, un effort pour élever des esprits encore frustes, en les conduisant peu à peu à une compréhension plénière du message chrétien. Un tel christianisme, dont Grégoire a été le propagandiste, est une véritable éducation de l'esprit. La foi devient d'elle-même un facteur de culture, puisqu'elle suppose un affinement de l'intelligence, autant qu'une purification des mœurs. Si Grégoire entend s'adapter aux *paruuli*, ce n'est pas pour rabaisser la religion chrétienne à leur niveau, mais pour les mener peu à peu à la connaissance du vrai Dieu. L'Église entière a pour mission de se consacrer à cette tâche, en guidant les peuples païens vers la maturité spirituelle. Ce que Dieu a fait pour Israël, elle est appelée à le faire pour les *rudes*, prisonniers de leur inculture[18] : ceux des populations urbaines et rurales de Rome et d'Italie aussi bien que ceux des nouvelles chrétientés du Nord, convertis ou à convertir, Angles, Goths ou Lombards. Comment une théologie,

---

17. *Mor.* 28, 18, 41 (*PL*, 76, 472 D - 473 C) : « Neque enim mentes usui uitae carnalis inhaerentes euehi ab infimis possent, nisi gradatim ducta praedicatione proficerent... Vnde ergo imbecillitati populi rudis condescenditur, inde ei per obumbratas allegoriarum species maior fortitudo spiritus nuntiatur. »

18. Cf. *ibid.* (473 A-B) : « Quia enim plus semper ira in uindicta exigit quam iniuria accepit, dum discunt mala non multiplicius reddere, quandoque discerent ea et multiplicata sponte tolerare. Hinc est quod eumdem rudem populum a quibusdam prohibuit, quaedam uero ei in usum pristinum seruauit, sed haec ipsa tamen in melioris uitae figura composuit... »

qui procède d'une telle intention, n'aurait-elle pas inspiré une culture destinée à devenir la culture commune de l'Occident médiéval[19] ?

L'héritage grégorien   Dès le VIIe siècle, tous les auteurs chrétiens témoignent du prestige immense dont le saint pape a joui d'un bout à l'autre de l'Europe. Comme les principaux classiques de l'Antiquité chrétienne, on traduit les *Moralia* en langue vulgaire : en vieil allemand au début du Xe siècle, en espagnol au XIe, en français au XIIe. Il y eut même une version burgonde des *Homélies sur Ézéchiel*[20]. Quant à la *Regula Pastoralis*, du vivant de Grégoire, l'empereur Maurice l'avait déjà fait traduire en grec par le patriarche Anastase II d'Antioche et à la fin du IXe siècle, le roi du Wessex, Alfred, la traduisit lui-même en anglo-saxon[21]. Tout cela atteste la diffusion immédiate et durable de l'œuvre grégorienne aux quatre coins du monde chrétien, notamment chez les anciens peuples barbares, et jusqu'en Orient.

C'est à ses compilateurs que Grégoire doit d'avoir été si bien connu. Avant même sa mort, son disciple Paterius compose une anthologie scripturaire de son œuvre : dans ce *Liber testimoniorum*, il a rangé les citations dans l'ordre de la Bible, avec leurs commentaires exégétiques et moraux puisés dans toute l'œuvre de son maître. Au milieu du VIIe siècle, Taion de Saragosse procède à un classement doctrinal des principales sentences grégoriennes, de l'immutabilité divine jusqu'à l'eschatologie. Et dès lors, jusqu'au XIIe siècle, on verra se multiplier les abrégés exégétiques, les recueils doctrinaux, les manuels de vie spirituelle directement tirés des *Moralia in Job*[22].

Durant tout le Haut Moyen Age, Grégoire s'est ainsi imposé comme le principal maître à penser de l'Occident, en matière d'exégèse, et surtout de morale. Défensor de Ligugé, Alcuin, Raban Maur, Hincmar de Reims le citent abondamment. Tous ont hérité de lui cette façon particulière d'envisager la condition de l'homme pécheur, ce goût pour l'enseignement concret, pour l'analyse psychologique, qui caractérisent la pensée chrétienne de cette époque[23].

On ne s'étonnera pas des éloges, parfois dithyrambiques, qu'à grand renfort de superlatifs tous ces écrivains décernent à Grégoire. Ils ne savent comment célébrer l'immensité de sa science, la profondeur de sa doctrine, son éloquence et l'éclat de son style, l'inspiration surnaturelle

---

19. Cf. DANIEL ROPS, *L'Église des temps barbares*, Paris, 1950, p. 273.

20. Cf. H. de LUBAC, *Exégèse médiévale*, I, 2, p. 543.

21. Cf. R. GILLET, *DSp*, 6, col. 877.

22. Cf. R. WASSELYNCK, *Les compilations des Moralia in Iob du VIIe au XIIe siècle*, dans *RTA*, 29, 1962, p. 5-32.

23. ID., *Les Moralia in Iob dans les ouvrages de morale du Haut Moyen Age latin*, *ibid.*, 31, 1964, p. 5-31.

de sa pensée[24]. Ce n'est qu'un concert unanime de louanges, à tel point que je ne sais d'où André Malraux a tiré cette légende conciliaire qu'il évoque lors de son dernier entretien avec de Gaulle et selon laquelle la postérité aurait reproché à Grégoire de trop aimer les chats[25] ! Le jugement du Moyen Age ne permet aucune hésitation : Grégoire est le premier des maîtres spirituels, le théologien qui fait autorité, presque autant qu'Augustin et bien plus que Jérôme ou Ambroise. On comprend dans ces conditions qu'en l'élevant officiellement au rang de quatrième Docteur de l'Église latine, Boniface VIII n'ait fait que ratifier le jugement de la postérité. C'était bien le penseur chrétien, le moraliste, le précurseur d'une culture nouvelle que l'on admirait en lui, et pas seulement l'administrateur et le diplomate[26].

Pourtant, de son vivant, ce grand pape, ce pape théologien, a senti cruellement qu'il ne disposait pas des moyens qui lui auraient été nécessaires pour donner des bases solides à son œuvre de renaissance spirituelle. Grégoire n'aurait eu des chances d'assurer le rayonnement d'une culture chrétienne, que si son époque lui en avait fourni les instruments institutionnels : or la situation de Rome, à la fin du VIe siècle, interdit toute grande ambition ; le projet d'université chrétienne, conçu naguère par Cassiodore, est bien oublié et, de surcroît, irréalisable ; l'Église est mêlée de beaucoup trop près à la transformation politique et sociale qui est en train de s'accomplir. Quant aux monastères italiens, ils étaient loin d'être des écoles de théologie et les moines d'être devenus les guides spirituels du peuple chrétien. Isidore de Séville avait du moins la consolation de pouvoir s'appuyer sur les rois catholiques de Tolède[27]. Grégoire, lui, ne doit compter sur aucun appui comparable : il s'attaque seul à la réforme d'une Église qui reste très ébranlée par les guerres et les crises du siècle qui s'achève ; il se heurte à bien des résistances lorsqu'il cherche à provoquer un réveil religieux du peuple chrétien.

Il est certain que ce monde romain et italien de la fin du VIe siècle est dominé par la peur ou l'incertitude et résiste à toute entreprise vraiment créatrice. Les forces de décadence politique et culturelle y sont irrésistibles. Grégoire a donc bien mérité son nom de veilleur, lui qui n'a pas cessé de regarder au loin, de scruter l'avenir. Il ressemble un peu à ces prophètes de l'Ancien Testament qu'il aimait tant commenter,

---

24. En voici quelques exemples, puisés dans de LUBAC (*op. cit.*, p. 538-539). Pour la science et la doctrine : « Scripturarum diuinarum multimodus interpretator, abditorum mysteriorum acerrimus indagator » (Taion de Saragosse). Pour l'éloquence et l'éclat du style : « Sacrae Scripturae lucidissimus expositor » (Alcuin). Pour l'inspiration « ... tantoque per gratiam Spiritus sancti scientiae lumine praeditus... » (Isidore de Séville, repris par Ildefonse de Tolède).

25. Cf. A. MALRAUX, *Les chênes qu'on abat*, Paris, 1971, p. 96.

26. Cf. H.-I. MARROU, *Saint Grégoire le Grand*, dans *La vie spirituelle*, 69, déc. 43, p. 442-455.

27. Cf. J. FONTAINE, *op. cit.*, II, p. 850-851.

Ézéchiel ou Jérémie, des hommes effrayés comme lui par la décadence de leur peuple, jamais las de le ramener sur le chemin de la foi et de l'espérance, mais vaincus, à vue humaine, par des pesanteurs historiques plus fortes qu'eux. Tel est le drame de Grégoire. Mais ce caractère tragique de l'époque où il a exercé son ministère et la pauvreté des moyens dont il disposait ne pouvaient que grandir encore sa stature historique et son prestige spirituel[28]. C'est sans doute pour ces raisons que la postérité lui a rendu un hommage si fervent : n'était-il pas plus conforme à l'Évangile de préparer dans l'impuissance apparente l'avènement d'une civilisation qui devait se dire chrétienne ?

---

28. F. Ermini évoque ainsi, dans un style quelque peu grandiloquent, cette influence paradoxale d'un homme désarmé : « In vero questo vescovo di Roma, scarno, esile, sparuto, quasi convalescente, che chiude in una fragila spoglia un' anima eroica, tra Maurizio vestito di seta e Agilulfo vestito di ferro, è egli soltanto il vero dominatore, che inerme fa giungere la sua voce agli estremi confini della terra. » (*Storia della letteratura latina medievale dalle origini alla fine del secolo VII*, Spolète, 1960, p. 277).

INDICES

I. INDEX GRÉGORIEN

II. INDEX BIBLIQUE

Cet index ne comporte pas les références des textes directement commentés par Grégoire (Job, Ezéchiel, etc...) pour lesquels on ne peut établir d'exactes correspondances que par rapport à des chapitres entiers. Pour ces textes là, on peut consulter directement la Patrologie ou les index du *Corpus christianorum*.

III. INDEX DES AUTEURS ANCIENS

IV. INDEX ANALYTIQUE

A cet index analytique, il me paraît utile d'ajouter un bref répertoire des anti-thèses les plus significatives du langage grégorien. J'en exclus l'antithèse *intus-foris*, à laquelle une section entière de mes recherches est consacrée.

V. INDEX BIBLIOGRAPHIQUE

I — OUVRAGES PRINCIPAUX

Par rapport aux trois autres docteurs de l'Église latine, Grégoire le Grand n'a suscité qu'un nombre d'études relativement faible. Sa bibliographie n'est donc pas très étendue. On en aura un excellent aperçu à la fin de deux articles très substantiels qui lui sont consacrés :

GILLET R. art. *Grégoire le Grand* (*DSp*, 1967, VI, col. 872-910).

MONACHINO V. et CANNATA P., art. *Gregorio I* (*Bibliotheca Sanctorum*, t. 7, Rome, 1966, col. 222-287).

Cependant, l'attention nouvelle portée à l'époque historique que constitue le Haut Moyen Age aussi bien qu'une façon plus objective d'apprécier l'exégèse et la spiritualité des Pères, ont contribué depuis une vingtaines d'années à remettre en valeur l'œuvre grégorienne. Parmi les artisans de ces diverses réévaluations, il faut surtout citer pour la France :

COURCELLE P., *Grégoire le Grand à l'école de Juvénal*, dans *Studi in onore di A. Pincherle*, Rome, 1967, p. 186-190.

— *La vision cosmique de saint Benoît*, dans *REAug*, t. 13, 1967, p. 97-117.

— *Saint Benoît, le merle et le buisson d'épines*, dans *Journal des Savants*, juil.-sept. 67, p. 154-161.

— « *Habitare secum* » *selon Perse et selon Grégoire le Grand*, dans *REA*, t. 69, 1967, p. 266-279.

FONTAINE J., *Isidore de Séville et la culture classique dans l'Espagne wisigothique*, 2 vol., Paris, 1959.

GILLET R., *Introduction et notes aux livres I et II des Moralia*, (*SC*, 32, 1952).

LECLERCQ J., *L'amour des lettres et le désir de Dieu. Initiation aux auteurs monastiques du Moyen Age*, Paris, 1957 (surtout le chapitre II intitulé : « Saint Grégoire, docteur du désir »).

— *La doctrine de saint Grégoire*, dans *Histoire de la Spiritualité*, Paris, 1961, II, p. 11-14.

LUBAC H. de, *Exégèse médiévale. Les quatre sens de l'Écriture*, Paris, 1959-1961, t. 1, p. 187-198. Origines patristiques : Grégoire, Cassien, Eucher ; t. 2, p. 537-548 : le Moyen Age grégorien ; p. 586-599 : Bernard, Grégoire et Origène ; t. 3, p. 53-77 : La « barbarie » de saint Grégoire ; p. 77-98 : « Stupet omnis regula ».

MARROU H. I., *Saint Grégoire le Grand*, dans *VS*, 69, 1943, p. 442-455.

— Compte rendu de l'ouvrage de M. FRICKEL (cité plus loin) dans *RHR*, 152, 1957, p. 224-226.

RICHÉ P., *Éducation et culture dans l'Occident barbare (VI-VIIIᵉ siècles)*, Paris, 1962, p. 187-194 : Grégoire le Grand et la culture classique ; p. 194-200 : Attitude de Grégoire le Grand vis-à-vis de la culture classique.

Parmi les recueils d'études des Semaines de Spolète sur le Haut Moyen Age où sont abordées plus fréquemment l'œuvre et la pensée de Grégoire, on peut retenir :

— *Il passagio dell' Antichità al Medioevo in Occidente*, Spolète, 1962.

— *La conversione al cristianesimo nell' Europa dell' Alto Medioevo*, 1967.

— *La scuola nell' Occidente latino dell' Alto Medioevo*, 1972.

II — BIBLIOGRAPHIE GÉNÉRALE

J'indique ici les ouvrages que j'ai consultés ou utilisés avec profit parce qu'ils éclairent, directement ou indirectement, l'époque, la vie, les œuvres ou la doctrine de Grégoire. Les ouvrages précédés du signe ° concernent plus spécialement sa doctrine spirituelle.

ARTZ B., *The Mind of the Middle Ages*, Londres, 1958.

°AUBIN P., *Intériorité et extériorité dans les Moralia in Job de saint Grégoire le Grand*, dans *RSR*, 62, 1, 1974, p. 117-166.

BATTIFOL P., *Saint Grégoire le Grand*, Paris, 1928.

BERTOLA E., *Teologia monastica e teologia scolastica*, dans *Lateranum*, 34, 1968, p. 237-272.

BERTOLINI O., *Roma di fronte a Bisanzio e ai Longobardi*, Bologne, 1941, surtout la 4ᵉ partie : De la conquête byzantine à la mort de Grégoire le Grand (p. 189-282).

— *Roma e i Longobardi*, Istituto di Studi Romani, 1972.

BERTOLINI O., *I papi e le missioni fino alla metà del secolo VIII*, dans *La conversione al cristianesimo*, Spolète, 1967, p. 327-363.

BESSE J., *Les mystiques bénédictins des origines au XIIIᵉ siècle*, Maredsous, 1922, p. 100-121.

°BOGLIONI P., *Miracle et merveilleux religieux chez Grégoire le Grand : théorie et thèmes*, dans *Cahiers d'Études médiévales*, I (*Épopées, légendes et miracles*), Montréal-Paris, 1974, p. 11-102.

BOGNETTI G. P., dans *L'Età longobarda*, Milan, 1966, II, p. 155-159 : la religion des Lombards ; p. 179-223 : Théodelinde et la fonction du schisme des trois chapitres dans la conversion des Lombards au catholicisme.

°BONOMO C., *Chiesa, Corpo di Cristo secondo s. Gregorio Magno*, thèse dactylographiée, Université de la Propagande, Rome, 1961.

°BOSMAN J., *Authority in the Discourses of st Gregory the Great*, thèse dactylographiée, Université du Latran, Rome, 1971.

BOUTET J., *Le Pastoral de saint Grégoire le Grand*, Paris, 1928.

BRECHTER S., *Die Quellen zur Angelsachsenmission Gregors des Grossen*, dans *Beiträge zur Geschichte des alten Mönchtums*, 22, Münster, 1941.

°BUTLER C., *Western mysticism. The teaching of ss. Augustin, Gregory and Bernard on contemplation and the contemplative life*, Londres, 1922.

º — Le monachisme bénédictin. Études sur la vie et la règle bénédictines, trad. Ch. GROLLEAU, Paris, 1924.

ºCALATI B., S. Gregorio Magno e la Bibbia, dans Bibbia e Spiritualità, Rome, 1967, p. 121-178.

º — S. Gregorio maestro di formazione spirituale, dans Seminarium, 2, 1969, p. 245-268.

º — L'expérience de Dieu dans la règle de saint Benoît, avec quelques remarques sur l'hagiographie des Dialogues de saint Grégoire, dans L'expérience de Dieu dans la vie monastique, Abbaye de la Pierre-Qui-Vire, 1973, p. 138-150.

CAPELLE B., La main de saint Grégoire dans le sacramentaire grégorien, dans RB, 49, 1937, p. 13-28.

ºCATRY P., Épreuves du juste et mystère de Dieu. Le commentaire littéral du livre de Job par saint Grégoire, dans REAug, XVIII, 1-2, 1972, p. 124-144.

º — Lire l'Écriture selon saint Grégoire le Grand, dans Collectanea Cisterciensia, 34, 1972, p. 177-201.

º — Amour du monde et amour de Dieu chez saint Grégoire le Grand, dans Studia monastica, 15, 1973, p. 253-275.

º — Désir et amour de Dieu chez saint Grégoire le Grand, dans Recherches augustiniennes, X, 1975, p. 269-303.

ºCHAZOTTES Ch., Sacerdoce et ministère pastoral d'après la correspondance de Grégoire le Grand, thèse dactylographiée, Faculté de Théologie de Lyon, 1955.

CONGAR Y., L'ecclésiologie du Haut Moyen Age, Paris, 1968.

COURCELLE P., Les lettres grecques en Occident de Macrobe à Cassiodore, Paris, 1948.

º — Les Confessions de saint Augustin dans la tradition littéraire. Antécédents et postérité, Paris, 1963.

º — Histoire littéraire des grandes invasions germaniques, Paris, 1964³ (surtout la conclusion).

º — La « Consolation de Philosophie » dans la tradition littéraire. Antécédents et postérité de Boèce, Paris, 1967.

º — Recherches sur les Confessions de saint Augustin, Paris, 1968².

— La survie comparée des « Confessions » augustiniennes et de la « Consolation » boécienne, dans Classical influences on European Culture A.D. 500-1500, Cambridge, 1971, p. 131-142.

º — « Connais-toi toi-même », t. I, De Socrate à saint Bernard, Paris, 1974.

ºCREMASCOLI G., La Bibbia nella « Regola pastorale » di san Gregorio Magno, dans Vetera Christianorum, 6, 1969, 1-2, p. 47-70.

CROQUISON J., Les origines de l'iconographie grégorienne, dans Cahiers archéologiques, 12, 1962, p. 252-270.

CUSACK P. A., St Scholastica : Myth or real Person ? dans The Downside Review, 308, juil. 1974, p. 145-159.

ºDAGENS C., Grégoire le Grand et la culture : de la « sapientia huius mundi » à la « docta ignorantia », dans REAug 14, 1968, p. 17-26.

º — La conversion de saint Grégoire le Grand, dans REAug 15, 1969, p. 149-162.

º — La conversion de saint Benoît selon saint Grégoire le Grand, dans Rivista di Storia e letteratura religiosa 5, 1969, p. 384-391.

º — La fin des temps et l'Église selon saint Grégoire le Grand, dans RSR 58, 1970, p. 273-288.

º — L'Église universelle et le monde oriental chez saint Grégoire le Grand, dans Istina 1975, 4, p. 457-475.

DOEHAERD R., *Le Haut Moyen Age occidental. Économies et sociétés*, Paris, 1971.

DOIZE J., *Le rôle politique et social de saint Grégoire pendant les guerres lombardes*, dans *Études*, 99, 1904, p. 182-208.

ᵒDOUCET M., *La tentation de saint Benoît : Relation ou création par saint Grégoire le Grand*, dans *Collectanea Cisterciensia*, 37, 1975, 1, p. 63-71.

— *Pédagogie et théologie dans le vie de saint Benoît par saint Grégoire le Grand*, dans *Collectanea Cisterciensia*, 1976, 3, p. 158-173.

DUDDEN F. H., *Gregory the Great. His place in history and thought*, 2 vol., Londres, 1905 : ce qui concerne la pensée de Grégoire a beaucoup plus vieilli que la partie historique de cet ouvrage, qui demeure fondamentale.

DUFNER G., *Die « Moralia » Gregors des Grossen in ihren italienischen Volgarizzamenti*, Padoue, 1958.

— *Die « Dialoge » Gregors des Grossen im Wandel der Zeiten und Sprachen*, Padoue, 1968.

EISENHOFER L., *Augustinus in den Evangelienhomilien Gregors des Grossen*, dans *Festgabe A. Knöpfler*, Fribourg-en-Brisgau, 1917, p. 56-66.

ERMINI F., *Storia della litteratura latina medievale dalle origini alla fine del secolo VIII*, Spolète, 1960.

ᵒFARKAS B., *Typische Formen der Kontemplation bei Gregor dem Grossen*, thèse dactylographiée, Université Grégorienne, Rome 1948.

FONTAINE J., Introduction, texte et traduction de la *Vita Martini* de SULPICE SÉVÈRE, *SC*, 133-135, Paris, 1967.

— *Conversion et culture chez les Wisigoths d'Espagne*, dans *La conversione al cristianesimo nell' Europa dell' alto Medioevo*, Spolète, 1967, p. 87-147.

ᵒFRICKEL M., *Deus totus ubique simul. Untersuchungen zur allgemeinen Gottgegenwart im Rahmen der Gotteslehre Gregors des Grossen*, coll. *Freiburger theologische Studien*, 69, Fribourg-en-Brisgau, 1956.

GALTIER P., *L'Église et la rémission des péchés aux premiers siècles*, Paris, 1932.

ᵒGARDINER F. C., *The Pilgrimage of Desire. A study of theme and genre in medieval literature*, Leyde, 1971.

ᵒGASTALDELLI F., *Il meccanismo psicologico del peccato nei Moralia in Iob di san Gregorio Magno*, dans *Salesianum*, 27, 1965, p. 563-605.

ᵒ — *Prospettive sul peccato in San Gregorio Magno*, ibid., 28, 1966, p. 65-94.

ᵒ — *Teologia e retorica in San Gregorio Magno. Il ritratto nei « Moralia in Iob »*, ibid., 29, 1967, p. 269-299.

ᵒGILLET R., *Spiritualité et place du moine dans l'Église selon saint Grégoire le Grand*, dans *Théologie de la vie monastique*, Paris, 1961, p. 323-352.

GRISAR H., *San Gregorio Magno*, Rome, 1928².

GUILLOU A., *L'évêque dans la société méditerranéenne des VIᵉ-VIIᵉ siècles : un modèle*, dans *Bibliothèque de l'École des Chartes*, 131, 1973, p. 5-19.

ᵒHALLINGER K., *Papst Gregor der Grosse und der heilige Benedikt*, dans *Studia Anselmiana*, 42, 1957, p. 231-320.

ᵒHEDLEY J. C., *Lex leuitarum. La formation sacerdotale d'après saint Grégoire le Grand*, Maredsous, 1922.

ᵒHOCQUARD G., *L'idéal du pasteur des âmes selon saint Grégoire le Grand*, dans *Revue liturgique et monastique*, 14, 1927, p. 127-138.

ᵒHOORNAERT R., *Un grand apôtre du soin des âmes : saint Grégoire le Grand*, dans *VS*, 76, 1948, p. 151-166.

ᵒHÖRGER P., *Extra mundum fuit. Zur Vision des heiligen Benedikts nach Gregor dem Grossen*, dans *Benedictus, der Vater des Abendlandes*, Münich, 1947, p. 317-340.

°KURZ L., *Gregors des Grossen Lehre von den Engeln*, Rome, 1938.

LADNER R., *L'ordo praedicatorum avant l'ordre des prêcheurs*, dans P. MANDONNET, *Saint Dominique : l'idée, l'homme et l'œuvre*, Paris, 1937, p. 51-55.

LAISTNER M. L. W., *Thought and letters in Western Europe A. D. 500 to 900*, Londres, 1957² (sur Grégoire : p. 103-111).

°LAMBOT C., *La vie et les miracles de saint Benoît racontés par saint Grégoire le Grand*, dans *Revue monastique*, 1956, 143, p. 49-61 ; 144, p. 97-102 ; 145, p. 149-158.

°LAPORTE J., *Saint Benoît et le paganisme*, Saint Wandrille, 1963 (ronéotypé pro manuscripto).

°LEBBE B., *L'élévation de saint Grégoire au souverain pontificat. Une leçon d'humilité*, dans *Revue liturgique et monastique*, 15, 1930, p. 124-134.

°LECLERCQ J., *Saint Bernard et la théologie monastique du XIIᵉ siècle*, dans *Analecta Sacri Ordinis Cisterciensis*, IX, 1953, p. 7-23.

° — *L'humanisme des moines au Moyen Age*, dans *A G. Ermini*, Spolète, 1970, p. 69-113.

° — *Pédagogie et formation spirituelle du VIᵉ au IXᵉ siècle*, dans *La scuola nell' Occidente latino dell' Alto Medioevo*, Spolète, 1972, p. 255-290.

°LEFEBVRE G., *Prière pure et pureté de cœur. Textes de saint Grégoire le Grand et de saint Jean de la Croix*, Paris, 1953.

LE GOFF J., *La civilisation de l'Occident médiéval*, Paris, 1964.

°LE GUILLOU M. J., *Le mystère du Père*, Paris, 1973.

°LIEBLANG F., *Grundfragen der mystischen Theologie nach Gregors des Grossen Moralia und Ezechielhomilien*, coll. *Freiburger Theologische Studien*, 37, Fribourg-en-Brisgau, 1934.

LOT F., *La fin du monde antique et le début du Moyen Age*, Paris, 1950².

°LUBAC H. de, *Augustinisme et théologie moderne*, Paris, 1965.

LUISELLI B., *Il cod. Sessoriano 39 (fasc. 7) e la critica testuale delle Homiliae in Evangelia di Gregorio Magno*, dans *Studi classici in onore di Quintino Cataudella* III, 1972, p. 631-655.

°MANSELLI R., *L'escatologismo di Gregorio Magno*, dans *Atti del Iᵒ congresso di Studi Longobardi*, Spolète, 1952, p. 383-387.

° — *L'escatologia di Gregorio Magno*, dans *Ricerche di Storia religiosa* I, 1954, p. 72-83.

° — *Gregorio Magno e la Bibbia*, dans *La Bibbia nell' Alto Medioevo*, Spolète, 1963, p. 67-101.

° — *Gregorio Magno e due riti pagani dei Longobardi*, dans *Studi storici in onore di Ottorino Bertolini*, Rome, 1974, p. 435-440.

MARKUS R. A., *Gregory the Great and the Origins of a Papal Missionary Strategy*, dans *Studies in Church History*, 6, Cambridge, 1970, p. 29-38.

MARROU H. I., *Autour de la bibliothèque du pape Agapit*, dans *MEFR*, t. 48, 1931, p. 157-165.

— *Histoire de l'éducation dans l'Antiquité*, Paris, 1960⁵.

— *Nouvelle histoire de l'Église. Des origines à Grégoire le Grand*, Paris, 1963.

°MÉNAGER A., *La contemplation d'après un commentaire sur les Rois*, dans *VS*, supplément, 11, 1925, p. 49-84.

° — *Les divers sens du mot « contemplatio » chez saint Grégoire le Grand*, dans *VS*, supplément, 59, 1939, p. 145-169 ; 60, 1939, p. 39-56.

MULLER J. P., *La vision de saint Benoît dans l'interprétation des théologiens scolastiques*, dans *Mélanges bénédictins*, éditions de Fontenelle, abbaye de Saint-Wandrille, 1947, p. 143-201.

PASCHOUD F., *Roma aeterna. Étude sur le patriotisme romain dans l'Occident latin à l'époque des grandes invasions*, Paris, 1963.

°PENCO G., *La dottrina dei sensi spirituali in Gregorio Magno*, dans *Benedictina*, 17, 1970, p. 161-201.

° — *San Gregorio e la theologia dell' imagine*, *ibid.*, 18, 1971, p. 32-45.

PFEILSCHIFTER G., *Die authentische Ausgabe der 40 Evangelienhomilien Gregors des Grossen*, Münich, 1900.

°PORCEL O., *La doctrina monastica de san Gregorio Magno y la Regula monachorum*, Madrid, 1951.

° — *San Gregorio Magno y el monacato*, dans *Monastica*, 1, Montserrat, 1960, p. 1-95.

RECCHIA V., *L'esegesi di Gregorio Magno al Cantico dei cantici*, Turin, 1967.

— *La visione di S. Benedetto e la « compositio » del secondo libro dei Dialoghi di Gregorio Magno*, dans *RB*, 82, 1972, p. 140-155.

— *Le Omelie di Gregorio Magno su Ezechiele* (1-5), Bari, 1974.

°REGAMEY P., *La componction du cœur*, dans *VS*, supplément, 44, 1935, p. 1-16, 65-83.

°ROLAND D., *Activisme ou pastorale ? Le message de saint Grégoire*, Paris, 1963.

°RUDMANN R., *Mönchtum und kirchlicher Dienst in den Schriften Gregors des Grossen*, thèse dactylographiée, Université de saint Anselme, Rome, 1956.

SCHNEIDER F., *Rom und Romgedanken im Mittelalter. Die Grundlagen der Renaissance*, Cologne, 1959.

°SCIVOLETTO N., *I limiti dell' ars grammatica in Gregorio Magno*, dans *Giornale italiano di Filologia*, 17, 1964, p. 210-238.

° — *Saeculum gregorianum*, *ibid.*, 18, 1965, p. 41-70.

°SERENTHA L., *La dottrina di san Gregorio Magno sull' episcopato*, thèse dactylographiée, Université grégorienne, Rome, 1966.

TARICCO A., *Le Omelie sui Vangeli e su Ezechiele di san Gregorio Magno. Struttura e forma letteraria*, thèse dactylographiée, Université de Turin, 1969.

VALORI A., *Gregorio Magno*, Turin, 1955.

VOGÜÉ A. de, Introduction, traduction et notes de la *Règle du Maître* (*SC*, 105-107, Paris, 1964).

— Introduction, traduction et notes de la *Règle de saint Benoît* (*SC*, 181-186, Paris, 1972).

— *La Règle du Maître et les Dialogues de saint Grégoire*, dans *Revue d'Histoire ecclésiastique*, 61, 1966, 1, p. 44-76.

° — *La rencontre de Benoît et de Scholastique : essai d'interprétation*, dans *Revue d'Histoire de la Spiritualité*, 48, 1972, 3, p. 257-273.

— *« Discretione praecipuam ». A quoi Grégoire pensait-il ?* dans *Benedictina*, 22, 1975, p. 325-327.

— *Grégoire le Grand, lecteur de Grégoire de Tours ?* dans *Analecta Bollandiana*, 94, 3-4, 1976, p. 225-233.

— *Benoît, modèle de vie spirituelle d'après le deuxième livre des Dialogues de saint Grégoire*, dans *Collectanea Cisterciensia*, 38, 1976, 3, p. 147-157.

°WALTHER M., *Pondus, dispensatio, dispositio. Werthistorische Untersuchungen zur Frömmigkeit Papsts Gregors des Grossen*, Kriens, 1941.

WASSELYNCK H., *La part des Moralia in Iob de saint Grégoire le Grand dans les Miscellanea victorins*, dans *Mélanges de Science religieuse*, 10, 1953, p. 287-294.

— *Les compilations des Moralia in Iob du VIIe au XIIe siècle*, dans *RTA*, 29, 1962, p. 5-32.

— *Les Moralia in Iob dans les ouvrages de morale du Haut Moyen Age latin*, dans *RTA*, 31, 1964, p. 5-13.

— *L'influence de l'exégèse de saint Grégoire le Grand sur les commentaires bibliques médiévaux*, dans *RTA*, 32, 1965, p. 157-205.

— *Présence de saint Grégoire le Grand dans les recueils canoniques (X-XIIe siècles)*, dans *Mélanges de Science religieuse*, 22, 1965, p. 205-219.

°WEBER L., *Hauptpfragen der Moraltheologie Gregors des Grossen. Ein Bild altchristlicher Lebensführung*, coll. *Paradosis* 1, Fribourg en Suisse, 1947.

°WESTHOFF F., *Die Lehre Gregors des Grossen über die Gaben des heiligen Geistes*, Hiltrup, 1940.

WOLFSGRUBER C., *Die vorpäpstliche Lebensperiode Gregors des Grossen nach seinen Briefen dargestellt*, Vienne, 1886.

TABLE DES MATIÈRES

PREMIÈRE PARTIE

Finalité de la culture chrétienne

DEUXIÈME PARTIE

Structures de l'expérience chrétienne

CET OUVRAGE A ÉTÉ ACHEVÉ
— D'IMPRIMER EN AVRIL 1977 —
SUR LES PRESSES DE L'IMPRIMERIE
DE L'INDÉPENDANT A CHATEAU-GONTIER
DÉPOT LÉGAL - 2e TRIMESTRE 1977

Imprimé en France